헬라어 전통원문 직역

요한계시록 바른 주석

著者: 玉 正 男 사역자(목사)

♡ 벧후 1:15~21 ♡

바른복음 성경연구원

Literal of the Greek Textus Receptus

A true Commentary on the Revelation

by
Minister, Jeong-Nam Ok

PUBLISHED
by
THE TRUE GOSPEL BIBLE RESEARCH INSTIUTE
SEOUL, KOREA
2007

11:

15절 ▷ **그리고 그 일곱째 천사가 나팔을 부니, 또한 하늘에서 큰 음성들이 일어나 말하기를, 세상의 왕국들이 우리 주님과 크흐리스토스님 자신의 것이 되게 하시어, 그리하여 그 영원의 영원을 향하여 통치하시리라 하며,**

Καὶ ὁ ἕβδομος ἄγγελος ἐσάλπισεν, καὶ ἐγένοντο φωναὶ
그리고 그 일곱째 천사가 나팔을 부니, 또한 일어나 음성들이

μεγάλαι ἐν τῷ οὐρανῷ, λέγουσαι, Ἐγένοντο αι βασιλεῖαι
큰 안에 그 하늘에서, 말하기를, 되게하다 그 왕국들이

τοῦ κόσμου τοῦ κυρίου ἡμῶν, καὶ τοῦ χριστοῦ αὐτοῦ,
그 세상의 그 주님의 우리들의, 과 크흐리스토스님의 자신의,

καὶ βασιλεύσει εἰς τοὺς αἰῶνας τῶν αἰώνων.
그리하여 통치하시리라 향하여 그 영원들을 그 영원들의.

22:

12절 ▷ **'그러므로 보라! 내가 속히 간다. 그리고 나의 그 보상이 내게 있어, 각자에게 자신의 그 행위대로 나누어 주어질 것이다.**

Καὶ ἰδού, ἔρχομαι ταχύ, καὶ ὁ μισθός μου μετ' ἐμοῦ,
그러므로 보라, 내가(온다,간다) 속히, 그리고 그 보상이 나의 있어 내게,

ἀποδοῦναι ἑκάστῳ ὡς τὸ ἔργον αὐτοῦ. ἔσται.
나누어 주어질 각자에게 대로 그 행위, 일 자신의. 일것이다.

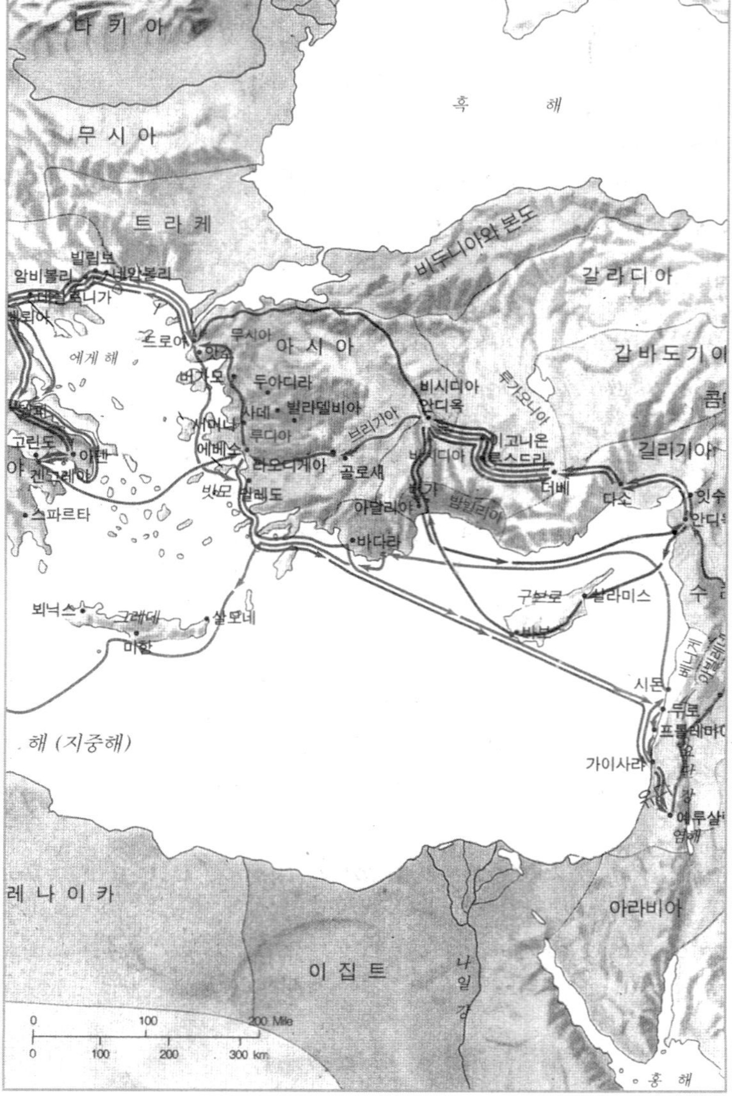

아시아 일곱 교회와 팥모스(밧모) 섬 위치

머 리 말

보통 일반적인, 계시록의 낱말과 문장의 뜻을 쉽게 풀이하는 주석 책이라면 새삼 출판할 필요가 없을 것이다. 왜냐하면 기존의 출판되어 있는 계시록 주석 또는 강해서들이 많기 때문에 또 하나의 그러한 책을 내면, 또 다른 한 사람의 견해와 주장이 더해질 뿐 오히려 더 복잡하고 혼란을 더할 뿐이기 때문이다.

그러나 본 주석을 집필하여 출판하지 않을 수 없었던 것은, 우선 한글이나 영어 등 번역되어 있는 성경 계시록의 말씀들이 헬라어 전통원문에 대조해 볼 때 너무나 차이가 많기 때문이다.

그러므로 계시록 본문의 말씀을 헬라어 전통원문에서 직접 한국어로 번역하고, 그 직역한 본문의 말씀으로 주석함으로, 계시록의 바르고 확실한 이해에 최선을 다하고자 한 것이다. 헬라어 원문 직역도 헬라어 전문 실력이 있다해서 바로 되는 것이 아니다. 주님의 은혜와 성령님의 도우심으로 되어짐을 필자는 절감하였다.

그리고 헬라어를 직역 한다해서 계시록을 바로 해석할 수 있는 것이 아니다. 하나님께서 선지자 다니엘을 비롯한 여러 선지자들과 사도들에게 계시하여 기록하게 하셨던 종말에 관한 예언의 말씀들과 하나님께서 최종적으로 세상에 보내셔서 친히 증거하게 하신,(히 1:1) 예수님께서 예언하신 말씀들을 통일되게 분별하는 영적지각을 열어 주셔야 하는 것이다. 특히 선지자 다니엘에게 계시하여 주셨던, 하나님께서 이스라엘과 예루살렘을 위하여 작정하신 70이레의 마지막 남은 한 이레(7년)에 대한 다니엘서의 말씀과, 그리고 예수님께서 예루살렘과 세상 끝의 재림의 징조에 대하여 예언하신 감람산 교훈에 대하여(마 24장, 막 13장, 눅 21장) 바로 분별하는 것은 계시록을 열어 바로 볼 수 있는 열쇠이다.

주님께서 불초한 종에게 크신 은총으로, 만 25년 전에 신학 졸업논문으로 '감람산 종말 성경예언'에 대하여 상고하게 하시고, 이후로도 끊임없이 주님의 빛과 안목으로 말씀을 분별하여 집필을 계속하여 오게 하셨다. 이제 최종적으로 출판하게 된 것이 본 저서 세트 Ⅰ, Ⅱ권 『바른 성경 바른 복음 바른 영성』과 『헬라어 전통원문 직역 바른 계시록 주석』이다.

또 하나의 출판 이유는 기존의 계시록 해석법으로 알려진 '과거적 해석법', '역사적 해석법', '미래적 해석법', '영적(관념적) 해석법' 등이 각기 편견 됨을 간파하고, 통합되고 통일되는 시각으로 볼 수 있게 된 사실이다.

뿐만 아니라, 예수님께서 전파하고 가르치신 바른 복음의 기반에 서서 계시록을 보고 해석하는 것이 중요하다. 왜냐하면, 세상에 오셔서 바른 복음(제 Ⅰ 권 내용)을 전파하신 예수님께서 계시록을 계시하여 주셨기 때문에, 예수님께서 증거하신(계시록에서 '예수님의 증거와 믿음' 이라 하였음) 바른 복음의 관점을 가져야 계시록도 바로 볼 수 있고, 주님의 의도에 맞게 해석할 수 있기 때문이다.

모쪼록 본서 '헬라어 전통원문을 직역' 한 『계시록 바른 주석』을 통해서, 계시록을 주신 예수님의 의중에 맞게, 참으로 계시록을 바르게 이해하고 깨달아, 시급히 다가오는 종말의 대환란을 두려워하거나 제대로 준비하지 않아, 그 때가 닥쳐서 허둥대는 자가 되지 않고, 주님의 지켜 보호하심을 받거나, 이기는 자가 되어 주님의 재림을 영광스럽게 맞이하고, 천년왕국에서 주님과 함께 복되고 거룩한 왕 노릇을 하며, 최후의 심판에서 둘째 사망 유황 불 못에 던져지지 않고, 영원한 새 하늘과 새 땅의 새 예루살렘에서 하나님을 섬기며 영원무궁토록 왕 노릇을 하는 승리와 복락의 기쁨을 쟁취하는 성도가 되도록 함에 이 책의 목적이 있다. 할렐루야! 아멘!

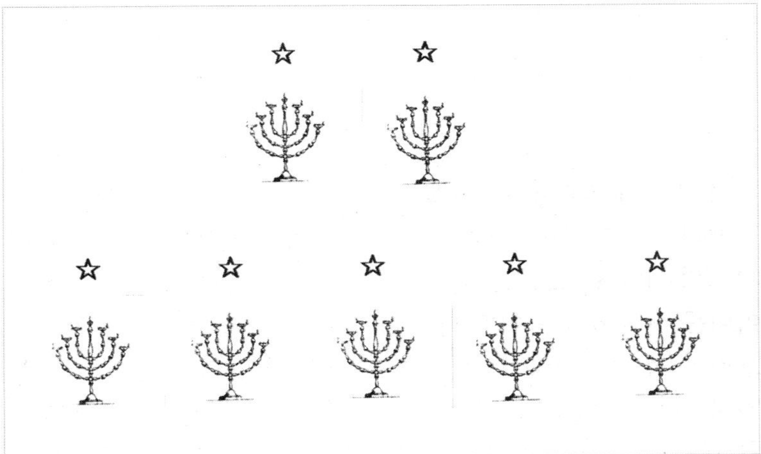

일곱 등대(교회)와 일곱 별(사자)

본 요한계시록 바른 주석은

1. 요한계시록 헬라어 전통원문을 직역한 말씀 본문으로 뜻이 풀이되고
2. 성경의 종말에 관한 예언을 바르고 확실하게 파악하여 뜻이 풀이되고
3. 다양 복잡한 요한계시록의 견해를 통일시키는 열쇠로 뜻이 풀이되고
4. 예수님께서 전파하고 가르치신 바른복음의 관점으로 뜻이 풀이되고
5. 복잡하지 않고 요점을 간명하면서도 아주 확실하게 뜻이 풀이되었다.

▶ I 권 바른성경 바른복음 바른영성을 먼저 상세히 읽은 후,
본 II 권 계시록 바른주석을 읽으면 더욱 바로 깨달아짐.

1. 요한계시록 헬라어 전통원문을 직역한 말씀 본문으로

하나님의 말씀인 성경을 바로 이해하기 위해서 무엇보다 먼저 갖추어야 할 사항은, 내가 보고 있는 번역된 성경 말씀이 영어이든 한국어이든 어떤 나라 성경이든, 원래의 원문(구약－히브리어, 신약－헬라어) 성경 말씀과 번역이 최소한 A^+ 정도로 일치한가를 확인해야 한다. 그렇지 않고 원래의 원문성경 말씀과 많이 차이나는 번역된 성경으로 아무리 성실히 해석하더라도 뜻은 아주 다르게 된다.

예를 들어 개역 한글성경 요한계시록 1:4절에 "이제도 계시고 전에도 계시고 장차 오실 이"라고 번역되어 있는데, 바르게 직역하면 "< τοῦ ὁ ὢν και ὁ ἦν καὶ ὁ ἐρχόμενος(투- 호 온 카이 호 엔 카이 호 에르크호메노스) **지금 계신 그분, 그리고 계셔오시**

는 그분, 그리고 오고 계신 그분>"으로 번역되어야 하는 것이다. 여기서 '장차 오실 이'라고 한 것과 '**오고 계신 그분**'이라 하는 차이는 어느 정도인가? 원어를 풀이한 요한계시록 주석들 중에 후자로 바르게 풀이는 하면서도, 개역 한글성경이 잘못 번역되어서 한국 기독교 신자들로 하여금 초대교회 성도들이 만날 때마다 '**마라나타**'(주님이 오십니다)라고 인사했다고 함같이 '**오고 계신 그분**'으로 인식하여, 주님의 재림에 대한 긴장된 기대감을 갖지 않게 한 번역상 폐해에 대하여 애타하여 지적하는 책은 볼 수 없는 것이다.

제 I 권 제1부 바른성경에서 밝히 제시한 바와 같이 성경 원어 사본상의 차이 문제보다, 정말 더 심각하고 중대한 문제는 개역 한글성경이 헬라어 전통원문에서 직역하지 않은데서 온 말씀의 혼미함이다. 사사시대와 같이 한국교회에 왕(**표준원문 직역**)이 없으므로 누구든지 성경을 자기 생각에 편리한 대로 제 각각 해석하고 있는 것이다.(삿 21:25 ← 직역) 세상에 어떤 종교(예; 불교나 이슬람교)에 그 경전이 기독교처럼 다양하게 번역되어 사용되고 있는 종교가 있는가? 정말 통탄할 일이다.

본서는 이점을 통감하여 미말의 종이나, 전적 주님께서 주신 은혜로 헬라어 원어 전통원문 성경을 직역하게 되어, 직역한 본문 말씀으로 풀이한 요한계시록 주석을 집필하게 된 것이다.

2. 성경의 종말에 관한 예언을 바르고 확실하게 파악하여

계시록은 종말에 관한 예언의 말씀이 주류임으로, 성경 전체에서 기록된 종말에 관한 예언을 바르고 확실하게 파악하지 못하고 요한계시록만으로 해석하면 바로 해석할 수 없는 것이다. 이사야 46:10절에 "내가 종말을 처음부터 고하며 아직 이루지 아니한 일을 옛적부터 보이고 이르기를 나의 모략이 설 것이니 내가 나의 모든 기뻐하는 것을 이루리라 하였노라"고 하셨듯이, 종말은 창조를 시작하신 일을 기록한 창세기부터 예언되어 있는 것이다. 유대 랍비들도 말한바 창조하신 6일은 인류역사가 6,000년이 될 것을 예표한 것이며, 7일째 안식일은 천년왕국이 될 것을 예표한 것이라고 함이다. 그리고 하나님께서 노아 600세 때에 홍수로 세상을 심판하신 것도 동일한 예표이다.

여기서 한 가지 특기할 것은, 예수님께서 "**율법과 선지자는 요한의 때까지요**"라고 하신 말씀이다.(눅 16:16) '율법과 선지자'는 구약을 말하는 것으로, 예수님의 말씀에 의하면 구약시대가 침례(세례) 요한이 옥에 갇히게 되고 예수님께서 사역을 시작하신(막 1:14, 15) 주후 27년 전까지라고 보는 것이 합당하다.

특히 예수님께서 선지자 다니엘이 말한 바 종말에 관한 예언을 들어 말씀하셨지만,(마 24:15) 종말의 역사와 때에 관하여 다니엘이 받은 계시와 기록은 너무나 정확하고 중요한 것이다.

본 저자는 1980년부터 지금까지 종말 성경예언 성취에 대하여 끊임없이 상고하여 오고 저술도 하였으므로 웬만큼 파악하고 있다고 확신한다. 그러므로 계시록을 또한 바르게 해석할 수 있다고 확신한다. 이 계시록 저술은 적어도 25년 간 상고하고 축적하여 온 말씀의 결실인 것이다. 전적 주님의 은혜이다.

3. 다양 복잡한 계시록의 견해를 통일시키는 열쇠로

계시록은 기록할 당시 이루어지지 않은 예언의 말씀이 대부분이며, 그런데다 많은 것을 표징으로(상징이 아님) 나타내 보이셨기 때문에 해석이 다소 어려운 것이다. 그러나 계시록 자체에서 표징들을 바로 해석까지 하여 주신 경우가 많으므로 그렇게 어렵지만은 않은 것이다. 신구약 주석을 다 집필한 죤 칼빈이 계시록만은 집필하지 않은 이유의 하나는, 계시록의 많은 것들을 상징으로 보고 그 난해함 때문인 것 같으며, 또한 당시 개혁자들의 보편적 정서에 계시록을 멀리한 경향 때문인 것 같다. 그러나 계시록은 언제까지 닫혀 있을 말씀이 아니다.(단 12:4~10, 계 22:10)

실로 계시록의 해석은 사람마다 다양하고 복잡하다. 그렇기 때문에 일반 신자만 아니라 목회자들까지도 너무나 머리가 아플 정도이다. 그러하므로 계시록은 더욱 경원시 되고 차라리 덮어두려고 하는 경향인 것이다. "계시록을 안 가르치고 몰라도 구원은 받으니까(?)" 과연 그러할까? 계시록을 바로 알면 결코 그렇지 않다. 마귀의 술책에 넘어져서는 안 된다. 정신을 차리고 영으로 분별토록 해야 살 수 있다.

계시록을 보는 대표적 4대 관점이 있다. 과거적 해석법, 역사적 해석법, 미래적 해석법, 그리고 영적(관념적) 해석법이다. 네 해석법은 마치 각자가 집을 각각 네 면에서 보고 각자의 관점에서 이 집은 어떤 집이라고 말하듯이, 집이라고 하는데는 일치하나 어떤 집이라고 하는 세부적인 내용에 대해서는 말이 일치하지 않는 것과 같다. 오늘날 기독교의 계시록에 대한 견해가 그러하다.

그러나 열쇠를 가지고 문을 열고 들어서서 보면 집안 사면이 한꺼번에 보이며, 집의 내용 구조와 꾸밈이 어떠하며, 어떤 목적으로 지은 집인지를 단번에 알 수 있고, 말할 수 있는 것이다. 계시록도 열쇠를 가지고 열고 들어서서 보면 그렇게 명확하다.

본서는 다양하고 복잡한 계시록의 주요한 견해들을 하나로 통일시키는 열쇠로 명료하게 설명한다. '예수님의 감람산 종말 예언 성취에 대하여' 연구하면서 깨닫게 된, 예언의 열쇠가 무엇임을 알기에 모든 분분한 견해들의 일치를 기할 수 있게 된 것이다.

계시록은 주후 67년 기록할 당시 예수님께서 감람산에서 말씀하신 예루살렘 멸망의 징조가 이미 시작되어 진행중이었던(1:1절 원어 직역) 긴박한 일들을 기록하게 하셨고, 그리고 선지자 다니엘이 받은 계시 중에 하나님께서 택한 이스라엘 백성과 예루살렘을 위하여 마지막 종말까지 작정하신 70이레의 마지막 한 이레(7년)에 되어질 일들을(단 9:23~27) 계시하여 기록하게 하신 것이다. 그러므로 이 두 가지 예언의 관점에서 열쇠를 발견하고 계시록을 열어 보아야 하나님의 관점에서 바로 볼 수 있다. 여기에 계시록을 바로 푸는 열쇠가 있는 것이다.

4. 예수님께서 전파하고 가르치신 바른복음의 관점으로

또한 제 I 권 제2부 바른복음에서 밝혔듯이 예수님께서 전파하고 가르치신 복음의 관점대로 요한계시록을 보고 풀이하지 않으면 주님의 의도에 일치할 수 없는 것이다. 왜냐하면 요한계시록은 마태 마가 누가 요한복음에 기록된 하나님 왕국복음의 말씀을 전파하고 가르치신 바로 그 예수님께서, 하나님의 영원한 왕국이 최종적으로 어떻게 완성되는 것을 천사를 통해 사도 요한에게 계시하여 주신 말씀이기 때문이다.

그러므로 사(4)복음서에 기록된바 예수님께서 이 땅에 오셔서 전파하고 가르치신 하나님의 왕국의 복음을(막 1:15; 눅 4:43) 바로 깨닫지 못하고 요한계시록을 풀면 정확(正確) 할 수 없고, 주님의 의도에 일치할 수 없는 것이다. 마태 마가 누가 요한의 사(4)복음서와 요한계시록은 한 맥락 한 목표라야 한다. 이렇게 예수님께서 전파하고 가르치신 바른복음의 관점을 알고 요한계시록을 보면 너무나 바르고 확실게 보임을 체득하게 되며 말할 수 없는 보화를 발견한 기쁨으로 주님께 영광을 돌리게 되는 것이다. **아멘!**

하나님의 왕국 완성은 창세기의 에덴동산에서부터 전 구약성경과 신약의 마태복음부터 계시록까지 일관된 하나님의 궁극적 계획과 목표임을 깨달아야 한다. 계시록은 하나님의 왕국 복음의 목표가 마지막에 어떻게 성취되며 완성되는 가를 보여 주신 것이다.

하나님 왕국의 복음을 전파하도록 세상에 보내심을 받았다고 하신 예수님께서(눅 4:43) 총독 빌라도에게 "나의 왕국은 이 세상에 속한 것이 아니라" 말씀하시자 "그러면 네가 왕이 아니냐?" 하니, "네 말과 같이 내가 왕이니라. 내가 이를 위하여 났으며 이를 위하여 세상에 왔나니 곧 진리에 대하여 증거하려 함이로라 무릇 진리에 속한 자는 내 소리를 듣느니라"고 말씀하셨다.(요 18:33~37) 자세한 것은 제 I 권 제2부 바른복음에서 밝혔지만, 그러므로 계시록의 주제는, 만왕의 왕으로 재림하시기(계 19:16) 직전 한 이레 곧 7년대환란 때에 세상(사탄) 왕국이 하나님과 어린양의 진노와 재앙으로 심판을 받아 하나님과 그리스도님의 왕국이 되는 최후의 종말에 되어질 일들을 계시하여 주신 것이다. 그러므로 계시록의 주제 성구는 계시록 11:15절인 것이다.

5. 복잡하지 않고 요점을 간명하면서도 아주 확실하게

요한계시록은 너무나 난해하다 보니 자칫하면 설명이 많아지고 혼미하게 여러 견해들을 등장시킴으로 더 복잡하게 되기 쉽다. 그러므로 말은 되도록 요점을 간략하고 명료하게 하고, 깨닫게 하시는 것은 진리의 성령님께 맡겨야 한다. 말이 간략 명료하다는 것은, 말의 수가 적다는 것보다 핵심이 일관되고 분명한 것을 말한다. 이것저것 말과 견해들을 자세하게 많이 설명한다고 해서 깨닫는 것이 아니다. 복음의 능력은 말의 지혜로움에 있지 아니하고 성령님과 능력과 큰 확신에 있는 것이다.(고전 2:1~5, 살전 1:5)

본서는 되도록이면 여러 학자들의 계시록의 다른 견해들을 동원하여 게재하지 않았다. 그렇게 하면 독자들로 하여금 오히려 혼란케만 하기 때문이다. 필자의 확신하는바 바른 견해만을 일관되게 설명하였다.

이 책의 양식을 간소하게 작게 하고 내용을 되도록이면 많아지지 않도록 힘쓰면서도 조금도 부족함이 없도록 심혈을 기울였다.

목 차

【 특주 차례 】

《부 록》 ☆ 설교 제목 차례 ☆

⊙ 일러두기 ⊙

① 제 I 권을 먼저 읽어서 바른 성경, 바른 복음, 바른 영성을 이해하고 본 제II권 계시록 주석을 읽음으로 원만한 이해를 기할 수 있다. 기독교의 기존 관념과의 사이에 진리의 보화를 찾고 구하는 자로서 많은 고민과 고통을 감내하는 자라야 찾을 수 있다.

② 매 번 읽기 전에 먼저 간절히 기도하고, 매 장 매 절의 직역 본문을 개역 한글성경 구절과 대조하여 한 자 한 자 세심히 읽는 것이 중요하다. 먼저 본문 말씀에서 성령님의 조명을 받아야 한다.

③ 중국어 성경에서 번역한 개역 한글성경의 중국어 발음 표기인 인명과 지명이 헬라어 발음과 너무나 차이가 많다. 본문에서는 직역임으로 헬라어 발음대로 표기하였으나, 주석 부분에는 기존 개역 한글성경의 명칭을 (　)안에 병기하였다. 다소 번거러워 보이나 그렇게 하지 않으면 알아보지 못할 정도로 차이가 남으로, 거부감이 없지 않을 것이지만 그렇게 하였다. 하나님의 말씀인 성경은 일 점 일 획도 틀림이 없는 완전한 말씀이라는 신념이 확실하다면, 거부감을 극복하고 오히려 바른 번역 표기를 감사하고 익숙하도록 노력해야 할 것이다. 본서를 다 읽을 즈음에는 바른 표기에 대한 거부감이 거의 사라질 것이다.

④ 헬라어 알파벧 발음 표기에 있어서 δ(d)와 θ(th)는 다른데 보통 다같이 (d－ㄷ)로 표기하지만, 필자는 'θ 는(ㅌ ㅎ)로 적고, κ(k)와 χ(ch)는 다름으로 'χ' 는 (ㅋ ㅎ)로 표기하며, π(p)와 ϕ(ph)는 발음이 같지 않음으로 'ϕ' 는 (ㅍ ㅎ)로. 그리고 ρ(r)와 λ(L)은 같지 않음으로 'λ' 은 (ㄹ ㄹ －초두에는 르ㄹ)로 표기하고, 그리고 ξ(ㅋ ㅅ)와 ψ(ㅍ ㅅ)로 표기하였다. 발음표기를 최선으로 바로 하려고 유의한 것이다. 헬라어 전문하신 분들의 이해

를 구하는 바이다.

⑤ 본서 계시록의 헬라어 직역이 바른가를 '스테판 원어성경(원어성서원)' 품사 분류를 따라 '옥스퍼드 원어 성경대전(제자원)' 과 '흐레마 종합 자료 씨리즈(임마누엘)' 계시록 책에서 확인하였다. 모든 단어 하나하나를 원어사전에서 확인하였다.

⑥ 본문 해석과 계시록 이해에 있어 보다 특별히 다루어야 할 주제 18가지를 별도의 주(注)로 설명하였다.

⑦ 각 장에서 교훈을 받고 설교를 작성하는데 도움을 주기 위한 각 장의 요점을 정리하여 일괄하여 볼 수 있도록 각 장의 주해 후미에 실었고, 또한 계시록 전체를 일괄하는 설교를 각 장에서 작성하여 부록『종합 설교집』으로 실었다.

⑧ 본서는 다독(多讀)보다는 정독(精讀)이 필요하다. 적은 부분을 매일 읽고 묵상하며 ¤ 감동과 기도 ☆ 부분에서 감동 받은 대로 기도하는 것이 풍성한 영의 영양(營養)이 될 것이다.

⑨ 본서에 나오는 인명이나 지명의 헬라어와 히브리어의 발음 표기와 성경의 해당 구절을 본서 후미에 실었다.

⑩ 확실한 종말에 관하여 이해를 돕기 위해 역사적으로 예언에 관한 확실한 몇 가지 자료를 후미에 게재하였다.

⑪ 책의 질을 높이고 편리한 소지를 위해 크기를 작게 하면서도 글자를 작게 하지 않고 선명한 서체로 한 것은 친근히 읽혀지도록 독자의 편의를 위한 것이다.

⑫ 제 I 권 바른성경 바른복음 바른영성과 함께 이 두 권으로 기독교 전반에 걸친 핵심적 진리 증거의 사명을 다하는 책으로, 그리고 작은 책으로 만들어 소지하여 늘 읽을 수 있는 헬라어 전통원문 직역 요한복음(일부), 요한1,2,3서, 유다서, 요한계시록 성경책을 함께 발행한다.

I. 계시록의 일반 서론

(여기서부터 인명과 지명의 헬라어 또는 히브리어 발음 표기를 병행함)

1. 기록한 사람 ▶ 사도 이오안네스(요한)

계시록을 기록한 사람은 사도 이오안네스(요한)이다. 이에수-스(예수님)의 열두 제자 중에 항상 세 번째 말해지고,

(마 17:1, 26:37, 막 13:3) 이아코보스(야고보)의 형제로서 페트로스(베드로)의 형제인 안드레아스(안드레)와 함께 갈릴라이아(갈릴리) 호숫가의 벧사이다(벳세다) 출신이다.(마 4:18~22, 요 1:44) 살로메를(막 16:1) "제베다이오스(세베대)의 아들들의 어머니"라 하고, 요한복음 19:25절에서 이에수-스(예수님)의 이모라고 하고, 이에수-스(예수님)께서 십자가 위에서 제자 이오안네스(요한)에게 어머니 마리아를 부탁하시면서 "보라 네 어머니라" 하셨으며, 그때부터 그 제자가 자기 집에 모셨다고 하였으니,(요 19:27) 이에수-스(예수님)과 이오안네스(요한)는 이종사촌인 듯하다. 이에수-스(예수님)의 제자 중에 가장 나이가 적었으며 —제자로 부름 받을 때 20~23세, 예수님 보다 7~8세 아래— 독신으로 살았고, 이에수-스(예수)님께서 페트로스(베드로)에게 이오안네스(요한)를 가리켜 "내가 올 때까지 그를 머물게 하고자 할찌라도 네게 무슨 상관이냐?"(요 21:22) 하신 바, 페트로스(베드로)는 주후 64년경 순교하였지만, 이오안네스(요

한)는 주후 100년경까지 에프헤소스(에베소)에서 장수하였다고 한다.

2. 기록한 시기 ▶ 주후 67년경

사도 이오안네스(요한)가 팥모스(밧모)섬에서 계시록을 기록한 때를 네론(네로) 황제 때인 주후 67~68년으로 보는 견해와, 도미티안 황제 때인 주후 95-96년으로 보는 두 견해가 있는데, 계시록을 해설하는 거의 모든 필자들은 후자로 본다. 네론(네로) 황제 때로 보지 않는 첫째 이유는 네론(네로) 황제 때는 기독교에 대한 박해가 그렇게 심하지 않았다는 것이다.

그러나 사도 파윌-로스(바울)가 주후 61년경부터 로마 옥중에 감금되기 시작하여 네론(네로) 황제 때인 주후 67년경에 순교하였고, 사도 페트로스(베드로) 역시 네론(네로) 황제 때인 주후 64년에 순교한 것이 확실하다. 《성서대백과. 기독지혜사. 1979. P.268》

이때가 사도 이오안네스(요한)의 나이 60대였다. 신약성경이 이오안네스(요한)가 기록한 것 외에 모두 주후 51~68년 사이에 기록되었는데, 사도 이오안네스(요한)가 기록한 요한복음과 요한1.2.3서와 계시록만은 기록시기를 주후 85~96년으로 보는 것은 계시록을 주후 96년에 기록하였다고 생각하기 때문이다. 주후 96년은 사도 이오안네스(요한)의 나이가 약 93여세였으며 97세(A.D.100년경)까지 살았다고 하는데, 성령님께서 주후 70년 히에루살렘(예루살렘) 멸망 전 다른 사도들이 복음전도 활동을 하고 신약성경을 다 기록하게 하시던 주후 51~66년까지 어찌하여 사도 이오안네스(요한)만은 아무 사역도 하지 않고 있었다는 말인가? 요한복음과 요한 1,2,3서의 기록시기를 왜 주후

85~90년으로 추정하는가? 그것은 계시록 기록시기를 주후 96년으로 보기 때문이다. 사도들의 사역 기간(주후 67년 이전)과 그 이후 주후 85년까지 다른 주요 사도들은 복음전도 활동을 하고 성경을 다 기록하였는데 어찌하여 사도 이오안네스(요한)만은 아무것도 하지 않고 있다가 죽기 몇 년 전 93여세 때 귀양을 가서 계시록을 기록하였다는 말인가? 이것은 사리에 맞지 않는 것이다. 하나님의 일은 인간의 사리에 다 맞는 것은 아니지만 그렇다고 하나님은 정당하고 올바른 사리에 맞지 않게 하시지 않는 분이시다.

확실하지 않은 요한복음과 요한1.2.3서의 기록시기도 사도 파월-로스(바울)의 순교 전에 신약성경이 거의 모두 기록된 주후 66년과 계시록의 기록시기인 주후 67년 전으로 봄이 합당하다. 성령님께서 신약 다른 성경은 모두 주후 70년 히에루살렘(예루살렘) 멸망 이전에 다 기록하게 하셨는데 요한복음과 요한1.2.3서 그리고 계시록만 주후 90년 전후에 기록하게 하셨다는 것은 사리에 맞지 않는 것이다. 다른 사도들은 주후 70년 이전에 사역을 다 마치고 순교까지 하였는데 사도 이오안네스(요한)는 그때까지 마리아를 모시는 일 외에 아무것도 하지 않았다는 말인가?

그리고 계시록의 기록 시기를 주후 95-96년 후기로 보는 또 한가지 이유는 주후 66-68년으로 보면 이때는 에프헤소스(에베소) 교회를 비롯한 교회들이 계시록 2~3장의 말씀처럼 그렇게 타락된 때가 아니라는 것이다. 그러나 이것도 맞지 않는 것은, 사도 파월-로스(바울)께서 주후 55년경 코린트호스(고린도) 교회에 보낸 서신에서 그때에 자신을 크흐리스토스(그리스도)님의 사도라 가장하는 거짓 사도들이 있다고 하였으니,(고후

11:3) 그때부터 12년 후인 주후 67년경 계시록을 기록하던 당시 코린트호스(고린도)에서 에게해 바다 맞은 편 에프헤소스(에베소) 교회가 거짓 사도들을 찾아내는 일 때문에 사랑을 잃어버렸다는 주님의 말씀이 합당하지 않은가? 주후 67년경 에프헤소스(에베소) 교회가 주님의 말씀처럼 그렇게 되지(타락하지) 않았기 때문에 계시록의 기록시기는 주후 67년경이 될 수 없다는 견해는 합당치 않은 것이다.

사도 파월-로스(바울)께서 주후 56년경 에프헤소스(에베소)를 떠나면서 장로들을 불러 흉악한 이리가 들어와 양떼를 아끼지 않고, 너희 가운데서도 그릇된 자들이 일어날 것이라 예고하였고,(행 20:29~31) 주후 56년경에 갈라티아(갈라디아) 지방 여러 교회들에게(갈 1:2) 보낸 서신에서도 "우리가 전한 복음을 속히 떠나 다른복음을 좇는 것을 내가 이상히 여기노라"(갈 1:6) 하고 "다른복음을 전하면 저주를 받을지어다"라고 두 번이나 거듭 말하였으니(갈 1:8,9) 어찌 이때로부터 11여년이 지난 67년경에 아시아 일곱 교회가 타락하지 않았다고 할 수 있는가? 더욱이 계시록의 말씀은 예언의 말씀이며, 사도 이오안네스(요한)가 주후 69년경부터 에프헤소스(에베소) 교회에서 30여년을 목회하였다고 하니《요한계시록 주해, 1994, 손기태 박사, P,42》사도 이오안네스(요한)의 60대인 주후 67년에 계시록을 기록하였다는 것이 증명된다.

과거론의 견해는 11:1~2절에 성전과 제단과 그 안에서 경배하는 자들을 측량하고 성전 밖에 있는 뜰은 측량하지 말라 하고, 그것을 이방인들에게 주었으므로 그들이 마흔 두 달 동안 거룩한 도성을 짓밟을 것 < *πατήσουσιν*(파테수신)← **미래형임** > 이라 하였으므로, 당시는 히에루살렘(예루살렘) 성전이 주후 70년에 파멸되기 전이었기 때문이라고 하여 계시록 기록시기를 주후 67~68년이라고 하나, 그러나 11:1~2절의 성전은 마지막 한 이레(7년)에 세워질 환란성전인 것이다. 계시록의 이 성전을 주후 70년에 멸망한 히에루살렘(예루살렘) 성전으로 보고 계시록 모두를 과거적으로 보는 것은 아주 잘못된 것이다.

그리고 현존하는 신약시대 저술 중 가장 오래된 무라토리 단편(Muratorian Fragment A.D.180~190)에는 파월-로스(바울)가 (A.D. 67년 순교) 이오안네스(요한)를 본받아 일곱 교회에 서신을 보냈다는 기록이 나타나는 것도 계시록이 주후 70년 히에루살렘(예루살렘) 멸망 전에 기록되었다는 한 증거가 될 수 있다.

본 저자가 계시록의 기록시기를 주후 67년으로 보는 가장 확실한 증거는 계시록 1:9절에 "하나님의 말씀과 예수의 증거를 인하여 팥모스(밧모)라 하는 섬에 있었더니"에서 헬라어 성경 원어를 직역하는 중에 " ***ἐγενόμην ἐν τῇ νήσῳ τῇ καλουμένῃ Πάτμῳ, δια τὸν λόγον τοῦ θεοῦ καὶ διὰ τὴν μαρτυρίαν Ἰησοῦ χριστοῦ*** **<하나님의 말씀과 예수 그리스도님의 증거를 위하여 팥모스라 하는 섬에 오게되었는데>**"라고 번역됨에서 알게 된 것이다. '있었더니' 라고 번역한 헬라어 ***ἐγενόμην***(에게노멘)은 '오게되다' 의 직설 과거 중간디포로서 '중간디포' 라는 것은 **자신을 위한 자발적 행동**을 말하는 것이다. 그러므로 사도 요한이 팥모스(밧모) 섬에 오게 된 것은 타의에 의해 온 것이 아니라 '자신을 위하여 자발적으로 오게 되었다' 고 한 것이다.

그러면 주후 67년경 사도 이오안네스(요한)가 왜 팥모스(밧모) 섬에 자신을 위하여 자발적으로 왔었다는 말인가? 당시 흐로메(로마) 황제인 네론(네로)은 주후 64년 7월에 흐로메(로마)

시 반이나 태운 화제의 누명을 기독교인들에게 씌어 포학한 박해를 감행하여 사도 페트로스(베드로)는 그때 64년에 순교를 하게 되고, 66년에는 3년 6개월간 이우다이오스(유대인)들의 굉장한 반란이 일어나 네론(네로) 황제는 쉬리아(수리아) 총독 베스파시안을 군대와 함께 이우다이아(유다)와 히에루살렘(예루살렘)에 보내어 진압하도록 명령을 내렸던 것이다. 그리고 66년에는 네론(네로)은 다시 격렬한 잔인성이 발작하여 68년 6월 9일 자살하기까지 기독교인들에게 혹독한 박해를 가하였다. 이때 67년에 사도 파윌-로스(바울)도 순교하게 된 것이다.

그러므로 주후 67년, 이에수-스(예수님)의 주요한 네 사도 중에 이아코보스(야고보－주후 38~40), 페트로스(베드로－주후 64), 파윌-로스(바울－주후 67)가 순교하고 이오안네스(요한) 자신만 남게 된 즈음에 주후 66년부터 이우다이아(유다)와 히에루살렘(예루살렘)은 흐로메(로마) 군대에 의해 극심한 전쟁에 휘말려 있고, 흐로메(로마)제국 전역에서 네로의 박해가 극도를 치닫고 있던 시기에 에프헤소스(에베소)에서 이에수-스(예수님)의 모친 마리아를 모시고 있던 사도 이오안네스(요한)는 에프헤소스(에베소) 앞 약 65km 거리 에게해에 있는 팥모스(밧모) 섬에 특별히 기도하려 자발적으로 왔던 중에 주님으로부터 계시를 받아 계시록을 기록하게 된 것이다.

계시록 1:1절에 한글 개역성경에 "반드시 속히 될 일을 그 종들에게 보이시려고"라고 번역된 헬라어도 <*δεῖξαι τοῖς δούλοις αὐτοῦ ἃ δεῖ γενέσθαι ἐν τάχει*(데이크사이 토이-스 둘로이스 아우투- 하 데이- 게네스트하이 엔 타크헤이) **속히 되어지기 시작해야 했던 일들을 자신의 종들에게 보이셨고**>라고 번역해야 하는 것이다. 사도 이오안네스(요한)가 받은 계시는 앞으로 될 일만 아니라 당시 되어지기 시작했던 일들로서 종들에게 보이셨고, < *γενέσθαι* 게네스트하이← **부정 과거 능동** > 그리고 주후 70년 히에루살렘(예루살렘) 멸망 후 앞으로 영원한 새 하늘과 새 땅에서 완성될 되어질 일들까지 기록하게 하신 것이다. 그러므로 계시록은 주후 70년 8월 17일 히에루살렘(예루살렘)이 완전히 멸망하기 전 이미 주후 63년부터 멸망의 징조로 시작된 일들로부터 계시하여 주신 것이다.

그러므로 계시록의 기록 시기는 계시록의 과거론의 견해와 같이 주후 67년으로 보는 것이 합리한 것이다. 전승(傳承)에 사도 이오안네스(요한)의 말년인 주후 96년경 도미티안 황제(히에루살렘을 멸망시키고 부친 베스파시안 황제 다음으로 황제가 된 타이투스의 형으로 기독교를 박해한 잔인한 황제였음) 때 팔모스(밧모) 섬에 귀양 갔다는 말이 있어 그때에 계시록을 기록했다고 거의 모든 이들이 그렇게 말하나 물론 그때에도 극심한 박해가 있었으므로 귀양을 갔겠지만, 이때는 사도 이오안네스(요한)의 나이가 임종을 곧 앞둔 90세가 넘은 때로서 계시록 기록 시기에 합리하지 않은 것이다.

이 기록한 때의 문제는 계시록을 바로 이해하는데 근거가 됨으로 상당히 중요한 것이다. 그러므로 본 집필자는 사도 이오안네스(요한)가 계시록을 기록하게 된 때를 극심해진 네론(네로) 황제의 박해와 흐로메(로마) 군대의 참혹한 이우다이아(유대) 전쟁과 히에루살렘(예루살렘) 침략, 그리고 사도 파윌-로스(바울)의 순교 소식을 듣고 전 세계 기독교가 참으로 심각한 핍박을 받고 있는 정황에서 팔모스(밧모) 섬에 특별히 기도하려 갔을 때인 사도 이오안네스(요한)의 나이 60세 경인 주후 67년경으로 보는 것이다.

3. 기록한 장소 ▶ 팥모스(밧모)섬

계시록을 기록한 곳은 팥모스(밧모)라 하였으니(계 1:9) 이론의 여지가 없는 것이다. 팥모스(밧모) 섬은 지중해에 있는 섬으로서 해안의 굴곡이 심하고 산이 많은 섬으로서 길이는 약 16km, 폭은 약 10km로서 그렇게 크지 않은 섬이며, 흐로메(로마)제국 시대에는 유배지로 사용되었다. 중세기의 이탈리아인들에 의해 팔모사(Palmosa -종려나무 섬)로 불리어졌다고 한다.

16세기에는 터어키의 지배하에 들어갔으며, 1912년 이후에는 이탈리아에 귀속되었고, 1947년에 이 섬은 그리이스에 다시 양도되었다. 현재 그 남쪽 지역에 '계시의 굴' (The Grotto of the Apocal-ypse)이라는 굴이 있고 사도 이오안네스(요한)의 수도원이 세워져 있어 계시록과 관련된 특별한 성지로 많은 순례자들이 찾는다.

4. 기록한 목적

당시 흐로메(로마) 제국 네론(네로) 황제의 기독교인들에 대한 처참한 박해와 이우다이아(유다) 전역이 참혹한 전쟁으로 폐허화 되어가고 있었으며, 사도 이오안네스(요한)가 이에수-스(예수)님께서 엘라이아(감람)산에서 히에루살렘(예루살렘)의 멸망과 세상 끝에 주님의 재림에 대하여 말씀하신 것이 긴박하게 성취되기 시작한 것을 보며 기도하던 중, 교회들로 하여금 이에수-스(예수)님으로부터(계 1:5) 속히 사탄의 하수인인 세상왕국이 심판을 받고, 세상왕국들이 하나님과 크흐리스토스(그리스도) 이에수-스(예수)님의 왕국이 되어 영원무궁토록 다스리게 될 것을 성도들에게 알림으로,(계 11:15) 격려와 소망으로 환란을 견디고 이기는 자 되어 영광에 참예하는 자 되도록 하기 위한 계시를 받아 기록하게 되었던 것이다.

또한 계시의 근원자이신 하나님은 창조부터 영원한 계획이신 복되고 영광스러운 하나님의 왕국 건설이 에덴 동산에서 사탄의 방해로 지연되어 왔으나, 종말에는 마침내 사탄이 다스리는 세상 왕국이 심판을 받고, 하나님의 왕국이 완성되어짐을 보여주시기 위함이었던 것이다. 하나님께서 지으신 사람이 범죄 타락하여 에덴 동산 낙원의 생명나무에서 쫓겨났으나(창 3:22~24) 마침내 생명나무로부터 먹도록 더 영화로운 영생복락의 왕국에 들어가게 하시는 복음의 성취되는 것을(10:7, 22:1~7) 보여 주신 것이다.

5. 기록 대상자

계시록은 어떤 누구를 대상으로 기록하여 보낸 것인가? 직접적으로는 당시 아시아에 있는 일곱 교회에 보내라고, 계시해 주시는 주님께서 말씀하셨기 때문에(계 1:11) 이론의 여지가 없다. 그러면 계시록의 말씀은 당시 아시아의 일곱 교회에만 필요한 말씀이었는가? 당시 아시아에만도 콜라사이에스(골로새) 교회(골1;2), 히에라폴리스(에라볼리) 교회(골 4:13), 밀레토스(밀레도) 교회(행 20:17), 트로아스(드로아) 교회(행 20:5~12) 막네시아, 트랄레스(이상 두 교회는 익나티우스 서신에 언급됨) 등 20여 교회가 있었고 마케도니아(마게도냐) 지방에도 프힐맆포이(빌립보) 교회, 코린트호스(고린도) 교회, 트헤쌀로니케(데살로니가) 교회 등도 있었으며, 흐로메(로마)에도 여러 교회가 있었다.(롬 1:7) 주님께서 아시아에 있는 일곱 교회에 주시는 말씀 말미마다 "귀를 가진 자는 누구든지 성령께서 교회들에게 하시는 말씀을 들으라"고 명령하셨다.(계 2:7, 11, 17, 29, 3:6, 13,

22) 그러므로 계시록은 아시아 일곱 교회에만 아니라 당시의 모든 교회들이 읽고 듣고 지켜야 할 말씀이었으며, 그 당시 되어지기 시작했던 일들에 대한 말씀만 아니라 세상 끝 날까지 되어질 일들과 영원한 새 하늘과 새 땅, 새 예루살렘에 대한 예언의 말씀이기 때문에 세상 마지막까지 있을 모든 교회 성도들에게 주시는 말씀으로 기록하게 하신 것이다. 아멘!

¤ 감동과 기도 ☆

6. 여러 해석법

계시록의 여러 해석법과 관점이 있으나 대표적 네 가지 해석법은,

1〉 **과거적 해석법**/ 계시록을 기록한 당시로부터 가까운 시대에 이루어질 일로(오늘에서 볼 때 과거에 이루어진 일로 봄으로 과거적 해석법이라 함) 계시하신 것으로 간주하고 해석하는 방법이다. 예를 들면 네론(네로) 황제의 박해(A.D.63~68), 이우다이오스(유대인)의 반란(A.D.66~68), 히에루살렘(예루살렘)의 멸망(A.D. 70), 도미티안 황제의 박해(A.D.81~98), 흐로메(로마)의 멸망(18장), 새 하늘과 새 땅의 출현도(21~2:5) 오래지 않아서 올 사실로 기록한 것이라고 하는 해석법이다. 계시록은 흐로메(로마)제국과 이우다이스모스(유대교)로부터 박해를 받은 당시 기독교인들을 격려하기 위해 기록된 것이라 하는 것이다.

계시록 전부를 과거적으로 보고 해석하는 이유는 22:7, 12, 20절에 "보라! 내가 속히 간다"고 강조하셨기 때문에 계시록 전부는 계시록 기록 이후 오래지 않아서 다 이루어진 것으로 보는 것이다. 그러나 이것은 주후 70년 히에루살렘(예루살렘)이 멸망한 후 이방인의 때(구원받는 수)가 찰 때까지 기간이 있다는 것

과,(눅 21:24) 이방인의 때가 왜 지금까지 이토록 지연되어 왔는가에 대한 해답을 모르기 때문에 그렇게 주장할 수밖에 없는 것이다.

2〉 **역사적 해석법**/ 계시록을 기록한 당시로부터 세상 끝에 이르기까지 역사 가운데 되어질 중요한 일들을 미리 보여준 것이라고 해석하는 방법이다. 그러나 이 해석법에서 학자에 따라 계시록의 내용이 어느 시대 어떤 일을 가리킨 것인지에 대하여 일치하지 않고 의견이 분분한 것이다.

이 해석법은 계시록을 어느 하나 확실히 알 수 없는 미궁의 숙제로 남기는 결과를 낳을 뿐이다. 그래서 지지를 받지 못한다.

3〉 **미래적 해석법**/ 이 해석법은 계시록 4장부터를 크흐리스토스(그리스도) 이에수-스(예수)님의 재림 직전에 되어질 일들로 해석하는 것이다. 이 해석을 취하는 사람 중에는 계시록의 대부분인 19:10절까지를 이에수-스(예수)님의 공중재림과(살전 4:17을 공중재림으로 보고) 지상재림 사이 7년 간 지상에서 되어질 일이라 하는 것이다.

그러나 이 해석법을 따르는 대부분의 학자들이 다니엘이 받은 70주 계시의 남은 한 이레의 일에 대해서는 알고 말은 하면서도, 계시록을 이스라엘과 히에루살렘(예루살렘)을 중심한 한 이레에 되어지는 일로 이해하지 못하고 이방인 중심으로 해석하니 혼미한 것이다.

4〉 **영적인 해석법**/ 이 해석법은 계시록의 모든 상징이나 사실들은 특정한 역사상의 일 그 자체를 예언하고자 한 것이 아니라 신자 개개인의 영적 생활에 필요한 교훈을 위해 기록한 것으로 해석하는 것이다. '이 세상은 하나님과 사탄의 싸움터이며, 하나님의 백성은 사탄의 박해 밑에서 고난의 생애를 보내고 있지만,

미구에 이 세상은 심판을 받고, 크흐리스토스(그리스도) 이에수-스(예수)님의 재림으로 사탄과 이 세상은 멸함을 당하고, 새 하늘과 새 땅이 이루어질 것을 기록한 것으로 보아 주로 영적으로 해석하는 것이다.

그러나 모든 성경은 영적 교훈을 동반한 것임으로 영적 교훈으로 해석하는 것이 마땅하나, 그러나 되어지기 시작했고, 그리고 이후에 되어질 일을 계시하여 주신 계시록의 그 일들 자체를 유의하지 않고, 영적 교훈으로만 해석하는 것은 옳지 않다.

현재까지 전 세계 기독교의 계시록의 네 가지 대표적인 이러한 해석법은 각각의 견해와 주장이 너무나 첨예하여 도무지 일치를 이루지 못하고 혼돈 상태에 있다. 이 네 가지 해석법은 마치 건축된 한 건물을 앞면에서 보고 말하는 사람의 말과, 뒷면과 양 옆면에서 보고 건물이 어떻다고 하는 사람의 말이 각각 다르듯이, 각각 자기가 보는 관점에서 그것이 전체인양 주장하기 때문에, 한 건물에 대하여 그가 본 부분에서는 맞는 말이지만 전체적으로는 맞지 않는 것이다. 그러나 건물을 밖에서 본 사람이 열쇠를 가지고 현관문을 열고 건물 안으로 들어서서 보면, 건물의 앞뒤 좌우가 한꺼번에 보이고, 뿐만 아니라 그 집의 내막이 한눈에 다 보임으로, 건물의 구조만 아니라 어떤 목적으로 지어진 건물인지를 단 번에 알 수 있는 것이다.

계시록을 바로 볼 수 있어야 한다. 이렇게 보면 부분적으로 각각인 네 가지 해석법이 잘못 말하는 견해들로서 편견임을 알 수 있고, 네 가지 견해를 통일되고 일치 되게 볼 수 있으며, 소모적인 불필요한 논쟁이 사라지고 화합을 이룰 수 있는 것이다. 본서는 성령님께서 하나되게 하시는 이 일을 가능케 하는 것이다.

이를 위해서는 주님으로부터 열쇠를 받아야 하는 것이다.

7. 바른 해석법

계시록만 아니라 성경 전체를 바로 해석하는 방법이 어떤 것인가? 참으로 중요한 문제이다. 왜냐하면 누구를 막론하고 성경을 해석하는 모든 자들이 각자 자기는 성령님께서 알게 하여 주셔서 바로 해석한다고 하는데도 해석이 일치하지 않고 각양각색 다르다는 사실이다. 진리의 성령님께서 알게 하여 주신 것이라면 해석하는 뜻이 일치하고 하나라야 하지 않는가?

그러면 다양한 해석 중에 과연 어떤 해석이 참 성령님께서 알게 하여 주신 바른 해석의 진리일까 하는 것이다. 바른 해석의 진리는 둘도 아닌 오직 하나이기 때문이다.

그러므로 참 성령님에 의해 해석하는 자라면 오직 하나의 바른 해석에 일치해야 할 것인데, 그러면 그 하나의 일치된 바른 해석이라 판단할 수 있는 기준이 무엇이며 해석의 원리가 무엇인가 하는 것인가? 어떤 누구든지 자신은 성령님으로 진리를 말한다고 하지만 스스로가 바른 해석의 기준이 될 수 없다.

계시록을 바로 해석하기 위해서 알아야 할 네 가지 중요 사항은,

1〉 헬라어 전통원문을 직역하여 해석해야 바른 해석을 할 수 있다.

계시록 헬라어 원문과 다르게 번역되어 있는 말을 아무리 성경 관주로 잘 맞추어 그야말로 계시록을 '성경을 성경으로' 풀더라도 잘못되는 것이다. 필자가 바른성경을 강조하는 이유가 여기에 있다. 아무리 성경해석을 바로 하고 바로 가르치려고 해도, 성경 번역이 바로 되어 있지 않으면 바로 할 수 없고 본의 아

니게 잘못 가르치게 되는 것이다.

앞으로 계시록 본문 해석에서 명확하게 설명하겠지만 하나의 예를 들면, 계시록 1:1절에 한글 개역성경에 "반드시 속히 될 일을 그 종들에게 보이시려고" 라고 했는데, 헬라 원어 <δεῖξαι τοῖς δούλοις αὐτοῦ ἃ δεῖ γενέσθαι ἐν τάχει>에서 'δεῖ(데이-)' 는 '반드시 … 해야 한다, 틀림없다' 는 말이며, 'γενέσθαι(게네스트하이)' 는 '되다(되어지기 시작하다), 일어나다, 이루어지다' 는 말로서 품사가 동사 부정사 과거 중간디포임으로 '되어지기 시작했던' 이라고 해야 하며, 'ἃ(하)' 도 단수가 아닌 복수로서 '일들을' 이라고 해야 한다. 그러므로 주님께서 사도 이오안네스(요한)에게 계시를 주신 것은, 앞으로 '반드시 속히 될 일을 그 종들에게 보이시려고' 가 아니라 '틀림없이 속히 되어지기 시작해야 했던 일들을 자신의 종들에게 보이셨고' 그리고 천사를 보내셔서 이오안네스(요한)에게 기록하게 하신 것이다. 히에루살렘(예루살렘) 멸망후 26년이 지난 주후 96년에 계시를 주신 것이 아니고, 주후 67년경 주님께서 주후 30년경에 예언하셨던 히에루살렘(예루살렘) 멸망의 예언이 이미 성취되기 시작한 처참하고 긴박한 상황에서 주신 계시인 것이다. 그러니 번역을 어떻게 했는가에 따라 성경 해석이 완전히 달라지게 되는 것이다. 바른 성경해석에서 얼마나 중요한 일인지 강조하고 강조해도 당연하다고 생각한다.

2〉 이에수-스님께서 보내신 진리의 성령님의 인도하심이라야.

성경 말씀의 바른 해석의 대원칙은, 이에수-스(예수)님께서 보내신 진리의 성령님으로 되어져야 하는데, 진리의 성령님은 1〉이에수-스(예수)님의 모든 말씀을 가르치고 기억을 떠오르게 하시며(요 14:26) 2〉이에수-스(예수)님을 증거하고,(요 15:26) 3〉.진리로 인도하시는(요 16:13) 영이시다. 모든 성경 해석자들이 2〉와 3〉은 한다고 하지만 1〉은 하는 사람이 거의 없다.

이에수-스(예수)님께서는 총독 필라토스(빌라도)에게 "내가 왕이며 이를 위하여 났고 이를 위하여 세상에 왔다"고 하셨으며,(요 18:37) "나는 하나님의 왕국 복음을 전파하려 세상에 보내심을 받았다고 하셨다.(눅 4:43) 그리고 이에수-스(예수)님께서 갈릴리에서 복음을 전파하기 시작하셨을 때 "하나님의 왕국의 복음을 전파하시며"라고 한 것이다.(막 1:14) 그런데 개역 한글성경은 헬라 원어〈τὸ εὐαγγέλιον τῆς βασιλείας τοῦ θεοῦ〉' 에서 '왕국'〈 βασιλείας 바실레이아스〉을 빼버리고 '하나님의 복음을 전파하시며' 라고 하였다. 사복음서에 기록된 바와 같이 이에수-스(예수)님께서 가르치신 말씀들은 모두가 하나님의 왕국(천국 ←하늘의 왕국)과 이에수-스(예수)님 자신에 관한 말씀들이며, 사도 파월-로스(바울)도 하나님의 왕국과 주 이에수-스(예수) 크흐리스토스(그리스도)님에 관한 말씀을 주로 전파하고 가르쳤는데,(행 19:8, 20:21, 25, 28:23, 30~31) 오늘날 기독교는 죄인이 오직 믿음과 은혜로 구원받는 것만을 중점으로 전파하고 가르치고 있는 것이다. 이 중대한 문제에 대하여 제 I 권 바른 복음에서 자세히 서술하였으므로 유의하여 읽으시기를 바란다.

그러므로 요한계시록도 이에수-스(예수)님께서 전파하고 가르치신 하나님의 왕국복음과 크흐리스토스(그리스도) 이에수-스(예수)님께서 만왕의 왕되심,(계 17:14, 19:16) 그리고 구원받은 성도들이 하나님께로 향하여 왕들과 제사장 된 사실에 관한 말씀을(계 1:6) 원리로 해석해야 진리의 성령님의 인도를 받아 바로 해석할 수 있으며, 계시록을 계시하여 주신 분이 이에수-스(예수)님이시므로 이에수-스(예수)님의 의중에 맞게되는 것이다.

그러므로 계시록의 총 주제를 나타내는 말씀은 계시록 11:15절 말씀 "**세상의 왕국들이 우리 주님과 크흐리스토스님 자신의 것이 되게 하시어 그 영원(들)의 영원(들)을 향하여 통치하시리라**"(← 헬라어 직역)인 것이다. 이 주제를 기반으로 계시록을 해석해야 하나님의 의중에 합당하게 되는 것이다.

3〉 선지자 다니엘에게 주셨던 70주 계시의 마지막 한 이레를 알아야

다니엘이 받은 계시 중에 하나님께서 "네 백성(이스라엘)과 네 거룩한 성(예루솰라임)을 위하여 칠십 이레로 (종말까지)기한을 정하였나니"라고 하신(단 9:24~27) 것은 계시록을 바로 해석하는데 대단히 중요하다. 왜냐하면 주전 538년경 당시 이스라엘 백성이 바벨론에서 포로생활을 하고 있었는데 70년 포로생활을 마치면 고국으로 돌아가 예루솰라임(예루살렘) 성을 다시 건축하라는 왕의 영(令)이 날 것인데, 그때부터 기름부음 받은 자 곧 왕(예수님)이 일어나기(사역시작 주후 27년)까지 일곱 이레(7×7=49년)와 육십이 이레(62×7=434년)가 지날 것이며, 육십 구 이레(483년) 후에 기름부음을 받은 자가 끊어져 없어질 것이며,(십자가에 죽으심) 장차(주후 70년에 이루어짐) 한 왕(로마)의 백성이 와서 그 성읍과 성소를(예루솰라임) 훼파하여 끝까지 전쟁이 있고 황폐할 것이 작정되었느니라고 하신 것이다. 그리고 그(재생 로마-적그리스도)가 장차 많은 사람으로(이스라엘과) 더불어 한 이레(7년) 동안의 언약을 굳게 정하겠고,(성전을 세우게 하고) 그 이레(7년)의 절반에 제사와 예물을 금지할 것이며, 또 잔포하여 미운 물건(적그리스도 짐승의 형상)이 날개를 의지하여 설 것이며, 또 이미 정한 종말까지 진노가 황폐케 하는 자에게 쏟아지리라 하신 것이다.

계시록은 그 남은 마지막 한 이레(7년)에 되어질 일을 요한에게 자세하게 계시하여 기록하게 하신 것이다. 계시록 6~18장 중심부분이 마지막 한 이레(7년)에 이스라엘 백성과 예루살렘을 중심하여 전개될 일이다. 그러므로 계시록을 이 관점으로 보고 해석하지 못하면 계시록 7장에 왜 이스라엘 열두 지파만 인친다고 하셨는가를 바로 알 수 없다.

4〉 히에루살렘 멸망후 재림까지는 이방인들의 때가 있음을 알아야.

계시록을 바로 해석하는 중요한 열쇠 또 하나는, 이에수-스(예수)님께서 주후 30년에 말씀하신 히에루살렘(예루살렘)의 멸망과 세상 끝에 있을 이에수-스(예수)님의 재림의 징조에 대하여 마태(24장) 마가(13장) 누가(21장)의 기록한 말씀을 대조하여 면밀히 살펴서 열쇠를 찾아야 하는 것이다.

주후 30년에 이에수-스(예수)님께서 말씀하신 히에루살렘(예루살렘) 멸망은 40년 후인 주후 70년에 문자 그대로 역사적으로 정확하게 성취되었으며, 그리고 "히에루살렘(예루살렘)은 이방인들의 (구원받는) 때가 차기까지 이방인들에게 밟힐 것이다" 고 하신 데서(눅 21:24절에만 있음) 히에루살렘(예루살렘) 멸망의 징조와 세상 끝의 재림의 징조 사이에 시간적 공간이 있음을 아는 열쇠를 발견할 수 있어야 하는 것이다.

이 말씀은 또한 이방인의 때가 차면 히에루살렘(예루살렘)의

밟힘이 끝나 회복되어져서 성전이 다시 지어 질 것을 의미하는 것이다. 세상 끝에 이방인의 때가 끝날 즈음에 크게 배도하는 일이 있고, 거짓 적그리스도가 이스라엘과 한 이레 7년 평화조약을 맺어 히에루살렘(예루살렘) 성전을 다시 짓게 하는 것이다. 그러나 3년 반이 지나 사탄의 화신인 짐승 적그리스도가 성전에 앉아 자기를 하나님이라 하여 숭배를 받으며, 자기 이름의 표를 받게 하는 것이다. 이런 일이 있기 전에는 결코 주님께서 재림하시지 않는다고 사도 파월-로스(바울)께서 말씀하였다.(살후 2:1~8) 짐승 적그리스도가 더럽힌 히에루살렘(예루살렘) 환란 성전은 7년 대환란 후 이에수-스(예수)님의 재림 직전 아르마겔돈(아마겟돈) 전쟁 때에 다시 한 번 멸망되고 천년왕국의 성전이 지어지는 것이다.(겔 40:~48장) 종말 예언 성취에 대하여 15년 이상 연구하고 살펴서 저술을 한—종말 성경예언 성취 · 첫째 부활에 참예하는 자. 1995—필자는 히에루살렘(예루살렘) 멸망과 세상 끝의 재림의 징조를 말씀하신 예수님의 감람산 종말 예언과 요한계시록의 구도가 일치함을 명확하게 알게 된 것이다.

☼ 감동과 기도 ☆

주요 예언 구도의 일치함

B.C. 603년경 느부갓네살 신상	B.C. 550년경 다니엘이 본 이상	A.D. 30년경 예수님께서 예언	A.D. 67년경 예수님께서 계시
머리(금) **바벨론** B.C.605-539 (단 2:38) 어깨 가슴(은) **메데 파사** B.C.539-331 (단 2:39) 배,허벅지(동) **헬라제국** B.C.331-168 (단 2:39) 다리(철) **로마제국** B.C.168- (단 2:40) 서로마멸망 A.D.475 동로마멸망 (비잔틴제국) A.D.1453	**70이레정함** (단 9:24) ↓ 69이레 **성 중건령** B.C.457년부터 (단 9:25) ↓ 후 **왕이 일어남** (예수님공사역) A.D.27 **기름부은자 끊어짐**(예수 님 죽으심A.D.30) **예루살렘 멸망** (A.D.70) (단 9:26) **끝까지전쟁이있으리니황폐할것이작정되었느니라**(단 9:26)	예루살렘 멸망 징조 (눅 21:7-23) **예루살렘 멸망**(A.D.70) (눅 21:24) **이방인들의 때(수)가 차기까지 예루살렘은 이방인들에게 밟히리라** (눅 21:24) (롬 11:25)	되기 시작한일들을 (계 1:1, 19) (A.D.63) **첫째인부터 넷째인** (계 6:1-8) **다섯째인 순교자수 차기까지 잠시 쉬라** (계 6:9-11)
발,발가락 (반철반흙) **왕들의때** (단 2:41-44) 뜨인돌) **재림,부숨 왕국**(2:45)	한이레언약을맺음 **한이레언약** (단 9:27) **이레의절반** (9:27,12:7) **재림**(단 7:13) **왕국**(단 7:14)	세상끝과 재림징조 **해,달, 별에는징조가있겠고** (눅 21:25) **재림**(21:27) **왕국**(마 19:28)	이러한것들후에되려고하는 **해,달,별 어두워지고**(계 6:12) **마흔두달** (13:5)**재림** **왕국**(20:1-6)

이 도표는 성경에 기록된 주요한 네 예언이 히에루살렘(예루살렘) 멸망과 주님께서 재림하시는 직전 마지막 대환란 까지 놀랍게 그 시점이 정확하게 일치함을 보여 준다.

이에수-스(예수)님께서 인정하시고 인용하셨던 선지자 다니엘이(마 24:15) 해석한, 하나님께서 바뷜론(바벨론) 왕 네부카드네짜르(느부갓네살)의 꿈에 보여 주셨던 만들어진 사람의 큰 형상에 의하면 바뷜론(바벨론) 이후 흐로메(로마) 다음 세상 마지막에 온 세상을 다스릴 나라는 적그리스도의 왕들의 때라고 하신 것이다.

그리고 선지자 다니엘이 본 이상에서는 하나님께서 히에루살렘(예루살렘)을 위하여 세상 마지막까지 70이레로 기한을 정하셨다고 하신 것이다. 그 예언대로 주전 457년에 내린 아르탁흐솨쉬타(아닥사스다) 왕 7년의 제2차 귀환령(스 7:7~8)으로 히에루살렘(예루살렘)으로 돌아 온 에쯔라(에스라)와 백성들이 정확히 7이레(49년)만에 히에루살렘(예루살렘)성을 완전히 복구했던 것이다. 그리고 7이레와 62이레(434년)후에 기름부음을 받은 자 곧 왕이 일어날 것이라고 한 것은 이에수-스(예수)님께서 공생애를 시작하신 주후 27년과 69이레(483년)가 정확하게 맞는 것이다. 그리고 주후 30년 기름부음을 받은 자 이에수-스(예수)님께서 죽으실 것을 "62이레 후에 기름부음을 받은 자가 끊어져 없어질 것"이라 하였고,(단 9:26) 그리고 장차 한 왕의 백성이 와서 그 성읍과 성소를 훼파할 것이라 한 것은(단 9:26) 주후 67년 로마 네로 황제의 명령으로 베스파시안이 군대로 이우다이아(유대) 전역을 황폐화시키고 그의 아들 타이투스 장군의 군대에 의하여 히에루살렘(예루살렘)이 멸망할 것을 예언한 것인데 이 또한 정확하게 그렇게 되어진 것이다. 그리고 "끝까지 전쟁이 있으리니 황폐할 것이 작정되었느니라" 고 하였으니 (단 9:26) '끝까지' 라는 말은 주후 70년 히에루살렘 멸망 후에 세상 끝인 이에수-스(예수)님의 재림 직전까지 황폐 될 것을 말함이니 누가복음 21:24절에 "저희가 칼날에 죽임을 당하며< *πεσοῦνται*(페순-타이) **자결할 것이며**> 모든 이방에 사로잡혀 가겠고 히에루살렘(예루살렘)은 이방인들의 때(수-롬11:25)가 차기까지 이방인들에게 밟히리라" 한 이에수-스(예수)님께서 직접 예언하신 말씀과 일치하는 것이다.

여기서 중요한 것은 히에루살렘(예루살렘) 멸망 후에 세상 끝에 주님의 재림까지는 히에루살렘(예루살렘)이 황폐되어 밟히는 기간이 있다고 하신 것이다. 다니엘 9:26절에는 한 절에 다 말해졌고 누가복음 21:24절과 25절에 연이어 말씀하신 것이다. 본래 성경은 절이 나뉘어 있지 않았다. 그러므로 다니엘의 이상에서나 이에수-스(예수)님의 예언에서 이런 긴 기간에 되어질 일에 대하여 언급이 없이 주후 63~70년에 이우다이아(유대) 히에루살렘(예루살렘)에 되어질 일을 말씀하시고, 그리고 히에루살렘(예루살렘)이 계속 짓밟힐 것과 세상 끝 주님의 재림 직전에 될 일들을 말씀하셨으니, 이점에 유의하지 않으면 예언의 말씀과 계시록의 때를 바로 분별 할 수 없는 것이다.

계시록의 넷째 인까지는(계 6:1~8) 그 내용이 주후 63-70년에 이우다이아(유대) 히에루살렘(예루살렘)에 틀림없이 되어지기 시작해야 했던< *δεῖ* **틀림없이…해야한다** *γενέσθαι* **되어지기 시작했던**> 일들을 기록하게 하신 것이며,(계 1:1) 다섯째 인의 일은(계 6:9~11) 히에루살렘(예루살렘)이 밟히는 기간부터 그 이후에 되어지는 일인 것이다. 주님께서 호소하는 순교자들의 혼들에게 "순교자의 수가 가득차기까지 잠시 쉬라" 하신 것은 누가복음 21:24(롬 11:25)절에 '이방인들의 때(수)가 가득차기까지' 라고 하신 말씀과 일치하는 것이다.

그리고 여섯째 인의 일은(계 6:12~17) 누가복음 21:25~26절 같이 재림 직전에 있을 일을 동일하게 말씀하신 것이다. 그러므로 다니엘의 이상과 이에수-스(예수)님의 예언에서 동일하게 말씀하신 히에루살렘(예루살렘)의 멸망과 짓밟힘과 해와 달과 별들에 있을 징조의 간격에 대해 분별하는 것이, 같은 이에수-스(예수)님의 계시인 계시록을 바로 볼 수 있는 비결인 것이다.

오늘날 기독교가 계시록에 대하여 대표적 네 가지 견해로 서로 팽팽한 것은, 네 사람이 하나의 집을 집 밖에서, 앞이나 뒤에서 또는 오른쪽이나 왼쪽에서 각각 자기가 보는 관점만으로, 이 집은 어떤 모양이라 하고, 모양을 보니 집안의 구조는 어떻고 용도는 어떻다고 제각각 추측하여 다르게 주장하는 것과 같다. 그 집에 대한 가장 정확한 주장은 열쇠(the Key)를 가지고 문을 열고 들어서면 집의 사면이 한꺼번에 다 보이고 집의 구조와 용도가 어떠함을 한 눈에 바로 알고 말할 수 있는 것이다. 그러므로 열쇠(the Key)가 중요한 것이다.

주님의 은혜로 필자는 이 문제에 대해 1980년도 부산 고려신학 졸업논문「이에수-스(예수)님의 감람산 예언 성취」를 작성하면서 알게 된바 예언 연구에 있어서 열쇠와 같은 주님의 재림이 지연된 이유를 바로 깨달았던 것이다. 간략하게 말하자면 감람산 위에서 이에수-스(예수)님께 제자들이 "언제 그처럼 히에루살렘(예루살렘)의 멸망이 있으며 이에수-스(예수)님의 재림과 세상 끝에는 무슨 징표<τὸ σημεῖον 토 세메이온 -그 **신호**>가 있겠습니까?" 라고 여쭈었을 때 대답하신 말씀(마 24장, 마13장, 눅 21장)에서 히에루살렘(예루살렘) 멸망에 앞서 되어질 일들 곧 징조들을 말씀하시고, 이어서 재림 직전에 되어질 일들을 말씀하셨기 때문에 40년 후 주후 70년에 히에루살렘(예루살렘)이 멸망하자 이에수-스(예수님)의 재림도 곧 되어질 것으로 생각한 것이다. 그래서 어떤 이들 **과거론**의 견해로 보는 자들은, 계시록 19장의 이에수-스(예수님)의 재림은 히에루살렘(예루살렘) 멸망을 말씀하신 것이라 하고, 천년왕국과 새 하늘 새 예루살렘도 히에루살렘(예루살렘) 멸망 후에 바로 이루어졌다고 하는 것이다.**【요한계시록을 이해하는 네 가지 견해. 아가페 출판사.** 1999. P.57, 113】 그렇지 않은 대다수의 사람은 이 문제에 대해 함구 내지 하나님은 인간과 시간 관념이 같지 않다느니 등 구차한 해석 내지 답변을 하는 것이다.

그러나 이에 대해 이에수-스(예수)님께서 말씀하신 바를 바로 알면 구차한 답변을 할 필요가 없으니, 이에수-스(예수)님께서 분명히 말씀하시기를 누가복음 21:24절에 보면, "칼날에 자결할< *πεσοῦνται* 떨어지다, 넘어지다의 중간디포로 자신을 위한 자발적 행동 곧 자결한다는 말이다> 것이며 또한 모든 이방인들을 향하여 사로잡혀 갈 것이며 그리고 히에루살렘(예루살렘)은 이방인들의 정해진 때가 만기되기까지 이방인들 아래에서 짓밟힐 것이다"고 하신 것이다. 사도 파윌-로스(바울)도 로마서 11:25절에 "형제들아 너희가 자신에 대하여 지혜 있다 하지 않기 위하여 이 비밀을 모르기를 내가 원치 아니하노니 이방인들의 들어와 가득 차기까지 이스라엘로부터 부분의 떨어져 굳어지도록 정해진 것이라(←헬라어 직역)"고 이에수-스(예수)님과 동일하게 히에루살렘(예루살렘) 멸망 후 이방인들의 구원받는 수가 차기까지의 기간이 있을 것을 말씀하신 것이다. 그러므로 이에수-스(예수)님께서 예언하신 주후 70년에 이루어진 히에루살렘(예루살렘) 멸망 후에는 이방인의 구원받는 정해진 기간이 있은 후 재림과 세상 끝의 징표<τὸ σημεῖον 토 세메이-온 -**그 징표, 그신호**>가 있을 것을 말씀하신 것이다. 그러므로 주후 70년 히에루살렘(예루살렘)의 멸망이나 사도 이오안네스(요한)의 계시록 기록 이후 이방인들이 구원받는 수가 차는 이 기간이 있음을 알지 못하면 "때가 가깝다"는 말을 바로 이해 할 수 없는 것이다. 이에수-스(예수님)께서 이오안네스(요한)에게 계시하여 주신 것이므로 감람산 예언의 말씀과 같은 원리와 구도로서 계시록을 볼 수 있어야 하는 것이다. 실제 계시록 6장의 넷째 봉인까지의 내용과 히에루살렘(예루살렘) 멸망 전에 되기 시작한 일들로 말씀하신 것과 순서와 내용이 너무나 일치한 것이다. 그러므로 누가복음 21:24절의 말씀대로 이방인의 때가 있다는 사실은 히에루살렘(예루살렘)의 멸망과 세상 끝 재림의 예언에 있어 때를 분별하는 열쇠(the Key)인 것이다. 계시록을 이에수-스(예수)님의 이 원리로 보아야 이에수-스(예수)님의 관점에 일치하는 것이다. 왜냐하면 첫째 인부터 넷째 인까지는 주후 67년 계시록 기록 당시 주후 67년 전부터 이미 되기 시작한<ἃ δεῖ γενέσθαι>이우다이아(유다)와 히에루살렘(예루살렘)의 참혹한 상황과 로마제국 네론(네로) 황제의 전 세계적인 박해로 인한 참상을 그대로 나타내고 있으며, 그 차례와 내용이 마태복음 24:4-22절과 마가복음 13:5~20절과 누가복음 21:8~24절이 너무나 일치한 것이다. 그러므로 계시록의 첫째 인부터 넷째 인을 히에루살렘(예루살렘) 멸망의 징조가 시작된 것으로 보지 않을 수 없는 것이다.

그리고 계시록의 다섯째 인은 순교자들의 생명이 제단 아래서 주님께 호소하기를 "땅에 있는 자들을 심판하여 우리들의 피를 변호하여 주지 아니하시기를 어느 때까지 하시려나이까?" 라고 하니 주님께서 "각각 흰 긴 옷을 주시며 저희에게 말씀하시기를 저희 동무 종들과 저희 형제들도 자신들과 같이 죽임을 받아 가득차기까지 아직 잠시 동안 쉬라" 하신다고 한 것이다. 여기서 '가득차기 까지' 라고 한 *ἕως οὗ πληρώσονται*(헤오스 우– 플레로손타이)는 누가복음 21:25절의 이방인들의 '때가 차기까지' 라는 말 *ἄχρι πληρωθῶσιν καιροὶ*(아크흐리 플레로트호–신 카이로이)에서 '가득차게 하다' 는 *πληρόω*(플레로오) 동사 원형은 같은 것이다. 그러므로 누가복음 21:24절에서 '이방인들의 때가 차기까지' 라고 하신 말씀과 계시록 6:11절의 '순교자의 수가 차기까지' 라는 말과 같은 것으로 보아야 하는 것이다. 그리고 누가복음 21:24절의 다음절 25절에 "해와 달과 별들에는 징조가 있겠고 민족들이 바다와 파도의 우는 소리를 인하여 혼란한 중에 곤고하리라. 사람들이 세상에 임할 일을 생각하고 무서워하므로 기절하리니 이는 하늘의 권능들이 흔들리겠음이라. 그때에 사람들이 인자가 구름을 타고 능력과 큰 영광으로 오는 것을 보리라" – 마 24:29~30 "그 날 환란 후에 즉시 해가 어두워지며 달이 빛을 내지 아니하며 별들이 하늘에서 떨어지며 하늘의 권능들이 흔들리리라 그때에 인자의 징조가 하늘에서 보이겠고 그때에 땅의 모든 족속들이 통곡하며 그들이 인자가 하늘의 구름을 타고 능력과 큰 영광으로 오는 것을 보리라." 막 13:24~26 "그 때에 그 환란 후 해가 어두워지며 달이 빛을 내지 아니하며 별들이 하늘에서 떨어지며 하늘에 있는 권능들이 흔들리리라 그 때에 인자가 구름을 타고 큰 권능과 영광으로 오는 것을 보리라" – 하신 말씀과 계시록 6:12~17절의 여섯 째 인을 여실 때의 일과 너무나 일치한 것이다.

그러므로 계시록을 기록하게 된 주후 67년 당시 넷째 인까지의 일들은 주후 70년 당시 전 세계를 지배한 흐로메(로마) 군대로 말미암아 히에루살렘(예루살렘) 멸망의 징조와 전 세계적으로 감행된 박해와 폭정이 이미 시작되어 진행되고 있는 일들을 보여 주신 것이다. 넷째 인까지의 일들 곧 히에루살렘(예루살렘) 멸망의 징조가 다 이루어져 히에루살렘(예루살렘)이 멸망하게 되면 이방인들의 구원받는 수가 차기까지 히에루살렘(예루살렘)은 이방인들에게 밟혀야 하는 것이다. 그런즉 누가복음 21장 24절과 25절 재림 징조 사이에 이방인들의 구원받는(계시록에서는- 순교자의) 수가 차기까지의 기간이 있는 것이다. 이것을 유의하지 않고 간과하면 이에수-스(예수)님의 감람산 예언을 바로 이해 할 수 없고 같은 구도인 계시록을 바로 이해할 수 없는 것이다.

5〉 이방인들의 때가 1940년 이상 지연되어온 이유를 알아야

그러면 계시록에서 그처럼 주님의 재림이 임박함을 누차 말씀하셨는데도 넷째 인과 여섯째 인의 사이인 다섯째 인의 '순교자의 수가 차기까지' 와 주후 70년 히에루살렘(예루살렘) 멸망과 이에수-스(예수)님의 재림 사이 '이방인들의 때 차기까지' 가 어찌해서 오늘날까지 1,940년 이상 지연되어 오고 있는가 하는 것이다.

이 문제 역시 중요한 하나의 열쇠인 것이다. 이 문제가 바로 풀리지 않으면 계시록을 바로 풀 수가 없는 것이다. 계시록에서 그처럼 주님께서 "내가 속히 간다" 고 거듭 거듭 말씀하셨는데도(계 22:7, 12, 20) 1,940년 이상 재림하지 않은데 대하여 오늘날 기독교는 답하기를 '아직 복음이 전파되지 않은 민족이 많아서' 라고 한다. 그러나 이것은 틀린 말이다. 사도 파월-로스(바울)께서 로마 옥중에서 주후 62-63년경에 쓴 골로새서 1:23절에 "이 복음은 천하 만민에게< *ἐν πάσῃ τῇ κτίσει* ← 모든 **피조물에게**> 전파 된 바요"라고 하였고, 로마서 1:8절에는 "너희의 믿음이 온 세상에 전파됨이라" 하였으며, 10:18절에는 "내가 말하노니 저희가 듣지 아니하였느뇨 그렇지 아니하다 '그 소리가 온 땅에 퍼졌고 그 말씀이 땅 끝까지 이르렀도다"라고 한 것이다. 특히 이에수-스(예수)님께서 부활하시고 승천하시기 전 사도들에게 최후로 명령하신 말씀은 "너희는 모든 민족을 제자를 삼아 …내가 너희게 분부한 모든 것을 가르쳐 지키게 하라" 하셨고,(마 28:19~20) "땅 끝까지 이르러 내게 증인이 되리라" 고 하셨는데,(행 1:8) 사도들이 이 명령을 완수하지 못하고 생을 마쳤겠는가? 전승에 의하면 사도들은 주님의 명령하신 바를 완수하기 위해 당시 세계를 12지역으로 나누고 제비를 뽑아 복음 전파의 사명을 완수하고 모두 순교했다고 하는 것이다.

사도들만 아니라 주후 30년 오순절에 로마 각 영지를 비롯한 20여 지역에서 모여왔던(행 2:8~11) 경건한 유대인들이 바른복음을 들었으며, 사도 페트로스(베드로)의 증언을 듣고 하루에 3,000명이 개심하여 구원을 받았으며(행 2:41), 주님께서 구원받는 사람을 날마다 더해 주셨다고 하였으며(2:47), 말씀을 들은 사람 중에 믿는 자들이 많아 남자의 수가 약 5,000이나 되었고(4:4), 남녀의 큰 무리가 믿고 주님께로 나아왔으며(5:14), 제자들이 더 많아지고(6:1), 하나님의 말씀이 점점 왕성하여 히에루살렘(예루살렘)에 있는 제자의 수가 더 심히 많아지고 허다한 제사장의 무리도 이 도에 복종하였다고 하였다.(6:7) 이렇게 많아진 바른복음을 받고 진리의 성령님으로 충만한 성도들이 큰 핍박이 일어나서 사도들 외에는 다 이우다이아(유대)와 사마레이아(사마리아)와 모든 땅으로 흩어지고 그 흩어진 사람들이 두루다니며 복음의 말씀을 전하였다고 하였으니(행 8:1,4) 복음이 모든 민족에게 전파되었다고 한 주후 62~3년경 세계 인구는 모두 8,000만 명 정도에 불과했으므로 오순절부터 30년 간 모든 민족에게 복음이 전파되는 것은 충분히 가능하고도 남을만한 일이었던 것이다.

그런데 문제는 이렇게 주후 63년경에 전 세계에 복음이 전파되었는데도 어찌해서 이방인들의 구원받는 수가 그렇게 차지 않았는가 하는 것이다. 이것도 바른복음을 알지 못하고, 사도 때부터 사탄과 거짓 선생들로 인해 다른복음이 얼마나 만연되어 왔음을 성경을 면밀히 살펴 지각하지 못하고는 알 수 없는 일이다.

주님께서 주후 67년경 사도 이오안네스(요한)에게 계시록을 기록하게 하시면서 "보라! 내가 속히 간다" 두 번 거듭 말씀하시고(계 22:7, 12) 또 한 번 "진실로 내가 속히 간다"(20) 하신 것은 주후 70년 히에루살렘(예루살렘) 멸망 이후 이방인들의 구원받는 수가 빨리 차서 주님께서 빨리 재림하시기를 심히 원하셨기 때문이다. 이에수-스(예수)님께서 사도 페트로스(베드로)에게 "내가 올(재림) 때까지 그(사도 요한)를 머물게 하고자 할찌라도 네게 무슨 상관이냐?"라고 하신 것은(요 21:22) 사도 이오안네스(요한)는 주후 100년경까지 살았다고 하니 사도 이오안네스(요한)가 살아 있을 때(주후 100년경) 주님께서 재림할 수도 있음이 암시된 말씀이다.

오순절후 유대인들이 하루에 3천명이 개심(회개)했던 것처럼 이방인들이 개심(회개)하고,(행 2:37~41) 그리고 5천명이 믿었던 것처럼(4:4) 이방인들이 개심(회개)하고 믿었더라면 주후

100년경 이방인의 구원받는 수가 가득 차서 재림하실 수 있었기 때문에 주님께서 주후 67년 계시록을 기록하게 하시면서 "보라 내가 속히 간다"고 세 번이나 강조하신 것이다.(22:7, 12, 20)

주후 60-63년경 사도 페트로스(베드로)께서는 주님의 재림이 지연되는 이유는 사람들이 개심하여 <*εἰς μετάνοιαν χωρῆσαι*에이스 메타노이안 크호레-사이 **개심을 향하여 나아가**> 멸망치 않도록 하나님께서는 하루가 천년 같고 천년을 하루같이 참고 계심을 알아야 한다고 하였다.(벧후 3:8~10) 이 말씀에 의하면 사람들이 개심치 않아서 1940년 이상 지금까지 구원받는 수가 차지 않았다는 말인 것이다. 그러면 왜 이렇게 사람들이 개심(회개)치 않았을까?

이에수-스(예수님)과 사도들께서 전파하신 바른복음은 "개심하고 그리고 복음안에서 믿으라<*μετανοεῖτε καὶ πιστεύετε ἐν τῷ εὐαγγελίῳ* 메타노에이-테 카이 피스튜에테 엔 토- 유앙겔레오>"는 것이었다. 제 I 권 바른복음에서 명확하게 증거했지만 이에수-스(예수)님과 사도들께서는 죄인들의 개심을 얼마나 우선시 하고 중요시 하셨는가? 그러니 오순절 이후 사도들께서 바른복음을 전하셨을 때는 구원받는 사람이 많았던 것이다. 사도 파월-로스(바울)께서 3차 전도여행시 가장 오래 머물며 3년간 복음을 전하셨던 에프헤소스(에베소)에서 이우다이오스(유대인)들과 헬렌(헬라인)들에게 '하나님께 대한 개심과 우리 주 이에수-스(예수) 크흐리스토스(그리스도)님께 대한 믿음을 증거 한 것이라' 고 하였다.(행 20:21)

그런데 사도 파월-로스(바울)께서 주후 55년경 코린트호스(고린도) 교회에 보낸 말씀에서 "어떤 누가 가서 우리가 전파하지 아니한 어떤 다른 이에수-스(예수)를 전하거나, 혹은 너희에게 주어지지 아니한 어떤 다른 영을 주거나, 혹은 너희가 영접하지 아니한 어떤 다른 복음을 잘 용납하였구나"라고 하였고,(고후 11:4) 주후 56년경에 갈라티아(터키 북부 지방) 여러 교회들에 쓴 서신에는 "크흐리스토스(그리스도)님의 은혜로 너희를 부르신 이를 이같이 속히 떠나 다른 복음 좇는 것을 내가 이상히 여기노라. 다른 복음은 없나니 다만 어떤 사람들이 너희를 선동하여 크흐리스토스(그리스도)님의 복음을 변하려 함이라. 그러나 우리나 혹 하늘로부터 온 천사라도 우리가 너희에게 전한 복음 외에 다른 복음을 전하면 저주를 받을 것이다"고 한 것이다.(갈 1:6~9) 이렇게 사도 파윌-로스(바울) 당시에 다른 이에수-스(예수), 다른 영, 다른 복음을 전하는 자들이 있었으며, 주후 58년경 사도 파윌-로스(바울)께서 3년간 복음을 전하고 가르친 에프헤소스(에베소) 교회와 헤어지면서 "내가 떠난 후에 흉악한 이리가 너희에게 들어와서 양떼를 아끼지 아니하며, 또한 너희 자신들로부터도 제자들을 끌어 자기들을 좇게 하려고 왜곡한 말을 하는 사람들이 일어날 것이라" 한 대로(행 20:29~30) 그로부터 10년쯤 지난 주후 67년경 계시록을 기록한 당시 에프헤소스(에베소) 교회는 악한 자들을 용납지 않고 거짓 사도들을 가려내다 보니 처음 사랑과 행위를 잃어버렸다고 주님으로부터 경책을 받았던 것이다.(계 2:4~5)

사도 파윌-로스(바울)께서 복음을 전하고 가르친 교회들에도 이렇게 변개된 다른복음을 전하는 자들이 외부로나 자체적으로 일어났다면 다른 교회들은 더 말할 것도 없었던 것이다. 이렇게 이에수-스(예수)님과 사도들께서 전파하고 가르치신 바른복음보다 다른복음이 전 세계에 만연됨으로 이방인의 때에 구원받는 자의 수가 너무나 차지를 않게 되었던 것이다.

주후 70년 히에루살렘(예루살렘) 멸망 전 사도 시대에 그러했다면 주후 70년 이후에는 어떠했겠는가는 자명한 것이다. 중세 1,000년 간은 복음이 어떠했으며, 1517년 종교개혁 이후는 과연 이에수-스(예수)님과 사도들께서 전파하고 가르치신 바른 복음으로 돌아갔는가? 하는 것이다. 이 사실에 대하여 바로 알지 못하고는 왜 히에루살렘(예루살렘)이 지금까지도 회교도들에게 짓밟히고 있는지?, 이방인의 때가 왜 1,940년이나 지속되어 오는지를 알 수 없으며, 이에수-스(예수)님의 재림이 왜 지연되어 왔는지를 올바로 알 수 없는 것이다. 따라서 계시록을 바로 이해 할 수 없는 것이다.

6〉 히에루살렘이 역사의 중심인 것과 마지막 열왕시대를 알아야

가나안 땅 히에루살렘(예루살렘)은 하나님께서 돌보시는 땅이며 세초부터 세말까지 하나님의 눈이 항상 그 위에 있는 땅으로서(신 11:12) 창조도 에덴 동산을 중동(터키와 이라크 유프라테스강) 지역에서부터 기혼 강(이집트 나일 강?) 지역에 창설하셨고,(창 2:10~14) 노아 홍수 때 배가 아라라트(아라랏) 산(터키 동부)에 머물렀고,(창 8:4) 하나님께서 아브라함에게 이삭을 제물로 바치라 하신 곳이 지금의 히에루살렘(예루살렘)이며,(창 22:2) 다빋(다윗) 왕이 이스라엘의 왕도(王都)로 삼은 곳이며,(삼하 5:5) 하나님의 아들 이에수-스(예수님)을 세상의 구주로 나게 하시고 하나님께 드리게 하신 곳이 베들레헴 곧 히에루살렘(예루살렘)인 것이다.(미 5:2; 눅 2:22) 구속을 이루신 십자가의 죽으심과 부활과 승천이 히에루살렘(예루살렘)에서 이루어졌고,(마 27:33, 눅 24:50~53) 성령님께서 강림하신 곳도 히에루살렘(예루살렘)이었고,(눅 47~49) 교회가 시작된(하나님의 왕국이 권능으로 임하신) 곳이 히에루살렘(예루살렘)이며,(마 16:28; 막 9:1) 복음전파가 시작된 곳이 히에루살렘(예루살렘)이었으며,(행 1:8) 재림하실 곳도 히에루살렘(예루살렘) 감람산으로 예언되었다.(슥 14:4) 그리고 천년왕국의 수도도 히에루살렘(예루살렘)으로 예언되어 있다.(슥 14:17) 영원한 하나님의 왕국의 이름도 새 히에루살렘(예루살렘)이라고 하셨다.(계 3:12, 21:2)

하나님께서는 이렇게 창조부터 종말까지 히에루살렘(예루살렘)을 중심으로 일하시며, 그리고 이에수-스(예수)님의 초림부터 재림까지 세상 역사의 배경은 흐로메(로마)라는 사실이다. 초림하실 때 흐로메(로마)가 세계와 히에루살렘(예루살렘)을 지배하고 있었을 때였으며, 전 세계에 복음이 전파되던 시기도, 주후 70년 이스라엘 히에루살렘(예루살렘)이 멸망할 때도 흐로메(로마) 군대에게 멸망했으며, 주님께서 재림하시는 세상 끝에도 네부카드네짜르(느부갓네살)에게 보이신 신상대로 두 다리(종아리)는 철로서 흐로메(로마)라고 하였으며, 마지막 뜨인 돌이 우상의 철과 진흙으로 된 발을 치니 우상 전체가 부서져 타작마당의 겨같이 바람에 날려 가버리고 우상을 친 돌은 태산을 이루어 온 세계에 가득하게 되었다고 한 대로(단 2:31~35) 주전 168년경에 시작된 흐로메(로마)가 멸망한 후(서 로마-주후 475년, 동 로마-주후 1453년) 인종이 나뉘어져 철과 진흙이 섞인 발과 발가락의 마지막 시대가 된 것이다.

그러므로 계시록 19장에 예언된 주님의 재림은 흐로메(로마)가 멸망한 후 일곱 번째 왕인 신흥 흐로메(로마) 제국후 그 후신인 발과 발가락 시대, 특히 계시록 17:12절 말씀대로 최후의 적그리스도인 짐승과 함께 임금처럼 권세를 일시 동안 받는 열 왕 때를 말씀하신 것이다.

그리고 다니엘이 본 이상에서는 하나님께서 당시 바뷜론(바벨론)에 포로 되어 살고 있는 이우다이오스(유대인)들에게 히에루살렘(예루살렘)을 위하여 70이레를 정하셨다고 하셨다. 히에루살렘(예루살렘)을 중건하라는 영이 주전 457년 아르닥흐솨쉬타(아닥사스다) 왕 7년의 이우다이오스(유대인) 제2차 귀환령(스 7:7~6)으로 돌아온 에쯔라(에스라)와 백성들이 정확히 7이레(49년)만에 히에루살렘(예루살렘)성을 완전히 복구하였던 것이다. 그리고 제2차 귀환령(주전 457년)은 "기름부음을 받은 자 곧 왕이 일어나는 69이레"와 이에수-스(예수)님께서 이오르다네스(요단강)에서 침례(세례)를 받으시고 공생애를 시작하신 만 삼십세 쯤 되신(눅 3:23) 주후 27년과 일치한 것이다. 이것은 이에수-스(예수)님께서 실제 나신 기원전 4년까지도 정확히 일치한다.

이에수-스(예수)님의 나신 연도는 기독교가 로마 제국의 국교로 공인된 후 주후 526년 황제 유스틴(Justinian)의 요청으로 수도사 디오니시우스 엑시구우스(Dionysius Exiguus)가 크흐리스토스(그리스도)님의 나심을 기원으로 하는 연대를 만들어 흐로메(로마)의 연대를 대신 하도록 하였는데, 디오니시우스는 주후 753년을 로마시의 창설 연도로 삼았으나 사실은 749년으로 4년의 오차가 있었던 것이다. 이것은 다니엘 9:25절의 예언대로 히에루살렘(예루살렘)의 중건령이 내린 주전 457년으로부터 정확히 69이레(483년)인 주후 27년에 주님께서 공사역을 시작하신 것이다. 너무나 정확하게 예언대로 역사적으로 성취된 것이다.

그리고 69이레 후에 "그 기름부음을 받은 자가 끊어져 없어질 것이요"라고 한 것은 이에수-스(예수)님께서 십자가에 죽으실 것을 말한 것이다.(레 7:26; 시 37:9) 그대로 성취되었으며, 기름부음을 받은 자가 끊어진 후에 장차 한 왕의 백성이 와서 거룩한 성 히에루살렘(예루살렘)을 훼파할 것이라 한 대로 흐로메(로마) 장군 티투스가 5만 8천명의 군대로 5개월 동안 에워싸고 토성을 쌓아 주후 70년 8월 17일 완전히 멸망시킨 것이다. 그리고 "또 끝까지 전쟁이 있으리니 황폐할 것이 작정되었느니라" 하였으니(단 9:26) 이것 역시 히에루살렘(예루살렘)은 지금까지 이방인들에게 짓밟혀 오며 전쟁의 화약고가 되어오고 있는 것도 예언대로 되어진 것이다.

그리고 "그가 장차 많은 사람으로 더불어 한 이레 동안의 언약을 굳게 정하겠고 그 이레의 절반에 제사와 예물을 금지할 것이며 또 잔포하여 미운 물건이 날개를 의지하여 설 것이며 또 이미 정한 종말까지 진노가 황폐케 하는 자에게 쏟아지리라" (단 9:27) 하였으니 이것은 히에루살렘(예루살렘)을 멸망시킨 흐로메(로마)의 왕 적그리스도가 이스라엘과 7년 평화조약을 맺고 성전을 짓게 하고, 그리고 3년반 후에는 돌변하여 성전 제사를 금지하고 적그리스도 자기의 형상을 성전에 세워놓고 경배하라 하는 것이다.(살후 2:4; 계 13:15) 이때가 곧 7년대환란인 것이다. 다니엘 12:7절에 "반드시 한 때 두 때 반 때를 지나서 성도의 권세가 다 깨어지기까지니 그렇게 되면 이 모든 일이 다 끝나리라" 하였으니 계시록의 13:5~8절 말씀과 정확히 일치하는 것이다.

계시록에서 짐승을 탄 여자는 땅의 임금들을 다스리는 큰 성 바뷜론(바벨론)이며(계 17:18) 여자가 앉은 일곱 머리인 일곱 산은(계 17:9) 지리적으로는 일곱 산으로 둘러싸여 있는 흐로메(로마)를 말하며 역사적으로는 세계를 지배해 온 일곱 제국을 말하는 것이다. 이예수-스(예수)님께서 초림하실 때 흐로메(로마)가 세계를 지배하고 있을 때였던 것처럼, 계시록에서 주님께서 재림하시는 그때도 사탄의 적그리스도 정부가 히에루살렘(예루살렘)과 흐로메(로마)에 앉아 전 세계를 지배하는 상황인 것이다.

이방인의 때가 끝남과 함께 이우다이오스(유대인)들을 위해 남겨두신 한 이레가 시작되어 이우다이오스(유대인)들이 하나님의 인침을 받고(계 7장) 구원을 받는 자들이 됨을 말하고 있는 것이다.(계 14장) 그러므로 계시록에서 이우다이오스(유대인)와 이방인들의 구원 두 가지가 말해지고 있는 것이다. 유대인들을 위한 남은 한 이레가 이루어지는 때라는 사실을 관념하지 않으면, 신약시대인 계시록에 왜 이스라엘 열 두 지파와 히에루살렘(예루살렘)에 대한 이스라엘적 관념이 나오는지 바로 이해 할 수 없는 것이다.

하나님은 복되고 영광스러운 하나님께서 다스리시는 왕국을 이루시려고 만물을 창조하시고, 그 중심에 사람을 창조하셨는데, 사탄의 미혹을 따라 사람이 범죄하고 타락하여 낙원에서 쫓겨나게 되었다.(창 3:22~24) 아담의 아들 카인이 그의 동생을 죽이는 끔직한 살인이 저질러지고, 첫 사람 아담이 930세를 살고 죽은지 불과 726년이 된 노아 600세 때에 그가 만든 방주에 든 가족 여덟 사람과 생물들 외에 온 땅을 홍수로 멸하실 만큼 사람들의 생각과 행위가 부패하였던 것이다.(창 6:5~7) 홍수 후에도 사람들이 여전히 부패함으로 하나님께서는 카쓰디(갈대아) 우르에서 믿음의 사람 아브라함을 불러내시고 그를 통하여 천하 만민이 구원의 복을 받도록 작정하시고, 그 후손 이스라엘이 하나님의 백성이 될 것을 언약하신 것이다.(창 12:1~4,

17:1~14, 28:13~15) 그렇기 때문에 하나님께서 아들 이에수-스(예수)님을 세상에 왕과 구주로 보내시기를 아브라함과 다빋(다윗)의 자손 이스라엘 사람으로 보내신 것이다.(마 1:1) 그리고 성경을 기록한 자들도 모두 아브라함의 자손 이스라엘 사람들이었고, 필사하여 보존해 온 자들도 이스라엘 사람들이었다. 구약에 이스라엘 백성 중에 이방인이 거하였는데, 그 이방인은 이스라엘 백성처럼 할례를 받아야 했고, 한 법도와 한 규례를 지켜야 했다.(출 12:43~44, 48~49; 민 15:15~16) 하나님은 인류 구원의 역사를 이스라엘 백성 중심으로 한다는 사실이다.

그리고 율법과 구원의 복음도 이스라엘의 히에루살렘(예루살렘)으로부터 시작하여 온 세상에 전파되게 하셨다.(사 2:2; 행 1:8) 그래서 이에수-스(예수)님께서 "구원이 이우다이오스(유대인)에게서 남이라"고 하셨던 것이다.(요 4:22)

그러므로 주님께서 사도 이오안네스(요한)에게 주신 계시록은 당시 되어지기 시작해야 했던 주후 70년 히에루살렘(예루살렘) 멸망의 징조와 세상 끝의 이스라엘과 히에루살렘(예루살렘)을 위해 남겨 놓으셨던 한 이레(7년)에 되어질 일들을 중심한 것임을 알아야 모든 것을 상징(상징이라 하면 틀림)으로 보지 않고, 되어지고 되어질 일들의 표징 < ***τὸ σημεῖον*** 토 세메이-온 - **그 징표, 그 신호** > 으로 바로 보고 이해 할 수 있는 것이다.

다음 페이지에 게재된 그림과 같이 하나님께서 네부카드네짜르(느부갓네살)왕의 꿈에 재림 때까지, 온 세상을 다스리는 큰 나라가 어떻게 이어질 것을 분명하게 보여주셨고, 다니엘을 통해 정확하게 해석하게 하셨던 것이다. 그러므로 〈1〉 **재림하실 때에 마지막 세상을 다스리는 나라는 열 왕의 나라라고 한 것과** 〈2〉 **다니엘이 본 이상의 마지막 한 이레에 대한 내용과** 〈3〉 **계시록의 말씀들**

이 주님의 재림 전에 7년 간에 되어질 일에 대하여 일치함을 볼 수 있어야 하는 것이다. 그리고 모든 예언에 마지막 주님의 재림과 왕국이 이루어짐에 대하여 다같이 예언한 것을 볼 수 있다. 궁극적으로 하나님의 왕국 완성이 하나님의 목표이기 때문이다.

이상의 여섯 가지 관점이 확실해야 계시록을 바로 볼 수 있고 바로 해석 할 수 있는 것이다.

☼ 감동과 기도 ☆

금	**바벨론 제국** (B. C. 605-539년)
은	**메데 페르샤** (B. C. 539-331년)
놋	**헬라제국** (B. C. 331년-168)
철 반 철 반 흙	**로마제국** (B. C. 168-) 동 로마 멸망 (A. D. 476)) 서 로마 멸망 (A. D. 1453) 유럽 통합 기구 (A. D. 1945) 유럽 화폐통합 (A. D. 2002) 유럽 예산통과 (A. D. 2005)
태산을 이룸	**예수 그리스도 왕국**

▲ "이 열 왕의 때에 하늘의 하나님이 한 왕국을 세우시리니 이것은 영원히 망하지도 아니할 것이요" (단 2:44)

II. 요한계시록의 내용 구조

▼ 총 주제 ▽
세상 사탄왕국에 대한 심판과 하나님왕국의 완성
【계 11:15】

1. 계시록의 서언 《 1:1~20 》

1〉 계시자와 계시의 목적 1~3

2〉 기록한 자의 문안과 송영 4~8

3〉 계시를 받게 된 정황 9~20

2. 일곱 교회에 대한 권면 《 2:1~3:22 》

1〉 에프헤소서(에베소) 교회에 하신 말씀 2:1~7

2〉 스뮈르나(서머나) 교회에 하신 말씀 8~11

3〉 페르가모스(버가모) 교회에 하신 말씀 12~17

4〉 뒤아테이라(두아디라) 교회에 하신 말씀 18~29

5〉 사르데이스(사데) 교회에 하신 말씀 3:1~6

6〉 프힐라델프헤이아(빌라델비아) 교회에 하신 말씀 7~13

7〉 라오디케이아(라오디게아) 교회에 하신 말씀 14~22

3. 중간 계시 삽입《 4:1~5:14 》

1〉 하나님 보좌의 광경 (4:1~11)

2〉 봉인을 여실 어린양 (5:1~14)

4. 일곱 인들을 여심《 6:1~17 》

1〉 첫째 인을 여심 1~2

2〉 둘째 인을 여심 3~4

3〉 셋째 인을 여심 5~6

4〉 넷째 인을 여심 7~8

5〉 다섯째 인을 여심 9~11

6〉 여섯째 인을 여심 12~17

5. 중간 계시 삽입《 7:1~17 》

1〉이스라엘 12지파 인 맞은 자 1~8

2〉보좌 앞 많은 무리들의 복됨 9~17

6. 일곱 나팔 진노의 재앙《 8:1~9:21 》

1〉 일곱째 인을 여실 때 8:1~6

2〉 첫째 나팔을 붊 7

3〉 둘째 나팔을 붊 8~9

4〉 셋째 나팔을 붊 10~11

5〉 넷째 나팔을 붊 12

6〉 다섯째 나팔을 붊 9:1~12

7〉 여섯째 나팔을 붊 13~21

7. 중간 계시 삽입《 10:1~15:8 》

1〉 작은 두루마리 10:1~11
2〉 경배하는 자 척량 11:1~2
3〉 두 증인의 사역 3~13
4〉 일곱째 나팔을 붊 14~19
5〉 여자와 용의 환상 12:1~17
6〉 형상 경배와 666표 13:1~18
7〉 구속받은 144,000 14:1~5
8〉 천사의 영원한 복음 6~13
9〉 추수에 대한 환상 14~20
10〉 일곱 대접 재앙 준비 15:1~8

8. 일곱 대접 재앙《 16:1~21 》

1〉 첫째 대접을 쏟음 1~2
2〉 둘째 대접을 쏟음 3
3〉 셋째 대접을 쏟음 4~7
4〉 넷째 대접을 쏟음 8~9
5〉 다섯째 대접을 쏟음 10~11
6〉 여섯째 대접을 쏟음 12~16
7〉 일곱째 대접을 쏟음 17~21

9. 바벨론 멸망과 재림《 17:1~19:21 》

1〉 큰 창녀가 탄 짐승 17:1~18
2〉 창녀 바벨론의 심판 18:1~24
3〉 재림 전 찬양과 경배 19:1~10
4〉 만왕의 왕 주님의 재림 11~16
5〉 짐승과 그 군대의 멸망 17~21

10. 천년왕국과 최후 심판 《 20:1~15 》

1〉 마귀를 무저갱에 가둠 1~3
2〉 천년왕국 왕노릇 할 자 4~6
3〉 천년왕국후 대적 소멸 7~10
4〉 최후의 대심판 11~15

11. 하나님 왕국의 완성 《 21:1~22:5 》

1〉 새 하늘과 새 땅 21:1~8
2〉 새 예루살렘의 보배로움 9~27
3〉 새 예루살렘의 복된 생활 22:1~5

12. 위로와 경고와 축원 《 22:6~21 》

1〉 보라 내가 속히 간다 6~18
2〉 말씀 가감 금지 경고 19~20
3〉 기록자의 응답과 축원 21

요 한 계 시 록

총 주 제 ▷ 세상(사탄) 왕국이 심판 받아				
서언과 수신자	**중간 계시**	**일곱 인을 떼심**	**중간 계시**	**일곱 나팔 진노**
1:1~3:22	4:1~ 5:14	6:1~17	7:1~17	8:1~ 9:21
계시록의 서언 계시자와 목적 (1:1-3) 기록자의 송영 (1:4-8) 계시 받은 정황 (1:9-20) 일곱 교회 권면 에프헤소스 교회 (2:1-7) 스뮈르나 교회 (2:8-11) 페르가모스 교회 (2:12-17) 트휘아테이라 교회 (2:18-29) 사르데이스 교회 (3:1-6) 프힐라델프헤이아 교회 (3:7-13) 라오디케이아 교회 (3:14-22)	하늘보좌의 광경 보좌와 주변 광경 (4:1-7) 생물과 장로들의 찬양과 경배 (4:8-11) 봉인한 책과 어린양 일곱인 떼실 어린양 (5:1-7) 어린양께 찬양과 경배 (5:8-14)	일곱 인 중 여섯 인 첫째 인 -흰 말 탄 자- 정복하고 또 정복하려 함(6:1-2) 둘째 인 -붉은 말 탄 자- 땅에서 평화 제하고 서로 죽이게 함 (6:3-4) 셋째 인 -검은 말 탄 자- 손에 저울 한 데나리온에 밀 한 되(6:5-6) 넷째 인 -청황색 말 탄 자- 이름이 죽음, 지옥이 그 뒤를 따름. 땅 1/4의 권세를 얻어 칼과 흉년과 죽음과 땅의 짐승으로 죽임(6:7-8) 다섯째 인 -순교자 혼들의 제단 아래서의 호소 (6:9-11) 여섯째 인 -해가 검어지고 달이 피같이 되며 하늘의 별들이 떨어지며 하늘이 떠나가고 산과 섬들이 옮겨짐. 어린양 진노의 큰 날이 이름 (6:12-17)	하나님의 인 맞은 자 이스라엘 열두 지파에서 인침 받은 자의 수 (7:1-8) 모든 민족과 족속과 백성과 언어에서 셀 수 없는 많은 무리가 보좌 앞과 어린양 앞에 서서 외침. 천사와 장로와 생물들의 경배와 찬양 (7:9-17)	일곱째 인.나팔 일곱 천사 나팔 (8:1-6) 첫째 나팔 -피 섞인 우박과 불이 땅에 쏟아져 땅 1/3이 타 버림(8:7) 둘째 나팔 -불 붙는 큰 산과 같은 것이 바다에 던우니 바다 1/3이 피가 되고 생물 1/3이 죽고 배 1/3이 깨어짐(8:8-9) 셋째 나팔 -타는 별이 강들의 1/3과 여러 물샘에 떨어지니 물들의 1/3이 쓰게 되어 많은 사람이 죽음(8:10-11) 넷째 나팔 -해 달 별의 1/3이 침을 받아 낮과 밤 1/3이 어두워짐(8:12) 다섯째 나팔 -메뚜기들이 하나님의 인 맞지 아니한 자들만 5개월 동안 괴롭힘(9:1-12) 여섯째 나팔 -유프라데 전쟁(9:13-21)

전체의 구조(도표)

하나님과 그리스도님의 왕국이 되어짐 (11:15)				
중간 계시	**일곱 대접 재앙**	**바벨론 멸망과 재림**	**천년왕국 심판**	**영원 왕국 완성**
10:1~ 15:8	16:1~21	17:1~19:21	20:1~15	21:1~22:5
작은 두루마리 힘센 천사의 손에 펴놓인 작은 두루마리. 많은 백성과 민족과 언어와 임금들에게 다시 예언하여야 하리라 (10:1-11) 경배하는 자 척량 성전 안에서 경배하는 자들을 척량 (11:1-2) 두 증인의 사역 (11:3-13) 일곱째 나팔을 붐 (11:14-19) 여자와 용의 환상 (12:1-17) 형상 경배와 666표 (13:1-18) 144,000의 노래 (14:1-5) 천사의 영원한 복음 (14:6-13) 추수에 대한 환상 (14:14-20) 일곱 대접 재앙 준비 (15:1-8)	일곱 대접을 쏟음 첫째 대접 악하고 독한 종기가 짐승의 표 받고 우상에 경배하는 자들에게 남 (16:1-2) 둘째 대접 바다에 쏟으니 죽은 자의 피같이 되어 모든 생물이 죽음 (16:3) 셋째 대접 강과 물 근원에 쏟으니 피가 됨 (16:4-7) 넷째 대접 해에 쏟으니 사람들을 크게 태움(16:8-9) 다섯째 대접 짐승의 보좌에 쏟으니 아픔과 고통 (16:10-11) 여섯째 대접 유프라데에 쏟으니 큰 날 전쟁을 준비 (16:12-16) 일곱째 대접 공기 가운데 쏟으니 번개 뇌성 지진 섬 산 없어짐. 큰우박 (6:17-21)	큰 창녀가 탄짐승 많은 물 위에 앉은 큰 창녀가 붉은 빛 짐승을 탐 (17:1-18) 창녀 바벨론의 심판과 멸망 (18:1-24) 재림전 하늘의찬양과 경배 (19:1-10) 만왕의 왕 주 님의 재림 (19:11-16) 짐승과 그 군대의 멸망 (19:17-21)	마귀를 가둠 용 곧 옛뱀이며 마귀인 사탄을 결박하여 천 년 동안 무저갱에 가둠 (20:1-3) 천년왕국 왕 노릇할 자 (20:1-6) 천년왕국후 대적 소멸 (20:7-10) 최후의 백보좌 대심판 (20:11-15)	새 하늘과 새 땅 거룩한 도시 새 예루살렘 에서의 복된 생활 (21:1-8) 새 예루살렘의 보배로움 (21:9-27) 새 예루살렘의 복된 생활 (22:1-5) 위로와 경고와 축원 (22:6-21)

통곡의 벽

III. 요한계시록 바른 주석

〈 총 주제 〉
세상 사탄왕국에 대한 심판과 하나님왕국의 완성

예수님은 이런 광경으로 재림하신다(계 19:11~21)

사도 이오안네스(요한)의 계시동굴 입구

팥모스(밧모)섬에서 바라본 일몰 광경

【계시록 제 1 장】

한글개역성경	전통원문 직역 성경
1. 예수 그리스도의 계시라 이는 하나님이 그에게 주사 반드시 속히 될 일을 그 종들에게 보이시려고 그 천사를 그 종 요한에게 보내어 지시하신 것이라	1. **이에수-스 크흐리스토스님의 계시라. 하나님께서 이것을 그분께 주셨고, 틀림없이 속히 되어지기 시작해야 했던 일들을 자신의 종들에게 보이셨고, 또한 자신의 천사를 통해서 자신의 종 이오안네스에게 보내어 나타내셨느니라.**
2. 요한은 하나님의 말씀과 예수 그리스도의 증거 곧 자기의 본 것을 다 증거하였느니라	2. **이 사람은 하나님의 말씀과 이에수-스 크흐리스토스님의 증거, 자기가 본 모두를 다 증거하였느니라.**
3. 이 예언의 말씀을 읽는 자와 듣는 자들과 그 가운데 기록한 것을 지키는 자들이 복이 있나니 때가 가까움이라.	3. **이 예언의 말씀들을 낭독하는 자와 들어서 깨닫는 자들과 그 가운데 기록된 것들을 수행(守行)하는 자들이 복이 있나니 그정해진 때가 임박하기 때문이라.**
4. 요한은 아시아에 있는 일곱 교회에 편지하노니 이제도 계시고 전에도 계시고 장차 오실 이와 그 보좌 앞에 있는 일 곱 영과,	4. **이오안네스는 아시아에 있는 일곱 교회들에게, 지금 계신 그분, 그리고 계셔오신 그분, 그리고 오고 계신 그분과 그분의 보좌 앞에 계신 일곱 영으로부터, 그리고 신실한 증인으로 죽은 자들 가운데서 처음으로 나시고,**
5. 또 충성된 증인으로 죽은 자들 가운데서 먼저 나시고 땅의 임금들의 머리가 되신 예수 그리스도로 말미암아 은혜와 평강이 너희에게 있기를 원하노라. 우리를 사랑하사 그의 피로 우리 죄에서 우리를 해방하시고	5. **그리고 그분께서 우리들을 사랑하셔서 자신의 피안에서 우리의 죄들로부터 우리들을 목욕하게 하시고 땅의 왕들의 통치자이신 이에수-스 크흐리스토스님으로부터 은혜와 평화가 너희에게** ,*(있기를 원하노라)*

6. 그 아버지 하나님을 위하여 우리를 나라와 제사장으로 삼으신 그에게 영광과 능력이 세세토록 있기를 원하노라 아멘	**6. 그리고 우리를 자신의 하나님 또한 아버지께 왕들과 제사장들로 만드신 그분께 그 영광과 그 권세가 그 영원의 영원을 향하여***(있도다)***. 아멘**
7. 볼찌어다 구름을 타고 오시리라 각인의 눈이 그를 보겠고 그를 찌른 자들도 볼 터이요 땅에 있는 모든 족속이 그를 인하여 애곡하리니 그러하리라 아멘	**7.보라! 구름들의 가운데서 오시는도다. 그리고 모든 눈이 그분을 보겠고, 또한 그분을 찔러 꿰뚫은 누구든지 볼 것이며, 뿐만 아니라 땅의 모든 족속이 그분을 향하여 슬퍼서 가슴을 치리니 진실로 그대로 되리라.**
8. 주 하나님이 가라사대 나는 알파와 오메가라 이제도 있고 전에도 있었고 장차 올 자요 전능한 자라 하시더라	**8. 주님께서 말씀하시기를 나는 알파와 오메가이며 시작과 끝이다. 나는 있는 자이며, 그리고 있어오는 자이며, 그리고 가고 있는 자이며, 전능자라. 하시니라.**
9. 나 요한은 너희의 형제요 예수의 환란과 나라와 참음에 동참하는 자라 하나님의 말씀과 예수의 증거를 인하여 밧모라 하는 섬에 있었더니	**9. 나 이오안네스는 실로 너희의 형제이며, 환란과 이에수-스 크흐리스토스님의 왕국과 희망찬 인내에 동참하는 자라. 하나님의 말씀과 이에수-스 크흐리스토스님의 증거를 위하여 팥모스라 하는 섬에 오게 되었는데,**
10. 주의 날에 내가 성령에 감동하여 내 뒤에서 나는 나팔 소리 같은 큰 음성을 들으니	**10. 내가 성령님 안에서 그 주님의 날 안에 있었는데, 그리고 내 뒤에서 나팔 소리 같은 큰 음성을 들으니,**
11. 가로되 너 보는 것을 책에 써서 에베소, 서머나, 버가모, 두아디라, 사데, 빌라델비아, 라오디게아 일곱 교회에 보내라 하시기로	**11. 말씀하시기를 나는 알파와 오메가이며, 그 첫째와 그 마지막이다. 그러므로 네가 보는 것을 두루마리에 써서 아시아에 있는 교회들, 에프헤소스에, 스뮈르나에, 페르가모스에, 트휘아테이라에, 사르데이스에, 프휠라델프헤이아에, 라오디케이아에 보내라 하시니라.**

12. 몸을 돌이켜 나더러 말한 음성을 알아보려고 하여 돌이킬 때에 일곱 금 촛대를 보았는데	**12. 그리고 내 뒤에서 말씀하신 그 음성을 알아보려고 돌이킬 때에, 금으로 만들어진 일곱 등대를 보았고**
13. 촛대 사이에 인자 같은 이가 발에 끌리는 옷을 입고 가슴에 금띠를 띠고	**13. 그리고 그 일곱 등대들 사이에 사람의 아들 같은 분께서 발까지 닿는 옷을 입고 가슴에는 금으로 만든 허리띠를 띠시고**
14. 그 머리털의 희기가 흰 양털 같고 눈 같으며 그의 눈은 불꽃 같고	**14. 또한 그분의 머리와 그 흰 머리털리 흰 양털 같고, 눈 같으며, 그리고 그분의 그 두 눈은 불꽃같고,**
15. 그의 발은 풀무에 단련한 빛난 주석 같고 그의 음성은 많은 물소리와 같으며	**15. 그리고 그분의 두 발은 아궁이 같은 데서 제련된 빛난 주석 같고, 그리고 그분의 그 음성은 많은 물들의 소리 같으며,**
16. 그 오른손에 일곱 별이 있고 그 입에서 좌우에 날선 검이 나오고 그 얼굴은 해가 힘있게 비취는 것 같더라	**16. 그리고 그분의 오른손에는 일곱 별들을 붙잡으셨고, 그리고 그분의 입에서부터 양쪽에 날선 예리한 칼이 나오며, 그리고 그분의 그 외모는 해가 그 자체로 힘있게 비치는 것 같으니라.**
17. 내가 볼 때에 그 발 앞에 엎드러져 죽은 자 같이 되매 그가 오른손을 내게 얹고 가라사대 두려워 말라 나는 처음이요 나중이니	**17. 그리고 내가 그분을 보자마자 그분의 발을 향해 엎드러져 죽은 것 같이 되니, 그분께서 오른 손을 내 위에 얹으시고 말씀하시기를, 두려워 말라. 나는 그 첫째와 그 마지막이다.**
18. 곧 산자라 내가 전에 죽었었노라 볼찌어다 이제 세세토록 살아있어 사망과 음부의 열쇠를 가졌노니	**18. 그리고 나는 살아있다. 또한 내가 죽게 되었으나, 그러나 보라 나는 영원의 영원을 향하여 살아 있다. 진실로 그러하다. 그리고 내가 그 지옥과 그 죽음의 열쇠들을 가졌노라.**

19. 그러므로 네가 본 것과 이제 있는 일과 장차 될 일을 기록하라	**19. 네가 본것들, 그리고 현재 있는 일들, 그리고 이러한 것들 후에 되어지려고 하는 일들에 대하여 기록하라.**
20. 네 본 것은 내 오른손에 일곱 별의 비밀과 일곱 금 촛대라 일곱 별은 일곱 교회의 사자요 일곱 촛대는 일곱 교회니라	**20. 네가 본 것들은 내 오른손 위의 그 일곱 별들의 그 비밀이며, 그리고 금으로 만든 그 일곱 등대들이라. 그 일곱 별들은 그 일곱 교회의 사자들이며 그리고 네가 본 일곱 등대들은 일곱 교회들이니라**

【 문 단 】

1. 계시록의 서언《 1:1~20 》
   1〉 **계시자와 계시의 목적** 1~3
   2〉 **기록한 자의 문안과 송영** 4~8
   3〉 **계시를 받게 된 정황** 9~20

【 주 해 】

〈**개요**〉 1장은 계시록의 서언으로서 계시자가 누구이며 무슨 목적으로 계시한 것인가를 먼저 말한다.(1~3) 그리고 계시를 받아 기록한 자로서의 문안과 송영,(4~8) 그리고 계시를 받게 된 정황에 대하여 상세히 말하였다.(9~20)

1. 계시록의 서언《 1:1~20 》

1〉 계시자와 계시의 목적 1~3

1절 ▷ 이에수-스 크흐리스토스님의 계시라. 하나님께서 이것을 그분에게 주셨고, 틀림없이 신속히 되어지기 시작해야 했던 것들을 자신의 종들에게 보이셨고, 또한 자신의 천사를 통하여 자신의 종 이오안네스에게 보내어 나타내셨느니라.

'ΑΠΟΚΑΛΥΨΙΣ Ἰησοῦ χριστοῦ, ἣν ἔδωκεν αὐτῷ ὁ θεός,
계시라 이예수-스 크흐리스토스님의,이것을 주셨고 그분에게 하나님께서
δεῖξαι τοῖς δούλοις αὐτοῦ ἃ δεῖ γενέσθαι ἐν τάχει,
보이셨고 그 종들에게 자신의 것들을 틀림없이 되어지기 시작해야했던 신속히
καὶ ἐσήμανεν ἀποστείλας διὰ τοῦ ἀλλέλου αὐτοῦ τῷ δούλῳ
또한 나타내셨느니라 보내어 통하여 그 천사를 자신의 그 종
αὐτοῦ Ἰωάννῃ, ← 자신의 이오안네스에게

이 책의 원전의 제목이<*'Ἀποκάλυψις 'Ιωάννου* 아포칼륖시스 이오안누스> 즉 '이오안네스(요한)의 계시' 이지만 본 말씀에 따르면 이에수-스(예수)님의 계시이다. '이에수-스(예수) 크흐리스토스(그리스도)' 는 하나님의 아들에 대한 초대교회에서의 공적 칭호였다. 『'요한계시록' 이라 한 것은 2세기 이후이고, 그 이전의 명칭은 '예수 그리스도의 계시' 였다. 예수 그리스도에 관한(about) 계시가 아니라 예수 그리스도의(of) 계시이다.』
《Plummer, 이상근》

『 *Ἰησοῦς* **이에수-스**는 구약에 나오는 **'예호슈-아**<יְהוֹשֻׁעַ' 출 17:9

>라는 유대 이름의 헬라어형< Ἰησοῦς> 인데 히브리어를 헬라어로 음역한 다음 주격 변화를 위해 시그마(-ς)를 붙인 것이다. 이에수-스 는 천사가 마리아에게 그의 아들의 이름으로 알려준 것으로, 아들의 사명을 나타낸다. - "아들을 낳으리니 이름을 **이에수-스**< Ἰησοῦς>라 하라. 이는 그가 자기 백성을 저희 죄에서 구원할 자이심이라"(마 1:21). **이에수-스**라는 이름은 그리스도인들과 헬라 세계와의 접촉보다 더 이른 시기부터 사용되었다. **이에수-스**는 주후 2세기 초기까지만 해도 통상적인 이름이었다. 신약은 행 7:45; 히 4:8절에서 여호수아를 **이에수-스**라고 표기한다(한글개역: "여호수아"); 2세기 이후부터는 **이에수-스**라는 이름이 사라졌다. 아마도 의식적으로 그 이름을 사용하기를 피했기 때문인 것 같다.』**《바이블렉스 C D, 이병철. 2005》**

※ **본서는 헬라어 직역을 위주하기 때문에 인명과 지명을 헬라어 발음대로 한다. 그러나 한국교회 독자의 분별을 위해 괄호 안에 중국어 성경에서 번역된 기존 명을 병기하였다.**(필자 주)

대부분의 묵시문학(주전 200년경부터 주후 100년경 사이 저술된 위경)들이 가명으로 저술되었으나 본 계시록은 기록한 자를 분명히 명시하고 있다. 즉 대부분의 묵시문학들이 에녹이나 아브라함, 에스라와 같은 이미 죽은 유명한 사람들의 이름을 차용한 반면 본서는 유일하게 계시를 받아 기록한 자의 이름이 처음과 마지막에 분명하게 명시되어 있다.(1:2, 22:8)

'요한계시록' 이라 한 것은 크흐리스토스(그리스도)님으로부터 계시를 받아 기록한(1:11) 이오안네스(요한)의 이름과 문학 장르상의 특징을 반영한 것이지 계시자가 이오안네스(요한)라는 말이 아니다. 계시하신 분은 이에수-스(예수) 크흐리스토스(그리스도)님이시다. 그러므로 계시록은 마태 마가 누가 요한복음에 기록된 크흐리스토스(그리스도) 이에수-스(예수)님께서 전파하고 가르치신 복음대로 하나님의 왕국<*βασιλεία*(바실레이아) **주권 통치 왕국**>이 종국에 어떻게 성취되고 완성되는 것을 계시하여 주심으로 파멸되는 것 같은 세상 환란과 재앙 가운데서도 주님의 교회 성도들로 하여금 낙심하지 않고 소망 가운데 이기는 자 되도록 하기 위하여 계시하신 것이다.

『'이에수-스' 〈*Ἰησοῦς*〉, 이름 뜻은 "자신의 백성을 그들의 죄들로부터 구원하시는 분"이라는 뜻이며,(마 1:21) '크흐리스토스' 〈*χριστός*〉는 '기름 붓다'를 뜻하는 크흐리오〈*χρίω*〉에서 파생되었다. 아람어 '메쉬하' 히브리어 '마쉬아흐'에 해당하는데, 그 의미는 어떤 직책을 위해 의식적으로 '기름부음 받은 자'를 의미한다. 메쉬하의 헬라어 음역은 멧시아스인데 시그마(-*ς*)를 붙여 격 변화된 것이다. 멧시아스란 단어는 헬라어 신약성경에서 요 1:41과 요 4:25에만 두 번 나오는데 복음서 기자는 두 경우 모두 헬라어 크흐리스토스로 번역했다. 한글 개역성경은 크흐리스토스를 그리스도로, 멧시아스를 메시야로 음역했다. 구약에서 기름부음을 받은 자들은 선지자와 제사장과 왕이었으며 이들은 크흐리스토스의 모형이다. 크흐리스토스는 신약성경에서 596회 사용되었다.』**(이병철. 바이블렉스 C.D. 2005)**

계시<*Αποκάλυψις* 아포칼륖시스>라는 말은 '덮은 것을 벗기다' '드러나게 하다'라는 동사<*'Αποκάλύπτω* 아포칼륖토>의 명사형으로서 '드러냄' '벗김' '계시'라는 뜻이다. 신약성경에 명사형으로는 18회, 동사형으로는 6회 모두 24회 나타나 있다.

히브리서 1:1~2절에 "하나님께서 이 모든 날 마지막에 아들로 우리에게 말씀하셨으니"라고 하신 말씀 같이 이오안네스(요한)에게 기록하게 하신 말씀은, 하나님께서 이에수-스(예수) 크흐리스토스(그리스도)님께 주셔서 성령님에 의해 그분의 천사를 통해 사도 이오안네스(요한)에게 계시하여 기록하게 하신 것이다.

이에수-스(예수)님께서 세상에 오셔서 전파하고 가르치신 4복음서에 기록된 모든 말씀들은 자신의 말씀이 아니라, 하나님 아버지께서 전파하고 말할 것을 명령하여 주신대로 하셨다고 하셨다.(요 12:49~50) 계시록의 모든 예언의 말씀도 하나님 아버지의 손에 있는 두루마리 책의 말씀으로서,(5:1) 하나님 아버지께서 이에수-스(예수)님께 주신 말씀을 받아서 성령님에 의해 천사를 통해 사도 이오안네스(요한)에게 보고 듣고 기록하게 하신 말씀인 것이다. 계시록 말씀의 근원이 어디서부터이며 계시가 주어진 통로가 어떠함을 분명히 한 말씀으로서 대단히 중요하다.

'신속히' 라는 말 'τάχει(타크헤이)' 는 본서에서 거듭 거듭 말해졌다.(1:1, 2:5, 16, 3:11, 11:14, 22:7, 12, 20) 개역 한글성경에 속히 '될 일' 로 미래형으로 번역하였는데, <γενέσθαι 게네스트하이>는 'γίνομαι 되다(되어지기 시작하다), 일어나다, 이루어지다' 의 부정, 과거, 중간디포(**자신을 위한 자발적 행동으로**)로서 '**속히 되기 시작해야 했던**' 이라고 해야 바른 번역이다. 계시록 마지막 장 22:6절에도 같은 말씀<ἃ δεῖ γενέσθαι ἐν τάχει **속히 되기 시작해야 했던 일들**>이라고 하셨다. 그러므로 이에수-스(예수)님께서 사도 이오안네스(요한)에게 계시하여 주신 계시록의 말씀들은 주후 67년 당시 이미 틀림없이(=반드시) '되어지기 시작해야 했던' 일들과 이러한 일들 후에 이루어질 일들을 계시하여 주시고 기록하여 교회에 보내라 하신 것이다. 이 첫 한 절의 한 단어와 22:6절의 같은 바른 번역부터 요한 계시록을 바로 해석하는데 매우 중요한 기조(基調)가 된다.

사도 이오안네스(요한)에게 계시하여 주신 주후 67년 당시에 이미 '**틀림없이 되어지기 시작해야 했던 일들**'은 무엇인가? 그것은 2~3장의 일곱 교회의 일들과 4~5장의 보좌의 광경, 그리고 이미 주후 67년 이전에 되어지기 시작했던 히에루살렘(예루살렘) 멸망의 징조들인 첫째 인부터 넷째 인의 일들과 중간계시들이다.

이에수-스(예수님)께서 주후 30년, 감람산에서 제자들에게 말씀하셨던 예루살렘 멸망의 징조가 주후 67년 이전에 이미 되어지기 시작했다는 말씀이다. 주후 64년 로마시가 절반이나 불타버리는 대 화재로 인해 이전까지는 철학자인 스승 세네카의 영향으로 평화롭게 선정(善政)을 해오던 네로 황제가 돌변하여, 화재의 누명을 기독교인들에게 돌리고, 기독교인들에 대한 대대적인 박해를 감행한 동시에, 주후 66년에는 이우다이오스(유대인)들의 반항이 본격화되어, 결국 주후 70년 8월 8일에 히에루살렘(예루살렘)이 참혹하게 멸망하게 되는 일이 계시를 받던 주후 67년 전에 이미 시작되었으며 또한 전 로마제국에 박해의 열풍이 휘몰아치므로 첫째 인부터 넷째 인까지의 진노가 되어지기 시작했던 < ***γενέσθαι*** 게네스트하이 ←**부정, 과거, 중간디포** > 일들을 기록하게 하셨다는 말씀이다. 이에수-스(예수님)께서 예언하셨던 히에루살렘(예루살렘) 멸망의 징조들이 전 유대에 걸쳐 처참하게 시작되어 이미 진행되고 있었으며, 로마 네론(네로) 황제로 말미암아 당시 전 세계 로마제국에 환란의 폭풍이 휘몰아치는 긴박한 주후 67년 상황에서 주님의 종들과 교회를 위해 최후까지 신앙을 견지할 수 있도록 기록하게 하신 귀중한 말씀이다.(1:1,11, 22:6,16)

개역 한글성경에 '보이시려고' 라고 번역한 'δεῖξαι(데이-크사이)' 는 '보여주다' 는 말 'δείκνυμι(데이크뉘오)' 의 부정 과거 능동(**능동적 과거 단회적 사건**) 으로서 '틀림없이 시작되어야 했던 일' 곧 유대전쟁을 비롯한 히에루살렘(예루살렘) 멸망의 징조들이 시행됨을 하나님께서 자신의 여러 종들에게 이미 보이셨음을 말한다. 또한 천사를 사도 이오안네스(요한)에게 보내어 보다 완전한 종말의 계시를 기록하게 하셔서 모든 종들에게 알게 하려 하셨다는 말씀이다.

아모쓰(아모스) 3:7절 말씀같이 "주 여호와께서는 자기의 비밀을 그(분의) 종 선지자들에게 보이지 아니하시고는 결코 행하심이 없으시리라" 하신 대로 히에루살렘(예루살렘) 멸망의 징조가 시행 될 즈음에 하나님께서 종들에게 그 사실을 이미 보여 주셨음을 말하는 것이다.

유대인 역사가 요세푸스는 그때 선지자들이 예언하였음을 증언하였다. 『무서운 재난이 불어닥칠 것을 예상하고 큰 소리로 통곡하는 자들도 적지 않았다. 평화를 사랑하는 자들의 눈에는 흉조라고 밖에 해석할 수밖에 없는 불길한 징조들이 나타났으나 전쟁을 옹호하는 무리들은 자기들의 의향에 맞게 제멋대로 해석하였다』**《유대전쟁사, 요세푸스, 제2권 22장 1》**『선지자들은 많은 예언을 하였으나 열심당들은 선지자들의 예언은 사기꾼의 속임수라고 빈정댔다.』**《유대전쟁사, 요세푸스, 제4권 6장 3》**『아나니아의 아들 예수(Jesus son of Ananias)는 7년간 "화 있을진저 예루살렘이여!"』라고 예언하였다고 하였다.**《유대전쟁사, 요세푸스, 제6권 5장 3》** 그리고 히에루살렘(예루살렘)에 있는 기독교 공동체는 이오르다네스(요단)을 건너 베레아의 비 유대인 도시 펠라(Pella)로 도피하여 화를 면했다고 한다.

역사상 노에(노아)의 홍수 멸망,(창 6:13~21) 소도마(소돔) 고몰흐라(고모라)의 멸망,(창 18:17~21, 19:12,13) 아이깊토스(애굽)에 내린 열 가지 재앙,(출 7~12장) 히에루살렘(예루살렘)의 포로와 멸망,(렘 25:8~11) 멧시아스(메시야) 보내심,(사 7:14, 미 5:2)등 하나님께서는 하시는 모든 일들을 선지자들을 통해 알리시고 행하시는 것이다. 그런데 주전 605년 이우다이아(유다) 히에루살렘(예루살렘) 백성들이 바뷜론(바벨론)에 포로 되어 가기 전 140여년 전부터 하나님께서 선지자 헤사이아스(이사야), 미카(미가), 나흐훔(나훔), 쩨퐌야(스바냐), 히에레미아스(예레미야)등을 보내 예고하였지만 듣지 않고 죽이려 하였으며, 유대민족은 하나님의 성민이고 히에루살렘(예루살렘) 성전이 있으므로 전쟁이 없을 것이며 평화로울 것이라고 말하는 많은 거짓 선지자들의 말은 옳다고 믿어 망하게 되었던 것이다.(사 30:8~14; 렘 14:13) 역사는 반복된다는 말과 같이 이 최후 종말의 시대에도 신자들이 극히 소수의 참된 종들의 말은 듣지 않는 것이다.

계시록은 하나님께서 "자신의 종들에게 보이신" 것과 이러한 일들 후에 되어질 일들을 이에수-스(예수) 크흐리스토스(그리스도)님께 주셔서 사도 이오안네스(요한)에게 기록하게 하여 교회들에게 보내게 하신 것이다.(1:1, 11) 계시록 마지막 장인 22:6절에도 같은 말씀을 하셨는데 "**거룩한 선지자들의 주 하나님께서 틀림없이(=반드시) 속히 되어지기 시작해야 했던 일들을 그분의 천사를 보내셔서 그분의 종들에게 보이셨느니라**"고 하셨고, 16절에는 "나 이에수-스(예수)는 교회들을 위하여 내 사자(천사)를 보내어 이것들을 너희에게 증거 하게 하였느니라"고 하셨다. **계시록을 기록하게 하신 목적을 말씀하신 것이다.**

계시록에서 종<*δούλῳ* 둘로>은 어떤 자를 말함인가? 이오안네스(요한),(1:1) 선지자들,(10:7, 11:18, 22:6) 모쉐(모세),(15:3) 일반 성도를 포함하여(2:20, 7:3, 19:5, 22:3) 모두를 종이라 하였다.

크흐리스토스(그리스도) 이에수-스(예수)님은 자신의 천사를 자신의 종 이오안네스(요한)에게 보내어 나타내셨다. '천사'는 관사 '*τοῦ*(투-그)'가 있으므로 특정한 천사를 가리키며 '가브리엘'이 유력하다.(단 8:16, 9:21, 12:1; 눅 1:26)

그런데 근세에는 왜 천사의 나타남이 없는가? 관심사가 아닐 수 없다. 답은, 구약 말아키(말라기) 선지자의 말과 같이 하나님을 믿는다는 유대교가 극도로 타락하여, 그 반동으로 주전 122년경 유대교 경건주의 화리사이오스(바리새)파나 엣세네파가 생겨났으나 율법관(율법을 철저히 지켜 자기 의로움)과 멧시아스(메시야)관 —이스라엘 국가를 회복할 멧시아스(메시야)를 기다림— 이 잘못되었기 때문에 이에수-스(예수)님 나시기까지 약 400년간 하나님께서 아무 선지자도 보내지 않으시고 말씀도 기록하게 하지 않으시고 안 계시는 것처럼 침묵하셨듯이, 사도시대(A.D.100년) 이후 그때처럼 특히 주후 67년 이오안네스(요한)에게 천사를 보내셔서 계시하신 이후 하나님께서는 침묵하시기 때문에 성경 기록도 더 이상 없고 천사의 나타남도 없는 것이다.

'나타내셨느니라' <*ἐσήμανεν* 에세마넨>를 한글 개역성경은 '지시하셨느니라'로 번역하고, 원어를 풀이한 주석들에 '환상들은 상징들로 되어 있다' (**이상근 박사 주석**), '여자적으로 해석하는 것보다 상징적으로 해득함이 옳다' (**박윤선 박사 주석**), '상징과 비유로 지시하신 것이니' (**풀핏 성경주석**), '상징적으로 해득함이 옳다' (**손기태 박사 주해**), '상징으로 표시하다' '상징으로 알게하다' (**옥스퍼드 원어성경대전**), '계시록은 상징의 책이다' (**윗트니스 리**), '상징적으로 표현된 일들을 가리킴' (**비더울퍼**) 등 많은 저명한 학자들 거의 모두 원어를 유의하지 않아 계시록을 상징으로 본 것이다.

이렇게 헬라어<*σημαίνω* 세마이노 -**지시하다, 알리다, 나타내다, 선언하다**>를 거의 모든 계시록 해석자들이 '상징으로 표시하다'로 예사로이 생각하고, 그렇기 때문에 계시록은 상징으로 주신 것이므로 상징으로 해석해야 된다는 관념이 일반화되어 있는 것이다. 이것은 계시록 해석에 있어서 가장 중대한 문제 중에 하나이므로 이 헬라어 뜻에 대하여 「**바이블 렉스, 2005, 브니엘 성경연구소**」에서 그대로 소개한다.

『동사 세마이노는 세마<*σῆμα* 세마 **표시, 신호**>에서 유래했다. (a) 이 단어는 '명령하다, 명하다'라는 의미에서 '지시하다'를 의미한다.

(b) 이 단어는 '표징이나 신호를 주다, 나타낸다, 알리다, 선언하다, 뜻(의미)하다, 지적하다'를 의미한다.

동사 세마이노는 신약성경에서 6회 나오며, 다음과 같이 사용되었다.

(a) ① 요 12:33에서 예수님께서는 자기가 죽을 방식에 관해 암시하신다: "이렇게 말씀하심은 자기가 어떠한 죽음으로 죽을 것을 보이심이러라".

② 요 21:19에서 "이 말씀을 하심은 베드로가 어떠한 죽음으로 하나님께 영광을 돌릴 것을 가리키심이러라" 예수님께서는 베드로가 죽을 방식에 관해 암시하신다.

(b) 행 25:27, "그 죄목을 베풀지 아니하고 죄수를 보내는 것이 무리한 일인줄 아나이다 하였더라". 여기에서 베스도는 바울이 무슨 죄로 고발되었는지 "나타내거나 보이기" 위해 바울을

더 조사해 보아야 했다.

(c) 행 11:28 "그 중에 아가보라 하는 한 사람이 일어나 성령으로 말하되 천하가 크게 흉년 들리라 하더니 글라우디오 때에 그렇게 되니라". 여기에서 아가보는 기근이 있을 것이라고 "성령으로 말하였다". 즉 예고하였다.

(d) 계 1:1의 사상도 이와 비슷하다: 예수님께서는 천사를 통해서 요한에게 '그것을 알려주었다' 즉 그것을 '지시하거나 선언하였다'.』

신약성서 신학(킷텔 원어)사전(1986, 요단 출판사)에도 *σημεῖον*(세메이온)은 '표징', '표시' 이고, 여기 1절에서 말한 *ἐσήμανεν*(에세마이넨)의 원형 *σημαίνω*(세마이노)는 '의미하다', '나타내다' 이다 라고 설명하고 있다. 마태복음 24:3절에 같은 말이 사용되었으니 감람산에서 제자들이 이에수-스(예수님)께 "주님의 임하심<*παρουσίας*(파루시아스) **재림, 강림**>과 세상 끝에는 무슨 징조<*σημεῖον*(세메이-온) **표징, 표시**>가 있사오리이까?"라고 문의를 드렸던 것이다. "무슨 **상징**이 있으리이까?" 라고 하지 않은 것이다. 그러므로 *σημεῖον*(세메이-온)은 '**표징**' 이라고 해야 한다.

계시록 1:1절에서 *ἐσήμανεν*(에세마넨- 원형 세마이노)의 동사 직설 과거 능동을 '상징으로 알게하다' '상징으로 표시하였다' '상징과 비유로 지시하신 것이니' '상징적으로 해득함이 옳다' 등으로 이해하면 계시록을 바르게 이해하는데 크게 잘못된 영향을 미치는 것이다. 계시록은 온통 상징이 아니다. 상징(象徵)이란 말은 '말로는 설명하기 힘든 **추상적인** 사물, 개념 따위를 구체적인 사물로 나타낸 것' 이라는 말이며,《**국어사전, 민중엣센스, 1999**》 '표징(表徵)' 이란 말은 '겉에 드러나는 특징' 이란 말로서 계시록은 '표징으로 보이신 것' 이라고 해야 합당한 것이다. 계시록은 **'추상적인** 사물, 개념 따위를 상징으로 나타낸 것' 이 아니다. 실제로 되어지고 있는 일을 표징(表徵)으로 보여 주신 것이다. 계시록에 상징(象徵)이란 말을 도입하여 상징으로 해석하기 어려운 것으로 인식케 하고, 그리고 계시록의 해석을 각자 중구난방이 되게 한 것이다.

표징(表徵)이라 함이 합당함은 계시록에서 숫자나 어떤 사물로 말씀하신 것들이 '겉으로 드러나는 특징' 을 부각시키고져 한 것이므로 성경 전체에서 말씀하시는 바를 살펴서 참조하면 그렇게 모호하고 난해한 해석을 할 것이 아닌 것이다. 예를 들어 '일곱' 이라는 수는 '완전한 것을 특징 하는 것' 이면서도 실제 일곱 수이며, '짐승' 이란 것은 '포학하여 사람을 해치는 특징' 을 부각시킨 것이면서 사람과 유사한 존재임을 나타낸 것이다.

그러므로 계시록의 초두에서 이 한 단어의 바른 번역은 계시록 전체를 보는 시야를 좌우하는 중요한 일인 것이다.

그러므로 *ἐσήμανεν*(에세마이넨)을 '상징으로 표시하다' 로 비약시켜 번역하여 가르침으로 계시록이 온통 상징으로 된 것으로 오인하게 한 것이다. 그래서 요한계시록 전부〈예 →새 히에루살렘(예루살렘) 도시〉를 상징이나 영적으로 해석하게 하고 어렵고 난해한 것으로 인식케 하여 사람마다 해석을 달리하게 함으로 혼란을 가중케 한 것이다. 필자도 헬라 원어가 분명히 상징이라는 말이면 그렇게 순응하고자 하나 그렇지 않으니 언급하지 않을 수 없다. 성경에 '모형 *ὑπόδειγμα*휘포데이그마' 이란 말은 있어도(히 8:5, 9:23, 24) '상징' 이란 말은 없다. 계시록은 표징이 많이 있으나 온통 표징으로만 되어있지 않다. 문자대로가 훨씬 더 많다. 주님께서 표징으로 표현하여 말씀하시면서도 바로 그것이 무엇을 의미하는지를 말씀하신 경우가 있으며,《예; 일곱 별(1:20)→일곱 교회의 사자(1:20), 일곱 금 등대(촛대)(1:20)→일곱 교회(1:20), 용, 옛 뱀(12:9)→마귀, 사탄(12:9), 바다, 물(13:1, 17:1)→백성과 무리와 열국과 방언(17:15), 큰 창녀(17:1), 여자(17:18)→땅의 임금들을 다스리는 큰 도시(17:18), 바빌론(바벨론)(18:10) 》표징으로 표현 된 것도 전체 성경을 고찰해 보면 거의 모두가 무엇을 의미한 것인지를 바로 알 수 있다.《예; 생물(4:8)→스랍〔그룹〕천사(사 6:1~4; 겔 1:4~25), 어린양(5:6)→예수님(출 12:3; 사 53:7; 요 1:29), 불붙는 큰 산(8:8)→온 세계를 멸한 멸망의 산(렘 51:25)》 그러므로 표징으로 표현 된 것을 성경 전체를 면밀히 살펴보고 성경의 뒷바침 없이 자신의 생각이나 추상으로 표징을 해석하면 틀리기 쉬운 것이다. **【특주 8】 계시록에는 상징이 아니라 유사이다 참조**

주님께서 사도 이오안네스(요한)에게 여러 표징들로 계시하여 주신 것은 이에수-스(예수님)께서 사람들에게 비유로 말씀하신 이유와 같은 것이다. "하나님의 왕국의 비밀을 아는 것이 제자들에게는 허락되었으나 다른 사람에게는 비유로 하나니 이는 저희로 보아도 보지 못하고 들어도 깨닫지 못하게 하려 함이니라" 하신 것이다.(눅 8:10) 그러므로 계시록에서 표징으로 보여 주신 것들은 하나님 왕국의 참 제자 된 자들은 바로 깨달으나 다른 사람들은 바로 보지 못하고 바로 깨닫지 못하게 하기 위해서 그렇게 하신 것이다. 그러므로 계시록의 표징들을 바로 보고 바로 해석하는 자는 참으로 주님 앞에서 주님께서 보시는 바 하나님의 왕국의 제자 된 자들이다. 또한 심판의 대상인 세상 권세자들은 이 말씀을 보아도 알지 못하게 하기 위해서이기도 한 것이다.

☆ 감동과 기도 ☆

2절 ▷ 이 사람은 하나님의 말씀과 이에수-스 크흐리스토스님의 증거, 자기가 본 모두를 다 증거하였느니라.

ὃς ἐμαρτύρησεν τὸν λόγον οῦ θεου καὶ τὴν μαρτυρίαν
이사람은 증거하였느니라 그 말씀을 그 하나님의 그리고 그 증거를
Ἰησοῦ Χριστοῦ, ὅσα τε εἶδεν. ←이예수 크리스토스님의, 모두 둘다 자기가 본

개역 한글성경은 <ὃς 호스>을 '요한' 이라 번역하였으나 사도 이오안네스(요한)를 가리키지만 그대로 직역하여 '이 사람은' 이라고 해야 한다.

사도 이오안네스(요한)는 자신이 기록한 계시의 말씀들이 어떤 내용임을 다시 한 번 구체적으로 말한다. "하나님의 말씀과 이에수-스(예수) 크흐리스토스(그리스도)님의 증거, 자기가 본 둘 다<τε 테> 모두<ὅσα 호사>를 증거하였느니라" 고 하였으니, 사도 이오안네스(요한)가 보고 기록한 계시록의 모든 것은 요약하면 '하나님의 말씀과 이에수-스(예수) 크흐리스토스(그리스도)님의 증거 하신 것' 이다. 대단히 중요한 말이다.

"하나님의 말씀과 이에수-스(예수) 크흐리스토스(그리스도)님의(자기가 가진) 증거" 라고 한 말이 계시록에서 여러 번 나온다.(1:2, 9, 6:9, 12:17, 20:4) 이오안네스(요한) 자신이 팥모스(밧모)섬에 있게 된 것이 그 때문이라 하였고,(1:9) 제단 아래서 호소하는 생명(혼)들도 '하나님의 말씀과 저희의 가진 증거를 위하여 죽임을 당한 혼<ψυχή 프쉬크헤← **이후에는 원어 바른 의미상 '생명' 이라고 함**>들' 이라 하였고,(6:9) 용(사탄)이 대적하여 싸우려고 한 여자의 남은 자손 곧 성도들을 "하나님의 계명들을 지키며 그리고 이에수-스(예수) 크흐리스토스(그리스도)님의 증거를 가진 자들" 이라 하였고,(12:17) 20:4절에도 "내가

보니 이에수-스(예수) 크흐리스토스(그리스도)님의 증거를 위하여, 그리고 하나님의 말씀을 위하여 목베임 받은 자들의 생명들과"라고 한 것이다. 그러므로 하나님의 말씀과 이에수-스(예수) 크흐리스토스(그리스도)님께서 증거 하신 모든 것을 위하여 감옥에도 죽음에도 나아갈 수 있는 자가 성도인 것이다.

3절 ▷ 이 예언의 말씀들을 낭독하는 자와 들어서 깨닫는 자들과 그 가운데 기록되어진 것들을 수행(守行)하는 자들이 복이 있나니 그 정해진 때가 임박하기 때문이라.

μακάριος ὁ ἀναγινώσκων, καὶ οἱ ἀκούοντες τοὺς λόγους τῆς
복이 있나니 자 읽는,낭독하는, 와 자들 들어서 깨닫는 이 말씀들을 이
προφητείας, καὶ τηροῦντες τὰ ἐν αὐτῇ γεγραμμένα
예언의, 그리고 수행하는 자들 것들을 가운데 그 기록되어진
ὁ γὰρ καιρὸς ἐγγύς. ← 그 때문이라 정해진 때가 임박하기

'예언<*προφητεία*(프로프헤테이아)>' 이라는 말 역시 계시록에 일곱 번 나온다.(1:3, 11:6, 19:10, 22:7, 10, 18, 19)

이 예언의 말씀을 '읽는 자' 를 '낭독하는 자' 로 번역하는 것이 기록한 당시의 정황을 바로 나타내는 것이니, 오늘날처럼 종이와 인쇄술이 없었던 때로서 책을 누구나 가질 수 없었고 공동집회에서 구약시대의 풍습대로(느 8:2~3, 눅 4:16, 행 13:15, 15:21) 한 사람이 회중 앞에서 크게 낭독하고 회중은 귀를 기울여 들었던 것이다. 또한 능숙하게 읽는 자가 드물었다. '낭독하는 자' <*ὁ ἀναγινώσκων* 호 아나기노스콘>은 단수이고 '들어서 깨닫는 자들' <*οἱ ἀκούοντες* 호이 아쿠온테스>는 복수인 것은 말씀을 듣는 회중을 말하는 것이다. '듣는다' 는 말<*ἀκούοντες* 아쿠온테스>는 단순히 소리를 듣는다는 의미만이

아니고 '경청한다, 주의를 기울인다, 순종한다,(마 18:15, 행 4:19) 이해한다,(고전 14:2) 정신적으로 받아들인다,(막 4:33) 깨닫는다,(마 13:23, 요 8:43, 47)는 말로서 '복 있는 자니라' 한 말과 연관하여 '들어서 깨닫는 자들' 이라고 번역해야 할 것이다.

개역 한글성경에 '지키는 자들' 이라고 번역한 < τηροῦντες 테룬테스 →원형 τηρέω 테레오>는 분사 현재 능동태로서 한 번 또는 일시적으로만 아니라 계속적으로 지키는 것을 말한 것이다. 그리고 'τηροῦντες 테룬테스' 는 단지 말씀을 '행한다' 는 의미보다, '파수병< τηρός 테로스>' 이란 말에서 유래한 말로서 '감시하다' '망을 보다' '(손실이나 해로부터, 시선을 계속 둠으로써)도피를 방지하다, 주의하다, 굳게 붙잡다' 는 의미의 말이다. 그러므로 요한계시록의 종결 부분인 22:18~19절에서 이 예언의 말씀에서 더하지도 제하지도 말 것을 엄중히 경고한 말씀에 대하여 역으로 단지 지켜 행하는 자들이 복 있다 함보다 요한계시록에 기록된 말씀을 손실되지 않도록 굳게 지켜 보존하여 준수하라는 말씀인 것이다. 기록된 말씀의 귀중함을 알고 굳게 보존하여 지키는 자는 바로 그 말씀을 행하는 자임은 자연스런 일이다. 기록된 말씀을 바르게 굳게 보존하여 지키지 않는 자는 주님께서 보시기에 말씀을 제대로 지키지 않는 자인 것이다. 그러므로 성경 원어 직역으로 된 이 바른 계시록의 말씀을 읽고 듣고 지키는 자는 참으로 복된 자인 것이다. 이에수-스(예수)님께서 세상에 오셔서 복음을 가르치실 때도 말씀을 듣던 한 여인이 "당신을 밴 태와 당신을 먹인 젖이 복이 있도소이다" 고 하니 이에수-스(예수)님께서 "보다 하나님의 말씀을 듣고 그것을 수행하는(守行- φυλάσσοντες 프휠랏손테스 **수호하고 복종하는**) 자들이 더 복이 있느니라" 고 하셨다.(눅 11:27~28)

【특 주 I】 요한계시록에 7번 복 있는 자 참조

<ὁ γὰρ 호 가르>는 '그 이유는, 그 때문이다' 라는 말로서 복이 있는 이유를 말한 것이다. 사도 이오안네스(요한)가 기록하는 이 말씀을 회중 앞에서 낭독하는 자와 들어서 깨닫는 자들과 그 가운데 기록한 것들을 보존하여 지키는 자들이 최고의 복이 있는 것은 '정해진 때가 가깝기 때문이다' 고 하신 것이다. 정해진 때<καιρὸς 카이로스>는 '적절한 상황이라고 표현되는 정해진 때, 적당한 시기' 를 말한다. 이 말은 그 '때' 나 '시기' 보다 정해진 때를 예표하는 상황이 임박하다는데 유념케 하는 말이다.

계시록의 종결 부분인 22:10절에 다시 한 번 '정해진 때가 가까우니<καιρὸς ἐγγύς 카이로스 엥귀스>라' 고 하였다. 사도 이오안네스(요한)가 계시록의 말씀을 기록하던 당시에 그처럼 '때가 가깝다' 고 강조했는데도 주님의 재림이 지금까지 실현되지 않은 것 때문에 계시록의 말씀에 대한 회의가 팽배해지고 실제적인 재림에 대한 신앙이 둔감해진 것이다. 그러므로 이에 대한 명확한 해답이 계시록의 주해에 앞서 우선되어야 할 것이다. 이 문제에 대하여 일반 서론 7 바른해석에서 명확게 설명하였다.

☼ 감동과 기도 ☆

【 특주 Ⅰ】

계시록에 7번 복 있는 자라 하신 말씀

계시록의 많은 부분이 경책과 권면(2~3장), 재앙과 심판(6~20장)이 기록되어 있어서 웬만한 사람은 읽기를 꺼려한다. 그러나 영이 바로 되고 계시록을 바로 알면 최후에 진정 복 있는 자가 되는 엄청난 비밀이 숨겨져 있는 것을 발견하게 된다. 7번이나 이런 자가 복이 있다고 말씀하셨으니,

1〉 **계시록의 말씀을 낭독하는 자와 들어서 깨닫는 자들과 기록된 말씀을 보존하여 지키는 자들이 복이 있다고 하셨다.**(1:3)

성경의 모든 말씀을 읽고 들어서 깨닫고 보존하여 지켜야 하지만 특히 계시록의 말씀은 그러해야 하는 것이다. 과연 오늘날 기독교에 계시록의 말씀을 교회에서 낭독하고 들어서 깨닫고 그 귀중함을 알아 보존하며 지키는 복된 자가 얼마나 되겠는가?

그렇지 못한 근본적인 원인은 계시록의 말씀을 올바로 실제적인 말씀으로 설명하여 가르치지 못하고, 과거에 이루어진 것이라느니, 미래에 이루어질 일이라느니, 역사가운데 이루어지는 일이라느니, 영적 교훈을 주기 위한 말씀이라느니 하며, 설왕설래 혼돈하기 때문에 복이 있는 말씀이 아니라 골치 아픈 계시록으로 각인시켜졌기 때문이다. 기독교 전체가 바로 되기는 거의 불가능하다. 기독교인 각자는 이 문제를 시급히 바로 해야 복된 자가 될 수 있다.

기독교는 오히려 성경에서 계시록은 미운 오리새끼로 취급을

받고 있는 실정이다. 관심 없고, 읽거나 듣는 것을 꺼려하고, 공포스럽고, 복잡하고 난해한 책으로 인식하여 신앙생활과 동떨어진 책으로, 계시록을 강해하고 들으면 치우친 목사나 신자로, 성경공부에서 제외된 책으로 취급받고 있는 것이다. 신자들이 복 받는 자가 되기를 그토록 원하고 설교를 하건만 계시록에서 말씀하신 최종적으로 진정 복된 자가 어떤 자인 것을 바로 가르치지 않고 모르고 있으니 탄식스럽다. 주님께서는 일곱 교회 모두에게 "귀를 가진 자는 누구든지 성령께서 교회들에게 하시는 말씀(계시록)을 들으라" 고 하셨다.

2〉 **마지막 대 환란 후3년 반에 주님 안에서 죽는 자들이 복들이 있 다고 하셨다.** (14:13)

개역 한글성경에 '자금 이후로' 주안에서 죽는 자들이라고 하였는데 '자금(自今)' 이란 말은 '이제부터' 라는 말로서 '자금' 이라는 말은 어감(語感)이 얼른 바로 떠오르지 않는 말이다. 필자는 어릴적부터 한글성경을 읽으며 '자금 이후로' 라는 말을 '시간이 있은 후로' 또는 '창조 이후로' 라고 이해했다.

헬라어〈ἀπάρτι 아파르티〉는 '지금부터, 이제부터' 라는 말인즉, '지금부터' 라고 번역해야 정확한 것이다. 그러면 요한계시록 14:13절에서 '지금부터' 라고 한 말은 언제부터를 말함인가? 이것은 진노와 재앙의 일곱째 나팔을 분 후,(계 11:15) 이스라엘(=피란처에 갈 자들)이 하나님께서 예비하신 곳 광야로 가서 1,260일, 한 때와 두 때와 반 때를 양육 받을 때이며,(계 12:6) 적그리스도인 짐승이 마흔 두 달 동안 일할 권세를 받은 때,(계 13:5)부터 곧 7년대환란의 후삼년 반 시작한 때를 말한다. 세상 왕국의 통치자로(계 11:15) 나타난 적그리스도인 짐승과 그의 하수인인 거짓 선지자가 온 세상 모든 사람들에게 짐승의 형상에게 경배하고 그 이름의 표를 받아야 사고 팔 수 있도록 하고, 경배하지 않고 표를 받지도 않는 자는 누구든지 다 죽이게 하는 때이다.(14:9~12)

'주안에서 죽는 자들' 은 바로 앞에 12절에서 말한 '하나님의 계명들과 이에수-스(예수)님의 믿음을 인내로 지킨 성도들' 을 말하며, 12:11절에 "어린양의 피와 자신들의 증거의 말을 수단으로 그(마귀)를 이겼으며, 또한 죽음에까지 자신들의 생명을 결코 사랑하지 아니한" 성도들을 말하는 것이다. '지금부터' 라고 한 그 전까지 필라델피아 교회처럼 평소부터 이에수-스(예수)님의 말씀을 인내로 잘 지켜 왔던 소수의 성도들은 피난처에 보냄을 받아 보호를 받지만, 스뮈르나(서머나) 교회 성도들 같이 죽기까지 신실한 자들도 있는 것이다.(계 2:10)

이렇게 대 환란에서 죽임을 당한, 환란에서 나오고 있는 자들이 하나님의 보좌 앞에서 영생복락을 누릴 뿐만 아니라,(계 7:15~17, 21:1~4) 그 이전에 주님께서 세상에 재림하실 때 첫째 부활에 참예하여, 새롭게 된 이 세상에서 천 년 동안 주님과 함께 왕노릇 하는 자들로서 거룩하고 복된 자라 하신 것이다.(계 20:1~6) 영생복락 이전에 이 세상이 새롭게 되어, 백보좌 심판 전에 천년왕국에서 천 년 동안 왕노릇 하는, 말로 표현 할 수 없는 지극한 복인 것이다. 이에수-스(예수)님의 말씀(막 10:30) 문자 그 이상, 실로 백 배나 받는 복인 것이다. '복들이 있다' 고 단수가 아닌 복수로 '복들' 이라고 하신 것은 그만큼 많은 복임을 말씀하신 것이다.

3〉 자신의 옷들을 지켜 그렇게 하여 벌거벗고 다니지 아니하

고, 그리고 자신의 부끄러움을 보지 않는 자가 복이 있다고 하셨다.(16:15)

'옷' 이란 요한계시록 3:2~5절과 19:7, 8절에서 '성도들의 옳은 행실들' 이라 하였고, '벌거벗은' 것은 기독교 신자들이 주님께 합당하고 만족한 행위가 없으면 주님께서 보실 때 벌거벗고 다니는 부끄러운 상태라는 것이다. 얼마나 많은 기독교인들이 벌거벗은 것을 깨닫지 못하고 활보하고 있는 창피한 형국인데도, 영적 눈이 어두워 보지 못하고 알지 못하고 있는 것이다.

주님께서 칭찬하실만한 흰옷들을 입고 주님과 동행한 자들은 주님께서 그의 이름을 생명의 책으로부터 절대로 지워버리지 않으시고, 그리고 그의 이름을 아버지 앞과 그분의 천사들 앞에서 인정하리라고 하신 것이다.(계 3:1~5) 얼마나 귀한 복인가? 그런데도 오늘날 기독교는 이렇게 확실한 주님의 말씀대로 복 있는 자가 되도록 가르치고 있지 않는 것이다. 오히려 구원은 행함과 관계없다 하여 믿음에서 행위를 배제해버리고 믿음만 있으면 구원받는다고 하고 있으니 사복음서와 계시록에 기록된 이에수-스(예수)님의 말씀을 완전히 무시해 버리고 있는 것이다. 기독교는 이 말씀에 완전히 역행하고 있는 것이다.

4〉 **어린양의 결혼식 잔치에 부름을 받은 자들은 복들이 있다고 하셨다.**(19:9)

계시록 19장은 7년 대환란 후 이에수-스(예수)님께서 재림하시는 광경을 예언한 말씀이다. 하나님의 어린양 이에수-스(예수)님의 재림은 결혼 잔치를 하기 위해 신랑이 오는 것 같으며,(마 25:1, 10) 아내는 옳은 행실의 깨끗하고 흰 세마포를 입은 성도들이라고 하였다.(7, 8절) 왕이 금홀을 내밀어야 왕후가 왕 앞으로 나아갈 수 있었듯이(에 5:2) 재림하시는 하나님의 어린양 만왕의 왕이신 주님으로부터 신부로서 흰옷을 입은 성도들에게 잔치에 나아오라는 부름을 받은 자들은 얼마나 복된 자들일 것을 말씀하신 것이다. 여기서 어떤 이들은 신부인 성도들과 일반 손님으로 부름(청함)을 받은 자들을 구분하여 구원받는 자들이 구분이 있다고 가르친다. 생각은 자유이나 성경의 진리는 하나이다. 그렇게 생각하는 근본 이유는 기독교 신자들 중에 하나님 앞에 만족한 행위로(계 3:2,4) 주님께 칭찬 받을만한 흰옷을 입고 주님과 함께 살아가는 자가 너무나 적기에(계 3:4) 그렇지 못한 대다수의 신자들에게 실망을 주지 않기 위해서 손님으로 구원을 받는다고 위안하는 것이다. 이것은 사복음서에 기록된 이에수스(예수)님께서 가르치신 말씀들과 배치되는 가르침이다. 뿐만 아니라 구약과 신약 성경 전체에 믿음의 사람들로 기록되게 하신 모든 성도들의 믿음과 삶에 비추어 보아도 맞지 않는 것이다.

그리고 재림하실 때 공중에서 혼인잔치가 있다고 주장하는 하는 자가 많은데, 19:9절에 혼인 잔치를 향하여<εἰς τὸ δεῖπνον τοῦ γάμου> 청함을 입은 자들이라고 한 것은 공중에서 7년 또는 3년반 동안 혼인잔치가 있다는 말이 아닌 것이다. 19:9절 해석에서 자세히 말하겠지만 여기서 한 가지만 말하자면 주님께서 공중에 재림하셔서 7년 또는 3년 반 동안 혼인잔치를 한다고 하는데 그때는 하나님께서 땅에 맹렬한 진노의 나팔과 대접 재앙들을 쏟아 붇고 계시는 기간인데(15:1, 16:1) 공중에서 혼인잔치가 있다는 것은 말이 안되는 것이다. 그리고 혼인잔치는 7년 또는 3년반 있는 것이 아니고 천년왕국후 최후의 백보좌 심판 후에 새 하늘과 새 땅 새 히에루살렘(예루살렘)에서 있는 잔치인 것이다. 천년왕국에서 왕노릇 할 자들과 최후의 백보좌 심판이 있기 전에는 어린양 이에수-스(예수님)의 신부될 자들이 최종적으로 확정이 되지 않기 때문에 재림하시는 그 순간에는 공중재림이든 지상재림이든 혼인잔치가 있을 수 없는 것이다.

5〉 최상의 부활에 몫을 가지는 자는 복이 있고 거룩하다고 하셨다.(20:6)

보통 '첫째' 라고 번역한 〈*τῇ πρώτῃ* 테- 프로테〉는 '첫째의, 최초의, 최고의, (시간 장소 중요성에 있어서)최상의, 먼저, 시작, 주요한' 이란 뜻의 말인데, 여기서 천년왕국에서 주님과 함께 왕으로 통치할 성도들의 부활은 단지 순서적으로 '첫째' 라기 보다, '(시간 장소 중요성에 있어서)최상의' 라고 함이 더욱 적절한 것이다.

주님께서 재림하셔서 세상 사탄의 적그리스도의 왕국을 멸하시고(계 19:11~21) 사탄은 무저갱에 가두고 (계 20:1) 땅과 바다를 새롭게 정화시킨 후(겔 47:6~12) 천 년 동안 왕노릇 하게 하시는 것이다. 백성들은 7년대환란 끝에 살아 남았던 불신자들이다. 요한계시록을 풀이하는 거의 모든 사람이 천년왕국의 백성들을 구원받은 자들이라고 하는데 성경에 맞지 않는 견해이다.

그 이유 첫째는 성도가 구원받은 자들 위에 왕노릇 한다는 것은 맞지 않는다. 왜냐하면 구원받은 자들은 모두 왕들이라고 했기 때문이다.(계 1:6)

이유 둘째는 천년왕국이 끝날 때 무저갱에서 풀려난 사탄이 천년왕국의 백성들을 미혹하여 전쟁을 하려고 왕노릇 하던 성도들의 성과 주님께서 사랑하시는 도시를 에워싸니, 하나님으로부터 하늘에서 불이 내려와 그들을 삼켜버린다고 하였으니,(계 20:7~9) 어떻게 그 백성들이 구원받은 자들인가? 도무지 이치에도 맞지 않는 말이다. 하나님께서는 결코 이치에 맞지 않는 일을 하시는 분이 아니시다. 뿐만 아니라 주님과 성도들을 대적하여 싸우려고 한 천년왕국의 민족들을 '곡과 마곡' 이라 하였으니(20:8) 구원받은 자들이 아니라 하나님의 백성의 원수들의 이름인 것이다.(겔 38:2)

이유 셋째는 천년왕국의 백성들이 구원받은 자라고 증거로 대는 이사야 35장의 평화로운 멧시아스(메시야) 왕국이 '오직 구속함을 입은 자들을' 위하여 있게 된 것이라 했는데 번역이 잘못된 것이다. '그들을 위하여(for those)' 있게된 것이라는 말이며, '오직 구속함을 입은 자만' 그리로 행할 것이라는 말도 '가장 가까운 자들' 이란 말인 것이다. 이사야 35장의 예언은 신약시대에 이에수-스(예수)님의 초림으로 이루어질 것을 예언한 말씀이며 65장의 예언은 천년왕국에 대한 예언으로서 35장에는 거기에 사자나 사나운 짐승이 없다고 하였으나(9) 65장에는 이리와 사자가 있다고 하였으니 같은 예언이 아닌 것이다. "그 때에 소경의 눈이 밝을 것이며, 귀머거리의 귀가 열릴 것이며 '(사 35:5)라고 한 말씀을 예수님께서 초림하셔서 하시는 일로 이루어졌다고 말씀하신 것이다.(마 11:5) 그러므로 이사야 35장은 이에수-스(예수님)의 초림으로 성령님 안에서 실현될 하나님의 왕국을 예언한 것이다.

이유 넷째는 천년왕국에 대해 예언한 스가랴 14:16~21절에 이방인 곧 불신자들이 백성일 것을 말씀하신 것이다.

이유 다섯째는 천년왕국은 세상에서 불신자들로부터 고난 받았던 성도들에게 실제 이 세상에서 백 배로 보상하시는 기간임으로, 지금 이 세상과는 정 반대로 성도들이 불신자들 위에 왕노릇 하게 하시는 것이 하나님의 공의이기 때문이다.

주님과 함께 왕노릇 하는 성도들은 부활체로서 그 어떤 최신 자동차나 비행기도 필요 없다. 부활하신 이에수-스(예수)님께서 40일간 세상에 계실때 문을 열지 않고 나타나시고 사라지시며, 부활체가 아닌 제자들과 대화하시고 잡수시기도 하신 것처럼 그러한 놀라운 몸으로 천 년 동안을 왕노릇 하는 것이다. 얼마나 복된 일인가?(눅 24:15, 31, 36~43) 이 최상의 부활에 몫을 가지는 자는 두 번째 사망 곧 유황과 불못이 그들 위에 힘을 가지지 못한다고 하였으니(계 20:6) 얼마나 구원이 확실한 것인가? 이 최상의 부활의 복됨을 어찌 말로 표현할 수 있겠는가? 그리고 이 복됨을 안다면 어찌 신앙생활을 아무렇게 할 수 있겠는가?

6〉 이 책의 예언의 말씀들을 보존하여 지키는 자가 복이 있 다고 하셨다. (22:7)

"보라 내가 속히 가니 이 책의 예언의 말씀들을 보존하여 지키는 자가 복이 있다"고 하셨다. 다른 성경 말씀도 그러하거니와 특히 계시록의 말씀은 재림하실 이에수-스(예수)님께서 자신의 종들과 교회들에게(1:1, 11, 22:6, 16) 그 당시에 어떻게 되어지고 있으며마지막 때에 어떻게 되어질 일에 대하여 알려 주신 말씀이기 때문에 주님의 재림을 기다리는 종들과 교회 성도들은 마땅히 계시록의 말씀들이 귀중함을 명심하고 보존하여 지키면 복이 있을 것이라고 주님께서 계시의 처음과 마지막에 두 번 거듭(1:3, 22:7) 말씀하셨음을 항상 기억할 것이다.

개역 한글성경에 '지키는 자' 라고 한 ὁ τηρῶν(호 테레온-)이라는 말은 '행하는 자' 라는 의미로 알고 있지만 그보다는 '(시선을 계속 둠으로 손실이나 해로부터)지키다, 도피를 방지하다 즉 주의하다, 굳게 붙잡다'라는 말이다. 그러므로 계시록의 말씀을 등한히 하지 않고 늘 주의하고 굳게 붙잡는 자가 주님 오실 때 복이 있을 것이라는 말씀이다. 1:3절에는 복수로 말씀하셨는데 22:7절에서는 단수로 말씀하신 것은 주님 오실 때 이렇게 하고 있을 자들이 참으로 적을 것을 말씀하심인 것이다.

7〉그분의 명령들을 실행하는 자들은 복이 있다고 하셨다. (22:14)

네슬 알란드 사본을 따라 번역된 개역 한글성경은 "그 두루마기를 빠는 자들은 복이 있으니"라고 되어 있으나 헬라어 전통원문과 킹 제임스 영어성경에는 "그분의 명령들을 실행하는 자들은 복이 있으니"라고 되어 있다. 이 말씀은 앞 절 12절에 "보라 내가 속히 가고 있으니"라고 말씀하시는 주님께서 말씀하시는 것이니 하나님 아버지 그분의 명령들을 실행하는 자들은 복이 있다는 말씀이다. 계시록의 말씀들은 하나님 아버지께서 크흐리스토스(그리스도) 이에수-스(예수)님께 명령하여 주셔서(예→요 12:49, 50) 이오안네스(요한)에게 나타내 보여주신 말씀으로서, '그분의 명령들을 실행하는 자들'이라 하신 말씀은 계시록의 말씀들을 실제로 행하는 자들이 복이 있다 하신 말씀인 것이다. 아멘! 아멘!

이렇게 계시록에는 세상에 대한 진노와 재앙의 말만 있는 것이 아니고, 진정 최후에 어떤 자들이 복이 있을 것을 말씀하셔서 이 책의 말씀을 읽는 모든 자들이 복 있는 자들이 되기를 원하셔서 이 말씀을 기록하여 주신 것이다. 그러므로 계시록에는 진정 최후에 복 있는 자가 될 수 있는 비결이 기록되어 있는 것이다.

우주와 만물을 창조하시고 사람을 창조하신 후 복을 주시고(창 1:28) 안식일을 복 주셨던 하나님,(창 2:3) 믿음의 조상 아브라함에게 복을 주셔서 창대케 하시고 복의 근원이 되게 하신 하나님,(창 12:2) 그리고 아이귑토스(애굽)에서 구원해 내신 이스라엘 백성들이 복을 누리는 백성이 되기를 그처럼 원하셨던 하나님께서(신 28장) 세상에 보내심을 받아 오신 이에수-스(예수)님께서 산 위에서 제자들에게 가르치신 최초의 말씀이 복 있는 자들에 대한 말씀이었고,(마 5:1~12) 부활하신 후 40일 간 계시다가 하늘로 올라 가시면서도 손을 들어 제자들에게 복을 주시고 올라가셨다고 하였으며,(눅 24:50, 51) 마지막 계시록에도 재림하실 때 어떤 자들이어야 영원히 복된 자일 것을 미리 말씀하셔서 복된 자가 되도록 준비하게 하셨다는 사실을 명심해야 할 것이다.

그런데 반드시 한 가지 유의해야 할 것은 성경에서 말씀하신 복에 대한 인식과 관념을 바르고 확실하게 해야 하는 것이다. 특히 이에수-스(예수)님께서 산상수훈 마태복음 5장에서 말씀하신 복 있는 자에 대한 말씀과 계시록에서 복 있는 자라고 하신 말씀에서 진정한 복이 어떤 것임을 확실히 깨달아야 하는 것이다. 세상과 물질적인 복이 아닌 것이다. 기독교는 복 있는 자에 대하여 올바로 가르치고 있는가? 주님께서 말씀하신 진정 복 있는 자가 되고저 하는가? 이런 복 있는 자가 되기 위해서 얼마나 결투하고 있는가?

☼ 감동과 기도 ☆

2〉 기록한 자의 문안과 송영 4~8

4절 ▷ 이오안네스는 아시아에 있는 일곱 교회들에게, 지금 계신 그분, 그리고 계셔오시는 그분, 그리고 오고 계신 그분으로부터 그리고 그분의 보좌 앞에 계신 일곱 영으로부터

Ἰωάννης ταῖς ἑπτὰ ἐκκλησίαις ταῖς ἐν τῇ Ἀσίᾳ· ἀπὸ τοῦ
요한은 그 일곱 교회들에게 그 에 그 아시아에 로부터 그분
ὁ ὢν καὶ ὁ ἦν καὶ ὁ ἐρχόμενος καὶ ἀπὸ
그분 지금계신 그리고 그분 계셔오신 그리고 그분 오고계신 그리고 ~로부터
τῶν ἑπτὰ πνευμάτων ἃ ἐστιν ἐνώπιον τοῦ θρόνου αὐτοῦ
그 일곱 영으로 계신 앞의 그 보좌 그분의

당시 아시아에 일곱 교회만 아니라 콜랏사이(골로새) 교회 등 20여 교회가 있었고, 유럽 마케도니아(마게도냐) 지역에도 프힐맆포이(빌립보) 교회, 트헤쌀로니케(데살로니가) 교회, 코린트호스(고린도) 교회도 있었고 터키의 북부 갈라티아(갈라디아) 지방에도 여러 교회들이 있었는데도(갈 1:2) 하나님께서 왜 아시아에 있는 일곱 교회에 대해서만 말씀하시고 기록하여 보내라 하셨는가?

일곱 교회를 선정하신 것은 일곱 교회의 상태가 당시 세계 모든 교회의 상태의 대표적이었기 때문이며, 바뷜론(바벨론)의 네부-카드네짜르(느부갓네살) 왕에게 종말까지 세상 왕국의 흥망성쇄를 사람의 형상으로 보여 주셨던 것처럼(단 2:21,29) 일곱 교회의 순서와 상태는 세상 마지막까지 세대적으로 되어질 지상교회의 상태와 특징을 예언하여 주심으로 어느 시대이건 "귀를 가진 자는 누구든지 성령님께서 교회들에게 하시는 말씀을 들으라" 하신 말씀대로 영의 귀로 들어야 할 것이며, 일곱교회에 하

신 말씀은 단지 해당된 그 시대의 종들과 교회들만 아니라 어느 시대이건 모든 종들과 모든 교회의 귀를 가진 모든 자들에게 하신 말씀인줄 알고 들어야 할 것이기 때문에 그렇게 하신 것이다.

성경에서 일곱(7)이라는 수가 얼마나 많이 사용되었는지 구약에 393회, 칠십(91회), 칠배(7회). 신약에는 일곱(87회), 일곱번(4회) 모두 583회, 그 외에도 많다. 한 주간을 7일로 하셨고, 일곱째 날을 하나님의 안식일로 정하셨고, 사람 몸의 세포 수명이 7년이다. 기본 색상은 일곱 가지이고, 한 옥타브의 음도도 일곱도이다. 이방인은 1,2,3,4,… 10까지 세고 그 다음 다시 되풀이한다. 그러나 하나님께서는 1,2,3,4,… 7까지 하고 다시 1,2,3,4,…로 하신다. 계시록 마지막 장에 '이 책' 이란 말이 일곱 번이고, 1〉일곱 교회, 2〉일곱 등대, 3〉일곱 별, 4〉일곱 인, 5〉일곱 천사, 6〉일곱 나팔, 7〉일곱 대접의 내용이 있어 성경에서 계시록에 일곱이라는 수가 제일 많다. 하나님의 일하시는 방법은 일곱과 관련이 많다. 완전수이며 하나님은 완전하게 일하시는 분이시기 때문이다.

4~5절은 사도 이오안네스(요한)가 일곱 교회를 향해 축원한 인사말이다. 성부 성령 성자 삼위일체 하나님을 순서적으로 특징 있게 말하여 축원한 것이니, 성부 하나님을 '지금 계시고, 계셔오시고, 오고 계신 분' 이라고 하였다. 개역 한글성경에 '전에도 계시고' 라고 한 헬라어 'ὁ ἦν(호 엔)' 은 미완료 능동태로서 전에 한 때 계셨다는 말이 아니고 지금까지 '계셔오시는 분' 이란 말이다. 그러므로 하나님의 존재하심에 대한 중대한 말을 예사롭게 번역한 것은 비록 한 단어이지만 중대한 오류인 것이다.

개역 한글성경에 ὁ(호－ 그, 그이)를 두 번 번역하지 않았으며, 성경에서 마땅히 존칭으로 해야 하는데 '이와' 라고 한 것은 '그

분' 으로 해야 할 것이다. '이에수-스(예수)의' '그가' '성령이' 등 존칭으로 하지 않은 것도 반드시 개선해야 할 것이다. 교회에서 형제에게도 깍듯이 '형제님' '집사님' '권찰님' 하고 '님' 자를 붙이면서 어찌 이에수-스(예수)님과 성령님께 '님' 자를 붙이지 않고 '예수, 예수' '성령, 성령' 이라 하는가? 성경만 아니라 찬송가와 복음성가 부르기가 너무나 민망하여 최대한 존칭으로 된 것을 위주로 부르는데 곤란이 적지 않다. 영어에서와 같이 존칭 어미가 없거나 사람에게 '님' 자를 쓰지 않는다면 어쩔지 모르나 그렇지 않다면 반드시 고려해야 한다.

그리고 개역 한글성경에 '장차 오실' 이라고 한 'ὁ ἐρχόμενος(호 에르크호메노스)' 는 현재 분사 중수디포 주격으로서 '오고 계신' 이라고 해야 한다. 중수디포는 타의에 의해, 자신을 위한 자발적 행동을 말함으로 하나님 아버지께서는 하나님의 백성된 성도들과 함께(계 21:3절 ← '함께' 란 말이 세 번) 계시기 위해 '현재 오고 계신 분' 이시라는 말이다. 헬라어에서 미래에 될 일이라도 틀림없고 확실한 일에 대해서는 현재진행형으로 한다. '장차 오실이' 라고 번역한 것과 '오고 계신 그분' 이라는 말과 재림에 대한 확실성과 경각심에 엄청난 차이를 미치는 말이 되는 것이다.

¤ 감동과 기도 ☆

하나님의 제3위이신 성령님은 '보좌 앞에 계신 일곱 영' 이라고 하였다. 제2위이신 성자 이에수-스(예수)님은 하나님의 보좌 우편에 계신다고 했듯이(막 16:19, 눅 22:69, 행 7:56, 롬 8:34, 히 1:3, 8:1, 벧전 3:22) 성령님은 하나님의 보좌 앞에 계시다는 것은 하나님의 왕적 권위와 능력과 속성을 나타내시는 사역을 하시는 분이시라는 의미이다. 성자 이에수-스(예수)님이 하나님 보좌 우편에 앉으셨다 해서 사람처럼 오른편 자리에 앉으셨다는 말이 아니다. 왜냐하면 하나님과 어린양의 보좌,라고 한 말에서 '보좌<*θρόνου*>' 는 항상 하나 곧 단수이기 때문에 위치적 오른편이 아닌 것이다. 그와 같이 성령님께서 보좌 앞에 계시다는 말도 사람이 생각하는 그런 위치적으로 볼 것이 아니다.

'일곱 영' 이라 한 것은(1:4, 4:5, 5:6) 완전하고 거룩하신 일곱 특성의 영이심을 의미한다. 이사야 11:2절에 성령님을 ① 여호와의 영 ② 지혜의 영 ③ 이해의 영 ④ 충고의 영 ⑤ 능력의 영 ⑥ 지식의 영 ⑦ 여호와를 두려워하는 영이라고 한 것이다 '***πνευμάτων***(프뉴마톤 -**영들**)' 이라 복수로 되어 있는 것은 일곱 수가 복수임으로 복수로 한 것이지 성령님이 일곱 영이라서 복수가 아닌 것이다.

▷ 그리고 신실한 증인으로 그 죽은 자들 가운데서 처음으로 나시고

καὶ ὁ μάρτυς ὁ πιστός, ὁ πρωτότοκος ἐκ τῶν νεκρῶν.
그분의 그 증인으로 그 신실한, 처음 나시고 가운데서 그 죽은자들

'신실한 증인으로 죽은 자들 가운데서 처음으로 나시고' , 개역 한글성경에 '충성된' 으로 번역한 '***πιστός***(피스토스)' 는 '믿을만한, 신실한, 진실한' 이라는 의미의 말이지 '속에서 우러나는 정성' 이라는 '충성(忠誠)' 이란 말이 아니다. 3:14절에 주님께서 라오디케이아(라오디게아) 교회에 말씀하시면서 자신을 '신실하고<***πιστός***(피스토스)> 진실한 증인이며' 라고 하셨는데 개역 한글성경은 여기도 '충성되고 참된 증인이시요' 라고

번역하였다. 2:10절에도 'πιστός(피스토스)'를 '충성'으로 번역하였다. '신실'과 '충성'이라는 말을 분별하지 못한 것 같다.

이에수-스(예수)님께서는 스뮈르나(서머나) 교회에 말씀하신 것처럼 '죽기까지 신실하셔서' 하나님 아버지께서 자신을 세상에 보내신 일 '하나님의 왕국의 복음을 전하시는 일'과(눅 4:43) 하나님의 어린양으로 십자가에 피흘려 죽으심으로 구속의 일을 다 이루시기까지 아버지의 뜻을 신실하게 준행하시어 증인되심으로 하나님 아버지를 영화롭게 하신 것이다.(요 17:4, 19:28, 빌 2:8) 일곱 교회 중 페르가모스(버가모) 교회의 순교자 안티파스(안디바)를 주님께서 '나의 신실한 증인 안티파스'라고 하셨다.(2:13)

크흐리스토스(그리스도) 이에수-스(예수)님은 하나님의 가장 신실한 증인이시었다. 이에수-스(예수)님께서 말씀하시기를 "내가 내 자신에 의하여 말한 것이 결코 아니며, 나를 보내신 아버지께서 친히 내가 무엇을 말할 것과 무엇을 전파할 것을 나에게 명령하여 주셨느니라. 그리고 나는 그분의 명령이 영원한 생명인줄 알고 있기 때문에, 확실히 내가 말하는 것은 아버지께서 나에게 말씀(명령)하신 그대로 말하는 것이라." 하셨고,(요 12:49, 50) 필라토스(빌라도)의 재판정에서는 "네 말과 같이 내가 왕이기 때문이다. 내가 그것을 위하여 났으며 그것을 위하여 세상에 왔나니 진리에 증인이 되기 위함이라"고 하셨다.(요 18:37) 그리고 자신을 낮추시고 더욱이 십자가 죽음의 때까지 복종하신 것이다.(빌 2:8)

초대교회 당시 '증인<μάρτυς 마르튀스>'라는 말에서 영어 'martyr(**순교자**)라는 말이 만들어졌는데, 초대교회에서 이에수-스(예수)님의 증인이 되는 것은 죽음을 각오해야 했기 때문에 증인은 곧 순교자라고 생각했다는 것이다. 이에수-스(예수)님은 하나님 아버지의 명령하신 말씀 그대로 증거 하시고 죽기까지 참으로 신실한 증인이 되셨다. 참으로 이에수-스(예수)님은 하나님 아버지의 신실하고 진실한 증인이시다. 주님의 복음의 사역자들이나 믿는 자들은 누구나 그러해야 할 것이다.

'죽은 자들 가운데서 처음으로 나시고' 라는 말은 이에수-스(예수)님께서 십자가에 죽임을 당하시고 부활하시기 전에 다시 살아난 자들이 있었다. 선지자 엘리샤(엘리사)가 살린 슈나미트(수넴) 여인의 아들,(왕하 4:32~37) 주님께서 살리셨던 회당장 이아에이로스(야이로)의 딸,(막 5:35, 41~42) 그리고 죽은지 나흘만에 살리신 나자로스(나사로),(요 11:17~44) 그러나 그들은 영원히 사는 부활이 아니었고 살다가 다시 죽었다. 영원히 죽지 않는 부활은 이에수-스(예수)님이 최초이시다. 그러므로 '죽은 자들 가운데서 처음으로 나시고' 라고 하신 것이다.

▷ 그리고 땅의 왕들의 통치자이신 이에수-스 크흐리스토스님으로부터 은혜와 평화가 너희에게,(*있기를 원하노라*)

καὶ(ἀπὸ Ἰησοῦ Χριστοῦ, 뒤로 번역됨) *ὁ μάρτυς ὁ πιστός, ὁ*
그리고~로부터 이예수 크리스토스님 그 증인으로 그 신실한,

καὶ ὁ ἄρχων τῶν βασιλέων τῆς γῆς· χάρις ὑμῖν καὶ εἰρήνη
그리고 통치자이신 왕들의 그 땅의. 은혜 너희들에게 와 평화

부활하신 이에수-스(예수)님은 하나님 아버지께로부터 하늘과 땅의 모든 권세를 받으셔서(마 28:18) 만왕의 왕이 되셔서 땅의 왕들의 통치자가 되신 것이다. 하나님께서 이에수-스(예수)님을 지극히 높여 모든 이름 위에 뛰어난 이름을 주시고, 하늘 위와 땅과 땅 아래 있는 모든 무릎을 이에수-스(예수)님의 이름에 굽히게 하여 모든 입으로 이에수-스(예수) 크흐리스토스(그

리스도)님이 주님이시라 전적으로 일치하여 하나님 아버지께 영광을 돌리게 하셨다고 하였다.(빌 2:9~11)

그런데 오늘날 기독교는 이에수-스(예수)님의 왕이심에 대하여 얼마만큼 인식하고 있는가? 기독교의 복음과 신앙이 이에수-스(예수)님께서 죄인들을 위하여 십자가에 피흘려 죽으신 분이심에 집중되어 있고, 이에수-스(예수)님께서 전파하시고 전파하라 하신 하나님의 왕국의 복음과 이에수-스(예수)님의 왕 되심에 대하여는 거의 망각 상태에 있는 것이다. 하나님께서 크흐리스토스(그리스도) 이에수-스(예수)님을 죽은 자 가운데서 살리셔서 왕과 구주<ἀρχηγὸν καὶ σωτῆρα 아르케곤 카이 소테-라>로 높이셨다고 했는데(행 5:30, 31) 기독교인들은 이에수-스(예수)님을 구주로는 높이나 왕으로는 높이지 않는 것이다. 초대 기독교 박해시대는(A.D. 313년 이전) 성도들은 이에수-스(예수)님 외에 로마 황제를 '가이사는 주이시다'는 말 한 마디 하지 않기 위해 처참한 죽임을 무수히 당하였으니 기독교의 복음은 바로 그러한 하나님의 왕국 복음과 신앙인 것이다. 아멘!

계시록의 중심 주제는 세상 왕국이 심판을 받고 만주의 주요 만왕의 왕이신 이에수-스(예수)님께서(1:5, 17:14, 19:16) 의와 평화로 다스리시는 하나님의 왕국이 이루어지는 일에 대한 예언인 것이다. 그러므로 이에수-스(예수)님께서 전파하신 하나님의 왕국의 복음을 명확하게 바로 알지 못하면 계시록을 하나님의 뜻에 맞게 바로 설명할 수 없는 것이다. 필자의 저서 **제1권**에서 이에수-스(예수)님께서 전파하고 가르치신 바른복음에 대하여 명확하게 증거 하였기에 여기서 누누이 말할 필요는 없지만, 아무튼 기독교가 시급히 이에수-스(예수)님께서 증거 하신 복음대로 돌아가지 않으면 절대로 소망이 없는 것이다.

헬라어 원문은 4절과 5절이 한 문장으로서 본문은 4절 초두에 나옴으로 도취법 즉 강조된 말이다. 사도 파월-로스(바울)는 여러 서신의 인사말에서 '하나님 아버지와 주 이에수-스(예수) 크흐리스토스(그리스도)님의 은혜' 라고 했는데 사도 이오안네스(요한)는 여기서 유일하게 성부 성령 성자의 순으로 삼위 하나님으로부터 은혜와 평화가 있기를 원하노라고 하였다. 오늘날 기독교의 목회자가 축도할 때 성경에서 단 한 곳 고린도후서 13:13절에 '주 예수 그리스도의 은혜와 하나님의 사랑과 성령의 교통하심이 너희 무리와 함께 있을찌어다' 고 한 대로 축도를 하나, 그러나 사도 파월-로스(바울)는 모든 서신에서 '하나님 아버지와 주 이에수-스(예수) 크흐리스토스(그리스도)의 순으로 말하였다.(롬 1:7; 고전 1:3; 고후 1:2; 갈 1:3; 엡 1:2; 빌 1:2; 살전 1:1; 살후 1:1; 딤전 1:2; 딤후 1:2; 딛 1:4; 몬 1:3) 성경 전체를 살펴 볼 때 성부와 성자와 성령의 순으로 축도함이 옳을 것이다.**(제 I 권 특주 '삼위일체 순위' 부분 참조)**

은혜<χάρις 카리스>는 신약성경에 155회 사용된 말로서 베푸는 대상의 가치나 공적에 관계없이 주시는 하나님의 사랑 곧 값없이 주시는 하나님의 '호의' 를 의미하며, 특히 성도들에게 주시는 구원을 은혜로 말한다. 또한 성도들이 영원한 위로와 좋은 소망을 가지게 된 것도 오직 은혜로 말미암은 것이며,(살후 2:16) 끝까지 견딜 수 있는 강함을 갖게 되는 것도 은혜로 말미암는 것이다.(딤후 2:1) 심지어 후한 마음까지도 은혜 가운데 이루어질 때 축복인 것이다.(고후 8:1,6,9,19)

평화<εἰρήνη 에이레네>는 신약성경에 92회 사용된 이 단어는 세 가지 중요한 개념을 지니고 있는데 1〉안식의 느낌으로서의 평화, 2〉하나님과의 화해의 상태로서의 평화, 3〉종말론적 구원으로서의 평화이다. 이 중 마지막 의미가 기본적인 것이다. 이 단어는 '평화(peace)' 라는 좁은 의미로 제한시켜서는 안 된다. 그것은 모든 형태의 악(evil)과 대조되는, 가장 넓은 의미의 '안녕, 복리' (well-being)를 의미한다.

'에이레네' 는 하나님으로부터 오는 구원, 특별히 종말론적인 구원이라는 의미를 지니는 구약성경 솰롬의 대역이다. 에이레네(=솰롬 =구원)는 구원의 최종적 성취의 상태이며, 구원받은 새로운 피조물의 정상적 상태인 것이다. 이와 같은 특징은 베드로후서 3:14절에서 나타난다. "그러므로 사랑하는 자들아 너희가 이것을 바라보나니 주안에서 점도 없고 흠도 없이 평화 가운데서<ἐν εἰρήνη 엔 에이레네> 나타나기를 힘쓰라." 그런즉 '에이레네' 는 하나님의 능력으로 이미 일어나고 있는 전인(whole man)의 종말론적 구원의 상태를 의미한다. 그것은 확실한 성취의 상태로서 새로운 피조물<καινὴ κτίσις 카이네 크티시스>의 상태를 의미한다. 로마서 15:13절에서 이 단어는 영혼의 평화를 의미하며, '에이레네' 는 생명인 구원을 뜻하고, 사람들 간의 일치, 조화를 뜻하지만 내적, 영혼의 평화도 포함하고 있다. 프힐맆포이(빌립보)서 4:7절에는 "하나님의 평화가 크흐리스토스(그리스도) 이에수-스(예수)님 안에서 너희 마음과 생각을 지키시리라", 콜랏사이(골로새)서 3:15절에는 "크흐리스토스(그리스도)님의 평화가 너희 마음을 주장하게 하라"고 하였다. 이 구원하는 능력의 다스림을 받음으로 전인(全人)이 평화를 누리는 것은 당연한 것이다.

'은혜' 는 헬라식 인사말이며 '평화' 는 히브리식 인사말로서 두 말을 함께 사용한 것은 본서가 헬라적 전통과 히브리적 전통 아래 살고 있는 모든 문화권의 성도들에게 주어진 것임을 보여

준다.

그러므로 사도 이오안네스(요한)가 성 삼위 하나님으로부터 '은혜와 평화가 있기를 원하노라' 고 한 것은 풍성하신 구원의 은혜와 구원의 최종적 성취의 상태가 일곱 교회 성도들에게 있기를 기원한 것이다. 계시록을 기록하는 궁극적 목적도, 성도들의 신앙적 삶의 목표도 여기에 있기 때문이다.

¤ 감동과 기도 ☆

5절하 ▷ 그리고 그분께서 우리들을 사랑하셔서 자신의 그 피 안에서 우리의 죄들로부터 우리들을 목욕하게 하시고

Τῷ ἀγαπήσαντι ἡμᾶς, καὶ λούσαντι ἡμᾶς ἀπὸ
그분께서 사랑하셔서 우리를, 그리고 (몸전체)목욕하도록 하시고, 우리들을~로부터
τῶν ἁμαρτιῶν ἡμῶν ἐν τῷ αἵματι αὐτου·
그 죄들 우리들의 안에서 그 피 자신의

개역 한글성경(네슬 알란드판)에는 "우리를 해방하시고< **λύσαντι**뤼산티(원형 →**λύω** 뤼오 **풀어주다, 놓아주다**>"라고 했으나 전통원문(Textus Receptus)에는 "우리들을 목욕하게< **λούσαντι**루산티(원형→**λούω**루오 (**몸 전체)목욕하다, 씻다**> 하시고"로 되어 있다. 자신의 피안에서 '목욕하게 하셨다' 는 말이 죄를 씻음에 얼마나 실감나고 실제적인 말인가? 이에수-스(예수님)께서 구원받는 죄 씻음을 목욕한<**λούω**루오 (**몸 전체)목욕한, 씻은**> 것으로 말씀하셨다.(요 13: 10) 이렇게 하신 이유는(6절) 성도들을 그분의 하나님 아버지께 섬기는 왕들과 제사장들로 만드시기 위해서 그렇게 하셨다고 하였으니, 출애굽기 29:1,4절에 하나님을 섬길 제사장 직분을 위임할 때, 회막문에서 물로 몸을 씻게 하라 하신 규례와 일치함에서 전통원문이 맞는 것이다.

출애굽기 29:4절의 רָחַץ(라하츠)는 '씻다, 씻어내다, 목욕하다'를 의미하는 말로써 이 어근은 제의적인 씻음을 가리키며, 아카드어 라하추(범람하다 to overflow, 넘쳐흐르다 to flood)와 동족어이다. 성도들을 죄악에서 구원하여 하나님을 섬길 왕들과 제사장들로 만드시기 위해 그리스도 이에수스(예수)님께서 자신의 피안에서 일부분이 아니라 몸 전체를 깨끗하게 목욕시킨(일생의 모든 죄를 용서받게 하신) 것을 말한다. 크흐리스토스(그리스도) 이에수-스(예수)님의 피안에서 목욕한 자(죄의 용서만 아니라) 또한 중생의 씻음과 성령님의 새롭게하심으로 하나님께 왕과 제사장으로서의 품성과 자질을 부여해 주시는 것이다.

6절 ▷ 그리고 우리를 자신의 하나님 또한 아버지께 왕들과 제사장들 로 만드신 그분께 그 영광과 그 권세가 그 영원의 영원을 향하여 (*있도다*)**. 아멘!**

καὶ ἐποίησεν ἡμᾶς βασιλεῖς καὶ ἱερεῖς τῷ θεῷ καὶ
그리고 만드신 우리를 왕들 과 제사장들로 그 하나님께 그리고

πατρὶ αὐτοῦ· αὐτῷ ἡ δόξα καὶ τὸ κράτος εἰς τοὺς
아버지께 자신의 그분께 그 영광 과 그 권세 향하여 그

αἰῶνας τῶν αἰώνων. ἀμήν. ← 영원들을 영원들의. 아멘.

개역 한글성경(네슬 알란드판)에는 "나라<*βασιλείαν*(바실레이안) **왕국**>와 제사장으로 삼으셨으니"라고 번역하였는데, 전통원문(Textus Receptus)=(킹제임스 영어성경)에는 "왕들<*βασιλεῖς*(바실레이-스) kings **왕들**>과 제사장들로 만드셨으니"로 되어 있다. '*θεῷ*(트헤오) **하나님**'는 여격임으로 '하나님께'(unto God←킹제임스)라고 해야 한다. 이에수-스(예수)님께서는 자신의 피로 구속하신 자들을 하나님께 왕들과 제사장들로

존귀하고 영광스럽게 섬기는 자들로 만들어 주신 것이다. 대통령의 비서관들은 대통령을 섬기는 자들이지만 높은 장관들 보다 대통령의 궁에서 항상 가까이서 대통령을 대면하고 장관들 보다 권위가 더 크며 영광스러운 것이다. 그러므로 하나님의 왕국에는 실제로 모두 왕들과 제사장들만 있으며 하나님(예수님)은 만 왕의 왕이시다. 그런 의미에서 참으로『하나님의 왕국』이라고 해야만 하는 것이다.

개역 한글성경에 'βασιλείαν(바실레이안) **왕국**' 을 '나라' 라고 번역했는데 우선 정확한 번역이 아니다. 국어사전에 의하면 '나라' 라는 말은 '국가' 라는 말로서 '일정한 영토에 거주하는 다수인으로 구성된 사회 집단으로 통치권을 가지고 있는 것' 이며, '왕국' 이라는 말은 '왕을 통치자로 하는 나라' 라는 말이다. 두 말이 '나라' 의 의미는 동일하게 있으나 '왕국' 이라는 말은 나라의 통치자가 왕이라는 것을 중시하는 말인 것이다. '국가' 는 주권이 국민에게 있는 '민주국가' 가 있고, 재산을 공유하는 '공산국가' 가 있고, 권력을 지배자 한 사람이 마음대로 행사하는 '독재국가' 도 있다. '나라' 는 영어로는 nation(국가, 국민, 민족)인데 헬라어로는 계시록 12:5, 13:7, 14:6, 8, 19:15, 20:3절 등에서 말한 ἔθνος(에드노스)이다. '나라' 라는 말 ἔθνος(에드노스)(**국가, 국민, 민족**)의 의미와 '왕국' 이라는 말 'βασιλεία(바실레이아) **주권, 왕국, 통치**)' 의 의미가 같지 않고 다른 것이다.

성경에서 말하는 'βασιλείαν(바실레이안) **왕국**' 은 절대 완전하신 창조주 하나님께서 왕으로서 다스리시는 나라를 말하는 것이다.

그러므로 개역 한글성경에 신약성경에 162회나 되는 'βασιλ-εία(바실레이아) 왕국' 을 모두 '나라' 라고 번역한 것은 하나님 앞에

크게 잘못된 것이므로 시급히 고쳐서 바로 해야 할 것이다.

그리고 전통원문(Textus Receptus)에는 'βασιλεῖς(바실레이스)' 즉 '왕들(Kings)'로 복수로 되어 있다. '제사장' 역시 '제사장들 ἱερεῖς(이에레이-스) priests'로 복수로 되어 있고, ἐποίησεν(에포이에센)은 '삼는다'가 아닌 '만들다'임으로 올바른 직역은 **'왕들과 제사장들을**(로) **만드신 그분께'** 라고 해야 하는 것이다. 세상 나라는 정치와 종교가 분리되나 하나님의 왕국은 정치와 종교가 하나인 왕국임으로 왕과 제사장이 되게 하신 것이다.

계시록에서 '왕' <βασιλεύς 바실류스>이라는 말이 21회이고(계 1:5, 6:15, 9:11, 10:11, 15:3, 16:12, 14, 17:2, 10, 12(2회), 14(2회), 18, 18:3, 9, 19:16(2회), 18, 19, 21:24 '왕노릇' <βασιλεύω 바실류오>라는 말이 7회이다.(계 5:10, 11:15, 17, 20:4, 19:9, 20:6, 22:5) 완전하게 왕노릇 한다는 의미가 된다.

실로 이 말은 너무나 중요한 말이다. 사도 페트로스(베드로)도 "또한 너희는 택함 받은 자손이며, 왕다운 제사장이며, 거룩한 민족이며, 특별한 백성이니"라고 하였으니(벧전 2:9) 이것은 이에수-스(예수)님께서 전파하시고 누누이 가르치고 강조하신 하나님 왕국 복음의 궁극적 목표이며, 또한 계시록의 목적인 것이다. 알파와 오메가이시며 처음과 마지막이신 주님께서는 계시록의 처음(1:6, 5:10)부터 마지막(20:7, 22:5)을 이 복음의 핵심 되는 말씀으로 기록하게 하신 것을 유의해 볼 수 있어야 한다. 할렐루야! 아멘!

이렇게 주 이에수-스(예수) 크흐리스토스(그리스도)님께서 죄인들을 자신의 피안에서 목욕하게 하시어 하나님께 왕들과 제사장들을 만들어 주신 주님께 그 권세와 그 영광이 '그 영원들의 영원을 향하여' 어찌 마땅히 있지 않으시겠는가? 개역 한글성경에는 '세세토록 있기를 원하노라' 고 하였는데, 헬라 원어는 '영원(들)의 영원(들)을 향하여' 라고만 되어 있고, '원하노라' 는 말이 없다. 주님께 권세와 영광이 있는 것은 인간이 원하고 원하지 않을 문제가 아닌 것이다. 물론 원해야 하겠지만 헬라어 원문에 없는 말을 의역으로 더하는 것도 마땅한 일이 아니다. 그리고 '세세토록' 이 아니고 '그 영원들의 영원들을 향하여 <εἰς τοὺς αἰῶνας τῶν αἰώνων. 에이스 투스 아이오-나스 톤 아이오논>' 이니 영원을 단수로 한 번만 말하여도 끝이 없는 영원인데 어찌하여 소유격과 목적격 복수로 이중으로 말하였는가? 그것은 상상할 수가 없는 영원을 보다 실감 있게 강조하여 표현하기 위함이다. 그리고 '영원들의 영원들을 향하여' 하고 말을 맺는 것은 그 영원은 끝이 없이 계속 되는 것을 사도 이오안네스(요한)가 표현함이다. 실은 괄호 안에 (있도다)라고 하지 않는 것이 합당하다. 계시록에 이런 표현이 열두 번 있다.(1:6, 18, 4:9, 10, 5:13, 7:12, 10:6, 11:15, 15:7, 19:3, 20:10, 22:5)

☼ 감동과 기도 ☆

7절 ▷ 보라! 구름들의 가운데서 오시는도다. 그리고 모든 눈이 그분을 보겠고, 또한 그분을 찔러 꿰뚫은 누구든지 볼 것이며,

Ἰδού,	ἔρχεται	μετὰ	τῶν	νεφελῶν,	καὶ	ὄψεται	αὐτὸν
보라,	오신다	가운데서	그	구름들의,	그리고	보겠고	그분을

πᾶς	ὀφθαλμός,	καὶ	οἵτινες	αὐτὸν	ἐξεκέντησαν·
각각의	모든 눈이,	또한	누구든지	그분을	찔러 꿰뚫은.

그 권세와 그 영광의 주님께서 구름들 가운데서 재림하시니

얼마나 감격스러운 일인가? 그래서 감탄사이며 주의를 일으키는 '보라!('Ἰδού, 이두)라는 말로 시작한다. 그리고 대체적으로 '구름을 타고 오시리라' 로 번역하는데 구름은 복수로서 '구름들' 이며, '타고(μετα 메타)는 '~한 복판에, ~와 함께, ~중에, ~가운데에' 라는 말로서 '타고' 오신다는 말은 보는 관점의 생각이지 직역은 아님으로 '가운데서' 라고 해야 할 것이며, 개역 한글성경에 '오시리라' 고 한 ἔρχεται(에르크헤타이)는 미래형이 아닌 '오다<ἔρχομαι 에르크호마이>' 의 직설 현재 중수디포(타의에 의해, 자신을 위한 자발적 행동으)로서 **'오시는도다'** 라고 해야 한다. 사도 요한이 말한 이 용어의 형태를 바르고 확실하게 번역해야 이 말씀을 읽는 자들로 하여금 재림의 확실성과 임박성을 생생하게 느낄 수 있게 하는 것이다. 성경 번역은 실로 중요함을 이 한 단어의 번역에서도 알 수 있다.

구름들 가운데서 재림하신다는 말은 성경 여러 곳에서 증거하고 있으니 조금도 이론의 여지가 없다. 이에수-스(예수)님 자신께서 "능력과 큰 영광과 함께 구름들의 위에서 오는 것을 볼 것이라" 말씀하셨고(마 24:30, 26:64), 또한 이에수-스(예수)님께서 하늘을 향하여 올리워 가시고 구름이 가리워 보이지 않게 되었던 그대로 오시리라고 두 천사가 증언하였고,(행 1:9~11) 선지자 다니엘이 "인자 같은 이가 하늘 구름과 함께 와서"라고 예언하였으며,(단 7:13) 사도 파윌-로스(바울)는 재림하시는 주님을 성도들이 구름들 속으로 끌어올려서 공중에서 만나 뵐 것이라 하였다.(살전 4:17) 하나님께서 시나-(시내)산에서 모쉐(모세)와 이스라엘 백성들에게 임하실 때 구름기둥 가운데,(출 19:9) 또는 많은 구름이 덮힌 가운데,(19:16) 그리고 구름 가운데 임하셨다고 하였으며,(34:5) 구름은 하나님의 영광이 임재하실 때 나타난 것으로 말씀하였다.(출 16:10, 24:16, 40:34, 35, 왕상 8:10,11) 그리고 하나님께서 구름을 타시는 것으로 삼으신다고 하였다.(시 104:3) 왜 이렇게 구체적으로 성경을 들어 말하는고 하면 여러 해석자들이 실제 구름으로 말하지 않고 상징 또는 영적으로 가르치기 때문에 딱해서 하는 말이다.

'모든 눈이 볼 것' 이라는 말은 주님께서 구름들 가운데서 재림하시는 광경을 그때 지구에 있는 모든 사람들이 일시에 다 볼 것이라는 말이다. 주님께서 재림하시는 그 순간은 지구상의 각 지역이 낮인 곳도 있고, 밤중인 곳도 있고, 새벽인 곳, 초저녁인 곳, 다 다를 것이다. 그렇기 때문에 이에수스(예수)님께서 "깨어 있으라 저녁쯤 혹은 한 밤중, 혹은 닭 울 때, 혹은 아침(일런지) 너희가 알지 못하기 때문이라"고 하신 것이다.(막 13:35) 지구상의 모든 사람들이 어떻게 일시에 다 볼 수 있겠는가? 인간의 방법과 생각으로는 불가능한 일 같지만 하나님께는 가능한 일인 것이다. 재림하시는 주님은 시간과 공간을 초월하시는 부활체이심으로 둥근 지구 전체 어디에서나 일시에 볼 수 있게 하실 수 있는 것이다. 올림픽 경기의 경우 전파로 중계하는 것을 전 지구상 어디에서나 밤과 낮에 상관없이 일시에 보듯이 재림하시는 주님을 일시에 보게 되는 것이다. 인간의 기술로도 전파로 전 세계에서 일시에 보게 하는데 주님께서 재림하시는 광경을 전 세계에서 볼 수 있게 하실 수 없겠는가? 주님께서 재림하실 때 '번개의 번쩍임 같을 것' 이라 하셨으니(마 24:27) 전 지구상 어디서나 일시에 보이는 것이다.

'그분을 찔러 꿰뚫은 누구든지 볼 것이며', 재림하시는 주님은 옆구리 심장 자리를 한 로마 군병이 창으로 정확하게 찔러 꿰뚫어 물과 피가 다 쏟아졌었는데,(요 19:34) '누구든지' 라고 한 것은 배후에서 조종하고 충동하여 이에수-스(예수)님을 배반하고 그렇게 죽게 했던 종교 정치 지도자들과 유대인 군중들이 "그의 피가 우리와 우리 자손들에게 있다"라고 의기양양하게 소리쳤던 (마 27:20~26) 자들이 재림하시는 주님을 볼 것이라는 말이다. 뿐만아니라 신앙생활을 했지만 말씀의 초보에 머물다가 믿음을 변절하여 하나님의 아들을 다시 십자가에 못박아 현저히 욕보였던 자들이(히 6:6) 능력과 영광으로 강림하시는 주님을 바라보게 될 때 심장이 꿰뚫리는 것 같은 충격으로 재림하시는 주님을 보게 될 것이라는 말이다. 이에수-스(예수)님을 십자가에 못박은 자들은 당시의 이우다이오스(유대인)들만 아닌 것이다.

▷ 뿐만 아니라 땅의 모든 족속이 그분 앞에 슬퍼서 가슴을 치리니 진실로 그대로 되리라.

καὶ κόψονται ἐπ' αὐτὸν πᾶσαι αἱ φυλαὶ τῆς γῆς. ναί,ἀμήν.
뿐만아니라 가슴을치며 애곡하리니 앞에 그분 모든 족속이 그 땅의 꼭그대로, 아멘!

뿐만 아니라 이에수-스(예수)님의 재림은 지구상의 모든 나라 모든 족속이 다 보게 될 것이다. 이에수-스(예수)님의 초림은 은밀하게 오셨으나, 재림은 공개적으로 만인이 다 보도록 오시는 것이다. 지구가 둥근데 재림하시는 것을 어떻게 만인이 다 볼 수 있느냐고 생각하겠지만 "번개가 동편에서 나서 서편까지 번쩍임 같이 인자의 임함도 그러하리라" 하셨으니(마 24:27; 눅 17:24) 주님의 재림의 광경은 번개처럼 온 지구상에 일시에 보이는 것이다.

땅의 모든 족속이 그분을 '향하여(*ἐπ'* 에피)' 이지 '그를 인하여' 가 아니다. 땅의 모든 족속이 재림하시는 주님을 향하여 슬퍼서 가슴을 칠 것이라 하였다. 『*κόψονται*(콮손타이)는 '때리다, 슬퍼하다'는 말인데, 헬라어에서는 '때리다'라는 단어는 '슬퍼하다'라는 특수한 의미가 있다. 특별히 여인들은 슬플 때에 자기 가슴을 때린다. 남자들도 자책하거나 고통스러울 때에 자신의 몸을 때린다. 이 개념은 슬픔을 나타내는 육체적인 표현이라 할 수 있을 것이다. 몸을 치고 소리내어 우는 것은 초기 시대부터 헬라의 관습이다. 히브리어에서 정확한 동의어는 סָפַד(사파드 **가슴을 치며 울다**)이다.』**〈킷텔 원어신학사전〉** 이에수-스(예수)님께서 슬퍼하는 것과 가슴을 치는 관계의 비유를 말씀하셨다.(마 11:17)

진정 구원을 받는 성도들 외에 신자였든지 불신자였든지 땅의 모든 족속이 일제히 재림하시는 이에수-스(예수)님을 향하여 기뻐하지 않고 이렇게 슬퍼서 가슴을 치게 되는 것은 이에수-스(예수)님께서 정말 이렇게 능력과 영광으로 재림하실 줄 진정 믿지 못하였고 준비하지 못하였기 때문에 믿지 않은데 대한 후회와 심판에 대한 두려움에서 슬퍼서 가슴을 치는 것이다. 영원한 슬픔과 통곡의 시작인 것이다.

ναί, ἀμήν.(나이, 아멘.)은 '진실로 그대로 되리라'는 이중으로 확언하는 말이다. '나이'는 헬라식의 긍정이며, '아멘'은 히브리식 긍정을 표현하는 말로서 강조한 것이며, 이방인과 유대인 모두를 대상한 계시임을 의미하는 것이다.

¤ 감동과 기도 ☆

3〉 계시를 받게 된 정황 9~20

8절 ▷ 나는 알파와 오메가이며 시작과 끝이다. 주가 말한다. 나는 있는 자이며, 그리고 있어오는 자이며, 그리고 가고 있

는 자이며, 전능자라 하시니라.

Ἐγώ εἰμι τὸ Α καὶ τὸ Ω, ἀρχὴ καὶ τέλος· λέγει ὁ κύριος,
나는 이다 알파와 오메가, 시작 과 끝 말한다 그 주가,
ὁ ὢν καὶ ὁ ἦν καὶ ὁ ἐρχόμενος, ὁ παντοκράτωρ
자 나는 있는 그리고 자 나는 있어오는 그리고 자 가고 있는 , 자 전능자

개역 한글성경은 이 절에서 헬라 원문과 상당한 차이가 있다. '주 하나님이 가라사대' 를 먼저 번역하였으나 원문은 하반절 어두(語頭)로 한 말씀이다. 그리고 전통원문(T.R.)은 '주가 말한다' <**λέγει ὁ κύριος**, 레게이 호 퀴리오스,>로 되어 있는데 네슬알란드판(N.A-한글개역성경)은 '주 하나님이 말씀하시기를', '하나님<**θεός** 트헤오스>이 더해져 있고, 반면에 '시작과 끝이다' <**ἀρχὴ καὶ τέλος·** 아르크헤 카이 텔오스>는 제하여졌다.

계시록에서 거의 같은 구절은 '나는 알파와 오메가이며 시작과 끝이다.' 〈1:8 이에수-스(예수님)〉 '나는 처음과 마지막이며' 〈(1:17 성자 이에수-스(예수님)〉, '나는 처음과 마지막이며' 〈2:8 성자 이에수-스(예수님)〉 '나는 알파와 오메가이며 시작과 끝이라' (21:6 성부 하나님), '나는 알파와 오메가요, 시작과 끝이며, 처음과 마지막이라' 〈22:13 성자 이에수-스(예수님)〉이시다.『성자 그리스도는 성부 하나님과 완전 동일하게 만물의 유일한 근원이시고 목적이 되시며 영원하심을 강조하고 있는 것이다. …… 그럼에도 불구하고 한글 개역성경은 일관성 없는 번역으로 이러한 본래의 의도를 살리지 못하였다.』**《옥스퍼드 원어 성경대전 계시록 1. p.73》**

알파<*A*>와 오메가<*Ω*>는 헬라어 알파벧의 첫 자와 마지막 자이며, '시작과 끝이다' 하신 말씀과 같은 의미이다. '시작' **ἀρχη**(아르크헤)라는 말은 시간과 지위에 있어서 '제일, 수위(首

位)' 를 말한다. 모든 만물이 이에수-스(예수)님 안에서<*ἐν*> 창조되고, 이에수-스(예수)님을 위하여<*δι'*> 창조되고 이에수-스(예수)님을 향하여<*εἰς*> 창조되었기에(골 1:16) 이에수-스(예수)님은 시간과 지위에 있어서 시작 곧 '제일, 수위(首位)' 이시며, 영원한 부활에 있어서도 이에수-스(예수)님께서 제일 처음 시작이 되신 것이다.(고전 15:23, 계 1:5) 그리고 끝<*τέλος* 텔로스 **도달점, 성취, 결국**>도 이에수-스(예수)님이신 것이다.(롬 8:29, 엡 4:13, 벧전 5:10, 계 20:6, 21장 22장)

계시를 주시는 주님께서 동일하게 이 말씀을 여러 번 반복하신 것은 깊은 뜻이 있으니 그것은 주후 67년 당시 사도 이오안네스(요한)에게 계시를 주신 내용이 그때에 이미 시작된 히에루살렘(예루살렘) 멸망의 징조와 세상 끝에 주님의 재림 직전에 있을 일들이었기 때문이다. 계시의 내용이 그렇기 때문에 주님께서 "나는 시작과 끝이며, 처음과 마지막이며, 알파와 오메가라" 고 거듭 말씀하신 것이다.

개역 한글성경에 '전에도 있었고' 라 한 것은 오역이니 '*ἦν*' (엔)은 '나는 …있다' 의 직설법 미완료 능동태로서 '있어 오는' 이라고 해야 한다. 주님은 전에 한 때 있었던 분이 아니시다. 존재하심이 끊임없으신 분으로서 지금 있으신 분이시며 있어오신 분이시다. 그리고 개역 한글성경은 '장차 올 자요' 라고 하였는데, 큰 오역이다. *ἐρχόμενος*(에르크호메노스)는 '오다, 가다' 의 동사 현재 분사 중수디포(타의에 의해, 자신을 위한 자발적 행동) 주격으로서 '가고 있다' 라고 해야 하는 것이다. 4절에서 사도 이오안네스(요한)가 성부 하나님을 가리켜 말할 때는 '오고 계시는 분' 이라고 해야 하고 여기 8절에서 주님께서 자신을 가리켜 말씀하시는 것이므로 '가고 있는 자라' 라고 해야 하는 것이다. 개역 한글성경에 요한복음 5:7절에 38년 된 병자가 이에수-스(예수)님께 '내가 가는<*ἔρχομαι*에르크호마이> 동안에' 라고 바로 번역하였다. 계시록 22:7, 12, 20절도 마찬가지로 바로 번역해야 한다.

¤ 감동과 기도 ☆

9절 ▷ 나 이오안네스는 실로 너희의 형제이며, 그리고 환란과 이에수-스 크흐리스토님의 왕국과 희망찬 인내에 동참하는 자라.

γὼ Ἰωάννης, ὁ καὶ ἀδελφος ὑμῶν καὶ συγκοινωνὸς ἐν τῇ
나 이오안네스, 자 실로 형제 너희의 이며 동참자 에 그
θλίψει καὶ ἐν τῇ βασιλείᾳ καὶ ὑπομονῇ Ἰησοῦ χριστοῦ,
환난 과 에 그 왕국 과 즐거운 인내 이에수 크리스토스

이제 사도 이오안네스(요한)는 계시의 말씀을 기록하여 보내서 받아 볼 교회들에게 자신의 신분을 분명하게 밝힌다. 먼저 "나 이오안네스(요한)는 너희의 형제이며" 라고 한다. '사도' 라 하지 않고, '장로' 라 하지도 않고, '너희의 형제' 라 하였으니 참으로 이에수-스(예수)님께서 가르치신 말씀대로 가장 좋은 칭호로 말한 것이다. 이에수-스(예수)님께서는 "너희는 랍비(나의 선생님, 주)라 불리움을 받지 말라. 왜냐하면 너희들의 안내자(선생, 교사)는 하나 크흐리스토스(그리스도)이며, 또한 너희 모두는 형제이기 때문이다. … 또한 인도자(선생, 교사)라 불리움을 받지 말라. 너희들의 인도자(선생, 교사)는 크흐리스토스(그리스도) 하나이기 때문이다.(마 23:8, 10) 기독교에서 목사(牧師←스승 사)라 부르는 것은 이에수-스(예수)님의 말씀에 위배되고, 그리고 성경에 없는 목사 칭호를 성경에 있는 것처럼 성경을 변개하여 합리화하였으니 중한 죄악이 아닐 수 없다. 한글 개역

성경 에베소서 4:11절에 '목사(牧師)' 라고 번역한 헬라어 'ποιμένας 포이메나스' 는 '목자(牧者)들(sheperds-**양을 돌보는 자들**)' 이다.(요 10:11) 영어 킹제임스 성경도 'sheperds' 라고 번역해야 바른 번역인데 'pastors-목사, 종교 지도자' 라고 번역하여 교회의 시류를 따라 변조했다. 성경을 위조하지 않고 교회가 만든 직제로 한다면, … 그래도 이에수-스(예수)님의 말씀에 맞지 않는데, 이는 보통 문제가 아닌 것이다.

아무튼 사도 이오안네스(요한)는 자신을 믿는 자들의 '형제' 라 하고, '환난과 이에수-스(예수) 크흐리스토스(그리스도)님의 왕국과 인내에 동참하는 자' 라고 한 것이다. 개역 한글성경(네슬 알란드판)은 9절에 두 번을 '크흐리스토스<χριστοῦ 크흐리스투->가 삭제되고 두 번 다 '예수' <Ἰησοῦ 이에수->로만 되어 있다. 그리고 '예수의 환란과' 라고 환란을 예수의 환란이라고 번역하였는데 그렇지 않고 바른 번역은 "환란과 이에수-스(예수) 크흐리스토스(그리스도)님의 왕국과 인내에 동참하는 자" 이다. 사도 이오안네스와 계시록의 말씀을 받는 교회들은 환란(患難-어려움, 근심과 재난)에 공동참예 하며, 함께 나누는 동료이며<συγκοινωνὸς 쉬그코이노노스> 형제들이다. 그러므로 누구보다 형제의식이 투철해야 한다. 또한 크흐리스토스(그리스도) 이에수-스(예수)님의 왕국과 희망찬 인내에 공동 참예하는 형제이다. 성도들의 인내<ὑπομονῇ 휘포모네->는 고통스런 인내가 아닌 희망찬(혹은 즐거운)인내, 지속, 견딤이다.

ὑπομονῇ 휘포모네-는 신약 성도들의 신앙이 종말론적 경향을 지니고 있다는 면에서 볼 때 당연히 인내는 기본적 태도가 된다. 악하고 불의하며 적대적인 세계에 대해 참고 견디면서 주님의 재림으로 이루어질 평화의 왕국을 확신 있게 기다리는 것이

다. 용감성이나 무감각에서가 아니라 믿음과 소망에서의 인내인 것이다.(롬 8:25, 12:12) 크흐리스토스(그리스도) 이에수-스(예수)님과 함께 죽은 자들은 함께 살 것이며, 참으면< *ὑπομένομεν* 휘포메노멘> 또한 함께 왕노릇 할 것이라 하였다. 요한계시록은 인내< *ὑπομονῇ* 휘포모네->를 신자들에게 꼭 필요하고 합당한 것이라고 격찬하며, 한편으로 이는 크흐리스토스(그리스도) 이에수-스(예수)님을 기다리는 것이고(1:9, 3:10) 또 한편으로는 고난과 박해를 참는 것이라고 한다.(2:2~3, 19)

이에수-스(예수) 크흐리스토스(그리스도)님의 왕국과 인내에 공동참여 하는 형제는 어떤 자들인가? 사도 이오안네스(요한)와 같이, 그리고 스뮈르나(서머나) 교회와 프힐라델프헤이아(빌라델비아) 교회 형제들과 같은 자들인 것이다.

▷ 하나님의 말씀과 이에수-스 크흐리스토스님의 증거를 위하여 팥모스라 하는 섬에 오게 되었는데,

ἐγενόμην ἐν τῇ νήσῳ τῇ καλουμένῃ Πάτμῳ, δια τὸν λόγον
오게되다 에 그 섬 그 ~라 하는 팥모스 ,을 위하여 그 말씀을
τοῦ θεοῦ καὶ δια ̔τὴν μαρτυρίαν Ἰησοῦ χριστοῦ.
그 하나님의 과 을위하여 그 증거를 이에수-스 크흐리스토스님의.

환난과 이에수스(예수) 크흐리스토스(그리스도)님의 왕국과 인내에 동참하는 형제인 이오안네스(요한)는 하나님의 말씀과 이에수-스(예수) 크흐리스토스(그리스도)님의 증거를 위하여 팥모스(밧모)라 하는 섬에 오게 되었다고 하였다. 실로 이 말을 바로 아는 것은 계시록을 아는데 대단히 중요한 단서가 된다. 사도 이오안네스(요한)가 하나님의 말씀과 이에수-스(예수) 크흐리스토스(그리스도)님의 증거를 위하여 팥모스(밧모)라 하는

섬에 오게 되었다고 한 이 말이 기독교 기존의 이해처럼 A.D.95년경 로마 도미니티안 황제의 박해로 이 섬에 귀양을 오게 된 것인지, 아니면 1:2절에 사도 이오안네스(요한)가 말한 바 '하나님의 말씀과 이에수-스(예수) 크흐리스토스(그리스도)님의 증거' 를 위하여 특별한 목적으로 기도하러 왔을 때인지를 분별할 필요가 있는 것이다.

유의해 볼 것은 '위하여<*δια* 디아>' 라는 말과 '오게 되었는데<*ἐγενόμην* 에게노멘>' 라는 말이다. '*δια*(디아)' 는 목적격과 함께 결과의 직접적이 아닌 원인에 대해 사용됨으로 ' ~한 이유로, ~때문에, ~을 위해, ~을 예상하여' 가 된다. 그리고 '*ἐγενόμην*(에게노멘)' 은 (지나가기 위해)오게되다의 직설 과거 중간디포(**자신을 위한 자발적 행동**)이니 사도 요한이 팔모스 섬에 오게 된 것은 타의에 의해서 온 것이 아니라 자신을 위한 자발적 행동으로 온 것을 말한다. 그러므로 특별한 기도의 목적으로 왔었는데 주님께서 계시를 주셔서 기록하게 하신 것으로 보는 것이 바른 것이다. 그러고 보면 계시록을 기록한 시기는 전승에 사도 이오안네스(요한)가 90세가 넘었을 A.D.96년경에 이 섬에 귀양을 왔다 하더라도, 그 이전 A.D.67년경에 특별한 목적으로 이 섬에 왔을 때 계시를 받았다고 보는 것이 더 타당한 것이다. 계시록을 과거론적으로 보는 견해는 계시록의 기록 시기를 A.D.67년경으로 보는 것이다. **(K.L. 젠트리 2세. 요한계시록을 이해하는 네 가지 견해. P.88)**

(본서의 일반 서론 '기록시기' 에서 자세히 말하였으므로 다시 참조하시기를 바람.)

이 섬은 현재의 이름도 '팔모(Patmo) 또는 팔모사(Palmosa) 로 불리며, 밀레도 남서서 68Km 지점에 있는 길이 17Km 폭이

10Km의 주로 바위로 된 작은 섬이며, 라스칼라(Lascala) 항만을 중심하여 알파(α) 오메가(ω)형으로 되어 있다. 사도 이오안네스(요한)가 계시를 받아 기록한 곳으로 지금은 인구 약 3,000명의 관광지로 유명하다. 현재 그 남쪽 부분에 '계시의 굴' 이라는 굴이 있고, 그곳에 '요한 수도원' 이 세워져 있다.

☼ 감동과 기도 ☆

10절 ▷ 내가 성령님 안에서 그 주님의 날 안에 있었는데, 그리고 내 뒤에서 나팔소리 같은 큰 음성을 들으니,

ἐγενόμην ἐν πνεύματι ἐν τῇ κυριακῇ ἡμέρᾳ· καὶ ἤκουσα
있었는데 안에 성령님 안에 그 주님의 날에 그리고 들으니

ὀπίσω μου φωνὴν μεγάλην ὡς σάλπιγγος,
뒤에서 나의 음성을 큰 같은 나팔소리,

여기서 '주님의 날' 이라고 한 것이 '주일' 을 말한 것이냐, '주님의 재림의 날' 을 말한 것이냐 하고 논란이 많다. 각자 자기의 신앙교리의 선입관점에서 논하면 해결의 길이 없다. 무엇보다 모든 것을 일단 내려놓고 먼저 성경 원어를 관찰 비교해 보고, 그리고 사도 이오안네스(요한)가 성령님 안에서 받은 계시의 성격을 고찰한다면 합리적인 해답이 나올 것이다.

먼저 성경 원어를 관찰해 보면, 사도 이오안네스(요한)는 ***ἐν τῇ κυριακῇ ἡμέρᾳ***(엔 테– 퀴리아케– 헤메라)는 '그 주님에 날 안에' 라고 한 것인데 트헤쌀로니케(데살로니가)전서 5:2절에 주님의 재림의 날을 말하면서 '*ἡ ἡμέρα κυρίου*(헤 헤메라 큐리우)' 라고 '주님의 그 날' 이라 하였으며, 페트로스(베드로)후서 3:10절에도 종말 재림의 그 날을 <*ἡ ἡμέρα τοῦ κυρίου*(헤 헤메라 투 퀴리우–) **그 주님의 그 날이**>라 하였으니, 이 말은 '주

님' 과 '날' 이 모두 정관사가 있어 재림하시는 종말의 특정한 그 날을 말한 것이다.

그 외에도 종말의 재림의 날을 '심판의 날' (마 10:15, 11:22, 24, 36) '그 날' (마 24:36; 마 25:13; 고전 3:13; 살전 5:4; 살후 1:10; 딤후 1:12, 4:8; 히 10:25), '생각지 않은 날' (눅 12:46), '인자도 자기의 날' (눅 17:24), '인자의 나타나는 날' (눅 17:30), '마지막 날' (요 6:39, 40, 44, 54, 12:48), '주의 크고 영화로운 날' (행 2:20), '공의로 심판할 날' (행 17:31), '주 예수 그리스도의 날' (고전 1:8; 빌 1:6), '주 예수의 날' (고전 5:5; 고후 1:14), '그리스도의 날' (빌 1:10, 2:16), '심판과 멸망의 날' (벧후 3:7), '하나님의 날' (벧후 3:12), '큰 날' (유 1:6), '진노의 큰 날' (계 6:17)등으로 말하였다.

'주일' 은 사도행전 20:7절과 고린도전서 16:2절에서 '안식일들의 첫날(매 주 첫날이라는 의미)' 〈*τῇ μιᾳ τῶν σαββάτων* 테 미아- 톤- 삽바톤〉이라고 하였지 앞에서처럼 '그 주님의 날' 이라 하지 않았다.

그러므로 사도 이오안네스(요한)가 **'그 주님에 날 안에'** 라고 한 것은 '주일' 을 말한 것이 아니라, 구약에서 많은 선지자들이 거듭 거듭 말하였던,(사 2:12, 61:1~2, 렘 31:31~34, 암 5:18~20, 말 4:4 등) 하나님께서 멧시아스(메시야)를 보내셔서 악한 세상을 심판하시고 하나님의 백성을 구원하실 '여호와의 날' 을 말한 것이다. 구약의 선지자들이 예언한 메시야의 심판과 구원의 '그 주님(여호와)의 날' 은 단지 초림이나 재림의 그 날 하루만을 말한 것이 아니고 광의적으로는 이에수-스(예수)님께서 초림하신 날부터 재림하시고 최후에 심판하시는 날까지를 말하는 것이며, 협의적으로는 재림전 7년대환난부터 최후의 대심판까지를 말하는 것이다. 사도 이오안네스(요한)가 성령님 안에서 주님께서 계시하여 주시는 그때부터의 주님의 날들에 되어질 일들을 큰 나팔소리와 같이 듣게 되었다는 말인 것이다. 주일이냐 재림의 날이냐 하는 것은 무용한 소모전이다. 너무 이 문제에 대해 논쟁을 하지 말아야 한다.

나팔소리는 계시를 주실 때,(출 19:16,19) 절기 때,(레 23:24) 또는 경고를 하거나,(겔 33:6) 소집을 하거나,(민 10:2) 전쟁(심판)을 예고하는(겔 7:14) 신호로 사용하는 것이다. 주님께서 재림하실 때도 천사장의 호령 소리와 하나님의 나팔로 하늘로부터 강림하신다고 하였다.(살전 4:16) 아멘! 할렐루야!

'큰(μέγας 메가스)' **음성**이라 하였는데, 요한계시록에서 '큰' 이란 말은 특징적이어서 무려 **81회**나 나타난다. 큰 소리로,(1:10, 5:2, 12, 6:10, 7:2, 10, 8:13, 10:3, 11:12, 15, 12:10, 14:7, 9, 15, 18, 16:1, 17, 19:1, 17, 21:3) **큰 환난**,(2:22, 7:14) **큰 칼**,(6:4) **큰 지진**,(6:12, 11:13, 16:18, 18) **큰바람**,(6:13) **큰 날**,(6:17, 16:14) **큰 산**,(8:8) **큰 별**,(8:10) **큰 풀무**,(9:2) **큰 강**,(9:14, 16:12) 큰 성,(11:8, 14:8, 16:19, 17:18, 18:2, 10, 16, 18, 19, 21) **크게 두려워**,(11:11) **큰 권능**,(11:17) **큰 자**,(11:18, 13:16, 19:5, 18) **큰 우박**,(11:19, 16:21) **큰 이적**,(12:1, 13:13) **큰 붉은 용**,(12:3) **큰 용**,(12:9) **크게 분내어**,(12:12) **큰 독수리**,(12:14) **큰 권세**,(13:2, 18:1,) **큰 언**(言),(13:5) **큰 뇌성**,(14:2) **큰 포도주 틀**,(14:19) **크고 이상한 이적**,(15:1) **크고 기이한**,(15:3) **크게 태움**,(16:9) **큼이라**,(16:21) **큰 음녀**,(17:1, 19:2,) **큰 바벨론**,(17:5) **크게 기이히 여겨**,(17:6) **큰 맷돌**,(18:21) **큰 잔치**,(19:17) **큰 쇠사슬**,(20:1) **크고 흰 보좌**(20:11) **크고 높은 산**,(21:10) **크고 높은 성벽**,(21:12)

이것은 무엇을 증거 함인가? 계시록의 환상과 계시는 평범하고 사사로운 것이 아니고 너무나 중대하고 확실한 우주적인 대 예언의 말씀인 것을 증거하고 있는 것이다. 아멘! 아멘!

'같은' 이라는 말 'ὡς(호스)' 는 계시록에서 70회나 사용되었다. 계시록에서 특징적 표현이다. '같다' 는 말은 '서로 다르지 않다, 서로 딴 것이 아니다, 비교함을 나타내는 말, 닮아서 비슷하다' 는 의미이다.**(국어사전, 민중 엣센스, 1999)**

¤ 감동과 기도 ☆

11절 ▷ 말씀하시기를, 나는 알파와 오메가이며, 그 첫째와 그 마지막이다

λεγούσης, Ἐγώ εἰμι τὸ Α καὶ τὸ Ω, ὁ πρῶτος καὶ
말씀하시기를, 나는 이라 그 알파 와 그 오메가 그 첫째 와
ὁ ἔσχατος· ←그 마지막

개역 한글성경(네슬 알란드판)에는 11절 상반절인 이 말씀이 몽땅 없어졌고, 다음 소절의 '아시아에 있는' <*ἐν Ἀσίᾳ* 엔 아시아>**도 없다.** 시내사본, 알렉산드리아 사본 등에 없고 후대에 삽입한 말이라 하는 이들이 있으나, 본 저서 제1권 제1부 '바른 성경' 에서 말한 바, 왜 연대가 오래된 고대사본이라해서 바른 사본이 아닌가를 밝힌바 있다. **이러한 중요한 말씀이 제하여졌다는 것은** 22:19**절에 해당되지 않겠는가**?

'알파<*A*>는 헬라어 알파벧의 첫 글자로서 주님은 모든 것의 첫째가 되신다는 말씀이며, 오메가<*Ω*>는 마지막 글자로서 모든 것의 마지막이 되신다는 말이다. 첫째이며 마지막이라 하심도 같은 의미를 강조하심인데, 첫째라는 *πρῶτος*(프로-토스)

는 공간, 시간, 수, 계급에 있어서 '첫째'를 의미하는 바, 제자들이 계급에 관하여 언쟁할 때에 *πρῶτος*(프로-토스)가 중심 단어였다.(막 9:33, 35, 10:37, 43,44) 이에수-스(예수)님은 주와 선생으로서 제자들의 발을 씻기신 진정 섬김의 본을 보이신 분이시다.(요 13:14) 누구든지 첫째(*πρῶτος*-프로-토스)가 되려고 하면 모든 사람의 마지막이(*ἔσχατος*-에스카토스) 되어져야 하고 그리고 모든 사람의 시중드는 자(*διάκονος*-디아코노스)가 되어야 한다고 하셨다.(막 9:35) 종말론적인 용례로는 시간적인 마지막으로서, 하나님 아버지께서 마지막으로 보내셔서 말씀하게 하신 마지막 선지자이시며,(히 1:2) 이에수-스(예수)님은 마지막 아담이신데,(고전 15:45) 첫 아담은 옛 인류를 시작시켰지만 이에수-스(예수)님은 새 인류를 시작시키신 분이시다.

▷ 네가 보는 것을 두루마리에 써서 아시아에 있는 교회들, 에프헤소스에, 그리고 스뮈르나에, 그리고 페르가모스에, 그리고 트휘아테이라에, 그리고 사르데이스에, 그리고 프힐라델프헤이아에, 그리고 라오디케이아에 보내라 하시니라.

Ὃ βλέπεις γράψον εἰς βιβλίον, καὶ πέμψον ταῖς ἑπτα
것 네가 보는 써서 두루마리에, 그리고 보내라 그 일곱
ἐκκλησίαις ταῖς ἐν Ἀσίᾳ εἰς Ἔφεσον, καὶ εἰς Σμύρναν,
교회들에게 있는 아시아에 에 엪헤소스, 그리고 에 스뮈르나,
καὶ εἰς Πέργαμον, καὶ εἰς Θυάτειρα, καὶ εἰς Σάρδεις,
그리고 에 페르가모스, 그리고 에 트휘아테이라, 그리고 에 사르데이스,
καὶ εἰς Φιλαδέλφειαν, καὶ εἰς Λαοδίκειαν.
그리고 에 프힐라델프헤이아, 그리고 에 라오디케이아.

'써서, 기록하여'라는 명령형의 말 '*γράψον*(그라프혼)'이 계시록에서 12번 반복되었다.(1:11, 19, 2:1, 8, 12, 18, 3:1, 7, 14,

14:13, 19:9, 21:5) 계시록은 주님의 명령에 의해 기록된 신적 권위의 예언의 말씀임을 입증하고 있음에 유의해야 한다.

사도 이오안네스(요한) 당시에 기록문서는 오늘날 같은 종이로 된 책이 아니었고 보통으로는 아이귑토스(애굽)에서 사용되기 시작한 갈대로 만든 종이 같은 파피루스에 기록하였고, 보다 중요한 문서는 구약 때부터 사용해 오던 양가죽 두루마리에 기록하였다. 주후 66년경 사도 파윌-로스(바울)가 티모드헤오스(디모데)에게 가져 오라 했던 책은 특별히 양가죽들 두루마리들 <*τὰ βιβλία, μάλιστα τὰς μεμβράνας*(타 비블리아 말리스타 타스 멤브라나스)>을 가져오라 하였다.(딤후 4:13) 일곱 교회 중에 페르가모스(버가모)에는 유명한 도서관이 있었고, **주전 100년경부터** 이곳에서 양피지가 생산되었으며, 페르가모스라는 도시 이름이 '양피지' 라는 의미이다. 그러므로 주님께서 주후 67년 사도 이오안네스(요한)에게 기록하게 하신 계시록은 더하거나 제하면 안될 너무나 중요한 말씀으로서,(계 22:18, 19) 파피루스에 쓸 보통의 말이 아니었고, 그리고 여러 교회에서 읽도록 하기 위한 책이었으며, '더하지도 제하지도 말라' 하신 말씀이므로 모두 정리하여 '양피지' 에 기록하였을 것은 당연하다. 그러므로 여기서 *βιβλίον*(비블리온)은 현대관념으로 '책' 이라 하는 것보다 '두루마리에' 라 하는 것이 합당하다.

기록하여 보내라 하신 일곱 교회는 아시아에 있는, 지금의 터키 서해안 가까운 지방에 산재해 있는 교회들이었다. 다른 지방에 교회들이 상당히 있었지만, 주님께서 이곳의 일곱 교회를 택하여 말씀하신 것은 당시 모든 교회와 모든 시대를 걸쳐 대표될 만한 특징이 있는 교회들이었기 때문에 모든 교회들에게 교훈하기 위함이셨을 것이다. 그렇기 때문에 매 교회에 주신 말씀의 말미에는 꼭 "귀를 가진 자는 누구든지 성령님께서 교회들에게 말씀하시는 것을 들으라"고 하신 것이다. 일곱 교회 중 제일 처음 말한 에프헤소스(에베소) 교회는 사도 파윌-로스(바울)께서 주후 55~58년경 3년간 머물면서 복음을 전한 교회로 기록되어 있다.(행 20:31)

일곱 교회의 명칭을 헬라 원어대로 발음하면 에프헤소스(에베소), 스뮈르나(서머나), 페르가모스(버가모), 트휘아테이라(두아디라), 사르데이스(사데), 프힐라델프헤이아(빌라델비아), 라오디케이아(라오디게아)이다.

12절 ▷ 그리고 내 뒤에서 말씀하신 그 음성을 알아보려고 돌이키니 돌이킬 때에 금으로 만들어진 일곱 등대를 보았고,

Καὶ ἐπέστρεψα βλέπειν τὴν φωνὴν ἥτις ἐλάληδεν μετ'
그리고 돌이키니 보려고 그 음성을 그 말한 뒤에서
ἐμοῦ · καὶ ἐπιστρέψας εἶδον ἑπτὰ λυχνίας χρυσᾶς,
나의 돌이킬 때에 보았는데 일곱 등대를 금으로 만들어진

사도 이오안네스(요한)가 뒤에서 나는 나팔소리 같은 큰 음성을 알아보려고 몸을 돌이키니 확 먼저 눈에 보이는 것은 금으로 만들어진 일곱 등대였다. 개역 한글성경은 '*λυχνίας*(르뤼크히니아스)'를 '촛대'로 번역했기 때문에 모든 한국교회가 I 같은 모양의 촛대 일곱으로 생각하는 것이다. 이것은 아주 잘못된 것이다. 여기서 '*λυχνίας*(르뤼크히니아스)'는 구약시대 성막 성소에 놓인 등대와 같은 일곱 가지로 만들어진 등대(燈臺)를 말한다.(출 25:31,32) 그러므로 '등대'라는 말 *λυχνίας*(르뤼크히니아스) 자체가 하나가 아닌 복수인 것이다. 그리고 쉘로모(솔로몬)왕은 새로 건축한 성전에 일곱 가지 금으로 만든 등대 열 개를

만들어 성소 좌우에 다섯 개씩 놓았다고 하였으니(대하 4:7) 등대 일곱이라는 말을 바로 이해하여야 한다. 초를 켜는 촛대 일곱이라는 생각은 완전히 틀린 생각이다.

λυχνία(르뤼크히니아)는 **λυχνος**(르뤼크히노스- **등〈불〉**)에서 유래한 말로서, 등을 위에다 두어 빛을 좀더 잘 발산할 수 있도록 하는 밑받침 곧 등대를 말한다.(마 5:15) '촛대' 라 해서 아주 틀린 것은 아니지만 등불 보다 촛불을 연상케 하는 말이므로 '등대' 라 함이 의미에 합당하다. 개역 한글성경 구약에는 모두 '등대' 라고 바로 번역하였다.(출 30:27, 31:8, 35:14, 레 24:4, 민 3:31, 왕상 7:49등)

등불은 빛을 보다 더 잘 비취기 위해 등대 위에 두어야 한다고 이에수-스(예수)님께서 거듭 말씀하셨다.(눅 8:16, 11:33) "주님의 말씀은 나의 발에 등이요, 나의 길에 빛이니이다" 고 하였으니,(시 119:105) 교회는 등불인 하나님의 말씀을(잠 6:23, 벧후 1:19) 성령님의 순결한 기름으로(출 27:20) 밝게 하되 등대가 되어 모든 사람에게 비취도록 해야 할 것이다. 특별히 등불을 비추기 위한 등대가 금으로 만들어졌다는 것은, 귀하고 아름답고 변함 없는 참된 교회의 속성을 나타내는 것이다.

13절 ▷그리고 그 일곱 등대들 사이에 사람의 아들 같은 분께서 발까지 닿는 옷을 입고, 그리고 가슴 가까이에는 금으로 만든 허리띠를 띠고,

καὶ ἐν μέσῳ τῶν ἑπτὰ λυχνιῶν ὅμοιον υἱῷ ἀνθρώπου,
그리고 에 사이 그 일곱 등대들의 같은 아들 사람의,

ἐνδεδυμένον ποδήρη, καὶ περιεζωσμένον πρὸς τοῖς
옷을 입고 발목까지 닿는 옷, 그리고 띠를 띠고 가까이에 그

μαστοῖς ζώνην χρυσῆν· ←가슴에 허리띠 금으로 만든

13~18절까지는 사도 이오안네스(요한)에게 계시를 주시는 주님의 모습을 기록하였다.

주님께서 '일곱 등대들' 사이에 서셨다고 하였다. 구약 모세 때 성막의 성소 안 휘장 앞의 등대는(출 27:21) 일곱 가지가 있는 하나의 등대가 있었는데(출 25:31~37) 어찌 '일곱 등대들' 이라고 하였는가? '등대' 라는 말 'λυχνιῶν(르뤼크히니온–)' 은 복수 소유격이다. 이스라엘 쉘로모(솔로몬)왕이 건축한 성전에는 물두멍 열을 만들어 다섯은 우편에 다섯은 좌편에 두었고, 금으로 등대 열을 만들어 성소 안에 좌편에 다섯 우편에 다섯을 두었으며, 그리고 떡 상도 열을 만들어 좌편에 다섯 우편에 다섯을 두었다고 하였다.(왕상 7:49; 대하 4:6~8) 이것은 모세 당시는 구원역사가 지리적 인종적으로 이스라엘이라는 한 나라에 국한되었으나, 신약시대의 교회는 범 세계적 열방으로 확장되어 갈 것을 의미한 것이었다. 그러므로 주님께서 일곱 등대 사이를 다니신다고 한 것은(2:1) 전 세계적 교회를 완전하게 일곱 등대로 표징한 것이다.

그리고 입으신 옷을 말하였다. 입은 옷을 보면 제일 먼저 그가 어떤 사람인 것을 알 수 있다. 주님께서 발까지 닿는 옷을 입으셨다는 것은 구약의 제사장 같이 영화롭고 아름다운 긴 옷을 입으신 것을 말한다. 구약의 제사장들은 층계로 하나님의 단에 오르지 말라 하셨는데, 벌거벗은 것이 드러나기 때문이라 하셨다.(출 20:26) 아담과 하와는 벌거벗은 것이 드러나 하나님을 대면치 못하고 숨었었다.(창 3:10) 그러므로 제사장의 옷은 발까지 닿는 긴 옷이었다. 이사야 선지자가 본 보좌에 앉으신 주님의 옷자락이 성전에 가득하였다 하였으며,(사 6:1) 하나님의 보좌에서 하나님을 모시는 스랍 천사들도 날개로 발을 가리운다고 한 것이다.(사 6:2) 부활하신 예수님은 하늘의 지성소에 대제사장으로 들어가셨기 때문에(히 3:1, 9:24) 긴 옷을 입으셨으며, 가슴에는 금으로 만든 허리띠를 띠셨으니, 존귀와 순결한 의의 왕이심을 의미한다. B.C.535경 선지자 다니엘이 금식 기도 중에 본 주님의 모습도 세마포 옷을 입고 우파즈 산 정금 띠를 띠셨더라고 하였다.(단 10:5) 참으로 하나님 앞에 부끄럽지 않은 완전한 행위의 흰옷을 입고 주님과 동행하는 자;(계 3:2~5) 천년왕국에서 주님과 함께 왕노릇 할 성도들은(계 20:6) 주님을 닮아 하나님께 제사장과 왕의 신분인 것이다.(계 1:6, 5:10) 할렐루야! 아멘!

14절 ▷또한 그분의 머리와 그 흰 머리털이 흰 양털 같고, 눈 같으며, 그리고 그분의 그 두 눈은 불의 불꽃같고,

ἡ δὲ κεφαλη αὐτοῦ καὶ αἱ τρίχες λευκαὶ ὡσεί ἔριον
또한 머리 그분의 와 그 머리털이 희기가 같고 양털

λευκόν, ὡς χιών· καὶ οἱ ὀφθαλμοὶ αὐτοῦ ὡς φλὸξ πυρός·
흰, 같으며 눈, 그리고 눈들은 그분의 같고 불꽃 불의

또한 주님의 머리와 머리털이 희기가 흰 양털 같고 눈 같은 것은 존경과(레 19:32) 영광과(잠 16:31, 20:29) 성결하심을(계 3:4, 7:13)을 나타내는 것으로 단지 희기만 한 것이 아니고 빛나는 흰 것을 말하니 희다는 말 **λευκαὶ**(루카이)는 '빛나다' 라는 말 '**λύκη**(뤼케)' 에서 유래하여 '빛나다' 는 뜻도 있기 때문이다. 그리고 주님의 두 눈의 불의 불꽃같으심은 모든 것을 숨겨짐 없이 통찰하여 보시는 것을 의미하는데 네 번이나 동일하게 말하고 있다.(단 7:9, 계 1:14, 2:18, 19:12) 특히 요한계시록 2:18절에서 "불의 불꽃같은 그 눈들을 가지시고 그 발들이 빛난 주석 같은

하나님의 아들" 이라 하심과, 19:12절에 재림하시는 주님께서 그 눈들이 불의 불꽃 같다고 한 것은, 엄중히 보시는 심판의 눈이심을 말한 것이다. 모든 것이 벌거벗은 것같이 그분의 눈앞에 드러날 것이라 하셨다.(히 4:13) 무엇이든지 순금 같이 주님께서 보시는 관점에 순수하고 맞아야 심판의 화를 받지 않는 것이다.

15절 ▷ 그리고 그분의 그 발들은 아궁이 같은 데서 제련되어진 만큼 빛난 주석에 유사하고, 그리고 그분의 그 음성은 많은 물들의 소리 같으며

καὶ οἱ πόδες αὐτοῦ ὅμοιοι χαλκολιβάνῳ ὡς ἐν καμίνῳ
그리고 그 발들은 그분의 유사하고 빛난 주석 같은 안에서 아궁이
πεπυρωμένοι· καὶ ἡ φωνὴ αὐτοῦ ὡς φωνὴ ὑδάτων πολλῶν
제련되어진 그리고 그 음성은 그분의 같으며 소리 물들의 많은

두 발이 아궁이 같은 데서 제련된 빛난 주석에 유사하다는 것은 진노와 심판의 강력한 발로 대적을 밟아 부숴뜨리는 것을 말한다.(계 14:20, 19:15, 단 7:23, 합 3:12) 그리고 주님의 음성이 많은 물소리와 같다는 것은 대 폭포수의 웅장하고 장엄한 물소리 같이 모든 인류가 그분의 음성 앞에서 압도되는 놀라운 음성인 것을 말한 것이다. 에스겔 43:2절에도 하나님의 음성이 많은 물소리 같다고 하였고, 시편 29:3, 4절에는 하나님은 많은 물 위에 계시며 하나님의 소리가 힘있으시고 위엄차다고 하였다. 인생들은 하나님을 너무나 모르고 경거망동하고 있다.

16절 ▷ 그리고 그분의 오른손에는 일곱 별들을 붙잡으셨고, 그리고 그분의 입에서부터 양쪽에 날선 예리한 칼이 나오며, 그리고 그분의 그 외모는 해가 그 자체로 힘있게 비

치는 것 같으니라.

καὶ ἔχων ἐν τῇ δεξιᾷ αὐτοῦ χειρὶ ἀστέρας ἑπτά·
그리고 붙잡고 에 그 오른 그분의 손에 별들을 일곱
καὶ ἐκ τοῦ στόματος αὐτοῦ ῥομφαία δίστομος ὀξεῖα
그리고 부터 그 입에서 그분의 큰 칼이 양쪽에 날선 예리한
ἐκπορευομένη· καὶ ἡ ὄψις αὐτοῦ ὡς ὁ ἥλιος φαίνει
나오고, 그리고 그 외모는 그분의 같았다 그 해가 비치는 것
ἐν τῇ δυνάμει αὐτοῦ. ←그 힘있게 자체로

일곱 별들은 일곱 교회의 사자들이라 하셨는데(20절) 그 사자들을 오른손에 붙잡으셨다는 것은 힘있는 오른손으로 지키고 보호하신다는 것을 의미이다. 하나님의 오른손이 권능으로 영광을 나타내시되 주님의 오른손으로 원수를 부수시며,(출 15:6) 주님께 피하는 자를 그 일어나 치는 자에게서 오른손으로 구원하시며,(시 17:7) 언제나 하나님의 오른손은 구원하고 붙드시는 권능과 능력의 손으로 말씀하고 있다.(시 20:6, 44:3 사 41:10)

그리고 주님의 입에서부터 양쪽에 날선 칼이 나온다고 하였으며,(1:16절) 그러한 칼을 가지신 주님께서(2;12) 재림하실 때 그 입으로부터 예리한 칼이 나와 민족을 칠 것이라 하셨다.(계 19:15) 입에서 나오는 칼은 말씀을 의미한다.(엡 6:17) 세상에서 가장 예리한 칼은 레이저 광선이라 하나, 하나님의 말씀은 레이저 광선이 비교되지 않을 만큼 예리하여 영과 생명(혼)까지도 수술하는 예리한 칼인 것이다.(히 4:12) 마지막 날에 이에수-스(예수)님께서 입으로 말씀하신 말씀으로 심판한다고 하셨다.(요 12:48)

그리고 그분의 그 외모는 해가 그 자체로 힘있게 비치는 것 같았다고 하였다. 이에수-스(예수)님께서 변화산 위에서 제자들

앞에서 그 얼굴이 해같이 빛을 냈다고 하였는데,(마 17:2) 부활 승천하신 이에수-스(예수)님은 그 때와 비교할 수 없을 만큼, 해가 그 자체로 힘있게 비치는 것 같으신 것이다.

이에수-스(예수)님의 지금의 모습은 어린 아기나 가시관 쓰고 십자가에 못박히신 분이 아니시고,(이런 그림 자체는 주님께 대한 모독이요 제2계명에 저촉된다. 예수님 모습 그림은 없애버려야 한다) 13~16절에 사도 이오안네스(요한)에게 보여주신 대로 위엄과 영광의 주님이신 것이다. 영원한 하나님의 왕국에서 구원받은 의인들도 해와 같이 빛날 것이라 하셨으니,(마 13:43) 가히 상상할 수 없는 영광인 것이다. 할렐루야! 아멘!

¤ 감동과 기도 ☆

17절 ▷ 그리고 내가 그분을 보자마자 그분의 발을 향해 엎드러져 죽은 것같이 되니, 그분의 오른 손을 나를 향해 얹으시고 나에게 말씀하시기를, 두려워말라. 나는 그 첫째와 그 마지막이다.

Και ` ὅτε εἶδον αὐτόν, ἔπεσα πρὸς τοὺς πόδας
그리고 하자마자 보자 그분을 엎드러져 ~을 향하여 그 발들
αὐτοῦ ὡς νεκρός καὶ ἐπέθηκεν τὴν δεξιὰν αὐτοῦ χεῖρα ἐπ'
그분의 같이 죽은 것. 그리고 얹으시며 그 오른 그분의 손을 향해
ἐνέ, λέγων 'μοι, Μὴ φοβοῦ· ἐγώ εἰμι ὁ πρῶτοςκαὶ ὁἔσχατος,
나를, 말씀하시기를 나에게, 말라 두려워하지.나는 이다 그 첫째이며 마지막,

위엄과 영광의 주님을 보자마자 사도 이오안네스(요한)는 그분의 발 앞에 엎드러져 죽은 자 같이 되었다고 하였으니, 주님의 위엄과 영광이 얼마나 압도적이었나 하는 것이다. 사도 이오안네스(요한)처럼 영성이 높고 주님과 친밀한 관계인 사람도 그러

했다면, 일반 신자들이나 불신자들은 어떻게 되겠는가? 지금 사람마다 제 생각이 많고 말이 많지만 재림 때 주님께서 나타나실 때는 모두 엎드러져 죽은 자 같이 유구무언일 것이다. 세상의 최강대국의 대통령이나 총리(현재 미국의 부시, 중국의 후진타오, 영국의 블레어, 프랑스의 시라크, 독일의 메르켈, 일본의 아베) 같은 권세자들도 볼품없는 병자같이 된다.(본인들을 말함이 아님)

주님 발 앞에 엎드러져 죽은 자 같이 된 이오안네스(요한)에게 주님께서 오른손을 얹으시고 말씀하시기를 '두려워 말라' 고 하셨다. 주님께서 세상에 계실 때 제자들에게 늘 하시던 말씀이었다.(마 10:26, 28, 31, 14:27, 17:7, 28:10, 막 5:36, 눅 5:10, 8:50, 12:4, 32, 요 6:20)

18절 ▷ 그리고 나는 살아있다. 또한 내가 죽게 되었으나, 그러나 보라, 나는 그 영원의 영원을 향하여 살아 있다. 진실로 그러하다.

και ὁ ζῶν, καὶ ἐγενόμην νεκρός, καὶ ἰδοὺ
그리고 그 살아있다. 또한 되어졌으나 죽게, 그러나 보라
ζῶν εἰμι εἰς τοὺς αἰῶνας τῶν αἰώνων· ἀμην·
살아 있노라 향하여 그 영원들을 그 영원들의 진실로 그러하다

'두려워하지 말라' 하시면서, 주님은 어떤 분이심을 말씀하셨다. 사람에게 있어 두려움의 근본 원인은 죽음 때문이다. 이오안네스(요한)도 두려움 때문에 죽은 자같이 되었다. 죽음의 근원을 없이하신 분이 바로 주님이시다. '나는 그 첫째이며 마지막이다' 본래 하나님께서 첫째 사람 아담을 지으실 때 죽음의 두려움이 없는 사람으로 창조하셨다. 모든 인류 가운데 오직 이 에수-스(예수)님은 죽음이 없는 첫째 분이시지만 죽음의 세력을

잡은 자 마귀를 없이하시며 죄인들을 죽음의 두려움에서 구속해 내시고자 대신 두려운 죽음을 당하셨다. 그리고 부활하심으로 그 두려운 죽음을 해결하여 살려주시는 마지막 아담이 되셨다.(히 2:9, 14, 15) 사람의 아들이시면 서도 죽지 않고 영원히 살아 계시는 분이 되셨다. 그분이시기에 '두려워 말라' 말씀하실 수 있는 것이다. 세상의 어떤 종교의 교주도 또는 교황이나 권세자도 죽음 앞에 두려워하는 인생들에게 '두려워 말라' 말할 수 없는 것이다. 오직 이에수-스(예수)님만이 '두려워말라' 하실 수 있는 분이시다. 할렐루야! 아멘!

▷ 그리고 내가 그 지옥과 그 죽음의 열쇠들을 가졌노라.

καὶ ἔχω τὰς κλεῖς τοῦ ᾅδου καὶ τοῦ θανάτου.
그리고 내가가졌다 그 열쇠들을 그 지옥 과 그 죽음의

주님은 또한 사도 이오안네스(요한)에게 내가 지옥<*ᾅδης* 하데스>과 죽음<*θάνατος* 트하나토스>의 열쇠를 가졌으니 두려워 말라 하신 것이다. 오늘날 기독교에 보편적으로 지옥<*ᾅδης* 하데스>과 *γέεννα*(게헨나) 또는 불못<*πῦρ λίμνη* 퓌-르 림네>에 대해 바로 정립이 되어 있지 않아 【특주 3】을 두지만, 여기서 간략히 말하자면, 사람이 죽으면 몸은 흙에 묻혀서 썩지만 썩지 않는 영과 생명(자아=혼)은 지하의 공간에 내려가는데, 지하에 있다해서 지옥(地獄)이라 하는 것이다. 최후의 대심판 후에 영원히 던져지는 곳은 지옥이라 하지 않고 '게헨나'(마 5:26, 29, 30) 또는 영원한 불(마 25:41) 또는 불못(계 20:14,15)이라 하는 것이다. 게헨나 곧 영원한 불못에 던지우는 것을 둘째 사망(죽음)이라 하였다.(계 20:14) 세상에서 살다가 호흡이 끝나 몸은 무덤에 묻히고 영혼은 구원받은 자와 구원받지 못한 자가 낙원과 지옥으로 가는 것이 첫째 죽음인 것이다.

또한 마귀<*διάβολος*디아볼로스>와 악령들을 가두는 곳은 무저갱<*ἄβυσσος* 아부소스>이며,(계 20:3; 눅 8:31) 범죄한 천사들을 가두는 곳은 '*τάρταρος* 타르타로스'라 하였다.(벧후 2:4; 유 1:6) 그러므로 주님께서 지옥과 죽음의 열쇠를 가지신 것은 한마디로 말하면 구원과 멸망의 전권을 가지셨다는 말씀인 것이다. 이러한 주님이시므로 사도 이오안네스(요한)에게 두려워하지 말라 하신 것이다.

¤ 감동과 기도 ☆

19절 ▷네가 본 것들, 그리고 현재 있는 일들, 그리고 이러한 것들 후에 되어지려고 하는 일들에 대하여 기록하라.

γράψον ἃ εἶδες, καὶ ἅ εἰσιν, καὶ ἃ μέλλει γίνεσθαι
기록하라 것들 네가 본 그리고 일들 현재 있는, 그리고 것들 려고하는 되어지
μετὰ ταῦτα· ←후에 이러한 것들

주님께서 사도 이오안네스(요한)에게 기록할 것을 지시하신 것인데, 거의 모든 계시록 주해 집필자들이 여기 말씀하신 세 가지, 개역 한글성경 대로 네가 본것은 1장에서 본 것을 말하고, 현재 있는 일들은 2장과 3장의 일곱 교회에 대한 말씀이고, 그리고 장차 될 일은 4~22장까지 기록한 내용이라고 셋으로 구분하는 것이다.

그러나 본 집필자가 볼 때는 다음 20절에 주님께서 직접 "**네가 본 것들은** 내 오른 손 위의 그 일곱 별들의 그 비밀이며, 그리고 금으로 만든 그 일곱 등대들이라. 그 일곱 별들은 그 일곱 교

회의 사자들이며 그리고 **네가 본** 그 일곱 등대들은 일곱 교회들이니라"고 해석하여 주셨으니 사도 이오안네스(요한)가 본 것은 거의 모든 계시록 해석하시는 분들이 말하는 대로 1장이 아니라 오히려 2~3장의 일곱 교회에 보낸 말씀인 것이다.

뿐만 아니라 요한계시록 전체를 조망해 볼 때 사도 이오안네스(요한)에게 기록하라 하신 '네가 본 것들' 은 단지 1장에서 본 것만을 말한 것이 아니고, 요한계시록에 기록한 모든 본 것들을 말씀한 것이라 해야 옳을 것이다. 왜냐하면 사도 이오안네스(요한)는 계시록에서 22장까지 '내가 보니' '또 내가 보니' 하고 52회나 계속 반복하여 말하고 있으니(1:2, 12, 17, 19, 20, 4:1, 5:1, 2, 6, 11, 6:1, 2, 5, 8, 9, 12, 7:1, 2, 9, 8:2, 13, 9:1, 17, 10:1, 5, 13:1, 2, 11, 14:1, 6, 14, 15:1, 2, 5, 16:13, 17:3, 6, 6, 8, 12, 15, 16, 18, 18:1, 19:11, 17, 19, 20:1, 4, 11, 12, 21:1, 2, 22) '본 것' 을 1장에만 국한시키는 것은 옳다고 할 수 없는 것이다.

그리고 **'현재 있는** 일들' 을 기록하라 하신 것이, 2장과 3장의 일곱 교회에 대한 말씀만이 그때에 '현재 있는 일들' 이 아닌 것은, 1:1절에 한글 개역성경에 속히 '될 일' 로 번역하였는데, *γενέσθαι*(게네스다이)는 부정, 과거, 중간디포로서 '틀림없이 속히 되기 시작해야 했던' 이라고 해야 바른 번역이다. 그러므로 이에수-스(예수)님께서 사도 이오안네스(요한)에게 계시하여 주신 당시에 이미 반드시 '되어지기 시작해야 했던' 일들로서 이러한 일들 후에 또한 되어져야 할 일들을 계시하여 주시고 기록하여 교회에 보내라 하신 것이다. 그러므로 계시록을 기록하던 당시에 이미 되기 시작해야 했던 일들로 과거론적으로 보는 이들의 견해가 많이 수용되어야 하니 특히 주후 67년 계시록 기록 당시 진행중에 있던 히에루살렘(예루살렘) 멸망의 징조인 유대전쟁과 기근과 죽음을 간과해서는 안되는 것이다.

따라서 '**이러한 것들 후에 되어지려고 하는 일들**' 은 막연히 '장차 될 일' 이 아니라 계시록 기록 당시(주후 70년 히에루살렘 멸망) 이후에 22장까지 속히 '되어지려고 하는 일들' 에 대하여 기록하라 하신 것이다. 주후 70년 히에루살렘(예루살렘) 멸망후 이방인들에게 밟히는 동안 오순절 후처럼 바른복음이 힘있게 전파되어 이방인들의 구원받는 수가 빨리 찼더라면 주님께서 말씀하신 대로 속히 재림하셨을 것이다. 그렇지 못했기 때문에 히에루살렘(예루살렘)은 오늘날까지 회교 이슬람 사원이 세워진 채로 밟히고 있는 것이다. 원인을 바로 알아야 바른 처방이 나올 수 있는 것이다. 계시록을 참으로 긴박하고 생동감 있는 말씀으로 보고 읽고 이해해야 할 것이다.

20절 ▷ 네가 본 것들은 내 오른손 위의 그 일곱 별들의 그 비밀이며, 그리고 금으로 만든 그 일곱 등대들이라. 그 일곱 별들은 그 일곱 교회의 사자들이며, 그리고 네가 본 그 일곱 등대들은 일곱 교회들이니라.

τὸ μυστήριον τῶν ἑπτὰ ἀστέρων ὧν εἶδες ἐπὶ τῆς
그 비밀 그 일곱 별들의 것들 네가 본 위의 그

δεξιᾶς μου. καὶ τὰς ἑπτὰ λυχνίας τὰς χρυσᾶς. οἱ ἑπτὰ
오른손 나의, 그리고 그 일곱 등대들 그 금으로 만든. 그 일곱

ἀστέρες ἄγγελοι τῶν ἑπτὰ ἐκκλησιῶν εἰσιν· καὶ αἱ
별들은 사자들 그 일곱 교회들 이니라. 그리고 그

ἑπτὰ λυχνίαι ἃς εἶδες ἑπτὰ ἐκκλησίαι εἰσίν.
일곱 등대들 그 네가 본 일곱 교회들 이다.

'네가 본 것들' 을 2장 3장에 기록한 말씀에만 국한시키지 말

아야 옳은 것은, 2:20절에 개역 한글성경에 "네가 본 것은" 이라 번역한 <ὧν εἶδες 혼- 에이데스>는 형용 동사로서 앞의 일곱 별의 비밀을 수식하는 말이다. 그러므로 "네 본 것은" 이라 할 주격 명사가 아니고 형용동명사로서 "네가 본 일곱 별의 비밀" 이라고 해야 하는 것이다. 그리고 네슬 알란드 사본 계통인 개역 한글성경에는 "일곱 등대는 일곱 교회니라" 앞에 "네가 본" 이라는 헬라어 <ἃς εἶδες 아스 에이데스>가 삭제되었다. 앞서 말했지만 사도 이오안네스(요한)가 본 것은 일곱 별과 일곱 등대만 아닌 것이다. 헬라어를 직역해 보지 않고 잘못 번역된 개역 한글성경이나 영어성경의 계시록 1:19,20절로 계시록의 전체 구도로 잡으니 바로 볼 수 없는 것이다. 거의 모든 계시록 주석에서 바로 번역되지 않은 1:19절을 계시록 전체의 구도로 보고, 또한 계시록을 기록하게 하신 주님의 의도를 읽지 못하고, '네 본 것' 은 1장의 내용이며, '이제 있는 일' 은 2장 3장의 일곱 교회에 대한 말씀이고, '장차 될 일' 은 4~22장까지의 일이라고 하는데, 이것은 계시록 전체를 바로 보지 못하는 어두움이다. 보통 두렵고 심각한 문제가 아니다.

사도 이오안네스(요한)가 본 것들은 주님의 오른손 위의 그 일곱 별들의 그 비밀이며, 그리고 금으로 만든 그 일곱 등대들이라고 하셨다. 그 일곱 별들은 일곱 교회의 사자들이라고 함에 있어서 ἄγγελοι(앙겔로이)가 일곱 교회의 대표자를 말씀하신 것인가 일곱 교회에 관계된 천사를 말한 것인가에 대하여도 견해의 일치를 이루지 못하고 있다. 가장 결정적인 판단의 근거는 주님께서 사도 이오안네스(요한)에게 기록하라 하신 물질적인 기록물을 영적 존재인 천사에게 보내라 하신다는 것은 사리에 맞지 않는 것이다. 그리고 누가복음 9:52절에 예루살렘을 향하여 가시는 이에수스(예수)님께서 앞서 보내신 제자들을 ἀγγέλους(앙겔로우스 **천사들이**)라 하였고, 야고보서 2:25절에 여리고 성에 정탐하려 갔던 두 사람을 ἀγγέλους(앙겔로우스 **천사들이**)라 하였으며, 마가복음 1:2절에도 선지자 헤사이아스(이사야)의 예언을 들어 말하면서 침례 이오안네스(요한)를 ἄγγελος(앙겔로스 **천사**)라 한 것을 개역 한글성경은 모두 '사자들' 이라 번역하였으니 합당한 것이다.

그런데 '주님의 오른손 위의 그 일곱 별들의 그 비밀' 이라 하셨으니 일곱 교회의 그 사자들의 그 비밀이 무엇인가 함이다. '비밀' 이란 '밝혀지지 않거나 알려지지 않은 속내' 라는 말로서 일곱 교회 사자들에 대하여 사람에게 알려지지 않은 주님께서 보시는 실상인 비밀을 사도 이오안네스(요한)에게 계시하여 주신다는 말씀이다. 모든 교회의 사역자들은 자신이나 교인들이 보지 못하고 알지 못하는 사역자와 교회의 실상 곧 비밀을 주님께서는 보시고 아신다는 것을 항상 자각하고 지금 보고 계시는 '하나님 앞에서(KORAMDEO)' 행하도록 하여야 한다.

그리고 구약 성경에 하나님께서 만들라 하신 것을 '촛대' 라 한다면 얼마나 안 맞는 말인가? 그런데 바른 말을 두고 왜 계시록에서는 '촛대' 라고만 해야 맞는 것으로 생각하는지 딱하다. 교회는 등대이며 별(사자)들은 등대 위에서 비취는 발광체와 같다. 발광체가 어떠냐에 따라 등대의 비췸이 다르다. 많은 사람을 옳은데로 돌아오게 하는 자는 궁창의 별과 같이 영원토록 비취리라 하셨으니(단 12:3) '등대' 란 특히 선지자나 주님의 일을 하는 평신도를 포함한 사역자의 역할을 말씀하신 것이다.

☼ 감동과 기도 ☆

♤ 1장 요점 정리 ♠

① 이에수-스(예수)님께서 사도 이오안네스(요한)에게 계시하여 기록하게 하신 주후 67년은(기록시기는 과거론이 맞음) 히에루살렘(예루살렘) 멸망의 징조가 주후 63년부터 본격적으로 시작되었던 긴박한 상황 중이였다. 그러므로 헬라 원어대로 '틀림없이 신속히 되어지기 시작했던 일들을' 기록하게 하셨다. 그리고 또한 1:19절 헬라 원어 말씀대로 '(**계시록 전체에서**)네가 본 것들, 그리고 현재 있는 일들, 그리고 이러한 것들 후에 되어지려고 하는 일들에 대하여 기록하라' 하신 내용이다. 원어 성경 직역이 너무나 중요하다. 〔1절〕

② 계시록은 어느 성경에서보다 계시를 주신 계통을 하나님 →이에수-스(예수)님 →성령님 →천사 →이오안네스(요한)로 명시 된 것이다. 신적 계시임을 여실히 증명하는 것으로 계시록의 말씀을 절대로 소홀히 하면 안될 것이다.

③ 개역 한글성경에 '지시하신 것이라' 고 한 헬라어 *ἐσήμανεν*(에세마넨 '**표시, 표징, 징조**')라는 말을 계시록 해석자들이 '상징' 이라는 뜻으로 이해하여 계시록을 난해한 것으로 인지시킴으로 엄청난 오해를 유발시켰다. 마태복음 24:3절 개역 한글성경에는 *σήμανεν*(세마넨 '**표시, 표징, 징조**')을 '징조' 로 바로 번역하였다. KJV 영어성경은 signified(뜻하다, 나타내다, 전조가 되다)로 바로 되었다.〔1절〕

④ 하나님의 말씀은 이에수-스(예수) 크흐리스토스(그리스도)의 증거이다. 왜냐하면 하나님 아버지께서 그 아들 이에수-스(예수) 크흐리스토스(그리스도)에게 주셔서 증거 하게 하신 것이기 때문이다. 그러므로 사(4)복음서와 계시록에 기록된 이

에수-스(예수)님의 말씀은 하나님의 직접계시의 말씀인즉 신중히 들어야 한다. 이 말씀들을 예사로 하면 심판을 받는다.(요 12:47~50)〔2절〕

⑤ 특별히, 계시록의 말씀을 읽고 듣고 수행(守行)하는 즉, 보존하며 행하는 자들이 복이 있다고 하셨다. 복 있는 자가 되는 비결을(계시록에서 일곱 번이나) 말씀하셨는데도 불구하고 기독교인들은 무관심이다. 〔3절〕

⑥ 헬라 원어는 '전에도 계시고, 장차 오실 이' 가 아니라 '계셔 오시는 분, 그리고 오고 계신 분' 이다. 주님과 사도들은 오고 계신 재림의 긴박함을 누차 말씀하셨다.(눅 12:35, 45~46; 약 5:8~9)〔4절〕

⑦ 이에수-스(예수)님은 하나님께 대하여 죽기까지 신실한 증인이 되셨고, 스뮈르나(서머나) 교회에도 그렇게 되라 하셨다.(2:10)〔5절〕

⑧ 이에수-스(예수)님께서 자신의 피로 씻으신 자들을 하나님께 대하여 왕들과 제사장들로 만드셨다. '나라와 제사장으로 삼으셨으니' 는 정확한 번역이 아니다. 이에수-스(예수)님의 피로 씻음 받은 성도들은 현재 이 세상에 성령님 안에서 실현된 하나님 왕국에서(롬 14:17~18), 주님께서 재림하시면 천년왕국에서(계 20:4~6), 최후의 심판 후에 새 히에루살렘(예루살렘)에서 영원토록 왕 노릇하는 자로 만드셨다.(계 22:5) 〔6절〕

⑨ 8절에서도 이에수-스(예수)님께서 하나님 아버지와 같이 '있어 오고' '가고 있는 자라' 고 하셨다. 하나님 아버지와 하나이시기 때문이다. 하나님과 어린양의 '보좌' 라는 말 '*θρόνος*(트흐로노스)' 는 단수인데(22:3 보좌가 둘이 아님) 24장로들의 '보좌' 는 다수이기 때문에 '*θρόνοι*(트흐로노이)' 로서 복수로

되어 있다.(4:4)〔8절〕

⑩ 팔모스(밧모)라 하는 섬에 '있었느니라' 는 헬라어 품사는 '자발적으로 왔다' 는 말이다. 그 정황은 본문 해설에 말해졌는데 이 직역은 계시록 기록시기가 주후 67년이 되는 증거가 된다. 〔9절〕

⑪ 헬라어로 '주님의 날' 이라는 표현은 신약성경에서 '주일' 을 의미하는데는 한 곳도 없다.(**본문 해설 참조**) 〔10절〕

⑫ 개역 한글성경에 일곱 교회의 명칭은 헬라어 원어 음역과 너무나 차이가 많다. 에프헤소서(에베소), 스뮈르나(서머나), 페르가모스(버가모), 트휘아테이라(두아디라), 사르데이스(사데), 프힐라델프헤이아(빌라델비아), 라오디케이아(라오디게아)〔11절〕

⑬ '촛대' 가 아니라 '등대' 라고 해야 한다. 초를 켜기 위한 받침대가 아니고 감람기름 접시에 심지가 담겨져 불을 밝히는 기구 전체임으로 '등대' 라고 해야 한다. 촛대가 일곱이 아니라 일곱 가지가 있는 등대가 일곱이란 말이다. 쉘로모(솔로몬) 왕은 새로 건축한 성전에 등대 열을 두었다.(대하 4:7)〔12절〕

⑭ 지금 이에수-스(예수)님의 모습은 마리아의 품에 안긴 아기가 아니며, 십자가에 못박혀 있는 모습이 아니다.〔13~16절〕

⑮ 주님의 모습을 본 사도 이오안네스(요한)는 그분의 발 앞에 엎드러져 죽은 자 같이 되었다.〔17절〕

⑯ 주 이에수-스(예수)님은 영원무궁토록 살아 계시는 분이시며, 지옥과 사망의 열쇠들을 가지고 계신다.〔18절〕

⑰ 거의 모든 계시록 해석자들이 계시록을 1:19절의 말씀으로 '네 본 것(1장에서 본 것)' 과 '이제 있는 일(2~3장의 일곱 교회의 일)' 과 '장차 될 일(4~22장의 일들)' 로 3구분한다. 그러나

이것은 합당치 않다.(본문 해설에서 밝혔다)〔19절〕

⑱ '일곱 별' 은 일곱 교회의 사(역)자요, '일곱 등대' 는 일곱 교회라고, 무엇을 표징한 것임을 설명하셨으니 '말로는 설명하기 힘든 추상적인 사물이나 개념 따위를 구체적인 사물로 나타낸' 상징이 아닌 것이다.〔21절〕

⑲ 계시록 1장의 헬라어 바른 직역은 계시록 전체를 바로 볼 수 있게 하는 바로미터(baromater)가 된다.〔전체〕

【 특주 2 】

정해진 때가 임박하다고 함에 대하여
(계 1:3)

사도 이오안네스(요한)께서는 "자신이 본 모두를 다 증거하였느니라" 하면서(1:2) 이 예언의 말씀들을 낭독하는 자와 들어서 깨닫는 자들과 그 가운데 기록된 것들을 보존하고 행하는 자들이 복이 있나니 '정해진 때가 임박하기 때문이라' 고 하였다.(1:3) 주님께서 사도 이오안네스(요한)에게 계시록을 다 기록하게 하신 마지막에 다시 한 번 확실하게 "καιρὸς(카리오스)정해진 때, 시기가 가깝기 때문이라" 말씀하시고,(22:10) 그리고 '보라! 내가 속히 간다' (22:7, 12), '진실로 내가 속히 간다' (20) 거듭 세 번이나 강조하신 것이다. 주님의 재림은 이오안네스(요한) 계시록에서 가장 중요한 중심 주제이다.

한글 개역성경 1:3절과 22:10절에 "때가 가까움이라" 번역되었는데 '때' 라는 헬라어 καιρὸς(카리오스)는 '정해진 때, 시기' 라는 말이며, '가까움이라' 는 말 ἐγγύς(엥귀스)는 (장소에 대해서는)가까움 -눅 19:11, (시간에 대해서는) '임박함' 이란 말이다. 마태복음 24:32, 33절은<**무화과나무 가지가 연하여지고 잎사귀 싹들을 내면 여름이 가까운 줄** (ἐγγύς 엥귀스 **임박함을**) 아나니, 이 모든 일을 보거든 인자가 가까이 (ἐγγύς 엥귀스 **임박하게**) 곧 문 앞에 이른 줄 알라>로 번역되는 말이다. 그러므로 '때가 가까움이라' 보다 "정해진 때가 임박하기 때문이라"가 바른 번역이다.

그런데 어찌하여 1940년이 지난 지금까지도 주님께서 재림하시지 않으셨는가? 하는 것이다. 이 문제는 기독교의 가장 풀기 어려운 난제 중의 난제인 것이다. 이 문제의 명확한 해답 없이 계시록을 아무리 잘 풀어도 공허한 말에 불과한 것이다.

그러므로 본 계시록 주석에서 이 심중한 문제를 제일 먼저 특주로 풀어서 말하고자 한다. 들을 귀 있는 자는 들을 것이다.

지금까지 주님의 재림이 되지 않은 이유는,

첫째 이방인의 구원받는 수가 차지 않아서이다.

주님께서 주후 67년경 사도 이오안네스(요한)에게 계시록을 기록하게 하시면서 '내가 속히 간다' 고 거듭 말씀하셨는데, 그 때부터 37년전 주후 30년 엘아이아(감람)산에서 제자들에게 "저들이 칼날에 자결할 것이며 그리고 모든 이방들로 사로잡혀 갈 것이며, 히에루살렘(예루살렘)은 이방인들의 정해진 기회가 꽉 채워지기까지 이방인들의 아래 짓밟힐 것이다" 고 예언하신 바 있다는 사실이다.(눅 21:24)

이방인들의 정해진 기회가 꽉 채워진다는 말은 이방인들이 구원 얻을 하나님의 말씀을 받고(행 11:1, 14) 성령님이 임하시고(11:15) 생명 얻는 개심<μετάνοιαν 메타노이안>을 주시며(11:18) 믿고 주님께로 돌아와(11:21) 이방인들의 구원받는 자의 수가 가득 차는 기간을 말하는 것이다. 사도 파윌-로스(바울)께서 로마서 11:25절에 "이방인들의 충만한 수가 들어오기까지 이스라엘의 부분적으로 떨어져 굳어진 것이 비밀이라고" 한 것이 이를 말하는 것이다.

주후 33년경에 회심하고 14년 후에 복음을 전하기 시작한 사도 파윌-로스(바울)께서는 특별히 이방인들에게 복음을 전하도록 사도로 부름을 받았다고 하였다.(롬 11:13)

이에수-스(예수)님께서 부활하신 후 제자들에게 성령님이 임하시면 복음이 히에루살렘(예루살렘)으로부터 시작하여 온 유대와 사마리아와 땅 끝(이방인들에게)까지 모든 민족에게 전파될 것이라고 하셨다.(눅 24:47, 48; 마 28:18~20; 행 1:8)

그리하여 주후 30년 오순절에 성령님이 임하여 주전 720년경 북 이스라엘의 멸망 때부터 전 세계 각지로 흩어져 살게 되었던 디아스포라 유대인들 중에서 경건한 자들이 유월절과 오순절 절기를 지키려 히에루살렘(예루살렘)에 와서 우거하다가 복음을 듣고 하루에 3,000명이나 개심하고 구원을 받게 되며,(행 2:40,41) 그리고 말씀을 들은 사람 중에 믿는 자가 많아 남자의 수가 오천이나 되었으며,(4:4) 믿고 주님께로 나오는 자가 더 많으니 남녀의 큰 무리였다고 하였으며,(5:14) 제자의 수가 더 심히 많아지고 허다한 제사장의 무리도 복음에 복종하였다고 하였으니,(행 6:1, 7)유대인들이 얼마나 많이 구원을 받게 되었는가? 참으로 놀라운 일이 아닐 수 없다. 그 믿는 자들이 히에루살렘(예루살렘)에 일어난 큰 핍박으로 사도들 외에는 다 흩어져 가는 곳마다 복음을 전하였다고 하였으니,(행 8:1~6) 당시 전 세계 인구는 8,000만 명에 불과했는데 복음이 전 세계에 얼마나 효과적으로 전파되었겠는가? 하는 것이다. 당시 전 세계에 다니면서 복음을 전하는 전도자가 아무리 적어도 8,000명은 되었을 것이다. 기독교 역사에 그 이후에 그런 일이 한 번도 없었다. 오늘날 이방인들이 이스라엘 곧 유대인들을 오히려 이방인들처럼 생각하는 경향인데 큰 오산이다. 그런데다 12사도들은 주님의 명령을 완수하기 위하여 당시 전 세계를 12지역으로 나누고 제비를 뽑아 지역을 담당하여 복음을 전하였다고 하였으니, 당시 전 세계 만민에게 복음이 놀라운 속도로 알려지고 전파된 것이다. 그러했기 때문에 사도 파월-로스(바울)께서 콜랏사이(골로새)서를 기록한 주후 63년경에 복음이 천하 만민에게 전파되었다고 한 것입니다.(골 1:23) 그러므로 전 세계 민족 중에 복음이 전파되지 않은 민족이 많아서 주님께서 지금까지 재림하시지 않았다는 말은 틀린 말이다.

오순절부터 이우다이오스(유대인)들 가운데 구원받았던 수에 비하면 이방인들의 구원받은 수는 아주 미미한 수였다. 이우다이오스(유대인)들은 한 민족이며 이방인들은 여러 민족이기에 구원받는 수가 더 많도록 하나님께서 작정하셨을 것이다. 오순절부터 주후 70년 히에루살렘(예루살렘) 멸망 할 때까지 40년 간이었다. 그렇다면 이방인들의 구원받는 기회도 그에 못지않게 주어져야 할 것이다. 사도 파월-로스(바울)께서 이방인의 사도로 사역을 시작한 주후 47년경부터 40년이면 주후 87년이다. 주후 70년 히에루살렘(예루살렘) 멸망후 27년이다. 히에루살렘(예루살렘)은 이방인의 구원받는 기회가 찰 때까지라 하신 것은 27년 정도는 아닐 것이다. 그러나 지금까지처럼 1900년 이상의 긴 세월은 아닐 것이다.

그렇다면 이방인의 구원받는 수가 차는데 무슨 이상이 있어온 것이 분명하다. 그것을 아는 것이 이 문제를 푸는 열쇠이다.

이방인의 구원받는 수가 지금까지 차지 않아 주님의 재림이 이루어지지 않은

둘째 이유는 복음 변형되어 이방인의 구원받는 수가 차 지 않은 때문이다.

그러면 당시 주후 63년경 복음이 전 세계에 전파되었다면 어찌해서 주님의 재림이 지금까지 이루어지지 않았는가? 하는 것

이다. 주후 63년경까지 오순절 후 약 33년간 전 세계 이우다이오스(유대인)들에게 복음이 거의 다 전파된 것이 확실하다. 이제 이에수-스(예수)님께서 예언하신 대로 주후 70년 히에루살렘(예루살렘)이 멸망한 후에 이방인들의 구원받는 수가 가득 차기까지 히에루살렘(예루살렘)은 이방인들 아래서 짓밟힐 것이라고 하신 말씀대로 이루어져야 하는 것이다. 그러면 오순절 후 특히 사도 파월-로스(바울)께서 이방인의 사도로 세움을 받아 복음전도를 시작한 주후 47년경부터 주후 70년까지 이방인들에게 복음이 어느 정도로 전파되고 어느 정도로 구원받는 자의 수가 차게 되었는가를 살펴보면 이방인의 때가 어떻게 되어지고 주님의 재림이 왜 지연되었는가를 알 수 있는 것이다.

사도 파월-로스(바울)께서 복음을 전함으로 이방인 중에서도 믿는 자들이 많았다고 하였다. 파월-로스(바울)와 바르나바스(바나바)가 1차 전도여행 때 터키의 중 남부 중심인 피시디아(비시디아) 안티오크헤이아(안디옥) 회당에서 복음을 전할 때 "이방인들이 기뻐하며 하나님의 말씀을 찬송하며 영생을 주시기로 작정된 자는 다 믿더라. 주님의 말씀이 그 지방에 두루 퍼지니라"고 하였으며,(행 13:48) 유대인들이 선동하여 핍박하고 쫓아내므로 이코니온(이고니온)에 이르러 회당에 들어가 말하니 유대인과 헬라 이방인들의 허다한 무리가 믿더라고 하였다. 그러나 순종치 아니하는 이우다이오스(유대인)들이 이방인들의 마음을 선동하여 형제들에게 악감을 품게하니 성내에 무리가 나뉘어 이우다이오스(유대인)을 좇는 자들도 있고 두 사도를 좇는 자들도 있어 이방인들과 이우다이오스(유대인)들과 관원들이 두 사도를 능욕하여 도로 치려고 하니 두 사도가 알고 도망하여 다른 지방으로 가서 복음을 전하였다고 하였다.(행 14:1~7)

그리하여 안티오크헤이아(안디옥) 교회로 돌아와 1차 전도여행 보고를 할 때 '하나님께서 함께 행하신 모든 일과 이방인들에게 믿음의 문을 여신 것' 을 고하였다고 한 것이다.(행 14:27)

이때가 주후 47-50년경이었고, 52년부터 2차 전도여행은 마가를 데리고 가는 문제로 바르나바스(바나바)와 따로 전도여행을 하게 되었는데, 1차 전도여행지를 돌아보며 뤼스트라(루스드라)에서 티모트헤오스(디모데)를 전도자로 선임하고 여러 교회가 믿음이 더 굳어지고 수가 날마다 더하여졌다고 하였다.(행 16:1~5) 그리고 성령님께서 아시아에서 말씀을 전하지 못하게 하시고 환상이 보여 유럽 지방 마케도니아(마게도냐)에서 와서 우리를 도우라 함으로 배타고 건너가서 복음을 전하여 많은 핍박 중에 세워진 교회들이 프힐맆포이(빌립보), 트헤쌀로니케(데살로니가), 코린트호스(고린도) 교회들인 것이다.(행 16:6~18:22)

3차 전도여행은 주후 55-58년경인데 에프헤소스(에베소)에서 3년간 중점적으로 복음을 전하였다.(행 18:23~20:38) 파윌-로스(바울)께서 에프헤소스(에베소) 회당에 들어가 하나님 나라<βασιλείας(바실레이아스) **왕국**>에 대하여 강론하며 권면하니 어떤 사람들은 마음이 굳어 순종치 않고 무리들 앞에서 이 도를 비방하니 파윌-로스(바울)께서 그들을 떠나 제자들을 따로 세우고 튀란노스(두란노) 서원에서 날마다 강론하여 두 해 동안을 하니 아시아에 사는 이우다이오-스(유대인)이나 헬렌(헬라-이방)인이나 다 주 이에수-스(예수)님의 말씀을 듣더라고 하였다.(행 19:10)

사도 파윌-로스(바울)께서 에프헤소스(에베소)에서 3년간 중점적으로 전파하고 가르친 복음은 유익한 것은 무엇이나,(행 20:20) 하나님께 대한 회개<μετάνοιαν 메타노이안) **개심(마음**

을 바꿈)>과 우리 주 크흐리스토스 이에수-스(그리스도 예수)님께 대한 믿음,(21) 그리고 하나님의 은혜의 복음,(24) 하나님의 왕국,(25) 하나님의 모든 계획(27)이었다. 복음은 사도 파윌-로스(바울)처럼 총체적으로 이에수-스(예수)님께서 전파하신 대로 전하고 가르쳐야 바른복음인 것이다. 그렇지 않으면 다른(변형된)복음이 되는 것이다.

그런데 문제는 사도 파윌-로스(바울)께서 복음을 전하던 당시에 다른복음을 전하는 자들이 수다하게 있었다는 사실이다. 주후 55년경에 써서 코린트호스(고린도) 교회에 보낸 코린트호스(고린도)후서 2:17절과 4:2절을 보면 "수다한 사람들이 하나님의 말씀을 혼잡하게<*καπηλεύοντες*(카펠유온테스) **섞어서 품질을 떨어뜨리게**, *δολοῦντες*(돌윤-테스) **거짓되게, 질을 나쁘게**> 한다고 하였다. 주후 56년경에 쓴 갈라티아(갈라디아)서에는 터키 북부 지방인 갈라티아(갈라디아) 여러 교회들이 사도 파윌-로스(바울)께서 전한 복음을 속히 떠나 크흐리스토스 이에수-스(그리스도 예수)님의 복음을 변개하여<*μεταστρέψαι*(메타스트레프사이) **방향을 바꾸어, 곡해하여, 벗어나게 하여**> 다른<*ἕτερον*(헤테론) **변형된** *ἄλλο*(알로) **그밖에** *παρ*(파르) **근사하게, 반대편에**>복음을 좇는다고 개탄하고 우리만 아니라 하늘로부터 온 천사라도 우리가 너희에게 전한 복음 외에 다른복음을 전하면 저주를 받을 것이다고 엄중히 경고한 것이다.

뿐만 아니라 사도 파윌-로스(바울)께서 3년간이나 그렇게 심혈을 기울여 복음을 전하고 가르친 에프헤소스(에베소) 교회가 계시록에서 일곱 교회 중 제일 먼저 경책 받는 교회가 되었으니 얼마나 탄식할 일인가? 그러므로 주후 70년 히에루살렘(예루살렘)이 멸망한 후 이방인의 구원받는 기회가 주어져 이방인들의 구원받는 수가 가득채워져야 하는데, 사도 파월-로스(바울) 당시에 코린트호스(고린도) 교회에처럼 다른복음을 전하는 자들이 많았고, 갈라티아(갈라디아) 여러 교회들처럼 바른복음을 받은 교회들도 바른복음을 떠나 다른복음을 좇았으며, 에프헤소스(에베소) 교회처럼 잘 가르침 받은 교회까지도 퇴보되었으니, 사도 파월-로스(바울)께서 복음을 전할 당시에는 이방인들 중에 구원받는 자들이 상당히 있었으나, 사도 파월-로스(바울)께서 순교하시고 이오안네스(요한) 계시록이 기록된 것으로 보이는 주후 67년 이후 이방인들의 구원받는 수가 얼마나 차 왔겠는가를 추정해 보면 지금까지 1900년 이상을 이방인의 때가 차지 않았던 이유를 알 수 있는 것이다.

오순절부터 이우다이오스(유대인)들 가운데 구원받았던 수에 비하면 이방인들의 구원받은 수는 아주 미미한 수였다. 이우다이오스(유대인)들은 한 민족이며 이방인들은 여러 민족이기에 구원받는 수가 더 많도록 하나님께서 작정하셨을 것이다. 오순절부터 주후 70년 히에루살렘(예루살렘) 멸망 할 때까지 40년 간이었다. 그렇다면 이방인들의 구원받는 기회도 그에 못지않게 주어져야 할 것이다. 사도 바울께서 이방인의 사도로 사역을 시작한 주후 47년경부터 40년이면 주후 87년이다. 주후 70년 히에루살렘(예루살렘) 멸망후 27년이다. 히에루살렘(예루살렘)은 이방인의 구원받는 기회가 찰 때까지라 하신 것은 27년 정도는 아닐 것이다. 그러나 지금까지처럼 1900년 이상의 긴 세월은 아닐 것이다.

그렇다면 이방인의 구원받는 수가 차는데 무슨 이상이 있어온 것이 분명하다. 그것을 아는 것이 이 문제를 푸는 열쇠이다.

그 이유는 사도 파월-로스(바울) 이후 기독교에 이에수-스(예수)님과 사도 파월-로스(바울)께서 전파고 가르치신 바른복음을 다른 것을 섞어서 질을 나쁘게 하고, 거짓되게 하며, 변형하고, 방향을 바꾸고, 곡해하고, 벗어나게 하며, 반대하게 하는(고후 2:17, 4:2; 갈 1:6~9) 다른복음이 만연되어 왔으므로 구원받는 자의 수가 좀처럼 차 오지 않은 것이다. 주님의 재림은 그래서 미루어져 오는 것이다.

하늘과 땅은 없어져도 내 말들은 절대로 없어지지 아니하리라 하신(마 24:35) 사복음서와 계시록에서 이에수-스(예수)님의 말씀 마져 성경에서 (없음)으로 하고 수없이 삭제하고 오역해 놓고도 정확무오한 하나님의 말씀이라고 믿고 태연해 하고 있는 기독교는 복음이 어떻게 변질되어 있는지도 모르고 있으며, 말을 하면 오히려 비방하는 형국이다.

이 사실을 알지 못하고 바른복음이 어떤 것인지를 알지 못하고는 이 말들이 이해되지 않는 것이다.

☼ 감동과 기도 ☆

【 계시록 제 2 장】

한 글 개 역 성 경	전통원문 직역 성경
에베소 교회에 주신 말씀	**에프헤소스 교회에 주신 말씀**
1. 에베소 교회의 사자에게 편지하기를 오른손에 일곱 별을 붙잡고 일곱 금 촛대 사이에 다니시는 이가 가라사대	1. 너는 에프헤소스 교회의 그 사자에게 쓰라. 오른손에 일곱 별들을 붙잡고 금으로 만든 일곱 등대들 가운데 두루 다니는 자가 이것들을 말한다.
2. 내가 네 행위와 수고와 네 인내를 알고 또 악한 자들을 용납지 아니한 것과 자칭 사도라 하나 아닌 자들을 시험하여 그 거짓된 것을 네가 드러낸 것과	2. 내가 너의 행위들과 너의 고된 수고와 너의 희망찬 인내와 그리고 악한 자들을 결코 용납할 수 없는 사실과 사도라 주장하는 자들을 자세히 조사하여 결코 아니며, 그리고 그 자신들 거짓됨을 찾아내고,
3. 또 네가 참고 내 이름을 위하여 견디고 게으르지 아니한 것을 아노라	3. 또 네가 참고 그리고 희망찬 인내를 가지며, 뿐만 아니라 내 이름을 위하여 애써 일하며, 또한 결코 지치지 아니한 것을 알고 있다.
4. 그러나 너를 책망할 것이 있나니 너의 처음 사랑을 버렸느니라,	4. 그렇지만 내가 너희에게 반대하고 있으니, 왜냐하면 네 처음의 사랑을 상관하지 않고 두었기 때문이다.
5. 또 그러므로 어디서 떨어졌는지를 생각하고 회개하여 처음 행위를 가지라 만일 그리하지 아니하고 회개치 아니하면 내가 네게 임하여 네 촛대를 그 자리에서 옮기리라	5. 그러므로 무엇으로부터 떨어졌는지를 생각하고 마음을 바꾸어 처음 행위를 하라. 만일 그리하지 아니하고, 만일 네 마음을 바꾸지 않으면 내가 네게 속히 가서 네 등대를 그 자리에서 옮길 것이다.
6. 오직 네게 이것이 있으니 네가 니골라당의 행위를 미워하는도다. 나도 이것을 미워하노라	6. 그렇지만 네가 니콜라당의 행위를 그렇게 몹시 싫어하는 그것을 가지고 있으니, 나도 그것을 몹시 싫어하노라

7. 귀 있는 자는 성령이 교회들에게 하시는 말씀을 들을찌어다 이기는 그는 내가 하나님의 낙원에 있는 생명나무의 과실을 주어 먹게 하리라	**7. 귀를 가진 자는 누구든지 성령님께서 교회들에게 하시는 말씀을 들으라. 이기는 자에게는 내가 하나님의 낙원 가운데 있는 생명의 나무로부터 먹도록 허락하리라.**
서머나 교회에 주신 말씀	**스뮈르나 교회에 주신 말씀**
8. 서머나 교회의 사자에게 편지하기를 처음이요 나중이요 죽었다가 살아나신 이가 가라사대	**8. 그리고 너는 스뮈르나 교회의 사자에게 쓰라. 그 첫째와 그 마지막이며, 죽었다가 또한 살아 난 자가 이것들을 말한다.**
9. 내가 네 환난과 궁핍을 아노니 실상은 네가 부요한 자니라 자칭 유대인이라 하는 자들의 훼방도 아노니 실상은 유대인이 아니요 사단의 회라	**9. 내가 네 행위들과 그 환란과 그 빈곤을 알고 있다. 그러나 너는 풍부하니라. 그리고 그 스스로를 유대에 속하였다 말하는 자들의 중상을 아나니 그렇지만 그들은 결코** *(유대인들이)* **아니며, 반대로 사탄의 회합이니라.**
10. 네가 장차 고난을 두려워 말라 볼찌어다 마귀가 장차 너희 가운데서 몇 사람을 옥에 던져 시험을 받게 하리니 너희가 십일 동안 환난을 받으리라 네가 죽도록 충성하라 그리하면 내가 생명의 면류관을 네게 주리라	**10. 고난 당하는데 대하여 그것을 조금도 두려워하지 말라. 보라 마귀가 너희 중에 시험을 받게 하기 위하여 감옥으로 보내려고 하니, 그리하여 너희가 십일의 환란을 치를 것이다. 죽기까지 신실하게 되라. 실로 내가 그 생명의 면류관을 네게 주리라.**
11. 귀 있는 자는 성령이 교회들에게 하시는 말씀을 들을찌어다 이기는 자는 둘째 사망의 해를 받지 아니하리라	**11. 귀를 가진 자는 누구든지 성령님께서 교회들에게 하시는 말씀을 들으라. 이기는 자는 둘째 사망으로부터 결코 해를 받지 아니하리라.**
버가모 교회에 주신 말씀	**페르가모스 교회에 주신 말씀**
12. 버가모 교회의 사자에게	**12. 너는 페르가모스에 있는 교회**

편지하기를 좌우에 날선 검을 가진 이가 가라사대	의 그 사자에게 쓰라. 양쪽에 날선 예리한 칼을 가진 자가 이것들을 말한다.
13. 네가 어디 사는 것을 내가 아노라 거기는 사단의 위가 있는 데라 네가 내 이름을 굳게 붙잡아서 내 충성된 증인 안디바가 너희 가운데 곧 사단의 거하는 곳에서 죽임을 당할 때에도 나를 믿는 믿음을 저버리지 아니하였도다	13. 내가 네 행위들과 네가 어느 곳에 거주하며, 그 사탄의 왕좌가 어느 곳인지를 알며, 그리고 네가 내 이름을 단단히 붙잡아, 내 신실한 증인 안티파스가 너희 가운데 사탄이 거하는 곳에서 사형에 처해지는 그 날들 그 때에도 내 믿음을 결코 부인하지 아니하였다.
14. 그러나 네게 두어가지 책망할 것이 있나니 거기 네게 발람의 교훈을 지키는 자들이 있도다 발람이 발락을 가리켜 이스라엘 앞에 올무를 놓아 우상의 제물을 먹게 하였고 또 음행하게 하였느니라	14. 그렇지만 내가 어느 만큼 너희에게 반대하고 있으니, 왜냐하면 네가 발람의 교훈을 거기 단단히 붙잡고들 있기 때문이라. 저가 발락에게 가르쳐 이스라엘 자손들 앞에 함정을 놓아 우상의 제물들을 먹게 하고 또 간음하게 하였느니라.
15. 이와같이 네게도 니골라당의 교훈을 지키는 자들이 있도다.	15. 이와 같이 네가 니콜라당의 교훈을 단단히 붙들고 있으니 내가 그것을 몹시 싫어하노라.
16. 그러므로 회개하라 그리하지 아니하면 내가 네게 속히 임하여 내 입의 검으로 그들과 싸우리라	16.마음을 바꾸라. 만약 그리하지 아니하면 내가 네게 속히 가서 내 입의 칼로 그들을 대적하여 싸우리라.
17. 귀 있는 자는 성령이 교회들에게 하시는 말씀을 들을찌어다. 이기는 그에게는 내가 감추었던 만나를 주고 또 흰 돌을 줄터인데 그 돌 위에 새 이름을 기록한 것이 있나니 받는 자 밖에는 그 이름을 알 사람이 없느니라	17. 귀를 가진 자는 누구든지 성령님께서 교회들에게 하시는 말씀을 들으라. 이기는 그에게는 감추어져 있는 만나로부터 먹도록 내가 허락하리라. 그리고 흰 조약돌을 그에게 줄 것인데, 그 돌 위에 새로운 이름을 기록한 것이 있어 받는 자 외에는 그것을 아는 자가 아무도 없느니라.

두아디라 교회에 주신 말씀	트휘아테이라 교회에 주신 말씀
18. 두아디라 교회의 사자에게 편지하기를 그 눈이 불꽃 같고 그 발이 빛난 주석과 같은 하나님의 아들이 가라사대	**18. 그리고 너는 트휘아테이라에 있는 교회의 그 사자에게 쓰라. 불의 불꽃 같은 그 눈들을 가지고 그리고 그 발들이 빛난 주석 같은 그 하나님의 아들이 이것들을 말한다.**
19. 내가 네게 사업과 사랑과 믿음과 섬김과 인내를 아노니 네 나중 행위가 처음 것보다 많도다.	**19. 내가 네 행위들과 사랑과 봉사와 믿음과 네 희망찬 인내와 네 행위들을 아노니, 더욱이 시작보다 마지막이 더욱 뛰어남이니라.**
20. 그러나 네게 책망할 것이 있노라 자칭 선지자라 하는 여자 이세벨을 네가 용납함이니 그가 내 종들을 가르쳐 꾀어 행음하게 하고 우상의 제물을 먹게 하는도다	**20. 그렇지만 내가 어느 만큼 네게 반대하고 있으니, 스스로 여 선지자라 말하는 여자 이에자벨을 네가 허용하여, 그가 내 종들을 가르쳐 꾀임을 받게 하여 간음하게 하며, 우상의 제물들을 먹게 하였기 때문이라.**
21. 또 내가 그에게 회개할 기회를 주었으되 그 음행을 회개하고자 아니하는도다	**21. 그리고 내가 그녀에게 자신의 행음으로부터 개심을 위하여 기회를 주었으나 결코 개심하지 아니하였노라.**
22. 볼찌어다 내가 그를 침상에 던질터이요 또 그로 더불어 간음하는 자들도 만일 그의 행위를 회개하지 아니하면 큰 환란 가운데 던지고	**22. 보라, 내가 그를 침상에 던지며, 또한 그 여자와 함께 간음하는 자들도 누구든지 자신들의 행위들로부터 개심하지 아니함으로 큰 환난에 던지고 있느니라.**
23. 또 내가 사망으로 그의 자녀들을 죽이리니 모든 교회가 나는 사람의 뜻과 마음을 살피는 자인줄 알지라 내가 너희 각 사람의 행위대로 갚아 주리라	**23. 또한 내가 그의 자녀들을 죽음 가운데 죽이리니, 모든 교회들이 나는 의지나 감정들 그리고 마음들을 살피는 자인줄 알 것이니라. 그리고 너희들의 행위들대로 너희들 각자에게 주리라.**

24. 두아디라에 남아 있어 이 교훈을 받지 아니하고 소위 사단의 깊은 것을 알지 못하는 너희에게 말하노니 다른 짐으로 너희에게 지울 것이 없노라	**24. 또한 트휘아테이라에서 그 교훈을 모두 붙잡지 아니하고 누구든지 그들이 말하는 대로 사탄의 깊은 것들을 알지 아니한 남아 있는 그들에게 내가 말하노니 너희들 위에 다른 짐을 둘 것이 없노라.**
25. 다만 너희에게 있는 것을 내가 올 때까지 굳게 잡으라	**25. 누구든지 그밖에 무엇이든지 너희가 가지고 있는 것을 내가 오기까지 확실하게 붙잡으라.**
26. 이기는 자와 끝까지 내 일을 지키는 그에게 만국을 다스리는 권세를 주리니	**26. 이기는 자와 그리고 끝까지 나의 일들을 수행(守行)하는 그에게는 내가 민족들 위에 권세를 주리니**
27. 그가 철장을 가지고 저희를 다스려 질그릇 깨뜨리는 것과 같이 하리라	**27. 그리하여 저희를 쇠막대기로 통치할 것이며, 흙으로 된 그릇이 산산조각 내어지는 것같이 하리라.**
28. 나도 내 아버지께 받은 것이 그러하니라 내가 또 그에게 새벽별을 주리라	**28. 내 아버지께서 내게 주신 것 같이, 또한 그에게 새벽별을 주리라.**
29. 귀 있는 자는 성령이 교회들에게 하시는 말씀을 들을찌어다	**29. 귀를 가진 자는 누구든지 성령님께서 교회들에게 하시는 말씀을 들으라.**

【 문 단 】

2. 일곱 교회에 대한 권면《 2:1~3:22 》

1〉 **에프헤소서(에베소) 교회에 하신 말씀** 2:1~7

2〉 **스뮈르나(서머나) 교회에 하신 말씀** 8~11

3〉 **페르가모스(버가모) 교회에 하신 말씀** 12~17

4〉 **트휘아테이라(두아디라) 교회에 하신 말씀** 18~29

【 주 해 】

〈**개요**〉 일곱 교회의 사자에게 쓰라 하신 말씀은 같은 형식으로 되어 있다. 1〉 … 교회의 사자에게 쓰라. 2〉 말씀하시는 주님의 모습. 3〉 주님께서 아시는 해 교회의 사정과 격려.(라오디케이아 교회에는 격려 없음) 4〉 경책의 말씀(스뮈르나, 프힐라델프헤이아 교회에는 경책 없음). 5〉 회개의 권면과 회개 않을 때의 심판. 6〉 이기는 자에게 약속하신 상급. 7〉 귀를 가진 자는 성령께서 교회들에게 하시는 말씀을 들으라.

2. 일곱 교회에 대한 권면《 2:1~3:22 》

1〉 에프헤소서(에베소) 교회에 하신 말씀 2:1~7

1절 ▷ 그 에프헤소스 교회의 사자에게 쓰라. 오른손에 그 일곱 별들을 붙잡고 그 일곱 금으로 만든 등대 가운데 두루 다니는 자가 이것들을 말한다.

Τῷ ἀγγέλῳ τῆς Ἐφεσίνης ἐκκλησίας γράψον, Τάδε λέγει
그 사자에게 그 에프헤소스의 교회의 쓰라, 이것들을 말한다.
ὁ κρατῶν τοὺς ἑπτὰ ἀστέρας ἐν τῇ δεξιᾷ αὐτοῦ, ὁ
그 붙잡고 그 일곱 별들을 안에 그 오른손에 자신의, 그,
περιπατῶν ἐν μέσῳ τῶν ἑπτὰ λυχνιῶν τῶν χρυσῶν·
두루다니는 안에 가운데 그 일곱 등대들 그 금으로 만든.

개역 한글성경 사본인 네슬 알란드판은 ***Ἐφέσῳ***(에프헤소)로 '여격' 으로 되어 있는 그대로 '에베소' 로 음역하였는데, 전통

원문은 'Ἐφεσίνης(에프헤시네스)로' 소유격으로 되어 있다. '교회 ἐκκλησίας(엑클레시아스)'가 소유격이므로 'Ἐφεσίνης(에프헤시네스)도 소유격으로 된 것이 맞다. '에베소'의 지역 이름은 'Ἔφεσος(에프헤소스 -1:11)이다. 본서는 직역 주석이므로 지명과 인명을 헬라어 본 이름 발음대로 표기하되 알아볼 수 있도록 괄호( ) 안에 개역 한글 성경의 음역 이름을 병기한다.(**개역 한글성경의 인명과 지명은 중국어 성경에서 번역한 발음 표기이다**)

에프헤소스(에베소)는 남서쪽으로 그리 멀지 않은 약 95km 지점에 밭모스(밧모) 섬이 있고, 일곱 교회 중에 밭모스(밧모) 섬에서 가장 가까운 거리에 있는 교회였다. 이우다이아(유대) 전쟁과 히에루살렘(예루살렘) 멸망(A.D.70년) 전후에 유대인들이 에프헤소스로 대거 이주하여 살게 되었다고 하는 바, 전해오는 말에 의하면, 십자가에 못박히신 이에수-스(예수)님께서 사도 이오안네스(요한)에게 모친 마리아를 가리켜 '네 어머니라' 말씀하신 대로(요 19:25~27) -마리아는 이오안네스(요한)의 이모라고 추정됨(요 19:25, 마 27:56, 막 15:40)- 사도 이오안네스(요한)는 이에수-스(예수)님의 모친 마리아를 에프헤소스로 모시고 와서 여생을 보내게 했다고 한다. 그래서 에프헤소스에는 마리아의 무덤이 있다. 아마 이우다이아(유대) 전쟁을 보면서 이에수-스(예수)님의 감람산 교훈을 기억하는 사도 이오안네스(요한)는 이에수-스(예수)님의 모친 마리아를 안전한 곳으로 모시기 위해서 이우다이아(유대) 전쟁이 일어남을 보고 에프헤소스(에베소)로 왔을 것이며, (히에루살렘(예루살렘)의 기독교인들은 요단강 건너편 이방지역인 펠라로 피신하여 죽지 않고 살았다고 하며, 앞서 말했지만 주후 67년경 너무나 처참하고 긴박해진 상황에서 사도 이오안네스(요한)은 팔모스 섬에 자진하여 기도하려 갔으며 주님께서 계시록을 기록하게 하신 것이다.

에프헤소스(에베소)는 항구 도시로서 아시아 도를 다스려 오는 로마 총독이 반드시 에프헤소스(에베소)에 상륙하여 아시아 도에 들어가는 대로였기 때문에 후일에 투기장으로 끌려가는 아시아의 순교자들이 에프헤소서(에베소)를 지나갔으므로 안디옥의 감독 익나시어스는 에프헤소스(에베소)를 '순교자들의 대로' 라 하였다. 사방에서 여행자들이 모여들고 상품이 풍성하여 옛날 아시아 도에서 가장 부요하고 훌륭한 도시로서 소아시아에서 정치, 교통, 상업, 문화 등 각 방면의 중심지였다. 세계 7대 불가사의(不可思議)의 하나인 18m 높이의 120개의 기둥으로 그 중의 36 기둥은 금으로 아로새긴 아르테미스(아데미) 신전이 있었었고,(행 19:35) 마술이 성행하던 환락의 도시였다.(행 19:19) 이렇게 중요한 도시였기 때문에 이곳에 사도 파월-로스(바울)가 2차 전도여행 마감 때와(A.D.52년) 3차 전도여행 때(A.D.53-56) 3년간 가장 오래 머물면서 복음을 전하여 세워진 에프헤소스(에베소) 교회이다.(행 20:31) A.D.69년경부터 사도 이오안네스(요한)가 이곳에서 목회했다고 한다.**《손기태 박사 계시록 주해 P.42》** 에프헤소스(에베소) 교회에서 목회하던 티모트헤오스(디모데)가 A.D.66년 사도 파월-로스(바울)가 로마 옥중에서 보낸 디모데후서에 "트로아스(드로아) 카르포스(가보)의 집에 있는 양가죽에 쓴 성경책을 가지고 오라" "너는 겨울 전에 어서 오라"는 편지를 받고(딤후 4:13, 21) 로마로 갔을 것이고, 히브리서 13:23절에는 "형제 티모트헤오스(디모데)가 놓인 것을 너희가 알라"라고 하였다. 유대인들이 대거 이주하여 오기 시작한 에프헤소스(에베소)에서 다소 유약한 티모트헤오스(디모데) 보다 강력한 사도 이오안네스(요한)가 69년경부터 에프헤소스(에베소)교회에서 목회 했다는 말과 그 필요성에 설득력이 있는 것이다. 그렇다면 사도 이오안네스(요한) 계시록의 저술 시기는 그 이전인 것이 맞는 것이다.

ἄγγελος(앙겔로스-**천사**)를 '사자'라 해야 함에 대하여는 1:20절 주해 참조. *γράψον*(그랍손)은 '기록하다, 쓰다'의 동사 명령법으로서 "일곱 교회에 편지하기를" 보다 "일곱 교회에 쓰라"이다. '편지하라'는 헬라어는 *ποιούμενος ἐπιστολή*(포이우메노스 에피스톨레)이다.(골 4:16; 유 1:3)

주님께서는 능력 있는 오른손으로 교회의 사역자들을 붙잡으시고 일곱 금 등대 곧 교회 가운데 두루 다니신다고 하셨다. 류이(레위)기 26:12절에 하나님께서 "이스라엘 백성 가운데 다니셔서 너희들의 하나님이 되고 너희들은 나의 백성이 될 것이니라"고 하셨다. 주님께서는 지금도 교회 가운데 두루 다니신다는 사실을 명심해야 한다.

개역 한글성경은 '이것들을 말한다'에서 주님께서 강조하여 먼저 말씀하신 '이것들을(*Τάδε* 타데)'이라고 한 형용대명사 지시사가 일곱 교회에 하신 말씀 모두 있는데 일곱 번 다 번역하지 않았다.

2절 ▷ 내가 너의 행위들과 너의 고된 수고와 너의 희망찬 인내와, 그리고 악한 자들을 결코 용납할 수 없는 사실과, 그리고 사도라 주장하는 자들을 자세히 조사하여 결코 아니며, 또한 자신들 거짓됨을 찾아내고

Οἶδα τὰ ἔργα σου, καὶ τὸν κόπον σου, καὶ τὴν ὑπομονήν
내가알고 행위들을 너의, 와 그 고된 수고 너의, 와 그 (희망찬) 인내를

δου, καὶ ὅτι οὐ δύνῃ βαστάσαι κακούς, καὶ ἐπειράσω
너의, 그리고 사실 없는 할 수 영접하지 악한 자들을, 그리고 자세히 조사하여
τοὺς φάσκοντας εἶναι ἀποστόλους καὶ οὐκ εἰσίν, καὶ
자들을 주장하는 이라 사도들 실로 아니 며, 그리고
εὗρες αὐτοὺς ψευδεῖς, ← 찾았으며 그들을 거짓됨을

주님께서 에프헤소스(에베소) 교회 사역자와 신자들의 행위와 수고와 인내를 안다고 하셨다. '내가 안다' 고 한 '*Οἶδα*(오이다)' 는 경험적으로 안다는 말 '*γινώσκω*(기노스코)' 와 달리 직관적으로 아는 것을 말한다. 주님께서는 교회의 비밀을 직관적으로 아셨다. 안다는 말을 도취법으로 가장 먼저 말하였으니 강조하신 것이다.

개역 한글성경에 '행위' 라고 단수로 표현한 '*ἔργα*(에르가)' 는 복수로서 '행위들' 이다. 한글은 단수와 복수 개념이 잘 발달되지 않아서 그러하나 성경 번역은 정확하게 단수와 복수를 표현하여야 한다. 예를 들어 성경에서 '죄' 라는 말은 모두 복수 '죄들<*ἁμαρτια(ῶν)*(하마르티아)>' 로 되어 있으므로 '죄' 는 항상 '죄들' 로 번역해야 정확한 것이다.

에프헤소스(에베소) 교회는 사도 파윌-로스(바울)께서 특별히 3년간 머물면서 집중적으로 복음을 전한 곳으로서 "모든 겸손과 눈물과 역경, 나에게 일어나던 유대인들의 음모 가운데서 주님을 섬기고, 유익한 것은 무엇이든지 꺼림이 없이 공중에게나 가족들을 대하여 가르쳤고, 유대인들과 헬라인들에게 하나님을 향한 개심과 주 우리 이에수-스(예수) 크흐리스토스(그리스도)님을 향한 믿음을 증거 하였으며, 하나님의 은혜의 복음, 하나님의 왕국, 하나님의 모든 계획을 전파였느니라" 고 하였다.(행 20:19~21) 이것은 바른 복음을 전하는 자의 참된 자세와

준칙이다. 사도 파윌-로스(바울)를 통해 이렇게 바른 복음을 확실하게 받은 에프헤소스(에베소) 교회는 모든 믿는 자들의 모델이 되었던 트헤쌀로니케(데살로니가) 교회처럼 헬라어 용어도 꼭 같이(살전 1:3) '믿음의 행위와 사랑의 수고와 소망의 인내를 갖춘 모범된 교회였던 것이다.

"너의 행위와 너의 고된 수고와 너의 인내"를 안다고 하신 것이다. 에프헤소스(에베소) 교회는 사도 파윌로스(바울)께서 경고하신 말씀대로 외적으로 침투하는 거짓 선지자들을 분별하여 경계하고, 내적으로는 말씀을 잘못 해석하는 자들이 일어나서 교회를 혼란케 하는 것을(행 20:29~30) 바로 잡아 나가려는데 얼마나 고된 수고와 인내가 필요했는지 주님께서 아신다고 하셨다. 바른복음 진리를 알고 교회 안팎으로 저항과 반대를 받아본 교회만이 그 수고와 인내를 알 수 있다.

그리고 에프헤소스(에베소) 교회는 믿는 자들의 모델이었던 트헤쌀로니케(데살로니가) 교회 이상으로 악한 자들을 결코 용납하지 아니하였다. 그리고 사도라 주장하는 자들을 자세히 조사하여 결코 사도가 아닌 것과 그들을 거짓됨을 찾아냈던 것이다. 6절에 니콜라오스(니골라)당의 행위를 몹시 미워했다고 함같이 진리사수에 철두철미했던 것이다. 사도 파윌-로스(바울)께서 A.D.55년 코린트호스(고린도) 교회에 보낸 서신에서 그때 이미 자신을 크흐리스토스(그리스도)님의 사도로 가장하는 거짓 사도들이 있다고 하였으니,(고후 11:13) 12년 후인 A.D.67년경 요한계시록을 기록할 당시 에프헤소스(에베소) 교회에 거짓 사도들이 있은 것은, 지리적으로도 코린트호스(고린도) 교회가 있는 에게해 맞은편이 에프헤소스(에베소) 교회가 있는 곳이니 당연하다. 사도 파윌-로스(바울)께서 A.D.56년경 에프헤소스

(에베소)를 떠나면서 조금 떨어진 밀레토스(밀레도)에서 교회 장로들을 불러 고별의 말을 할 때 "내가 떠난 후에 심상치 않은 이리(거짓 선지자-마 7:15)가 너희들 가운데 들어와 양떼를 아끼지 않을 것이라" 했는데,(행 20:29) 그대로 되어졌던 것이다.

에프헤소스(에베소) 교회는 사도 파윌-로스(바울)로부터 바른 복음을 잘 전수 받았기 때문에 사도라 주장하는 자들을 자세히 조사하여 그들을 거짓됨을 찾아낼 수 있었다. 사도행전 20장에 사도 파윌-로스(바울)께서 말한 복음 전도자의 참된 자세와 바른 복음의 준칙이 나타나 있다. 이 자세와 준칙으로라야 거짓됨을 올바로 찾아낼 수 있는 것이다. 사도 파윌-로스(바울)는 에프헤소스(에베소)에 티모드헤오스(디모데)를 보내어 목회를 하게 하였는데 얼마나 바른 복음대로 신앙생활을 잘 할 수 있었겠는가?

3절 ▷ 또 네가 참고 그리고 희망찬 인내를 가지며, 더욱이 나의 이름을 위하여 애써 일하며, 또한 지치지 아니한 것을 아노라.

καὶ ἐβάστασας καὶ ὑπομονὴν ἔχεις, καὶ διὰ τὸ ὄνομά μου
또 네가 참고 그리고 희망찬 인내를 가지며 더욱이 위하여 그 이름을 나의

κεκοπίακας καὶ οὐ κέκμηκας. ← 애써 일하며 또한 아니한 지치지

에프헤소스(에베소) 교회는 바른 복음과 신앙을 지키기 위해 온갖 고난을 견디면서 희망찬 인내를 가졌음을 다시 한 번 말씀하셨다. 뿐만 아니라 주님의 이름을 위하여 애써 일하며 그러면서도 결코 지치지 않았다. 얼마나 귀한 에프헤소스(에베소) 교회인가? 참으로 사도 파윌-로스(바울)로 말미암아 3년간 바른 복음을 가르침 받은 교회로서 바람직한 교회였다. 이러한 교회

였기에 주님께서 제일 먼저 말씀하신 것이다.

한글 개역성경에 '게으르지 않았다' 라고 번역한 'κέκμηκας(케크메카스)는 '피곤하다, 지치다' 는 말로서 '게으르지 않았다' 는 말이 아니고 인내하고 애써 일하며 '지치지 않았다' 는 말이다. 에프헤소스(에베소) 교회가 지치지 않았다는 것은 바른복음을 사수함에 얼마나 열정적이었음을 말해준다.

☼ 감동과 기도 ☆

4절 ▷그렇지만 내가 너에 대하여 반대하고 있다. 왜냐하면 너의 그 처음의 그 사랑을 상관하지 않고 두었기 때문이다.

ἀλλ' ἔχω κατὰ σοῦ, ὅτι τὴν ἀγάπην σου
그렇지만 내가 생각하고 있다 에 대하여 너희의, 때문이다 그 사랑을 너의
τὴν πρώτην ἀφῆκας. ←그 처음의 상관치 않고 두었기

개역 한글성경에 '너를 책망할 것이 있나니' 라고 번역한 헬라 원어 'ἔχω κατὰ σοῦ(에코 카타 수–)' 에서, ~에 대하여, 반하여, 자주 반대,(마 5:32) 분배,(마 9:29) 강도(눅 6:23)를 표시하는 κατὰ(카타)는 소유격 지배 전치사로서 'κατὰ(카타) σοῦ(수–)' 는 소유격과 함께 '너에 반대하여' 가 된다. 마태복음 5:32절에는 'σου(수) ἔχω(에코) τὶ(티) κατὰ(카타) σοῦ(수),' 가 "너를 반대하는 어떤 사람이 네게 있으면(직역)" 이고, 마가복음 11:25절에 ' τι(티) ἔχετε(에크헤테 -ἔχω(에코)의 복수) κατά(카타) τινος(티노스)' 는 "어떤 사람 누구의 반대를 가지고 있으면(직역)" 이 된다.

그러므로 ἔχω는 '가지다, 소유하다, (마음을)사로잡다, 생각하다' 는 뜻의 현재 능동태 직설법 1인칭 단수로서 '내가 가지고 있다' 는 말로서, 직역하면 **'내가 너에 대하여 반대하고 있다'** 는 말

이다. "여기서 '너를 책망할 것이' 로 번역된 '카타 수' 는 본래 '~에 반대하여' 라는 뜻의 전치사 '카타' 와 2인칭대명사 '수' 가 함께 나온 것으로 '너희를 반대할 말이 있다(NEB, I have this against you)라는 뜻이다" **【옥스퍼드 성경원어대전, 계시록 1권 p. 129】**

2:4절의 에프헤소스(에베소) 교회와 14절의 페르가모스(버가모) 교회, 그리고 20절의 트휘아테이라(두아디라) 교회에 하신 말씀도 동일하다. 주님께서 '내가 너희를 책망한다' 하신 것이 아니라 '내가 너에 대하여 반대하고 있다' 하신 것은, 에프헤소스(에베소) 교회가 그토록 바른 진리와 신앙을 준수하기 위하여 애쓰고 수고하며 인내한 것을 아시고, 그리고 니콜라(니골라)당의 행위를 미워하는 것도 주님과 동일하지만, 그렇지만 바른복음 안에서 사도 파월-로스(바울)와 헤어질 때 목을 안고 크게 울던(행 20:36~38) 그 소중한 처음의 사랑과 행위를 잃어버린 것을 보시고는 주님께서 얼마나 안타까와 하고 계신 것을 나타낸 말씀이다. '책망한다' 는 말은 '*ἐλέγχω*(엘레그크호)' 인데 일곱 교회 중에 라오디케이아(라오디게아) 교회에만 하셨다.(3:19)

에프헤소스(에베소) 교회가 좋은 점이 참으로 많았으나 주님께서 귀중히 여기시는, 에프헤소스(에베소) 교회가 처음에 가졌던 그 사랑이 떨어져 버렸기(*ἐκπέπτωκας*-5절)때문에 에프헤소스(에베소) 교회가 중요하게 생각하는 관점과 주님께서 중요하게 생각하는 관점이 일치하지 않는다는 말씀이다. 중요하게 생각하는 관점이 일치하지 않으면 참으로 안타깝고 슬픈 것이다.

에프헤소스(에베소) 교회는 세월이 지나면서 당면한 순수 신앙과 진리 수호가 중요 관심사로서 처음에 가졌던 사랑은 어느새 떨어져 버리고 중요시 않은 채 상관치 않고 있었으나, 주님께서는 그와 반대로 에프헤소스(에베소) 교회 장로들과 성도들이 밀레토스(밀레도)에서 작별할 때 사도 파윌-로스(바울)와 함께 무릎을 꿇고 기도하고 파윌-로스(바울)의 목을 안고 모두 크게 울었던 그와 같은 사랑으로(행 20:36, 37) 에프헤소스(에베소) 교회 안에서 처음에 행해졌던 그 행위들을 참으로 중요하게 생각하신다는 말씀이다. 처음 사랑이 동기가 된 행위들을 주님께서는 중요시하신다는 말씀이다. 그러한 찐하고 순수한 처음 사랑의 동기가 결여된 어떤 대단한 신앙과 진리 수호와 수고와 봉사와 인내도 주님께서는 교회로 인정치 않고 버릴 수밖에 없다는 말씀이다.

그러하기에 사도 파윌-로스(바울)는 "내가 사람들의 방언과 천사들의 말을 할지라도 내가 사랑을 소유하고 있지 않으면 소리나는 구리와 울리는 괭과리가 되고, 내가 예언을 가지고 있어 모든 비밀과 모든 지식을 알고, 또한 내가 많은 믿음을 가지고 있어 심지어 산을 옮길지라도, 나에게 사랑이 없으면 내가 아무것도 아니며, 그리고 나의 가지고 있는 모든 것으로 구제하고, 또 내 몸을 불사르게 내어 줄지라도 내가 사랑을 가지고 있지 않으면 나에게 아무 유익이 없느니라."고 한 것이다.(고전 13:1~3)

진리 파수와 사랑의 겸비, 참으로 교회를 두루 다니시는 주님께서 가장 관심 있게 찾으시는 것은 이런 교회이며 성도이건만 교회 안에 거짓된 자들이 너무나 흔하여 이 두 방면을 겸비하기가 어찌 그리 쉽지 않은지 현실이 너무나도 쓰리고 고통스러우며 탄식스럽고 슬픈 일이다.

주님께서 종말에 되어질 일들을 말씀하시면서 "불법이 증가하여져서 대부분의 사랑이 식어지리라" 하셨으니,(마 24:12) 에프헤소스(에베소) 교회가 사도 파윌로스(바울)을 통해 바른복음을 받았으나 바른복음을 위반하며 어기고 잘못 해석하는 자들이 증가하여져서 진정한 아가페의 사랑이 거의 다 식어져 버렸던 것이다. 바른 복음진리의 수호와 사랑의 겸비는 어느 하나를 소홀히 해서는 안 되는 요긴한 일이다. 바른복음 진리수호가 무엇보다 귀중하지만, 처음사랑으로 하던 행위를 상관치 않고 버려둔채, 처음 사랑의 행위를 잃어버린 진리수호는 주님께서 반대하신다는 사실을 명심해야 하는 것이다.

에프헤소스(에베소) 교회의 예는 중요하고 가장 유의해야 할 일이기에 일곱 교회 중에 가장 먼저 말씀하신 것이다.

¤ 감동과 기도 ☆

5절 ▷ 그러므로 무엇으로부터 떨어져 나갔는지를 생각하고 그리고 마음을 바꾸라. 그리하여 그 처음 행위를 행하라. 만일 그리하지 아니하고, 네 마음을 바꾸지 아니하면, 내가 네게 속히 가서 그리고 네 등대를 그 자리에서 옮길 것이다.

μνημόνευε οὖν πόθεν ἐκπέπτωκας, καὶ μετανόησον, καὶ
생각하고 무엇으로부터 떨어져나갔는지, 그리고 마음을 바꾸라. 그리하여

τὰ πρῶτα ἔργα ποίησον· εἰ δὲ μή, ἔρχομαί σοι τάχει, καὶ
그 처음 행위를 행하라 만일 그리하지 아니하고, 내가 가서 네게 속히, 그리고

κινήσω τὴν λυχνίαν σου ἐκ τοῦ τόπου αὐτῆς, ἐὰν μὴ μετανοήσῃς.
옮기리라 그 등대를 너의 로부터 그 장소의 그의, 만일 아니하면 마음을 바꾸지

주님께서는 에프헤소스(에베소) 교회에게 처음으로 돌아가야 한다고 말씀하셨다. 그렇게 하려면 처음의 그 사랑이 무엇으로부터(=어디서부터) 떨어져 나갔는지(=잃어버렸는지, 무능하게 되었는지)를 생각하고 마음을 바꾸어 처음 행위를 하도록 해야 한다고 하셨다. "많은 거짓 선지자들이 일어나서 그리고 많

은 사람을 방황하게 하겠으며, 불법(ἀνομίαν 아노미안 **율법의 위반, 어김**)이 많아짐으로 대부분의 사랑이 식어지리라"고 이에수-스(예수)님께서 말씀하신 대로,(마 24:12) 사랑이 식어지는 주요 원인은, 교회 안에 불법자 곧 거짓된 자가 많아지기 때문이다. 잘못되고 거짓된 것을 아는데 계속 묵인할 수도 없고, 그렇다고 단호하게 거절하려면 사랑이 없다 할 것이고, 정말 어렵다. 그렇기 때문에 불법을 경계하면서 사랑을 잃지 않기는 쉽지 않은 것이다.

'생각하고' 라는 말 'μνημόνευε(므네모뉴에)' 는 현재 명령형으로 계속과 반복을 나타내는 현재형으로 쓰인 것은, 일시적으로만 생각하고 고칠 것이 아니라 계속해서 거듭 생각하고, 피상적으로 생각할 것이 아니라 사려 깊이 생각할 것을 명하신 말씀이다. 교회는 이런 차원에까지 되어져야 한다. 그러므로 개심은 겸손과 눈물과 해산의 고통과 인내가 있어야 하는 것이다.

'εἰ δὲ μη(에이 데 메) 만일 그리하지 아니하면' 은 '앞에 말한 대로하지 않으면' 이란 말이며, 끝에 다시 'ἐὰν μὴ μετανοήσῃς(에안 메 메타노에세스) 만일 네 마음을 바꾸지 않으면' 하신 것은 처음과 끝에 강조하여 경고하신 말씀이다. 잘못을 바로 고치려면 먼저 주님께서 말씀하신 대로 잘못된 원인이 무엇으로부터 어디서부터인지를 생각하여 찾아내야 하는 것이다. 병을 확실하게 고치기 위해서는 무엇보다 먼저 정확한 진찰을 해야 하듯이 영적인 병도 그러하다. 그리고 마음을 바꾸어<μετανοέω(메타노에오)>야 한다. 육적인 병도 대부분 마음을 올바로 가지 않아서 오게 되며, 영적인 병은 특히 마음(자아)의 잘못이 주원인이 된다. 그러므로 병의 원인이 진찰되면 주원인이 된 마음을 고쳐야 하는 것이다. 마음을 고치지 않으면 근본 치료가 되지 않는다. 그리고 처음의 순수하고 올바른 행위를 하도록 하면 완전히 회복되는 것이다.

개역 한글성경에 '내가 네게 임하여'라고 번역한 'ἔρχομαί σοι τάχει(에르크호마이 소이 타크헤이)는 직역하면 '내가 네게 속히 가고 있어' 이다. 『또한 이러한 표현에서 나타나는 임박한 재림의 암시는 에프헤소스(에베소) 교회에 크다란 경각심을 야기시키는 동시에 즉각적인 회개를 유발하는 효과를 거두게 된다. 아울러 이러한 표현이 본서의 결론부인 22:7, 12, 20에서 반복되어 본문과 구조적 병행을 이룬다.』**《옥스퍼드 원어 성경대전. 계시록 1. P.131》**

'네 등대를 옮기리라' 하신 것은 주님의 교회가 없어지는 것이 아니라 표면상 에프헤소스(에베소) 지역교회는 남아 있을지라도 주님께서 두루 다니시고 보살피시는 등대인 주님의 교회는 다른 지역으로 옮겨 세워지게 하시겠다는 말씀이다. 그러므로 바른복음으로 순전한 사랑과 행위가 없는 교회는 주님께서 함께 계시는 등대 교회가 아니며 하나의 기독교 종교 교회일 뿐이다. 지금 무슬림 회교국인 터키에 기독교는 철저히 배척되고 있으나 순교의 교회 스뮈르나(서머나)와 주님의 말씀을 잘 지켜 보호하시겠다 하셨던 프휠라델프헤이아(빌라델비아)에는 지금도 교회가 있다고 한다. 에프헤소스(에베소)에는 교회가 없어졌으니 주님의 말씀대로 회복하지 못했기 때문에 등대가 옮겨진 것 같다.

☼ 감동과 기도 ☆

6절 ▷ 그렇지만 네가 그 니콜라당의 행위를 그렇게 몹시 싫어 하는 그것을 가지고 있으니, 나도 그것을 몹시 싫어하노라.

ἀλλὰ τοῦτο ἔχεις, ὅτι μισεῖς τὰ ἔργα τῶν Νικολαϊτῶν,
그렇지만 그것을 가지고있으니 그렇게 몹시 싫어하니 행위를 그 니콜라당의
ἃ κἀγὼ μισῶ. ←그것을 나도 몹시 싫어하노라

주님께서 엄중한 경고를 주시고서 한 가지 격려를 하신다. 에프헤소스(에베소) 교회가 니콜라(니골라)당의 행위를 몹시 싫어하는 것처럼 주님께서도 그것을 몹시 싫어한다고 하신 것이다. 니콜라당은 사도행전 6:5절에 최초 히에루살렘(예루살렘) 교회에 일곱 일군을 세운 사람 중에 유대교로 입교했다가 기독교인이 된 안디옥 사람 니콜라(니골라)가 창시자라고 교부들은 말하였다. 주님께서 페르가모스(버가모) 교회에 하신 말씀에서 우상의 제물을 먹게 하고 음행하게 한 발람의 교훈을 지키는 자들과 같이 니콜라당의 교훈을 지키는 자들이 있다고 말씀하셨다.(계 2:14,15) 그러므로 에프헤소스(에베소) 교회에 니콜라(니골라)당의 행위라는 것은 니콜라(니골라)당의 교훈으로 인한 행위라는 말씀이다. 니콜라(니골라)당의 가르침은 '무 율법주의' '무 도덕주의' 로서 1〉 율법의 때는 지났으므로 지킬 필요가 없다. 2〉 육신은 악하고 영 만이 선하므로 육신으로 무엇을 하든지 관계없다. 3〉 그리스도인은 은혜로 보호받고 구원받기 때문에 어느 곳에 가서 무엇을 행하든 해 받음이 없다고 주장하였다.**《박윤선 박사 계시록 주석》**

발라암(발람)의 교훈과 대동소이했다. 이러한 잘못된 가르침이 우상의 제물을 먹는 것을 일반화하고, 결혼 이외의 성 관계를 아무렇지 않게 받아들이게 했다. 니콜라(니골라)당은 그들을 둘러싸고 있는 헬라스(헬라)의 영향을 받은 흐로메(로마) 이교도 사회와의 타협을 꾀했던 것이다. 세상과 타협할 준비가 된 사람

들로서 사도 파월-로스(바울)께서 경고하신 바와 같이 크흐리스티아노스(그리스도인)의 자유를 육신을 위한 기회로 삼는 자들이었으며,(갈 5:13) 하나님의 은혜를 색욕을 향하도록 바꾸는 자들이었다.(유 1:4) 오늘날 '오직 은혜로, 오직 믿음으로만 구원을 받는다' 하는 개신교의 복음과 행위는 주님 보시기에 어떠하겠는가? 오늘날 교회에도 니콜라(니골라)당의 교훈이 있다. 주님께서는 니콜라(니골라)당의 행위를 몹시 싫어한다고 하셨다.

에프헤소스(에베소) 교회는 이와 같이 진리에 대한 열정을 가지다가 사랑을 잃어버려서 주님으로부터 엄중한 경고를 받았다면 오늘날 교회는 에프헤소스(에베소) 교회가 가졌던 그 뜨거운 처음 사랑도 없고 진리에 대한 열정도 없는 상태가 아닌가 심사숙고해야 할 것이다. 이런 상태에서 개심치 않는다면 주님으로부터 등대만 옮기는 정도의 징계만 아닐 것이다.

7절 ▷ 귀를 가진 자는 누구든지 성령님께서 그 교회들에게 하시는 말씀을 들으라.

ὁ ἔχων οὖς ἀκουσάτω τί τὸ πνεῦμα λέγει ταῖς ἐκκλησίαις·
자는 가진 귀를 들으라 누구든지 성령께서 말씀하시는 그 교회들에게

개역 한글성경은 '귀 있는자는 … 들을찌어다' 라고 했는데 '누구든지(*τί*티)' 를 번역하지 않았고, '들으라(*ἀκουσάτω* 아쿠사토)는 명령사로서 '들으라' 는 주님의 명령이지, 희구하는 말 '들을지어다' 가 아니다. 주님의 말씀, 성경에 기록된 말씀들은 모두 형태가 분명하고 확실하다. 번역상 그렇지 못할 뿐이다. "귀 있는 자는 누구든지 성령님께서 교회들에게 하시는 말씀을 들으라!" 얼마나 분명하고 확실하게 말씀하신 것인가? 중요한

교훈이 주어질 때 하신 말씀이다.(마 11:15, 13:9, 43; 막 4:9, 23, 7:16; 눅 8:8, 14:35) '귀' 는 주님께서 말씀하시는 것을 성령님의 음성으로 들을 수 있는 영의 귀를 말씀하신 것이다. "너희 귀는 듣기 때문에 복이 있다" 고 하셨다.(마 13:16)

▷ 이기는 자에게는 내가 하나님의 그 낙원 가운데 있는 그 생명의 나무로부터 먹도록 허락하리라.

τῷ	*νικῶντι*	*δώσω*	*αὐτῷ*	*φαγεῖν*	*ἐκ*	*τοῦ*	*ξύλου*	*τῆς*
그	이기는	허락하리라	그에게	먹게	로부터	그	나무	그

ζωῆς	*ὅ*	*ἐστιν*	*ἐν*	*μέσῳ*	*τοῦ*	*παραδείσου*	*τοῦ*	*θεοῦ.*
생명	그	있는	안에	가운데	그	낙원의	그	하나님의.

'이기는 자' '*τῷ νικῶντι*(토 니콘–티)' 라는 말은 '이기다, 승리하다, 극복하다' 는 *νικάω*(니카오)의 현재 분사형으로서 ' 계속해서 이기는 자' 를 말한다. 주님께서 말씀하신 대로 계속 승리를 거두며 최후까지 승리를 거두는 자는 하나님의 낙원 가운데 있는 생명의 나무로부터 먹도록 허락하리라고 약속하신 것이다. '생명의 나무로부터 먹는 것' 은 계시록 22:2, 14절 말씀같이 영원한 생명의 구원을 누리도록 하시겠다는 것을 말씀하신 것이다. 그러므로 2~3장의 일곱 교회에 주신 말씀도 계시록의 최후의 구원을 목표로 주신 하나로 통일된 말씀인 것이다. 계시록 22:7, 12, 20절에 "보라! 내가 속히 간다" "보라! 내가 속히 간다" "진실로 내가 속히 간다" 세 번이나 강조하신 주님의 약속과 견주어 볼 때 에프헤소스(에베소) 교회에 "생명의 나무로부터 먹도록 허락하리라" 하신 것은 최후 종말에 대한 약속의 말씀인 것이다.

주님께서 일곱 교회 모두 이기는 자에게 약속을 주셨음에 유심하여야 한다. 이아콥(야곱)이 천사와 씨름하여 이김으로 하나님께로부터 새롭게 받은 이름이 이긴자 곧 '이스라엘' 이었다. 계시록에 성도에게 '이기는<*νικῶντι*(니콘–티)>' 이라고 한 말이 11번 나온다.(2:7, 11, 17, 26, 3:5, 12, 21, 12:11, 15:2, 17:14, 21:7) 계시록은 교회가 어떻게 환란을 당치 않느냐가 아니고 환란 속에서 어떻게 이기는 자가 되느냐가 중점인 것이다.

¤ 감동과 기도 ☆

2〉 스뮈르나(서머나) 교회에 하신 말씀 8~11

8절 ▷ 그리고 너는 스뮈르나 교회의 그 사자에게 쓰라. 그 첫째와 그 마지막이며, 죽었다가 또한 살아난 자가 이것들을 말한다.

Καὶ τῷ ἀγγέλῳ τῆς ἐκκλησίας Σμυρναίων γράψον,
그리고 그 사자에게 그 교회의 스뮈르나(복수) 쓰라
Τάδε λέγει ὁ πρῶτος καὶ ὁ ἔσχατος, ὃς ἐγένετο
이것들을 말하다 그 첫째(형-서수) 와 그 마지막, 자가 되어졌다(다가)
νεκρὸς καὶ ἔζησεν· ←죽었 또한 살아난

헬라어가 '스뮈르나(서머나)(*Σμυρναίων*스뮈르나이온) 교회' 로 복수로 되어 있는데, 일곱 교회 모두 '교회' 라 말 '*ἐκκλησίας*(엑클레시아스)는 단수이고, 교회 지역 이름은 셋은 단수이고 넷은 복수로 되어 있다. 사도 파윌-로스(바울)서신의 경우에도 코린트호스(고린도) 교회와 갈라티아(갈라디아) 교회는 단수로,(고전 1:2, 갈 1:2) 프힐립포이(빌립보) 교회와 트헤쌀로니케(데살로니가) 교회는 복수로 되어 있다..(빌 1:1, 살전 1:1) 그런가 하면, 콜롯사이(골로새) 4:16절에는 라오디케이아(라오디

게아) 교회를 복수와 단수로 연이어 말하였다. 개역 한글성경은 복수는 '라오디게아인들의 교회'라 번역하고, 단수는 '라오디게아'라고 번역하였다.

그렇다면 주님께서 교회 각 이름을 왜 단수 또는 복수로 말씀하셨는가 함이다. 물론 라오디케이아(라오디게아) 같이 같은 이름이 여섯이나 있었던 경우와, 같은 이름으로 둘 이상의 지역이 있기도 하였다. 그러나 주님께서 말씀하신 것을 자세히 살펴보면 지역의 문자적 개념보다 영적 의미가 있음을 발견할 수 있다. 계시록 1:11절에서 말씀하신 교회 이름과 2장과 3장에서 말씀하신 교회 이름에 단수와 복수가 같은 교회와〈두 곳 다 단수 – 에프헤소스(에베소) 교회, 페르가모스(버가모) 교회, 프힐라델프헤이아(빌라델비아) 교회〉 같지 않은 교회(1:11절에 단수, 2, 3장에는 복수 –스뮈르나(서머나) 교회, 라오디케이아(라오디게아) 교회, 두 곳 다 복수인 교회 –트휘아테이라(두아디라) 교회, 사르데이스(사데) 교회〉가 있으니, 분명히 주님의 의중이 있으신 것이다.

그것은 2장과 3장에서 주님께서 말씀하신 일곱 교회의 영적 신앙상태를 유의하면 그 이유를 알 수 있으니, 각 교회에서 이기는 자가 어떻게 있을 것을 염두에 두시고 말씀하신 것임을 알 수 있다. 에프헤소스(에베소) 교회는 두 곳 다 단수로 말씀하신 것은 교회 전체의 영적 신앙상태가 현재 단일하게 같고 앞으로도 처음 사랑과 행위를 회복하든 하지 않든 단일하게 하나일 것을 암시하신 것이고, 스뮈르나(서머나) 교회는 1:11절에는 단수로 말씀하셨는데 2:8절에는 복수로 말씀하신 것은 말씀하신 대로 죽도록 신실할 자들이 있고 그렇지 못할 자들이 있을 것이기 때문에 영적 신앙으로 두 부류의 성도들이 있을 교회임으로 복수로 말씀하신 것으로 볼 수 있다. 그리고 페르가모스(버가모) 교회는 두 곳 다 단수로 말씀하신 것은 교회 중에 발라암(발람)과 니콜라(니골라)당의 교훈을 붙들고 있는 자들이 있기는 하였으나, 주님의 신실한 증인 안티파스(안디바)가 순교함에도 불구하고 대체적으로 믿음을 부인하지 않은 교회로서 거짓된 자들을 극복하고 이기는 단일한 교회가 될 것을 아시고 두 번 다 단수로 말씀하신 것이 확실한 것이다. 그리고 트휘아테이라(두아디라) 교회는 두 곳 다 복수로 말씀하신 것은 타락한 교회이지만 남겨진 자가 있는 교회로서 앞으로도 영적 신앙으로 두 부류의 교회일 것을 아시고 두 번 다 복수로 말씀하신 것 같다. 사르데이스(사데) 교회 역시 몇 사람은 합당한 자들이 있었던 교회로서 앞으로도 그렇게 두 부류의 신자들이 있을 것을 아시고 두 번 다 복수로 말씀하셨으며, 프힐라델프헤이아(빌라델비아) 교회는 두 곳 다 단수로 말씀하신 것은 칭찬받은 그 신앙으로 전체 교회가 하나로 굳게 붙잡아 나갈 것이기 때문에 교회 이름을 두 번 다 단수로 말씀하신 것이다. 그리고 라오디케이아(라오디게아) 교회는 1:11절에는 단수로 말씀하셨는데 3:14절에는 복수로 말씀하신 것은 칭찬 없이 책망만 받은 교회이지만 주님의 말씀을 듣고 열심을 내고 개심하여 이기는 자가 있을 것을 아시고 3:14절에는 복수로 말씀하신 것이다.

스뮈르나(서머나) 교회는 에프헤소스(에베소) 교회에서 북쪽으로 약56km에 있는 항구도시로서 일곱 교회 도시 중에 유일하게 현재까지 남아 있는 항구도시로서 지금은 이즈미르(Izmir)로 불린다. 사도행전 19:9~10절에 사도 파월-로스(바울)께서 A.D.53년 3차 전도여행 때 에프헤소스(에베소) 튀란노(두란노) 서원에서 2년 동안 날마다 말씀을 강론하니 아시아에 사는 이우다이오스(유대인)들이나 헬렌나스(헬라인)들이 주 이에수-스(예수)님의 말씀을 들으니라고 하였으니, A.D.33년경 히에루살렘(예루살렘)에 일어났던 큰 핍박으로 각처에 흩어졌던(행 8:1~4) 그리스도인들을 중심으로 이 때를 전후하여 아시아 각 지역에 교회가 세워졌던 것이다.

"그 첫째와 마지막이며, 죽었다가 또한 살아난 자가 이것들을 말한다"고 하신 것은 죽음을 두려워하지 말고 죽기까지 신실하여 변치 말고 신앙을 지키도록 하라고 격려해야 할 교회이기 때문에 이러한 주님으로서 말씀하신 것이다.

9절 ▷ 내가 너의 그 행위들과 그 환란과 그 빈곤을 알고 있 다. 그러나 너는 풍부하니라.

Οἶδά σου τὰ ἔργα καὶ τὴν θλῖψιν καὶ τὴν πτω
내가 알고 있다 너의 그 행위들 과 그 환란 과 그 빈곤을
χείαν· πλούσιος δὲ εἶ ←풍부하다 그러나 너는~이다

스뮈르나(서머나) 교회는 신앙을 바로 지키기 위해 얼마나 환란을 당하고 빈곤을 겪고 있는지를 주님께서 알고 있다고 하셨다. 개역 한글성경, 네슬 알란드판에는 '행위들과(*τὰ ἔργα και*)'가 없다. '환란'은 외부로부터의 압박과 박해, 고통을 말하며, '빈곤(*πτωχεία* 프토크헤이아)은 자기 능력으로 생활이 불가능한 '*πτωχος*(프토크호스)' 보다 더한, 전혀 물질이 없어서 구걸하는 생활, 거지 신세의 극한 빈곤을 말한다. 동사 '*πτωσσω*(프톳소) '가리우다, 덮다'에서 유래한 말로서 거지가 부끄러워서 얼굴을 가리우는 것을 의미한다.

스뮈르나(서머나)는 부유한 도시였으나 교회 성도들은 에프헤소스(에베소) 교회와 같이 사도 파윌-로스(바울)에게서 받은

바른복음과 신앙의 행위를 지키려고 한 것 때문에 토지, 가옥, 모든 재산을 몰수당하고 직장에서 쫓겨나며 추방을 당하여 아무것도 없는 거지같은 빈곤한 생활을 하게 된 것이다. 당시 스뮈르나(서머나)에서 그리스도인이 되는 것은 극도의 가난과 굶주림 추방 심지어 죽음까지 각오해야 했던 것이다. 하나님의 날인 주일을 성수하기 위해 안정된 직장을 가지지 못하고 어렵게 사는 성도의 가정이라면 스뮈르나(서머나) 교회와 같은 신앙의 소유자일 것이다.

주님께서 너의 "행위들과 환란과 빈곤을 알고 있다" 하시면서 '그' 라는 정관사를 각각 붙여서 너의 "그 행위들과 그 환란과 그 빈곤을 알고 있다" 하셨으니 스뮈르나(서머나) 교회의 모든 형편을 얼마나 관심 있게 세심히 알고 계신다는 표현인 것이다.

그러나 주님께서는 "너는 풍부하니라" 고 하셨다. 참으로 인간의 관념으로는 도무지 이해 될 수 없는 말씀인 것이다. 라오디케이아(라오디게아) 교회는 스스로 부자이며 부족한 것이 없다고 자부하였으나 주님께서는 엄청나게 비참하고 가난하다고 하셨다.(계 3:17) 라오디케이아(라오디게아) 교회는 현세와 물질적으로는 부요했으나 내세와 영적으로는 가난한 반면, 스뮈르나(서머나) 교회는 그 반대라는 말씀이다. 오늘날 교회에도 이러한 대조적 양상이 병존하고 있는 것이다. 내가 속해 있는 교회는 어느 쪽에 속한 교회라 할 수 있겠는가?

이 교회의 감독이었던 폴리캅(Polycarp)은 86세 때인 주후 155년 2월23일(안식일)에 프휠라델프헤이아(빌라델비아) 교회 성도 11명과 함께 화형으로 순교했다고 한다. 지금 이슬람교 국가인 터어키에서 유일하게 폴리캅의 순교를 기념하는 교회당이 잘 세워져 있고 예배를 드리고 있는 것이다. 박해도 지역 따라 차이가 있게 되는데 스뮈르나(서머나)에는 이우다오스(유대인)들의 이민이 많았고 유대주의가 강성하여 크흐리스티아노스(그리스도인)들에 대한 박해가 특별히 심했다. 폴리캅이 순교할 때도 그들의 안식일임에도 불구하고 그를 산 채로 화형하기를 주장했고 나무를 주어오는 등 박해의 선두에 섰으니 실상 그들은 '사탄의 회' 였던 것이다.

¤ 감동과 기도 ☆

▷ **그리고 그 스스로를 유대에 속하였다 말하는 자들의 중상을 아나니 그렇지만 그들은 결코** *(유대인들이)* **아니며, 반대로 사탄의 회합이니라.**

καὶ τὴν βλασφημίαν τῶν λεγόντων Ἰουδαίους εἶναι
그리고 그 중상, 조롱 그 말하는 유대에 속했다고 존재를
ἑαυτούς, καὶ οὐκ εἰσὶν, ἀλλὰ συναγωγὴ τοῦ Σατανα.
자신들의, 그렇지만 아니며, 이다, 반대로 회합 그 사탄의.

스뮈르나(서머나) 교회가 당한 환란은 사회적인 박해만 아니라 하나님을 잘 믿는다고 하는 이우다오스(유대인)들이 오히려 기독교인들을 더 미워하고 핍박했던 것이다. 그들은 이우다오스(유대인) 된 것을 천국의 시민 된 것으로 생각하였다.

주후 47~61년 사이 사도 파윌-로스(바울)에 의한 에프헤소스(에베소)와 스뮈르나(서머나)를 비롯한 소아시아 지방 선교가 이루어지고, 60년대 중엽에는 기독교인들은 유대인과 구별되면서 박해를 받았다. 주후 64년 로마에서는 네로가 대화재의 누명을 기독교인들에게 돌려 박해가 시작되고, 주후 68년 가을 네론(네로)이 죽기까지, 로마에서 사도 페트로스(베드로)는 주후 64년에 순교 당하고, 사도 파윌-로스(바울)은 주후 66년에 순교 당

한 것이 여러 자료들에 의해 거의 확실하다.**《기독지혜사, 성서 대백과 제3권, p.268~276》**

한편 이우다(유대)에서는 이때에 로마의 압박에 항거하는 전쟁이 시작되어 주후 70년 이에루살렘(예루살렘)이 멸망하기까지 계속되었던 것이다. 이때에 많은 유대인들이 에프헤소스(에베소)와 스뮈르나(서머나)에 대거 이주하여 살게 되었고, 로마 정치 세력과 결탁한 유대인들이 앞장서서 기독교인들을 박해했던 것이다. 주님께서는 그들은 진정한 유대인이 아니고 사타나스(사단)의 회합이라고 하셨다.

10절 ▷ 고난 당하는데 대하여 그것을 조금도 두려워하지 말라. 보라 마귀가 너희 중에 시험을 받게 하기 위하여 감옥으로 보내려고 하니, 그리하여 너희가 십일의 환란을 치를 것이다.

μηδὲν φοβοῦ ἃ μέλλεις πάσχειν. ἰδοὺ, μέλλει βαλεῖν
(조금도)아니다 두려워하지 그것을 대하여 고난당하는데. 보라, ~하려고하다 보내다
ἐξ ὑμῶν ὁ διάβολος εἰς φυλακήν, ἵνα πειρασθῆτε. καὶ
~중에 너희 그 마귀가 으로 감옥, ~을 위하여 시험을 받게. 그리하여
ἕξετε θλῖψιν ἡμερῶν δέκα. ← 가질 것이다 환란을 일들의 십

주님께서는 스뮈르나(서머나) 교회 성도들에게 고난 당하는데 대하여 조금도 두려워하지 말라고 하셨다. 주님께서 당시 로마의 최고 형벌 수단인 십자가에 못박혀 죽기까지 당하시고 죽음을 이기고 살아나신 분이시기 때문에 고난 당함을 조금도 두려워하지 말라고 하시는 것이다. 이제는 고난이 없을 것이라고 위로하시지 않았다. "고난을 두려워하지 말라" 고 하셨다.

지금까지 당하고 있는 고난만 아니라 시험을 받게 하려고 마

귀는 스뮈르나(서머나) 교회 성도 중에서 감옥으로 보내고, 십일의 환난을 치르게 할 것이라 하셨다. 십(10)일의 환난이라는 것은 성경에서 최소 한도의 시험을 받게〈πειρασθῆτε 페이라스트헤-테〉하는 정한 기간으로 말하고 있다. 아브라암(아브라함)의 아들 이사악(이삭)의 아내로 가기로 한 딸 흐렉벡카(리브가)를 그의 오빠와 어머니가 열흘을 우리와 함께 더 있다가 가라고 하였고,(창 24:55) 하나님께서 이스라엘 백성이 광야에서 열 번이나 나를 시험하였다고 하셨으며,(민 14:22) 고난 중에 있는 이옵(욥)이 친구들에게 "너희가 열 번이나 나를 꾸짖고 학대하고도 부끄러워 아니하는구나"라고 하였고,(욥 19:3) 다니엘이 세 친구와 함께 자기를 더럽히는 왕의 진미와 포도주를 먹지 않기 위해 환관장에게 "종들을 열흘 동안 시험하여 채식을 주어 먹게 하고 물을 주어 마시게 한 후에 당신 앞에서 우리의 얼굴과 왕의 진미를 먹는 소년들의 얼굴을 비교하여 보아서 보이는 대로 종들에게 처분하소서" 하니 그들의 말을 좇아 열흘을 시험하였다고 한 것이다.(단 1:8~16) 그러므로 주님께서 말씀하신 십일의 환난은 스뮈르나(서머나) 교회가 받을 시험의 기간을 말씀하신 것이다.

또한 상징적으로 권력을 '열 뿔'(계 12:3, 13:1, 17:3, 7, 12, 16)로 표현하였으니, 흐로메(로마) 네론(네로) 황제(주후 54-58년)로부터 디오클레티안 황제(주후 284-305년)까지 10대 황제들에 의해 지속된 기독교에 대한 혹독한 핍박을 예표한 것이라 할 수 있다. 스뮈르나(서머나) 교회 감독이었던 폴리캅(Polycarp. 주후 70-156)은 주후 155년 2월 22일 86세의 나이로 화형 당했는데 성도 11명과 함께 순교했다고 한다.

▷ 죽음의 시간까지 신실하게 되라. 실로 내가 그 생명의 면류관

을 네게 주리라.

γίνου πιστὸς ἄχρι θανάτου, καὶ δώσω σοι τὸν στέφανον τῆς ζωῆς.
되라 신실하게 (시간의)까지 죽음의, 실로 주리라 네게 그 면류관을 그 생명의

ἄχρι(아크흐리)는 '(시간)까지, (장소)까지' 라는 말로서 '죽음의 시간(장소) 까지' 라는 말이며, 개역 한글성경에 '충성' 으로 번역한 '***πιστὸς***(피스토스)' 는 '믿을 만 하다, 신실하다, 진실하다' 는 말이며, '하라' 로 번역한 '***γίνου***(기누)' 는 '되다' 라는 뜻의 '***γίνομαι***(기노마이)' 의 현재 명령형으로 '죽음의 시간까지 신실하게 되라' 하신 말씀이다. 내가 신실 하려고 하기 전에 신실한 성도가 되어야 한다. 진정 거듭남으로 신실한 사람이 되어져 버려야 하지 거듭나지 않고서 신실하고 진실하려고 노력하는 사람은 진정 신실하고 진실한 사람이 되지 못한다. 근본을 중요시해야 한다.

복음을 맡은 자들에게 요구되는 것은 신실한 자로 발견되는 것이라고 하였다.(고전 4:2) 먼저 하나님의 복음진리를 바로 알고 그대로 참되이 수행(守行)하며 전파하는 자가 되어야 한다. 스뮈르나(서머나) 교회처럼 진리에 바로 서는 것이 우선되어야 한다.

신실한 성도가 되어지지 않고 내가 신실 하려고 하면 거듭나기 전의(벧전 1:3) 페트로스(베드로)가 이에수-스(예수)님께 '내가 주님과 함께 죽을지언정 주님을 부인하지 않겠습니다' 라고 했지만,(마 26:35) 주님을 세 번이나 부인했던 것처럼 될 수밖에 없는 것이다.(마 26:69~75) 진정한 순교는 내가 하려고 한다고 되는 것이 아니고, 먼저 내가 진정한 성도가 되어져 있어야 되는 것이다. 침례(세례) 이오안네스(요한)는 목베임을 당했고,(마 14:10~12) 스테프하노스(스데반) 집사는 돌로 쳐서 죽임을 당

하였으며,(행 7:58~60) 사도 이아코보스(야고보)도 칼로 죽임을 당하였고,(행 12:2) 사도 페트로스(베드로)도 순교했고 파월-로스(바울)도 목베임을 당하였다고 한다. 이렇게 기독교는 순교의 도이다.

그렇게 되는 자에게는 주님께서 그 생명의 면류관을 주리라고 하신 것이다. 이아코보스(야고보) 1:12절에도 같은 말씀이 있으니 "시험을 견디는 자는 복이 있도다. 연단 된 후에 그분을 사랑하는 자들에게 주님께서 약속하신 생명의 면류관을 취할 것이기 때문이라" 하신 것이다.

신약성경에 일곱가지 면류관을 말씀하셨다. ① 생명의 면류관(약 1:12, 계 2:10) ② 의의 면류관(딤후 4:8) ③ 영광의 면류관(벧전 5:4) ④ 소망 기쁨 자랑의 면류관(빌 4:1; 살전 2:19~20) ⑤ 금 면류관(계 4:4) ⑥ 썩지 않는 면류관(고전 9:25) ⑦ 열두 별의 면류관(계 12:1)등의 표현이 있으나, '생명의 면류관' 이란 말이 가장 대표적인 말이다. '그 생명(τῆς ζωῆς 테-스 조에-스)' 이란 말은 이 세상에서의 '생명' 이라는 개념과는 차원이 전혀 다른 장수와 행복, 기쁨과 영광에 찬 생명이며,(마 25:21, 딤후 2:10) 눈물과 죽음과 애통과 스트레스와 아픔이 없는 생명인 것이다.(계 21:4) 이 세상에서 주님과 복음 때문에 죽음에 이르기까지 된 성도들에게 이러한 생명의 면류관 곧 복된 생명을 주시겠다고 약속하신 것이다. 세상에서 자기 나라와 신념을 위해서 생명을 버리기까지 하는 자들이 얼마나 많은가? 그런데 오늘날 기독교는 주님의 이러한 약속이 있음에도 불구하고 죽기까지 신실한 자들은 너무나 희귀한 것이다.

¤ 감동과 기도 ☆

11절 ▷ 귀를 가진 자는 누구든지 성령님께서 교회들에게 하시는 말씀을 들으라. 이기는 자는 그 둘째 사망으로부터 절대로 해를 받지 아니하리라.

ὁ ἔχων οὖς ἀκουσάτω τί τὸ πνεῦμα λέγει ταῖς ἐκκλησίαις·
자는 가진 귀를 들으라 누구든지 그 성령께서 하시는 말씀을 그 교회들에게,
ὁ νικῶν οὐ μὴ ἀδικηθῇ ἐκ τοῦ θανάτου τοῦ δευτέρου.
승리를 거두는 절대 아니 해를 받지 로부터 그 사망의 그 둘째의.

개역 한글성경은 '***τί***(티)-모든, 누구' 라는 말을 번역하지 않았고, '들을지어다' 라고 한 '***ἀκουσάτω***(아쿠사토)' 는 명령 과거 능동으로 '들으라' 이다. 주님께서 말씀하신 것을 '성령님께서 교회들에게 하시는 말씀' 이라고 하신 것은 삼위 안에서 성령님과 일체이시기 때문이며, 주님의 말씀은 성령님에 의해서 들어 깨달을 수 있기 때문이다. 성령님께서 하시는 말씀은 성령님에 의해서 영의 직감의 귀로 듣지 못하고 인간 육신의 귀로 들으려 해서는 듣지 못한다.

'이기는 자〈***νικῶν*** 니콘 -〉' 라는 말은 일곱 교회 모두에게 하신 말씀이며.(2:7, 11, 17, 26, 3:5, 12, 21)·이오안네스(요한) 계시록의 특징적인 말이다.(5:5, 6:2, 11:7, 12:11, 13:7, 15:2, 17:14, 21:7) 이기고 정복하고 승리를 거두는 자라야 왕이 되듯이, 이에수-스(예수)님은 이기신 자로서(계 3:21, 5:5, 17:14) '그분과 함께 있는 자들 곧 부르심을 입고, 빼내심을 얻고, 진실한 자들은 이길 것이라' 고 하였다.(계 17:14) 이기는 자라야 주님과 함께 영원들의 영원을 향하여 왕노릇 하게 되 때문이다.(계 22:5) 그런즉 이오안네스(요한) 계시록의 이 말씀들을 올바로 알지 못하고, 지키지 않고 어떻게 영원토록 왕노릇 하는 이기는 자가 될 수 있겠는가?

이기는 자는 둘째 사망 곧 최후 심판 후의 영원한 형벌의 장소인 불못의 해침을 절대로(οὐ μη 우 메 –**이중부정**)받지 아니할 것이라고 말씀하신 것이다. 20:6절에 천년왕국에서 주님과 함께 왕 노릇 하는 첫째(최상의) 부활에 참예하는 성도들은 둘째 사망이 그들을 다스리지 못한다고 하셨으니, 일치한 말씀이다. 둘째 사망 곧 불못이 어떤 곳임을 분명하게 안다면 순교가 두렵지 않다.

¤ 감동과 기도 ☆

【 특주 3 】

지옥과 낙원, 천국과 불못에 대하여

오늘날 기독교에 지옥과 낙원, 천국과 불못(게헨나)의 명칭과 상태를 확실히 구별하는 사람은 드물다. 거의 모두가 지옥 하나로만 알고 있거나, 지옥과 불못(게헨나)을 분별치 못하여 지옥으로만 말하고 있다.

이에 대하여 바로 분별하려면 반드시 성경 원어를 살펴보아야 하며, 그리고 영적 분별력이 있어야 한다.

1. 구약 성경에서 지옥과 낙원, 그리고 영생과 불못의 관념

이에수-스(예수)님께서 오셔서 사후의 생활에 대해 많이 알려 주시기까지, 구약에서는 자세히 알려 주시지 않았다.

구약에는 'שְׁאוֹל 쉐올' 로 65회 사용되었는데 영어 킹제임스 영어성경은 31회는 '무덤(the grave), 31회는 ' 지옥(hell)' , 3회는 '구덩이(the pit)' 로 번역하였고, ASV와 RAV는 음역하여 '쉐올(Sheol)' 로 나타냈다. 한글 개역성경은 요나서 2:2절에서 한 번 '스올' 로 번역하고 모두 '음부' (陰府)로 번역하였다. 구약 헤브라이오스(히브리인)들은 주변의 이방인들의 경우와 같이 죽은 자들이 거하는 암울한 지하세계의 장소로 생각하였으며,(욥 10:21,22, 시 6:5, 88:10~12, 94:17, 115:17, 143:3) 멸절 되어 없어질 곳이 아닌 영원히 지속될 실제적인 장소로 여겼다.

그리고 쉐올(음부)을 땅 아래로 내려가는 것으로 알았다. "지혜로운 자는 위로 향한 생명길로 말미암음으로 그 아래 있는 음부를(쉐올을) 떠나게 되느니라." (잠 15:24) "그 백발의 피를 흘려 저로 음부(쉐올)에 내려가게 하라" (왕상 2:9) "음부(쉐올)로 내려가는 자는 다시 올라오지 못할 것이오니" (욥 7:9) "사망이 홀연히 저희에게 임하여 산 채로 음부(쉐올)에 내려갈찌어다" (시 55:15) "그 집은 음부(쉐올)의 길이라 사망의 방으로 내려가느니라" (잠 7:27) "내가 그로 구덩이에 내려가는 자와 함께 음부에 떨어뜨리던 때에" (겔 31:16) 등 한결같이 쉐올(음부)를 땅 아래로 내려가는 것으로 말하였으니 지옥(地獄) 글자 그대로 땅 속에 있는 것이다. 또한 구약에는 하나님께서 자기 백성을 쉐올(음부)에서 건져주시리라는 희망적인 언급이 여러 번 나타나 있는데, 이와 같이 구약에서는 쉐올에서 선인과 악인 사이에 뚜렷한 구별이 지어져 있지 않다. 지옥(地獄 ᾅδης 하데스 hell)과 낙원(樂園 παράδεισος 파라데이소스 paradise.)에 분명한 관념이 없었다. 신구약 중간시대에 와서 다소 발전하였고, 이에수-스(예수)님께서 오셔서 분명하게 해 주셨다. 그런데 지금도 구약시대처럼 용어를 음부(陰府)로 하거나, 영원한 형벌도 지옥으로만 알고 있는 것은 무지의 소치이다.

구약에도 영원한 부활생명과 영원한 불못 형벌에 대하여도 상당하게 말하였다. 이옵(욥)은 죽은 자로부터 부활한 후 다시 회복된 육체 바깥에서 그 자신의 눈으로 신적인 심판관이 자신을 변호하는 것을 볼 것이라 하였다.(욥 19:25~27) 시편 16:9~11절은 크흐리스토스(그리스도) 이에수-스(예수)님의 부활을 예언한 것으로 확인되며, 이사야 25:8절에는 "만군의 예호바(여호와)께서 사망을 영원히 멸하실 것이라 주 예호바(여호와)께서 모든 얼굴에서 눈물을 씻기시며…"라고 했고, 헤사이아스(이사야) 28:19절에는 " 주님의 죽은 자들은 살아나고 우리의 시체들은 일어나리이다. 티끌에 거하는 자들아 너희는 깨어 일어나라" 하였으니 얼마나 부활을 생생하게 표현하였는가? 선지자 야헤쯔켈(에스겔)도 골짜기의 마른 해골 뼈들의 살아남에 대하여 환상을 예언했고,(겔 37:1~10) 다니엘도 " 땅의 티끌 가운데서 자는 자 중에 많이 깨어 영생을 얻는 자가 있겠고 수욕을 받아서 무궁히 부끄러움을 입을 자도 있을 것이라"고 하였다,(단 12:2, 3) 호쉐아(호세아) 14:13절에는 " 내가 저희를 음부의 권세에서 속량하며 사망에서 구속하리니"라고 하였으니 구약에도 부활의 신앙과 소망이 있었음을 알 수 있다.

그런가 하면 영원한 형벌에 대해서도 증거하고 있다. 이사야 66:24절에는 "그 벌레가 죽지 아니하며 그 불이 꺼지지 아니하며"라고 하였으니 이에수-스(예수)님께서 말씀하신 것과 동일한 것이다.(막 9:48) 선지자 히에레미아스(예레미야)도 "내 노를 맹렬케 하며 영영히 타는 불을 일으켰음이라"고 하였다.(렘 17:4)

2. 신약 성경에서 지옥과 낙원, 그리고 천국과 불못의 관념

신약성경에서 특히 이에수-스(예수)님께서 지옥과 낙원, 그리고 천국과 불못(게헨나)에 대하여 용어와 상태를 다르게 분명하게 말씀하셨다는 사실이다. 지옥(地獄 ᾅδης 하데스; hell)과 낙원(樂園 παράδεισος 파라데이소스; paradise.)은 이에수스(예수)님께서 재림하셔서 이 땅에서 이루실 천년왕국 후에 모든 인류가 최후의 심판을 받기 위해 모든 죽은 자들이 살아나기 전까지 죽어서 육체는 썩거나 형체가 없어지고, 구원받은 자들의 영혼은 낙원에서 위로를 받으며, 구원받지 못한 자들의 영혼은 지옥(地獄 ᾅδης 하데스; hell)불 속에서 고통 하는 것이다. 누가복음 16:19~31절에 이에수-스(예수)님께서 말씀하신 대로이다. 그러므로 지옥과 낙원은 영원한 것이 아니고 최후 심판 전까지이며, 육체 없이 영혼만 가는 사람이 죽은 후의 중간상태를 말하는 것이다.

낙원(παράδεισος 파라데이소스)에 대하여는 이에수-스(예수)님께서 십자가 위에서 한 편 강도에게 "오늘 네가 나와 함께 낙원에 있으리라" 하셨으니,(눅 23:43) 너무나 확실하고, 부자와 라자로스(나사로)에 대한 말씀에서 '아브라암(아브라함)의 품에서 위로 받는 것' 으로 말씀하셨으며,(눅 16:22, 25) 낙원 가운데 있는 생명나무로부터 먹도록 허락되는 것으로 말씀하셨다.(계 2:7) 그리고 사도 파윌-로스(바울)는 특별히 낙원에 이끌려 가서 표현 할 수 없는 말들을 들었는데 사람에게 말하도록 용인되지 않은 말이라고 하였다.(고후 12:4)

최후의 심판 후에 결정되는 하늘의 왕국과 불 못은 모든 사람의 육신이 살아나서 영혼과 함께 완전한 사람으로 최후의 영원한 운명의 상태에 처해지는 것을 말하는 것이다. 이에수-스(예수)님께서 이에 대하여 명확하게 많이 말씀하셔서 미리 경고하셨다.

하나님(하늘)의 왕국에 대하여는 특별히 이에수-스(예수)님께서 재림하셔서 이루실 천년왕국부터 영원한 하늘의 왕국을 계시하여 주신 계시록 20:1~22:21절에 너무나 자세하게 기록하여 주셨다. 여기서 말할 필요 없이 직역한 본 계시록 성경을 직접 읽어보면 얼마나 생생한지 말로 다할 수 없다.

불 못에 대하여도 이에수-스(예수)님께서 세상에 계실 때 누차 강조하여 말씀하셨고, 계시록에서도 여러 번 말씀하셨다. 이오안네스(요한) 계시록에는 최후 심판후의 영원한 형벌의 상태와 장소를 '둘째 사망,〈*τοῦ θανάτου τοῦ δευτέρου* 투- 다나투 투- 두테루〉' (2:11, 20:6, 14, 21:8) '불과 유황으로 고난을 받는 곳,〈*βασανι σθήσεται ἐν πυρὶ καὶ θείῳ* 바사니 스떼세타이 엔 퀴리 카이 트헤이오〉' (14:10) '유황 불 붙는 못,〈*τὴν λίμνην τοῦ πυρὸς τὴν καιομένην ἐν τῷ θείῳ.* 텐 크힘멘 투- 퀴로스 텐 카이오메넨 엔 토- 트헤이오〉' (19:20, 20:10, 21:8)이라 하였다. 이에수-스(예수)님께서 또한 세상에 계실 때, "마귀와 그 사자들을 위하여 예비 된 영영한 불"이라 하셨고,(마 25:41) "거기는 그들의 구더기도 죽지 않고 불도 꺼지지 않으며 사람마다 불로 소금 치듯 함을 받는 곳으로(막 9:43, 48, 49)" 게헨나〈*τὴν γέεννα*〉라고도 하셨다.(막 9:43, 마 5:22) 그러므로 손이나 발이 범죄케 하면 잘라버리고 그곳에 들어가지 않는 것이 차라리 불구자로 살다가 영생에 들어가는 것이 나을 것이라고 누차 말씀하셨다.(막 9:43, 45, 47, 마 5:29, 30)

☼ 감동과 기도 ☆

3〉 페르가모스(버가모) 교회에 하신 말씀 12~17

12절 ▷ 그리고 너는 페르가모스에 있는 교회의 그 사자에게 쓰라. 양쪽에 날선 그 예리한 칼을 가진 자가 이것들을 말한다.

Καὶ τῷ ἀγγέλῳ τῆς ἐν Περγάμῳ ἐκκλησίας γράψον, Τάδε
그리고 그 사자에게 그 있는 페르가모에 교회의 쓰라, 이것들을
λέγει ὁ ἔχων τὴν ῥομφαίαν τὴν δίστομον τὴν ὀξεῖαν·
말한다 그 가진 그 칼을 그 양쪽에 날선 그 예리한

페르가모스(버가모)는 당시 스뮈르나(서머나)의 북쪽 약 104Km 지점에 있는 도시로서, 주전 282-133년까지 150년 간 페르가모스 왕국의 수도였고, 그 후 250년 간은 로마 제국 아시아 도의 도청소재지였다. 페르가모스(버가모)는 도서관으로 유명했는데 장서가 20만 권 이상이나 되었고, 주전 170년경부터 여기서 양피지(羊皮紙)를 만들기 시작했는데, 페르가모스 왕 유메네스가 자기 나라의 도서관을 훌륭하게 만들려고 알렉산드리아 도서관장 아리스로바네스에게 뇌물을 주고 중요한 도서를 유출키로 하다가 애굽 왕 톨레미에게 알려져 아리스로바네스가 투옥되고 페르가모스에 파피루스 종이 원료 수출이 금지되었다. 페르가모스의 학자들은 그 대책으로 양피지를 만들어 사용함으로 몇 세기 후에는 파피루스를 완전히 양피지로 대치하였다. 양피지는 파피루스 보다 재질, 모양, 보존, 모든 면에서 뛰어났다. 그리하여 양피지는 '페르가모스 종이' 라는 이름을 가지게 되었고, 영어의 양피지(parchment)라는 단어가 퍼가뭄(pergamum)에서 유래되었다고 하는 것이다.

'양쪽에 날 선 예리한 칼을 가지신' 주님께서 페르가모스(버가모) 교회에 이것들을 말씀하신다고 하였다. 양의 가죽을 적절하게 재단하여 양피지를 만드는데는 예리한 칼이 필수적 용구

였다. 성경에서 하나님의 말씀은 살아 있고 양쪽에 날선 어떤 칼보다도 더 예리하여 생명(혼)과 영 둘 다, 관절과 골수 둘 다 관통하여 나누고, 마음의 생각들의 의도들을 식별한다고 하셨다.(히 4:12) 16절에 페르가모스(버가모) 교회가 니콜라(니골라)당의 가르침을 지키는 일에 대하여 마음을 바꾸지 않으면 주님께서 속히 임하여 그들을 대적하여 입의 칼로 싸우리라 하셨으니, 어떤 누구의 가르침도 대항 할 수 없는 주님의 입의 말씀으로 쳐서 파하실 것을 말씀하신 것이다. 또한 재림하시는 주님께서 그 입으로부터 예리한 칼이 나와 그것으로 민족들을 칠 것이라 하셨다.(계 19:15)

13절 ▷ 내가 네 행위들과 네가 어느 곳에 거주하며, 그 사탄의 왕좌가 어느 곳인지를 알며,

Οἶδα	*τὰ*	*ἔργα*	*σου*	*καὶ*	*ποῦ*	*κατοικεῖς,*	*ὅπου*	*ὁ*
내가아노라	그	행위들	네	과	어느곳에	거주하며,	어느곳인지를	그

θρόνος τοῦ Σατανᾶ, ← 왕좌가 그 사탄의

주님께서 페르가모스(버가모) 교회의 행위들과 저들이 거주하는 곳이 사타나스(사단)의 왕좌가 있는 곳임을 아신다고 하셨다. 페르가모스(버가모)에는 4대 우상 신전이 있었으니 주전 180년에 건축한 세계 7대 명물 중의 하나인 쥬스(제우스) 신전이 있었다. 헬라스(헬라)의 신들 중에 최고의 신으로 쥬스(제우스)신의 출생지가 페르가모스로 알려져 있었다.(행 14:13, 14 ← 한글 개역성경에 '쓰스' 신당이라고 음역했는데 '쥬스'〈*Ζεύς*〉 신당이 본명의 음역이다.)

그리고 페르가모스(버가모)에서는 아에스클레피어스(Aesculapius) 라는 그리이스 신화에 나오는 반인반마(伴人伴

馬)의 의술(醫術)의 신을 섬겼는데, 사람의 질병을 치료해 주는 신으로, 당시 병원 앞에는 어김없이 이 아에스클레피어스의 신상이 있었다. 많은 사람들이 원근각처에서 질병을 고침 받기 위해 페르가모스에 모여들었으며, 고대 의학 사상 그리이스의 히포크라테스(Hippokrates) 다음으로 유명한 갈렌(Gallen)은 페르가모스 출신이었다.

또한 아테네(Athene) 신전이 있었는데 잉태와 지혜의 여신으로 출산하지 못하는 여자나 얼굴이 고와지기를 소원하여 숭배하는 신이었다. 특히 예술인과 전쟁에서 지혜를 필요로 하는 군인들에게 적합한 신이었다.

뿐만 아니라 페르가모스는 로마 행정의 중심지로서 황제 숭배의 중심지이기도 했다. 강요에 의해서가 아니라 지방 관원들에게 백성들이 아첨하기 위해 자원해서 한 것이다. 페르가모스에서는 주전 29년에 카이샤 아우구스투스(Caesar Augustus 주전 30년 주후 14년) 황제의 신전을 세웠던 것이다. 로마 황제 숭배의 핵심은 '가이사는 주이시다' 고 하는 것이었고, 그렇게 하면 다른 신을 섬겨도 상관치 않았다. 그리고 수태와 지혜의 여신 아테네(Athene)는 예술인과 군인들의 숭배 대상이었다.

실로 페르가모스는 사탄의 왕좌가 있는 곳이라고 할 우상숭배의 중심지였다.

▷그리고 네가 내 이름을 단단히 붙잡아, 내 신실한 증인 안티파스가 너희 가운데 사탄이 거하는 곳에서 사형에 처해지는 그 날들 그때에도 내 믿음을 결코 부인하지 아니하였도다.

καὶ	*κρατεῖς*	*τὸ*	*ὄνομά*	*μου,*	*καὶ*	*οὐκ*	*ἠρνήσω*	*τὴν*	*πίστιν*
그리고	(단단히)붙잡아		이름을	나의,	또한	결코아니	부인하지	그	믿음을

μου καὶ ἐν ταῖς ἡμέραις ἐν αἷς Ἀντιπᾶς ὁ μάρτυς πιστός,
나의 그리고 에 그 날들, 안에 사람 안티파스가 그 증인 신실한
μου ὁ ὃς ἀπεκτάνθη παρ' ὑμῖν, ὅπου κατοικεῖ ὁ σατανᾶς.
나의 그 것 사형에 처해지는 가운데 너희, 곳에서 거하는 그 사탄의

그런데 페르가모스(버가모) 교회 성도들은 주님의 이름을 단단히 붙잡아, 그들 가운데 신실한 증인 안티파스(안디바)가 페르가모스에서 사형에 처해지는 그 환란의 날에도 믿음을 부인하지 않았음을 주님께서 아신다고 하셨다.

안티파스(안디바)〈*Ἀντιπᾶς*〉라는 이름은 *Ἀντι*(…을 **반대하여**)라는 말과 *πᾶς*(모든)이란 말의 합성어로 '**모든 것을 반대하여**' 라는 의미가 되는데, 묘하게 안티파스(안디바)는 페르가모스(버가모)에서 자행되는 모든 죄와 악을 반대하여 순교의 죽음을 기꺼이 당함으로 주님으로부터 '나의 신실한 증인 안티파스' 라는 말씀을 듣게 된 것이다. 사도 파월-로스(바울)께서 '크흐리스토스(그리스도)님으로 말미암아 세상이 나에게 못박히고, 그리고 내가 세상에게 (*그러하니라*)' 하신 말씀대로인 것이다.(갈 6:14)

전승에 의하면 안티파스(안디바)는 페르가모스(버가모) 교회의 감독이었는데 명성이 높아 로마 황제 종파에 잡혀서 놋으로 만들어 달군 황소 속에서 구워져 죽임을 당했다고 한다.(Moffat) 역사가 유세비우스(Eusebius)는 말하기를 이오안네스(요한) 후대에 페르가모스(버가모) 교회에서 칼푸스(Carpus), 파필루스(Papylus), 아가도니케(Agathonike)등 순교자들이 나왔다고 하였다. 핍박자들이 그 순교자들로 하여금 크흐리스토스(그리스도)를 훼방하는 말을 하게 하려고 말로 형언할 수 없는 악행을 가했으나 그들은 항복하지 않았다고 한다.

☼ 감동과 기도 ☆

14절 ▷그렇지만 내가 너희에게 대하여 어느 만큼 반대하고 있으니, 왜냐하면 네가 발라암의 교훈을 거기 단단히 붙잡고들 있기 때문이라. 저가 발락에게 가르쳐 이스라엘 자손들 앞에 함정을 놓아 우상의 제물들을 먹게 하고 또 간음하게 하 였느니라.

ἀλλ' ἔχω κατὰ σοὺ ὀλίγα, ὅτι ἔχεις
그렇지만 내가 생각하고있으니 대하여 네게 어느만큼, 때문이다 네가 있기
ἐκεῖ κρατοῦντας τὴν διδαχὴν Βαλαάμ, ὃς ἐδίδασκεν
거기 단단히 붙들고들 그 교훈을 발람의, 저가 가르쳐
ἐν τῷ Βαλὰκ βαλεῖν σκάνδαλον ἐνώπιον τῶν υἱῶν Ἰσραήλ,
안에 그 발락 놓아 함정을 앞에 그 자손들 이스라엘의
φαγεῖν εἰδωλόθυτα καὶ πορνεῦσαι.
먹게하고 우상의 제물들을 그리고 간음하게

개역 한글성경에 "그러나 네게 두어 가지 책망할 것이 있나니"라고 번역한 '*ἀλλ' ἔχω κατὰ σοῦ ὀλίγα*(알르 에크호 카타 수- 올리가)' 라는 말은 에프헤소스(에베소) 교회에 '*ἔχω κατὰ σου*(에크호 카타 수-)' 라고 하신 말씀과 대동소이하다. 에프헤소스(에베소) 교회에는 "내가 네게 대하여 반대하고 있으니"라는 말이었지만 페르가모스(버가모) 교회에게는 "그렇지만 내가 네게 대하여 어느 만큼 반대하고 있으니"라는 말이다. '그렇지만' '어느만큼' 이라 하신 것은 잘하고 있지만 교인들 중에 부분적으로 발라암(발람)의 교훈을 단단히 붙들고 놓지 않는 자들이 있고, 그리고 교회 전체적으로도 발라암(발람)의 가르침을 어느 정도 취하는 경향이 있음으로 그것에 대하여 반대하는 생각을 가지고 계신다는 말씀이다. 페르가모스(버가모) 교회 이름이 1:11절과 2:12절에 모두 단수로 되어 있으니, 에프헤소스(에베소) 교회와 프힐라델프헤이아(빌라델비아) 교회 이름도 두 번

다 단수로 되어 있음) 집필자의 생각으로는 주님께서 이 세 교회는 영적으로 한 경향을 가진 단일한 교회로 보신 것 같다.

그러면 발라암(발람)의 가르침은 어떤 것을 말함인가? 이스라엘 백성이 장장 40년의 고달픈 광야생활을 마치고 가나안 땅에 들어가기 위해 야르덴(요단)강 건너편 모압 평지에 이르렀을 때였다. 모압(롯의 자손) 왕 발락이 선지자 발라암(발람)에게 뇌물을 보내며 이스라엘 백성을 저주해 달라고 했을 때, 참된 선지자라면 옳지 못한 일을 일언지하(一言之下)에 거절해야 마땅한데도 왕의 요청과 물질과 명예의 유혹을 물리치지 못하고 우유부단(優柔不斷)한 말과 태도로 물질과 권세에 계속 타협하려 했던 것이다.(민 22:1~24:25) 페트로(베드로)후서 2:15절과 이우다스(유다)서 1:11절에 '불의의 삯을 사랑하며 빗나간 발라암(발람)의 길' 이라 하였다. 그리고 발라암(발람)이 발락에게 가르쳐 이스라엘 자손들 앞에 함정을 놓아 우상의 제물들을 먹게 하고 또 간음하게 하였다고 하신 것이다. 그 일이 민수기 25장과 31:16절에 기록되어 있다.

주님께서 페르가모스(버가모) 교회에게 발라암(발람)의 교훈이라 하신 것은 우상 신전이 많은 페르가모스(버가모)에서 우상 제물을 먹는 것과 음란한 성행위는 예사로운 일이 되어 교회 신자들 중에도 적당히 타협하는 자들이 있었다는 말씀이다. 우상의 제물을 먹는 것과 음행의 문제에 대해서는 초대 히에루살렘(예루살렘)교회 사도와 장로들의 총회에서 금지하도록 결정했고,(행 15:29) 사도 파월-로스(바울)는 우상이 아무것도 아님을 아는 믿음이 있으면 먹어도 문제는 아니나, 우상의 제물인줄 알고는 먹지 않아야 한다고 하였으며,(고전 8:7, 10:25) 제물을 먹는 자는 제단에 참예하는 것이며, 이방인들이 제사하는 것은 악령〈δαιμονίων 다이모니온〉에게 하는 것으로 우상의 제물을 먹는 것은 악령과 교제하는 것이며, 성도는 주님의 상과 악령들의 상에 참예하여 마실 수 없다고 하였다.(고전 10:20~21)

그리고 발라암(발람)이 발라크(발락)의 요청대로 이스라엘을 저주하지는 않았으나(민 23:25~26, 24:10~13) 이스라엘 백성을 유혹하여 모압 여인과 음행하는 꾀를 발라크(발락)에게 가르쳐 주어 이스라엘 백성들이 모압 여인들과 간음하므로 하나님의 진노를 받게 하였던 것이다.(민 31:16, 25:1~9) 그와 같이 페르가모스(버가모) 교회 중에 발라암(발람)의 교훈을 단단히 붙잡고 세상의 물질을 사랑하여 타협하고(벧후 2:15) 음행하는 자들이 있었던 것이다.

산 자가 죽은 자를 놓지 않고 단단히 붙잡고 있으면 어떻게 되겠는가? 자기도 죽게 된다. 맑은 물을 썩은 물과 함께 섞으면 맑은 물도 썩은 물이 되어버린다. 흔히 설교를 너무 맑게 하면 고기가(교인?) 모이지 않는다고 한다. 그러나 주님께서 원하시는 고기는(교인?) 청정 1급수에 사는 고기이지 4급수에 사는 많은 고기가(교인?) 아닌 것이다. 주님께서는 질을 원하시지 양을 원하시지 않는다. 하나님께서 이스라엘을 특별한 자기 백성으로 삼으신 이유는 모든 민족 중에서 수가 많아서가 아니라 가장 수가 적었기 때문에 택하셨다고 하셨다.(신 7:7)

15절 ▷ 또한 네가 이와 같이 니콜라당의 그 교훈을 단단히 붙 들고 있으니 내가 그것을 몹시 싫어하노라.

οὕτως	ἔχεις	καὶ	σὺ	κρατοῦντας	τὴν	διδαχὴν	τῶν
이와같이	있도다	또한	네가	(단단히) 붙들고	그	교훈을	그

Νικολαϊ ὅ μισῶ. ← 니콜라당의 그것을 몹시 싫어하노라

발라암(발람)의 교훈을 단단히 붙잡고 있다는 말씀을 하시고는, 이와 같이 니콜라(니골라)당의 교훈도 전적으로 옳다고 단단히 붙들고 있는 자들이 있다고 하신 것이다. 그렇지 않은 자도 니콜라(니골라)당의 잘못된 가르침을 어느 정도 취하고 있기 때문이라는 말씀이다. 발라암(발람)의 교훈과 니콜라(니골라)당의 교훈이 상통하는 것이 우상의 제물을 먹게 하고 간음하게 하는 것이라 하신 것이다. 이것은 니콜라(니골라)당 교훈의 중점인, 은혜로 구원받는 것은 영이고 육은 악한 것이므로 죄를 지어도 구원과 상관이 없다는 가르침인 것이다. 이것은 하나님의 구원의 은혜는 인간의 행위와 노력을 완전히 배제하는 전적인 은혜만을 강조하는 교리이며, 육신은 죄를 짓지 않을 수 없다 하는 현실과 타협하는 신앙과 교리인 것이다.

『니콜라(니골라)당의 가르침은 '무 율법주의' '무도덕주의' 로서 1〉 율법의 때는 지났으므로 지킬 필요가 없다. 2〉 육신은 악하고 영 만이 선하므로 육신으로 무엇을 하든지 관계없다. 3〉 그리스도인은 은혜로 보호받고 구원받기 때문에 어느 곳에 가서 무엇을 행하든 해 받음이 없다고 주장하였다.』**《박윤선 박사 주석》**

『진리에 대한 기준을 상실하고 주님의 교훈을 구시대적 유물이라고 치부하며, 주님의 말씀을 우리가 편한대로 해석하는 것이 오늘날 교회의 모습인 것이다. … 주님을 입으로 시인하면 구원받으니 다음 일은 아무래도 상관없다는 식으로 되어 가는 것이다. …믿음과 행위는 새의 두 날개와 같다. 하나만 있어서는 새가 날 수 없다』**《옥스퍼드 원어 성경대전》**

주님께서 몹시 싫어하신다고 하신 니콜라(니골라)당의 잘못된 가르침은 페르가모스(버가모) 교회에만 아니라(2:15) 에프헤소스(에베소) 교회에도 말씀하셨다.(2:6)

16절 ▷ 마음을 바꾸라. 만약 그리하지 아니하면 내가 네게 속히 가서 그리고 내 입의 칼로 그들의 대적으로 싸우리라.

μετανόησον· εἰ δὲ μή, ἔρχομαί σοι ταχύ, καὶ
마음을바꾸라 만일 그리하지 아니하면 내가 가서 네게 속히 그리고
πολεμήσω μετ' αὐτῶν ἐν τῇ ῥομφαίᾳ τοῦ στόματός μου.
싸우리라 대적으로 그들의 로(수단) 그 칼 그 입의 나의

'*μετανόησον*(메타노에손)은 '마음을 바꾸다, 회개하다, 회심하다' 라는 동사 명령 과거 능동으로 근본적이고 능동적인 혁신을 명령하시는 말씀이다. 에프헤소스(에베소) 교회에도,(2:5) 트휘아테이라(두아디라) 교회에도,(2:21) 사르데이스(사데) 교회에도,(3:3) 라오디케이아(라오디게아) 교회에도(3:19) 동일하게 명령하고 촉구하셨다.

만약 근본적으로 혁신되지 아니하면 주님께서 페르가모스(버가모) 교회에 속히 임하여 주님의 입의 칼로 그들을 대적하여 싸우리라고 하셨다. 타락한 선지자 발라암(발람)은 그릇된 길로 가던 중 칼을 빼 든 하나님의 사자의 경고를 받고도 그릇된 길에서 돌아서지 아니하고 갔으며,(민 22:23) 끝내 이스라엘 백성의 칼에 죽임을 당하게 되었다.(민 31:8, 수 13:22)

17절 ▷ 귀를 가진 자는 누구든지 성령님께서 교회들에게 하시는 말씀을 들으라. 이기는 그에게는 그 감추어져 있는 그 만나로부터 먹도록 내가 허락하리라.

ὁ ἔχων οὖς ἀκουσάτω τί τὸ πνεῦμα λέγει ταῖς ἐκκλησίαις·
자는 가진 귀를 들으라 누구든지 성령께서 말씀하시는 것을 교회들에게
τῷ νικῶντι δώσω αὐτῷ φαγεῖν ἀπὸ τοῦ μάννα τοῦ
그 이기는 허락하리라 그에게 먹도록 로부터 그 만나 그
κεκρυμμένου, ←감추어져 있는,

'ἀκουσάτω(아쿠사토)' 는 '들을지어다' 하는 희구나 소원을 말함이 아니고, 동사 명령 과거 능동으로 귀를 가진 사람이라면 누구든지 '들으라' 하시는 주님의 엄숙한 명령이시다. 소원과 명령이 어떻게 다른가? 이 한 단어의 번역만도 엄청난 차이가 있으니 성경 전체에서 원어 직역을 바르게 하는 것이 얼마나 중요한지 말로 할 수 없을 만큼 긴요하다.

주님께서 말씀하신 대로 극복하여 이기는 그에게는 감추어진 만나로부터 먹도록 허락하리라고 하셨다. 만나는 이스라엘 백성들이 광야에서 40년 간 살면서 매일 아침마다 하늘로부터 하나님께서 내려 주셨던 양식이었다.(출 16:1~36) '감추어(숨겨)져 있던 만나' 라고 하신 것은 하나님께서 모세에게 금 항아리에 만나 한 오멜(1.2되)을 담아 지성소에 대대로 보관하라 하셨는데,(출 16:31~34, 히 9:4) 출애굽기 16:33절에서 추론한 유대인 랍비들의 전설에 의하면 주전 586년 바벨(바벨론) 네부카드네짜르(느부갓네살) 왕이 히에루살렘(예루살렘)을 침공할 때 선지자 히에레미아스(예레미야)가 법궤와 함께 만나 항아리를 동굴에 감추었는데 주님께서 재림하실 때 찾아질 것이라고 하였다.(2 Macc. 2:4-6. Mechilta Ex 16:25) 그런데 여기서 주님께서 '감추었던 만나' 라 하신 것은 히에레미아스(예레미야) 선지자가 감추었던 금 항아리의 만나를 먹도록 허락하시겠다는 말씀이 아니라, 그처럼 하늘에 간수되어 있는 영원토록 하늘 왕국에서 먹을 양식을 먹도록 허락하시겠다는 말씀이다. 만나는 권세 있는 자<אַבִּירִים 아비림 -**천사의, 최고의, 강한(사람)**>의 음식이며 하늘 양식이라 하였다.(시 78:24, 25) 웰빙 시대에 건강 음식들을 찾고 있지만 만나 같은 최고의 양식은 세상에 없는 것이다. 만나는(계 2:17) 생명수와 생명 과일과 함께(계 22:1, 2 14) 하늘의 왕국에서 주님과 천사들과 함께 영원토록 먹을 생명의 양식으로 감추어져 있는 것이다.

구약 히브리어 만나는 'מָן;(만)' 인데. '마(מָה)에서 유래한 말이라고 한다. 광야에서 처음 만나가 내렸을 때 이스라엘 백성들이 이것이 무엇인지 알지 못하여 서로 말하기를 '이것이 무엇인가?' 하니 모세가 '예호바(여호와)께서 너희에게 주셔서 먹게 하신 양식이라' 고 한 것이다. '이것이 무엇인가?' 라고 했던 말이 만나의 이름 '만' 이다. '하늘에서 온 곡식' (한글개역 '하늘 양식' 시 78:24) '천사들의 음식' (한글개역 '권세 있는 자의 떡) 이라 하였으니, 이것은 만나가 이스라엘 백성을 위한 신비의 양식이었다는 것을 시사해 준다

이오안네스(요한)복음 6:49절 이하에서 이에수-스(예수)님께서 만나에 대하여 말씀하신 것은 광야에서 내렸던 만나는 그것을 먹었던 백성들을 죽음에서 지켜 주지 못하였으나 하늘로서 내려온 참 떡인 나를 먹는 자는 영원히 죽지 않는다고 말씀하신 것이다.(요 6:51) 이에수-스(예수)님께서, 먹으면 죽지 않는 영원한 생명의 신비한 양식인 만나를 이기는 자에게 주시겠다고 하신 것이다.

▷ 그리고 흰 조약돌을 그에게 줄 것인데, 그 돌 위에 새로운 이름을 기록한 것이 있어 받는 자 외에는 그것을 아는 자가 아무도 없느니라.

καὶ δώσω αὐτῷ ψῆφον λευκήν, καὶ ἐπὶ τὴν ψῆφον ὄνομα
그리고 줄것인데 그에게 조약돌을 흰, 그리고 위에 그 돌 이름을

καινὸν γαμβάνων. ὃ οὐδεὶς ἔγνω εἰ μὴ ὁ λαμβάνων.
새로운 기록한 것이 자 그것을 아는 외에는 없다 자 받는

만나만 아니라 이기는 그에게는 흰 조약돌을 줄 것인데, 그 조약돌에는 새로운 이름을 기록한 것이 있어서 받는 자 외에는 그 이름을 아는 자가 아무도 없다고 하신 것이다. 흰 조약돌에 대한 여러 가지 추정하는 말이 있으나 무익함으로 지면을 아끼기 위해 거론치 않고, 가장 확실한 뜻만을 말하고자 한다.

당시 경기에서 우승하는 자는 흰 조약돌에 그의 이름을 새겨 주었고, 그리고 특별한 연회에 초대되는 사람에게 초대장으로 흰 돌에 이름을 기록하여 보냄으로 연회에 입장권이 되게 했던 것이다. 만나가 이에수-스(예수)님 자신을 예표하듯이(요 6:47~51) 흰 돌도 이에수-스(예수)님을 예표하는데 이에수-스(예수)님의 하늘왕국 잔치에 입장권으로 이기는 자의 새로운 이름을 기록한 흰 조약돌을 주시겠다는 표징이며 약속의 말씀인 것이다. 그런데 이 세상에서의 이름 그대로가 아닌 영원한 하늘왕국에서 불려질 그의 새롭고 영광스런 이름이기 때문에 새겨져서 받는 그만이 받을 때 아는 것이다.

성경에 보면 하나님께서 믿음의 사람들을 특별한 계기에 새로운 이름을 주신 예가 있음을 볼 수 있다. 하나님께서 아브람(높은 아버지)을 아브라함(무리의 아버지)이라 부르라 하셨고,(창 17:5) 싸라이(사래-공주)는 싸라(사라 -왕후)라 하라 하셨고,(창 17:15) 야아코브(야곱 -탈취 하는 자)는 이쓰라엘(하나님의 군사)로 새 이름을 주셨고,(창 32:22~28) 예수님께서 시몬(귀기울여 듣는)을 켚하스(페트로스-반석)로 새 이름을 주셨다.(요 1:42) 사윌-로스(사울 -요구 된)는 파윌-로스(바울 -작은)로 바뀌었다.(행 13:2, 7) 주님께서 말씀하신대로 이기는 성도들이 영원들의 영원을 향하여 복되고 영광스럽게 왕노릇하게 될 때 새로운 이름의 명패를 주시는 것은 너무나 당연하고 복된 것이다. 알렐루이아(할렐루야!) 아멘!

☼ 감동과 기도 ☆

4〉 트휘아테이라(두아디라) 교회에 하신 말씀 18~29

18절 ▷ 그리고 너는 트휘아테이라에 있는 교회의 사자에게 쓰라. 불의 불꽃같은 그 눈들을 가진 자 그리고 그 발들이 빛난 주석 같은 하나님의 아들인 자가 이것들을 말한다.

Καὶ τῷ ἀγγέλῳ τῆς ἐν θυατείροις ἐκκλησίας γράψον, Τάδε
그리고 그 사자에게 그 있는 트휘아테이라에 교회의 쓰라, 이것들을
λέγει ὁ υἱὸς τοῦ θεοῦ, ὁ ἔχων τοὺς ὀφθαλμους αὐτοῦ ὡς
말한다 자가 아들인 그 하나님의, 자 가진 그 눈들을 그분의 같고
φλόγα πυρός, καὶ οἱ πόδες αὐτοῦ ὅμοιοι χαλκολιβάνῳ·
불꽃 불의, 그리고 그 발들이 그분의 같은 빛난 주석

트휘아테이라(두아디라)는 페르가모스(버가모)에서 동남쪽으로 약 64km 정도에 있는 도시로서 오늘날에는 아킷사르(Akhissar)로 불리운다. 이곳은 알렉산더 대왕이 페르시아를 정복한 후에 주전 280년경 군사적 요충지로 건립되었는데, 주전 190년에는 로마군에 점령되었다. 이 도시에는 무역업이 번창하여 많은 무역상들이 왕래하였으며, 유명한 염색공장 지대였다는 것은 사도행전 16:14절에 트휘아테이라 성읍의 자주 장사 뤼디아(루디아)의 경우를 보아서 알 수 있다.

이 도시 역시 당시 소아시아의 대부분의 도시가 그러했듯이 우상숭배가 난무하던 곳이었다. 이 도시의 수호신은 시와 음악, 그리고 예언과 의술을 주관한다는 태양신 아폴로(Apollo)였다. 아폴로 신전 외에도 아르테미스 신전, 삼바타 신전, 헬리오스 신

전 등 그리이스-로마의 신화에 나오는 신들을 숭배하는 신전들이 즐비하였다.

19절 ▷ 내가 너의 행위들 그 사랑과, 그 봉사와, 너의 그 믿음과 그 희망찬 인내와, 너의 수고들과, 그리고 먼저의 것들보다 마 지막 것들 뛰어남을 아노라.

Οἶδά σου τὰ ἔργα καὶ τὴν ἀγάπην, καὶ τὴν διακονίαν,
내가 아노니 너의 행위들 과 그 사랑, 와 그 봉사,
καὶ τὴν πίστιν καὶ τὴν ὑπομονήν σου, καὶ τὰ ἔργα σου,
과 그 믿음 와 그 인내 너의, 과 그 수고들 너의,
καὶ τὰ ἔσχατα πλείονα τῶν πρώτων.
그리고 것들 마지막 보다 뛰어남을 것들 먼저의

트휘아테이라(두아디라) 교회의 행위들과 사랑과 봉사와 믿음과 저들의 인내와 저들의 수고가 시작보다 마지막이 더욱 뛰어남을 주님께서 아신다고 하셨다. 트휘아테이라(두아디라) 교회는 행위들 중에 무엇보다 사랑의 행위가 우선적이었다. 사도 파월-로스(바울)는 트헤쌀로니케(데살로니가) 교회에 대하여 세 번이나(살전 1:3, 3:6, 5:8) 믿음의 행위와 사랑의 수고와 소망의 인내의 순서로 말하였는데, 트휘아테이라(두아디라) 교회는 기반이 되어야 할 믿음을 사랑과 봉사 뒤에 두어 사랑과 봉사를 우선으로 하다보니 이에제벨(이세벨)의 잘못된 가르침을 용납한 것이다. 에프헤소스(에베소) 교회와는 반대이다.

또한 그 모든 것이 처음 시작할 때보다 마지막이 더욱 뛰어난 것이 트휘아테이라(두아디라) 교회의 특징이었다. 외양적(外樣的)으로 참 훌륭한 교회였다. 사업이 번창한 도시라서 교인들의 성향도 사업적이고 부지런하고 활동적이었던 것 같다. 사랑이 넘치며 봉사가 활발하고 인내와 수고가 칭찬할만 하여 교회는 외양적으로 번창한 교회였다.

20절 ▷ 그렇지만 내가 어느 만큼 네게 대하여 반대하고 있으니, 그 스스로 여 선지자라 말하는 여자 이에자벨을 네가 허용하여, 그가 내 종들을 가르쳐 꾀임을 받게 하여 간음하게 하며, 우상의 제물들을 먹게 하였기 때문이라

ἀλλ' ἔχω κατὰ σοῦ ὀλίγα, ὅτι ἐᾷς τὴν γυναῖκα
그렇지만 내가 생각하고 있다 대하여 너의 어느만큼 때문이다 허용하고 그 여자
Ἰεζαβήλ, τὴν λέγουσαν ἑαυτὴν προφῆτιν, διδάσκειν καὶ
이에자벨을, 그 말하는 스스로 여선지자, 가르쳐 그리고
πλανᾶσθαι ἐμοὺς δούλους, πορνεῦσαι καὶ εἰδωλόθυτα φαγεῖν.
길을 벗어나게하여 나의 종들을, 간음하게 하고 그리고 우상의 제물들을 먹게하였기

그러나 자칭 여선지자라 하는 이에자벨(이세벨)을 허용하고 버려 두어 교인들을 가르쳐 꾀임을 받게 하여 우상의 제물을 먹게 하고 간음하게 함으로 내부적 영적으로는 부패하게 한 것이다. 에프헤소스(에베소) 교회는 버려두지 않아야 할 처음 사랑을 상관치 않고 버려두어 큰 문제였고, 트휘아테이라(두아디라) 교회는 반대로 버려두지 않아야 할 잘못 가르치는 자를 상관치 않고 버려 둔 것이 큰 문제였다. 교회와 신앙생활에 버려두지 않아야 할 것(사랑)과 버려야 할(진리 아닌) 것을 올바로 분별하여 균형 있게 하는 것은 대단히 중요하다. 그러나 그렇게 하기가 쉬운 것이 아님으로 그렇게 하는 교회나 개인은 참으로 칭찬 받을 만큼 복된 것이다. 교회에 아직 신뢰가 쌓이지 않은 형제가 경제적 어려움을 호소할 때 형편이 여유가 없는데도 사랑의 베풂을 외면할 수만 없는 경우가 있는데, 주님의 말씀대로 이기는 자가

되려면 실행에 참으로 고통이 수반되는 것이다.

트휘아테이라(두아디라) 교회에 자칭 여선지자라 하는 이에자벨(이세벨)이 있었다고 하셨는데 구약 열왕기상 16:29~33절에 보면 북 이스라엘의 7대 왕 아흐아브(아합)가 부왕(父王) 오므리에 의해 정략적으로 고대 카나안 종교의 본고장인 페니키아의 찌돈(시돈) 왕 엩바알(엣바알)의 딸인 이제벨(이세벨)과 결혼을 시킴으로 왕후가 된 이제벨이 페니키아 종교의 여선지자의 역할을 수행하여 아흐아브(아합) 왕은 물론 온 이스라엘을 철저한 바알과 아쉐라 숭배로 몰아 넣었던 것이다. 바알은 농경과 가축과 인간의 다산(多産)을 조절한다는 프호니케(베니게)의 남자 신으로 음란하게 숭배하는 것이 특징이었고,(삿 2:17) 아쉐라는 바다의 여신으로서 두로의 주신이었다. 바알과 아쉐라는 짝지어져 있는 남녀 신으로(삿 3:7, 왕상 18:19, 왕하 23:4) 이 신들의 숭배에 음란은 주 행사였다.

신들의 숭배에 만연되어 있는 트휘아테이라(두아디라)에서 각양 조합에 가입해야 사업 또는 직장을 가질 수 있고, 조합은 각각 신전에서 숭배하고 회식을 하며 음행하는 일을 하는데, 여기에 동참하지 않으면 왕따 되어 사회에서 완전히 매장되는 것이다. 그래서 트휘아테이라(두아디라) 교회의 자칭 여선지자라 하는 이에자벨(이세벨)이 나서서 가르치고 꾀이기를 "세상에 우상(이방 신 또는 제물)은 아무것도 아니므로 먹어도 괜찮으니 왜냐하면 한 분밖에 다른 하나님은 없기 때문이라"(고전 8:4) 하면서, 그리고 "영이 구원받는 것이므로 육신으로 죄짓는 것은 구원과 상관없으며, 사업상 회식에 참예하는 것은 죄가 아니며" 등 감언이설(甘言利說)로 교인들을 꾀인 것이다. 『'복음은 신자들로 하여금 율법에서 해방시켜 준다' 는 교리를 곡해하여 반율

법주의로 떨어지는 악한 사상이 고대 교회에 유행하였다.』《**박윤선 박사 주석**》

트휘아테이라(두아디라) 교회에 스스로 여 선지자라 말하는 여자 이에자벨(이세벨)의 가르침과 행위는 에프헤소스(에베소) 교회가 미워하고(2:6) 페르가모스(버가모) 교인 중에 단단히 붙들고 있던 발라암(발람)의 가르침과 니콜라(니골라)당의 가르침과 행위와(2:14~15) 공통적이었다. 기독교의 이단과 모든 사이비의 가르침과 행위는 모두 공통적인 것과 같다.

오늘날 교회가 탐심은 우상숭배인데도(엡 5:5, 골 3:5) 믿는 자들에게 기복 신앙을 조장함으로 이에수-스(예수)님의 가르침에 반대로 욕심을 버리지 못하게 하며, 믿는 남자와 여자들이 세상과 친하는 것은 하나님의 적(敵)인 영적으로 간음하는 남편과 아내와 같은데도(약 4:4) 현대 교회는 이러한 것들을 방조하고 있고, 열린 예배, 열린 교회라 하여 오히려 이러한 것들을 장려하는 것이 이에자벨(이세벨)의 교훈인지도 알지 못하고 있는 것이다.

21절 ▷ 그리고 내가 그녀에게 자신의 행음으로부터 개심을 위하여 기회를 주었으나, 개심하지 아니하였느니라.

καὶ ἔδωκα αὐτῇ χρόνον ἵνα μετανοήσῃ ἐκ τῆς πορνείας
그리고 주었으나 그에게 기회를 을 위하여 개심할 으로부터 그 행음의
αὐτῆς, καὶ οὐ μετανόησεν.
그자신의 그렇지만 아니하였다 개심치

주님께서 트휘아테이라(두아디라) 교회의 이에자벨(이세벨)에게 행음으로부터 개심하도록 기회를 주었으나 결코 개심하지 않았다고 하였다. 주님께서는 어떤 큰 죄인도 바로 벌하거나 버리시지 않으시고 개심하여 용서받기를 원하신다.(벧후 3:7~10)

제 2 장

'주었으나' 라는 '*ἔδωκα* 에도카' 는 '제공하다' 라는 뜻인 '*δίδωμι* 디도미' 의 계속적 용법 부정 과거형으로 과거부터 현재까지 지속적으로 개심을 권고하고 있음을 의미한다. 구약의 이제벨(이세벨)도 끝내 개심치 않았다.(왕상 21:23~29)

22절 ▷보라, 내가 그를 침상에 던지며, 또한 그 여자와 함께 간음 하는 자들도 누구든지 자신들의 행위들로부터 개심하지 아니함으로 큰 환난에 던지고 있느니라.

ἰδού, ἐγὼ βάλλω αὐτὴν εἰς κλίνην, καὶ τοὺς μοιχεύοντας
보라 내가 던지며 그를 에 침상, 그리고 자들도 간음하는
μετ' αὐτῆς εἰς θλῖψιν μεγάλην, ἐὰν μη μετανοήσωσιν
함께 그 여자와 에 환난 큰, 만일~면 아니하 개심치
ἐκ τῶν ἔργων αὐτῶν. ←로부터 그 행위들을 자신들의

침상은 평소에는 수면과 휴식의 자리지만 병들 때는 병든 자의 자리가 되기도 한다. 주님께서 이에자벨(이세벨)을 벌하여 병으로 눕게 하겠다는 말씀이다. 구약의 이제벨(이세벨)도 끝내 개심치 않고 창문에서 떨어져 온 몸이 부서져 죽게 되었다.(왕하 9:33~35)

그리고 이에자벨(이세벨)과 함께 간음하는 자들도 누구든지 자신들의 행위들로부터 개심치 아니하면 그와 같이 침상에 던진다는 말씀이다. 행위를 바꾸려면 마음을 바꾸어야 잘못된 행위가 다시 나오지 않지 마음을 바꾸지 않고 행위만을 바꾸려고 하면 일시적으로 또는 부분적으로는 행위가 바뀌어도 완전히 바뀌지 않고, 그리고 다시 그 행위가 나타나게 되는 것이다.

개역 한글성경에 '던질터이요' 라고 번역했으나, '던지다' 는 말 '*βάλλω* 발로' 는 현재형으로서 '던지고 있느니라' 가 바른 번

역이다.

23절 ▷ 또한 내가 그의 자녀들을 죽음 가운데 죽이리니, 그러므로 모든 교회들이 나는 의지나 감정들 그리고 마음들을 살피는 자인 줄 알 것이다. 그리고 너희들의 그 행위들대로 너희들 각자에게 줄 것이다.

καὶ τὰ τέκνα αὐτῆς ἀποκτενῶ ἐν θανάτῳ· καὶ γνώσονται
그리고 그 자녀들을 그의 철저하게 죽이리니 가운데 사망, 그러므로 알 것이다
πᾶσαι αι ἐκκλησίαι ὅτι ἐγώ εἰμι ὁ ἐρευνῶν νεφρους καὶ
모든 그 교회들이 왜냐하면나는 이다 자 살피는 의지, 감정들을
καρδίας· καὶ δώσω ὑμῖν ἑκάστῳ κατὰ τὰ ἔργα ὑμῶν.
마음들을, 그리고 주리라 너희들에게 각자에게 대로 그 행위들 너희들의

그리고 "그의 자녀들을 죽음 가운데 죽이리니"라고 하셨으니, 개심치 않는 자들을 주님께서 얼마나 노하시는가 하는 말씀이다. "그의 자녀들을 죽음 가운데 죽이리니 모든 교회들이 나는 의지나 감정들 그리고 마음들을 살피는 자 인줄 알 것이니라. 그리고 너희들의 그 행위들대로 너희들 각 사람에게 주리라." 하셨으니, 마리아의 품에 안긴 아기 이에수-스(예수)님으로 연모하는 카톨릭의 관념이나, 늘 상 십자가에 못박혀 피흘려 죽으신 이에수-스(예수)님으로만 생각하고 있는 오늘날 기독교의 편협된 관념은 계시록에서 주님께서 친히 계시하여 나타내신 말씀에서 바르게 교정되어야 할 것이다.

"각 사람들의 그 행위들대로 각 사람에게 갚아 주리라" 하신 것은 계시록에서 두드러지며,(계 2:23, 18:6, 20:12, 13, 22:12) 이에수-스(예수)님과 사도 파월-로스(바울)의 메시지에서도 중요하게 언급되었다.

¤ 감동과 기도 ☆

24절 ▷ 또한 트휘아테이라에서 다수는 이 교훈을 모두 붙잡지 아니하고, 그리고 누구든지 그들이 말하는 대로 사탄의 깊은 것들을 알지 아니한 남겨진 그들에게 내가 말하노니 너희들 위에 다른 짐을 둘 것이 없노라.

ὑμῖν	*δὲ*	*λέγω*	*καὶ*	*λοιποῖς*	*τοῖς*	*ἐν*	*Θυατείροις,*
너희에게	또한	말하노니	그리고	남겨진	그들에게	에서	트휘아테이라,

ὅσοι	*οὐκ*	*ἔχουσιν*	*τὴν*	*διδαχὴν*	*ταύτην,*	*καὶ*	*οἵτινες*
모두	아니한	붙잡지	그	교훈을	이,	그리고	누구든지

οὐκ	*ἔγνωσαν*	*τὰ*	*βάθη*	*τοῦ*	*σατανᾶ,*	*ὡς*	*λέγουσιν,*	*Οὐ*
아니한	알지를	깊은	것들을	그	사탄의,	대로	말하는,	없노라

βαλῶ ἐφ' ὑμᾶς ἄλλο βάρος· ←두다 위에 너희들 다른 짐을

트휘아테이라(두아디라)에서 다수는 에이자벨(이세벨)의 교훈을 붙잡지 아니하였다고 하셨으며, 그리고 "그들이 말하는 대로 사타나스(사단)의 깊은 것들을 알지 아니한 남겨진 그들에게 내가 말하노니 너희에게 다른 짐을 지울 것이 결코 없노라." 고 하셨다.

개역 한글성경에 '소위' 라고 번역한 '*ὡς λέγουσιν*(호스 레구신)' 은 '그들이 말하는 바대로' '그들이 주장하는 대로' 라는 말로서 에이자벨(이세벨)과 그의 추종자들의 주장하는 사타나스(사탄)의 깊은 것을 말한다. '사타나스(사탄)의 깊은 것' 이란 각종 상업이 번창한 트휘아테이라(두아디라)에서 직종마다 조합이 결성되고 제마다 그들의 수호신을 섬기며 음란한 축제에 참석하게 되었는데 이러한 우상숭배와 음행의 축제에 참가하지 않으면 조합에서 축출되고 사업을 할 수 없었던 것이다. 트휘아테이라(두아디라) 교회 교인들의 고민은 조합을 탈퇴하자니 먹

고 살 길이 막막했고, 조합에 남아 있자니 우상의 제물을 먹고 음행하는 일에 동참하지 않을 수 없는 것이었다. 이러한 딜레마에서 트휘아테이라(두아디라) 교회 교인들에게 교묘한 해결책을 제시한 것이 여선지자로 자칭한 이에자벨(이세벨)의 교훈이었던 것이다. 니콜라의 교훈과 거의 동일한 그럴듯한 말로 우상 제물을 먹고 음행하는 죄를 합리화시키는 가르침으로 죄로 인한 가책을 느끼지 않도록 한 것이다.

사이비 기독교는 그들의 비밀인 음란의 깊은 것은 초급자들에게는 가르쳐 주지 않고 그들의 교리를 완전히 붙잡은 자들에게만 가르쳐 준다.

개역 한글성경에 '남아 있어' 로 번역된 'λοιποῖς(로이포이스)' 는 '나머지' '남겨진' 이라는 뜻의 형용사 'λοιπός(로이포이스)' 의 복수형으로서 '남겨진 자들' 이다. 하나님께서 신실한 소수의 백성을 남기신다는 신구약 성경의 '남겨진 자' 에 대한 말씀과 상통한다.(왕하 19:31; 사 37:32, 46:3; 렘 23:3, 31:7, 42:15' 암 5:15; 롬 9:27)

사타나스(사단)의 깊은 것들이란, 『당시 두아디라 교회를 둘러싸고 침입한 그노시스 주의였다. 그들은 사리(事理)의 가장 깊음에 대한 지각의 필요를 말하고, 또 그 지각(知覺)을 얻으려면 내 자신을 그것에 적응시켜야 한다고 생각하면서, 죄의 의미를 알려고 죄악에 몸을 적시는 일을 한 것이다.(Zahn, Julicher) 그들은 생각하기를, 그렇게 죄악에 몸을 던져도 그들의 고상한 심령의 정체(正體)는 아무런 더럽힘을 받지 않는다고 하였다. 그리하여 그들은 마귀를 숭배해 보기도 한 것이다. 이 사상에 미혹을 받아 물든 어떤 기독교인들은 그 때의 우상숭배나 음행에 참가하기를 기탄 없이 한 듯하다. 그러므로 그리스도께서는, 이런 위험한 일을 여기서 엄금하신 것이다. 이와 같은 해석은 모팟트(Moffatt)도 한 것이다.』《**박윤선 박사 주석**》

그렇게 혼잡한 트휘아테이라(두아디라) 교회에서도 이에자벨(이세벨)의 가르침과 꾀임에 넘어가지 아니한 다수의 성도들이 있어, 주님께서 그들에게 다른 짐을 지우지 않겠노라고 하셨으니, 참으로 미혹 받기 쉽고 타협하기 쉬운 트휘아테이라(두아디라)에서 그만큼 신앙의 정조를 지킨 성도들에게 더 이상의 어떤 무리한 요구의 짐을 지우지 않겠다는 주님의 말씀이시다. 트휘아테이라(두아디라)에서 그만큼 현실에 타협하는 가르침에 동조하지 않는 것이 얼마나 쉽지 않고 귀한 것임을 주님께서 알아주시는 것이다. 아멘!

25절 ▷ 누구든지 그밖에 무엇이든지 너희가 가지고 있는 것을 내가 오기까지 확실하게 붙잡으라.

πλὴν ὃ ἔχετε κρατήσατε, ἄχρις ου ἂν ἥξω.
그밖에 것을 가지고 있는 확실하게 붙잡으라 때까지 누구든지 무엇이든지 내가오기

"누구든지 그밖에 무엇이든지 너희가 가지고 있는 것을 내가 오기까지 확실하게 붙잡으라."고 하셨으니, 주님께서 트휘아테이라(두아디라)에서 남은 자들에게 얼마나 애정과 기대를 가지고 계심을 나타내신 말씀이다. 기본과 중심이 바로 되어진 그들에게는 주님께서 말씀하시지 않은 좋은 것들이 더 있으므로 '그밖에 무엇이든지 너희가 가지고 있는 것' 이라고 하신 것이다. 교리와 신앙의 기본과 중심이 바로 되어진 성도는 모든 것에 칭찬 할 것이 많은 것이다.

제 2 장

26절 ▷ 그리고 이기는 자와 그리고 끝까지 나의 일들을 수행(守行)하는 그 에게는 내가 민족들 위에 권세를 주리니

καὶ ὁ νικῶν καὶ ὁ τηρῶν ἄχρι τέλους τὰ ἔργα μου, δώσω
그리고자 이기는 와 자 수행하는 까지 끝 그 일들을 나의, 주리니
αὐτῷ ἐξουσίαν ἐπι τῶν ἐθνῶν· ← 그에게 권세를 위에 그 민족들

계시록에서 '이기는 자' (*νικάω* 니카오)라는 말이 핵심 용어인데, 17회나 말씀되어지고,(계 2:7, 17, 11, 26, 3:2, 5, 12, 21, 5:5, 6:2(2회), 11:7, 12:11, 13:7, 15:2, 17:14, 21:7) '권세' (*ἐξουσία* 에크수시아)라는 말은 21회 사용되어졌다.(계 2:26, 6:8, 9:3(2회), 10, 19, 11:6(2회), 12:10, 13:2, 4, 5, 7, 12, 14:18, 16:9, 17:12, 13, 18:1, 20:6, 22:14)

그리고 '이기는 자' 는 '끝까지 나의 일들을 수행(守行)하는 그' 라고 주님께서 친히 말씀하셨으니 가장 정확한 의미인 것이다. 그러한 자에게 민족들 위에 권세를 주신다고 하신 것이다.

27절 ▷ 그리고 쇠막대기로 저희를 통치할 것이며, 흙으로 된 그릇들이 산산조각 내어지는 것같이 하리라.

καὶ ποιμανεῖ αὐτοὺς ἐν ῥάβδῳ σιδηρᾷ· ὡς τὰ σκεύη τὰ
그리고 통치할 것이며, 저희를 으로 막대기 쇠, 것같이 그 그릇들이 그
κεραμικὰ συντρίβεται, ← 흙으로 된 산산조각내어지는

이기는 자에게 민족을 통치할 권세를 주시되 쇠막대기로 흙으로 된 그릇을 산산조각 내는 것같이 하리라 하신 것이다. 개역한글성경에 '철장' 으로 번역된 '*ῥάβδῳ σιδηρα*(흐랍도 시데라)' 는 노략질하는 맹수들의 공격을 방어하기 위하여 단단한 참나무 막대기에 쇠를 입힌 목동의 지팡이 무기로서 가볍고도 강력한 무기를 말한다.(삼상 17:43; 미 17:14; 슥 11:7) '통치하며'

라는 말 '*ποιμανεῖ*(포이마네이-)' 는 '보호하다, 지배하다, 관리하다, 돌보다' 라는 뜻의 미래형으로서 목자가 양들을 맹수들로부터 보호하며 돌보는 것과 같은 의미를 말함이다.

쇠막대기로 흙으로 구운 옹기를 깨뜨리는 것은 너무나 쉽고 통쾌감 나는 일이다. 이런 권세를 주신다는 것이다.

28절 ▷ 나의 아버지께서 내게 주신 것 같이, 또한 그에게 그 새벽 별을 주리라.

ὡς κἀγὼ εἴληφα παρὰ τοῦ πατρός μου· καὶ δώσω
같이 나에게 주신 로부터 그 아버지 나의, 또한 주리라
αὐτῷ τὸν ἀστέρα τὸν πρωϊνόν.
그에게 그 별을 그 새벽.

하나님 아버지께서 명하신 모든 일을 다 지키고 이긴 자가 되신 이에수-스(예수)님은 이런 권세를 받으셨다.(마 28:18, 빌 2:9,10) 뿐만아니라 이긴 자에게는 '새벽별' 을 주시겠다고 하신 것이다. 이에수-스(예수)님은 '새벽의 빛나는 별' 이라고 하셨다.(계 22:16) 이에수-스(예수)님 자신을 주시겠다는 말씀이라고 하겠지만, 그러나 예솨야(이사야) 14:12절에 하나님의 보좌에 가장 빛나게 지음 받은 최고의 그룹 천사를 아침의 아들 새벽별(הֵילֵל 헬렐)이라 하였으니, 새벽별은 새벽에 뭇 별 보다 유난히 빛나는 별로서 그렇게 빛난 영광의 지위를 주시겠다는 말씀이다. 할렐루야! 아멘!

☼ 감동과 기도 ☆

29절 ▷ 귀를 가진 자는 누구든지 성령님께서 그 교회들에게 하시는 말씀을 들으라.

ὁ ἔχων οὖς ἀκουσατω τι τὸ πνεῦμα λέγεί ταῖς ἐκκλησίαις.
자는 가진 귀 들으라 누구든지 성령께서 말씀하시는 그 교회들에게.

귀 있는 사람들은 누구든지 일곱 교회에 하시는 말씀 어느 한 교회에 대한 말씀만을 들을 것이 아니라 모든 교회에 하신 말씀을 들으라는 말씀이다. 왜냐하면 모든 시대 모든 교회에 일곱 교회에 말씀하신 중에 어느 현상이든지 있기 때문이다.

♤ 2장 요점 정리 ♠

① 주 이에수-스(예수)님께서 지금 친히 별과 같은 교회 사역자들을 오른손에 붙잡으시고 등대 같은 교회 사이에 두루다니신다고 말씀하셨다. 교회의 상태를 엄밀히 감찰하고 계신다.〔1절〕

② 먼저 그 교회가 잘 하고, 잘못하고 있는 것을 경험적으로 아는 것이 아니라 직관적인 신적 통찰력으로 정확히 아신다 함이다. 주님은 교회 사역자와 신자들에 대하여 정확히 감찰하고 아심으로 잘 하는 것은 큰 위안이 되나 잘못 하는 것은 ……〔2~3절〕

③ 잘못 하는데 대하여 헬라 원어는 '책망한다' 하시지 않고 '반대하고 있다' 고 하신 것은 꾸짖는데 역점을 두지 않으시고 잘못의 원인을 심사숙고하여 신속히 마음을 바꾸고 새롭게 잘 하도록 하는데 역점을 두셨기 때문이다.〔4절〕

④ 권고를 받아들이지 않고 고치지 않을 때는 아주 엄한 징벌을 내리실 것을 경고하셨다. 축구 경기에서 두 번 이상 경고를 받으면 퇴장 당하는 것과 같다.〔5절〕

⑤ 오늘날 기독교 안에 주님께서 몹시 싫어하시는 현대판 니콜라당의 행위가 무엇임을 알아야 한다.〔6절〕

⑥ '이기는 자' 는 계속적으로 이기는 자를 말한다. 그런 자는 생명나무로부터 계속적으로 영원히 먹도록 약속하셨다.〔7절〕

⑦ 스뮈르나 교회에는 첫째이고 마지막이며 죽었다가 살아나신 주님께서 말씀하신다고 하였다. 성경의 첫째인 창세기에는 사람에게 죽음이 오게 된 원인을 계시하셨고, 마지막인 계시록에는 사람이 어떻게 영원히 복되게 살게 되는가를 계시하신 것이다.〔8절〕

⑧ 주님께서 아시는 것은 사람의 아는 것과는 아주 반대이다. 스뮈르나(서머나) 교회는 신앙의 행위로 인한 환란으로 말할 수 없이 빈곤하였으나 주님께서는 "너는 풍부하다"고 하셨다. 그리고 이우다이오스(유대인)들의 회합은 '사탄의 회합' 이라 하셨다.〔9절〕

⑨ 고난 당하는데 대하여 두려워하지 말라 하셨다. 일정한 시험의 기간인 10일 간의 환란을 치를 것이지만, 죽음의 시간까지 신실하면 생명의 면류관을 주겠다고 하셨다. 〔10절〕

⑩ "이기는 자는 둘째 사망으로부터 절대 해를 받지 아니하리라"고 약속하셨다.〔11절〕

⑪ 사탄의 왕좌가 있는 곳이라 할 만큼 우상숭배의 중심지인 페르가모스(버가모)에서 주님의 신실한 증인 안티파스(안디바)가 순교하였고, 많은 성도들이 믿음을 부인하지 않았음을 칭찬하시고, 그러나 주님께서 어느 만큼 반대하고 계신 것은 발라암(발람)의 교훈과 주님께서 몹시 싫어하는 니콜라당의 교훈을 단단히 붙들고 있는 자들 때문이었다. 발라암(발람)의 교훈을 붙잡고 우상의 제물을 먹게 하고 간음하게 하는 자들에게 발라암(발람) 선지자에게처럼 예리한 칼을 가지신 주님께서 말씀하신다고 하셨다.〔12~15절〕

⑫ 이기는 자에게는 감추었던 만나를 주어 먹게 하고 새로운 이름이 기록된 흰 조약돌을 주겠다고 하셨다.〔16~17절〕

⑬ 트휘아테이라(두아디라) 교회는 사랑을 최우선으로 하여 봉사와 믿음과 인내와 수고가, 먼저 보다 마지막이 뛰어남으로 처음보다 더 못하게 된 에프헤소서(에베소) 교회와 반대였다. 그러나 주님께서 어느 만큼 반대하고 있다 하시며 어느 교회보다 길게 자세히 말씀하신 것은 잘 하기를 심히 원하셨기 때문이었다.〔18~24절〕

⑭ 누구든지 그밖에 무엇이든지 너희가 가지고 있는 것을 "내가 오기까지 확실하게 붙잡으라" 하셨으니 지금까지처럼 재림이 지연되지 않을 것을 말씀하신 것이다.(**재림이 지연된 이유를 바로 알아야**)〔25절〕

⑮ 이기는 자에게는 민족들을 통치할 권세를 주며, 주님께서 아버지께 받으신 것처럼 새벽별을 주리라고 하셨다.〔26~28절〕

에프헤소서(에베소) 마리아교회 유적

【 계시록 제 3 장】

한 글 개 역 성 경	전통원문 직역 성경
1. 사데 교회의 사자에게 편지하기를 하나님의 일곱 영과 일곱 별을 가지신 이가 가라사대 내가 네 행위를 아노니 네가 살았다 하는 이름은 가졌으나 죽은 자로다	1. 또한 너는 사르데이스 교회의 사자에게 쓰라. 하나님의 일곱 영과 일곱 별들을 가진 자가 이것들을 말한다. 내가 네 행위들에 관하여 알았으니, 너는 비록 살았다는 이름을 가졌다 할지라도 그렇지만 너는 지금 죽고 있느니라.
2. 너는 일깨어 그 남은바 죽게 된 것을 굳게 하라 네 하나님 앞에 네 행위의 온전함을 찾지 못하였노니	2. 깨어 일어나라. 그리하여 다른 남아 있는 죽으려고 하는 것을 강하게 하라. 왜냐하면 하나님 앞에 네 행위들에서 만족한 것을 찾지 못하였기 때문이라.
3. 그러므로 네가 어떻게 받았으며 어떻게 들었는지 생각하고 지키어 회개하라 만일 일깨지 아니하면 내가 도적같이 이르리니 어느 시에 네게 임할는지 네가 알지 못하리라	3. 그때 네가 어떻게 받았었고 들었던가 기억을 더듬어라. 또한 수행(守行)하라. 그리하여 개심하라. 만일 네가 그와 같이 깨어있지 아니하면 내가 도적 같이 네게 이를 것이다. 그러므로 어느 시에 네 위에 이를지를 네가 결코 알지 못할 것이다.
4. 그러나 사데에 그 옷을 더럽히지 아니한자 몇 명이 네게 있어 흰 옷을 입고 나와 함께 다니리니 그들은 합당한 자인 연고라	4. 그러나 사르데이스에서 자신의 옷들을 결코 더럽히지 아니한 아주 소수의 이름들을 네가 가지고 있어, 빛나는 가운데 나와 함께 다니리니 그들은 칭찬 받을 만 하기 때문이라.
5. 이기는 자는 이와 같이 흰 옷을 입을 것이요 내가 그 이름을 생명책에서 반드시 흐리지 아니하고	5. 이기는 자 그는 흰옷들을 입을 것이며, 내가 그의 이름을 생명의 두루마리로부터 절대로 지워버리지 않으리라

그 이름을 내 아버지 앞과 그 천사들 앞에서 시인하리라	**그리고 그의 이름을 나의 아버지 앞과 그분의 천사들 앞에서 인정하리라.**
6. 귀 있는 자는 성령이 교회들에게 하시는 말씀을 들을찌어다	**6. 귀를 가진 자는 누구든지 성령님께서 교회들에게 하시는 말씀을 들으라.**
7. 빌라델비아 교회의 사자에게 편지하기를 거룩하고 진실하사 다윗의 열쇠를 가지신 이 곧 열면 닫을 사람이 없고 닫으면 열 사람이 없는 그이가 가라사대	**7. 또한 너는 프힐라델프헤이아에 있는 교회의 사자에게 쓰라. 거룩하고 완전하여 다빋의 열쇠를 가진 자, 열면 아무도 닫을 수 없고, 닫으면 아무도 열 수 없는 자가 이것들을 말한다.**
8. 볼찌어다 내가 네 앞에 열린 문을 두었으되 능히 닫을 사람이 없으리라 내가 네 행위를 아노니 네가 여간한 능력을 가지고 내 말을 지키며 내 이름을 배반하지 아니하였도다	**8. 내가 네 행위들을 알았노라. 보라, 네 앞에 열린 문을 허락하였으니, 아무도 그것을 닫을 수 없느니라. 왜냐하면 네가 아주 적은 능력을 가지고도 내 말을 지켜 행하며, 나의 이름을 결코 부인하지 않았기 때문이라.**
9. 보라 사단의 회 곧 자칭 유대인이라 하나 그렇지 않고 거짓말 하는 자들 중에서 몇을 네게 주어 저희로 와서 네 발 앞에 절하게 하고 내가 너를 사랑하는 줄 알게하리라	**9. 보라, 그들 스스로를 유대인들이라 말하는 자들, 그렇지만 그들은 거짓말들을 하니, 내가 사탄의 회합에 속하게 주며, 보라, 그들을 네 발 앞에 오게 하여 또한 부복하게 만들 것이며, 뿐만 아니라 내가 너를 어떻게 사랑하는지를 알게들 하리라.**
10. 네가 나의 인내의 말씀을 지켰은즉 내가 또한 너를 지키어 시험의 때를 면하게 하리니 이는 장차 온 세상에 임하여 땅에 거하는 자들을 시험할 때라	**10. 네가 내 희망찬 인내의 말을 지켜 행하였기 때문에, 세상 위에 와서 땅 위에 거주하는 모든 자들을 시험하려고 하는 시험의 기간 중에 너를 지켜 보호하리라.**

11. 내가 속히 임하리니 네가 가진 것을 굳게 잡아 아무나 네 면류관을 빼앗지 못하게하라	11. 보라, 내가 속히 간다. 아무도 네 면류관을 취하지 않도록 하기 위하여 네가 가진 것을 굳게 지키라.
12. 이기는 자는 내 하나님 성에 기둥이 되게 하리니 그가 결코 다시 나가지 아니하리라 내가 내 하나님의 이름과 하나님의 성 곧 하늘에서 하나님께로부터 내려오는 새 예루살렘의 이름과 나의 새 이름을 그이 위에 기록하리라	12. 이기는 자는 그를 나의 하나님 성전 안에 기둥으로 만들것이니, 그러므로 그가 결코 밖에 다시 나가지 아니하리라. 또한 내가 나의 하나님의 이름과 나의 하나님께로부터 하늘에서 내려오는 새 예루살렘 나의 하나님의 그 도시의 이름과 나의 새 이름을 그이 위에 기록하리라.
13. 귀 있는 자는 성령이 교회들에게 하시는 말씀을 들을찌어다	13. 귀를 가진 자는 누구든지 성령님께서 교회들에게 말씀하시는 것을 들으라.
14. 라오디게아 교회의 사자에게 편지하기를 아멘이시요 충성되고 참된 증인이시요 하나님의 창조의 근본이신 이가 가라사대	14. 그리고 너는 라오디케이아 교회의 그 사자에게 쓰라. 아멘이며 신실하고 진실한 증인이며 하나님의 창조의 시작인 자가 이것들을 말한다.
15. 내가 네 행위를 아노니 네가 차지도 아니하고 덥지도 아니하도다 네가 차든지 덥든지 하기를 원하노라	15. 내가 네 행위들을 알았노라. 네가 그렇게 차지도 아니하고 뜨겁지도 아니한 사실, 내가 원한다. 네가 차기 보다 뜨거워져야 한다.
16. 네가 이같이 미지근하여 덥지도 아니하고 차지도 아니하니 내 입에서 너를 토하여 내치리라	16. 왜냐하면 네가 그렇게 미지근하여 차지도 아니하고 뜨겁지도 아니하기 때문에 내 입으로부터 너를 토해내려고 한다.
17. 네가 말하기를 나는 부자라 부요하여 부족한 것이 없다하나 네 곤고한 것과 가련한 것과 가난한 것과 눈먼 것과 벌거벗은것을 알지 못하는도다.	17. 왜냐하면 네가 말하기를, '참으로 나는 부요하고 또한 나는 부요하게 되었으므로 그러므로 나는 어떤 것도 부족한 것이 없다' 하기 때문이며, 그리고 네 비참한 것과 가련한 것과 궁핍한 것과 눈먼 것과 벌거벗은 것을 알지 못하기 때문이다.

18. 내가 너를 권하노니 내게서 불로 연단한 금을 사서 부요하게 하고 흰 옷을 사서 입어 벌거벗은 수치를 보이지 않게 하고 안약을 사서 눈에 발라 보게하라	**18. 내가 너를 충고하노니 그러므로 불 가운데 제련된 나의 금을 사서, 그렇게 하여 풍부하게 하고, 그리고 흰 옷들을 사서 입어 또한 네 벌거벗은 부끄러움이 보이지 않게 하고, 또한 네 눈들을 안약을 발라 그렇게 하여 보도록 하라.**
19. 무릇 내가 사랑하는 자를 책망하여 징계하노니 그러므로 네가 열심을 내라 회개하라	**19. 내가 어디든지 누구든지 사랑하여 책망하고 그리고 징계하노니, 그러므로 네가 확실히 열망하고 그리고 개심하라.**
20. 볼찌어다 내가 문 밖에 서서 두드리노니 누구든지 내 음성을 듣고 문을 열면 내가 그에게로 들어가 그로 더불어 먹고 그는 나로 더불어 먹으리라	**20. 보라, 내가 문 앞에 서서 그리고 두드리노니, 어떤 누구든지 내 목소리를 듣고 또한 문을 열면 내가 그를 향하여 들어가리라. 그리고 그와 함께 먹을 것이며 그는 또한 나와 연합할 것이다.**
21. 이기는 그에게는 내가 내 보좌에 함께 앉게 하여 주기를 내가 이기고 아버지 보좌에 함께 앉은 것과 같이 하리라	**21. 이기는 자 그에게는 내가 이기고 그리고 나의 아버지 그분의 보좌에 함께 앉은 것과 같이 나의 보좌에 함께 앉게 하여 주리라.**
22. 귀 있는 자는 성령이 교회들에게 하시는 말씀을 들을찌어다	**22. 귀를 가진 자는 누구든지 성령님께서 교회들에게 하시는 말씀을 들으라.**

【 문 단 】

5〉 **사르데이스(사데) 교회에 하신 말씀** 3:1~6

6〉 **프힐라델프헤이아(빌라델비아) 교회에 하신 말씀** 7~13

7〉 **라오디케이아(라오디게아) 교회에 하신 말씀** 14~22

제 3 장

【 주 해 】

〈**개요**〉 2장의 네 교회에 이어 3장에는 세 교회에 대한 말씀이다. 세 교회는 바른 복음에 합당하게 살지 못하는 교회와 신자들, 그리고 합당하게 사는 교회와 신자들에 대한 극명한 대조를 말씀하셨음을 유의해야 한다.

5〉 사르데이스(사데) 교회에 하신 말씀 3:1~6

1절 ▷ 또한 너는 사르데이스 교회의 사자에게 쓰라. 하나님의 일곱 영과 일곱 별들을 가진 자가 이것들을 말한다.

Καὶ τῷ ἀγγέλῳ τῆς ἐν Σάρδεσιν Τάδε λέγει ὁ ἔχων
또한 그 사자에게 그 있는 사르데이스에 이것들을 말한다 자 가지다
ἐκκλησίας γράψον, τὰ ἑπτὰ πνεύματα τοῦ θεοῦ καὶ τοὺς
교회의 너는 쓰라, 그 일곱 영을 그 하나님의 과 그
ἑπτὰ ἀστέρας· ← 일곱 별들을,

사르데이스(사데)는 트휘아테이라(두아디라) 남동쪽 약 48Km 지점에 있던 성으로서 프힐라델프헤이아(빌라델비아)로 가는 도중에 있다. 트몰루스 산의 넓은 고산지대 깎아지른 듯한 200m나 되는 높은 돌산 위에 건설된 도시로, 헤르무스 계곡평야를 내려다보고 지키는 파수꾼 같이 적으로부터의 공격을 쉽게 방어할 수 있는 난공불락의 성으로, 헬라 사람들의 '사르데이스' 곧 산 위의 도시와 산아래 복수 도시로서 다섯 개의 도로가 합치는 곳에 자리잡은 무역의 요충지였고, 모직물의 집산지로서 염색술과 금제품으로 많은 부요를 누렸다. 주전 6세기경에는 리디아(Lydia)의 수도로 당시 세계적 대도시였다. 사르데이스 성 근처를 흐르는 팍톨루스 강에서는 쉽게 사금을 채취할 수

있었으며, 리디아 왕 크로에수스(Croesus)의 이름은 부와 번영을 뜻하는 전설이 되었고, 사르데이스(사데)는 풍요로움으로 사치하고 도덕적으로 부패하고 게으른 도시였다. 지금은 사르트(Sart)라 불리는 작은 마을만 남아 있다.

'하나님의 일곱 영과 일곱 별들을 가지신 분께서 말씀' 하신다고 하신 것은, 살아 있다는 이름은 가졌으나 죽어가고 있는 사르데이스(사데) 교회가 다시 소생할 수 있게 하실 수 있는 주님으로서 말씀하신다는 것이다. '일곱 영' 이라 하신 것은 성령님의 완전하게 사역하시는 특성과 방면을 의미하는 것이지(사 11:2) 성령님께서 일곱이시라는 말은 아니다. 이에수-스(예수)님께서는 성령님의 완전하신 사역을 주관하시고, 또한 교회의 사역자들을 완전히 주관하시는 분이심을 말씀하신 것이다. 교회의 머리이신 주님이시기 때문이다.(엡 1:22)

▷ 내가 네 행위들에 관하여 알았으니 너는 비록 살았다는 이 름을 가졌다 할지라도 그렇지만 너는 지금 죽고있느니라.

Οἶδά σου τὰ ἔργα, ὅτι τὸ ὄνομα ἔχεις ὅτι ζῇς,
내가알았으니 너의 그 행위들, 에 관하여 그 이름을 가졌다 비록 할지라도 살아있다,
καὶ νεκρὸς εἶ. ←그렇지만 너는 죽고 있다

"내가 네 행위들에 관하여 알았으니 너는 비록 살았다는 이름을 가졌다 할지라도 그렇지만 너는 지금 죽고 있느니라." 티모트헤오스(디모데)전서 5:6절에 "육욕에 빠져 쾌락을 즐기는 자는 살아있으나 죽었느니라" 고 하였으니, 육체는 살아 있지만 영으로는 현재 죽어 있는 자라는 말이다. 사르데이스(사데) 교회 신자들의 신앙행위는 세상 향락에 빠져 능동적으로 죽고 있는 상태였다. "죽은 자로다" 라고 번역된 *νεκρὸς εἶ*(네크로스 에이)

에서 '에이' 는 '이다, 있다' 의 뜻인 '에이미' (*ἐιμί*)의 현재 능동형으로서 과거에 죽은 것이 아니라 사르데이스(사데) 교회 신자들이 육신적으로 살아 있고 그래서 영적으로도 현재 살아 있는 줄 알고 있으나 실은 지금 현재 영적으로 스스로 죽고 있다는 말씀이다. "행함이 없는 믿음은 죽은 것이라" 하였듯이,(약 2:26) 기독교 신자들이 하나님 앞에 만족할만한 행위가 없는 것은 현재 능동적으로 자신의 생명을 목 졸라 죽이고 있는 자해와 자살 행위와 같은 것임을 알아야 한다.

2절 ▷ 깨어 일어나라! 그리하여 그 다른 남아 있는 죽으려고 하는 것들을 강하게 하라. 왜냐하면 하나님 앞에 네 행위들에서 만족한 것을 찾지 못하였기 때문이라.

γίνου γρηγορῶν, καὶ στήριξον τὰ λοιπὰ ἃ μέλλει ἀποθανεῖν,
일어나라 깨어, 그리고 강하게 하라 그 다른 남아있는 것들 려고하는 죽으

οὐ γὰρ εὕρηκά σου τὰ ἔργα πεπληρωμένα ἐνώπιον τοῦ θεοῦ.
못하였기 때문이라 찾지 너의 그 행위들을 만족한 앞에 그 하나님의

개역 한글성경은 '너는 일깨워' 라고 번역했는데, '*γίνου*(기누)일어나라 *γρηγορῶν*(그레고론-)깨어 있어' 라는 두 말로서 '**깨어 일어나라**' 는 말이다. 영적으로 정신차리지 못하고 잠들어 있는 것은 언제 종말의 죽음이 닥칠지 모르는 죽어 있는 것과 다를 바 없다.

'**깨어 일어나라**' 는 주님의 말씀은 과거 역사적 사르데이스(사데) 성의 멸망사건과 관계 있는 영적 교훈의 말씀이다. 사르데이스 성의 전성기였던 크리서스 왕이 '네가 할리스강을 건너면 큰 제국을 멸하리라' 는 점장이의 말을 믿고 파사 제국을 멸하기 위해 원정을 떠났다가 도리어 자국(自國)의 멸망을 초래하게

되었다. 대군을 거느리고 할리스강을 건너다가 적군에게 패하고, 사르데이스 성안에 들어앉아 적군을 조소하고 있었다. 파사 왕 코-레쉬(고레스)는 사르데이스 성을 포위하고 2주간을 항복을 기다렸다. 그러나 크뢰서스는 난공불락의 성안에서 태평이었다. 코-레쉬(고레스)는 군인들에게 사르데이스성을 공격하는 길을 찾는 자는 큰 상금을 내리기로 하였다. 사르데이스성이 건립된 지대는 암석이 아니라 다진 진흙 같은 것으로 풍우작용에 의해 침식되어 칼날 같이 되어 있어 접근하기가 불가능하였다. 코-레쉬의 부하 한 사람이 산성을 바라보고 있을 때 한 군인이 성벽 위에서 투구를 떨어뜨리고는 그것을 찾으려고 성 아래로 내려오는 것을 보게 되었다. 그날 밤 코-레스는 그 지점의 길로 군인들을 인솔하여 천신만고 끝에 올라가 보니, 사르데이스성 군인들은 안심한 채 잠들어 있었고, 초소에는 초병 하나 세우지 않고 있었다. 그리하여 사르데이스성은 고스란히 정복되고 말았다.

그러므로 "깨어 일어나라! 그리하여 그 나머지 죽으려고 하는 것들을 강하게 하라" 하신 말씀은 사르데이스(사데) 교회에 실감 있는 영적 교훈이었던 것이다. *μέλλει*(멜레이)는 '~하려고 하다' 의 직설 현재 능동태로서 '죽으려고 하는' 이다. 빈사상태로서 죽음이 경각에 이르렀음을 말하는 위기임을 알리는 것이다. 사르데이스(사데) 성에 적군이 잠입하여 잠든 많은 초병들을 죽이고 나머지 초병들과 백성들이 자결하려고 했던 상황을 떠올리는 것이다.

개역 한글성경에는 "내 하나님 앞에 네 행위의 온전한 것을 찾지 못하였노니"라고 하였는데, 전통원문에는 '내' 라는 말 '*μου*(무)' 가 없고, '*πεπληρωμένα*(페플레로메나)' 는 '충만하게 만들다, 만족하게 만들다' 는 말 '*πληροῶ*(플레로오-)' 의 완료 수동태형으로 사르데이스(사데) 교회 신자들의 행위가 '하나님의 기준에 만족스럽지 못함' 을 의미한 것이다. 이단을 가리려는 열정도 없고 책망할 확신도 없는 형식적 신자의 상태임을 말하는 것이다.

"하나님 앞에 네 행위들에서 만족한 것을 찾지 못하였기 때문이니라" 하신 것은, 사르데이스(사데) 교회가 깨어 일어나야 할 이유를 말씀하신 것이니, 신앙의 행위들이 하나님 앞에 만족할 만큼 유지되지 않으면 사르데이스성이 태만히 잠자고 있다가 한 순간에 함락되었듯이, 사르데이스(사데) 교회가 믿고 잠자고 있던 신앙이 불시에 몰락하게 될 것을 말씀하신 것이다. 부패하지 않거나 몰락하지 않기 위해서는 거의 완벽해야 한다. 눈에 보이지도 않는 미세한 바이러스 균이 사람의 생명을 죽음으로 몰아간다.

하나님은 절대적으로 완전하신 분이시고, 영원한 새 하늘과 새 땅은 미세한 흠도 없고 점도 없이 완전하고 완벽하게 예비하셨기 때문에 영원토록 병들거나 부패하거나 쇠하는 것이 없이 변함 없고 복되며 영광스러운 것이다. 그러므로 구원이라는 헬라어 σώζω(소조)는 '구해내다, 보호하다, 고치다, 완전하게 만들다' 는 말이다. 그러므로 하나님의 구원은 완전하게 되는 것을 목표로 한다.

"그리하여 다른 남아 있는 죽으려고 하는 사람들을 강하게 하라" 하셨으니 사르데이스(사데) 교회에 대한 주님의 영적 진단은 대부분의 신자들이 영적으로 잠들어 죽어 있고, 그 외에 나머지 신자들도 거의 죽어가고 있는 상태라는 말씀이다. 그러므로 영적으로 깨어 일어나 받고 들은 말씀대로 행하지 않으면 모두 죽을 수밖에 없다는 엄중한 경고의 말씀이다. 오늘날 교회도 이러한 상태에 있음을 알고 이 경고의 말씀을 듣고 깨어 일어나야 살 수 있다.

3절 ▷ 그때 네가 어떻게 받았었고 또한 깨달았던가 기억을 더듬으라. 그리고 수행(守行)하라. 그리하여 개심하라.

μνημόνευε οὖν πῶς εἴληφας καὶ ἤκουσας, καὶ τήρει.
기억을 더듬으라 그때 어떻게 네가 받았으며 또한 깨달았던가, 그리고 경성하라.
καὶ μετανόησον· ←그리하여 개심하라

사르데이스(사데) 교회에 그나마 죽지는 않고 죽으려고 하는 사람들이 있어 강하게 하여 죽지 않게 하라고 하셨다. 죽지 않게 강하게 하기 위해서는 처음에 말씀을 어떻게 받아들이고 어떻게 들었는지를 기억을 더듬어 잘 생각하고 그리고 그대로 수호하며 행하라 하신 것이다. 사르데이스(사데) 교회는 사도 파월-로스(바울)께서 에프헤시노스(에베소)에서 3년간 복음을 전할 때 바른복음을 들은 자들로 세워진 교회였다. 왜냐하면 사르데이스(사데)는 에프헤시노스(에베소)에서 일곱 교회 중에 스뮈르나 다음으로 가까운 곳으로서, 사도 파월-로스(바울)께서 에프헤시노스(에베소) 두란노서원에서 날마다 두 해 동안을 하나님의 왕국에 대하여 철저하게 말하며 설득하니, 아시아에 사는 자들, 이우다이오스(유대인)들과 헬렌(헬라인)들이 다 듣더라 하였고,(행 19:8~10) 에프헤시노스(에베소) 뿐만 아니라, 아시아의 거의 전부를 옮기며 허다한 무리를 설득하였다고 하였으니,(행 19:26) 에프헤시노스(에베소)와 가까운 사르데이스(사데) 교회도 사도 파월-로스(바울)에게서 바른복음을 들은 교회였던 것이다. 그러므로 주님께서 "처음에 말씀을 어떻게 받아들이고 어떻게 들었는지를 깊이 잘 생각하라"고 하신 것이다.

에프헤시노스(에베소) 교회가 사도 파월-로스(바울)를 통해 바른복음을 받고 처음에는 정말 순수하고 진실한 사랑과 행위들을 하였으나 교회 안에 거짓된 자들이 들어와 어지럽힘으로 이를 제재하고 물리치기 위해 애쓰다보니 처음의 바른복음으로 인해 순수하고 진실했던 사랑과 행위들이 어느새 떨어져 버렸던 것이다. 그처럼 사르데이스(사데) 교회도 사도 파월-로스(바울)를 통해 바른복음을 받아들이고 듣기는 하였으나, 즉 살았다 하는 이름만 가졌으나 몇 몇 사람 외에는 받은 바른복음을 수호하지 않고 복음에 합당한 생활을 하지 않았던 것이다.

"그리고 수호하고 행하라. 다시 말하면 개심하라." 그러므로 처음에 복음을 어떻게 받아들였으며 들었는지 기억을 더듬어 생각하여 처음에 받았던 복음을 수호하고 그 복음으로 말미암아 진정 개심하도록 하라는 명령의 말씀이다.

▷ 만일 그와 같이 네가 깨어있지 아니하면, 내가 너를 향하여 도적같이 네게 이를 것이다. 그러므로 어느 시에 네 위에 이를지를 네가 결코 알지 못할 것이다.

ἐὰν οὖν μὴ γρηγορήσῃς, ἥξω ἐπὶ σὲ ὡς κλέπτης,
만일~하면 그와 같이 아니 깨어있지, 이를것이다 향하여 너를 같이 도적,

καὶ οὐ μὴ γνῷς ποίαν ὥραν ἥξω ἐπὶ σέ.
그리고 결코 아니 알지 어느 시에 이를것인지 위에 네

만일 정말 깨어있지 아니하면 사르데이스성 크리서스 왕과 군사들이 안전을 과신하고 방심하여 잠들어 있다가 코-레쉬(고레스)왕에 의해 일시에 함락되어 죽음을 당했듯이, 사르데이스(사데) 교회가 주님께서 말씀하신 대로 경성하지 아니하면, 도적같이 불시에 임하여 징벌하시리라는 말씀인 것이다. 재림의 임

박성이 아니라 예기치 못한 재림의 돌발성을 예고한 말씀이다.

4절 ▷ 그렇지만 사르데이스에서 자신의 옷들을 결코 더럽히지 아니한 자들 아주 소수의 이름들을 네가 가지고 있어 빛나는 가운데 나와 함께 다니리니 그들은 칭찬 받을 만하기 때문이니라.

ἔχεις ὀλίγα ὀνόματα καὶ ἐν Σάρδδεσιν, ἃ οὐκ
네게 있어 아주적은 이름들을 그렇지만 에서 사르데이스, 자들 아니한
ἐμόλυναν τὰ ἱμάτια αὐτῶν· καὶ περιπατήσουσιν μετ'
더럽히지 옷들을 자신의, 실로 두루다니리니 함께
ἐμοῦ ἐν λευκοῖς, ὅτι ἄξιοί εἰσιν.
나와 가운데 빛나는, 때문이라 칭찬받을만하기 그들은

"그렇지만 사르데이스(사데)에서 자신의 행위의 옷들을 결코 더럽히지 아니한 자들 아주 소수의 이름들이 있어 빛나는 가운데 주님과 함께 다닐 것인데 그들은 칭찬 받을 만 하기 때문이니라." 고 하신 것은 그나마 사르데이스(사데) 교회의 소망이었던 것이다. 사르데이스(사데) 교회의 명칭이 1:11절에서도 복수이고 3:1절에서도 복수인 것은 사르데이스(사데) 교회는 주님께서 말씀하시던 그때나 나중이나 영적 신앙의 두 부류의 교회일 것을 암시하신 것이다. 크게 달라지지 않을 교회였다.

주님과 함께 빛나는 가운데 다닐 소수의 성도들은 칭찬 받을 만 하기 때문이라고 하셨다. 개역 한글성경은 '합당한 자인 연고라' 고 했는데 헬라어 *ἄξιοί*(아크시오이)는 '칭찬 받을만한, 적당한' 이란 의미이다. 그리고 개역 한글성경에 '몇 명' 이라고 한 '*ὀλίγα ὀνόματα*(올 리가오노마타)' 는 '아주 소수의 이름들' 이다. '이름' 이란 표현은 히브리 사상에서 '사람의 존재 전체' 를

나타낸다.(행 1:15← 무리의＜이름들의←**개역 한글성경에는 '무리의' 로 오역함**＞ 계 11:13← 사람들의 ＜이름들이←**개역 한글성경에는 번역 누락됨**＞)

5절 ▷ 이기는 자 그는 흰옷들을 입을 것이며, 내가 그의 이름을 생 명의 두루마리로부터 절대로 지워버리지 않으리라. 그리고 그의 이름을 내 아버지 앞과 그분의 천사들 앞에서 인정하리라.

ὁ νικῶν, οὗτος περιβαλεῖται ἐν ἱματίοις λευκοῖς· καὶ οὐ μὴ
자 승리하는, 그는 입을 것이며 (수단) 옷들로 흰, 또한 절대로 않을
ἐξαλείψω τὸ ὄνομα αὐτοῦ ἐκ τῆς βίβλου τῆς ζωῆς, καὶ
내가 지워버리지 그 이름을 그의 로부터 그 두루마리의 그 생명의, 그리고
ἐξομολογήσομαι τὸ ὄνομα αὐτοῦ ἐνώπιον τοῦ πατρός
인정할 것이다 그 이름을 그의 앞 그 아버지
μου καὶ ἐνώπιον τῶν ἀγγέλων αὐτοῦ.
나의 과 앞에서 그 천사들 그분의

주님께서 이긴 자가 되신 것처럼(계 3:21) 주님의 말씀대로 자기를 극복하고 불의를 이기며 승리하는 자는 영원토록 승리의 흰옷을 입게 하신다는 약속이다. 당시 로마에서는 전쟁에서 승리한 장군에게 흰말을 태우고 흰옷을 입혀 시가행진을 하도록 하였으니 '흰옷' 은 승리의 영광을 뜻하는 것이다.

"이기는 자 그는 흰옷들을 입을 것이며"라고 하신 것은, "그의 이름을 생명의 두루마리로부터 절대로 지워버리지 않으며, 그리고 그의 이름을 내 아버지 앞과 그분의 천사들 앞에서 인정하리라" 하심과 함께 말씀하셨으니 영원한 새 하늘과 새 땅에서 될 일을 말씀하신 것이다. 그의 이름을 그 생명의 두루마리로부터 결코 지워버리지 않으리라고 하셨는데, 여기서 그의 이름을

'생명의 두루마리에 기록하리라' 하시지 않고 왜 "생명의 두루마리로부터 결코 지워버리지 않으리라"고 하셨는가 이다. 생명의 두루마리에서 지워버리는 경우가 있음을 의미하는 말이 아닌가? 기독교의 일반적인 관념은, 생명의 두루마리는 구원받는 자들의 이름만 기록되는 두루마리로서 지워지는 일 즉, 구원을 받았다가 취소되는 일은 이치 상 있을 수 없다고 하는 것이다. 그런데 문제는 생명의 두루마리에서 지워버린다는 말씀이 성경에 있기 때문이다.【특 주 4】참조

6절 ▷ 귀를 가진 자는 누구든지 성령님께서 교회들에게 하시는 말씀을 들으라.

ὁ ἔχων οὖς ἀκουσάτω τί τὸ πνεῦμα λέγει ταῖς ἐκκλησίαις.
자는 가진 귀를 들으라 누구든지 그 성령께서 하시는말씀을 그 교회들에게

이에수스(예수님)께서 세상에 계실 때도 말씀을 가르치시고는 "들을 귀 있는 자는 들으라"고 하신 말씀이 다섯 번 기록되었다.(마 11:15, 13:9, 43, 막 4:23, 눅 14:35)

사르데이스(사데) 유적

【 특주 4 】

생명의 두루마리(책)에 기록되는 것과 지워지는 문제

성경에, 생명의 두루마리(책)에 기록된다는 말씀이 있고, 반대로 생명의 두루마리(책)에서 지워버린다는 말씀이 있어 어떻게 되는 것인지 궁금하다. 특히 생명의 두루마리(책)는 구원받는 자들의 이름이 기록되는 책으로 보는데 생명의 두루마리(책)에서 지워버린다는 것은 구원이 취소되는 것인가 하는 의문과 주장이 제기됨으로 명확한 고찰이 필요하다.

1. 생명의 두루마리(책)에 기록된다는 성경의 말씀

성경에서 가장 결정적으로 생명의 두루마리(책)의 중요성이 부각(浮刻)된 곳은 계시록 20:14,15절이다. 죽었던 모든 인류가 다 살아나 주님의 백보좌 앞에서 최후의 대심판을 받는데 그 생명의 두루마리(책)에 기록된 것이 발견되지 않는 자는 누구든지 불못에 던져진다고 하였으니, 참으로 귀중한 것은 생명의 두루마리(책)에 이름이 기록되는 것이다. 계시록 21:27절에도 영원한 영광의 새 히에루살렘(예루살렘)에는 어린양의 생명의 두루마리(책)에 기록된 자들만 들어간다고 하였다. 계시록 13:8절에도 최후의 대환난 때 세상에 살고 있는 사람들 중에 어린양의 생명의 두루마리(책)에 이름이 기록되지 않은 모든 자들은 그 적그리스도 짐승 앞에 경배한다고 하였고, 그런 자들은 불과 유황으로 타는 못에서 밤낮 쉼을 얻지 못한다고 하였다.(계 14:9~12)

그리고 사도 파월-로스(바울)와 함께 복음에 힘쓰던 동역자들의 이름이 생명의 두루마리(책)에 있다고 하였으며,(빌 4:3) 이에수-스(예수님)께서 보내셨던 70인 전도인들이 돌아와 악령들이 항복하던 일을 보고(報告) 드리니 이에수-스(예수)님께서 그들에게 "악령들이 너희에게 항복하는 것으로 기뻐하지 말고 너희 이름이 하늘에 기록된 것으로 기뻐하라"고 하셨다.(눅 10:20) 70인 전도인과 사도 파월-로스(바울)의 동역자들처럼 바른복음 사역에 순전함으로 힘쓰는 자들은 생명의 두루마리(책)에 기록되는 것이 거의 확실하다.

2. 생명의 두루마리(책)에서 지워버린다는 말씀

성경에는 생명의 두루마리(책)에 기록된다는 말씀과 상반되게 생명의 두루마리(책)에서 지워버린다는 말씀이 있으므로 이해에 난점이 된다. 주님께서 사르데이스(사데) 교회에 주신 말씀에서 사르데이스(사데)에 그 옷(행실)을 더럽히지 아니하고 칭찬 받을 몇 이름들은 생명의 두루마리(책)에서 절대로 지우지 않으리라고 말씀하신 것이다.(계 3:4, 5) 구약성경에는 모세가 하나님 앞에서 백성들을 위하여 중재의 기도를 드릴 때 "구하옵나니 백성들의 죄를 사하여 주지 않으시면 기록하신 주님의 두루마리(책)에서 나를 지워버려 주옵소서"라고 한 것이다.(출 32:33) 그리고 시편 69:28절에는 "그(악인)들을 생명들의 두루마리(책)에서 지워버리시어 의인들과 함께 기록되지 못하게 하옵소서"라고 하였다. 고대 왕국에서는 국왕의 관할 하에 있었던 시민들의 명부가 있었는데 시민이 죽거나 범죄자가 될 경우 그 시민명부에서 이름을 삭제해 버리는 일이 있었다.

생명의 두루마리(책)에 이름이 기록되는 자는 구원받는 자들이라면 지워버린다는 말씀은 구원을 취소한다는 말씀이 되므로, 구원을 주셨다가 구원을 취소하시기도 하는가 하는 문제이다. 이 말씀을 단편적으로 이해하여 여기에 맞추어 구원을 잃어버릴 수도 있다고 성경 여러 구절을 인용하여 말하는 것이다.

그러나 단언할 수 있는 것은 구원을 얻는 것은 거듭나는 것으로, 위로부터 하나님께로부터 성령님으로 영원한 생명으로 새롭게 태어나는 것인데,(요 3:3~8) 그렇게 구원받아 하나님의 자녀가 된 자가 어찌 구원을 잃어버릴 수 있는가? 다시 하나님의 자녀가 아닌 자로 타락할 수가 있는가 함이다. 자꾸만 구원을 잃어버릴 수 있다고 생각하려는 사람은, 자신이나 여러 기독교인들의 경험상 죄악성이 살아 있어 그것에 짐으로 다시 타락할 수 있겠다고 생각되기 때문이다. 그 이유는 거듭남이 어떤 것인지 아직 확실히 체득하지 못했거나, 거듭나야 구원을 얻는 것이라는 명확한 복음진리에 아직 둔감하고, 그리고 이에수-스(예수)님을 구주로 믿으면 일단 구원을 얻는다는 기존교리 편에 이끌려 있기 때문이다.

그러면 생명의 두루마리(책)에서 지워버린다는 것을 어떻게 이해해야 하는가 이다.

가장 먼저 유의할 성경말씀은 계시록 20:15절에 "누구든지 생명의 두루마리(책)에 기록된 것이 발견되지 않으면 불못을 향하여 던지우더라" 고 한 것이다. 그리고 그에 앞서 12절에 "죽은 자들은(살아나서) 자기들의 행위를 따라 그 책들에 기록된 대로 심판을 받더라" 고 하였으니 모든 인류 각자의 행위를 기록한 책이 있는 것이다. 말라기 3:16절에도 예호바(여호와)를 경외하는 자들이 피차 말하는 것을 예호바(여호와)께서 그것을 분명히 들으시고 예호바(여호와)를 경외하는 자와 그분의 이름을 존중히 생각하는 자를 위하여 예호바(여호와) 앞에 있는 기록 두루마리

(책)에 기록하셨다고 하였으니 경건한 성도들의 대화까지도 다 기록하시는 것이다.

그러므로 생명의 두루마리(책)는 믿음을 고백하여 생명을 얻고자 하는 자들의 행위를 기록하는 두루마리(책)로서 여기에 기록된 자들 중에 진정 거듭남으로 구원을 얻는 자는 결코 지워지는 것이 없는, 이름만 기록되는 어린양의 생명의 두루마리(책)에 별도로 기록되고,(계 13:8, 21:27) 그렇지 못한 생명을 받을려고 했던 사람들은 행위를 기록하는 생명의 두루마리(책)에 기록했다가 구원을 받지 못하면 지워버리고 일반 사람들의 행위를 기록하는 책으로 옮기는 것이다.

이렇게 종합적으로 보아야 모든 성경 말씀이 다 맞게 되고 이치에도 합한 것이다. 하나님의 신비에 속한 일이므로 완전히 예단 할 수는 없지만 진리의 말씀과 영감으로 최선의 분별을 하는 것이다.

¤ 감동과 기도 ☆

6〉 프힐라델프헤이아(빌라델비아) 교회에 하신 말씀 7~13

7절 ▷ 그리고 너는 프힐라델프헤이아에 있는 교회의 사자에게 쓰라. 거룩한 자, 참된 자, 다빋의 열쇠를 가진 자, 열면 또한 아무도 닫을 수 없고, 그리고 닫으면 또한 아무도 열 수 없는 자가 이것들을 말한다.

Καὶ τῷ ἀγγέλῳ τῆς ἐν Φιλαδελφείᾳ ἐκκλησίας γράψον,
그리고 그 사자에게 그 있는 프힐라델프헤이아에 교회의 쓰라,
Τάδε λέγει ὁ ἅγιος, ὁ ἀληθινός, ὁ ἔχων τὴν κλεῖδα
이것들을 말한다 자 거룩한, 자 참된, 자 가진 그 열쇠를

τοῦ Δαβίδ, ὁ ἀνοίγων καὶ οὐδεὶς κλείει, καὶ κλείει
그 다빈의, 그가 열면 또한 아무도 없고 닫을, 그리고 닫으면
καὶ οὐδεὶς ἀνοίγει· ←또한 아무도 없는 열 수

프힐라델프헤이아(*Φιλαδελφείᾳ*)는 '사랑(*φιλέω*-필레오)'이라는 말과 '형제' (*ἀδελφός*-아델포스)라는 말의 합성어로서 '형제의 사랑' 이란 뜻이다. 참으로 주님의 사랑의 계명을 잘 지킨 교회이다. 이 교회에서 많은 감독이 배출되었으며 아시아의 기독교의 본산지가 되었다. 지금은 '알라쉐어(Alah Shahr-하나님의 도시)라는 이름으로 터어키인 회교도들의 박해에도 불구하고 주민의 상당수가 기독교인이며 감독을 포함하여 교회가 5개처나 된다고 한다.**《신계훈, 계시록, p.222》**

프힐라델프헤이아(빌라델비아)는 사르데이스(사데) 동남쪽 약50 Km 지점에 있는 역사가 짧은 도성이었다. 주전 159~138년 앋탈리스 2세(Attalus II)가 페르가모스(버가모)를 다스릴 때 이 도성을 정복하였다. 그의 동생 유메네스(Eumenes)를 극진히 사랑하여 이 성을 선물로 주면서 필라델푸스(Philadelphus-동생을 사랑하는 자)라 명명하여 주었다.

프힐라델프헤이아(빌라델비아) 교회에 말씀하시는 주님은 "거룩하고 참되시며 다윗의 열쇠를 가지신 분으로" 말씀하신다. '거룩하신 분(*ὁ ἅγιος* 호 하기오스)' 이란 말은 고대 헬라어 용어에서 경외의 대상을 가리키며, 형용사 *ἁγής*(하게스)는 '깨끗하다' 를 의미하는 말로서 신적인 완전을 표현하는 말이다. '참되시며(*ὁ ἀληθινός*- 호 알레트히노스)' 라는 말은 '정확하며 확실하고 분명하다' 는 의미이다. 그러므로 '신뢰할만한, 의로운' 이란 의미이기도 하다. 주님의 말씀을 잘 지킨 프힐라델프헤이아(빌라델비아) 교회를 칭찬하고 격려하시기 위해서 이러하

신 주님으로 말씀하신 것이다.

'다빋(다윗)의 열쇠를 가진 자' 라고 하신 것은 하나님께서 약속하신 '다빋(다윗) 왕국' 의 권세와 주권 곧 하나님 왕국의 권세와 주권을 가지신 이라는 말씀이다.(눅 1:31~33)

'열면 닫을 아무도 없고, 닫으면 열 아무도 없는 자' 라고 하신 것은 주님은 문이시며,(요 10:7) 홀로 하나님(하늘) 왕국의 열쇠를(마 16:19) 가지신 분이심으로 주님께서만이 그 문을 열고 닫으실 수 있는 분이라는 말이다. 열쇠는 문을 여는 것만 아니라 잠그는 것도 열쇠로 하는 것을 말하는 것이다.

8절 ▷ 내가 네 행위들을 알았노라. 보라, 네 앞에 열린 문을 허락하였으니 그러므로 아무도 그것을 닫을 수 없느니라.

Οἶδά	*σου*	*τὰ*	*ἔργα·*	*ἰδού,*	*δέδωκα*	*ἐνώπιόν*	*σου*	*θύραν*
내가알았으니	너의	그	행위들을	보라	허락하였으니	앞에	너의	문을

ἀνεῳγμένεν,	*καὶ*	*οὐδεὶς*	*δύναται*	*κλεῖσαι*	*αὐτήν·*
열린	그러므로	아무도	없다 수 있는	닫을	그것을

주님께서 '열린 문을 주었으므로 아무도 그것을 닫을 수 없느니라' 하신 말씀은, 앞서 7절에 말씀하신 하나님(하늘) 왕국의 문 곧 '구원의 문' 을 프힐라델프헤이아 교회에 열어 주셨으므로 어느 누구도 그 문을 닫아 구원을 받지 못하게 할 수 없다는 말씀이다. 프힐라델프헤이아 교회처럼 주님의 말씀을 잘 보존하여 지키는 것은 구원받는데 가장 확실한 방법이다. 이에 대하여 I 권 바른복음에서 명확하게 증명하였다.

▷ 왜냐하면 네가 아주 적은 능력을 가지고서, 그럼에도 불구하고 내 말을 지켜 행하며, 그리고 나의 이름을 부인하지 않았기

때문이다.

ὅτι μικρὰν ἔχεις δύναμιν, καὶ ἐτήρησάς μου τὸν
때문이다 적은 네가 가지고 능력을, 그리고 수행하며 나의 그
λόγον, καὶ οὐκ ἠρνήσω τὸ ὄνομά μου.
말을, 그리고 아니하였기 부인하지 그 이름을 나의

특히 프힐라델프헤이아 교회가 주님 앞에 사랑스러운 것은 큰 능력이 있어서 주님의 말씀을 준수한 것이 아니라 아주 보잘 것 없는 적은 능력인데도 주님의 말씀을 잘 지켰다는 사실이다. 프힐라델프헤이아(빌라델비아)는 일곱 교회가 있는 성읍 중에서도 가장 작은 성읍이었고 따라서 교회 교인 수도 제일 적었고 경제적으로도 빈약했다. 그렇지만 주님의 말씀을 지키는 데는 일곱 교회 중에서 제일이었다.

이에수스(예수)님께서 연보궤에 여러 부자들이 많이 넣는 헌금보다 한 가난한 과부가 작은 동전 둘을 넣는 것을 보시고 제자들에게 칭찬하셨던 것처럼(막 12:41~44) 프힐라델프헤이아(빌라델비아) 교회가 그와 같았다.

이에수스(예수)님께서 아주 어릴 때부터 30세 청년시절 까지 사셨던 나자레트흐(나사렛) 동네는 작고 보잘것없는 한 시골 동네였으며, 한 시골 목수(木手)의 순박한 가정에서 목수로서 생활하셨다. 그래서 전도의 공사역을 시작하셨을 때 사람들은 나자레트흐(나사렛)에서 무슨 선한(좋은) 것이 나올 수 있느냐?고 하였던 것이다.(요 1:46) 유대인들은 멧시아스(메시야)가 왕궁에 나실 줄 기대했는데 나자레트흐(나사렛) 출신이 멧시아스(메시야)라고 하니 도무지 믿어지지 않았던 것이다. 유대인들은 표적을 구하고 헬라인들은 지혜를 열망한다고 했듯이(고전 1:22) 유대인들은 외적인 것을 더 필요로 했던 것이다.

주님의 말씀을 잘 지키는 성도는 외적으로 능력 있는 자보다 없는 자가 더 잘 지킬 수 있는 것이다. 이에수스(예수)님께서 전파하고 가르치신 말씀들은 세상의 부한 자들이 받아들이기 쉽지 않고 지키기 어려운 말씀들이다. 이에수-스(예수)님께서 말씀하시기를 "물질이 많으면서 하나님의 왕국에 들어가는 것보다 낙타가 바늘구멍으로 빠져나가는 것이 더 쉬우니라"(마 19:24←헬라어 직역)고 하셨으니 물질을 많이 가지고 있으면서 이에수-스(예수)님의 말씀대로 수행(守行)하기는 거의 불가능하다는 말씀이다. 오늘날 기독교에 이 도리를 이에수-스(예수)님의 의중대로 올바로 가르치고 체득한 기독교인이 얼마나 될까?

그리고 이에수-스(예수)님께서는 가난한 자들에게 복음을 전파하시려고 성령님의 기름부음을 받으셨다고 하셨고,(눅 4:18) 제자들을 보시며 말씀하시기를, 가난한자는 복이 있나니 하나님의 왕국이 너희 것이기 때문이라 하셨다.(눅 6:20) 그리고 가난한 자들이 복음을 받아들인다 하셨고,(눅 7:22) 이아코보스(야고보)서 2:5절에는 "하나님은 세상의 가난한 자들을 택하셔서 믿음에 부요하게 하셨다고 하셨다. 가난하다고 다 복음을 받아들이고, 택함을 받아 믿음에 부요해지는 것은 아니나 세상의 부한 자에 비하면 가난한 자가 훨씬 복음을 잘 받아들이고 믿음에 부요하게 되는 것이다.

"내 이름을 부인하지 않았기 때문이니라" 주님의 말씀을 지키는 것과 주님의 이름을 부인하지 않는 것과의 관계는 주님의 이름을 시인하나 말씀을 지키지 않으면 행위로는 주님을 부인하는 것이 된다.(딛 1:6) 입으로는 죽기까지 주님과 함께 가겠다고 장담했지만 주님을 세 번 부인했던 베드로처럼. 오늘날 교회에는 이러한 신자들이 넘쳐나고 있다. 원인이 무엇일까? 이 책을 읽으면 그 해답이 나올 것이다. 주님께서 프힐라델프헤이아(빌라델비아) 교회에게 "너희는 나의 말을 지킴으로 또한 나의 이름을 부인하지 않았다"고 칭찬하셨다.

9절 ▷ 보라, 그들 스스로를 유대인들이라 말하는 자들, 그렇지만 그들은 거짓말들을 하니 내가 사타니스의 회합에 속하게 주며,

ἰδοὺ, δίδωμι ἐκ τῆς συναγωγῆς τοῦ σατανᾶ τῶν λεγόντων
보라, 주나니 ~에게속한 사람의 회합 그 사탄의 자들의 말하는
ἑαυτοὺς Ἰουδαίους εἶναι, καὶ οὐκ εἰσὶν ἀλλὰ ψεύδονται·
그들 스스로를 유대인들 이다, 그러나 아니다 그렇지만 거짓말들을 하는

'스스로 유대인이라 하는 자들'은 스뮈르나(서머나) 교회를 박해한 자들로 주님께서 말씀하셨는데,(계 2:9) 유대인들이 자신들만 하나님께서 택하신 아브라함에게 약속하신 이삭의 자손이며 다른 민족은 모두 지옥의 불쏘시개에 불과하고 자신들만 구원을 받는다는 그릇된 선민의식에 철저히 무장되어 유대교 외에 다른 종교를 배척하고 특히 기독교를 박해했던 것이다. 사도행전에서 보는 대로 사도 파월-로스(바울)의 복음전도에 그처럼 지독하게 반발했던 자들은 유대인들이었다. 어떻게 하나님의 선민이라 하고 하나님을 믿는다 하면서, 어찌하여 사도 파월-로스(바울)의 복음전도를 그렇게 반대했을까? 그 이유는 주님께서 말씀하신 대로 실상 그들은 사타나-스(사단)의 회합이기 때문이다. 하나님을 믿고 이에수-스(예수)님을 따른 수제자 페트로스(베드로)가 주님의 죽으심을 만류했을 때 페트로스(베드로)에게 "사타나-스(사단)야 내 뒤로 물러가라"라고 하셨듯이,(마 16:23) 유대인들이 하나님을 믿고 하나님의 말씀인 율법

을 열심히 지키는 자들이었지만, 사도 파윌-로스(바울)께서 전한 이에수-스(예수)님의 복음을 반대한 자들이었기 때문에 사타나-스(사단)의 회합이라고 하신 것이다. 과연 오늘날 기독교는 전통교리에 인박혀서 이에수-스(예수)님께서 전파하고 가르치신 복음의 말씀들은 다 제처놓고, 말하면, 배척하지 않는가? 그렇다면 사도 파윌-로스(바울)께서 전파하는 복음을 반대하던 전통적 유대인들과 다름이 무엇이겠는가?

▷ 보라, 그들을 네 발 앞에 오게 하여 또한 부복하게 만들 것이며, 뿐만 아니라 내가 너를 어떻게 사랑하는지를 알게들 하리라.

ἰδού, ποιήσω αὐτοὺς ἵνα ἥξωσιν καὶ προσκυνήσωσιν
보라 , 만들 것이다 그들을 그렇게하여 오게하여 또한 부복하게 하여
ἐνώπιον τῶν ποδῶν σου, καὶ γνῶσιν ὅτι ἐγὼ ἠγάπησά σε.
앞에 그 발들 너의, 뿐만아니 알게들 어떻게 내가 사랑하는지를 너를

주님께서 진정한 유대인이 아닌 그들을 프힐라델프헤이아(빌라델비아) 교회 앞에 오게 하여 발 앞에 부복하게 함으로 주님께서 프힐라델프헤이아(빌라델비아) 교회를 얼마나 사랑하는지를 알게들 하실 것이라 하신 것이다. 대적자들을 굴복케 하시겠다는 말씀이다. 주님의 말씀대로 지켜 행하는 바른 복음진리는 반드시 승리하며 반대하고 비방하는 자들이 굴복하게 되는 것이다. 얼마나 놀랍고 특별한 주님의 사랑이신가? 이에수-스(예수님)의 말씀을 준수하는 자를 주님께서 얼마나 사랑하시는가는 주님께서 세상에 계실 때 거듭 말씀하셨다.(요 14:21, 23)

☼ 감동과 기도 ☆

10절 ▷ 네가 나의 희망찬 인내의 말을 지켜 행하였기 때문에, 세상 위에 와서 땅 위에 거주하는 모든 자들을 시험하려고 하는 시험의 기간 중에 내가 너를 지켜 보호하리라.

ὅτι ἐτήρησας τὸν λόγον τῆς ὑπομονῆς μου,
때문에 지켜행하였기 그 말씀을 그 즐거운(희망찬)인내의 나의,

κἀγώ σε τηρήσω ἐκ τῆς ὥρας τοῦ πειρασμοῦ τῆς
내가 너를 지켜보호하리라 ~중에 때, 기간의 그 시험의 그

μελλούσης ἔρχεσθαι ἐπὶ τῆς οἰκουμένης ὅλης
~하려고 하는 와서 위에 그 세상의 모든

πειράσαι τοὺς κατοικοῦντας ἐπὶ τῆς γῆς.
~을 시험하는 그 거주하는 위에 그 땅.

프힐라델프헤이아(빌라델비아) 교회 성도들이 주님의 희망찬 인내의 말씀을 보존하여 지켰기 때문에 세상 위에 와서 땅 위에 거주하는 모든 자들을 시험하려고 하는 시험의 기간 중에 내가 너 보존하여 지키리라고 하셨다. 개역 한글성경은 '*τηρήσω*(테레소)'를 '면하게 하리니'라고 번역했는데 '*τηρήσω*(테레소)'는 '지키다(손실 해로부터, 시선을 계속 둠으로), 굳게 붙잡다' *τηρήω*(테레오)'의 직설 미래 능동으로 '지켜 보호하리니' 라는 말이지 '면하게 하리니' 라는 말이 아니다. 한국교회의 권위 있는 주석가들(P, L, K, J)만 아니라, 국내외 거의 모든 계시록을 해석하는 분들이 원어를 따르지 않고 잘못된 한글성경 번역 그대로 '환란을 면케 한다' 고 해석하였다. 그렇기 때문에 한국교회는 잘못 번역된 성경과 잘못 해석한 주석 권위자들의 권위를 따라 계시록에서 가장 중대한 문제의 하나인 이 문제가 바로 고쳐지지를 않고, 계속 성도는 환란을 당하지 않고 휴거 한다는 가르침을 견지하는 바탕이 되고 있는 것이다. 참으로 두렵고 통탄할 일이다.

한글로 번역 된 공동번역, 표준 신약전서, 현대인의 성경, 현

대어 성경은 '지키리니' 라고 바로 번역하였고, 영어성경 L.B(will protect you) RSV(will keep you) NIV(will also keep you) KJV(also will keep thee) NKJV(also will keep you)도 '지키리니' 라고 하였다. 그런데도 어찌하여 잘못 번역된 개역 한글성경에 '면하게 하리니' 라고 한 것을 한국의 저명한 주석가들은 헬라 원어와 영어성경도 유의해 보지 않고 잘못된 개역 한글성경만 따르고, 뿐만 아니라 영어 성경에는 분명히 '지키리니' 라고 되어 있는데도 불구하고 영어 주석가들 까지도 '면하게 한다' 고 하니 도대체 어찌된 일인지 통탄하고 놀라지 않을 수 없다.

한국교회 초기부터 환란전 휴거론이 잘못 가르쳤다는 것을 그 옛날 한국교회에서 불렀던 노래로 알 수 있으니 ♪보아라 세상아 나는 가노라 칠 년 환란 일기 전에 나는 가노라 세상의 시달림도 이젠 그치고♩…" 환란과 세상 도피적인 잘못된 신앙을 가르쳐 온 것이다. 인이 박혀서 고치기 거의 불가능이다.

이에수-스(예수)님께서 제자들에 대하여 "내가 비옵는 것은 저희를 세상에서 데려가시기를 위함이 아니요 오직 악에 빠지지 않게 보존하시기를 위함이니이다"(요 7:17)라고 하심 같이 '환난을 면하게 하리라' 는 말씀이 아니고 '환난 중에 보호하리라' 는 말씀이다.

11절 ▷ 보라, 내가 속히 간다. 아무도 너의 그 면류관을 취하지 않도록 하기 위하여 네가 가진 것을 굳게 지키라.

Ἰδού,	*ἔρχομαι*	*ταχύ·*	*κράτει*	*ὃ*	*ἔχεις,*	*ἵνα*
보라,	간다	속히,	굳게 지키라	것을	네가 가진,	~을위하여

μηδεὶς	*λάβῃ*	*τὸν*	*στέφανόν*	*σου.*
아무도 않게	취하지	그	면류관을	너의.

스뮈르나(서머나) 교회는 '죽기까지 신실하면 생명의 면류관을 네게 주리라' 하셨는데 비해, 프힐라델프헤이아(빌라델비아) 교회는 이미 면류관이 확보된 상태에서 그 면류관을 다른 사람이 취하지 않도록 말씀을 지키는 것을 잘 유지해 나가라는 말씀이다.

12절 ▷ 이기는 자는 그를 내 하나님 성전 안에 기둥으로 만들 것이니, 그러므로 그가 결코 밖에 다시 나가지를 아니하리라.

ὁ νικῶν, ποιήσω αὐτὸν στῦλον ἐν τῷ ναῷ του θεοῦ μου,
자는 이기는, 만들것이니 그를 기둥으로 안에 그 성전에 그 하나님의 나의,
καὶ ἔξω οὐ μὴ ἐξέλθῃ ἔτι, ←그러므로 밖에 결코아니 나가지를 다시

면류관만 아니라 끝까지 말씀을 잘 지키는 자는 하나님의 성전안에 기둥으로 만든다고 하셨다. 여기 '성전' 으로 번역된 *ναῷ* (나오-)는 성전 건물을 말하는 *ἱερὸν*(이에론)과 구별되는 '하나님께서 임재하시는 거룩한 곳' 지성소를 의미한다.

'그를 기둥으로 만들리니' 라고 하심은 갈라티아(갈라디아) 2:9절에 이아코보스(야고보)와 케파스(게바)와 이오안네스(요한)를 히에루살렘(예루살렘) 교회의 기둥같이 여긴다고 함 같이, 영원무궁한 내세에 하나님 앞에서 중심 인물로 만드시겠다는 말씀이다. 얼마나 귀한 영광인가? 오늘날 교회가 이 사실을 바로 알고 있는가? 아는 자, 그렇게 사는 자 극히 적다.

▷ 또 내가 나의 하나님의 이름과 나의 하나님으로부터 하늘 에서 내려오는 새 히에루살렘 나의 하나님의 그 도시의 이름과 나의 새 이름을 그이 위에 기록하리라.

καὶ γράψω ἐπ' αὐτὸν τὸ ὄνομα τοῦ θεοῦ μου, καὶ τὸ
또 기록할 것이다 위에 그이 그 이름을 그 하나님의 나의. 그리고 그
ὄνομα τῆς πόλεως του θεοῦ μου, τῆς καινῆς Ἰερουσαλήμ,
이름을 그 도시의 그 하나님의 나의, 그 새 이에루살렘의,
ἡ καταβαίνουσα ἐκ τοῦ οὐρανοῦ ἀπὸ τοῦ θεοῦ μου,
그 내려오는 로부터 그 하늘의 께로부터 그 하나님 나의
καὶ τὸ ὄνομά μου τὸ καινόν.
그리고 그 이름을 나의 그 새

뿐만 아니라 주님의 말씀을 잘 지킨 자에게는 그이 위에 하나님의 이름과 하나님의 도시 새 히에루살렘(예루살렘)의 이름과 주님의 새 이름을 새겨 주신다고 하신 것이다. 주님의 말씀 지키는 자를 얼마나 귀히 여기시고 영광스럽게 하시겠다는 약속인 것이다. 기존 교리와 전통적 복음에 집착되어 이 사실을 제대로 알지 못하고 가르치지도 않는 기독교, 주님의 말씀대로 지키지 않아도 오직 믿음으로 은혜로 구원을 얻는다는(단지 이것만은 옳지만) 데만 안주하는 기독교인들, 얼마나 안타까운지, 그 속에 잘못된 생각이 언제까지 머물지 참으로 주야로 탄식하는 일이다.(렘 4:14)

본절에서 '그<ὁ(호)>' 라고 하는 정관사가 무려 열한 번이나 사용된 것은 모두가 그 특별한 고귀함을 나타내는 것이다.

¤ 감동과 기도 ☆

13절 ▷ 귀 있는 자는 누구든지 성령님께서 교회들에게 하시는 말씀을 들으라.

ὁ ἔχων οὖς ἀκουσάτω τί τὸ πνεῦμα λέγει ταῖς ἐκκλησίαις.
자는 있는 귀 들으라 누구든 성령께서 하시는말씀을 그 교회들에게

주님께서 하시는 말씀이며 기록하게 하여 주신 말씀이 모두 성령님께서 교회들에게 하시는 말씀이다. 읽는 것보다 영의 귀로 성령님의 세미한 음성을 영에 직감하여 들을 수 있어야 한다.

7〉 라오디케이아(라오디게아) 교회에 하신 말씀 14~22

14절 ▷ 그리고 너는 라오디케이아 교회의 그 사자에게 쓰라. 아멘이며, 신실하고 진실한 증인이며 하나님의 창조의 시작인 자가 이것들을 말한다.

Καὶ τῷ ἀγγέλῳ τῆς ἐκκλησίας Λαοδικέων γράψον,
그리고 그 사자에게 그 교회의 라오디케이아의 쓰라,
Τάδε λέγει ὁ 'Αμήν, ὁ μάρτυς ὁ πιστὸς καὶ αληθινός,
이것들을 말한다 자 아멘인, 자 증인인 자 신실한 그리고 진실한,
ἡ ἀρχὴ τῆς κτίσεως τοῦ θεοῦ· ←그 시작 그 창조의 그 하나님의

라오디케이아(라오디게아)는 프힐라델프헤이아(빌라델비아)의 동남 64Km 지점에 있고 동쪽 14Km지점에는 골로새 교회가, 그리고 서쪽 68km 지점에는 에프헤시노스(에베소) 교회가 있었다.

라오디케이아(라오디게아)는 주전 261~247년 안티오커스 II세가 건설한 도시로서 왕비 라오디케(Laodice)의 이름을 따라 명명되었다. 현재는 터어키 명으로 이스키힛사르(Eskihissar)로 불리우는데, 지금은 완전히 폐허화한 자취에서 옛날의 번영을 짐작할 뿐이다.

라오디케이아(라오디게아)는 교통의 요충지로서 은행과 금융의 중심지였으며, 모직물과 의류제조업이 번창하였는데 특히 양털에 자흑색 빛나는 염색법을 개발하여 그 양털로 두루마기

같은 겉옷을 생산하여 세계시장을 석권했다. 주후 60년의 지진 때는 황제의 원조를 거부하고 자력으로 복구한 것을 보아 그 부요상을 짐작 할 수 있다. 유명한 의학교가 있었는데 그 의사들이 하도 유명하여 라오디케이아의 동전에까지 그 이름이 새겨질 정도였다. 의학교에서는 특히 안약 '클루리온' 을 환약으로 만들어 외국으로 수출했다. 귀약도 제조하여 수출했다.

라오디케이아 교회는 약14Km 가까운 거리에 콜랏사이(골로새) 교회와 히에라폴리스 교회가 삼각으로 있었는데 사도 파월-로스(바울)께서 보낸 콜랏사이(골로새)서 1:7절에 보면 콜랏사이 교회가 에파프흐라스(에바브라)에게서 가르침을 받았다고 하였으며, 4:13~16절에는 에파프흐라스(에바브라)가 세 교회를 위해 큰 열성을 지녔다고 하였고, 각 교회에 보낸 편지를 서로 읽으라고 한 것을 보아, 라오디케이아(라오디게아) 교회의 목회자는 에파프흐라스(에바브라)였던 것이다. 그러므로 라오디케이아(라오디게아) 교회도 사도 파월-로스(바울)의 전한 바른복음을 가르침 받은 교회인 것이다. 라오디케이아(라오디게아) 교회의 첫 감독은 사도 파월-로스(바울)에 의해 세워진 아르크포스(아킵보)였다. 그에게 "주님 안에서 받은 직무를 주의하여 수행하라" 고 권고하였다.(골 4:17) 직무에 대한 주의를 주는 예는 드문데, 아르크힢포스(아킵보)가 감독직을 잘 못하고 있었던 것 같다.

라오디케이아(라오디게아) 교회에 주님께서는 "아멘이며 신실하고 진실한 증인이며 하나님의 창조의 시작인 자" 로 말씀하신다고 하였다. 이러한 주님으로 말씀하신다는 것은 라오디케이아(라오디게아) 교회가 사도 파월-로스(바울)에게서 받은 바른 바른복음에 변함 없이 신실하고 진실하기를 구하기 때문인 것이다.

15절 ▷ 내가 너의 그 행위들을 알았노라. 네가 그렇게 차지도 아니하고 뜨겁지도 아니한 사실, 내가 원한다. 네가 차기보다 뜨거워져야 한다.

Οἶδά σου τὰ ἔργα, ὅτι οὔτε ψυχρὸς εἶ οὔτε ζεστός·
내가 안다 너의 그 행위들을, 그렇게 도 아니 차지 하니 도 아니 뜨겁지,
ὄφελον ψυχρὸς εἴης, ἢ ζεστός·
원한다 차기 해(져)야한다, …보다 뜨거워.

그런데 라오디케이아 교회는 사도 파월-로스(바울)와 에파프흐라스(에바브라)를 통해 바른복음을 가르침 받았지만 그 행위들이 차지도 아니하고 뜨겁지도 아니했던 것이다. 개역 한글성경에 '더웁지도' 라고 번역한 *ζεστός*(제스토스)는 '끓어오르다' 라는 뜻을 가진 *ζέω*(제오)에서 파생한 형용사로서 '끓어오르는 뜨거움' 이란 말이다. 그러므로 '더웁지도' 보다 '뜨겁지도' 라고 번역해야 합당하다. 개역 한글성경에 "네가 차든지 덥든지 하기를 원하노라" 고 한 헬라어를 바르게 직역하면 '*ἢ*(에)' 는 '…보다' 라는 뜻이므로 "**내가 원한다 네가 차기 보다 뜨거워져야 한다.**" 이다.

주님께서는 라오디케이아(라오디게아) 교회의 신앙생활이 차지도 아니하고 뜨겁지도 아니한 미지근한 상태에서 차거워지기 보다 뜨거워지기를 원한다고 하셨다. 찬 것은 영적 열망이 없는 것을 말하고 뜨거운 것은 영적으로 열망이 있는 것을 말한다.

16절 ▷ 왜냐하면 네가 그렇게 미지근하여 차지도 아니하고 뜨겁지도 아니하기 때문에 내 입으로부터 너를 토해내려

고 하기 때문이다.

οὕτως ὅτι χλιαρὸς εἶ, καὶ οὔτε ψυχρὸς οὔτε ζεστὸς
그렇게 때문에 미지근 하기, 그리고 도 아니하고 차지 도 아니하기 뜨겁지도
μέλλω σε ἐμέσαι ἐκ τοῦ στόματός μου.
~하려고 한다 너를 토해내려고 으로부터 그 입 나의.

'미지근하여' 로 번역된 χλιαρὸς(클리아로스)는 '용해하다' '녹이다' 는 뜻을 지닌 χλίω(클리오)에서 파생한 형용사로서 '열성이 없는' 이라는 뜻이다. 라오디케이아(라오디게아) 교회 신자들의 행위는 그렇게도 미지근하여 바른복음에 대한 열망이 아주 없는, 차디찬 세속적 불신자도 아니고, 반면에 열망이 바람직하게 뜨거운 신자도 아니기 때문에 주님의 입으로부터 토해내려고 한다 하신 것이다. 한글 개역성경에 '~하리라' 고 번역한 μέλλω(멜로)는 '내가~하려고 한다' 는 의미로서, 음식을 토하여 버리듯이 주님의 입에서 토하여 내버리려 하신다는 말씀이다. 너무나 두려운 경고이다. '토하여 내치리라' 는 말 ἐμέσαι(에메사이)는 '구토하다' 는 뜻과 함께 '혐오하다' 라는 뜻도 지닌 ἐμέω(에메오)의 부정과거 능동태로서, 심한 혐오를 가지고 토하는 것을 나타낸다. '미지근하다' '토하여 내치라' 는 말은 신약성경에서 여기서만 사용되었다.

라오디케이아(라오디게아)에서 동북쪽으로 10Km 정도 인접한 히에라폴리에는 뜨거운 온천이 있는데 그 물이 라오디케이아(라오디게아)에 이르러서는 아주 메스꺼울 정도의 미지근한 물이 된다고 한다. 어쩌면 라오디케이아(라오디게아) 교회의 영적 상태가 자연 현상과 그렇게 닮았는지 기이한 일이다.

신앙에 있어서 이렇게 회색지역인 어정쩡한 태도는 스스로 속기 쉬운 것이다. 모리스(L. Morris)는 "성령님에 의해 뜨거워

지기 전에 크흐리스토스(그리스도)교 신앙을 고백하는 것은 재난이다. 무관심 보다 차라리 노골적인 반항이 더 희망이 있다"고 하였다. 라오디케이아 교회는 신앙의 회색지역인 중간지대에 있었다.

17절 ▷ 왜냐하면 네가 말하기를, '참으로 나는 부요하고 또한 나는 부요하게 되었으므로 그러므로 나는 어떤 것도 부족한 것이 없다' 하기 때문이며, 그리고 네 비참한 것과 가련한 것과 궁핍한 것과 눈먼 것과 벌거벗은 것을 깨닫지 못하기 때문이다.

ὅτι λέγεις, ὅτι Πλούσιός εἰμι καὶ πεπλούτηκα καὶ οὐδενὸς
때문에 말하기, 왜냐하면 나는 풍부 하다 그리고 부하게 되어 즉 어떤 것도않다

χρείαν ἔχω, καὶ οὐκ οἶδας ὅτι σὺ εἶ ὁ ταλαίπωρος καὶ
결핍이 있지, 그리고 못하기 깨닫지 때문이다 너는~이다 자 네가 비참한 그리고

ἐλεεινὸς, καὶ πτωχὸς καὶ τυφλὸς καὶ γυμνός·
불쌍하고, 또한 빈곤하고 게다가 눈멀고 뿐만아니라 벌거벗은,

본절에서 토하여 내칠 이유를 말씀하셨다. 이유는 라오디케이아 교회가 스스로 비참한 영적 상태임에도 불구하고 자신을 보지 못하고 '나는 부요하게 되어 즉 어떤 것도 결핍이 있지 않아 나는 풍부하다' 하기 때문이다.고 하셨다. 라오디케이아(라오디게아) 교회 신자들은 물질적 풍요 속에 핍박도 없고, 자신들은 영적으로 부요하여 어떤 것도 결핍이 없다고 자만하고 태만한 것이다. 주님께서 보실 때 비참하고 불쌍한데도 스스로는 부요하여 결핍한 것이 없다고 생각하고 말하니, 중한 병이 들었는데도 '나는 병이 없고 건강하다' 고 하는 것과 같은 것이다. 참 딱한 노릇이다. A.D.60년에 발생한 대규묘 지진후에 다른 도시

들은 로마 황제의 원조를 받아 복구했지만, 라오디케이아(라오디게아)는 도움을 거절하고 자력으로 도시를 재건하였다고 하니 부요하여 부족이 없다고 한 라오디케이아(라오디게아) 교회의 영적 태도 역시 그러했던 것이다.

라오디케이아(라오디게아) 교회 신자들의 영적 실상은 ***ταλαίπωρος***(탈라이포로스) '비참하고' '***ἐλεεινὸς***(엘레에이노스)불쌍하고' ***πτωχὸς***(프토크호스) '빈곤하고' ***τυφλὸς***(튈프흘로스) '눈멀고' ***γυμνός***(귐노스) '벌거벗은' 상태였지만 자신들의 영적 실태를 도무지 보지 못하고 깨닫지 못하는 것이 더 큰 불행이었다. 자신의 불쌍한 상태를 볼 수 있고 깨달을 수 있다면 그래도 고치려 하겠건만, 라오디케이아(라오디게아)는 당시 세계적으로 유명한 안약 '클루리온' 의 발명지였기에 라오디케이아(라오디게아) 교회는 자신들의 눈에 관하여 밝은 줄 알고 자신들의 영적 실태를 보지 못하는 영적 안질이 있음을 전혀 생각지 못하고 있었다.

스뮈르나(서머나) 교회는 가난했으나 주님께서 '네가 실상은 부요하다' 하셨고, 라오디케이아(라오디게아) 교회는 스스로 부요하다 했으나 주님께서 '너는 말할 수 없이 비참하고 가난하다' 고 하셨다. 두 교회의 영적 실상과 육적 실태는 정 반대였다. 오늘날 교회에도 이러한 두 양상의 교회가 있다.

18절 ▷ **내가 너를 충고하노니 그러므로 불 가운데 제련된 내 금을 사서, 그렇게하여 풍부하게 하고, 그리고 흰옷들을 사서 입어 또한 네 벌거벗은 부끄러움이 보이지 않게 하고, 또한 네 눈들을 안약을 발라 그렇게하여 보도록 하라.**

συμβουλεύω σοι ἀγοράσαι παρ' ἐμοῦ χρυσίον πεπυρωμένον
충고한다,권하다 너는 사고 그러므로 나의 금을 제련된

ἐκ πυρὸς, ἵνα πλουτήσῃς, καὶ ἱμάτια λευκὰ ἵνα περιβάλῃ
가운데 불의, 그렇게하여 풍부하게 하고, 그리고 옷들을 흰 그렇게하여 입어

καὶ μὴ φανερωθῇ ἡ αἰσχύνη τῆς γυμνότητός σου· καὶ
그리고 않게 보이지 부끄러움이 그 벌거벗음의 너의, 그리고

κολλούπιον ἔγχρισον τοὺς ὀφθαλμούς σου, ἵνα βλέπῃς.
안약을 바르라 그 눈들을 너의,그렇게 하여 보도록하라

"내가 너를 충고하노니 그러므로 불 가운데 제련된 내 금을 사서, 그렇게하여 풍부하게 하고, 그리고 흰옷들을 사서 입어 또한 네 벌거벗은 부끄러움이 보이지 않게 하고, 또한 네 눈들을 안약을 발라 그렇게하여 보도록 하라." 하셨다. 라오디케이아 교회는 세상적으로, 그리고 스스로 신앙적으로 부요하여 부족이 없다고 생각하였으나, 주님께서 보시는 관점으로는 말할 수 없이 불행하여 불쌍하였으니, 무엇보다 먼저 영적으로 가난한 것을 해결해야 하는 것이었다. 에덴 동산에서부터 범죄한 인간의 모든 불행의 시초는 가난으로부터 시작되었다.(창 3:17~19) 또한 육적인 가난은 하나님과의 관계인 영적으로 가난해진데서 온 것이었다. 하나님과 말씀에 대한 믿음을 잃어버린 데서 온 것이다.(창 3:4~6)

그러므로 육적 가난의 원인인 영적 가난의 해결은 금과 같은 하나님과 말씀에 대한 순전한 믿음을 소유하는 것이다. 이에수스(예수)님께서 "사람이 빵 하나만을 위하여 살려고 할 것이 아니라 참으로 하나님의 입으로부터 나오는 모든 말씀을 위하여 살려고 할 것이라" 고 하신 뜻이 그 때문인 것이다.(마 4:4)

19절 ▷ 내가 얼마나 누구든지 사랑하여 꾸짖고, 그리고 훈계하노니, 그러므로 네가 확실히 열망하고 그리고 마음을 바

꾸라.

ἐγὼ ὅσους ἐὰν φιλῶ, ἐλέγχω καὶ παιδεύω· ζήλωσον
내가 얼마나 누구든지 사랑하여, 꾸짖고 그리고 훈계하노니, 열망하고
οὖν καὶ μετανόησον.
확실히 그리고 마음을 바꾸라.

ὅσους(호수스)는 '만큼(많은, 큰), 얼마나 큰(많은)' 이고, *ἐὰν*(에안)은 '언제든지, 누구든지' 이니 '내가 얼마나 누구든지 사랑하여 꾸짖고, 그리고 훈계하노니' 라고 하신 것이다. 라오디케이아(라오디게아) 교회가 사도 파윌-로스(바울)를 통해 바른 복음을 받았지만(행 19:10, 26) 신앙이 차지도 아니하고 뜨겁지도 아니하여 영적 상태가 너무나 불쌍한 상태에 있으므로, 주님께서 얼마나 긍휼히 여기시고 사랑하셔서 바로 되기를 원하심으로 부모가 자식에게처럼 꾸짖고 훈계하신다는 말씀이다.

ζήλωσον(젤로손)은 '탐하다(열심으로), 열망하다' 이고, *οὖν*(운)은 '확실히, 그리고(진실로), 정말' 의 뜻이니, 주님께서 차지도 아니하고 뜨겁지도 아니한 라오디케이아 교회에게 '네가 확실하게 열망을 가지고, 그리고 마음을 바꾸라' 고 명령하셨다. 신앙생활에 자만하며 열망이 없는 태만한 교회나 신자는 주님께서 구역질나는 것처럼 아주 싫어하신다. 하나님의 왕국에 들어가는 구원받는 것을(마 19:23~26) "열렬한 자들이 낚아채는"〈*βιασταὶ ἁρπάζ ουσιν αὐτήν*(비아스타이 하르파주신 아우텐〉것으로 주님께서 말씀하셨다.(마 11:12)

20절 ▷ 보라, 내가 문 곁에 서서 그리고 두드리노니, 만일 누구든지 내 목소리를 듣고 또한 문을 열면 내가 그를 향하여 들어가리라. 그리고 그와 함께 먹을 것이며 그는 또

한 나와 연합할 것이다.

ἰδοὺ, ἕστηκα ἐπὶ τὴν θύραν καὶ κρούω· ἐάν τις ἀκούσῃ
보라, 서서 앞에 그 문 그리고 두드린다 만일 누구든지 듣고
τῆς φωνῆς μου, καὶ ἀνοίξῃ τὴν θύραν, εἰσελεύσομαι πρὸς
그 목소리 나의, 그리고 열면 그 문을, 들어갈 것이다 향하여
αὐτόν, καὶ δειπνήσω μετ᾽ αὐτοῦ, καὶ αὐτὸς μετ᾽ ἐμοῦ.
그를, 그리고 먹을 것이다 함께 그와, 또한 그는 연합할 나의.

주님께서 문 곁에 서서 그리고 두드린다고 하셨는데, '문'은 마음의 문을 표징하여 말씀하신 것이다. "만일 누구든지 내 목소리를 듣고 또한 문을 열면 내가 그를 향하여 들어가리라." 하셨다. 진정 주님의 목소리를 듣는 자라야 마음의 문을 열 수 있지, 주님의 목소리를 듣지 못하는 사람은 마음의 문을 열 수 없다.

작크하이-오스(삭개오)가 이에수-스(예수)님을 보고 싶은 열망을 가지고 뽕나무 위에 올라갔을 때 "오늘 내가 너의 집에 유하여야겠다" 하시는 주님의 음성을 들을 수 있었고, 기쁨으로 주님을 집으로 영접하여 모셨을 때 그의 마음 문이 열렸고, 마음을 바꾸는 개심을 하게 되고, 주님으로부터 "오늘 구원이 이 집에 이르렀느니라" 하시는 놀라운 구원의 복을 받게 되었던 것이다.(눅 19:1~10) 이에수-스(예수)님으로부터 직접 "오늘 너의 집에 구원이 되기 시작했다〈*ἐγένετο* 에게네토〉"는 말씀을 듣는 것은 얼마나 감격한 일인가? "구하라 그리고 열망하라 너희에게 주실 것이요, 또한 두드리라 가질 것이며, 그리고 너희에게 열릴 것이다"라고 하셨으니,(마 7:7; 눅 11:9) 하나님께서 피조물들로 하여금 필요한 것을 얻게 하시는 법칙인 것이다. 시편 107:9절에는 "갈망하는 혼(자아)을 충분히 만족시키시며, 배고파 쓰린 혼(자아)에게 좋은 것으로 채워주시기 때문이라"고 하셨다.

열망하는 것으로 다 되는 것이 아니고 보다 궁극적으로는 마음을 바꾸어야〈*μετανόησον* 메타노에손〉하는 것이다. 열망한다고 주님께서 그의 마음에 들어가셔서 함께 먹으며 연합하지 않으신다. 작크하이-오스(삭개오)가 마음을 바꾸지〈*μετανόησον* 메타노에손〉않았으면 주님께서 작크하이-오스(삭개오)의 집에는 방문하셨을지라도 작크하이-오스(삭개오)의 마음에 들어가셔서 연합하지는 못하셨을 것이다. 오늘날 수많은 기독교인들이 열망이 없을뿐더러, 열망이 있는 자도 대부분 마음을 바꾸지(회심, 개심) 않으므로 마음 가운데 주님과의 확실한 연합이 되지 않고 있는 것이다.

주후 364년경 라오디케이아(라오디게아) 교회당에서 종교회의가 개최되었는데 주로 교회 조직 문제를 취급하기 위한 회의였다. 회의에서는 고해성사 의식의 규정과 성경의 정경을 확정하였으며, 이 회의에서 계시록을 정경에서 제외시켰다.《**기독교대 백과(4). p. 925**》 이에수-스(예수)님의 계시의 말씀을 성경에서 제외시키는 것은 이에수-스(예수)님을 문밖에 배척하는 교회이다.(계 22:19)

21절 ▷ 이기는 자 그에게는 내가 이기고 그리고 내 아버지 그분의 보위에 함께 앉은 것과 같이 내 보좌 위에 함께 앉게 하여 주리라.

ὁ νικῶν, δώσω αὐτῷ καθίσαι μετ' ἐμοῦ ἐν τῷ
자는 승리하는, 줄 것이다 그에게 앉게하여 함께 나의 위에 그

θρόνῳ μου, ὡς κἀγὼ ἐνίκησα, καὶ ἐκάθισα μετὰ τοῦ
보좌에 나의, 같이 내가 승리하고, 그리고 앉은 것 함께 그

πατρός μου ἐν τῷ θρόνῳ αὐτοῦ.
아버지의 나의 위에 그 보좌에 그분의.

'이기는 자' 곧 주님께서 하신 말씀을 굳게 붙잡고 지키는 자는, 주님께서 아버지의 말씀을 굳게 붙잡고 지켜 죽음까지도 이기심으로(요 17:4; 빌 2:5~8) 아버지의 보좌에 함께 앉으심 같이 주님의 보좌에 함께 앉게 하여 주시겠다고 하신 것이다. 일곱 교회에 주신 약속 중에서도 최고의 영광스런 약속이다. 기독교에 일반적으로 라오디케이아(라오디게아) 교회는 가장 나쁜 교회로 치부되어 있으나, 그렇지만 않은 것은 하나님의 일곱 영과 일곱 별을 가지신 주님께서 라오디케이아(라오디게아) 교회의 문 곁에 서서 두드리고 계신다고 하셨으니, 저희들이 주님의 음성을 듣고 열망하는 신앙으로 개심하여 영적으로 부요해져서 주님의 보좌에 함께 앉게해 주시려고 얼마나 애틋한 심정으로 말씀하고 계시는가를 알아야 하는 것이다.

¤ 감동과 기도 ☆

22절 ▷ 귀를 가진 자는 누구든지 성령님께서 교회들에게 하시는 말씀을 들으라.

ὁ ἔχων οὖς ἀκουσάτω τί τὸ πνεῦμα λέγει ταῖς ἐκκλησίαις.
자는 가진 귀 들으라 누구든지 성령께서 말씀하시는 것을 교회들에게

일곱 교회 모두에게 끝에 이 말씀을 하신 것은 주님의 간절한 중심을 나타내신 것이다. 주님께서 하신 말씀들은 성령님께서 교회들에게 하시는 말씀인즉 심령(心靈)의 귀로 들어서 굳게 지킴으로 이기는 자가 되기를 얼마나 원하시는가를 알게 하는 말씀인 것이다. 할렐루야! 아멘!

♤ 3장 요점 정리 ♠

① 사르데이스(사데) 교회는 영적 생명이 살아 있다는 이름은 가졌으나 지금 현재 죽고 있다고 주님께서 말씀하셨다. 그렇기 때문에 영적으로 시급히 각성하여 깨어 일어나 그 나머지 죽으려고 하는 것들을 강하게 하라고 하셨다. 교회사적으로 종교개혁 이후 1900년대 부흥과 복음전도의 불길이 타오르던 때 이전까지의 세계 교회의 영적상태라고 본다. 믿음이 있노라 하나 행함이 없는 신앙 하나님 앞에 행위들에 만족한 것이 없었기 때문이라 하셨다. 〔1~2절〕

② 오늘날 기독교는 성경이 잘못 번역되어 있지 않은지, 복음이, 계시록 해석이 잘못되어 있지 않은지 심사숙고해야 한다.〔3절〕

③ 하나님은 어느 타락한 시대나 교회 중에도 극히 소수의 합당한 남은 자들이 있도록 섭리하신다. 〔4절〕

④ 주님께서 사르데이스(사데) 교회의 어떤 자들이 생명의 두루마리 책에 이름이 절대로 지워지지 않는다고 하셨는가?〔5절〕

⑤ 열쇠를 가지신 주님께서 프힐라델프헤이아(빌라델비아) 교회에 열린 문을 두셨다는 것은 무엇보다 구원의 문인 것이다. 주님의 말씀을 준수하는 것은 구원에 가장 확실한 증표이다.〔8절〕

⑥ 주님은 당신의 말씀을 준수하는 자를 가장 사랑하신다.〔9절〕

⑦ 주님의 말씀을 준수한 자들은 마지막 대환란 때 피란처에 보호하여 지켜주신다.〔10절〕

⑧ 주님의 말씀을 준수한 자들은 면류관이 이미 확보되어 있으며, 새 히에루살렘(예루살렘) 도시 자체의 성전에서 중심 인물이 되며, 그의 위에 하나님의 이름과 새 히에루살렘(예루살렘)의 이름과 주님의 새 이름 이 세 가지를 기록해 주신다.

〔11~12절〕

⑨ 라오디케이아(라오디게아) 교회의 신앙상태는 환란이 없고 부요하여 영적 육적으로 자만하고 나태하여 차지도 않고 뜨겁지도 않는 일곱 교회 중에 가장 비참한 교회로서 주님께서 징계하고 책망하여 "열망하라! 그리고 마음을 바꾸라!" 고 명령하셨다.〔15~19절〕

⑩ 토하여 내치고 싶은 이러한 교회임에도 불구하고 주님께서는 문밖에 서서 마음의 문을 열기를 기다리시며, 이기는 자는 주님이 함께 먹으며 보좌에 앉게 하여 주시겠다고 약속하셨다.〔20~21절〕

갑바도기아 동굴교회

【 계시록 제 4 장】

한 글 개 역 성 경	전통원문 직역 성경
1. 이 일 후에 내가 보니 하늘에 열린 문이 있는데 내가 들은바 처음에 내게 말하던 나팔소리 같은 그 음성이 가로되 이리로 올라 오라 이후에 마땅히 될 일을 내가 네게 보이리라 하시더라	**1. 이러한 것들 후에 내가 보았는데, 실로, 보라, 하늘에 문이 열려져 있고,. 그리고 처음에 내가 들은 것 같은 나와 함께 말하던 나팔소리 같은 음성이. 말씀하시기를. 여기로 올라 오라. 정말 이러한 것들 후에 반드시 일어나야 하는 것들을 네게 보이리라.**
2. 내가 곧 성령에 감동하였더니 보라 하늘에 보좌를 베풀었고 그 보좌 위에 앉으신 이가 있는데	**2. 그리하여 즉시 내가 성령님 안에 있게 되었는데,, 실로 보라, 하늘에 보좌가 놓여 있고 그리고 그 보좌 위에 한 분이 앉으셨고,**
3. 앉으신 이의 모양이 벽옥과 홍보석 같고 또 무지개가 있어 보좌에 둘렸는데 그 모양이 녹보석 같더라	**3. 또한 앉으신 분의 현상이 벽옥과 홍보석 돌에 유사하고, 그리고 보좌 둘레에 무지개가 녹보석 광경에 유사하였다.**
4. 또 보좌에 둘려 이십 사 보좌들이 있고 그 보좌들 위에 이십 사 장로들이 흰옷을 입고 머리에 금 면류관을 쓰고 앉았더라	**4. 그리고 보좌의 둘러싼 이십 사 보좌들이 있고, 또한 내가보니 그 보좌들 위에 이십 사 장로들이 앉았는데, 흰옷들을 입고, 그리고 그들의 머리들 위에는 금 면류관들을 지니고 있었느니라.**
5. 보좌로부터 번개와 음성과 뇌성이 나고 보좌 앞에 일곱 등불 켠 것이 있으니 이는 하나님의 일곱 영이라	**5. 그리고 그 보좌로부터 번개들과 천둥들과 소리들이 나오며, 또한 그 보좌 앞에 일곱 등불이 켜져 있으니 하나님의 일곱 영이라.**
6. 보좌 앞에 수정과 같은 유리 바다가 있고 보좌 가운데	**6. 그리고 그 보좌 앞에 수정에 유사한 유리 바다가 있고. 또한 그 보좌 사이와 그리고 그 보좌**

제 4 장

와 보좌 주위에 네 생물이 있는데 앞뒤에 눈이 가득하더라	**의 사방에 네 생물들이 앞과 뒤에 눈들이 가득하니라.**
7. 그 첫째 생물은 사자 같고 그 둘째 생물은 송아지 같고 그 셋째 생물은 얼굴이 사람 같고 그 네째 생물은 날아가는 독수리 같은데	**7. 그리고 첫째 생물은 사자에 유사하고, 그리고 둘째 생물은 어린 황소에 유사하고, 그리고 셋째 생물은 사람 같은 얼굴을 가졌고, 그리고 넷째 생물은 날아가는 독수리에 유사하니라.**
8. 네 생물이 각각 여섯 날개가 있고 그 안과 주위에 눈이 가득하더라 그들이 밤낮 쉬지 않고 이르기를 '거룩하다 거룩하다 거룩하다 주 하나님 곧 전능하신이여 전에도 계셨고 이제도 계시고 장차 오실 자라' 하고	**8. 그리고 네 생물들이, 그들 자신에 대하여 각각 여섯 날개들을 가졌고, 사방과 안에 눈들이 가득하니라. 그리고 밤과 낮에 중단하지 않고 말하기를, 거룩하시도다 거룩하시도다 거룩하시도다 주 하나님 전능하신 분이시여, 계셔 오시고 그리고 지금 계시며, 또한 가고 계신 분이시로다 하니라.**
9. 그 생물들이 영광과 존귀와 감사를 보좌에 앉으사 세세토록 사시는 이에게 돌릴 때에	**9. 그리고 그 생물들이 영원의 영원을 향하여 사시는 보좌 위에 앉으신 분께 영광과 존귀와 감사를 돌리는 동안,**
10. 이십 사 장로들이 보좌에 앉으신 이 앞에 엎드려 세세토록 사시는 이에게 경배하고 자기의 면류관을 보좌 앞에 던지며 가로되	**10. 이십 사 장로들이 보좌 위에 앉으신 분 앞에 엎드리니라. 그리고 영원의 영원을 향하여 사시는 분께 경배하고 그리고 자신들의 면류관들을 보좌의 앞에 던지며 말하기를,**
11. 우리 주 하나님이여 영광과 존귀와 능력을 받으시는 것이 합당하오니 주께서 만물을 지으신지라 만물이 주님의 뜻대로 있었고 또 지으심을 받았나이다 하더라	**11. 주님이시여. 영광과 존귀와 권능을 받으심이 합당하시옵니다. 왜냐하면 당신께서 만물을 창조하셨고, 그리고 그들은 당신의 뜻을 위하여 있고, 또한 창조 받았기 때문입니다 하니라.**

【 문 단 】

1〉 **하나님 보좌의 광경** (4:1~11)

① 성령님 안에서 사도 이오안네스가 본 하나님의 보좌 (1~2)

② 보좌에 앉으신 분의 모습과 보좌 주변의 광경 (3~6)

③ 네 생물의 모습과 그들의 하나님 찬양 (7~9)

④ 이십 사 장로들의 경배와 찬양 (10~11)

【 주 해 】

〈**개요**〉 4장과 5장은 6장부터의 본 계시 이전에 삽입된 중간 계시이다. 2장과 3장의 일곱 교회에 대한 말씀을 하신 후에 6장의 여섯 인의 내용을 계시하시기 전, 4장과 5장에서 하나님의 보좌의 광경과 인을 떼실 어린양 예수님께서 보좌에서 경배와 찬양을 받으시는 광경을 보게 하신 것이다. 그 이유는 6장부터 어린양께서 일곱 인을 떼시고, 일곱 천사가 일곱 나팔을 불고, 일곱 대접의 재앙을 땅에 쏟게 하시며 계시하시는 모든 일의 주관자가 보좌에 계신 하나님과 어린양이심을 보여주시고 알게 하신 것이다. 일의 주관자 누구임을 알아야 하기 때문이다. 그리고 6장의 첫째 인부터 되어지는 일들이 너무나 참혹한 것이기 때문에 하나님의 종들과 성도들로 하여금 주관자가 하나님과 어린양이심을 알므로 낙심하지 않고 용기를 가지게 하기 위함인 것이다. 당시 이우다이아(유대)와 흐로메(로마) 제국 전 세계에 걸쳐 휘몰아치고 있는 전쟁과 기근과 죽음과 박해의 폭풍 속에서 하나님의 종들과 교회와 성도들이 가장 바라고 소망하는 것은 어서 주님께서 재림하셔서 의와 선함으로 통치하시는 멧시아스(메시아) 왕국의 예언의 말씀이 성취되는 것이었다. 그러므로 극심한 환란 중에 있는 성도들에게 당시 교회의 영적 실상과 우주의 통치자이신 하나님과 어린양의 보좌의 광경을 계시로 보여 주는 것이 가장 우선적인 일이었다.

1〉 하나님 보좌의 광경 (4:1~11)

① 성령님 안에서 사도 이오안네스가 본 하나님의 보좌 (1~2)

1절 ▷ 이러한 것들 후에 내가 보았는데, 실로, 보라, 하늘에 문이 열려져 있고,. 그리고 처음에 내가 들은 것 같은 나와 함께 말하던 나팔소리 같은 그 음성이 말하기를. 여기로 올라 오라. 정말 이러한 것들 후에 반드시 일어나야 하는 것들을 네게 보이리라.

Μετὰ ταῦτα εἶδον, καὶ ἰδοὺ θύρα ἠνεῳγμένη ἐν τῷ
후에 이러한것들 내가 보았는데, 실로 보라 문이 열려져 있고 안에 그

οὐρανῷ, καὶ ἡ φωνὴ ἡ πρώτη ἣν ἤκουσα ὡς σάλπιγγος
하늘에, 그리고 그 음성이 그 처음에 것 내가 들은 같은 나팔소리

λαλούσης μετ' ἐμοῦ, λέγουσα, Ἀνάβα ὧδε, καὶ δείξω
말하던 함께 나의, 말씀하시기를, 올라오라 여기로, 또한 보이리라

σοι ἃ δεῖ γενέσθαι μετὰ ταῦτα.
네게 반드시 … 야 한다 일어나야 ~후에 이러한 것들

'이러한 것들 후에' 라는 말은 1장부터 3장까지 보고 듣고 기록하는 일들 후에 라는 말이다. "보라! 하늘에 문이 열려져 있고, 그리고 처음에 내가 들은 것 같은 나와 함께 말하던 나팔소리 같은 음성이 말씀하시기를 여기로 올라 오라 정말 이러한 것들 후에 반드시 일어나야 하는 것들을 네게 보이리라." 하셨다 하였으니, 사도 이오안네스(요한)는 얼마나 감흥(感興) 되었겠는가? 그러므로 '보라!' 라고 감홍사를 먼저 던지며 말하는 것이

다. 계시록에서 '보라!' 라는 말이 수십 차례 나오는데 신약 성경에 200회나 된다.

'하늘에 문이 열려져 있고' 하나님의 보좌의 광경을 보여 주시기 위해서 하늘에 문이 열려져 있고, '여기로 올라 오라' 하신 것이다.

'올라 오라' 는 말 '’Ἀνάβα(아나바)' 를 트헤쌀로니케(데살로니가) 4:17절에 'ἁρπαγησόμεθα(아르파게소메트하)' '잡아 올리다, 끌어당기다' 와 같은 것으로 해석하여 계시록 4:1절의 '’Ἀνάβα(아나바)' 를 '휴거' 라고 하는 것은 정말로 억지 해석이다. 휴거를 주장하는 세대주의의 대변임을 자임하는 왈부드(Walvood) 역시 '문맥으로 보아 이것은 교회의 휴거를 분명하게 가리키는 것이 아니라는 사실이 명백하다' 고 하였다.

뿐만 아니라 7:9~17절, 11:12절, 14:1~5절, 15:2~4절도 휴거라고 주장하며 심지어 어떤 이는 계시록에 휴거가 일곱 번 있다고까지 신바람 내기도 한다. 글쎄올시다.(?)

야곱이 흐하란(하란)으로 피신하던 중 베에르쉐바(브엘세바)에서 돌을 베개하고 자던 중 따위에 선 사닥다리 꼭대기가 하늘에 닿았고, 하나님의 천사가 그 위에서 오르락내리락 하는 광경을 보고 깨어 일어나 "이곳이 하나님의 전이요 하늘의 문이로다"라고 했던 것이나,(창 28:17) 하나님께서 말라기 선지자를 통해 백성들에게 "내가 하늘 문을 열고 너희에게 복을 쌓을 곳이 없도록 붓지 아니하나 보라"고 하셨다.(말 3:10)

'처음에 내가 들은 것 같은 나와 함께 말하던 나팔소리 같은 음성' 은 계시하시는 주님의 음성이다.(1:10~20)

"이러한 것들 후에 반드시 일어나야 하는 것들을 네게 보이리라" '이러한 것들' 은 특히 2장 3장의 일곱 교회가 처한 각각의 상황과 해야 할 일을 말씀하신 그러한 것들 후라는 말씀이다. 사도 파월-로스(바울)께서 일곱 교회 중에 첫번째인 에프헤소스(에베소) 교회에서 3년간 복음사역을 마친 때가 주후 58년이었다. 그리고 카이사레이아(가이사랴)에서 2년간 감금되어 있다가(행 24:27) 주후 61년에 로마로 이송되었다. 이때만 해도 네로는 포학해지지 않았을 때이다. 네로는 주후 64년 7월 카페나문(the Capena Gate) 근처 빈민굴 지역에서 화재가 나서 로마를 반이나 불태운 재난으로 인해 기독교인들에게 누명을 씌어 대대적인 박해를 가한 것이다. 그러므로 주후 58년 사도 파월-로스(바울)의 복음사역이 끝나고, 61년 로마로 이송되어 2년간 흐로메(로마)에서 복음을 전하고 서신을 다 기록한 후인 주후 63년경 사도 파월-로스(바울)께서 예고한 대로(행 20:29~31) 에프헤소스(에베소) 교회의 형편이 계시록 2장처럼 그렇게 되어졌고, 히에루살렘(예루살렘) 멸망의 징조인 첫째 인부터 미혹, 전쟁, 기근, 죽음, 핍박의 일들이 주후 63년경부터 본격적으로 시작되었던 것이다.

그러므로 주후 63년경 흐로메(로마)에서 사도 파월-로스(바울)의 복음사역과 옥중서신 성경 기록이 끝난 때와 더불어 전세계적인 기독교 박해와 히에루살렘(예루살렘) 멸망의 징조가 본격적으로 이미 시작된 일을 사도 이오안네스(요한)를 통해 하나님의 비밀인 보좌에 앉으신 하나님의 오른손의 두루마리 책과 그 인을 떼실 어린양의 광경을 먼저 계시하여 주신 것이다.

이 천상의 위엄과 영광의 광경은 현재 지상에서 핍박에 직면한 성도들에게 최후의 승리를 보장하고 격려하는 것이다.

2절 ▷ 그리하여 즉시 내가 성령님 안에 있게 되었는데, 실로 보

라, 하늘에 보좌가 놓여 있고 그리고 그 보좌 위에 한 분이 앉으셨고,

καὶ εὐθέως ἐγενόμην ἐν πνεύματι· καὶ ἰδού, θρόνος
그리하여 즉시 있게되다 안에 성령 실로 보라, 보좌가
ἔκειτο ἐν τῷ οὐρανῷ, καὶ ἐπί τοῦ θρόνου καθήμενος·
놓였고 안에 그 하늘에, 그리고 위에 그 보좌의 앉으셨고

"그리하여 즉시 내가 성령님 안에 있었는데" 라고 한 것은 주님께서 사도 이오안네스(요한)에게 '이리로 올라 오라' 하신 것이 어떤 이들이 말하는 휴거가 아니고 사도 이오안네스(요한)에게 하늘의 하나님의 보좌의 광경을 보도록 하시기 위해서 하늘의 문을 여시고 성령님으로 보좌가 있는 하늘로 인도하여 보게 하셨다는 말인 것이다. 선지자 야헤쯔켈(에스겔)의 경우를 보면 "주의 영이 나를 들어 데리고 여호와의 전 동문 곧 동향한 문에 이르시기로 본즉" 이라고 하였고,(겔 11:1) "여호와께서 권능으로 내게 임하시고 그 영으로 나를 데리시고 가서 골짜기 가운데 두셨는데 거기 뼈가 가득하더라" 고 하였으니(겔 37:1~14) 환상을 보여 주신 것을 "주의 영이 나를 들어 올려 데리고 가셔서" 보게 하셨다고 한 것이다. 사도 이오안네스(요한)에게 보여 주신 계시록의 모든 본 것은 성령님의 인도하심으로 환상으로 보게 하신 것을 말하는 것이다. 여기서 더도 덜도 하지 말아야 한다.

"실로 보라! 하늘에 보좌가 놓여 있고 그리고 그 보좌 위에 한 분이 앉으셨고", 사도 이오안네스(요한)가 본 가장 감동적인 하늘의 광경은 보좌와 그 위에 앉으신 하나님이시였다. 그래서 '보라!' 라고 외친 것이다. '보좌가 놓여 있음' 은 앞으로 전개될 모든 심판의 근원이며 대 주재의 원천임을 보여주는 것이다.

'보좌' 라는 말 '*θρόνος*(트흐로노스)' 가 신약성경에 62회 중에

계시록에 47회나 된다. 하나님의 통치와 주권을 주시한 것이다. 개역 한글성경에 '베풀었고' 라고 번역한 헬라어 '*ἔκειτο*(에케이토)' 는 '놓여있다, 작정되어 있다, 주어져 있다' 라는 뜻의 '*κεῖμαι*(케이-마이)' 의 동사 직설 미완료 중수디포로서 주후 67년경 계시록 기록 당시 하나님의 보좌가 완성되지 않았고 완성되어 가고 있음을 말한 것이다.

보좌는 사람이 편히 앉도록 구조되어 있는 것이며 하나님께서 보좌에 앉으셨다는 것은 사람의 형태이신 것을 말한다. 선지자 에스겔이 본 것도 "하늘에 보좌의 형상이 있고 보좌의 형상 위에 한 형상이 있어 사람의 모양 같더라" 고 하였다.(겔 1:26) 하나님의 모양은 사람의 모양과 같다. 왜냐하면 사람을 창조하실 때 하나님 자신의 형상과(첼렘 -**닮은**) 모양(데무트 -**같은 모양**)으로 창조하셨기 때문에(창 1:26, 27) 하나님과 사람은 형상과 모양이 유사한 것이다. 하나님의 실체의 형상이신 이에수-스(예수)님께서(히 1:3) 우리 사람과 같은 모양으로 오신 것을 보면(빌 2:7,8) 하나님의 실체의 형상은 사람과 같음을 알 수 있다.

② 보좌에 앉으신 분의 모습과 보좌 주변의 광경 (3~6)

3절 ▷ 또한 그 앉으신 분의 광경이 벽옥과 홍보석 돌과 유사하고 그리고 보좌 둘레에 무지개 광경이 녹보석에 유사하였다.

καὶ ὁ καθήμενος ἦν ὅμοιος ὁράσει λίθῳ ἰάσπιδι καὶ
또한 그 앉으신 였다 유사하고 광경이 돌 벽옥에 과

σαρδίνῳ· καὶ ἶρις κυκλόθεν τοῦ θρόνου ὅμοιος ὁράσει
홍보석에 그리고 무지개가 둘 레에 그 보좌의 유사하고 광경이

σμαραγδίνῳ. ←녹보석

보좌에 앉으신 분의 눈으로 본 인상적인 모양이 벽옥과 홍보석 돌과 유사하였다고 하였다. '유사하다' 는 말 'ὅμοιος'(호모이오스)' 가 계시록에서 21회 사용되었다.(1:13, 15, 4:3, 3, 6, 7, 7, 7, 2:18, 9:7, 7, 10, 19, 11:1, 13:2, 4, 11, 14:14, 18:18, 21:11, 18) 인간이 하나님의 외양을 완전하게 표현할 수 없다. 그러므로 사도 이오안네스(요한)는 '유사하다' 는 말을 사용한 것이다.

'벽옥' 은 푸른빛을 발하는 고운 옥(玉)돌을 말하는데 제사장의 가슴에 차는 판결 흉패의 열두 지파를 의미하는 열두 보석 중의 하나이며(출 28:20) 사랑스럽고 아주 단단한 옥돌로서 하나님께서 벽옥과 같으시다 함은 하나님은 환란 중에서도 자신의 종들과 성도들을 사랑하고 보호하시는 분이심을 의미한다. 계시록에서는 하늘에서 내려오는 새 히에루살렘(예루살렘)의 첫 번째 기초석을 벽옥이라 하였는데(계 21:9, 20) 아름답고 견고한 보석이다.

홍보석 역시 제사장 흉패의 열두 가지 보석 중 하나로서(출 28:17) 하나님께서 붉은 색 홍보석 돌에 유사하시다 함은 하나님은 공의로 심판하시는 분이심을 나타내는 것이다. 벽옥과 홍보석이 보좌에 앉으신 하나님의 모습으로 비추어진 것은 하나님의 속성을 의미하는 것임이 분명하다.

보좌에 앉으신 하나님의 광경과 함께 보좌의 둘레에 무지개가 있어 녹보석 같았다고 하였다. 에스겔 1:28절에 "그 사면 광채의 모양은 … 무지개 같으니 이는 여호와의 영광의 형상의 모양이라" 고 하였으니 보좌에 앉으신 하나님의 영광의 광채의 모양이 녹보석 무지개 같았다는 말이다. 무지개는 노아 홍수 후에 자비와 긍휼의 언약으로 세우신 것으로 또한 그것이 가장 편안한 색인 녹보석 같은 것은 진노와 심판 중에서도 자비와 긍휼을 잊지 않으시는 하나님이심을 의미한 것이다.

이와 같은 하나님의 세 속성의 광경을 사도 이오안네스(요한)에게 보여 주심은 앞으로 계시로 보게 될 땅위에 쏟아질 끔찍하고 참혹한 하나님의 진노와 재앙의 일들 가운데서도 두려워하거나 동요치 말 것을 예시한 것이다.

4절 ▷ 그리고 보좌의 둘러싼 이십 사 보좌들이 있고, 또한 내가 보니 그 보좌들 위에 이십 사 장로들이 앉았는데, 흰옷들을 입고, 그리고 그들의 머리들 위에는 금 면류관들을 지니고 있었느니라.

καὶ κυκλόθεν τοῦ θρόνου θρόνοι εἴκοσι καὶ τέσσαρες,
그리고 둘러싸다 그 보좌의 보좌들 이십 또한 사,
καὶ ἐπὶ τοὺς θρόνους εἶδον τοὺς εἴκοσι καὶ τέσσαρας
또한 위에 그 보좌들 내가보니 그 이십 과 사
πρεσβυτέρους καθημένους, περιβεβλημένους ἐν ἱμα-
장로들이 앉았더라, 입고 옷들
τίοις λευκοῖς· καὶ ἔσχον ἐπὶ τὰς κεφαλὰς αὐτῶν
흰 그리고 가졌더라 위에 그 머리들 그들의
στεφάνους χρυσοῦς. ← 면류관들을 금으로 만든

하나님의 보좌를 둘러 24 보좌가 있고 그 보좌 위에 24 장로가 흰옷을 입고 머리 위에는 금으로 만든 면류관이 있더라고 하였다.

어떤 이는 장로들을 천사라 하나 천사는 보좌에 앉지 않으며, 면류관을 쓰지 않고, 장로라 하지 않기 때문에 24장로들은 천사가 아니며 하나님의 보좌에서 구원받은 성도들의 대표로서 섬기도록 세워진 자들이다.

24의 수는 상징이 아닌 하나님의 보좌에 장로들의 실제의 수

이면서 그 의미는 '완벽한 대표수' 인 것이다. 21장에 하늘에 예비된 새 히에루살렘(예루살렘)의 문이 열둘이고 그 문들 위에 이스라엘 자손 열두 지파의 이름이 기록되었다고 하였으며, 성벽의 기초석도 열둘인데 그 위에는 어린양이 12사도의 열두 이름이 있더라고 하였으니(12~14) 하나님의 의중을 인지하여야 한다. 특히 다빋(다윗) 왕이 죽기 전에 하나님의 전에서 수종 들 제사장의 반차를 24 반차로 제비 뽑게 하였고,(대상 24:1~19) 또한 수금과 비파와 제금을 잡아 신령한 노래를 하여 하나님께 감사하며 찬양하게 한 반열의 수도 12인씩 24 반열이었던 것이다.(25:1~31) 24 반차 또는 반열로 한 것은 하루 24시간 순번으로 끊임없이 하나님을 섬기며 찬양하도록 한 의미인 것이다.

그러므로 영원토록 하나님을 섬기며 찬양하는 새 히에루살렘(예루살렘) 성도들의 반열도 끊임없이 순차로 찬양하는 24 반열이며 그 반열의 대표자로서 하나님 보좌의 24 장로들인 것이다.

그런데 24 장로들이 사람인가 천사인가 하는 것은 본서의 논란이 되는 문제이다. 그러나 24 장로들이 구속받은 성도들인 것은 그들이 흰옷을 입고 머리에 금 면류관을 쓰고 앉았다고 하였는데 성경에 천사들이 금 면류관을 썼다는 말은 한 번도 없으며 천사를 장로라 한 적도 없다. 그리고 보좌에 앉으신 하나님과 어린양 앞에 엎드려 경배하며 성도들의 기도가 가득 담긴 금 대접을 가지고 구속받은 은혜를 찬송한다고 하였으니,(4:10, 11, 5:8, 9) 그러므로 네 생물과 달리 장로들은 천사가 아니고 구속받은 성도들 반열의 대표인 것이다.

여기서 관심 되는 문제는, 그러면 이 24장로는 언제부터 보좌에 앉게 되었는가 하는 것이다. 이 문제 때문에 많은 해석자들이 24장로를 구원받은 성도들의 대표라고 하는데는 이론이 없으나 휴거 된 교회 성도들이라고 하는 데는 일치하지 않는다. 그런데 24장로가 휴거 된 성도가 아니라고 하는 자는 여기에 대한 명확한 성경의 증거로 설명하지 않고 침묵하고 있으니, 휴거라고 하는 잘못된 견해에 설득되고 있는 실정이다.

앞서 말했지만 이 문제의 해결은 이 24장로들은 언제부터 보좌에 앉게 되었는가가 해결의 초점이다. 두말할 것 없이 이에수-스(예수)님께서 십자가와 부활로 구속을 성취하시고 승천하시어 하나님의 보좌 우편에 앉으시기 전에 이에수-스(예수)님 보다 앞서 24장로들이 보좌에 앉을 수 없는 것이다. 보좌의 광경을 보고 말한 야헤쯔켈(에스겔) 선지자나(겔 1:26~28, 10:1~22) 다니엘 선지자가(단 7:9~10) 보좌에 24장로가 있다고 말하지 않은 것이다.

이에수-스(예수)님께서 부활하신 때<*μετά*(메타) **후에, 따라서**> '무덤이 열리며 성도들의 몸들이 일어나 거룩한 도시를 향하여 들어가 많은 사람들에게 알려졌다' 고 하였다.(마 27:52~53) 이때에 들어간 '도시' 라고(개역 한글성경은 '성' 이라고 번역) 한 '*πόλιν*(폴린)' 이 당시 이스라엘 땅의 히에루살렘(예루살렘)에 들어가서 사람들에게 보였다는 말인지, 영원한 하늘에 예비된 새 히에루살렘(예루살렘)에 들어갔다는 말인지 구분할 수 없으나, '*πόλιν*(폴린)' 이라는 헬라어가 이스라엘 땅의 히에루살렘(예루살렘)을 말할 때나 영원한 하늘에 예비된 새 히에루살렘(예루살렘)을 말할 때나(계 3:12, 21:14, 16, 18, 19, 21, 23, 22:19) 동일하게 사용된 것이다. 그러므로 일단 부활한 성도가 지상의 히에루살렘(예루살렘) 성에 들어가서 많은 사람들에게 알려지고, 그리고 그 부활은 나자로스(나사로)의 부활과는 다른 영원한 부활의 첫 열매인 이에수-스(예수)님의 부활에 따른 영원한 부활이므로 하늘의 새 히에루살렘(예루살렘)에 들어간 것으로 봄이 합리하다.

부활하시고 승천하셔서 하나님의 보좌 우편에 앉으실 어린양 이에수-스(예수)님을 네 생물들과 천사들과 함께 찬양하고 경배하도록 구약시대와 이에수-스(예수)님 부활 때까지 무덤에서 잠자던 성도들 중에서(전체 부활이 아니었음) 24장로가 될 성도를 부활케 하신 것은 지극히 당연한 이치인 것이다. 말하자면 이에수-스(예수)님의 부활과 함께 하나님께서 보좌의 구성이 완비되어가게 하신 것이다. 개역 한글성경에 '베풀었고' 라고 번역한 헬라어 'ἔκειτο(에케이토)' 는 '놓여있다, 작정되어 있다, 주어져 있다' 라는 뜻의 'κεῖμαι(케이-마이)' 의 동사 직설 미완료 중수디포로서 주후 67년경 계시록 기록 당시 하나님의 보좌가 완성되지 않았고 완성되어 가고 있음을 말한 것이다. 필자는 이것을 확실히 믿는다.(네 생물에 대해서는 7절에서 설명함)

¤ 감동과 기도 ☆

5절 ▷ 그리고 그 보좌로부터 번개들과 천둥들과 소리들이 나오며, 또한 그 보좌 앞에 일곱 등불이 켜져 있으니 하나님의 일곱 영이라.

καὶ ἐκ τοῦ θρόνου ἐκπορεύονται ἀστραπαὶ καὶ βρονταὶ
그리고 ~로부터 보좌의 나와서 번개들 과 천둥들이
καὶ φωναί· καὶ ἑπτὰ λαμπάδες πυρὸς καιόμεναι ἐν
또한 소리들 과 일곱 등들이 불의 불켜진
ὠπιον τοῦ θρόνου, αἵ εἰσιν τὰ ἑπτὰ πνεύματα τοῦ θεου·
앞에 그 보좌의, 것 이라 그 일곱 영들 그 하나님의

'보좌에서부터 번개들과 천둥들과 소리들이 나오며' 라고 했는데 이것은 8:5절에 일곱째 인을 떼시는 때에, 그리고 11:19절에는 일곱째 나팔을 불 때에, 그리고 16:18절에는 마지막 일곱째 대접 재앙을 쏟을 때 즉 하나님의 진노의 재앙이 본격적으로 시작되는 시점들과 종결 될 때에 번개들과 천둥들과 소리들이 났다고 한 것이다. 그러므로 앞으로 있을 진노와 재앙들이 보좌에 계신 하나님께로부터 있는 것임을 미리 알려 준 것이다.

'보좌 앞에 일곱 등불들이 켜져 있으니 하나님의 일곱 영이라' 구약 때에 하나님께서 임재하시는 지성소의 휘장 앞에 일곱 가지로 된 등불이 있었듯이 사도 이오안네스(요한)는 하나님의 보좌 앞에 일곱 등불이 켜져 있는 것을 보게 되었다. 그런데 그 등불은 하나님의 일곱 영이라고 한 것이다. 누구의 설명이 없이도 사도 이오안네스(요한)는 직감적으로 알 수 있었기 때문에 '켜져 있으니 하나님의 일곱 영이라' 고 한 것이다. '일곱 영' 이란 말을 '칠배로 강화된 영' 이라느니(윗트리스니), '일곱 천사' 라느니(H. Kraft) 하지만 하나님의 영이 능력이 강화되었다거나 숫적으로 일곱이라는 말이 아니라 불은 권능을 의미하며 일곱은 완전함을 의미하는 것으로 완전하게 사역하시는 영이시라는 의미이다. 이사야 11:2절에 오실 멧시아스(메시아) 위에 임하실 영을 일곱 특징으로 말하였으니 "1〉 여호와의 영, 2〉 지혜의 영, 3〉 총명의 영, 4〉 모략의 영, 5〉 재능의 영, 6〉 지식의 영, 7〉 여호와를 경외하는 영이라고 하였다. 그런 의미에서 '일곱 영' 이라 한 것이다.

'보좌 앞에' 라고 한 것은 성령님은 보좌에 계신 성부님의 권위와 능력과 모든 속성으로 항상 하나님 앞에서 하나님의 사역을 나타내시는 사역자임을 의미한다. 위치를 말함이 아니다.

6절 ▷ 그리고 그 보좌 앞에 수정에 유사한 유리 바다가 있고. 또 한 그 보좌 사이 위에와 그리고 그 보좌의 사방에 네 생물 들이 앞과 뒤에 눈들이 가득하니라.

καὶ ἐνώπιον τοῦ θρόνου θάλασσα ὑαλίνη, ὁμοία κρυσ-
그리고 앞에 그 보좌의 바다가 유리, 유사한 수정에
τάλλῳ. Καὶ ἐν μέσῳ τοῦ θρόνου καὶ κύκλῳ τοῦ θρόνου
또한 위에 사이에 그 보좌의 그리고 사방에 그 보좌의
τέσσαρα ζῷα γέμοντα ὀφθαλμῶν ἔμπροσθεν καὶ ὄπισθεν.
네 생물들이 가득하니라 눈들의 앞 과 뒤에

'보좌 앞에 수정에 유사한 유리 바다가 있고' '유리'로 번역된 '휘알리네'는 '비'(행 14:7), '물방울'이란 의미를 지닌 '휘에토스'에서 유래한 말로서 물방울처럼 투명한 것을 가리키며, '수정'으로 번역된 '크뤼스탈로'는 '얼음'이라는 뜻을 지닌 '크뤼오스'에서 파생한 고대어로서 '수정에 유사한 유리바다'라고 한 것은 투명하게 맑은 이미지를 강조한 말이다. 성막에 손 씻는 물두멍(출 30:18)을 쉘로모(솔로몬) 성전에서 '바다<יָם(얌) **바다** sea>'라 하였으니(왕상 7:23) 의미가 통한다. 죤 번연의 '천로역정'에 마지막 천성에 들어가기 전 기독도가 요단 강을 건너는 것도 이와 유사한 것이다.

보좌 앞에 수정에 유사한 맑은 유리바다가 있으니 하나님 앞에서는 어떤 더러움도 어떤 감추임도 있을 수 없음을 나타내고 있다. 21:27절에 영원한 하나님의 새 히에루살렘(예루살렘)에는 깨끗지 못한 것이나 미운 것이나 거짓말하는 자는 절대로<***οὐ μὴ*** 우 메-이중부정> 들어가지 못한다고 하신 것과 연결되는 것이다.

"보좌 사이와 그리고 그 보좌의 사방에 네 생물들이 앞과 뒤에 눈들이 가득하니라" 여기서 보좌 사이와 보좌의 사방에 네 생물이 있다고 한 것은 네 생물 중 한 생물은 하나님과 어린양의 보좌 사이에서 정면을 바라보고, 다른 두 생물은 보좌의 좌우에서 바깥을 향하고, 한 생물은 보좌 뒤에서 바깥을 향하고 있음을 말한다. 그런데 그 생물들은 눈이 한 둘만 아니고 많은 눈을 가졌으며, 눈들이 앞에만 아니라 뒤에도 있어 돌아서지 않아도 볼 수 있는 것이다. 특히 '눈들이 가득하다' 는 것은 통찰력과 지각이 충만하다는 의미이다. 하나님의 보좌에서 찬양하며 섬기는 생물들이 통찰력과 지각이 충만해야 직무를 잘 수행할 수 있는 것이다.

③ 네 생물의 모습과 그들의 하나님 찬양 (7~9)

7절 ▷ 그리고 그 첫째 생물은 사자에 유사하고, 그리고 그 둘째 생물은 어린 황소에 유사하고, 그리고 그 셋째 생물은 사람 같은 얼굴을 가졌고, 그리고 그 넷째 생물은 날아가는 독수리에 유사하니라.

καὶ τὸ ζῷον τὸ πρῶτον ὅμοιον λέοντι, καὶ τὸ δεύτερον ζῷον
그리고 생물은 그 첫째 유사하고 사자에, 그리고 그 둘째 생물은
ὅμοιον μόσχῳ, καὶ τὸ τρίτον ζῷον ἔχον τὸ πρόσωπον ὡς
유사하고 어린황소에 그리고 그 셋째 생물은 가졌고 얼굴을 같은
ἄνθρωπος, καὶ τὸ τέταρτον ζῷον ὅμοιον ἀετῷ πετωμένῳ.
사람, 그리고 그 넷째 생물은 유사한데 독수리에 날아가는

'생물' 은 어떤 존재인가? 계시록에서 가장 이해가 어려운 중의 하나이며, 그러므로 이해를 주의해야 하는 문제이다. 특별하게 생긴 모습이 이해를 쉽지 않게 하기 때문에 해석이 분분하다.

첫째 생물은 사자에 유사하고, 둘째 생물은 어린 황소에 유사하고, 셋째 생물은 사람에 유사하고, 넷째 생물은 독수리에 유사하다고 하였다,

우선 (어린)사자와 어린 황소와 (어린)독수리와 (어린)사람의 얼굴을 가진 네 생물들은 무서운 모습이 아니고 유순하여 귀엽고 사랑스런 모습이다. 4:7절 개역 한글성경에 둘째 생물은 '송아지' 같고 에서 *μόσχῳ*(모스크호)는 '어린 황소' 를 말하며, 셋째 생물의 얼굴의 사람도 어린 아이와 같은 유순한 모습일 것은 '어린 아이들과 같이 되지 아니하면 절대로<*ου μὴ*(우 메) 이중 부정> 하늘의 왕국에 들어가지 못한다' 고 하셨고,(마 18:3) 하나님의 왕국은 성격이나 개성이 어린 아이들과 같은 자들의 것이라고 하셨기 때문에(막 10:14) 어린아이의 모습과 꼭 같다는 말이 아니라 그처럼 유순한 모습이라는 말이다. 보좌의 주님의 모습도 '어린양' 으로 말씀하였다. 그러므로 당연히 사자도 무서운 모습이 아니라 어린 사자와 같은 모습이며, 독수리도 어린 독수리의 모습일 것이다. 맹수도 어릴 때는 사랑스럽고 귀엽다. 이사야 11:6절에 멧시아스(메시아) 왕국의 예언에서 "그때에 이리가 어린양과 함께 거하며 표범이 어린 염소와 함께 누우며 송아지와 어린 사자와 살찐 짐승이 함께 있어 어린 아이에게 끌리며"라고 '어린 사자' 라 하였고 '어린' 이란 말이 5회나 언급되었으니 네 생물이 어린 모습일 것이 분명하다.

그리고 앞서 6절에는 앞뒤에 눈들이 가득하고, 8절에는 그 자신들을 대하여 각각 여섯 날개들을 가졌고, 사방과 안에 눈들이 가득하였다고 하였으니 정말 놀라운 특이한 모습이 아닐 수 없다. '생물' 이라는 헬라어 *ζῷον*(조-온)은 '살아 있는 피조물' 이라는 말로서 네 생물은 하나님께서 에덴 동산에 창조하신 모든

생물<חי하이-**살아 있는 존재**>들의 대표가 되도록 하나님의 보좌에서 섬기도록 특별히 창조된 그룹 천사들이다. 주전 593년경 야헤쯔겔(에스겔) 선지자가 본 보좌의 생물들의 모습과(각 생물이 네 얼굴을 가졌음) 다른 것은 보좌에 앉으신 하나님께서 모든 것을 새롭게 만드신다고 하셨으니(21:5) 생물도 새롭게 되는 것이 당연하다.

금 면류관을 쓴 24장로와는 달리 날개가 있고, 사방과 안에 눈들이 가득하다 한 것은(8절) 사람이 아님을 말한다. 사람이 날개를 가지지 않으며, 눈들이 많을 수 없고, 그리고 날개가 여섯씩이나 가졌다는 것은 일반 천사도 아님을 말한다. 날개의 주 용도는 신속히 나는 것이다. 그러면서도 밤낮 쉬지 않고 하나님을 찬양한다고 하는 것은(8절) 이에수-스(예수)님께서 구속의 사역을 이루신 후 하나님의 보좌에서 모든 피조물들의 대표로서 하나님을 찬양하도록 지음 받은 초능력의 네 그룹 천사들인 것이다.

하나님께서 네 가지 생물의 모습으로 하나님을 시위하고 주야로 찬양하는 그룹 천사들을 창조하신 것은 생물들도 크흐리스토스(그리스도) 이에수-스(예수)님의 피로 구속하신 은혜로 새 하늘과 새 땅에 새롭게 존재하게 되었기 때문이다. 모든 피조물이 신음하며 크흐리스토스(그리스도)의 구속하심으로 하나님의 아들들이 나타남을 기다린다고 하였으니(롬 8:19~23) 생물들의 대표로서 하나님을 섬기고 찬양하게 함은 당연한 것이다. 아멘!

선지자 야헤쯔켈(에스겔)이 본 하나님 보좌의 네 생물<חי하이-**살아 있는 존재**>들의 모습도 동일하게 네 가지였다. 그러나 야헤쯔켈(에스겔)이 본 생물들은 사람의 형상인데 각각 모두가 네 얼굴을 가졌다 하였고, 네 날개를 가졌는데 날개 밑에는 각각 사람의 손이 있더라고 한 것이(겔 1:5~10) 이오안네스(요한)가 본 여섯 날개를 가졌다는 것과 차이가 난다. 그런데 선지자 헤사이아스(이사야)가 본 보좌에서 하나님을 모신 스랍들은 각기 여섯 날개가 있었다고 한 것은(사 6:1~2) 사도 이오안네스(요한)와 일치한다.

모든 말씀을 종합해 볼 때 '생물'은 하나님의 보좌에서 하나님을 섬겨 모시는 일을 하도록 모든 피조물을 대표한 특별한 그룹 천사로 지음 받은 것이 확실하다. 그 네 가지 모습은 생물들의 특성을 나타내는 것인데 사자의 위용과 용감성, 어린 황소처럼 힘과 헌신함, 사람처럼 지혜와 현명함, 독수리처럼 높고 신속함으로 하나님을 섬기고 모심을 의미하는 것이 확실할 것이다.

8절 ▷ 그리고 네 생물들이, 그들 자신들을 대하여 각각 여섯 날개들을 가졌고, 사방과 안에 눈들이 가득하니라. 그리고 밤과 낮에 중단하지 않고 말하기를, 거룩하시도다 거룩하시도다 거룩하시도다 주 하나님 전능하신 분이시여, 계셔오시고 그리고 지금 계시며, 또한 가고계신 분이시로다 하니라.

καὶ τέσσαρα ζῷα, ἓν καθ' ἑαυτό εἶχον ἀνὰ πτέρυγας ἕξ,
그리고 네 생물들이, 대하여 그자신들을 가졌고 씩 날개들을 여섯
κυκλόθεν καὶ ἔσωθεν γέμοντα ὀφθαλμῶν, καὶ ἀνάπαυσιν
사방에 과 안에 가득하니라 눈들이, 그리고 중단을
οὐκ ἔχουσιν ἡμέρας καὶ νυκτός, λέγοντα, Ἅγιος, ἅγιος,
갖지않고 낮의 과 밤의, 말하기를, 거룩하다, 거룩하다
ἅγιος κύριος ὁ θεὸς ὁ παντοκράτωρ, ὁ ἦν καὶ ὁ ὢν και
거룩하다 주 그 하나님 이 전능하신, 이 계셔오는 이 지금 계시는
ὁ ἐρχόμενος. ← 이 가고계신

'네 생물들이, 그들 자신들을 대하여 여섯 씩 날개들을 가졌

고' 라고 하였는데 개역 한글성경에 '각각' 으로 번역된 *ἀνὰ*(아나)는 '~위에' '~위로' 라는 전치사이지만 뒤에 수를 의미하는 말일 때는 '분배' 의 의미를 나타내 '~씩' 의 의미가 된다. 누가복음 10:1절에 '*ἀνὰ δύο*(아나 뒤오–둘씩)' 라고 한 경우와 같다.

'사방과 안에 눈들이 가득하니라' 특히 앞서 6절에 '앞과 뒤에 눈들이 가득했다' 고 했는데, 여기서는 ***κυκλόθεν***(퀴클로트헨–**사방, 주위**) ***καὶ***(카이–**와**) ***ἔσωθεν***(에소트헨–**안에**) 눈이 가득하였다고 하였으니 생물들은 눈이 앞뒤만 아니라 사방과 안에도 가득하다 하였다는 것은 생물들의 놀라운 특징이다. 이것은 무엇을 의미하는 것인가? 에덴 동산에서 사탄이 하와를 미혹할 때 "너희가 그것을 먹는 날에는 너희 눈이 밝아 하나님과 같이 되어 선악을 알 줄을 하나님이 아심이니라" 하였으니(창 3:5) 눈이 밝아지면 하나님과 같이 된다고 한 말에서 밝은 눈은 분별과 총명을 의미함을 알 수 있다. 이는 하나님을 잘 모시고 섬기기 위해서는 무엇보다 분별력과 총명함이 뛰어나야 함을 말하는 것이다. 분별력과 총명함은 신앙생활에도 얼마나 중요한지 참으로 귀중하다.

"그리고 밤과 낮에 중단하지 않고 말하기를, 거룩하시고 거룩하시며 거룩하시도다 주 하나님 전능하신 분이시여" 라고 찬양한다고 하였다. 미국의 저명한 '가정 부인' 지(誌)에 70년을 사는 보통사람의 생애를 분석한 결과를 실었는데, 6년을 먹는데 시간을 소비하고, 잠자는데 24년, 일하는데 11년, 세탁 옷 손질 미용에 5년 반, 3년을 교육에, 8년을 오락과 휴식에, 6년을 걷는데, 3년을 독서에, 3년을 대화에, 믿는 자는 6개월을 하나님께 예배한다고 하였다. 70년을 사는 인생이 1년도 아닌 6개월을 예배하고 인생의 1%도 안 되는 0.7%의 삶을 바치고 그토록 존귀하고 영광스러운 하나님의 보좌 앞에 나아간다는 것은 어인 일이겠는가?

"거룩하시고 거룩하시며 거룩하시도다"라고 세 번 반복하는 것은 하나님의 거룩하심이 최상으로 지극하심을 나타내며 또한 삼위 하나님께서 거룩하심을 송영 드림에 합당하기 때문이다. 히브리 사고 관습에 의하면 동일한 표현의 두 번 반복은 강조를 의미하고 세 번 반복하는 것은 최상급적 표현을 의미하는 것이다.

이사야 선지자가 본 하나님 보좌의 스랍들의 찬양에서도 "서로 창화하여 말하기를 거룩하시고 거룩하시며 거룩하시도다 만군의 여호와여 그분의 영광이 온 땅에 충만하도다"라고 한 것이다.(사 6:3)

'거룩하다'는 헬라어 ἅγιος(하기오스)는 고대 헬라어 용어로는 경외의 대상을 가리키며, 형용사 άγής(하게스)는 '깨끗하다'를 의미한다. 하나님의 거룩은 신적인 완전을 표현함이며, 신약에서의 거룩하심은 하나님의 가장 내밀한 본성이시다. 하나님의 거룩하심은 전능하심과 영존하심과 영광스러움을 포괄하여 경외심을 불러일으키는 것이다.

'계셔 오시고 그리고 지금 계시며, 또한 가고계신 분이시로다' 개역 한글성경에 '전에도 계셨고'라고 번역한 ὁ ἦν(호엔)은 현재분사 '있다 ὤν(온)의 미완료 중수디포로서 "계셔 오시고'라고 번역해야 한다. '전에도 계셨고'라고 번역하면 하나님을 전에 계셨다가 지금 계시지 않을 수 있는 부모 같은 사람에 비견될 수 있기 때문이다. 그리고 '장차 오실 자'로 번역한 것도 잘못된 것이다. ὁ ἐρχόμενος(호 에르크호메노스)는 '오다, 가다'의 현재분사 중수디포로서 보좌에서의 생물들의 칭송의 말이므로 '가고 계시는 분'이라고 해야 한다. '장차 오실 이'라고 번역해 놓음으로 이 성경을 읽는 한국교회는 하나님께서 심판하려 장차 미래에 오실 것으로 생각하고 있는 것이다. 너무나 잘못된 것이다. 그렇기 때문에 기독교는 재림에 대한 긴박감이 없으며 가장 좋아하고 있는 자는 사탄인 것이다. 생물들은 하나님은 심판하러 가고 계시는 분이시라고 하였다. 성경번역자의 책임이 실로 중차대하다.

☼ 감동과 기도 ☆

9절 ▷ 그리고 그 생물들이 그 영원의 영원을 향하여 사시는 보좌 위에 앉으신 분께 영광과 존귀와 감사를 돌리는 동안,

καὶ ὅταν δώσουσιν τὰ ζῷα δόξαν καὶ τιμὴν καὶ εὐχαρ
그리고 동안 돌리는 그 생물들이 영광을 과 존귀를 와 감사
ιστίαν τῷ καθημένῳ ἐπὶ τοῦ θρόνου, τῷ ζῶντι εἰς τοὺς
를 그 앉으셔서 위에 그 보좌의, 그 사시는 그
αἰῶνας τῶν αἰώνων, ← 영원들을 그 영원들의

생물들이 보좌 위에 앉으셔서 영원(들)의 영원(들)을 향하여 사시는 하나님께 영광과 존귀와 감사를 돌리는 것을 본 것이다. 개역 한글성경에 "세세토록 사시는 이에게" 라고 한 헬라어 '*τῷ ζῶντι εἰς τοὺς αἰῶνας τῶν αἰώνων*(에이스 투스 아이오-나스 톤- 아이오논)' 은 "영원(들)의 영원(들)을 향하여 사시는" 이라는 말이다. '세세(世世)토록' 은 '대대(代代)토록' 이라는 말로서 '영원' 이라는 말과 비교도 되지 않는 말이다. '영원히 사시는 분' 이라고만 해도 끝이 없이 무궁히 사시는 분이라는 말인데도 사도 이오안네스(요한)는 하나님을 가리켜 '영원(들)의 영원(들)을 향하여 사시는 분' 이라고 '영원' 의 복수 소유격과 목적격을 중복 사용하여 하나님의 무한 영원히 사심을 강조한 것

이다. 그러므로 본서에서는 구태여 그렇게까지 않아도 영원무궁의 의미가 되지만 헬라 원어의 강조 의미를 살리는 뜻에서 문자 그대로 나타낸 것이다.

④ 이십 사 장로들의 경배와 찬양 (10~11)

10절 ▷ 이십 사 장로들이 보좌 위에 앉으신 분 앞에 엎드리니라. 그리고 영원들의 영원들을 향하여 사시는 분께 경배하고 그리고 자신들의 면류관들을 보좌의 앞에 던지며 말하기를,

πεσοῦνται οἱ εἴκοσι καὶ τέσσαρες πρεσβύτεροι ἐνώπιον
엎드려 그 이십 과 사 장로들이 앞에
τοῦ καθημένου ἐπὶ τοῦ θρόνου, καὶ προσκυνοῦσιν τῷ
그 앉으신 위에 그 보좌, 그리고 부복하고 그
ζῶντι εἰς τοὺς αἰῶνας τῶν αἰώνων, καὶ βάλλουσιν
사시는 향하여 그 영원들을 그 영원들의, 그리고 던지며
τοὺς στεφάνους αὐτῶν ἐνώπιον τοῦ θρόνου λέγοντες,
그 면류관들을 자신들의 앞에 그 보좌의 말하기를,

생물들이 보좌에 앉으신 하나님께 영광과 존귀와 감사를 돌리는 동안 이십 사 장로들은 보좌에 앉으신 분 앞에 엎드려 경배하며 자신들의 면류관을 보좌에 앉으신 하나님께 던지며 찬양하였다. '엎드린 것' 은 겸손과 경외의 표현이며, 면류관을 벗어 던지며 찬양하는 것은 자신들의 영예가 하나님의 지극하신 은혜로 받게 되어진 것을 표하며 최고의 영예를 하나님께 바쳐드리는 행위를 말하는 것이다.

11절 ▷ 주님이시여. 영광과 존귀와 권능을 받으심이 합당하시

옵니다. 왜냐하면 당신께서 만물을 창조하셨고, 그리고 그들은 당신의 그 뜻을 위하여 있고, 또한 창조 받았기 때문입니다 하니라.

"Ἄξιος εἶ, κύριε, λαβεῖν τὴν δόξαν καὶ τὴν τιμὴν
합당 합니다, 주님이시여, 받으심이 그 영광을 와 그 존귀를
καὶ τὴν δύναμιν· ὅτι σὺ ἔκτισας τὰ πάντα, καὶ
그리고 그 권능을 왜냐하면 당신의 창조하셨고 그 만물을, 그리고
διὰ τὸ θέλημά σου εἰσὶν καὶ ἐκτίσθησαν.
을 위하여 그 뜻을 당신의 그들은 이다 또한 창조 받았기

스물 네 장로들은 보좌에 앉으신 하나님 앞에 엎드려 면류관을 벗어 던지며 말하기를 "주님이시여 영광과 존귀와 능력을 받으시기에 합당하옵니다. 왜냐하면 당신께서 만물을 창조하셨고, 그리고 그들은 당신의 뜻을 위하여 있고, 또한 창조 받았기 때문입니다"고 하였다. 헬라어에서 '당신' '*σου*(수)' 라는 말은 아무에게나 쓰는 말이 아니고 지극히 높이는 상대에게 사용하는 말이다. 그러므로 '당신' 이라 번역한다고 해서 합당치 않은 번역이라 하면 오해인 것이다.

장로들은 보좌에 앉으신 하나님을 "주님이시여!" 하고 "영광과 존귀와 능력을 받으시기에 합당하옵니다"고 하면서 '왜냐하면" 하고 그 이유를 말하였으니, 그 이유는 "만물은 하나님께서 창조하셨고, 하나님의 뜻을 위하여 존재하여 있도록 창조 받았기 때문입니다' 고 한 것이다. 실로 만물은 하나님의 뜻을 위하여 존재하여 있도록 창조를 받았다는 사실은 너무나도 귀하고 중요한 것이다. 영원무궁한 하나님의 왕국을 이루기 위한 하나님의 뜻은 너무나도 영광스럽고 존귀하고 감격한 것이므로, 참으로 바로 알면 그러한 하나님의 뜻을 위하여 나 자신과 만물이

창조를 받았다는 사실에 대하여 네 생물들과 이십 사 장로들처럼 감격하고 감복하지 않을 수 없는 것이다. 엎드려 경배함이 있어야 마땅한 것이다.

하나님을 믿는 자들이 하나님 보좌의 네 생물들과 장로들 같이 하나님의 창조하심에 대하여 얼마나 영광과 존귀와 능력을 돌리고 있는지 생각해 보아야 한다. 5장에서와 같이 하나님의 어린양의 구속하신 은혜만 아니라, 그 이전에 4장에서와 같이 하나님의 창조하신 은혜가 얼마나 놀랍고 위대하신 가를 찬양하여야 한다. 창조가 있었기에 구속이 있게 되었기 때문이다.

하나님께서는 모든 만드신 만물에 하나님의 본질과 능력을 분명히 이해할 수 있도록 나타내 보이셨기 때문에, 인생들이 하나님을 몰랐다고 핑계할 수 없게 하셨다고 하였다.(롬 1:20)

자연 만물과 사람에 대하여 관찰해 보면 그 지으신 신묘막측함이 이루 다 말할 수 없는 것이다. 오늘날 발달된 자연과학과 생명공학도 창조의 신비를 천만 분의 일도 밝혀내지 못하고 있는 것이다. 가장 기본적인 몇 가지를 예를 들어보면,

1〉 둥근 지구가 하루에 한 바퀴씩 돌며 밤과 낮이 교차됨으로 지구를 데웠다 식혔다 하면서 태양을 일년에 한 번 도는데 23.7도 기울어져 묘하게 돌므로 태양의 열기가 지구의 적도 가운데로만 계속 쬐이지 않고 적도 위 아래로 쬐임으로 봄 여름 가을 겨울의 계절이 있어 곡식과 열매가 자라고 무르익게 되는 것이다. 그것도 이렇게 무거운 지구가 어떤 줄에 매달려 도는 것도 아니고 공간에 둥실 둥실 떠서 돌아가는데도 그 궤도를 수 천년을 조금도 빗나가지 않고 속도도 정확하게 돌고 있으니 이런 놀라운 일이 창조주 하나님이 없이 저절로 된단 말인가?

2〉 지구와 태양과의 거리가 지금의 1억 4,960만 Km보다 조

금만 더 가까워져도 지구는 뜨거워서 사람과 생물이 타 죽고, 반면에 조금만 더 멀어지면 얼어서 죽게 될 것이다. 계시록 16:8~9절에 넷째 대접 재앙에서 해가 불로 사람들을 태운다고 했는데 이때 바로 간단히 지구를 태양에 더 가깝게 하심으로 태워지게 하시는 것이다. 지구와 달과의 거리도 중요하다. 달과의 거리는 38만 4,400Km인데 만약 그 거리가 10,000Km 정도로 가까우면 지금 바다의 밀물과 썰물이 40배나 강해져서 밀물이 들어 올 때는 대부분 지구의 산들이 물로 덮이고 말 것이다. 얼마나 무서운 일이겠는가? 지금까지 수 천년을 태양과 달과 지구의 거리가 변함없이 일정하게 거리를 유지하고 있는 것이 우연이라고 생각한다면 그것이야 말로 비과학적인 것이다.

3〉 태양이 지구의 크기에 33만 배이며 은하계에는 태양의 수백 배 더 큰 별들이 많다고 한다. 실로 광대 무변한 우주 공간의 별들이 그 수가 1,000억개 이상이라 하는데 그 셀 수 없는 크고 많은 별들이 수 천년을 충돌 없이 있어 온다는 것은 참으로 신비가 아닐 수 없다.

4〉 천체만 아니라 가까운 지구에서 보자. 지구에서 1초당 1,600톤의 물이 수증기로 공중에 올라가는데 그 많은 물이 구름에 실려 땅에 골고루 이슬과 습기를 제공하고 비를 내려 땅이 매말라 사막이 되지 않게 하고 산골짜기와 들판에 항상 물이 흐르게 되는 것이다.

5〉 인간이나 동물이 가장 필요로 하는 중요한 것은 숨을 쉬는 산소이다. 그 산소를 누가 공급하는가? 나무와 풀들이 탄산가스를 흡입하고 산소를 내뿜는 것이다. 그것도 전 지구상에 산소의 양이 일정하게 하는 것이다. 만약 공기 중에 산소의 양이 지금보다 많아 24% 이상 되면 화재가 빈발해지고 번개를 칠 때는 가공

할 파괴력으로 폭발하게 된다. 반대로 산소의 잔류량이 17%이하로 적어지면 숨쉬기가 어려워지는 것이다. 그런데 이렇게 공기 중에 산소의 잔류량이 항상 일정한 것은 놀라운 섭리가 아닐 수 없다.

6〉 물이 섭씨 4도에서 가장 무겁다고 한다. 그런데 물이 얼면 물보다 가벼워져서 물에 뜬다. 그런데 만약 얼음이 가벼워지지 않고 무거워서 가라앉는다면 물 속의 고기와 생물들이 어떻게 되겠는가? 깔려서 죽지 않겠는가? 그러나 얼음이 가벼워져서 물 위에 뜸으로 오히려 물 속의 온도를 차지 않게 유지시켜 고기들이 안전하게 되는 것이다. 누가 그렇게 되도록 했겠는가?

7〉 새들이 먼 거리를 날아 철따라 이동하며 연어 같은 고기들이 부화된 강물에서 먼 바다로 나갔다가 꼭 그곳으로 다시 돌아오는 것은 신기한 일이며, 수많은 얼룩말이나 펭귄들이 그 모양이 너무나 같은데도 그 새끼들이 자기 어미를 찾아낸다는 것은 놀라운 일이 아닐 수 없다.

8〉 물총고기가 물 밖의 풀 위에 앉은 곤충을 입으로 물을 쏘아 맞혀서 떨어뜨려 잡아먹는 것은 물을 쏠 때 물로 인한 굴절의 오차까지 계산하여 정확하게 하니 물총 고기에게 오차계산 프로그램이 입력되어 있다고 볼 수밖에 없는 것이다.

9〉 사람의 인체를 보자. 사람의 인체는 우주와 만물과 비교할 수 없을 만큼 더 정교하고 놀라운 조화로 이루어져 있다.

우선 사람의 몸은 뼈와 근육과 살 그리고 피부로 전체가 구성되어 있다. 206개의 뼈와 뼈에 붙은 400여개의 근육으로 서로 연결되어서 몸의 모양을 이루고 몸을 지탱시켜 준다. 뼈는 각기 그 역할에 따라 적합한 모양과 크기를 갖추고 있다. 머리뼈는 가장 중요한 뇌를 보호하는 것이므로 가장 단단하며, 갈비뼈는 중요한 허파와 심장과 간을 보호하는 바구니 모양으로 되어 있고, 팔과 다리뼈는 걷고 일하기에 아주 편리하게 되어 있다.

그리고 근육은 뼈에 단단히 붙어 있어 뼈를 움직이는데 능숙능란하며 살은 몸의 모양과 아름다움을 만들고 피부는 몸의 온도를 조절하는 기능을 발휘한다.

10〉 인체의 뇌와 신경, 호흡작용, 감각기관, 소화작용, 혈액순환, 배설작용, 생식기능, 호르몬 작용, 유전법칙, 세포역할 등 작은 인체 안에서의 너무나 신비하고 놀라운 역할과 조화는 인간과 과학과 의학이 도무지 설명할 수 없는 것이다.

오로지 창조주 하나님만이 대답할 수 있는 것이다. "거룩하신 이가 이르시되 그런즉 너희가 나를 누구에게 비교하여 나를 그와 동등하게 하겠느냐 하시니라. 너희는 눈을 높이 들어 누가 이 모든 것을 창조하였나 보라. 보라 주께서는 수효대로 만상을 이끌어 내시고 그들의 모든 이름을 부르시나니 그의 권세가 크고 그의 능력이 강하시므로 하나도 빠짐이 없느니라" (사 40:25~26) "내가 주께 감사하옴은 나를 지으심이 심히 기묘하심이라 주께서 하시는 일이 기이함을 내 혼이 잘 아나이다" (시 139:14)

¤ 감동과 기도 ☆

♤ **4장 요점 정리** ♠

① '이리 올라 오라' 하신 것은 '내가 성령님 안에 있음을 발견했다' 는 2절의 말씀이 천계순행이나 휴거가 아님을 증명한다.〔1절〕

② 하나님께서 보좌에 앉으셨다는 것은 사람과 같은 형상이심을 말하는데(본문 주해 참조) 그 모습이 극히 귀한 보석 같으

셨다.〔2~3절〕

③ 이십사 장로들이 금 면류관을 쓰고 보좌에 앉은 것은 구원 받은 성도임을 말하며, 보좌의 광경은 실로 장엄하다.〔4~5절〕

④ 보좌의 네 생물에 대하여 자세히 말한 것은 피조물 전체의 대표자로 특별히 지음 받은 존재임을 의미한다. 그리고 네 생물들과 이십 사 장로들의 찬양과 경배는 하나님께 드리는 최상의 예배이다. 성도는 하나님 보좌의 광경을 깊이 묵상해야 한다.〔6~11절〕

⑤ 하나님의 창조하심을 찬양하는 것은, 그 창조하심이 너무나 신묘막측하고 위대하시기 때문이다. 구원하심을 찬양하듯이 창조하심도 찬양해야 한다.

【 계시록 제 5 장】

한 글 개 역 성 경	전통원문 직역 성경
1. 내가 보매 보좌에 앉으신 이의 오른손에 책이 있으니 안팎으로 썼고 일곱 인으로 봉하였더라.	**1. 그리고 내가 보니 보좌 위에 앉으신 분의 오른손 위에 두루마리 책이 안으로부터 뒤까지 쓰여졌고 일곱 인들로 단단히 봉인되어졌더라.**
2. 또 보매 힘있는 천사가 큰 음성으로 외치기를 누가 책을 펴며 그 인을 떼기에 합당하냐 하니	**2. 또 내가 큰 소리로 힘있게 공포하는 천사를 보았는데, 누가 그분의 인들을 풀고 그 두루마리 책을 열기에 합당한가? 하는데,**
3. 하늘 위에나 땅 위에나 땅 아래에 능히 책을 펴거나 보거나 할 이가 없더라	**3. 그렇지만 결코 하늘에나 땅 위에나 땅 아래 결코 그 두루마리 책을 열 수 있는 자가 아무도 없고, 그것을 보는 자도 결코 없으니라.**
4. 이 책을 펴거나 보거나 하기에 합당한 자가 보이지 않기로 내가 크게 울었더니,	**4. 그리하여 내가 크게 울고 있었으니, 왜냐하면 그 두루마리를 열고 그리고 읽기에 합당한 자가 아무도 보이지 않고 그것을 보는 자도 없기 때문이라.**
5. 장로 중에 하나가 내게 말하되 울지 말라 유대 지파의 사자 다윗의 뿌리가 이기었으니 이 책과 그 일곱 인을 떼시리라 하더라	**5. 그러므로 장로 중에 한 분이 내게 말하기를, 울지 말라. 보라, 유다 지파의 그 사자 다빋의 뿌리가 이기었으니, 그 일곱 봉인들을 풀며 그 두루마리 책을 열 것이라 하니라.**
6 .내가 또 보니 보좌와 네 생물과 장로들 사이에 어린양이 섰는데 일찍 죽임을 당한 것 같더라 일곱 뿔과 일곱 눈이 있으니 이 눈은 온 땅에 보내심을 입은 하나님의 일곱 영이라	**6. 그리고 내가 보니, 실로 보라, 보좌와 네 생물들의 사이와 장로들의 사이에 어린양이 서셨는데 죽임을 당하셨던 것 같았느니라. 일곱 뿔들과 일곱 눈들을 가지셨으니 온 땅에 보내심을 받은 하나님의 그 일곱 영이시라.**

7. 어린양이 나아와서 보좌에 앉으신 이의 오른손에서 책을 취하시니라	**7. 그리고 그분이 나아오셔서, 그리고 보좌 위에 앉으신 분의 그 오른손으로부터 그 두루마리 책을 취하시니라.**
8. 책을 취하시매 네 생물과 이십사 장로들이 어린양 앞에 엎드려 각각 거문고와 향이 가득한 금 대접을 가졌으니 이 향은 성도의 기도들이라	**8. 그리하여 그 두루마리 책을 취하시자 마자 네 생물들과 이십 사 장로들이 어린양 앞에 엎드리니라. 각각 수금과 향내들로 가득한 금대접들을 가졌는데 성도들의 기도들이라.**
9. 새 노래를 노래하여 가로되 책을 가지시고 그 인봉을 떼기에 합당하시도다 일찍 죽임을 당하사 각 족속과 방언과 백성과 나라 가운데서 사람들을 피로 사서 하나님께 드리시고	**9. 그리고 그들이 새로운 노래를 노래하여 말하기를, 그분께서 그 두루마리 책을 가지시고, 그리고 그 인들을 열기에 합당하시도다. 왜냐하면, 죽임을 당하시고, 그리고 당신의 피 가운데 모든 족속과 언어와 백성과 민족 중에서 우리들을 하나님께로 향하여 구속하셨기 때문이라.**
10. 저희로 우리 하나님 앞에서 나라와 제사장으로 삼으셨으니 저희가 땅에서 왕노릇 하리로다 하더라	**10. 그리고 우리들을 우리들의 하나님께 향해 왕들과 제사장들을 만드셨으니, 그러므로 땅위에서 왕노릇하리로다 하니라.**
11. 내가 또 보고 들으매 보좌와 생물들과 장로들을 둘러선 많은 천사의 음성이 있으니 그 수가 만만이요 천천이라	**11. 그리고 내가 보고, 또한 보좌와 생물들과 장로들을 둘러선 많은 천사들의 소리를 들었으니, 실로 그들의 수가 천의 천이라.**
12. 큰 음성으로 가로되 죽임을 당하신 어린양이 능력과 부와 지혜와 힘과 존귀와 영광과 찬송을 받으시기에 합당하도다 하더라	**12. 크게 소리쳐 말하기를, 죽임을 당하신 그 어린양께서 능력과 부와 지혜와 힘과 존귀와 영광과 찬송을 받으시기에 합당하시도다 하니라.**

13. 내가 또 들으니 하늘 위에와 땅 위에와 땅 아래와 바다 위에와 또 그 모든 가운데 만물이 가로되 보좌에 앉으신 이와 어린양에게 찬송과 존귀와 영광과 능력을 세세토록 돌릴찌어다 하니	13. **그리고 내가 들으니 하늘 위에와 땅위에와 땅 아래와 바다에 있는 것들과 그 가운데 모든 피조물이 말하기를, 보좌에 앉으신 분과 어린양께 영원들의 영원들을 향하여 찬송과 존귀와 영광과 능력을,** *(돌릴지라)* **하니,**
14. 네 생물이 가로되 아멘 하고 장로들은 엎드려 경배하더라.	14. **그리고 네 생물들은 말하기를 아멘 !하고, 이십 사 장로들은 영원들의 영원들을 향하여 사시는 분께 경배하니라.**

【 문 단 】

2〉 **봉인을 떼실 어린양** (5:1~14)

① 인봉된 하나님의 두루마리와 그 책을 취하신 어린양 1~7

② 인봉된 책을 취하신 어린양에 대한 경배와 찬양 8~14

【 주 해 】

〈**개요**〉 5:1~14절에 기록된 말씀은, 4장에서 영광 중에 계시며 심판자로 오고 계시는 하나님의 보좌의 광경을 전체적으로 알려주고, 그리고 5장에서는 그 보좌에 계신 하나님의 오른손에 사도 이오안네스(요한) 당시 히에루살렘(예루살렘) 멸망의 징조와 함께 세상에 시작되어기 시작한 일들과 그리고 세상 끝에 주님의 재림 직전 한 이레에 되어질 일들에 대한 기록 문서인 두루마리 책이 있는 것을 보게 하신 것이다. 그 두루마리 책을 취하시고 인봉을 떼실 수 있는 자는 오직 심판장이신 어린양 예수님 밖에 없으며, 그 어린양은 하나님으로서 경배와 찬양을 받으실 분임을 계시하여 주신 것이다. 6장부터의 본 계시 이전에 삽입하는 계시로서 세상의 심판과 주관자가 누구이며 어떤 분이심을 보여 주신 것이다.

① 인봉된 하나님의 두루마리와 그 책을 취하신 어린양 1~7

1절 ▷ 그리고 내가 보니 보좌 위에 앉으신 분의 오른손 위에 두루마리 책이 안으로부터 뒤까지 쓰여졌고 일곱 인들로 단단히 봉인되어졌었다.

Καὶ εἶδον ἐπὶ τὴν δεξιὰν τοῦ καθημένου ἐπὶ τοῦ θρόνου
그리고 보았는데 위에 오른손 그 앉으신 위에 그 보좌의
βιβλίον γεγραμμένον ἔσωθεν καὶ ὄπισθεν, κατεσφραγι-
두루마리가 쓰여졌고 안(으로부터) 과 뒤에, 단단히
σμένον σφραγῖσιν ἑπτά.←봉인되었다 인들로 일곱

고대의 서적의 일반적 형태는 두루마리<מְגִלָּה(메길라)>였고(시 40:8; 렘 36:2, 4, 6, 14; 겔 2:9, 3:1, 2, 3; 슥 5:1, 2절 등 21회) '책' 이라는 히브리어 'סֵפֶר(쎄페르)' 라는 말과 함께 '두루마리 책' 이라는 형태로 쓰여졌다. 하나님께서 모쉐(모세)에게 모든 율법의 말씀을 책에 기록하라 하신(출 17:14; 민 5:23; 신 31:24) '책' 은 히브리어 'סֵפֶר(쎄페르)' 라고 했는데 역시 두루마리로서 70인역에서 סֵפֶר(쎄페르)를 헬라어로 *βιβλίον*(비블리온)으로 번역하였다. 『계시록에 일곱 봉인을 가진 *βιβλίον*(비블리온)도 역시 두루마리인데』**【킷텔 원어 신약성서 신학사전, 요단출판사, 1986】** 주후 66년경 사도 파월로스(바울)께서 순교하기 직전 티모트헤오스(디모데)에게 특별히 양가죽(들)에 쓴 책을 가져오라 한 것은(딤후 4:13) 두루마리 성경책을 말하는 것이다. 그

리고 주후 68년경 사해 근처 쿰란 공동체 생활이 종식되기 전에 필사된 것으로 1947년경에 발견된 사해사본은 가죽들을 꿰매어 합쳐 만들어진 두루마리였다. 주후 200년경까지의 책은 두루마리였다.

사도 이오안네스(요한)가 주후 68년부터 목회했다고 하는 에프헤소스(에베소)는 주전 100년경부터 양피지를 생산해온 도서관으로 유명한 페르가모스(버가모)가 가까운 곳이다. 그러므로 사도 이오안네스(요한)는 중요한 계시의 말씀을 주님께서 명하신 대로 양피지 두루마리에 정서하여 교회들에 보냈을 것이다. 그러므로 '두루마리 책'이라고 하는 것이 관념상 가장 합당한 의미가 될 것이다.

보좌에 앉으신 하나님의 오른손 위에 안으로부터 뒤까지 쓰여진 두루마리 책이 있는 것을 사도 이오안네스(요한)가 보았다. 그두루마리 책은 안과 뒤에 다 쓰여졌고 일곱 인으로 봉인된 것이었다. 봉인이 되어 있는데 어떻게 안과 뒤에 쓰여진 것이 보여졌는가? 모든 것을 성령님으로 말미암아 보고 있었기 때문에 가능한 것이었다. 그 내용은 자세히 알 수 없으나 안과 뒤에 다 쓰여진 두루마리라는 것이 보여졌던 것이다.

둘둘 마는 두루마리는 앞뒤로 글을 다 쓰면 펴고 말 때 뒤쪽은 손이 닿아 글이 손상될 우려도 있고, 순서의 앞뒤를 혼돈할 수도 있기 때문에 글을 안쪽에만 쓰지 일반적으로 뒤쪽에는 쓰지 않는다. 그러나 이 두루마리는 앞으로부터 뒤까지 다 쓰였다고 하였으니 이것은 가득 차서 더할 수도 없고 모자라지도 않는 하나님의 최종적 완성된 계시임을 의미한다. 계시록 마지막 22:18~19절에 "이 예언의 말씀에 더하지도 말고 제하지도 말라"고 엄중히 경고하신 말씀이 그런 의미의 뒷받침되는 말씀이다. 야헤쯔켈

(에스겔) 선지자가 본 하나님의 손에 있는 두루마리 책도 그 안과 밖으로 애가와 애곡과 재앙의 말이 기록되었더라고 하였으니,(겔 2:9~10) 안과 밖으로 기록되었다 함에 일치한다.

그리고 그 두루마리 책은 하나님의 인(印)으로 일곱 번 봉인되어 있는 것이었다. 사도 이오안네스(요한)가 보았을 때 얼마나 귀중한 말씀이었겠는가? 에쓰테르(에스더) 8:8절에 "왕의 이름을 쓰고 왕의 반지로 인(印)친 조서는 누구든지 취소 할 수 없음이라"는 말씀이 있다. 성령님의 감동하심을 입은 사람들이 하나님의 말씀을 받아 기록한 성경책은 하나님께서 인치셨다고 하지는 않으셨는데, 하나님의 오른손 위에 있는 두루마리 책의 말씀은 하나님께서 친히 기록한 책으로서 인(印)치셨다고 하였으니 얼마나 귀중한 말씀인가 하는 것이다. 더욱이 일곱 인으로 단단히 봉인하셨다고 하였으니, 로마법에는 유언장에는 일곱 명의 증인들의 일곱 개의 봉인이 있어야 했다고 한다.(Charles) 일곱 수는 '완전수'로서 하나님께서 완전하게 보증하시고 그 누구도 변개할 수 없다는 의미인 것이다. 창조부터 계시록 이전까지는 사탄과 인간들이 온갖 모양으로 하나님의 계획을 방해하고 손상시키며 성경까지도 변개하였으나 히에루살렘(예루살렘)의 멸망 전후와 세상 마지막 재림전 한 이레인 7년간 되어질 일과 재림부터 그 후에 되어질 일들은 사탄이나 그 어떤 인간도 방해하거나 손상시킬 수 없다는 의미인 것이다.

이렇게 귀중한 두루마리 책의 내용을 인을 여셔서 알려 주시고 기록하게 하여 주신 말씀이 계시록이니 얼마나 귀중한 말씀인가? 실로 계시록 말씀의 귀중함을 제대로 알고, 또한 읽고 듣고 지키려고 탐구하는 자가 복이 있음을 아는 자가 몇이나 있겠는가?

2절 ▷ 또 내가 큰 소리로 힘있게 공포하는 천사를 보았는데, 누가 그분의 그 인들을 풀고 그리고 그 두루마리 책을 열기에 합당한가? 하는데,

καὶ εἶδον ἄγγελον ἰσχυρὸν κηρύσσοντα φωνῇ μεγάλῃ,
그리고 보았는데 천사를 힘있게 공포하는 소리로 큰
Τί" ἐστιν ἄξιος ἀνοῖξαι τὸ βιβλίον, καὶ λῦσαι τὰς
누가 이다 합당 열기에 그 두루마리 책을, 풀고 그
σφραγῖδας αὐτοῦ;← 인들을 그분의

사도 이오안네스(요한)가 또 본 것은 한 천사가 큰 소리로 힘있게 공포하기를 "누가 그분의 인을 풀고 그 두루마리를 열기에 합당한가?" 라고 하는 것이었다. '그분의 인' 이라고 하였으니 보좌에 앉으신 하나님의 인(印)인 것이다. 하나님께서 인치신 것을 풀고 그 두루마리를 열어서 하나님의 귀중한 계획을 알 수 있게 해 줄 자가 누구이겠는가 하고 큰 소리로 힘있게 공포하였다는 말이니 '큰 소리로 힘있게 공포하였다' 는 말은 사도 이오안네스(요한)가 본 계시록의 환상 중에서 '큰 소리' '큰 음성' 이 20번이나 들렸다.(1:10, 5:2, 12, 6:10, 7:2, 10, 8:13, 10:3, 11:12, 15, 12:10, 14:7, 9, 15, 18, 16:1, 17, 19:1, 17, 21:3) 중요한 말씀이었기 때문이다.

3절 ▷ 그렇지만 결코 하늘에나 땅 위에나 땅 아래 결코 그 두루마리 책을 열 수 있는 자가 아무도 없고 그것을 보는 자도 결코 없으니라.

καὶ οὐδεὶς ἠδύνατο ἐν τῷ οὐρανῷ, οὐδὲ ἐπὶ τῆς γῆς, οὐδε
그리고 아무도… 아닌 할 수 있는 하늘에, 결코 아니 위에 땅 결코 아니
ὑποκάτω τῆς γῆς, ἀνοῖξαι τὸ βιβλίον, οὐδὲ βλέπειν αὐτό.

아래에 그 땅, 열기에 그 두루마리책을, 결코 아니 보는 그것을

'하늘' 은 천사들과 장로들이 있는 곳을 말하며, '땅 위에' 는 현재 사람들이 살고 있는 세상을 말하며, '땅 아래' 는 이에수-스(예수님)께서 말씀하신 죽은 자들의 혼들이 있는 지옥과 낙원을 말한다. 사도 이오안네스(요한)이 보는 우주 안 전체를 말한 것이다.

우주 안 전체에 아무도 그 두루마리를 열 자가 없고, 그것을 볼 수 있는 자도 없는 너무나 특별한 책인 것을 사도 이오안네스(요한)는 영으로 직감한 것이다.

'하늘 위와 땅위와 땅 아래' 로 나누는 구분은 하나님께서 친히 쓰신 십계명 제2계명에 그렇게 하셨고, 사도 파월-로스(바울)도 그렇게 표현했다.(빌 2:10)

4절 ▷ 그리하여 내가 크게 울고 있었으니, 왜냐하면 그 두루마리 책을 열고, 그리고 읽기에 합당한 자가 아무도 보이지 않고 그것을 보는 자도 없기 때문이라.

καὶ ἐγὼ ἔκλαιον πολλά, ὅτι οὐδεὶς ἄξιος εὑρέθη
그리하여 울고 있었으니 크게, 왜냐하면 결코 아니 합당한 보이지를
ἀνοῖξαι καὶ ἀναγνῶναι τὸ βιβλίον, οὔτε βλέπειν αὐτό.
열고 그리고 읽기에 그 두루마리를, 도 아닌 보는 그것을

그리하여 사도 이오안네스(요한)은 크게 울고 있었던 것이다. 개역 한글성경과 킹제임스 한결성경 모두 '울었더니' 라고 번역했으나 '*ἔκλαιον*사(에클라이온)' 은 과거 미완료 동사로서 '울고 있었으니' 라고 해야 한다. 계속 울고 있었음을 의미한다. 힘있는 천사가 큰 소리로 "누가 그분의 인들을 풀고 그 두루마리를

열기에 합당한가?"라고 외쳤지만 전 우주 안에 합당한 자가 아무도 보이지 아니하므로 사도 이오안네스(요한)는 몹시 슬퍼서 크게 울게 되었던 것이다. 하나님의 손위에 있는 두루마리에는 분명히 주후 67년경 이우다이아(유대) 전역과 히에루살렘(예루살렘), 그리고 전 세계 로마제국에서 이미 되기 시작하여 진행되고 있던 심각한 일들과 이후에 되어질 일들에 대한 하나님의 작정하신 바를 기록한 책인데 펴서 볼 자가 없으니 사도 이오안네스(요한)는 크게 애통하지 않을 수 없었던 것이다. 계시록의 말씀이 자신에게 풀리지 않고 알려지지 않음에 대한 애타는 슬픔이 있는가? 오늘날 기독교인들은 무엇 때문에 울고 있는가? 이 세대는 종말에 대한 올바른 사모함과 올바른 계시록의 가르침을 받기 위해 우는 자가 너무나 없다.

¤ 감동과 기도 ☆

5절 ▷ 그런데 그 장로 중에 한 분이 내게 말하기를, 울지 말라. 보라, 유다 지파로 말미암아 있는 그 사자 다윗의 뿌리가 이기었으니, 그 일곱 봉인들을 풀며 그 두루마리를 열 것이라 하니라.

καὶ εἷς ἐκ τῶν πρεσβυτέρων λέγει μοι, Μὴ κλαῖε·ἰδού,
그런데 하나 중에 그 장로들 말하기를 나에게, 말라 울지를 보라,

ἐνίκησεν ὁ λέων ὁ ὢν ἐκ τῆς φυλῆς Ἰούδα, ἡ ῥίζα Δαβίδ,
이겼으니 그 사자 그 있다 로부터 그 지파의 유다의, 그 뿌리가 다빋의,

ἀνοῖξαι τὸ βιβλίον, καὶ λῦσαι τὰς ἑπτὰ σφραγῖδας αὐτοῦ.
열 것이다 그 두루마리를, 그리고 풀며 그 일곱 봉인들을 그의.

사도 이오안네스(요한)가 한참 울고 있었는데 보좌의 장로 중에 한 분이 이오안네스(요한)에게 말하기를 "울지 마라. 유다 지

파의 사자 다빋(다윗)의 뿌리가 이기었으니 그 일곱 봉인들을 풀며 그 두루마리를 열 것이라" 고 한 것이다. '유다 지파의 사자 다빋(다윗)의 뿌리' 는 어린양이신 이에수-스(예수)님을 말한다. 메시야로 오신 이에수-스(예수)님은 유다 지파에서 나셨고(히 7:14) "이새의 뿌리에서 한 가지가 날 것이라" 예언된 대로(사 11:1) 다빋(다윗)의 왕통이 영적으로 오랜 동안 끊어졌다가 이에수-스(예수)님으로 말미암아 다시 회복된 것이다. 그렇기 때문에 이에수-스(예수)님을 다빋(다윗)의 뿌리요 자손이라 하였다.(사 11:1, 10; 롬 15:12; 계 5:5; 22:16)

그 이에수-스(예수)님께서 세상에 오셔서 구속 사역을 다 이루시고(요 19:30) 하나님 보좌 우편에 앉으셨기 때문에(계 3:21→내가 이기고 아버지 보좌에 함께 앉은 것과 같이) 구속 사역의 완성인 종말의 그 봉인들을 여실 자격이 있으시다는 말씀이다.

6절 ▷ 그리고 내가 보니, 실로 보라, 보좌와 네 생물들의 사이와 장로들의 사이에 어린양이 서셨는데 죽임을 당하셨던 것 같았느니라. 일곱 뿔들과 일곱 눈들을 가지셨으니 온 땅에 보내심을 받은 하나님의 그 일곱 영들이시라.

Καὶ εἶδον καὶ ἰδού, ἐν μέσῳ τοῦ θρόνου καὶ τῶν τεσσάρων
그리고 보았는데 보라, 에 사이에 그 보좌의 와 그 네
ζώων, καὶ ἐν μέσῳ τῶν πρεσβυτέρων, ἀρνίον ἑστηκὸς ὡς
생물들의, 와 에 사이에 그 장로들의, 어린양이 섰는데 같았다
ἐσφαγμένον, ἔχον κέρατα ἑπτὰ καὶ ὀφθαλμοὺς ἑπτά,οἵ εἰσιν
죽임을 당하셨던, 가졌으니 뿔들 일곱 과 눈들 일곱, 이시라
τὰ ἑπτὰ τοῦ θεοῦ πνεύματα τὰ ἀπεσταλμένα εἰς πᾶσαν τὴν γῆν.
그 일곱 그 하나님의 영들 그 보내심을 받은 에 온 그 땅에

'실로. 보라' 라는 감탄사는 '참으로 장로의 말대로' 라는 울

음을 뚝 그치고 보좌를 응시하는 사도 이오안네스(요한)의 심정과 모습을 나타낸 말이다. "보좌와 네 생물들의 사이와 장로들의 사이에 어린양이 서셨는데 죽임을 당하셨던 것 같았느니라" *ἀρνίον*(아르니온)은 아렌(*ἀρήν*(수컷)**어린양**)에서 유래했으며, '작은 양, 어린 양' 을 의미한다.

계시록에서 '어린양' 이라는 '*ἀρνίον*(아르니온)' 이 30회 말해졌는데 이에수-스(예수)님을 가리켜서는 28회이다. 이렇게 자주 말해졌기 때문에 계시록을 읽을 때 이에수-스(예수)님의 모습을 실제 짐승 어린양의 모습을 떠올리게 된다. 그러나 그래서는 안될 것이 하나님의 보좌에 생물들과 장로들 사이에 서 계신 이에수-스(예수)님의 모습이 실제 털이 있는 짐승 어린양의 모습으로 서 있을 수 없고, 7절에는 그가 와서 보좌에 앉으신 분의 오른손에서 두루마리 책을 취하셨다고 하였으니 실제 털이 있는 양이라면 입이나 앞발로 두루마리 책을 취하셨다는 말이니 그럴 수 없는 것이다. 침례(세례) 이오안네스(요한)은 이에수-스(예수)님께서 자기에게 오시는 것을 보고 사람들에게 말하기를 '세상 죄를 속하시는 하나님의 어린양을 보라' 고 하였다.(요 1:19) 사람의 모습인 이에수-스(예수)님을 보고 '어린양' 이라고 했던 것이다. 사도 이오안네스(요한)는 1장에서 이에수-스(예수)님의 위엄찬 모습을 보고 그 앞에 엎드러져 죽은 자 같이 되었었다.(1:13~18)

그리고 계시록에서 30회 어린양이라고 한 '*ἀρνίον*(아르니온)' 은 계시록 외에 신약에 4회 말한 '*ἀμνὸς*(암노스)' 와 어린양이라는 의미는 같지만 구별되게 '*ἀρνίον*(아르니온)' 으로만 말하였다. 같은 '*ἀρνίον*(아르니온)' 은 이에수-스(예수님)께서 요한복음 21:15절에 한 번 말씀하신 적이 있다. '*ἀμνὸς*(암노스)' 로 말한 네 곳(요 1:29, 36; 행 8:32; 벧전 1:19)은 모두 다른 사람들을 위해서 대신 고난 받으신 무죄한 어린양으로서 이에수-스(예수님)으로서 고통의 인내(행 8:32), 무죄함(벧전 1:19), 대속의 죽음의 효력을 나타낸다.(요 1:19; 벧전 1:19) 그런데 계시록의 어린양 'ἀρνίον(아르니온)' 은 7개의 뿔(5:6), 그의 진노(6:16~17), 전쟁(17:14)과 관련된다. 구속자요 통치자로서 계시록에 나오는 어린양은 이기신 자이며(5:5), 죽임을 당하셨던 표가 있으며(5:6) 일곱 뿔과 일곱 눈을 가지셨으며(5:6), 책을 열기 위해 받으시며(5:7) 경배를 받으시며(5:9), 자신의 피로 구속하셨으며(5:9), 만민들 가운데서 구속하신 자들을 하나님 앞에 왕들과 제사장들로 만드셨으며(5:10), 권세와 부귀와 지혜와 힘과 존귀와 영광과 찬송을 받으시기에 합당하시며(5:12), 보좌에 앉으시고(7:10), 구속받은 자들의 목자가 되시며(7:17) 악마의 권세를 이기시며(17:14), 심판하시고(6:16~17, 13:8), 만주의 주요 만왕의 왕이시며(17:14), 성도들과 함께 혼인잔치를 하며(19:7~9), 성전이 되시며(21:22) 하나님의 영광의 등이 되시며(21:23), 생명책의 주인이시며(21:27), 하나님의 보좌에서 섬김을 받으신다(22:2~3). 이런 모든 일들이 계시록에서 어린양 'ἀρνίον(아르니온)' 과 관련된 대표적 일들이다. 그러므로 어떤 어린양이신가?

"일곱 뿔들과 일곱 눈들을 가지셨으니 온 땅에 보내심을 받은 하나님의 그 일곱 영이시라." 일곱 뿔을 가지셨다 함은 온 땅의 권세를 완전히 다 가지셨다는 의미이다. 부활하신 이에수-스(예수)님께서 제자들에게 "하늘과 땅의 모든 권세를 내게 주셨으니"라고 하셨고(마 28:18), 프힐립포이(빌립보) 2:9~11절에는 "하나님이 그를 지극히 높여 모든 이름 위에 뛰어난 이름을 주사 하늘에 있는 자들과 땅에 있는 자들과 땅 아래 있는 자들로 모든 무릎을 이에수-스(예수)의 이름에 꿇게 하시고 모든 입으로 이에수-스(예수) 크흐리스토스(그리스도)를 주라 시인하여 하나님 아버지께 영광을 돌리게 하셨느니라" 고 하셨다.

일곱 눈을 가지셨는데 온 땅에 보내심을 받은 '일곱 영' 이라고 하였으니 땅위에 완전한 구속의 사역을 성취하시는 성령님의 사역을 통찰하시는 분이심을 의미하는 것이다. 그러므로 이렇게 주관하시는 주님의 구속사역은 어떤 부족함도, 흠도 없이 완전하게 성취되는 것이다. 할렐루야! 아멘!

하나님께서는 온 땅을 두루 감찰하신다고 하셨다.(대하 16:9)

7절 ▷ 그리고 그분이 나아오셔서, 또한 보좌 위에 앉으신 분의 그 오른손으로부터 그 두루마리 책을 취하시니라.

καὶ ἦλθεν, καὶ εἴληφεν τὸ βιβλίον ἐκ τῆς δεξιᾶς τοῦ
그리고 와서, 또한 취하시니라 그 두루마리 책을 으로부터 그 오른손 그
καθημένου ἐπὶ τοῦ θρόνου. ← 앉으신 위에 그 보좌의

이제 그 어린양이신 주님께서 나아오셔서 보좌 위에 앉으신 분의 오른손으로부터 그 두루마리 책을 취하신 것이다. 참으로 엄숙한 장면인 것이다. 보좌의 생물들과 24장로들과 수많은 천사들이 응시해 보고 있는 중이다.

② 인봉된 책을 취하신 어린양에 대한 경배와 찬양 8~14

8절 ▷ 그리하여 그 두루마리를 취하시자 마자 그 네 생물들과 그 이십 사 장로들이 그 어린양 앞에 엎드리니라. 각각 수금과 향내들로 가득한 금대접들을 가졌는데 이것은 그 성도들의 기도들이라.

καὶ ὅτε ἔλαβεν τὸ βιβλίον τὰ τέσσαρα ζῷα καὶ οἱ εἴκοσι
하자마자 취하자 그 두루마리를 그 네 생물들 과 그 이십
τέσσαρες πρεσβύτεροι ἔπεσον ἐνώπιον τοῦ ἀρνίου, ἔχοντες
사 장로들이 엎드려 앞에 그 어린양, 가졌으니
ἕκαστος κιθάρας καὶ φιάλας χρυσᾶς γεμούσας θυμιαμάτων,
각각 수금을 과 대접들을 금으로만든 가득한 향내들의
αἵ εἰσιν αἱ προσευχαὶ τῶν ἁγίων·
이것은 이라 그 기도들 그 성도들의.

어린양께서 보좌 위에 앉으신 하나님의 그 오른손에서 그 두루마리를 취하시자 마자 네 생물들과 이십 사 장로들이 어린양 앞에 엎드렸다. 각각 수금과 향내들로 가득한 금 대접들을 가졌는데 성도들의 기도들이라고 하였다. 두루마리의 인봉을 여는 너무나 중요한 일이 시작되어지려는 순간에 보좌의 네 생물들과 24장로들은 엄숙히 어린양 앞에 엎드렸다. 모두 찬양할 기구인 수금을 가졌고, 그리고 성도들의 기도들의 향내들로 가득한 금 대접을 가졌었다. 향(香)은 구약 이스라엘 백성들의 하나님을 섬기는 성막의 지성소 앞 성소 휘장 앞에 배치한 금으로 싼 분향단에 제사장이 매일 아침과 저녁때 향을 사르도록 한 것이다. 향은 기도를 의미하는 것이다.(시 141:2; 눅 1:10; 계 5:8, 8:3, 4) 자크하리아스(사가랴)는 분향을 하는 동안 천사로부터 하나님의 계시를 받았다.(눅 1:5~21) 잠언 27:9절에 향은 마음을 즐겁게 해 준다고 하였다. 그와 같이 성도들의 기도는 하나님의 마음을 기쁘시게 해 드리는 향내와 같은 제물이다.(빌 4:18) 그리고 하나님께서 성도들의 기도를 얼마나 귀중히 여기시는지 금으로 만든 대접에 받으신다고 하신 것이다.

9절 ▷ 그리고 그들이 새로운 노래를 노래하여 말하기를, 그 께서 그 두루마리를 가지시고, 그리고 그분의 봉인들을 열기에 합당하시도다. 왜냐하면, 죽임을 당하시고, 그리고 당신의 피 가운데 모든 족속과 언어와 백성과 민족 중에서 우리들을 하나님께로 향하여 구속하셨기 때문이라.

καὶ ᾄδουσιν ᾠδὴν καινὴν, λέγοντες, Ἄξιος εἶ λαβεῖν
그리고 노래하여 노래를 새, 말하기를, 합당하시도다 가지시고
τὸ βιβλίον, καὶ ἀνοῖξαι τὰς σφραγῖδας αὐτου· ὅτι ἐσφάγης
그 두루마리를,그리고 열기에 그 봉인들을 그분의 왜냐하면 도살되어
καὶ ἠγόρασας τῷ θεῷ ἡμᾶς ἐν τῷ αἵματί σου, ἐκ
그리고 구속하여 하나님께 향한 우리를 가운데 그 피에 당신의, 로부터
πάσης φυλῆς καὶ γλώσσης καὶ λαοῦ καὶ ἔθνους,
모든 족속 과 언어 와 백성 과 민족,

"**그들이 새로운 노래를 노래하여 말하기를**" 개역 한글성경에는 "새 노래를 노래하여 가로되"라고 노래하는 주체가 말해지지 않았으나 헬라 원어는 '노래하여' 라는 말 '*ᾄδουσι*n(아두신)' 은 3인칭 동사로서 '그들이 노래하여' 인 것이다. 그들은 '네 생물들과 24장로들이다' (8절) 생물들도 함께 새로운 노래를 노래한 것이다.

'새로운' 이라한 '*καινός*(카이노스)' 의 목적격 '*καινὴν*(카이넨)' 은 시간적으로 새로운 뜻의 '*νέος*(네오스)' 와는 달리 '질적으로 전혀 새로운' 것을 말하는 것이다. 세상 노래와는 질적으로 완전히 다른 새로운 노래이다. 시편 40:3절에 "새 노래 곧 우리 하나님께 올릴 찬송을 내 입에 두셨으니"라고 하였으니 '새 노래' 는 하나님께 올리는 찬송이다.

'새로운 노래' 의 내용은 9~10절인데 피로 구속하신 은혜를 찬송함이다. 14:3절에는 땅에서 구속함을 얻은 144,000성도들

이 보좌와 네 생물들과 장로들 앞에서 '새로운 노래' 를 부른다고 하였다. "그분께서 그 두루마리를 가지시고, 그리고 그 인들을 열기에 합당하시도다. 왜냐하면, 죽임을 당하시고 그리고 당신의 피 가운데 모든 족속과 언어와 백성과 민족 중에서 우리들을 하나님께로 향하여 구속하셨기 때문이라"

그런데 여기서 한 가지 신중히 고려해 볼 문제는 '생물들' 이 어찌 구속의 '새로운 노래' 를 부른다고 할 수 있느냐는 것이다. 왜냐하면 개역 한글성경에는 "일찍 죽임을 당하사 각 족속과 방언과 백성과 나라 가운데서 사람들을 피로 사서 하나님께 드리시고"라고 했는데 헬라어 직역은 위와 같이 되며, 특히 '사람들을 피로 사서' 라고 한 '사람들' 이라는 헬라어는 ἡμᾶς(헤마스)인데 '우리를' 이란 말이다. 예를 들어 마태복음 6:13절에 "우리를<ἡμᾶς(헤마스)> 시험에 들게 하지 마옵시고"라든지, 고린도후서 5:5절에 "우리를<ἡμᾶς(헤마스)> 위하여 … 완수하시고"라고 한데서 보듯이 분명히 '사람들' 이 아니고 '우리들' 인 것이다. 그런즉 생물들도 24장로들과 함께 구속의 '새로운 노래' 를 부른 것이 되는 것이다. 계시록 성경 헬라 원어를 직역하면서 발견하게 된 중대하고 새로운 사실이 적지 않다. 매 구절 직역 본문과 주해에서 밝혀지게 된다. 그러면 사람이 아닌 하나님의 지으심을 받은 생물들의 대표인 그룹 천사들이 어찌 땅에서 크흐리스토스(그리스도) 이에수-스(예수)님의 피로 구속함을 받았다는 찬송을 할 수 있느냐 하는 것이다. 그럴 수 있는 것이다. 5:14절에는 네 생물들이 천사들과 만물들의 찬송에 '아멘' 한다고 하였다.

왜냐하면 새 하늘과 새 땅의 영원한 하나님의 왕국이 완성되어 진 것은 크흐리스토스(그리스도) 이에수-스(예수)님의 피로 구속하심이 있었기 때문이다. 그리고 거기는 단지 구속받은 사람들만 아니고 새롭게 만들어진 만물이 함께(계 21:5) 영원히 구속하신 은총의 결과를 누리는 것이다. 5:11~14절에 천사들과 만물들도 어린양께 찬양한다고 하였다.

최초 에덴 동산에서 범죄할 때 사람이 범죄하였고 사람의 죄를 대속하시기 위하여 하나님의 어린양 이에수-스(예수)님께서 피흘려 죽으셨다. 그러나 사람의 죄 때문에 땅이 저주를 받았고(창 3:17), 땅에 가시나무와 엉겅퀴가 나게 되었으며(창 3:18), 짐승들도 사나워진 것이다.(레 26:6) 사람의 죄의 결과로 모든 피조물들이 함께 탄식하며 함께 고통 당하는 것이다.(롬 8:22) 그러므로 모든 피조물들이 그 썩어짐의 종노릇 한데서 해방되어 하나님의 자녀들의 영광의 자유에 이르기를 소망한다고 하였다.(롬 8:21) 그리고 복음이 사람에게만 아니라 모든 피조물 <κτίσις(크티시스)> 에게 전파하라 하셨고(막 16:15) 모든 피조물<κτίσις(크티시스)> 에게 전파되었다고 하였다.(골 1:23)

그러므로 사람들이 어린양의 피로 구속함을 받으면 사람의 죄 때문에 고통 당하던 만물도 함께 구속받는 것이 당연한 것이다. 이렇게 당연하고 성경에 말씀하셨는데도 불구하고 기독교는 사람의 구속만 전부인양 생각하고 있다. 기독교는 자연 만물에 대한 책임을 통감하고 앞장서서 솔선수범해야 한다. 환경오염에 대하여 보다 많은 실천과 대가를 지불을 해야 한다. 개인과 가정에서부터, 작은 실천부터 한 사람부터 해야 한다

그러므로 모든 피조물들의 대표로 지음 받은 네 생물들이 주님의 피로 구속하신 은총의 결과인 영원한 영광의 복락을 누리게 됨을 찬양하는 것은 당연하고 합당한 것이다. 그러므로 9절에서 '사람들' 이 아니라 '우리를<ἡμᾶς(헤마스)>' 이라고 바르

게 직역하는 것은 대단히 중요한 문제인 것이다.

☼ 감동과 기도 ☆

10절 ▷그리고 우리들을 우리들의 하나님께 향해 왕들과 제사장들을 만드셨으니, 그러므로 땅위에서 왕노릇하리로다 하니라.

καὶ ἐποίησας ἡμᾶς τῷ θεῷ ἡμῶν βασιλεῖς καὶ ἱερεῖς·
그리고 만들었으니 우리를 그 하나님께 우리들의 왕들을 과 제사장들을
καὶ βασιλεύσομεν ἐπὶ τῆς γῆς.
그러므로 왕노릇하리라 위에서 그 땅.

그리고 "우리들을 우리들의 하나님께 왕들과 제사장들을 만드셨으니, 그러므로 땅위에서 왕 노릇하리로다 하니라"고 했다. 같은 말이 1:6절에 사도 이오안네스(요한)께서 하신 말씀에도 있었다. 주님의 피로 구속하신 공효는 단지 죄 사함 받고 죽음과 고통에서 구해 주신 것만 아니다. 하나님께로 향해 왕들과 제사장들로 만들어 주신 것이다. 네 생물들과 장로들의 신분이 바로 그 예표인 것이다. "다시 저주가 없으며 하나님과 그 어린양의 보좌가 그 가운데 있으며 하나님께로 향해 왕들과 제사장들로 구속함을 얻은 자들이 하나님을 섬길 뿐 아니라 영원들의 영원들을 향하여 왕 노릇하게 되는 것이다. 할렐루야! 아멘! 아멘!

"그러므로 땅 위에서 왕 노릇하리로다"라고 한 것은 주님의 피로 구속하신 자들은 구원받는 즉시 하나님께로 향한 왕들과 제사장이 되기 때문에 성령님 안에서 땅에 실현되어진 하나님 왕국에서 왕 노릇 하는 것이다.(롬 14:17~18; 골 1:12~14) 뿐만 아니라 주님께서 재림하셔서 이 땅에 이루실 천년왕국에서 주님과 함께 왕 노릇 할 것이기 때문에 "땅 위에서 왕 노릇 하리로

다"라고 한 것이다. 제 I 권 바른복음을 잘 읽어야 이 말씀이 이해가 되는 것이다. 하나님의 왕국의 복음을 잘 알지 못하면 기독교의 복음은 수박 겉핥기에 불과하다.

☼ 감동과 기도 ☆

11절 ▷ 그리고 내가 보고, 또한 보좌와 생물들과 장로들을 둘러 선 많은 천사들의 소리를 들었으니, 실로 그들의 수가 천의 천이라.

Καὶ εἶδον, καὶ ἤκουσα φωνὴν ἀγγέλων πολλῶν κυκλόθεν
그리고 보고, 또한 들었으니 소리를 천사들의 많은 둘러 선
τοῦ θρόνου καὶ τῶν ζῴων καὶ τῶν πρεσβυτέρων· καὶ
그 보좌의 과 그 생물들의 과 그 장로들을. 실로
ἦν ὁ ἀριθμὸς αὐτῶν χιλιάδες χιλιάδων,
였다 그 수가 그들의 천이라 천의,

사도 이오안네스(요한)께서 보좌와 생물들과 장로들을 둘러 선 많은 천사들의 찬양하는 소리를 들었는데 그 수가 얼마나 많은지 그 수가 '천의 천' 이라고 하였다. 이우다이오스(유대인)들의 수 표현법에서 천의 천은 1,000×1,000으로 1,000,000(백만)을 말한다. 천이라는 헬라어 '*χιλιάδες*(크힐리아데스)' 가 복수로서 '천들' 이라고 하겠지만 천 자체가 하나 이상의 복수임으로 복수로 표현하는 것이지 '천들의 천들' 이 아닌 것이다. 5:6절에 '일곱들 눈들' '일곱들 뿔들' 이라는 말도 일곱 ' *ἑπτὰ*(헵타)' 자체가 단수 하나가 아닌 복수이기 때문에 헬라어가 '일곱들' 복수로 표현되는 것으로 '일곱들' 이라 해서는 안 되는 것과 같다. 사도행전 4:4절에 "남자의 수가 약 오천이나 되었더라"는 말에서 '천' 을 '*χιλιάδες*(크힐리아데스) **천들**' 복수로 말했다 해

서 '오천들(5,000×2~9)' 이 아닌 그냥 5,000을 말한 것이다.

5:5절에 장로 중에 '하나' 라는 말 'εἶς(헤이스)' 는 단수로 표시되었다. 그러나 서수가 아닌 죄라는 말 'ἁμαρτία(하마르티아)' 복수 명사는 하나의 죄가 아님으로 '죄들' 이라고 번역해야 한다. 개역 한글성경은 성경 전체에서 단수로 번역하여 '죄' 라고 했다.

계시록에 의한다면 하나님의 보좌에 둘러 선 천사들의 수는 일백 만이다. 한 천사 하룻밤에 앗수르 군대 십 팔만 오천 명을 시체로 만들만큼 능력이 있는데(사 37:36) 백만 천사라면 어느 정도이겠는가? 그런데 하나님 보좌의 천사의 수를 말한 다니엘 7:9, 10절을 보면, "내가 보았는데 왕좌가 놓이고 옛적부터 항상 계신 이가 좌정하셨는데 그 옷은 희기가 눈 같고 그 머리털은 깨끗한 양의 털 같고 그 보좌는 불꽃이요 그 바퀴는 붙는 불이며 불이 강처럼 흘러 그 앞에서 나오며 그에게 수종하는 자는 천 <אֶלֶף(엘레프)←**히브리어**> 천<אַלְפַּיִם(아레파임)←**아람어**>이요 그 앞에 시위한 자는 만<וְרִבּוֹ(베리보)←**히브리어**> 만<רִבְּוָן(라베반)←**아람어**>이며 심판을 베푸는데 책들이 펴 놓였더라" 하였다. 여기서 천사를 두 부류와 수를 말하였으니 하나님의 보좌에서 수종하는 (그룹) 천사들의 수와 그 앞에 시위하여 선 (일반) 천사들의 수를 말한 것이다. 하나님께서 영감으로 알려 주셔서 안 것임으로 정확한 것이다.

그러나 다니엘 5:1절에 "벨솨짜르(벨사살) 왕이 귀인 일천 명을 위하여 큰 잔치를 배설하고" 에서 '일천 אֶלֶף(엘레프)' 이 단수이고, 열왕기상 3:4절에 솔로몬 왕이 하나님께 '일천' 번제를 드렸다는 데서도 히브리 말 אֶלֶף(엘레프) 단수로 말하였다. 만약 복수로 말했다면 일천 번제가 아닌 수천 번제로 이해할 수 있지 않겠는가? 그렇기 때문에 특별히 단수로 말한 것이다.

다니엘 7:10절에서 '천' 이라고 한 'אַלְפִּים(아레파임)' 은 히브리어가 아닌 아람어로서 복수이며 이어서 '만' 이라고 한 'רִבְּבָן(라베반)' 도 히브리어가 아닌 아람어로서 복수이다. 수사에서 하나 아닌 둘부터는 표현이 모두 복수이다.

그러나 계시록 5:11절에 네슬 알란드 사본을 따른 개역 한글 성경은 '만만' 이라는 말 'μυριάδες μυριάδων' 이 있으나 전통원문에는 없다. 그런데도 전통원문에서 직역했다는 킹제임스 영어성경에는 있다. 킹제임스 번역자들이 전통원문에 왜 '만의 만' 이라는 말이 없고 '천의 천' 이라고만 되어 있는가에 대한 이해를 바로 하지 못하고 분별 없이 다른 사본에 있는 것을 채용하여 번역하여 넣은 것이다.

'만만' 이 없는 전통원문이 맞는 것은 여기 11절에서 말하는 천사는 천사 전체를 말한 것이 아니요 하나님의 보좌에서 네 생물들과 24장로들을 둘러서서 찬양하는 보좌의 광경을 말하는 것이기 때문이다. 그러므로 다니엘 7:10절을 대조해 볼 때 계시록 5:11절에는 '만만' 이라는 말 'μυριάδες μυριάδων' 이 없어야 맞는 것이다.

'μυριάδες(**복수, 주격-만**) μυριάδων(**복수, 소유격-만의**)' 이 1억이라고 해야 하는 것은 9:16절에 "마병대의 수는 이만 만이니 내가 그들의 수를 들었노라" 에서 'δύο(이) μυριάδες(**복수, 주격-만**) μυριάδων(**복수, 소유격-만의**)' 이라고 한 헬라어를 복수로 되어 있다고 해서 단지 2억이 아니고 '(여러)이억들' 이라고 번역하고 이해하는 사람은 아무도 없는 것을 보아도, 하나님 보좌 앞에 시위하여 선 천사가 'μυριάδες(**복수, 주격-만**) μυριάδων(**복수, 소유격-만의**)' 이라고 한 것은 1억을 말하며, 하나님 보좌에 수종드는 천사 '*χιλιάδες*(복수, 주격-천) *χιλιάδων*(복수, 소유격-천의)' 은 1백만으로 번역하고 이해함이 옳을 것이다. 그러나 누가 그렇지 않고 수억 또는 수백만이라고 주장한다면 굳이 여기에 대하여 필자는 고집하고 논란하려 하지 않는다. 천사의 수를 가지고 논쟁하는 것은 합당한 일이 아니다. 다만 성경 원어를 바르게 본다면 그렇지 않은가 하는 것이다.

12절 ▷ 크게 소리쳐 말하기를, 그 죽임을 당하신 그 어린양께서 그 능력과 부와 지혜와 힘과 존귀와 영광과 찬송을 받으시기에 합당하시도다 하니라.

λέγοντες φωνῇ μεγάλῃ, Ἄξιόν ἐστιν τὸ ἀρνίον τὸ
말하기를 소리에 크게, 합당 하시도다 그 어린양이 그
ἐσφαγμένον λαβεῖν τὴν δύναμιν καὶ πλοῦτον καὶ
죽임을 당하신 받으시기에 그 능력을 과 부를 와
σοφίαν καὶ ἰσχὺν καὶ τιμὴν καὶ δόξαν καὶ εὐλογίαν.
지혜를 와 힘을 과 존귀를 와 영광을 과 찬송을

백만 천사들이 어린양 이에수-스(예수)님께 크게 소리쳐 찬양하니 그 소리가 어느 정도이겠는가? 수백 명의 사람의 합창단이 찬양을 하더라도 굉장한데, 수천 명의 천사가 아니라 크게 소리내는 백만 천사들의 찬양이니 상상할 수 없는 우주에 울려퍼지는 장엄한 찬양인 것이다.

그 찬양의 내용은 "죽임을 당하신 그 어린양께서 그 능력과 부와 지혜와 힘과 존귀와 영광과 찬송을 받으시기에 합당하시도다"는 것이었다. 일곱 가지 찬양의 주제들은 한 관사 '*τὴν*(텐)' 으로 총괄되었다. 마치 태양의 빛이 빨, 주, 노, 초, 파, 남, 보 일곱 가지 색깔로 되어 있듯이 어린양 이에수-스(예수)님의 완전하고 충만하신 속성을 나타내고 있다. 참으로 고귀한 찬양이다. 이 가사 대로 찬양하는 찬양을 교회가 많이 불러야 할 것이다.

13절 ▷ 그리고 내가 들으니 하늘 위에와 땅위에와 땅 아래와 바다에 있는 것들과 그 가운데 모든 피조물이 말하기를, 그 보좌에 앉으신 분과 그 어린양께 그 영원의 영원을 향하여 찬송과 존귀와 영광과 능력을, (*돌릴지라*) **하니,**

καὶ πᾶν κτίσμα ὃ ἐστιν ἐν τῷ οὐρανῷ, καὶ ἐν τῇ γῇ, καὶ
그리고 모든 피조물을 그는 이다 안에 그 하늘에, 과 안에 그 땅, 와
ὑποκάτω τῆς γῆς καὶ ἐπὶ τῆς θαλάσσης ἅ ἐστιν, καὶ τὰ ἐν
아래 그 땅 와 위에 그 바다에 모든 것 이다, 과 그 안
αὐτοῖς πάντα, ἤκουσα λέγοντας, Τῷ καθημένῳ ἐπὶ τοῦ
그 모든, 내가 들으니 말하기를, 이 앉으신 위에 그
θρόνου καὶ τῷ ἀρνίῳ ἡ εὐλογία καὶ ἡ τιμὴ καὶ ἡ δόξα
보좌 와 그 어린양에게 그 찬송 과 그 존귀 와 그 영광
'καὶ το κράτος εἰς τοὺς αἰῶνας τῶν αἰώνων.
과 그 능력을 향하여 그 영원을 그 영원의

그리고 사도 이오안네스(요한)가 들으니 보좌에 둘러선 백만 천사들의 찬양에 화답하여 하늘 위에와 땅위에와 땅 아래와 바다에 있는 것들과 그 가운데 모든 것들이 말하기를, 그 보좌에 앉으신 분과 그 어린양께 그 영원의 영원을 향하여 그 찬송과 그 존귀와 그 영광과 그 능력을, (*돌릴지라*)고 하는 것이었다. 시편 148:1~10절에 "해와 달아 찬양하며 하늘 위에 있는 물들도 찬양할찌어다. 그것들이 여호와의 이름을 찬양할 것은 저가 명하시매 지음을 받았음이로다. … 불과 우박과 눈과 안개와 그 말씀을 좇는 광풍이며 산들과 모든 작은 산과 과목과 모든 백향목이

며 짐승과 모든 가축과 기는 것과 나는 새며 세상의 왕들과 모든 백성과 방백과 땅의 모든 사사며 청년 남자와 처녀와 노인과 아이들아 다 여호와의 이름을 찬양할찌어다. 그 이름이 홀로 높으시며 그 영광이 천지에 뛰어나심이로다" 고 하였다.

네 가지 찬양은 모두 관사가 있어 '그 찬송' '그 존귀' '그 영광' '그 능력' 이라 하였다. 신성의 독특성을 말하는 것으로 '그 존귀' 는 하나님의 본체의 고귀하심, 그리고 '그 영광' 은 하나님의 본체가 밖으로 빛나는 장관(壯觀)을 말하며, '그 능력' 은 하나님의 위엄, 그리고 '그 찬송' 은 하나님께만 있는 그 독특하신 속성들이 천사들과 성도들에게 인식되어 자연적으로 발생되는 감탄과 고백을 말하는 것이다.

하늘 위에는 보좌의 천천(백만) 천사만 아니라 만만(억)의 천사들이 있으니 그들을 말하며, 또한 앞서 간 성도들의 혼들도 화답함을 말하는 것이다. 그리고 '땅 위에 있는 것들' 이라고 하였으며, 그리고 '바다와 그 가운데 있는 모든 것들' 이라고 하였으니 내세가 아닌 이 세상에 있는 모든 것들을 말한 것이다.

그러면 내세도 아니고 이 세상이 있는 모든 것들이 화답하는 때라면 언제를 말하는 것이겠는가? 계시록 4~5장의 가장 확실한 시점은 두루마리 책의 일곱 인을 떼시기 직전의 하나님 보좌의 광경일 것이다. 그러면 언제 인을 떼시기 시작하셨겠는가? 이것이 계시록을 바로 볼 수 있는 가장 중요한 관건인 것이다.

그렇다면 사도 이오안네스(요한)에게 계시록을 기록하게 하시던 주후 67년경 이후부터 첫째 인을 떼기 시작하셨는가? 그렇다면 그 첫째 인은 언제 무엇을 말함인가? 누가 어떻게 말한다 하더라도 정답을 말한다고 확정할 수 없다. 다만 한가지 확실한 것은 계시록 1:1절의 헬라 원어의 바른 직역에서 그 시점을 알 수 있다. 1:1절의 "속히 될 일들을 그 종들에게 보이시려고"에서 '속히 될 일'이라고 한 'ἃ δεῖ γενέσθαι(하 데이- 게네스트하이)'는 ἃ(일들) δεῖ(틀림없이 …해야만 한다) γενέσθαι(**되어지기 시작한←과거 중간디포〈자신을 위한 자발적 행동〉**)로서 "틀림없이 되어지기 시작해야 했던 일들을 그분의 종들에게 보이시려고"이다. 그러므로 첫째 인부터 넷째 인의 일들은 이에수-스(예수)님께서 주후 30년에 예언하신 히에루살렘(예루살렘)의 멸망의 징조와 너무나 일치함으로 계시록을 기록하게 된 당시 주후 67년경에는 하나님의 오른손 위의 두루마리 책의 일곱 인의 일들이 이미 시작되었던 것이다. 4장 5장에서 보좌의 광경과 어린양께서 두루마리의 인을 떼시게 된 광경을 보여 주신 것은 이미 시작된 일들이 어떻게 하여 시작되어졌음을 보여주시고, 그리고 앞으로 어떤 일들이 어떻게 될 것임을 보여 주신 것이다.

그러므로 13절의 보좌의 찬양은 계시록 기록 당시인 주후 67년의 보좌의 광경이다.

14절 ▷ 그리고 그 네 생물들은 말하기를 아멘! 하고, 그리고 그 이십 사 장로들은 엎드려, 그리하여 영원의 영원을 향하여 사시는 분께 경배하니라.

καὶ τὰ τέσσαρα ζῷα ἔλεγον, Ἀμήν· καὶ οἱ εἰκοσιτέσσαρες
그리고그 네 생물들이 말하기를, 아멘. 그리고 그 이십 사
πρεσβύτεροι ἔπεσαν, καὶ προσεκύνησαν ζῶντι εἰς
장로들 엎드려, 그리하여 경배하니라 사시는 향하여
τοὺς αἰῶνας τῶν αἰώνων.←그 영원들을 그 영원들의

천사들과 만물이 어린양께 드리는 찬송에 생물들은 과연 그

려하다는 뜻으로 '아멘' 하고 장로들은 엎드려 경배하였다. '아멘'은 '진실로 그러하옵니다'는 말로서 '아멘' 하는 자체가 하나님께 영광을 돌리는 말이다.(고후 1:20) 그러므로 '아멘!' 하고 힘차게 자주 해야 하는 것이다. 초기 한국교회는 '아멘!' 소리로 예배당 창문이 떠나갈 듯 했다고 한다.

☆ 감동과 기도 ☆

【 특주 5 】

본받을 하나님 보좌의 찬양과 경배

계시록 4장과 5장에서 하나님 보좌의 광경과 찬양과 경배를 받으시는 것을 보여 주신 것은 구원받은 교회 성도들이 보좌에 계신 하나님과 어린양 되신 주님께 어떻게 찬양과 경배를 드려야 할 것을 본받을 모본인 것이다.

1. 공동으로 드린 찬양과 경배이다.

하나님 보좌에서의 찬양과 경배는 무엇보다 공동으로 함께 찬양하고 경배드림이다. 네 생물들과 24장로들만 아니라 보좌에 둘러 선 천천(백만)의 천사들과 보좌 앞에 시위하여 선 만만(1억)의 천사와 그리고 만물들이 함께 찬양하고 경배한 광경은 너무나 장엄할 뿐 아니라 놀라운 광경이다. 이 광경을 상상해 보라! 한 천사도 빠짐없이 일제히 공동으로 드리는 찬양과 경배가 얼마나 하나님께 영광이 되고 기쁨이 되는 일인가? 하나님께 드리는 찬양과 경배를 드리는 예배는 개인적이 아니라 공동적이어야 하나님께 기쁨이 되고 합당한 예배이다. 구원받은 성도는 공동예배의 중요성을 인식하고 빠지지 않도록 해야 한다. 공동예배에 어떤 개인의 사정을 핑계로 빠진다는 것은 있을 수 없는 일이다.

2. 하프 같은 아름다운 음의 악기로 찬양하였다.(5:8)

네 생물들과 24장로들이 각각 하프(=수금)를 가졌다고 한 것은 찬양을 위한 악기를 가졌음을 말하는 것이다. 악기는 찬양을 더욱 듣기 좋게 아름답게 하는 도구이다.

그런데 여러 종류의 악기들이 있는데 특히 하프(수금)를 가졌다는 것은 잘 생각해 보아야 할 일이다. 하프(수금)는 나무틀에 줄을 걸어 손으로 튕김으로 소리를 현악기로서 성경에 나오는 악기들 중에서 최초로 언급된 악기이다.(창 4:21) 보통 기쁨과 즐거움이 관련이 되며,(창 31:27; 욥 21:12; 사 24:8) 다빋(다윗)이 타는 하프(수금) 소리에 사울 왕에게 들었던 악령이 떠난 것은 유의할 일이다.(삼상 16:16,23) 그리고 다빋(다윗) 왕은 하나님께 감사하고 찬양하는 일을 하도록 세운 자들에게 수금을 잡고 찬양하도록 하였다.(왕상 10:12; 대상 15:16,21, 25:1, 3, 6) 시편에서 성도는 수금으로 하나님께 찬양하리라고 하였다.(시 33:2, 43:4, 71:22, 92:4, 98:5, 147:7, 149:3, 150:3)

그런데 오늘날 교회에 세상의 잡다한 소란스런 악기들을 들여와 찬양함은 합당치 않은 것이다. 신약 성경에 악기들에 대한 말이 없는 것은 신약 성경이 기록되던 주후 50-70년경에는 기독교에 대한 박해가 심했던 시대였으므로 공중예배에 악기를 사용할 생각을 할 수 없었으며, 보통 예배는 가정이나 엄밀한 장소에서 소수의 성도들이 모여 예배를 드려야 했기 때문에 악기 사용이 없었기 때문이다. 유대인의 회당 예배에서도 악기 사용이 없었으며, 초대교회와 주후 2세기에서 4세기(100-300년)의 교부시대 클레멘트, 터툴리안, 바실, 크리소스톰 등 교회에서 악기 사용을 금했다. 알렉산드리아의 클레멘트는 "손뼉치며 여러 악기들로 즐기는 것은 위험한 면이며 사람의 음성보다 다른 악기들은 전쟁소리 같은, 정욕을 불태우며, 바람기를 점화시키며, 도덕적 부패와 타락과 관계된다"고 하였다.(Clement of Alexandria, *Paedyogus* 2. 4) 종교개혁 시대 칼빈은 제네바에서, 쥬잉글리는 쥬리시에서, 에라스무스는 독일에서 악기 사용을 금했다. 영국과 미국의 청교도들도 악기 사용을 금했다. 그들은 교회음악(당시 야외 극장의 대중가요)과 세상 문화에 젖어들까 깊이 염려했기 때문이었다.(Allen Carden, *Puritan Christianity in America*, Baker, 1990, p. 190) 로마 천주교 교황은 1903년 교회에서 피아노 사용을 금하였다. 그 이유는 19세기 사람들이 피아노를 세속적으로 사용하였기 때문이었다.(Barry Liesch, *people in the presence of God*, Zondevan, 1988, p. 195)

피아노의 소리는 경쾌하여 복음송에 적합한데 비해 올갠은 음이 은은하고 우아하고 엄숙하고 경건하여 하나님을 찬양하고 경배하는 찬송에 적합하다. 피아노와 올갠은 음질이 같지 않아 합주가 맞지 않다. 특히 중요한 것은 악기의 연주 소리가 회중의 찬송 소리보다 더 크면 찬송하는 회중의 정서에 거부반응을 일으켜 주객이 전도됨으로 그렇게 되지 않도록 해야 한다. 하나님의 보좌에서 그렇게 큰 소리의 찬양에 비해 생물들과 장로들이 가진 악기가 수금이라 한 것은 그 점을 말해 주는 것이다. 합창단의 조화되는 음성 자체가 하나님께서 가장 듣기 좋아하시는 음인 것이다. 사람의 성대는 세상에서 가장 좋은 악기이다. 교회는 찬송하는 성도들이 음성 자체를 잘 내도록 유의하고 숙련토록 해야 할 것이다.

3. 많은 기도와 함께 찬양을 드렸다고 한 것이다.(5:8)

피조물의 대표로서 네 생물들과 구원받은 성도들의 대표로서 하나님께 찬양과 경배를 드릴 때 성도들의 기도인 향내들이 가득한 금 대접을 가졌다는 것을 유의할 것이다. 감사와 존귀와 영광을 돌리는 찬양과 경배에 기도는 필수적으로 동반되는 것이다. 그러므로 예배 곧 찬양과 경배를 할 때 대표기도와 합심기도는 반드시 있어야 하는 것이다. 보편적으로 교회에서 찬양에 비해 기도가 너무 적은 편이다.

4. 큰 소리로 찬양 하였다고 한 것이다.(5:12)

14:2절과 19:1절에도 구원받은 자들의 노래 소리가 '많은 물소리 같고 큰 뇌성과도 같으며 많은 무리의 큰 음성 같은데 그러면서도 그 큰 음성은 수금 타는 자들의 수금 타는 것 같았다고 한 것은 듣기에 너무나 아름다웠다는 말인 것이다.

찬양은 배에서 나오는 큰 소리로 하여야 한다. 큰 소리로 한다는 것은 마음과 힘과 뜻을 다하여 찬송함을 말하는 것이다. 네 생물과 24장로들과 보좌를 둘러선 백만 천사들과 그리고 억의 천사들, 그리고 구원받은 성도들과 만물이 큰 소리로 찬양하는 그 찬양은 우주에 가득차고도 남을 정도의 찬양이니 얼마나 위대하고 장엄한 찬송인가? 성령 안에서 영으로만 지각하여 알 수 있는 놀라운 신비요 사실인 것이다. 이 사실을 영으로 아는 자는 어떻게 찬양해야 할지를 아는 것이다.

5. 창조와 구속하심을 찬양하였다고 한 것이다.(4:11, 5:9~10)

찬양의 내용은 하나님의 거룩하심과(4:8) 창조하심과(4:11) 구속하심을(5:9~10, 12~13) 찬양한 것이다. 보좌에 앉으신 하나님과 구속하신 어린양께서 어떤 분이심을 아는 영생을 얻은 자들은(요 17:3) 하나님께 무엇을 감사하고 어떤 존귀를 드리며 왜 영광을 돌려야하는지, 찬양과 경배의 내용을 알고 하게 되는 것이다. 합당치 않은 찬송이나 복음송의 내용을 분별하는 것이다. 먼저 찬양과 경배의 찬송이 빈약함을 안다. 계시록에 하나님의 보좌에서 찬양하는 내용 그대로를 부르도록 해야 하고, 그리고 시편과 성경에 있는 찬송의 내용들을 그대로 하는 것이 가장 좋은 것이다. 그런데도 그런 찬송은 너무 적은 것이다.

그리고 찬송 또는 복음성가에 삼위 하나님에 대하여 존칭으로 하지 않은 것은 있을 수 없는 대단히 잘못된 것이다. 찬송의 대상이신 하나님에 대한 기본 태도가 되지 않은 것이다. 천사들과 장로들은 보좌의 하나님과 어린양께 대하여 어떤 정도의 태도를 취하였는가?

6. 장로들은 면류관을 벗어 던지며 경배하였다고 하였다.(4:10)

보좌에 앉으신 하나님과 어린양을 향하여 면류관을 벗어 던지며 경배하였다는 것은 자신들의 존재와 모든 영예가 하나님과 어린양의 전적 은혜로 된 것임에 그지없이 감사함을 표하는 것을 말함이다. 예배 곧 찬양과 경배는 자신의 전폭적 드림이 있어야 하는 것이다. 무엇을 얼마나 드리느냐 보다 두 렙돈을 바친 가난한 과부처럼(눅 21:1~4) 전폭적인 마음으로 드림이 귀중한 것이다.

7. 엎드려 경배하였다고 한 것이다.(4:10, 5:14, 7:11)

지극히 존귀한 보좌의 24장로들과 천사들까지도 일제히 엎드려 경배하였다고 하였으니 매우 유의해야 할 일인 것이다. 예배는 엎드려 경배함이 있어야 하는 것이다. 오늘날 거의 모든 교회들이 의자에 앉아서 예배하도록 한 것은 사람을 편하게 하기 위한 것으로서 사람을 위주한 합당치 못한 것이다. 하나님 앞에 엎드리는 것을 멀리하게 하기 때문이다.

8. '아멘' 하여 영광을 돌렸다고 한 것이다.(5:14)

'아멘' 은 '진실로 그러하옵니다' 는 말로서 '아멘' 하는 것은 하나님께 영광을 돌리는 것이라고 하였다.(고후 1:20)

¤ 감동과 기도 ☆

♤ **5장 요점 정리** ♠

① 하나님께서 신구약 성경의 모든 말씀도 두루마리 책에 기록하게 하여 주셨고 영원하신 계획을 두루마리 책에 기록해 놓으시고 시행하시는 것은 조금도 변동이나 틀림이 없이 시행하시는 분이심을 시사한다. 그러므로 기록하신 성경 말씀을 엄수해야 한다.〔1절〕

② 특히 종말과 영원에 관한 하나님의 계획을 기록한 두루마리 책이 봉인되어 있었는데 천상천하에 그 봉인을 열어 볼 수 있는 자가 없음으로 사도 이오안네스(요한)은 울고 있었다고 했다. 그런데 죽임을 당하셨던 어린양 이에수-스(예수)님께서 그 두루마리 책을 받으셔서 봉인한 것을 열어 보여 주시면서 기록하여 모든 교회에 보내라 하신 것이 계시록이니 얼마나 귀한 책

인가? 기독교인들이 계시록의 귀중함을 어느 정도로 알고 있는가?〔1~7절〕

③ 어린양께 드리는 찬양과 경배는 생물들과 장로들과 함께 천천의 천사들과 모든 피조물들이 함께 드리는 총 합창이였다.〔8~14절〕

감람산 재림하실 장소로 예언되었다.(슥 14:4)

【 계시록 제 6 장】

한 글 개 역 성 경	전통원문 직역 성경
1. 내가 보매 어린양이 일곱 인 중에 하나를 떼시는 그 때에 내가 들으니 네 생물 중에 하나가 우뢰 소리같이 말하되 오라 하기로	1. 그리고 내가 보니 어린양께서 그 봉인들 중에 하나를 여시는 때에, 또한 내가 들으니 네 생물들 중에 하나가 말하기를, 천둥소리 같이, 오라 그리고 보라 하니라.
2. 내가 이에 보니 흰말이 있는데 그 탄 자가 활을 가졌고 면류관을 받고 나가서 이기고 또 이기려고 하더라	2. 그리고 내가 보니, 실로 보라, 흰말이라. 그리고 그 위에 앉은 자가 활을 가졌고, 또한 그에게 면류관이 주어졌으며, 그리하여 나가서 이기고 또 이기려고 하니라.
3. 둘째 인을 떼실 때에 내가 들으니 둘째 생물이 말하되 오라 하더니	3. 그리고 그 둘째 봉인을 여셨을 때에 그 둘째 생물의 말하는 것을 내가 들으니, 오라, 그리고 보라, 하니라.
4. 이에 붉은 다른 말이 나오더라 그 탄 자가 허락을 받아 땅에서 화평을 제하여 버리며 서로 죽이게 하고 또 큰 칼을 받았더라	4. 그리고 다른 붉은 말이 나오는데, 또한 그 위에 앉은 자가 땅위에서 평화를 빼앗도록 그에게 허락되고, 그리고 서로 죽이게 하기 위해 또한 큰 칼이 주어지니라.
5. 셋째 인을 떼실 때에 내가 들으니 셋째 생물이 말하되 오라 하기로 내가 보니 검은 말이 나오는데 그 탄 자가 손에 저울을 가졌더라.	5.그리고 그 셋째 봉인을 여셨을 때에 내가 들으니, 그 셋째 생물이 말하기를, 오라, 그리고 보라 하니라. 그리하여 내가 보니, 실로 보라, 검은말이라. 그리고 그 위에 앉은 자가 그의 손에 저울을 가지니라.
6. 내가 네 생물 사이로서 나는 듯하는 음성을 들으니 가로되 한 데나리온에 밀 한 되요 한 데나리온에 보리 석되로다 또 감람유와 포도주는 해하지 말라 하더라	6. 그리고 내가 그 네 생물들의 사이에서 말하는 소리를 들으니, 한 데나리온의 밀이 한 되며, 한 데나리온의 보리가 석되라. 그리고 올리브유와 포도주는 해치지 말라 하니라.

7. 넷째 인을 떼실 때에 내가 넷째 생물의 음성을 들으니 가로되 오라 하기로	**7. 그리고 그 넷째 봉인을 여셨을 때, 그 넷째 생물의 말하는 소리를 내가 들으니, 오라, 그리고 보라. 하니라.**
8. 내가 보매 청황색 말이 나오는데 그 탄자의 이름은 사망이니 음부가 그 뒤를 따르더라 저희가 땅 사분의 일의 권세를 얻어 검과 흉년과 사망과 땅의 짐승으로써 죽이더라	**8. 그리고 내가 보았는데, 실로 보라, 누른 말이라, 또한 그 위에 앉은 자의 이름은 죽음이며, 그리고 지옥이 그의 뒤를 따르니라. 그리고 그들에게 권세가 주어져 땅의 사분의 일을 칼과 기근과 죽음과 땅의 짐승들에 의해 죽이니라.**
9. 다섯째 인을 떼실 때에 내가 보니 하나님의 말씀과 저희의 가진 증거를 인하여 죽임을 당한 영혼들이 제단 아래 있어	**9. 그리고 그 다섯째 봉인을 여셨을 때, 그 제단 아래 하나님의 말씀을 위하여 그리고 저희의 가진 증거를 위하여 죽임을 당한 혼들을 내가 보았는데,**
10. 큰 소리로 불러 가로되 거룩하고 참되신 대 주재여 땅에 거하는 자들을 심판하여 우리 피를 신원하여 주지 아니 하시기를 어느 때까지 하시리이까 하니	**10. 그들이 실로 큰 소리로 탄원하여 말하기를, 거룩하시고 참되신 주님이시여, 당신께서 심판하셔서 땅위에 거주하는 자들로부터 우리들의 피를 변호하지 아니하시기를 언제까지 하시렵니까? 하니,**
11. 각각 저희에게 흰 두루마기를 주시며 가라사대 아직 잠시 동안 쉬되 저희 동무 종들과 형제들도 자기처럼 죽임을 받아 그 수가 차기까지 하라 하시더라	**11. 그러므로 각각 희고 긴 옷들을 주시며 또한 저희에게 말씀하시기를, 저희들 동료 종들과 저희들 형제들 역시 자기들 같이 죽임당함을 따라 그렇게 하여 사람이 가득찰 때까지 아직 잠시 안식하라 하시니라.**
12. 내가 보니 여섯째 인을 떼실 때에 큰 지진이 나며 해가 총담 같이 검어지고 온 달이 피같이 되며	**12. 그리고 그 다섯째 봉인을 여셨을 때, 내가 보았는데, 실로 보라, 큰 지진이 일어나고 그리고 해가 털로 만든 거친 옷같이 검게 되고, 그리고 달이 피같이 되어지니라.**

13. 하늘의 별들이 무화과나무가 대풍에 흔들려 선 과실이 떨어지는 것 같이 땅에 떨어지며	**13. 그리고 하늘의 별들이 무화과나무가 큰바람에 의해 흔들려 그것의 익지 않은 무화과가 떨어지는 것 같이 땅으로 떨어지며,**
14. 하늘은 종이 축이 말리는 것 같이 떠나가고 각 산과 섬이 제자리에서 옮기우매	**14. 그리고 하늘은 두루마리가 말리는 것같이 조각조각 나누이고, 그리고 모든 산과 섬이 제 지점으로부터 이동되니라.**
15. 땅의 임금들과 왕족들과 장군들과 부자들과 강한 자들과 각 종과 자주자들이 굴과 산 바위 틈에 숨어	**15. 그리고 땅의 왕들과 고관들과 부유한 자들과 천부장들과 힘있는 자들과 모든 종과 모든 자유로운 자들이 동굴들 안으로 그리고 산들의 바위들 안으로 자신들을 숨기니라.**
16. 산과 바위에게 이르되 우리 위에 떨어져 보좌에 앉으신 이의 낯에서와 어린양의 진노에서 우리를 가리우라	**16. 그리고 그 산들과 바위들에게 말하기를, 우리들 위에 떨어지라, 그리하여 보좌에 앉으신 이의 얼굴로부터 그리고 어린양의 진노로부터 우리들을 숨기라.**
17. 그들의 진노의 큰 날이 이르렀으니 누가 능히 서리요 하더라	**17. 왜나하면 그분의 진노의 그 큰 날이 이르렀기 때문이며, 그리고 어떻게 설 수 있겠는가? 하니라.**

【 문 단 】

4. 일곱 인을 여심《 6:1~17 》

1〉 **첫째 인을 여심** 1~2

2〉 **둘째 인을 여심** 3~4

3〉 **셋째 인을 여심** 5~6

4〉 **넷째 인을 여심** 7~8

5〉 **다섯째 인을 여심** 9~11
6〉 **여섯째 인을 여심** 12~17

【 주 해 】

〈**개요**〉 6장부터 계시록의 본론인, 어린양께서 두루마리 책의 일곱 인을 차례로 여시고 기록된 하나님의 비밀이 무엇임을 사도 이오안네스(요한)에게 나타내 보여 주신 것이다. 6장에서는 여섯째 인까지 여시고 보여 주신 것이다.

계시록에서 6장의 개요가 가장 중요하다. 왜냐하면 6장의 여섯째 인까지를 어떻게 보느냐가 계시록을 바로 보고 해석하는 관건이 되기 때문이다. 중요한 개요 다섯 가지를 알아야 한다.

① **여섯째 인까지 감람산 예언의 순서와 내용이 일치한다.**

6장에서 중요한 것은 첫째 인부터 여섯째 인까지가 언제 되어지는 일을 말씀하신 것인가 하는 것이다. 계시록을 바로 보는 열쇠인 것이다. 언제 되어지는 일들로 말씀하신 것인가로 각자 보는 관점에 따라 계시록 해석이 크게 달라지는 것이다.

계시록을 해석하는 대체적인 관점은 첫째 인부터 일곱째 인(6~18장)까지의 내용을 재림전 7년 대환란 기간에 있을 일들로 보는 것이다. 본 저자는 여섯째 인과 일곱째 인을 7년 대환란 기간에 있을 일들로 본다. 그 첫째 이유는 이에수-스(예수)님의 감람산 예언의(마 24장, 막 13장, 눅 21장) 히에루살렘(예루살렘) 멸망의 징조와 세상 끝에 재림의 징조를 함께 말씀하신 순서와 내용이 같기 때문이다. 첫째 인(계 6:1~2=마 24:4~5), 둘째 인(계 6:3~4=마 24:6), 셋째 인(계 6:5~6=마 24:7), 넷째 인(계 6:7~8=마 24:7~8←전통원문에는 '전염병' 이 있음), 다섯째 인

제
6
장

(계 6:9 -11=마 24:9~10), 여섯째 인(계 6:12~17=마 24:29) 모두 일치하다.

첫째 인부터 다섯째 인까지는 개역 한글성경 번역대로 "반드시 속히 될 일을 보여주시려고"(1:1)가 아니고 사도 이오안네스(요한)에게 계시를 주시던 주후 67년 당시 63년부터 틀림없이 되기 시작해야 했던【계 1:1→ <*ἃ δεῖ γενέσθαι ἐν τάχει*> 에서 *γενέσθαι*(게네스트하이)는 부정, 과거, 중간디포로서 '**속히 되기 시작해야 했던**' 이라고 해야 바른 번역이다. 계시록 마지막 장 22:6절에도 같은 말씀<*ἃ δεῖ γενέσθαι ἐν τάχει* **속히 되기 시작해야 했던 일들**>이다.】일들 곧 히에루살렘(예루살렘) 멸망의 징조로 주후 63년경 이미 본격적으로 시작된 일들과 그리고 재림 직전 7년대환란에 되어질 일들을 보여 주신 것으로 보는 것이다. 감람산 예언에서 제자들의 질문과(마 23:3) 대답하신 말씀이 이 두가지를 연이어 말씀하신 것이다. 누가복음 21:24절과 다니엘 9:26절에서 히에루살렘의 멸망의 징조와 재림 직전의 한 이레 곧 7년 대환란의 징조가 구분되는 '이방인들의 (구원받는)때' 가 있음을 알 수 있다.

그러므로 첫째는 계시록 1:1절과 22:6절 헬라어를 직역해 보지 않고, 둘째는 감람산 예언에서 히에루살렘(예루살렘)의 멸망과 재림 사이에 이방인들의 때가 있음을 알지 못하고, 셋째 감람산 예언 구도와 계시록의 구도가 같음을(계시하신 분이 동일하기 때문에) 알지 못하면 계시록을 바로 볼 수 없는 것이다.

이렇게 바로 보면 계시록의 기록시기가 과거론의 견해와 같이 주후 67년이 되며, 일곱 인 중에서 넷째 인까지가 히에루살렘(예루살렘) 멸망의 징조가 되고 다섯째 인은 이방인의 때와 같은 여섯째 인까지의 기간이 있을 것을 말씀하신 것이며, 여섯째 인은 재림 징조의 시작이 되는 것이다. 그런데 일반적으로 사람들에게 이런 관점이 쉽게 이해가 안되는 것은, 다섯째 인과 여섯째 인이 연이어 되는 일이지 어떻게 그 사이에 오랜 공백이 있다는 것인가? 이것이 잘 이해가 안되기 때문이다. 그러면 누가복음 21:24절 한 절 안에 히에루살렘(예루살렘)은 멸망하여 이방인들의 때가 차기까지의 기간이 있다고 말씀하신 것과 다니엘 9:26절 한 절 안에 히에루살렘(예루살렘)은 훼파될 것이며 또 끝까지 전쟁이 있으리니라고 기간이 있을 것이라고 한 말씀은 어찌 이해되는가? 계시록 6:9~11절 다섯째 인의 내용이 '순교자의 수가 차기까지 잠시 동안 쉬라' 하신다는 말씀이 앞서 말한 것과 같은 것으로 기간이 있음을 말씀하신 것이다. 그러므로 다섯째인 까지는 감람산 예언에서 말씀하신 주후 67년 전에 이미 시작된(1:1, 22:6) 히에루살렘(예루살렘) 멸망 징조의 일들이 순서와 내용에서 일치함에서 분명하며, 그리고 여섯째 인과 일곱째 인의 내용인 일곱 나팔과 일곱 대접의 진노와 재앙은 재림 직전 7년 대환란에 되어질 일인 것이다.

그리고 주님께서는 여섯째 인부터의 재림 직전에 되어질 일도 그렇게 오래 지연되지 않기를 원하셨기 때문에 "내가 속히 간다"라고 세 번이나 거듭 강조하셨던 것이다.(계 22:7, 12, 20) 다만 하나님께서 이방인들이 개심하여 구원받는 수가 차고(롬 11:25) 아무도 멸망치 않기를 하루가 천년같이 천년을 하루같이 오래 참아 주셨기 때문이다. 사도 파월로스(바울) 당시부터 복음이 변개되어져, "하나님의 왕국이 가까웠으니 개심하고 복음을 믿으라"는(막 1:14,15) 진정 올바로 개심케하는 바른복음이 전파되지를 않아 지금까지 구원받는 자의 수가 좀처럼 차지 않은 것이다. 기독교는 혼미 속에 깊이 잠들어 있다.

② 일곱 인중 넷째 인까지는 불과 1~8절 안에 다 표현되었다.

계시록에서 본론 부분인 일곱 인의 내용을 보면, 다섯째인 까지는 6:1~11절에 열 한 절 안에 다 나타내 보이신 데 비하여, 재림 직전 7년 대환란의 징조인 여섯째 인과 일곱째 인의 내용은 6:12~17(6절), 8:1~9:21(34절), 16:1~21(21절) 무려 51절에 나타내 보이셨다. 이것을 무엇을 의미하는 것인가?

넷째 인까지는 계시록을 기록하게 하시던 주후 67년경 당시 이미 히에루살렘(예루살렘) 멸망의 징조로 "틀림없이 시작되어야 했던 일들"이었기 때문에(1:1, 22:6 ← 헬라어 직역) 간략하게 말씀하신 것이며, 여섯째 인과 일곱째 인의 내용은 이후에 재림 직전에 될 중대한 일이기 때문에 주님께서 감람산 예언에서는 히에루살렘(예루살렘) 멸망의 징조를 자세히 말씀하셨지만, 계시록에서는 대조적으로 재림의 징조를 훨씬 더 중요하게 자세히 계시하여 주신 것이다. 넷째 인까지는 이미 시작되어 진행되고 있는 일들이었으므로 간명하게 계시하여 주셔도 알 일이었기 때문이었다.

③ 일곱 인중 넷째 인까지만 말 탄 자로 표현되었다.

특이한 점 또 한가지는 일곱 인 중 넷째인 까지만 말 탄 자로 표현된 것이다. 이것도 다른 세 인과 구별되는 것이다. 말은 성경에서 무엇을 의미하고 있는가? 첫째 의미는 무엇보다 권력과 전쟁의 의미이다.(왕상 10:28, 20:20, 욥 39:199~25) 그러므로 하나님께서는 말을 많이 두지 말라고 명령하셨다.(신 17:16) 성경에 평민들이 말을 소유했다는 말이 없다.

그러므로 넷째 인까지는 틀림없이 시작되어야 했던 일들로서 로마제국의 네로 황제의 권력과 전쟁으로 인해 이우다이아(유대) 전역과 히에루살렘(예루살렘)과 아시아 일곱 교회와 같이 전 세계 교회에 불어닥친 환란의 바람에서 성도들을 굳건하게 이기는 자 되도록 격려하고 확신과 소망을 주시기 위해서 그때의 실상을 계시하여 주신 것이다.

④ 감람산 예언에서 예루살렘 멸망의 징조와 일치함

이예수-스(예수)님께서 주후 30년경 엘라이아(감람산)에서 제자들에게 히에루살렘(예루살렘) 멸망과 재림의 징조를 말씀하신 것과 계시록 6장의 첫째 인부터 여섯째 인까지의 일과 일치한 것은 첫째 인부터 넷째 인까지는 히에루살렘(예루살렘) 멸망의 징조가 이루어지고 있는 것을 계시하여 주신 것임을 알 수 있다. 이를 대조해 보면,

마 24:6~9, 29.	막 13:7~9, 24~25.	눅 21:9~26.	계 6:2~17
1. 미혹(4~5)	미혹(5~6)	미혹(8)	거짓평화(흰말)
2. 전쟁(6~7)	전쟁(7~8)	전쟁(9~10)	전쟁(붉은 말)
3. 기근(7)	지진(8)	지진(11)	기근(검은 말)
4. 지진(7)	기근(8)	기근,질병(11)	죽음(청황색말)
5. 핍박(9)	핍박(9)	핍박(12)	핍박(순교자)
6. 하늘의 이상(29)	하늘의 이상(24)	하늘의 이상(25)	지진,하늘의 이상

기근과 지진의 말 순서만 바뀌었을 뿐 내용이 완전히 일치한다. 그러므로 재림의 징조로 말씀하신 해와 달과 별에 있을 '하늘의 이상' 전에 되어지는 일, 계시록 6장의 넷째 인까지는 히에루살렘(예루살렘) 멸망의 징조로서 계시록 기록 당시 주후 67년경에 이미 되기 시작했던 일이었다.(1:1절 헬라어 직역 해석)

제 6 장

4. 일곱 인을 여심《 6:1~17 》

1〉 첫째 인을 여심 1~2

1절 ▷ 그리고 내가 보니 어린양께서 그 봉인들 중에 하나를 여시는 때에, 또한 내가 들으니 네 생물들 중에 하나가 말하기를, 천둥소리같이, 오라 그리고 보라 하니라.

Καὶ εἶδον ὅτε ἤνοιξεν τὸ ἀρνίον μίαν ἐκ τῶν σφραγίδων.
그리고 내가 보니 때 여시는 그 어린양께서 하나를 로부터 그 봉인들의.
καὶ ἤκουσα ἑνὸς ἐκ τῶν τεσσάρων ζῴων λέγοντος,
또한 내가 들으니 하나가 로부터 그 네 생물들의 말의,
ὡς φωνῆς βροντῆς, Ἔρχου καὶ βλέπε.
같은 소리 천둥, 오라 그리고 보라.

개역 한글성경에 '떼시는' 이라고 번역한 '*ἤνοιξεν*(에노이크센)' 은 '떼다' 는 말이 아니고 '열다' 라는 말이다. 어린양께서 일곱 봉인들 중에 하나를 여시는 때에 사도 이오안네스(요한)가 들으니 네 생물들 중의 하나가 천둥 같은 소리로 "오라 그리고 보라" 고 하였다. 생물의 천둥 같은 소리는 실로 장엄하였다. "오라 그리고 보라" 하였으니 가까이 와서 두루마리에 기록된 것을 열어서 보여주는 것을 보라는 말인 것이다. 육신의 눈으로 보라는 말이 아니고 영으로 보게 하신 것이다.

2절 ▷그리고 내가 보니, 실로 보라, 흰말이라. 그리고 그 위에 앉은 자가 활을 가졌고, 또한 그에게 면류관이 주어졌으며,

그리하여 나가서 정복하고 또 정복하려고 하니라.

καὶ εἶδον, καὶ ἰδού, ἵππος λευκός, καὶ ὁ καθήμενος
그리고 내가 보니, 실로 보라, 말 흰, 그리고 그 앉은
ἐπ' αὐτῷ ἔχων τόξον· καὶ ἐδόθη αὐτῷ στέφανος, καὶ
위에 그의 가졌고 활을 또한 주어졌고 그에게 면류관이(주격),
ἐξῆλθεν νικῶν, καὶ ἵνα νικήσῃ.
나가서 정복하고, 또 하니라 정복하려고.

그런데 사도 이오안네스(요한)가 가까이 가서 보니 두루마리 책에 글자가 보인 것이 아니라 비디오 테프를 보듯이 흰말을 탄 자에게 면류관이 주어졌고, 활을 가졌으며, 나가서 정복하고 또 정복하려고 하는 광경이 보인 것이다. 개역 한글성경에 "이기고 또 이기려고"라고 한 헬라어 '*νικῶν*(니콘-)'은 '정복하다, 승리를 거두다'의 분사 현재 능동태로서 "정복하려고 하다"이며, *νικήσῃ*(니케세)는 '정복하다, 승리를 거두다'의 가정법 과거 능동으로서 "정복하였고"이다.

◀실제 상황▶ 첫째 인은 당시의 실제 상황을 말한 것이니 흐로메(로마) 제국은 티베르 강 연안의 라틴 부족이 주변국들을 정복함으로써 시작되어 라인 강과 다뷰느 강의 노덤브렌드 주와 소아시아의 흑해 연안 및 사하라 사막에 이르렀고, 남동쪽으로는 아라비아 사막을 제외한 홍해 연안과 나일 강 계곡에 이르기까지 흐로메(로마)제국이 정복한 영토는 끝없이 전개되어 있었다.

그런데 첫째 인에서 '흰말을 탄 자'란 주후 54년부터 68년까지 로마제국의 제5대 황제로 통치했던 '네로 글라우디오 가이사(Nero Claudius Caesar)의 처음 평화로운 통치를 의미한 것이

었다. "흰말을 탄 자가 활을 가졌고, 또한 그에게 면류관이 주어졌으며, 그리하여 나가서 정복하였고 또 정복하려고 하니라"는 것은 당시 흐로메(로마)가 세계를 정복하였고 또 정복하려고 하되 네로는 처음 위장된 평화로 세계를 정복하려고 한 것을 말함이다.

네로는 18세에 황제에 즉위하면서 그의 가정교사였던 철학자 세네카가 작성한 취임사에서 전 황제 아우구스투스의 치리 원칙에 입각하여 다스릴 것을 약속했는데 아우구스투스는 독재정치를 폐하고 공화입헌정치를 베푼 황제였다.(눅 2:1) 그리하여 네로는 그의 원수정치의 첫 5년 동안은 유능한 철학자 세네카와 집정관 근위대의 강력한 지휘관인 불루스(Burrus)로 하여금 제국을 이끌어 가도록 쾌히 승낙하였는데 이 '네로의 5년간(Quinquennium Neronis)'은 로마의 모든 영지에서 건전한 행정과 훌륭한 질서를 가진 정치기간으로 전설적인 예가 되었다. **《성서 대 백과, 기독지혜사, 1979, p. 768》**

그러나 유능한 근위대장 불루스가 주후 62년에 자연사(自然死)하였고, 세네카는 그의 착실한 동료가 이와 같이 떠나버리자 물러나 앉고 말았다. 그리고 주후 64년 7월에 카페나문(the Capena Gate) 근처 빈민굴 지역에서 일어난 화재는 로마 시를 반이나 불태우게 되었던 것이다. 네론(네로)이 돌변하여 화재의 책임을 기독교인들에게 돌리고 전 흐로메(로마) 제국에 대대적인 기독교인 박해를 감행한 것이다. 네론(네로) 황제의 기독교인 박해는 인간역사에 유례가 없는 무자비하고 참혹한 것으로 신 불신 막론 어떤 누구도 다 시인하는 역사이다. 첫째 인의 거짓평화로 정복하고 정복하려 하는 실제 상황이 너무나 일치한 것이었다.

마지막 7년 대환란의 시작도 적그리스도의 이스라엘과의 한 이레 거짓 평화언약으로 시작된다.(단 9:27)

◁**영적 상황**▷ 주님께서 사도 이오안네스(요한)에게 계시를 주시고 기록하게 하신 것은 당시의 상황 전개만을 알리는 것만이 아니었다. 실제 전개되는 상황들은 반드시 그 배후에 하나님께서 주관하시고 또한 사탄이 주관하는 영적 상황이 동반하는 일들이라는 사실이다. 그러므로 표면에 전개되는 이면에 있는 영적 상황과 의미를 반드시 보고 확인해야 하는 것이다.

19:11절에 재림하시는 주님이 흰말을 타셨다는 것으로 '흰말을 탄 자'를 크흐리스토스(그리스도)라고 하는 자가 많으나 봉인을 여시는 주님께서 말 탄 자로 등장한다는 것은 합당치 않으며, 그리고 넷째 인까지 모두 재앙을 말하는 것인즉 첫째 인만 크흐리스토스(그리스도)의 복음의 승리라고 하는 것도 합당치 않다.

그리고 흰말을 탄 자가 활을 가졌고 정복하였고 또 정복하려고 한다는 것은 당시의 실제 상황은 흐로메(로마) 네론(네로)을 말하는 것이지만 당시의 영적 상황은 이에수-스(예수)님께서 감람산 예언에서 제일 먼저 말씀하시고(마 24:4, 5) 거듭 말씀하신(11, 23~26) 거짓 그리스도들과 거짓 선지자들이 미혹하는 일이었다.

특히 '활'은 성경에서 무기로 말한 것 외에 유일하게 '의인을 해하는 거짓말'을 의미한 것이다. 시편 11:2절에 "악인이 활을 당기고 살을 시위에 먹임이여 마음이 바른 자를 어두운데서 쏘려 하는도다" 하였고, 64:3~4절에는 "저희가 칼같이 자기 혀를 연마하며 화살같이 독한 말로 겨누고 숨은 곳에서 완전한 자를 쏘려 하다가 갑자기 쏘고 두려워하지 않는도다" 고 하였다. 그리고 시편 78:57절에는 "속이는 활 같이 빗가서" 라고 하였고, 히에레미아스(예레미야) 9:3절에는 "그들이 활을 당김 같이 그 혀를 놀려 거짓을 말하며" 라고 하였으며, 8절에도 "그들의 혀는 죽이는 화살이라 거짓을 말하며 입으로는 그 이웃에게 평화를 말하나 중심에는 해를 도모하는도다" 라고 하였다. 호쉐아(호세아) 7:16절에는 "속이는 활과 같으며" 라고 했으니 빗나가기 잘하는 활과 화살을 '거짓말' 로 의미한 것이다.

그러므로 흰말을 탄 활을 가진 자는 거짓 평화로 위장한 거짓 선지자를 의미한 것이다. 흰말이라 한 흰 색갈도 거짓 평화를 의미한다. 거짓 선지자의 특징은 하나님의 백성들에게 하나님의 진노의 재앙이 오고 있는데도 '평화다 평화다' 하고 백성들을 거짓 안심시키는 것이었다고 누차 지적하였다.(렘 6:13~14, 8:11, 14:13; 겔 13:10, 16, 미 3:5) 첫째 인 다음 둘째 인의 붉은 말 탄 자가 땅에서 '평화를 제하여 버린다' 한 것도 첫째 인이 (거짓)평화를 의미한 것임을 상기시키는 것이다.

거짓 메시야 가운데 가장 유명한 것은 아이귚토스(애굽) 유대인 사건이다. 주후 60년 네론(네로)이 이우다이아(유대) 총독으로 임명한 프헬릭스(벨릭스) 때에 거짓 예언자가 있어 그에게 현혹된 추종자들이 무려 30,000명이나 되었다. 그는 이 추종자들을 거느리고 광야를 돌아 엘라이아(감람)산에 오른 후에 거기서부터 무력으로 히에루살렘(예루살렘) 안으로 쳐들어가려고 하였다. 이렇게 해서 흐로메(로마)군 수비대와 이우다이오스(유대인)들을 정복할 수 있다면 추종자들의 도움을 얻어 히에루살렘(예루살렘)을 통치할 생각까지 했다. 그러나 프헬릭스(벨릭스)가 가만히 있을 리 없었다. 흐로메(로마)군을 거느리고 그 거짓 선지자를 만나 접전이 벌어졌으며 그 거짓 선지자는 추종자 몇 명만을 거느리고 도망을 쳤다. 이에 그를 따르던 대부분의 추종자들은 죽음을 당하거나 생포되고 나머지는 뿔뿔이 흩어져 각자 집으로 돌아가 몸을 숨겼다고 하였다.**《유대 전쟁사, 요세푸스, 제2권, 13장 5》** 그 외에도 히에루살렘(예루살렘) 거리에서는 두 예수가 각각 자신에게 속한 자객을 거느리고 싸움을 벌였다. **《나사렛 예수와 그 시대, 김영진 역, p. 68》**

이에수-스(예수)님께서 주후 30년경 엘라이아(감람산)에서 제자들의 질문에 답하신 히에루살렘(예루살렘) 멸망의 징조 중에 제일 먼저 말씀하신 것이 '누군가 너희를 미혹하지 않았나 주의하여 보라(헬라어 직역)' 는 것이었고(마 24:4; 막 13:5; 눅 21:8) 거짓된 자의 미혹이 있을 것을 거듭 반복하여 말씀하셨으니(마 24:5, 11, 23~26) 특별히 기독교인들에게 피해가 많을 것을 예고하신 것이다.

거짓 그리스도들과 거짓 선지자는 이우다이아(유대)와 히에루살렘(예루살렘)에만 아니라 당시 전 세계 교회에 일어난 현상이었다.(벧후 2:1; 요일 4:1) 에프헤소스(에베소) 교회는 거짓된 자들을 찾아내는 일로 사랑을 잃어버림으로 주님으로부터 가장 먼저 경책을 받았으니(계 2:1~7) 참으로 애통한 일이었다. 주님께서 히에루살렘(예루살렘) 멸망의 징조로 제일 먼저 '누군가 너희를 미혹하지 않았나 주의하여 보라' 고 하셨는데,(마 24:4) 이우다이아(유대)와 히에루살렘(예루살렘)이 흐로메(로마)군대에 의해 처참히 멸망하게 된 주원인은 반란하는 자들의 선동에 백성들이 따랐기 때문이었다.**《유대전쟁사, 요세푸스》** 그리고 계시록 기록 당시 아시아의 대표적 일곱 교회 중에 다섯 교회가 주님으로부터 경책을 받은 것은 모두 거짓된 자들에게 미혹을 받았기 때문이었다.

¤ 감동과 기도 ☆

2〉 둘째 인을 여심 3~4

3절 ▷ 그리고 그 둘째 봉인을 여셨을 때에 그 둘째 생물의 말하는 것을 내가 들으니, 오라, 그리고 보라, 하니라,

Καὶ ὅτε ἤνοιξεν τὴν δευτέραν σφραγῖδα ἤκουσα τοῦ
그리고 때에 여셨을 그 둘째 봉인을 내가 들으니 그
δευτέρου ζῴου λέγοντος, Ἔρχου. καὶ βλέπε.
둘째 생물의 말하는 것을, 오라. 그리고 보라.

둘째 봉인을 여시자 그 둘째 생물이 사도 이오안네스(요한)에게 '오라 그리고 보라' 고 하였다. 거의 모든 계시록 해석자들이 1:19절에서 사도 이오안네스(요한)에게 '네 본 것을 기록하라' 하신 것을 2~3장의 일곱 교회에 관한 것으로 분류하는 것은 옳지 않다.

4절 ▷ 그리고 다른 붉은 말이 나오는데, 또한 그 위에 앉은 자가 땅위에서 평화를 빼앗도록 그에게 허락되고 그리고 서로 죽이게 하기 위해 또한 큰 칼이 주어지니라.

καὶ ἐξῆλθεν ἄλλος ἵππος πυῤῥός· καὶ τῷ καθημένῳ ἐπ'
그리고 나오니라 다른 말이 붉은. 또한 그 앉은 위에
αὐτῷ ἐδόθη αὐτῷ λαβεῖν τὴν εἰρήνην ἀπὸ τῆς γῆς, καὶ
그에게 허락되고 그에게 제하도록 그 평화 위에 그 땅, 그리고
ἵνα ἀλλήλους σφάξωσιν· καὶ ἐδόθη αὐτῷ μάχαιρα μεγάλη.
하기위해 서로 죽이게들. 또한 주어지니라 그에게 칼이 큰.

둘째 인을 여시자 다른 붉은 말을 탄 자가 나오는데 땅위에서 평화를 빼앗도록 그에게 허락되고 그리고 서로 죽이게 하기 위하여 또한 큰칼이 주어진 것을 보게 되었다. 붉은 말은 피의 전쟁을 의미한다는 것은 누구라도 즉각 생각되는 것이며, 더군다나 땅위에서 평화를 제하도록 허락되고, 또 큰칼이 그에게 주어졌다고 하였으니 붉은 말 탄 자의 둘째 인은 전쟁을 의미한다는 것은 누구나 쉽게 이해 할 수 있는 명백한 점이다.

◀실제 상황▶ 그런데 계시록 기록 당시 이미 시작되어야 했던 이 둘째 인의 사실 내용인 전쟁에 대하여 거의 모든 계시록에 관한 책들에서 단지 미래의 '전쟁' 이라는 간단한 단어의 언급 정도에 그치고 있는 것이다. 이 전쟁이 어떤 전쟁이며 얼마나 참혹하여 통곡하고 통탄할 끔찍한 전쟁인지를 인지하지 못하고 있음이다. 참으로 안타까운 일이다.

이 전쟁의 실상을 알려면 넷째인 까지가 사도 이오안네스(요한)에게 계시록을 기록하게 하신 주후 67년경에 이미 되기 시작했던 일이었음을 이해하고 그때의 정황을 기록하여 전해주고 있는 이우다이오스(유대인) 역사가 요세푸스〔Josephus, Flavius, A.D.38-120(?)〕의 '유대 전쟁사' 를 읽어보지 않고, 이스라엘을 순례해 보지 않고는 어느 정도나마 감지할 수 없는 것이다. 본 저자는 이 두 가지 일을 통해 당시 이우다이아(유대) 전쟁이 얼마나 참혹하였던가를 1/10000이나마 감지하였기에 이 책 이 부분에서 최대한 간명하게라도 그 참혹함을 전달하려고 하는 것이다.

주후 60년 네론(네로) 황제로부터 이우다이아(유대) 총독으로 파송된 프헬릭스(벨릭스-행 23:24) 때에 이우다이오스(유대인)들의 반항이 드러나기 시작하였다.

『한 시간도 안 되는 짧은 순간에 무려 20,000명이 넘는 유대인들이 가이사랴(수리아인) 주민들에게 학살을 당하고 만 것이었다. 가이사랴 주민들은 가이사랴에서 유대인 주민들을 깡그리 제거한 것이다. 심지어 플로루스는 도망치는 유대인까지 잡아다가 결박하여 군함에 보내 노를 젓게 만들었다. 유대인들이 가이사랴에서 당한 비극이 알려지자 전 유대국은 무서운 분노에 휩싸이게 되었다. 이에 유대인들은 떼를 지어 각지로 흩어져 수리아인 마을들과 인근 도시들인 필라델피아, 세보니티스, 거라사, 펠라, 스키토폴리스 등의 도시들을 공격하여 폐허로 만들어 버렸다. 그들은 그 후 가다라, 히포스와 가울라니티스(골란)를 습격하여 초토화 시켰다. 그들은 가울라니티스의 도시들 중 일부는 파괴하고 일부는 방화한 후 두로인의 영토에 속한 케다사, 톨레마이스, 가바, 가이사랴 드을 휩쓸었다. 심지어는 세바스테(사마리아)와 아스글론도 이들의 공격을 당해내지 못했다. 그들은 이들 도시들을 기초가 드러날 정도로 방화를 한 후 안테돈과 가사도 철저하게 파괴하였다. 그들은 이들 도시의 주변 마을들을 닥치는 대로 약탈하였으며, 이곳 주민들은 잡히는 대로 살해하였다.

이에 수리아인들도 가만히 있지 않았다. 그들도 유대인들이 수리아인들을 죽인 만큼이나 많은 유대인들을 살해하였다. 수리아인들은 그들이 거주하는 도시에서 유대인들을 보면 잡아다가 처형하였다. 그 전부터 내려오던 적대감이 있었던 것도 한 이유가 되겠지만 유대인에게 해를 당할지도 모른다는 생각에서 후환을 아예 없애버리기 위해 보는 대로 유대인을 살해한 것이었다. 모든 도시는 각각 두 진영으로 나뉘어 싸움을 벌였다. 한

편이 살기 위해서는 상대편이 죽어야 하는 살벌한 상황이 전개되었다. 이에 낮은 상대의 피를 흘리게 하느라고 정신이 없었으며 밤은 공포에 시달이며 지내야 했다. 공포에 떨며 보내는 밤이 오히려 낮보다 무서웠다. … 그리하여 마침내 적을 많이 죽이고 많은 약탈품을 가져오는 자가 영웅 대접을 받는 풍토까지 조성되었다. 이에 각 도시들마다 남녀노소를 막론하고 수많은 시체들이 매장도 되지 않은 채 길거리에 널려 있는 것은 예삿일이 되고 말았다. 심지어는 부녀자들이 발가벗겨진 채 죽어 나둥그러져 있는 경우도 적지 않았다. 수리아 전지역은 말로 형언할 수 없는 비극과 불행으로 가득 차게 되었으며, 지금보다 더 무서운 잔인한 만행이 저질러질 것이라는 두려움이 수리아 전지역에 감돌고 있었다.』**《유대 전쟁사, 요세푸스, 제2권 18장 1, 2》**

(이후 67년 수리아 거주 흐로메(로마) 장군 베스파시안이 황제 네론(네로)의 명을 받고 이우다이오스(유대인)들의 반란을 진압하기 위해 그의 군대로 전유대국을 쑥대밭으로 만들고도 노가 풀리지 않은 이유를 알 수 있다.← 저자 주)

이에수-스(예수)님께서 히에루살렘(예루살렘) 멸망의 징조로 "난리와 난리 소문을 듣겠으나 너희는 삼가 두려워 말라 이런 일이 있어야 하되 끝은 아직 아니니라. 민족이 민족을 나라와 나락 대적하여 일어나겠고" 말씀하신 것이(마 24:6~7) 주후 62년 전에는 본격적으로 시작되지 않았다.

『유대인들이 스키토폴리스를 함멸시키려 갔을 때 그곳의 유대인들은 동족 편보다는 자신들의 안전을 위해 유대인의 공격에 대항하자 스키토폴리스 주민들은 의심이 생겨 자기들과 함께 하는 유대인들에게 '당신들이 진심이라면 모든 가족을 데리고 인근 숲속으로 피해 있으시오' 하고는 삼일 째 밤이 되자 급습하여 유대인들의 목을 모조리 자르니 무려 13,000명이나 되었고, 그들의 재산 모두 약탈당하였다. … 스키토폴리스에서의 유대인 대량 학살 사건 외에도 유대인 학살 사건은 도처의 도시에서 발생하였다.』**《유대 전쟁사, 요세푸스, 제2권 18장 3, 5》**

아이깁토스(애굽)의 알렉산드리아에서도『유대인들은 무자비한 학살을 당하지 않을 수 없었다. 유대인은 그야말로 완전히 파멸되었다. 로마 병사들은 유대인의 집을 약탈한 후에 불을 질렀다. 그들은 어린 아이나 늙은이를 가리지 않고 마구 죽였다. 그들은 유대인 거주 지역 전체가 피로 흥건히 고일 때까지 남녀노소를 막론하고 인정사정 없이 닥치는 대로 학살하였다. 이에 50,000명이나 되는 유대인의 시체가 산더미처럼 곳곳에 쌓이게 되었다.』**《유대 전쟁사, 요세푸스, 제2권 18장 8》**

수리아 총독『케스티우스는 유대인들이 도처에서 무기를 들고 폭동을 일으키는 것을 보고 더 이상 가만히 관망만 하고 있을 수 없었다. … 군대를 총동원하여 약탈과 방화를 해도 좋다는 허락을 내리고 인근 전지역을 휩쓸면서 마을마다 살해하고 닥치는 대로 약탈하고 불을 질렀다.… 욥바에서 만 목숨을 잃은 유대인의 수는 8,400명에 달하였다.』**《유대 전쟁사, 요세푸스, 제2권 18장 9, 10》**

『다마스커스의 주민들은 함께 거주하는 유대인들을 학살하기 위해 음모를 꾸미고 유대인들을 공공 경기장에 모이게 한 후 급습하여 불과 한 시간만에 그 누구의 제지도 받지 않고 무려 10,000이나 되는 유대인을 무참하게 학살하였다.』**《유대 전쟁사, 요세푸스, 제2권 20장 2》**

붉은 말 탄 자에게 '주다, 허락하다'는 말의 과거 수동태인 '*ἐδόθη*(에도드헤)'가 두 번 거듭 된 것은 하나님의 허락 하에 되어진 일임을 확인하는 말이다. 주후 30년에 이에수-스(예수)님께서 예언하신 이우다이아(유대)와 히에루살렘(예루살렘)의 멸망의 징조가 33년 후인 주후 64년부터 하나님의 허락 하에 이루어지기 시작 한 것을 말한 것이다.

◁ **영적 상황** ▷ 이 붉은 말 탄 자의 실제 상황은 전 세계적 제국인 흐로메(로마) 황제 네론(네로)으로 말미암아 전개된 육적 전쟁 특히 히에루살렘(예루살렘) 멸망을 향한 전조인 이우다이아(유대) 전쟁이었지만, 영적 상황은 당시 사탄으로 말미암은 이우다이아(유대)와 전 세계적 교회 성도들에게서 평화를 빼앗고 큰칼로 죽이는 영적 전쟁에 돌입한 것을 말씀하신 것이다.

주후 62년 유능한 근위대장 불루스가 자연사(自然死)하게 되고, 네론(네론)의 스승 세네카는 그의 착실한 동료가 세상을 떠나버리자 정치에서 물러나 앉고 말았다. 네론(네로)의 정치는 달라지기 시작하였다. 마침내 64년 7월 흐로메(로마)시에 대 화재가 발생하게 되자 네론(네로)은 화재의 누명을 기독교인들에게 씌우고 대대적인 박해를 하는 황제로 돌변한 것이다. 이 박해는 당시 전 세계 흐로메(로마) 제국에 관례처럼 퍼졌으니 하나님의 둘째 인의 작정 가운데 사탄이 사주하여 기회를 탄 것이다.

이 영적 전쟁에서 얼마나 많은 교회 성도들이 사탄의 공격을 받고 있었음을 계시록 2장과 3장에서 보게 된다. 위대한 사도 파월-로스(바울)께서 3년 간이나 복음을 가장 집중적으로 힘써 전하고 가르친 아시아의 에프헤소스(에베소) 교회를 비롯한 일곱 교회가 사탄으로부터 영적으로 얼마나 침해를 받고 있었음을 여실히 볼 수 있는 것이다.

다른 교회는 두고라도, 도대체 사도 파월-로스(바울)에게서 복음을 그렇게 잘 가르침 받은 대표적인 에프헤소스(에베소) 교회가 그렇게 주님으로부터 경고와 책망을 받았다는 것은 너무나 충격적이 아닐 수 없다. 그렇다면 다른 교회들은 어떠했겠는가? 짐작하고도 남는다. 기독교는 이런 관점에 전혀 유의하지 않는다.

갈라티아(갈라디아)서를 쓴 주후 56년경, 지금 터키의 동북 지방인 갈라티아(갈라디아) 교회들이 사도 파윌로스(바울)께서 전한 크흐리스토스(그리스도)님의 바른 복음을 속히 떠나 다른 변형된 복음을 따르는 것을 침통히 여기며 '어떤 누구든지, 설령 천사라 하더라도 우리가 너희에게 전한 복음 외에 다른 복음을 전하면 저주를 받으라<ἔστω(에스토)명령법 현재 능동>' 고 두 번이나 엄중히 경고한 것을 보더라도,(갈 1:7, 9) 당시 전 세계 기독교에 대한 사탄의 육적 핍박의 전쟁만 아니라 신앙을 타락시키는 영적 전쟁이 얼마나 극심했음을 알 수 있다.

그러므로 둘째 인은 당시 이미 시작되었던 세계적 제국인 흐로메(로마)와 그 제국의 황제 네론(네로)을 통해 전개된 육적 전쟁과 사탄을 통한 영적 전쟁을 동시에 볼 수 있어야 한다. 계시록의 주제는 성도와 싸워 육적으로 잠시 이기는 것 같은 세상 왕국이 결국에는 진노의 재앙과 심판을 받고 하나님과 크흐리스토스(그리스도)님의 왕국이 됨을 알게 함으로 성도를 굳세게 함에 있는 것이다.(계 11:15)

¤ 감동과 기도 ☆

3〉 셋째 인을 여심 5~6

5절 ▷ 그리고 그 셋째 봉인을 여셨을 때에 내가 들으니, 그 셋째

생물이 말하기를, 오라, 그리고 보라 하니라. 그리하여 내 가 보니, 실로 보라, 검은말이라. 그리고 그 위에 앉은 자 가 그의 손에 저울을 가지니라.

Καὶ ὅτε ἤνοιξεν τὴν τρίτην σφραγῖδα ἤκουσα τοῦ
그리고 때에 여셨을 그 셋째 봉인을 내가 들으니 그
τρίτου ζῴου λέγοντος, Ἔρχου καὶ βλέπε. καὶ εἶδον,
셋째 생물이 말하기를, 오라 그리고 보라. 그리하여 내가보니
καὶ ἰδοὺ, ἵππος μέλας, καὶ ὁ καθήμενος ἐπ' αὐτῷ
실로 보라, 말이 검은, 그리고 그 앉은 위에 그
ἔχων ζυγὸν ἐν τῇ χειρὶ αὐτοῦ.
가지니라 저울을 안에 그 손에 그의.

셋째 봉인을 여셨을 때는 검은 말을 탄 자가 손에 저울을 가진 것이 보였다. 저울은 곡식의 양을 달아보는 도구이다. 『'저울'로 번역된 '*ζυγὸν*(쥐곤)'은 본래 '결합하다'는 뜻의 '쥬귀미(*ζεύγυμι*)'에서 파생한 '쥬고스(*ζεῦγος*)'의 목적격이다. '쥬고스'는 다른 것을 하나로 결합한다는 의미에서 '쌍' '짝'이란 뜻을 가지며 동물로 하여금 한 쌍을 이루게 하는 것인 '멍에'(마 11:29; 행 15:10)란 의미로 사용된다. 그러나 여기서는 천칭(balance)과 같이 막대에 한 쌍의 접시를 매달고 무게를 재는 기구를 나타내는 '저울'이란 의미이다. 정확히 분배하기 위한 도구의 저울은 먹을 음식이 귀하다는 측면에서 기근을 표징한다.』**《옥스퍼드 원어 성경대전, 계시록》**

레위기 26:26절에 "내가 너희 의뢰하는 양식을 끊을 때에 열 여인이 화덕에서 너희 떡을 구워 저울에 달아 주리니 너희가 먹어도 배부르지 아니하리라"고 하셨으니 양식이 핍절해짐을 의미하였다.

그리고 검은 말의 검은 색은 굶주림으로 죽어 가는 절망의 색

을 의미한다. 고난 중에서 욥은 말하기를 "내 가죽은<피부는> 검어져서 떨어졌고<때문에> 내 뼈는<몸은> 열기로<마름> 하여 탔구나<숯이 되었구나>" 하였으니,(욥 30:30) 직역하면 "내 피부는 검어지고 내 몸은 마름 때문에 숯이 되었구나"로 된다. 제대로 먹지 못하여 피부가 검어지고 몸이 마르게 되는 것을 '검어지고 숯이 된다' 라고 말한 것이다. 히에레미아스(예레미야) 애가 4:8절에도 "이제는 그 얼굴이 숯보다 검고 그 가죽이 뼈에 붙어 막대기 같이 말랐으니"라고 하였다.

그러므로 둘째 인의 검은 말 탄 자가 저울을 가졌고, 그리고 밀과 보리 값이 월등히 비싼 것을 말한 것은 양식의 기근을 의미한 것이다. 여기에 대하여 누구도 이론이 없다. 그러나 이것이 언제의 기근을 말한 것이냐에 대하여는 각각 견해와 주장이 다르다.

과거론 자는 주후 1세기의 기근이라 하고, 미래론 자는 7년 대환란 중에 있을 기근이라 하고, 역사론 자는 역사 가운데 있을 기근을 말하는 것이라 하고, 영적 관념론자는 영적 기근을 말한 것이라 한다. 이런 견해로는 영구히 하나가 될 수 없다.

본 저자는 셋째 인의 기근은 이우다이아(유대) 전쟁으로 인한 양식의 기근과 함께 영적 기근으로 히에루살렘(예루살렘) 멸망의 징조가 진행되어짐을 보이신 것으로 확신한다.

◀실제 상황▶ 먼저 이우다이아(유대)와 히에루살렘(예루살렘) 멸망 전에 징조로 있게 된 기근은 특히 주후 66년 이우다이오스(유대인)들의 반란이 일어나기 전인 주후 63년경부터 두드러지게 나타나기 시작했다.

『주후 60년에 총독 프헬릭스(벨릭스)의 후임으로 부임한 프헤스토스(베스도)는(행 24:27) 재임 2년간 이우다이아(유대)국을 소란케 하는 자들을 진압하는데 전념하였다. 그러나 프헤스토스(베스도)의 뒤를 이은 총독 알비누스(Albinus)는 전임자 같지 않고 비행을 일삼기를 좋아했다. 인간의 악행 중에 그가 저지르지 않은 악행이 없을 정도로 많은 비행을 저질렀다. 알비누스는 모든 백성의 재산을 탈취하고 강탈하는 한편 이우다이오스(유대인)들에게 무거운 세금을 부과하였다. 강도이건 어떤 죄수이건 돈만 내면 다 석방해 주니 무서운 강포가 횡행하게 되고 재산을 잃은 선량한 백성들은 당연히 큰 분노를 드러내야 마땅함에도 불구하고 마음대로 불평하지도 못했다. 알비누스는 평화스럽게 살아가는 백성들을 수탈하기 위해 주어진 권력을 남용한 폭군이었다. 이때 이미 히에루살렘(예루살렘) 함락의 씨는 뿌려지고 있었던 것이다.

비록 알비누스가 그와같은 악인이었으나 그 후임 총독인 게시우스 플로루스(Gessius Florus 재임→A.D. 64-66년)와 비교해 볼 때 그래도 괜찮은(?) 인물이었다. 알비누스는 비행을 저질러도 은밀하게, 겉으로는 안 그런 체하면서 비행을 저질렀음에 반하여 게시우스는 이우다이아(유대)국에 해를 끼칠 작정을 한 사람처럼 드러내 놓고 온갖 비리를 자행하였기 때문이다. 그는 잔인하다 못해 가련할 정도로 포악했으며 간악하다 못해 비열할 정도로 뻔뻔스러웠다. 이 세상의 그 누구도 이 자보다 더 뻔뻔스럽게 진실을 기만한 자는 없었으며 이 자보다 더 교활하게 술수를 쓸 줄 아는 사람도 없었다. 플로루스는 일개 백성들을 상대로 돈을 수탈하는 것은 아무것도 아닌 것으로 여겼다. 이에 그는 한 도시 전체와 그 도시 전체 주민을 한꺼번에 약탈하는 일을 천연덕스럽게 해치웠다. 그의 끝없는 탐욕이 전 이우다이아(유대)국을 폐허로 몰고 갔다. 수많은 백성들이 고향을 등지고 낯설은 이국 땅으로 유랑의 길을 떠났다. … 플로루스는 자신의 비행을 감추기 위해서는 이우다이오스(유대인)들로 하여금 반역을 일으키도록 하는 수밖에 없다고 생각하였다. 이우다이오스(유대인)들이 반역을 일으키지 않을 경우 자칫 잘못하다가는 이우다이오스(유대인)들의 고소를 당해 케사르(황제) 앞으로 끌려갈지도 모르는 일이기 때문이었다. 이에 플로루스는 이우다이오스(유대인)들로 하여금 반역을 일으키지 않을 수 없도록 만들기 위해 매일같이 온갖 고통을 증대시켰다.』《**유대 전쟁사, 요세푸스; 제2권, 제14장 1~3**》

이 일은 주후 66년 이우다이오스(유대인)들의 반란과 전쟁이 일어나기 전 기근의 시초를 말한 것이다. 다음 넷째 인에서 더욱 본격적인 흉년으로 죽는 재난이 있게 된다. 66년 이후 히에루살렘(예루살렘) 멸망까지의 참혹한 기근은 넷째 인에서 말해질 것이다.

셋째 인의 기근은 이우다이아(유대)에서처럼 육적이고 정치적인 일로 인한 기근 만 아니었다. 아시아 지방의 스뮈르나(서머나) 교회의 경우 신앙 때문에 환란과 궁핍을 당하였다고 하였으니(계 2:9) 당시 세계 어디에서나 바른 신앙을 견지하려는 교회 성도들은 배고픔과 굶주림을 겪어야만 했다.

◁**영적 상황**▷ 기근은 육적인 기근만 아니었다. 전 세계 교회는 영적으로 말씀의 기근을 당하고 있었다. 하나님께서 육적인 기근만 보내시고 영적 기근은 보내지 않으신 것이 아니라는 사실이다.(암 8:11~13) 육신의 양식의 기근보다 영적 말씀의 기근은 훨씬 더 심각한 것이었다.

주후 67년 사도 파월-로스(바울)께서 흐로메(로마)에서 순교하기 10년 전 복음을 전하고 있던 당시 주후 56년에 기록하여 보낸 갈라티아(갈라디아)서에 갈라티아 교회들이 사도 파월-로스(바울)께서 전한 크흐리스토스(그리스도)님의 바른복음을 속히 떠나 다른 변형된 복음을 좇는다고 통책하였으니,(갈 1:7~9) 주후 58년에 에프헤소스(에베소) 교회에서 복음사역이 끝나고 9년이 지난 주후 67년 계시록이 기록되던 당시 에프헤소스(에베소) 교회 상태가 사도 파월-로스(바울)께서 예고한 대로(행 20:29~30) 그렇게 되지 않았다고 할 수 있겠는가 하는 것이다. 그러므로 이방인의 사도 파월-로스(바울)의 복음사역이 마무리된 주후 60년 이후 교회들의 영적 기근은 현실로 나타나기 시작한 것이다. 사탄은 이제 자기 때라 하고 다른 예수, 다른 영, 다른 복음을 전 세계에 만연되게 함으로 바른 말씀 곧 주 이에수-스(예수) 크흐리스토스(그리스도)님의 말씀을 가리워서 듣지 못하게 백방으로 활동한 것이다. 말씀의 기근이 너무나 참담하였다. "주 여호와께서 가라사대 보라 날이 이를찌라 내가 기근을 땅에 보내리니 양식이 없어 주림이 아니며 물이 없어 갈함이 아니요 여호와의 말씀을 듣지 못한 기갈이라 사람이 이 바다에서 저 바다까지, 북에서 동까지 비틀거리며 여호와의 말씀을 구할고 달려 왕래하되 얻지 못하리니 그날에 아름다운 처녀와 젊은 남자가 다 갈하여 피곤하리라" 하신 말씀(암 8:11~13) 같이 사도 파월-로스(바울)께서 이에수-스(예수)님께서 전파하신 하나님의 왕국복음(눅 4:43)과 이에수-스(예수)님에 관하여 증거하는(요 8:12~14, 18) 바른복음을 전파하고(행 28:23~31) 순교한 주후 67년 이후 기독교의 영적 상황은 바른 복음이 기갈 되어왔다는 사실을 알아야 한다.

☆ 감동과 기도 ☆

제 6 장

6절 ▷ 그리고 내가 그 네 생물들의 사이에서 말하는 소리를 들으니, 한 데나리온의 밀이 한 되며, 한 데나리온의 보리가 석 되라. 그리고 올리브유와 포도주는 해치지 말라 하니라.

καὶ ἤκουσα φωνὴν ἐν μέσῳ τῶν τεσσάρων ζῴων λέγουσαν,
그리고 내가 들으니 소리를 안 사이에 그 네 생물들의 말하는,
Χοῖνιξ σίτου δηναρίου, καὶ τρεῖς χοίνικες κριθῆς
한되 밀의 한 데나리온의, 그리고 석 되로다 보리
δηναρίου· καὶ τὸ ἔλαιον καὶ τὸν οἶνον μὴ ἀδικήσῃς.
한 데나리온의 그리고 그 올리브유 와 그 포도주 말라 해치지.

◀실제 상황▶ "한 데나리온의 밀이 한 되요, 한 데나리온의 보리가 석 되로다"고 한 것은 양식의 기근으로 곡물 가격이 급등한 것을 말한 것이다. 당시 한 데나리온은 노동자의 하루 품삯이었다.(마 20:2) 그런데 노동자가 하루 일하는 수입으로 밀 한 되를 산다면 식구들이 먹고살기에 너무나 어렵다는 말인 것이다.

"올리브(감람)유와 포도주는 해치 말라" 했다는 것은 앞에 말한 양식이 되는 밀과 보리는 해침으로 기근이 왔다는 것을 암시하는 말로서 주후 62-66년 네론(네로)이 파송한 이우다이아(유대) 총독 알비누스와 그 후임 플로루스가 자행한 상상을 초월한 약탈과 폭정은 백성들에게 물가의 폭등과 양식의 기근을 초래하였던 것이다. 그러나 감람유와 포도주는 해침을 당하지 않게 하였다는 것은 이 두 나무 열매는 팔레스타인(Palestine) 곧 이우다이아(유대) 땅의 특산물로서 상업에도 고대로부터 중요한 상품이었는데(겔 27:17) 알비누스와 플로루스의 폭정하에서도 당시에는 생산량이 많아서 가격이 폭등하지 않았으므로 그나마 백성들이 그로 인해 연명하도록 하신 하나님의 배려인 것을 말함이다. 올리브(감람)유는 요리하는데 사용되는 중요한 식품이

었고,(왕상 17:12~16; 왕하 4:2) 거친 갈색 빵과 함께 먹는 올리브(감람) 열매 자체는 오늘날도 성경에 나오는 지방들의 수많은 가난한 사람들의 주요 식품이 되고 있다.

또한 이우다이아(유대)국 전체를 정복한 베스파시안이나 그의 아들 티투스가 히에루살렘(예루살렘)을 함락시키기까지 주 공격 방법은 토성을 쌓고 공격하는 일이었는데 토성을 효과적으로 높이 쌓는데는 나무가 필수적이었다. 토성을 쌓을 때 양쪽 가에 나무를 가로로 못질해 놓으면서 다지고 쌓으면 높이 쌓을 수 있었기 때문이다. 히에루살렘(예루살렘) 멸망 후 이우다이오스(유대인)의 최후 저항 기지였던 마사다를 흐로메(로마)군이 정복할 때도 같은 방법으로 7개월간 램프를 쌓아 올라가 정복했던 것이다.

그러므로 전 이우다이아(유대) 나라에 가로대로 쓸만한 나무는 남아 있지를 못했다. 그러나 포도나무는 가로대로 쓸 재목이 못되었으므로 조금도 해치지 않은 채 그대로 남아 있게 되었다. 그리고 올리브(감람)나무는 잘라 사용하기는 하였으나 팔레스타인 지역의 특별한 나무로서 되도록 남겨 두었고, 그리고 올리브(감람)나무는 척박한 땅에서도 잘 자라고, 또한 뿌리가 죽지 않고 다시 싹이 나서 자라는 나무로서 완전한 해침을 당하지 않는 나무였다.

◁**영적 상황**▷ 올리브(감람)유와 포도주는 성경에서 이스라엘 백성들에게 종교적으로도 중요한 역할과 의미를 지니는 것이었다. 무엇보다 올리브(감람)유와 포도주는 하나님께서 택한 이스라엘 백성들에게 가나안 땅에 들어가게 하시어 주실 복의 대표적 상징물로 말씀하신 것이다.(민 18:12; 신 7:13) 헤사이아스

(이사야) 선지자는 포도주를 영적 복의 상징으로 말했다.(사 55:1)

하나님께서는 올리브(감람)유를 성막의 등불의 기름으로 사용하라 하셨고,(출 27:20) 번제와 소제를 드릴 때도,(출 29:40; 레 2:4~6; 민 28:5) 포도주는 하나님을 섬기는 자들의 헌신적인 봉사를 상징하는(빌 2:17; 딤후 4:6) 부어 드리는 전제물로 드리게 하셨다.(출 29:40; 30:9; 레 23:13,18; 민 6:15, 15:5~10, 28:7) 제사장과 왕과 선지자를 기름 부어 세울 때도 깨끗한 올리브(감람)유를 사용하게 하신 것이다.(레 8:30; 삼상 10:1; 사 61:1)

재림하시는 주님을 맞이하기 위해 준비할 성도들의 등불과 기름으로 말씀하셨음에서도(마 25:3~4) 중요한 것이다. 어둠을 밝히는 등불의 출현은 풍성한 생활과 기쁨, 그리고 평화,(욥 18:6; 시 18:28) 또한 하나님의 말씀을 의미했으며,(시 119:105) 또한 선한 사마리아 사람이 강도를 만난 사람의 상처에 기름과 포도주를 부어 싸매 주었다고 하였으니(눅 10:34) 치료의 효과도 있는 것이었다.

이우다이아(유대)와 히에루살렘(예루살렘) 멸망의 징조로 양식의 기근을 작정하신 중에도 올리브(감람)유와 포도주는 해치 말라 하신 것은 진정한 하나님의 영적 백성들과의 관계와 약속은 변치 않으시겠다는, 또한 변치 말라는 메시지를 주신 것이다.

4〉 넷째 인을 여심 7~8

7절 ▷ 그리고 그 넷째 봉인을 여셨을 때, 그 넷째 생물의 말하는 소리를 내가 들으니, 오라, 그리고 보라. 하니라

Καὶ ὅτε ἤνοιξεν τὴν σφραγῖδα τὴν τετάρτην, ἤκουσα
그리고 때에 여셨을 그 봉인을 그 넷째, 내가 들으니
φωνὴν τοῦ τετάρτου ζῴου λέγουσαν, Ἔρχου καὶ βλέπε.
소리를 그 넷째 생물의 말하는 것을, 오라 그리고 보라.

넷째 봉인을 여시는 것까지 네 생물이 차례로 나와 사도 이오안네스(요한)에게 '오라 그리고 보라' 고 한 것도 나머지 세 인은 생물들이 말하지 않은 것과 차이가 있는 것이다. 첫째 인부터 넷째인은 다섯째 인부터 일곱째 인과 또 하나의 구별되는 점이다.

8절 ▷ 그리고 내가 보았는데, 실로 보라, 푸른색 말이라, 또한 그 위에 앉은 자의 이름은 죽음이며, 그리고 지옥이 그 의 뒤를 따르니라. 그리고 그들에게 권세가 주어져 땅의 사분의 일을 칼 가운데 그리고 기근 가운데 그리고 죽음 가운데 그리고 그 땅의 짐승들에 의해 죽이니라.

καὶ εἶδον, καὶ ἰδοὺ, ἵππος χλωρός, καὶ ὁ καθήμενος ἐπάνω
그리고 내가 보았는데 보라, 말이 푸른색, 또한 그 앉은 위에
αὐτοῦ ὄνομα αὐτῷ ὁ θάνατος, καὶ ὁ ᾄδης ἀκολουθεῖ μετ'
그 이름은 그의 그 죽음, 그리고 그 지옥이 따르니라 뒤를
αὐτοῦ· καὶ ἐδόθη αὐτοῖς ἐξουσία ἀποκτεῖναι ἐπὶ τὸ τέταρτον
그의 그리고 주어져 그들에게 권세가 죽이니라 위에 그 네번째를
τῆς γῆς ἐν ῥομφαίᾳ καὶ ἐν λιμῷ καὶ ἐν θανάτῳ, καὶ ὑπὸ
그 땅의 가운데 칼 그리고 가운데 기근 그리고 가운데 죽음, 그리고 에의해
τῶν θηρίων τῆς γῆς. ← 그 짐승들 그 땅의

넷째 말은 청황색 말이라고 했는데 '청황색' 이라고 한 '*χλωρός*(크흘로로스)' 는 '(*χλρόη*, 식물의 처음 난 부드러운 싹)' 연한 초록의, 초록의, 푸른이란 말로서, 신약성경에서 모두 4회 사용되었는데 계시록에서 세 번 사용되어 있다. 본 절과 그

리고 8:7절에 ‘각종 푸른 풀’ 로, 9:4절에는 ‘각종 푸른 것이나’ 로 했고, 마가복음 6:39절에는 ‘푸른 잔디 위에 앉게 하시니’ 라고 했으니, 그러므로 계시록 자체에 세 번 사용된 ‘χλωρός(크흘로로스)’ 를 동일하게 번역하여 ‘푸른 색 말’ 이라고 하는 것이 합당하다. 성경의 용어는 가장 우선적으로 그 말이 사용된 그 성경 자체에서 풀도록 해야 가장 옳은 것이다. ‘청황색 말’ 이라고 해서 말의 색에 대해 이해와 설명이 분분한 것이다. 말의 색깔에 대해 그렇게 신경 쓸 일이 아니다.

“그 위에 앉은 자의 이름은 죽음이며, 그리고 지옥이 그의 뒤를 따르니라. 그리고 그들에게 권세가 주어져 땅의 사 분의 일을 칼 가운데 그리고 기근 가운데 그리고 죽음 가운데 그리고 땅의 짐승들에 의해 죽이니라.” 고 하였으니 참으로 놀랍고 끔찍한 장면이다. 푸른색 말 탄 자는 이름 자체가 ‘죽음’ 인데다 땅 사 분의 일을 칼과 기근과 죽음과 땅의 짐승으로 죽이는 권세가 주어졌고, 그 죽은 자들은 지옥이 삼키려고 따르고 있다 하였으니 너무나 참혹하고 놀라운 파멸인 것이다. ‘기근 가운데 그리고 죽음 가운데 그리고 땅의 짐승들에 의해’ 라고 한 것은 철저하고 잔혹하게 죽이는 것을 말한다. ‘죽음 가운데’ 라는 말에서 ‘죽음’ 은 헬라 원어 ‘θάνατος(트하나토스)’ 인데 70인역(LXX)은 30/50은 전염병의 의미로 ‘θάνατος(트하나토스)를 사용하였다.

넷째 인은 둘째 인의 칼과 셋째 인의 기근이 함께 동원되고, 죽음으로 죽이며, 땅의 짐승으로까지 죽이며, 이러한 총체적인 죽음은 지옥이 따르는 죽음이라 하였으니 얼마나 무서운 죽음인가? 땅의 사 분의 일을 죽이는 권세가 이 네 가지 ‘그들에게’ 주어졌다고 하였다. 야헤쯔켈(에스겔) 14:21절에는 “주 여호와께서 가라사대 내가 나의 네 가지 중한 벌 곧 칼과 기근과 사나운 짐승과 온역을 예루살렘에 함께 내려 사람과 짐승을 그 중에서 끊으리니 그 해가 더욱 심하지 않겠느냐"고 하였다.

◀실제 상황▶ 이러한 넷째 인의 일들은 주후 67년 수리아에 주둔하던 흐로메(로마) 장군 베스파시안이 강력한 군대를 이끌고 갈릴리로부터 이우다이아(유대) 전 도시와 마을을 폐허로 만들고 있던 중에 68년 6월 9일 네론(네로)이 자살하여 죽게되자 그가 황제로 추대 받아 흐로메(로마)로 가게 되었다. 그의 아들 티투스가 이어서 군대를 이끌고 이우다이아(유대)를 공략하여 최후로는 히에루살렘(예루살렘)을 포위하고 주후 70년 8월에 드디어 멸망시키고 만 것이다.

넷째 인은 주후 67년 봄 베스파시안의 이우다이아(유대) 갈릴리 공략으로부터 70년 8월 히에루살렘(예루살렘)의 완전 멸망 때까지 3년 6개월 동안 있었던 끔찍하고 참혹한 죽음을 말한 것이다. 단지 끔찍하고 참혹한 죽음이라는 말로는 실감이 가지 않는다. 그래서 유일하게 그때의 참상을 기록하여 전해 주고 있는 이우다이오스(유대인) 역사가 요세푸스(Josephus A.D. 38~120〈?〉)의 '유대 전쟁사' 에서 얼마를 예를 들고저 한다.

히에루살렘(예루살렘)의 멸망의 재앙은 전 이우다이아(유대)에 까지 미치리라고 말씀하셨기 때문에(미 1:9) 전 이우다이아(유대)적이었다.

『아스글론을 공격한 이우다이오스(유대인)들은 주둔군 안토니우스 군대에게 대참패를 하여 무려 10,000명에 가까운 전사자가 생겼는가 하면, 또다시 더 많은 병력을 동원하여 진격하였으나 흐로메(로마)군 기병대의 포위를 당하여 무려 8,000면 이상의 희생자를 내고 도주하지 않을 수 없었다.《**유대 전쟁사, 요세**

제
6
장

푸스, 제3권 2장 2, 3》

호로메(로마)군은 요세푸스의 공격에 화가 치밀자 밤낮을 가리지 않고 온갖 만행을 자행하였다. … 이에 전 갈리리 지역은 온통 피바다와 불바다가 되고 말았다. 갈리리에서는 저질러지지 않은 불행과 비극이 없을 정도로 온갖 불행과 비극이 만연했다. 그리하여 갈릴라이아(갈릴리)인들이 피할 피신처러고는 요세푸스가 성벽을 쌓아 요새화한 도시들 밖에 없었다.**《유대 전쟁사, 요세푸스, 제3권 4장 1》**

요세푸스와 이우다이오스(유대인)들은 적의 공성 장비에서 쏟아져 내리는 돌과 창에 맞아 계속 쓰러져 가면서도 성벽을 버리지 않았다. … 이 공성 장비에서 날아오는 돌과 창소리 또한 소름이 끼칠 정도로 오싹했다. 그 밖에도 사람이 죽어 나자빠지면서 성벽에 부딪치는 소리는 모골이 송연하기까지 하였다. … 게다가 땅바닥은 피가 흘러 넘쳤으며, 죽은 자의 시체가 산처럼 쌓여 시체를 타고 넘으면 성벽도 기어오를 수 있을 것처럼 보였다. … 이 전투와 지난 번 전투를 통틀어서 전사한 이우다이오스(유대인)의 수는 15,000명이었으며, 포로로 잡혀 간 자의 수는 2,130명이었다.**《유대 전쟁사, 제3권 7장 23, 31》**

이우다이오스(유대인)인은 호수 전역에서 온갖 방법으로 죽음을 당하게 되었다. … 결국 단 한 명의 이우다이오스(유대인)인도 살아남지 못했기 때문에 겐네사(게네사렛=갈릴리)호수는 온통 핏빛으로 물들었으며 죽은 시체로 가득했다. 그리하여 인근 지역에서는 그 다음날부터 코를 들 수 없을 정도의 악취와 눈E고 볼 수 없는 처참한 광경이 벌어지게 되었다. 호숫가에는 난파된 배의 파편들과 퉁퉁 불은 시체들이 가득했으며 죽은 시체가 햇빛에 의해 부패하기 시작하니 악취가 진동하였다. **《유대 전**

쟁사, 요세푸스, 제3권 10장 9》

베스파시안은 흐로메(로마) 제국이 그의 수중에 완전히 장악되고 제국의 정황이 다시 안정을 되찾기에 이르자 아직 정복하지 못한 이우다이아(유대) 지역으로 눈을 돌리게 되었다. 그러나 그는 이제 이우다이아(유대) 원정에 나설 수 없는 처지였다.(황제) 따라서 그는 아들인 티투스(Titus)에게 정예 부대를 일임하고 히에루살렘(예루살렘) 정복을 성취하도록 이우다이아(유대)로 보내기로 하였다. **《유대 전쟁사, 요세푸스, 제4권 11장 5》**

티투스는 병사들에게 성벽 외곽 지역을 불사르라고 명령하는 한편 목재를 가져다가 토성을 쌓으라고 지시하였다. … 티투스가 이같이 조처하고 일을 독려하자 삽시간에 성벽 외곽 지역의 나무들은 벌목되어 허허벌판이 되었으며, 나무들은 토성을 쌓는 데 사용되었다. **《유대 전쟁사, 요세푸스, 제5권 2장 2》**

일부 백성은 갖고 있는 재산과 심지어는 가보로 전해져 내려오는 보물들을 싼 가격에 처분한 다음 금화로 바꾸어서 강도(반란자)들이 찾아내지 못하도록 목구멍으로 삼켰다. 그리고는 로마군에게로 몰래 도망쳐 나온 다음에 용변을 보러 가서 금화를 도로 꺼낸 후에 그것으로 생활 밑천을 삼았다. 한편 티투스는 이런 투항자들을 그들이 원하는 곳으로 가도록 허락하였다. … 한 쉬리아(수리아)계 탈주자가 이우다이오스(유대인)들의 배설물에서 금화를 찾아내다가 잡힌 사건이 발생했다. 강도(반란자)들이 몸을 수색하여 돈을 강탈하니까 탈주할 의사가 있는 자들은 탈주하기 전에 금화를 입안으로 삼키는 것이 통례였다. 전에는 25아틱(Attic-드람스)와 교환되던 금화가 로마진영에서 12아틱(드람스)에 교환될 정도로 히에루살렘(예루살렘)에는 금화가 많이 있었다. 어쨌든 쉬리아(수리아)계 탈주자에 의해 이같은 사실이 한번 드러나게 되자 로마진영에는 이우다이오스(유대인) 탈주자들이 금화를 잔뜩 가지고 왔다는 소문이 삽시간에 퍼지게 되었다. 이에 수리아인들과 아라비아인들은 살려달라고 투항하러 온 이우다이오스(유대인) 탈주자들의 배를 가르고 내장을 뒤지기 시작하였다. 그리하여 단 하룻밤 사이에 무려 2,000명의 이우다이오스(유대인) 탈주자들이 죽음을 당하였으니 이보다 처참한 비극을 당한 적도 결코 없었다. 티투스는 이같은 사악한 일이 일어났다는 보고를 듣자 … 중형에 처하겠다고 엄포를 놓았음에도 불구하고 탈주자들의 배를 가르는 일은 은밀하게 자행되었다. 야만인들은 흐로메(로마)군의 감시망을 피해 몰래 길에 숨어 있다가 탈주해 오는 이우다이오스(유대인)들을 사로잡아 배를 가르고 내장에서 더렵혀진 돈을 꺼내는데 혈안이 되어 있었다. 그러나 배를 갈랐을 때 돈이 나오는 경우는 아직도 꽤 있었으나 대부분의 경우에는 돈이 나오지 않았다.**《유대 전쟁사, 요세푸스, 제5권 10장 1. 13장 4, 5》**

많은 백성들은 가지고 있는 재산을 곡식 한 그릇(one measure)에 팔았다. 부유한 계층은 밀 한 그릇에 재산을 팔았으며, 가난한 계층은 보리 한 그릇에 소유를 처분하였다. 그들은 이같이 재산을 팔아 곡식 한 그릇을 산 후, 문을 닫고 집안의 가장 후미진 방에 숨어 그 곡식을 먹었다. 어떤이들은 너무나 오래 굶주린 Eoansd 곡식을 맷돌로 타지도 않고 그냥 먹음 반면에 어떤이들은 빵을 만들어 구워 먹었다. 어느 집에서도 식탁을 따로 차리고 식사를 하는 집이 없었다. 빵이 다 익기도 전에 화로에서 허겁지겁 반쯤 익은 빵을 꺼내 눈 깜짝할 사이에 먹어치웠기 때문이었다. 백성들이 이같이 음식을 대하는 모습은 차마 눈뜨고 볼 수 없는 비참한 광경이었다. 그러나 이러한 상황에서도 유력

인사들은 먹을 것이 넉넉했으나 가난한 백성들은 먹을 것이 없어 눈물을 흘렸다. … 아이들은 부모의 입에 들어갈 한 조각의 빵까지도 부모의 입에서 빼앗기까지 하였다. 그러나 무엇보다도 눈뜨고 볼 수 없는 일은 어머니들이 어린 아이의 음식을 빼앗아 먹는 광경이었다. 가장 사랑스러운 자식이 자기 손안에서 죽어가고 있음에도 불구하고 꺼져 가는 생명을 보존 할 수 있는 마지막 한 입의 빵까지도 빼앗아 먹으면서 전혀 부끄러움을 느끼지 않았다. 게다가 강도(반란자)들은 닥치는 대로 백성들의 집에 들어가 그들의 음식을 강탈해 갔다. 그들은 집의 문이 닫혀 있으면 안에서 문을 잠그고 음식을 먹는 줄 알고 문을 부수고 들어가 목구멍에 들어간 음식까지 강제로 빼내어 모든 음식을 빼앗아 갔다. 노인들이 음식을 빼앗기지 않으려고 기를 쓰면 마구 때리는 것은 예사였으며, 부녀자들이 손에 음식을 숨기면 그것을 빼앗기 위해 머리채를 휘어잡기도 하였다. 강도(반란자)들은 음식을 빼앗는 데는 남녀노소의 구별이 없었다. 그들은 아이들이 음식을 빼앗기지 않으려고 대롱대롱 매달리면 번쩍 들어서 빙글빙글 돌리다가 바닥에 내동댕이쳤다. 또한 강도(반란자)들은 집안에 들어가는 것을 방해하는 자나 음식을 빼앗기는 것이 아까와 음식을 삼킨 자는 가장 잔인하게 대했다. 강도(반란자)들은 음식이 어디에 감추어져 있는지를 알아내기 위해 잔인한 고문 방법까지 창안해 냈다. **《유대 전쟁사, 요세푸스, 제5권 10장 2, 3》**

죽기 직전까지 온갖 고문을 당한 후에 히에루살렘(예루살렘) 성벽 앞에서 십자가에 처형을 당하였다. 이우다이오스(유대인)들이 하루에 500명씩, 어떤 때는 500명 이상이 붙잡혀서 비참하게 죽어갔다. … 흐로메(로마)군은 마치 조롱이라도 하듯이 한 가지 방법이 아니라 여러 방법으로 이우다이오스(유대인)들을 못박았다. 생포된 이우다이오스(유대인)들이 너무 많았기 때문에 십자가뿐 아니라 십자가를 박을 땅조차도 모자랐다.**《유대 전쟁사, 요세푸스, 제5권 11장 1》**

티투스는 이 모든 일을 3일 만에 끝냈다. 수개월 걸려야 겨우 완성할 수 있는 공사를 3일만에 끝냈으니 그것은 도무지 믿어지지 않는 일이었다. 티투스는 이같이 히에루살렘(예루살렘)을 토성으로 완전히 애워싸고 적절한 자소마다 수비대를 세운 후에 밤 일경이면 친히 순찰을 돌면서 부하들의 경계 근무 상황을 살펴보았다. … 그리하여 이우다이오스(유대인)들은 히에루살렘(예루살렘)을 빠져 도망쳐 나갈 수 있는 가능성은 완전히 사라졌다. 게다가 갈수록 기근이 심해져 굶주림으로 죽어 가는 자들이 없는 가정이 없게 되었다. 그리하여 다락방은 굶주려 죽은 부녀자들과 아이들의 시체가 가득하였으며, 도로에는 아사한 노인들의 시신이 즐비하게 늘려 있었다. 게다가 피골이 상접한 소년들과 청년들은 마치 그림자처럼 시장을 배회하다가 아무데서나 쓰러져 죽고 말았다. 살아 있는 사람들도 제대로 몸을 가눌 힘이 없었기 때문에 죽은 시신을 장사하는 일은 상상조차도 할 수 없었다. … 그러나 이런 비극적 상황에서도 애통하는 소리는 들리지 않았다. 신세를 한탄하며 슬피 부르짖는 애도 소리는 들을래야 들을 수 없었다. 혹심한 기근으로 인간의모든 감정이 사라져 버린 때문이었다. 이제 자신도 곧 죽을 처지였기 때문에 먼저 세상을 떠난 사람을 앞에 놓고도 눈물이 나오지 않았으며 단지 입을 벌리고 망연자실할 뿐이었다. 그리하여 히에루살렘(예루살렘)은 칠흑 같은 적막과 정적만이 감돌게 되었다. … 백성들은 죽으면서 모두 성전 쪽을 바라 보는 눈으로 세상을 떠났다.

《유대 전쟁사, 요세푸스, 제5권 12장 2, 3》

만네우스가 티투스에게 투항한 후 놀라운 사실을 알렸다. "흐로메(로마)군이 진을 치기 시작한 니산월 14일부터 타무스 1일까지의 기간만 보더라도 제가 책임지고 있는 성문 하나를 통해 실려나간 시체의 수가 무려 115,880명에 달합니다." 만네우스가 알려 준 사망자의 수만 하더라도 그것은 엄청난 수였다. 만네우스는 성문을 지키는 지휘관은 아니었으나 시체를 운반하는 비용을 공금으로 지급하는 책임을 맡고 있던 인물이었다. 따라서 그는 어쩔 수 없이 시체의 수를 세었던 것이다. 여기서 장례라는 것은 그리 대단한 것이 아니라 단지 시체를 끌고 나가 성밖으로 내던지는 것이 장례의 전부였다.(그러니 전염병은 어떠했겠는가? -필자 주)

만네우스가 죽은 자의 수를 티투스에게 알린 후에 이우다이오스(유대인) 유명 인사들이 속속 투항해 와 티투스에게 이우다이오스(유대인) 총 사망자 수를 일러 주었다. 그들의 말을 모두 종합해 보면 달리 장사된 자들의 수를 제외하고도 성문을 통해 밖으로 버려진 이우다이오스(유대인) 사망자의 수는 적어도 600,000명이나 되었다. … 게다가 히에루살렘(예루살렘)에서는 밀 1메담디누스가 1달란트에 거래되고 또한 이로부터 얼마 지나서는 풀조차 구할 길이 없었으니 도시 전체가 토성으로 완전히 둘러싸여 있어 옴짝달싹도 할 수 없었기 때문이다. 그리하여 일부 주민들은 굶주림에 견디다 못해 하수구는 물론 가축들의 또이 쌓인 곳까지 뒤지기 시작했다. 그리고는 가축들의 똥을 먹기까지 했다. **《유대 전쟁사, 요세푸스, 제5권 13장 7》**

히에루살렘(예루살렘) 성안에서 기근으로 죽어간 인명의 수는 헤아릴 수 없이 많았으며 그 참상은 형언하기 어려울 정도의 목불일견이었다. 먹을 양식이 있다는 기미만 보이면 어디서든지 즉각 싸움이 벌어졌다. … 그들은 허기진 배를 채우기 위해 무엇이든지 먹었다. 심지어 만지기조차 역겨운 더러운 짐승들도 잡아 먹었다. 그들은 마침내 가죽으로 된 허리띠나 신발은 물론 방패에 달린 가죽띠까지도 잘라내 입으로 씹기까지 하였다. 헬라스(헬라)인들이나 야만인들을 막론하고 어디에도 이같은 역사를 기록한 전례가 없음에도 불구하고 기근으로 인해 무기물질까지 먹을 수 밖에 없었던 치욕의 역사를 내(요세푸스)가 굳이 기록하는 이유가 무엇인지 독자들은 궁금할 것이다. 물론 이같은 사실은 말하기도 소름끼칠 뿐 아니라 듣는 자들도 잘 안 믿으려고 할지도 모른다. 나는 후손들에게 좋은 인상을 남기기 위해 고의적으로 이같이 불결한 사건들을 생략할 수도 있었다. 그러나 이미 내 당대에만 하더라도 이 재난을 목격한 사람이 상당수에 이르고 있는 데다가 이 재난을 기록으로 남기지 않는다고 하더라도 나의 동족이 감사할 하등의 이유가 없다고 생각이 들었기 때문에 이같이 역사로 남긴 것뿐이다. **《유대 전쟁사, 제6권 3장 3》**

마리아는 이같이 말을 마치고 즉시 아들을 죽였다. 그녀는 죽은 아들을 구운 후에 반은 먹고 나머지 반은 몰래 감추어 놓았다. 그런데 바로 이때 강도(반란자)들이 들이닥쳤다. 강도들은 음식 냄새를 맡고 당장 음식을 내놓지 않으면 목을 잘라버리겠다고 위협하였다. 그러자 마리아는 그들을 위해 맛있는 음식을 남겨 놓았다고 말하면서 먹다 남은 인육(人肉)을 내놓았다. 이에 강도들은 그 광경을 보고 너무나 큰 충격을 받은 나머지 앞이 아찔했으며 정신이 나가는 듯했다. 그러자 그녀는 계속해서 말을 이었다. “이것은 바로 내 아들이오, 내가 직접 요리한 음식이오. 와서 한번 이 음식을 먹어 보시오. 나는 이미 식사를 끝냈소. 그대들은 여자보다 감정이 풍부하며 어머니 보다 사랑이 많은 척하지는 않겠지? 그러나 그대들이 양심의 가책이 되고 내가 한 짓이 마음에 걸리거든 이 나머지 반을 내게 남겨 놓고 가도록 하시오." 이에 강도(반란자)들은 온 몸에 소름이 끼쳤다. 이 세상에 이보다 더 소름끼치는 일은 일찍이 없었기 때문이었다. 강도(반란자)들은 간신히 남은 인육을 그녀에게 남겨 놓고 그 집을 떠났다. 이 소름끼치는 사건은 삽시간에 전 히에루살렘(예루살렘)에 퍼지게 되었다. **《유대 전쟁사, 요세푸스, 제6권 3장 4》**

일반 백성들 대부분은 약한 데다가 무기까지도 갖추지 못해 흐로메(로마)군에게 잡히는 대로 목이 잘렸다. 그리하여 제단 주변은 죽은 시체가 산더미 같이 쌓이게 되었으며, 제단으로 오르는 계단에는 제단 위에서 죽은 시체에서 흐르는 피로 피바다를 이루었다. … 여기서 우리가 놀라지 않을 수 없는 또 한 가지 사실은 바뷜론(바벨론)인들에 의해 성전이 불탔던 날과 동일한 달 동일한 날에 다시 흐로메(로마)인들에 의해 히에루살렘(예루살렘) 성전이 불탔다는 점이다. **《유대 전쟁사, 요세푸스, 제6권 4장 6, 8》**

흐로메(로마) 병사들은 약탈하러 집에 들어갔다가 온 식구가 굶어 죽어 다락방까지 시체가 가득한 것을 보고는 망연자실하여 아무것도 손을 대지 않고 그냥 나오기도 하였다. 그렇다고 흐로메(로마)인들이 살아 있는 이우다이오스(유대인)들에게 자비를 베푼 것은 아니었다. 그들은 이처럼 죽은 자들에게는 연민을 금치 못했으나 살아 있는 이우다이오스(유대인)들에게는 야만스러울 정도로 잔인하였다. 그들은 살아 있는 이우다이오스(유대인)를 만나면 끝까지 좇아가 한 명도 남겨 놓지 않고 모조리 학살했다. 그리하여 도시의 길들은 이들의 시체로 통행이 불편할 정도가 되었으며, 거리마다 피바다를 이루어 심지어는 집에 붙었던 불이 이 피로 인해 꺼지기까지 하였다. 게다가 저녁에 학살자들이 떠난 후에 히에루살렘(예루살렘)은 온통 불길에 휩싸이게 되었다. 그리하여 고르피에우스(엘룰-8)월 8일에 히에루살렘(예루살렘)은 완전히 불에 타서 남은 것이 없었다. **《유대 전쟁사, 요세푸스, 제6권 8장 5》**

청년 가운데서 키가 크고 용모가 준수한 자들은 따로 뽑아 승전 기념으로 남겨 두었다. 그리고 17세 이상의 나머지 포로들은 결박하여 아이귚토스(애굽)의 광산으로 압송하였다. 티투스는 또한 흐로메(로마) 제국의 각 속주에 수많은 이우다이오스(유대인)들을 선물로 보내 경기장에서 노리개감이 되어 칼이나 맹수의 밥이 되게 하였다. 그러나 티투스는 17세 이하의 포로들은 노예로 팔았다. 프론트가 이같이 이우다이오스(유대인) 포로들을 선별하는 과정에서도 11,000명의 이우다이오스(유대인)이 음식이 없어 굶어 죽었다. 포로의 수가 워낙 많았기 때문에 이들을 부양하기에는 식량이 많이 부족하였다.

히에루살렘(예루살렘)이 포위된 기간 동안 포로로 잡힌 자의 수는 97,000명에 달했으며, 사망자 수는 1,100,000명에 달했다. 이 사망자의 수는 히에루살렘(예루살렘) 시민이 아닌 이우다이오스(유대인)이었다. 이들은 전 이우다이아(유대)국과 (세계)각지에서 무교절(유월절)을 지키기 위해 히에루살렘(예루살렘)을 방문했다가 갑자기 흐로메(로마)군에 의해 포위당한 이우다이오스(유대인)이었다. 히에루살렘(예루살렘)에 이토록 많은 사람이 기거하게 된 바람에 처음에는 전염병이 돌아 많은 수가 희생을 당했고, 나중에는 기근으로 인해 떼죽음을 당하지 않을 수 없었다. 히에루살렘(예루살렘) 시가 엄청난 수의 백성들의 수를 수용할 수 있다는 사실은 케스티우스(Cestius)가 행한 조사에서 분명히 알 수 있다. 케스티우스는 이우다이아(유대)국을 얕잡아 보는 경향이 있는 네론(네로)에게 히에루살렘(예루살렘)이 힘을 보여주기 위해, 가능하다면 명절 때 모이는 백성들의 수를 계산해 다라고 제사장들에게 간청한 적이 있었다. 이에 대제사장들은 유월절이 다가오자 제9시부터 제 11시까지 제물을 잡으면서 제물의 수를 계산하였다. 적어도 10명 이상이 하나의 제물을 드렸으며, 20명이 한 조가 되어 제물을 드리는 경우도 적지 않았다. 대제사장들이 제물의 수를 계산한 결과 256,000마리였다. 그러니까 제물 하나에 최소한 10명씩만 잡아도 거룩하고 정결한 사람이 2,700,200명에 달하였다. 문둥병과 임질병 환자와 경도하는 여인과 그 밖의 불결한 자들은 제물을 드리는데 참여할 수 없기 때문에 이런 자들은 계산에서 제외된 것이다. 게다가 하나님께 경배하러 온 이방인들을 제외하고도 그 수가 그 정도에 달한 것이다.

이같이 이우다이오스(유대인)들이 이우다이아(유대)국의 원근각지에서 몰려들어 전 이우다이아(유대)국이 히에루살렘(예루살렘)에 모였을 때에 흐로메(로마)군에게 포위된 것이다. 어떻게 보면 운명에 의해 히에루살렘(예루살렘)에 완전히 갇히게 된 것이다. 이에 히에루살렘(예루살렘)에서 죽은 자의 수는 인간의 역사에 전례가 없는 엄청난 수가 된 것이다. 인간에 의해 저질러진 대학살에 있어서나 하나님께서 행한 대 심판에 있어서나 히에루살렘(예루살렘)의 멸망 같은 것은 일찍이 찾아볼 수가 없었다.』 **《유대 전쟁사, 요세푸스, 제6권 9장 2, 3, 4》**

이상에서와 같이 네론(네로)의 명을 받고 주후 67년 2월 초 베스파시안이 군대를 동원하여 이우다이아(유다) 정복에 나선 때부터 히에루살렘(예루살렘)이 완전히 멸망한 주후 70년 8월 17일까지 3년 반 동안 있었던 참혹한 칼과 기근과 전염병으로 인한 죽음과 흐로메(로마) 네론(네로) 황제에게 보내진 이우다이오스(유대인) 포로들이 원형 경기장에서 사나운 짐승들에게 죽임을 당하게 되었던 실제의 일을 말하는 것이었다. 이 죽음의 일들은 이우다이아(유대)와 히에루살렘(예루살렘)에서만 아니었다. 당시 전 세계를 폭정으로 지배하던 네론(네로) 황제의 흐로메(로마) 제국 전역에서 특히 기독교인들에게 가해졌던 일이었다.

이 네 가지 징벌의 방법은 이미 레위기 26:21~26절에 하나님께서 이스라엘 백성들이 하나님을 거스려 청종치 않을 때 7배나 재앙을 내리겠다고 말씀하신(이우다이오스(유대인)들은 이에수-스(예수)님을 죽인 후에 30년을 지나도 개심치 않음으로) 그대로 되어졌던 일이다. 22절 "내가 들짐승을 너희에게 보내리니" 25절 "내가 칼을 너희에게로 가져다가" "너희 중에 염병을 보내고" 26절 "내가 너희 의뢰하는 양식을 끊을 때에 열 여인이 한 화덕에서 너희 떡을 구워 저울에 달아 주리니 너희가 먹어도 배부르지 아니하리라"

◁**영적 상황**▷ 이상에서 말한 당시의 실제 상황들은 하나님의 작정 가운데서 되어진 일들이었으므로 반드시 영적 상황이 동반되는 일이었다. 원인적으로는 이우다이오스(유대인)들이 이에수-스(예수)님을 거역하고 죽인 죄를 30년이 지나도 회개치 않음으로 이우다이아(유대) 민족을 징벌하시고 히에루살렘(예

루살렘)을 멸망시키기 위하여 이 끔찍한 재앙들을 내리신 것이다. 또한 한편 계시록 2장 3장에서 당시 교회들의 대표가 되는 아시아 일곱 교회 중에 가난한 스뮈르나(서머나) 교회와 가장 작은 프힐라델프헤이아(빌라델비아) 두 교회 외에는 모두 주님으로부터 경책을 받았던 것을 볼 때 당시 세계 기독교의 대부분의 교인들이 이에수-스(예수)님의 바른복음을 저버렸기 때문에 계시록 2장과 3장에서 다섯 교회에 말씀하신 대로 하나님께로부터 징벌을 받고, 재앙과 환란 가운데서 참 성도와 거짓된 신자들을 드러나게 하시고, 진정한 성도들은 단련을 받으며, 한편 순교자의 수가 차기를 원하셨기 때문인 것이다.(계 6:11)

한편 사탄은 욥에게서처럼 이를 기화(奇貨)로 거짓된 기독교인들은 말할 것도 없거니와 진정한 성도들까지도 낙심하고 신앙을 버리도록 하기 위하여 획책한 것이다. 그렇기 때문에 넷째 재앙의 말을 탄 자의 이름은 '죽음' 이며 멸망의 '지옥이 그 뒤를 따르니라고 한 것이다. 신앙의 배신자들을 삼키기 위한 것이었다. 이 당시에 만큼 기독교에 참 신자와 거짓 신자가 확연히 드러나고, 지옥행 배도자들이 부지기수로 불어난 적이 없었다.

¤ 감동과 기도 ☆

5〉 다섯째 인을 여심 9~11

9절 ▷ 그리고 그 다섯째 봉인을 여셨을 때, 그 제단 아래 하나님의 말씀을 인하여 그리고 저희의 가진 증거를 인하여 죽임을 당한 혼들을 내가 보았는데,

Καὶ	*ὅτε*	*ἤνοιξεν*	*τὴν*	*πέμπτην*	*σφραγῖδα*	*εἶδον*	*ὑποκάτω*
그리고	때	여셨을	그	다섯째	봉인을	내가 보니	아래

τοῦ θυσιαστηρίου τὰς ψυχὰς τῶν ἐσφαγμένων διὰ
그 제단에 그 혼들을 그 죽임을 당한 인하여
τὸν λόγον τοῦ θεοῦ καὶ διὰ τὴν μαρτυρίαν ἣν εἶχον,
그 말씀을 그 하나님의 그리고 인하여 그 증거를 저희의 가진,

일곱 봉인 중 다섯째(6:9), 여섯째(6:12), 일곱째(8:1) 인을 여실 때는 생물이 "오라 그리고 보라"고 하지 않았으니 첫째 인부터 넷째 인과는 (시기적으로)다른 것임을 암시하고 있는 것이다.

다섯째 인은 당시 이우다이아(유대)와 히에루살렘(예루살렘) 멸망의 재앙인 넷째 인의 일들 후에 여섯째 인 즉 세상 끝에 재림 전에 되어질 일들까지의 기간을 말한 것이다. 히에루살렘(예루살렘) 멸망의 징조로 말씀하신 마 24:9~10; 막 13:9~13; 눅 21:12~18에서는 순교가 예고되었으나, 여기서는 순교가 이루어져서 순교자들이 상당한 기간 기다리고 있은 후 탄원하는 장면이니 넷째 인과 다섯째 인 사이는 오랜 기간이 있는 것이다. '순교자의 수가 차기까지 잠시 쉬라' 하신 것은(11절) 재림전 이방인의 때가 차기까지를 의미하는 것이다. 그리고 다섯째 인 다음 여섯째 인은 재림의 징조인 해와 달과 별의 변동이니 넷째 인까지는 히에루살렘(예루살렘) 멸망의 징조이고 다섯째 인은 재림까지의 이방인의 때이며 여섯째 인부터는 재림전 7년 대환란에 되어질 일인 것이다. '제단 아래 하나님의 말씀을 위하여 그리고 저희의 가진 증거를 위하여 죽임을 당한 생명들을 내가 보았는데' 라고 하였다. 순교자들은 하나님의 말씀을 인하여 죽임을 당한 자들이며 그리고 저희가 가진 증거를 인하여 죽임을 당한 자들이었다고 하였다. 계시록 20:4절에 재림하신 크흐리스토스(그리스도)님과 함께 천 년 동안 왕 노릇 할 성도들을 '이에수-스(예수)님의 증거와 하나님의 말씀을 인하여 목베임 받은 자들

의 혼들이라고 하였다. 계시록에는 예수님의 증거라는 말이 다섯 번 나온다.(계 1:2, 9, 12:17, 19:10, 20:4). 다섯째 인에서 죽임을 당한 생명(혼)들은 '자기들의 가진 증거를 인하여' 라고 했는데, 19:10절에 천사가 이오안네스(요한)에게 말하기를 "나는 너와 이에수-스(예수)님의 증거를 가진 네 형제들과 함께 된 종이니"라고 하였으니, '자기들의 가진 증거' 는 '이에수-스(예수)님의 증거' 라고 한 것과 같은 것이다. 12:17, 18절에는 용(사탄)이 '하나님의 계명들을 수호하며 이에수-스(예수)님의 증거를 가진 자들로 더불어 싸우려고 바다 모래 위에 섰더라' 고 하였으니 역시 동일하게 환란 중의 성도들을 '하나님의 계명(말씀)을 수호하며 이에수-스(예수)님의 증거를 가진 자들' 이라고 한 것이다.

관용구로서 '*μαρτυρία Ἰησοῦ χριστου*(마르튀리아 이에수-스)' 가 특별히 사용된 것은, 이에수-스(예수)님께서 하나님의 왕국 복음 진리의 증거를 위해 죽기까지 신실한 증인되신 사실과 관련되어 있는 것이다(참조: 딤전 6:13). 따라서 '증거' 라는 용어가 순교사적 의미를 띈다. 계시록의 '증거를 가지다' 라는 표현이 이를 입증한다. 왜냐하면 이 문구가 항상 자신들의 증언으로 인해 고난 받는 자들에게 적용되기 때문이다. 하나님의 말씀이나 자신의 신앙을 증거 하는 일은 거부의 길이요 고난의 길이요, 죽음의 길이 되기때문이다. 스뮈르나(서머나) 교회에도 주님께서 '죽기까지 신실하라' 하셨거니와(2:10) 이기는 성도들은 '죽기까지 자신의 생명을 아끼지 않은 자들' 이라 하였고,(12:11) '주님 안에서 죽는 자들이 복이 있다' 고 하였으니,(14:13) 크흐리스토스(그리스도)인은 단순히 입으로만 고백하는 자들이 아니라 그분의 삶과 죽음을 고스란히 체험하고 본

받는 자들임을(마 10:38~39; 빌 3:10~11) 말하는 것이다.

개역 한글성경에 '영혼들' 이라고 번역한 헬라어 'ψυχή(프쉬케)' 는 신약성경에서 많이 사용된 헬라어 영이라는 말 'πνεῦμα(프뉴-마)' 와 다르다. 신약성서 신학 원어사전에 "ψυχή(프쉬케)는 몸의 지체들을 주관하며, 특히 호흡할 때 표현되는 생명력을 의미한다. 정신적, 영적 기능과는 관계가 없다. 사도행전 20:10절과 27:10절에서 ψυχή(프쉬케)를 분명히 '생명' 으로 말했고, 27:22절에는 '생명' 에 손실이 없을 것으로 말했다. 이에 수-스(예수)님께서는 자신의 ψυχή(프쉬케)를 많은 사람의 대속물로 준다고 언급했을 때, 의미한 것은 혈과 육, 즉 개인의 자아와 밀접한 관계가 있는 생명이었다.(막 10:45) 계시록 12:11절에는 성도들을 죽기까지 자신들의 ψυχή(프쉬케)를 사랑하지 않았다고 하였다. ψυχή(프쉬케)는 하나님 앞에서 생존하는 생명으로서 인간의 자아이다. ψυχή(프쉬케)가 몸과 같지 않음은 하나님께서는 몸<σῶμα 소-마>과 생명<ψυχή 프쉬케>를 함께 게헨나에 던져 넣는 분으로 제시하고 있다.(마 10:28)" 고 하였다.

그러므로 하나님의 제단 아래에서 몸의 죽임을 당한 순교자들의 생명들이 큰 소리로 외쳐 말하였다고 한 것이다. '제단<θυσιαστηρίου(트휘시아스테리우)>' 이라는 말이 본서에 여러 번 나온다. 8:3절과 5절에 천사가 성도들의 기도인 향을 금 향료에 받아서 '보좌 앞 금(제)단에 드리니' 향연이 하나님께로 올라가고, 천사가 향료를 가지고 제단 위의 불을 담아다가 땅에 쏟으니 뇌성과 음성과 번개와 지진이 났다고 한 것이다. 9:13절에도 하나님 앞 금(제)단 네 뿔에서 한 음성이 났다고 하였고. 14:18절과 16:7절에도 언급되었으니 순교자들의 생명(혼)들이 탄원하는 제단<θυσιαστηρίου 트휘시아스테리우>' 은 하나님 보좌 앞의 제단인 것이다. '제단 아래 순교자들의 생명(혼)들이 탄원하고 있다' 는 것은 아직 부활체는 입지 못하였고, 구약의 제물들의 피를 제단 사면 또는 아래에 쏟았던 것처럼(레 1:5, 11, 2:2, 8, 4:7, 18, 25, 30, 34) 순교자들의 죽음은 그 몸은 하나님의 보좌 앞 금 제단에 드려진 것이며 그 피는 그 금 제단 아래에 쏟은 것이므로 거기서 탄원한다는 말인 것이다. 이치상으로 그러한 것이다.

10절 ▷ 그들이 실로 큰 소리로 탄원하여 말하기를, 거룩하시고 참되신 주님이시여, 당신께서 심판하셔서 땅위에 거주하는 자들로부터 우리들의 피를 변호하지 아니하시기를 언제까지 하시렵니까? 하니,

καὶ ἔκραζον φωνῇ μεγάλῃ, λέγοντες, Ἕως πότε, ὁ δεσπότης
실로 탄원하여 소리로 크게, 말하기를, 까지 언제, 이 주님
ὁ ἅγιος καὶ ὁ ἀληθινός, οὐ κρίνεις καὶ ἐκδικεῖς τὸ αἷμα
이 거룩하시 며 이 참되신, 아니 심판하여 그리하여 변호하여 그 피를
ἡμῶν ἀπὸ τῶν κατοικούντων ἐπὶ τῆς γῆς;
우리들의 로부터 그 거주하는 위에 그 땅의;

하나님의 말씀을 수호하고 이에수-스(예수)님께서 죽기까지 증거 하신 바른복음 진리를 가졌다는 이유로 죽임을 당한 성도들의 생명들이 하나님의 제단 아래 있어 큰 소리로 탄원하여 말하였다고 한 것이다. "당신께서 심판하셔서 땅위에 거주하는 자들로부터 우리들의 피를 변호하지 아니하시기를 언제까지 하시렵니까?" 한다고 한 것은 심판이 지연되고 있음을 암시하는 말인 것이다.

시편에 보면 성도들은 하나님께 '언제까지입니까?' 하고 얼마 호소한 것을 볼 수 있다.(시 6:3→ 나의 혼도 심히 떨리나이다.

어느 때까지니이까?, 13:1→ 여호와여 어느 때까지 나를 계속 잊으시나이까?, 13:2→ 내가 … 종일토록 마음에 근심하기를 어느 때까지 하오며, 내 원수가 나를 쳐서 자긍하기를 어느 때까지 하리이까?, 35:17→ 주여 어느 때까지 관망하시리이까?, 74:10→ 하나님이여 대적이 언제까지 훼방하겠으며, 79:5→ 여호와여 어느 때까지니이까? 계속 노하시리이까? 80:4→ 만군의 하나님 여호와여 주의 백성의 기도에 대하여 어느 때까지 노하시리이까?, 89:46→ 여호와여 언제까지니이까? … 주의 노가 언제까지 불붙듯 하시겠나이까?, 90:13→ 여호와여 돌아오소서 언제까지니이까? 주의 종들을 긍휼히 여기소서, 94:3→ 악인이 언제까지, 악인이 언제까지 개가를 부르리이까?, 계 6:10→ 우리들의 피를 변호하지 아니하시기를 언제까지입니까?) 궁극적으로 심판이 있고 악인들이 보응을 받는 것은 신약의 사상이다.(롬 12:19)

☼ 감동과 기도 ☆

11절 ▷ 그러므로 각각 희고 긴 옷들을 주시며 또한 저희에게 말씀하시기를, 저희들 동료 종들과 저희들 형제들 역시 자기들같이 또한 죽임 당함을 따라 그렇게 하여 사람이 가득찰 때까지 아직 잠시 안식하라 하시니라.

καὶ ἐδόθησαν ἐκάστοις. στολαὶ λευκαί, καὶ ἐρρέθη αὐτοῖς
그러므로 주시며 각각. 긴옷들 흰, 그리고 말씀하시기를 저희에게

ἵνα ἀναπαύσωνται ἔτι χρόνον μικρόν, ἕως οὗ πληρώσονται
그렇게하여 안식하여 아직 시간을 조그마한, 때까지 사람 가득 찰

καὶ οἱ σύνδουλοι αὐτῶν καὶ οἱ ἀδελφοὶ ἀύτῶν, οἱ μέλλοντες
역시 그 동료 종들 저희들의, 역시 그 형제들이 저희들의, 그 따라

ἀποκτείνεσθαι ὡς καὶ αὐτοί. ← 죽임당함을 같이 또한 자기들

'각각에게 긴 흰옷을 주시며 순교자들의 수가 가득 차기까지

잠시 안식하라' 한다 하셨으니, 흰옷은 순결과 승리를 표상하는 옷이며 긴 옷이라는 말은 권위의 표시인 것이다. 순교자들과 성도들이 영생하는 영광스런 최후 부활의 몸을 입기까지 낙원에서 안식하는 동안 입는 순결과 승리의 표상은 흰옷인 것이다. 계시록 3:4~5절에 주님께서 말씀하시기를, "사르데이스(사데)에 그 옷을 더럽히지 아니한 자 몇 명이 네게 있어 흰옷을 입고 나와 함께 다니리니 그들은 칭찬 받을 만 하기 때문이라. 이기는 자는 이와 같이 흰옷을 입을 것이요"라고 하셨으니 '흰옷'은 순결과 승리를 의미하는 것이다.

순교자의 생명<ψυχή 프쉬케 혼>들이 탄원하는 말을 하고, 그들에게 긴 흰옷을 주신다고 한 것은 몸<σῶμα 소마>이 없는 생명<ψυχή 프쉬케 혼>도 말을 하고 옷을 입는 형태가 있음을 암시하는 것이다. 부자와 나자로스(나사로)의 사후 몸이 장사된 후에 대한 말씀에서도 나자로스(나사로)의 생명(혼)은 아브라함의 품에 안겼으나, 부자의 생명(혼)은 불꽃 가운데서 고통 중에 목이 타서 물 한 방울을 혀에 적셔 주기를 애원하였다고 하였으니.(눅 16:24) 사람의 죽은 후의 생명(혼)의 상태가 어떠함을 알게 하는 것이다.

그리고 "저희들 동료 종들과 저희들 형제들 역시 자기들 같이 죽임 당함을 따라 그렇게 하여 사람이 가득 찰 때까지 아직 잠시 안식하라" 한다 하셨다. 순교는 하나님의 말씀과 이에수-스(예수)님께서 증거 하신 복음으로 인하여 죽임을 당한 복음의 사역자들인 종들 만 아니라 일반 형제들도 순교를 하게 됨을 말씀하신 것이다. 주님께서는 스뮈르나(서머나) 교회에 말씀하신 것처럼(계 2:10) 환란과 궁핍 중에서도 죽기까지 신실하여 순교자의 수가 가득 차기를 원하신다. 다니엘 12:7절에 "한 때 두 때 반 때

(후3년 반)를 지나서 성도의 권세가 다 깨어지기까지니 그렇게 되면 이 모든 일이 다 끝나리라" 하였으니 7년 대환란 후3년 반까지 성도들이 사탄인 용과 그 하수인인 적그리스도와 싸워 죽임을 당하므로 마지막 7년 대환란에서 순교자의 수가 가득 차게 되는 것이다. 계시록 12:17, 13:15, 14:13, 18:24, 20:4절 모두 7년 대환란 중 후3년 반에 순교를 말하고 있는 것이다.

믿는 자는 7년 대환란을 당하지 않고 환란 전에 또는 중간에 휴거 한다고 가르치는 것은 성경과 계시록의 의중을 임의로 해석하여 주님의 뜻을 거스리는 것이 아닌가 매우 조심해야 한다.

"잠시 쉬라"고 하신 말씀 '쉬라'는 말 '*ἀναπαύσωνται*(아나파우손타이)'는 '편안히 쉬라, 안식하라, 휴식하라'는 말이다. 그리고 '순교자들이 가득 찰 때까지 잠시 안식하라' 하셨다.

누가복음 21:24절 예언의 말씀에서는 '히에루살렘(예루살렘)이 멸망하여 이방인들의 때가 차기까지 -로마서 11:25절에는 (구원받는) 이방인들의 가득참이 들어오기까지 이스라엘에 부분의 떨어져 굳어짐 때문이라 - 이방인들에게 밟히리라' 하셨고, 여기서는 '순교자의 수가 가득 차기까지 잠시 쉬라' 하신 것이다. 두 말씀 모두 얼마의 기간이 있을 것을 말씀하신 것으로 일치한 것이다.

주후 70년 히에루살렘(예루살렘) 멸망 후, 주님께서 최초 히에루살렘(예루살렘) 교회에 날마다 더해 주셨던(행 2:47) 그런 구원받는 이방인들의 수가 얼마나 차게 되어졌을까? 그리고 사도들과 같은 하나님의 말씀을 수호하고 이에수-스(예수)님께서 죽기까지 증거 하셨던 그 증거를 가지고 순교하는 증인들이 얼마나 그 수가 차게 되었을까? 신중히 생각해 보아야 할 것이다.

☼ 감동과 기도 ☆

6〉 여섯째 인을 여심 12~17

12절 ▷ 그리고 그 여섯째 봉인을 여셨을 때, 내가 보았는데, 실로 보라, 큰 지진이 일어나고 그리고 해가 털로 만든 거친 베옷같이 검게 되고, 그리고 달이 피같이 되어지니라.

Καὶ εἶδον ὅτε ἤνοιξεν τὴν σφραγῖδα τὴν ἕκτην· καὶ
그리고 내가 보니 때 여셨을 그 봉인을 그 여섯째. 실로
ἰδού, σεισμὸς μέγας ἐγένετο, καὶ ὁ ἥλιος ἐγένετο μέλας
보라, 지진이 큰 일어나고, 그리고 그 해가 되고 검게
ὡς σάκκος τρίχινος, καὶ ἡ σελήνη ἐγένετο ὡς αἷμα,
같이 거친베옷 털로만든, 달이 되며 같이 피

여섯째 봉인을 여시게 되자 큰 지진이 일어나고 그리고 해가 털로 만든 거친 베옷 같이 검게 되고, 그리고 달이 피같이 되어졌다고 하였다. 해가 어두워지며 달이 빛을 내지 않는 것은 주님께서 엘라이아(감람)산 예언하신 대로 히에루살렘(예루살렘)이 멸망하여 이방인들에게 짓밟히는 이방인들의 때가 찬 후에(눅 21:24, 25) 세상 끝의(마 24:3) 재림의 첫 징조로 말씀하신 것이다.(마 24:29; 막 13:24) 이것은 상징이 아니고 실제 해가 어두워지고 달이 피같이 되어 빛을 내지 않는 현상이 나타날 것이다. 요엘 선지자도 "여호와의 크고 두려운 날이 이르기 전에 해가 어두워지고 달이 핏빛같이 변하려니와" 라고 예언하였다.(욜 2:31) 사도 페트로스(베드로)께서도 천지의 놀라운 변동이 있을 것을 확실히 말씀하셨다.(벧후 3:9~13)

'지진' 이라 한 '*σεισμὸς*(세이스모스)' 는 '흔들리다' 라는 뜻을 지닌 원형 '*σείω*(세이오)' 의 명사형으로서 '땅이 갈라지고 흔들리는 지진' 을 의미한다. 이러한 지진이 '큰<*μέγας* 메가스

>’ 지진이라 한 것은 지구상에 지금까지 있었던 지진보다 특별한 엄청난 지진임을 말하는 것으로 성경의 종말예언을 연구해 보면 7년 대환란이 시작되기 전에 하나님께서 열국을 끌어다가 이스라엘 히에루살렘(예루살렘)을 치게 하실 때 큰 지진이 이스라엘 땅에 일어나서 모든 산이 무너지며 절벽이 떨어지며 모든 성벽이 땅에 무너진다고 하신 것이다.(겔 38:17~20) 요엘 선지자도 "나 여호와가 시온에서 부르짖고 히에루살렘(예루살렘)에서 목소리를 발하리니 하늘과 땅이 진동되리로다"고 예언하였다.(욜 3:16) 스가랴 선지자도 주님의 재림하시는 날에 지진이 있을 것과 낮도 아니고 밤도 아닌 어두워갈때의 어둠컴컴한 빛이 있을 것이라고 예언하였다.(슥 14:1~7) 선지자가 '날' 이라고 한 것은 단 하루를 말한 것이 아니라 재림 전에 최후 징조가 시작되고부터 재림하시는 날까지를 '크고 두려운 여호와의 날' 이라고 한 것이다.(욜 2:31; 슥 14:1)

그러므로 7년 대환란에 돌입하여 전개 될 전3년 반의 일곱 나팔의 재앙과 후3년 반의 일곱 대접 재앙과 함께 그 시작의 신호탄인 여섯째 인부터가 '크고 두려운 여호와의 날' 인 것이다.

13절 ▷ 그리고 하늘의 별들이 무화과나무가 큰바람에 의해 흔들려 그것의 익지 않은 무화과가 그것의 떨어지는 것 같이 땅을 향하여 떨어지며,

καὶ οἱ ἀστέρες τοῦ οὐρανοῦ ἔπεσαν εἰς τὴν γῆν, ὡς
그리고 그 별들이 그 하늘의 떨어지며 향하여 그 땅을, 같이
συκῆ βάλλει τους ὀλύνθους αὐτῆς, ὑπὸ μεγάλου
무화과나무가 떨어지는 것 그 익지 않은 무화과가 그것의, 에 의해 큰
ἀνέμου σειομένη· ←바람의 흔들려

하늘의 별들이 떨어지는 것도 이에수-스(예수)님께서 "별들이 하늘에서 떨어지며 하늘의 권능들이 흔들리리라"(마 24:29; 막 13:25) 예언하신 대로이다.

14절 ▷그리고 하늘은 두루마리가 말리는 것같이 조각조각 나누이고, 그리고 모든 산과 섬이 제 지점으로부터 이동되니라.

καὶ οὐρανὸς ἀπεχωρίσθη ὡς βιβλίον ἑλισσόμενον, καὶ πᾶν
그리고 하늘은 조각조각나누이고 같이 두루마리가 말리는 것, 그리고 모든
ὄρος καὶ νῆσος ἐκ τῶν τόπων αὐτῶν ἐκινήθησαν·
산 과 섬이 으로부터 그 지점 제 이동되었다

"하늘은 두루마리가 말리는 것같이 조각조각 나누이고"라는 말은 헤사이아스(이사야) 선지자의 예언에도 "나 만군의 여호와가 분하여 맹렬히 노하는 날에 하늘을 진동시키며 땅을 흔들어 그 자리에서 떠나게 하리니"(사 13:13) "하늘의 만상이 사라지고 하늘들이 두루마리 같이 말리되 그 만상의 쇠잔함이 포도나무 잎이 마름 같고 무화과나무 잎이 마름 같으리라"(사 34:4) 함과 같은 것이다. 사도 페트로스(베드로)께서도 "주의 날이 도적같이 오리니 그 날에는 하늘이 큰 소리로 떠나가고 체질이 뜨거운 불에 풀어지고 땅과 그 중에 있는 모든 일이 드러나리로다"라고 하셨다.(벧후 3:10) 상상할 수 없는 놀라운 천지격변이다.

이 말씀들을 종합해 보면 주님의 지상 재림의 날이 시작되는 7년 대 환란 때는 특히 대기권 하늘과 별들이 있는 성층천 하늘에 큰 이상이 있을 것임을 암시하는 것이다. 그렇기 때문에 일곱 나팔의 재앙과 일곱 대접의 재앙이 땅에 쏟아지는 것이다. 이에수-스(예수)님께서 "해와 달과 별들에는 징조가 있겠고 … 사람

들이 세상에 임할 일을 생각하고 무서워하므로 기절하리니 이는 하늘의 권능들이 흔들리겠음이라" 고 하셨으니(눅 21:26) 참으로 무서워 기절할 정도의 하늘의 움직임과 변동이 나타나는 것이다

뿐만 아니라 모든 산과 섬이 제 지점으로부터 이동되는 것이다. 하늘의 움직임만 아니라 땅도 지진으로 움직이되 지금까지 모든 산과 섬이 있던 지점에서 옮겨지는 그만한 지진은 없었던 것이다.

15절 ▷ 땅의 왕들과 고관들과 부유한 자들과 천부장들과 힘있는 자들과 모든 종과 모든 자유로운 자들이 동굴들 안 으로 그리고 산들의 바위들 안으로 자신들을 숨기니라.

καὶ οἱ βασιλεῖς τῆς γῆς, καὶ οἱ μεγιστᾶνες, καὶ οἱ
과 그 왕들 그 땅의, 과 그 고관들, 과 자들
πλούσιοι, καὶ οἱ χιλίαρχοι, καὶ οἱ δυνατοί, καὶ πᾶς
부유한, 과 그 천부장들, 과 자들 힘있는, 그리고 모든
δοῦλος καὶ πᾶς ἐλεύθερος ἔκρυψαν ἑαυτοὺς εἰς τὰ
종 과 모든 자유로운 숨기니라 자신들을 안으로 그
σπήλαια καὶ εἰς τὰς πέτρας τῶν ὀρέων,
동굴들을 과 안으로 그 바위들 그 산들의,

이러한 하늘과 땅의 두려운 현상이 나타나게 되자 그처럼 땅에서 의기양양 권세를 부리던 자들이 무서워서 동굴들과 바위들과 산들 안으로 자신들을 숨기는 것이다. 왕들로부터 종들에 이르기까지 모든 계층의 사람들을 망라한 것인데, 여기서도 본서의 특징적 숫자인 일곱 계층으로 말하고 있다.

일상적으로 자연의 재해 정도로만 겪어오던 이들이 천체의 놀랍고 종말적인 징조가 보이기 때문에 예사로 들어오던 기독

교의 말을 떠올리며 허둥대는 것이다. 세상에 어떤 재난이 있어도 자연의 재해 앞에서는 인간의 문명과 힘이 얼마나 무력하다는 것은 수없이 경험하는 바이며, 그러면서도 그때를 지나면 그뿐인 인간들이다. 그러나 이제 되어지는 현상은 이제까지와는 다르기 때문에 당황하는 것이다.

16절 ▷ 그리고 산들과 바위들에게 말하기를, 우리들 위에 떨 어지라, 그리하여 보좌에 앉으신 이의 얼굴로부터 그 리고 어린양의 진노로부터 우리들을 숨기라.

καὶ λέγουσιν τοῖς ὄρεσιν καὶ ταῖς πέτραις, Πέσετε ἐφ'
그리고 말하기를 그 산들에게 과 그 바위들에게, 떨어져 위에
ἡμᾶς, καὶ κρύψατε ἡμᾶς ἀπὸ προσώπου τοῦ καθημένου
우리들, 그리하여 숨기라 우리들을 로부터 얼굴의 그 앉으신
ἐπὶ τοῦ θρόνου, καὶ ἀπὸ τῆς ὀργῆς τοῦ ἀρνίου·
위에 그 보좌의, 그리고 로부터 그 진노의 그 어린양의.

동굴과 바위와 산들 속으로 숨는 자들이 얼마나 무섭고 다급하여 산들과 바위들에게 말하기를 "우리들 위에 떨어져서 보좌에 앉으신 이의 얼굴로부터 그리고 어린양의 진노로부터 우리들을 숨기라" 한다고 하였다. 이것은 저들이 하나님을 알고 어린양을 알고 그렇게 두려워하고 말하는 것이 아니라 하늘의 격변을 보면서 단지 그 되어지는 현상들이 너무나 두려워서 개심치는 않고 막연히 아는 하늘의 하나님의 얼굴을 대하기가 무서워서 하는 말인 것이다. 호쉐아 10:8절에도 "그때에 저희가 산더러 우리를 가리우라 할 것이요 작은 산더러 우리 위에 무너지라 하리라"고 하였으니 하나님의 심판이 임박했을 때 불신자들이 그를 감지하고 처절하고 절박한 절규를 하게 될 것을 말한 것

이다.

본서에서 일곱 번 '하나님의 진노' 라고 하였는데(11:18, 14:10, 19, 15:7, 16:1, 19, 19:15) 여기 6:16절에서 한 번 제일 먼저 사람들이 '보좌에 앉으신 이와 어린양의 진노' 라고 하였다. 일곱 번 '하나님의 진노' 라고 한 말은 '하나님과 어린양의 진노' 라는 말이며 완전한 진노임을 말하는 것이다.

17절 ▷왜냐하면 그분의 진노의 그 큰 날이 이르렀기 때문이며, 그러므로 누가 어떻게 설 수 있겠는가? 하니라.

ὅτι	*ἦλθεν*	*ἡ*	*ἡμέρα*	*ἡ*	*μεγάλη*	*τῆς*	*ὀργῆς*	*αὐτοῦ,*
때문에	이르렀기	그	날이	그	큰	그	진노의	그분의,

καὶ	*τίς*	*δύναται*	*σταθῆναι;*
그러므로	누가	어떻게 할 수	설 수

하나님과 어린양의 진노의 큰 날이 이른 줄을 저들은 이제 지각하는 것이다. 그러나 은혜의 구원의 날은 이미 지났기 때문에 저들은 개심치 못하고 다만 두려워 할 뿐이다. 진노를 당할 수밖에 없는 것이다. 기회를 놓쳤기 때문이다. 하였고, 나훔 1:6절에는 "누가 능히 그 분노하심 앞에 서며 누가 능히 그 진노를 감당하랴, 그 진노를 불처럼 쏟으시니 그를 인하여 바위들이 깨어지느니라" 고 하였다.

¤ 감동과 기도 ☆

♤ 6장 요점 정리 ♠

① 첫째 인봉부터 넷째 인봉까지만 각 인봉을 여실 때마다 네 생물이 차례로 우뢰 같은 소리로 '오라' 말하였다고 하심에서 그 후의 세 인봉과 다르며, 넷째 인봉까지만 말탄 자로 나타난 것도 그 후의 세 인봉과 다르다. 이것은 전쟁의 재앙을 말하는 것으로 히에루살렘(예루살렘) 멸망의 징조로 주후 67년경 계시록 기록 당시 되어지기 시작했던 이우다이오(유대) 전쟁을 말한 것이다.〔2~8절〕

② 다섯째 봉인을 여실 때 순교자들의 생명이 제단 아래에서 탄원함을 들으시고 긴 흰옷을 주시며 '순교자의 수가 차기까지 잠시 쉬라' 하신 것은, '이방인들의 때가 차기까지 히에루살렘(예루살렘)은 이방인들에게 밟힐 것' 이라고 하신 말씀(눅 21:24)과 '이방인들의 (구원받는) 수가 차기까지 이스라엘이 부분적으로 완고할 것' 이라고 한 말씀(롬 11:25)과 일치한다.〔9~11절〕

③ 여섯째 봉인을 여실 때의 일은 이에수-스(예수)님께서 주후 30년경 엘라이아(감람)산 위에서 말씀하셨던 히에루살렘(예루살렘) 멸망후 이방인의 때 차기까지를 말씀하시고(눅 21:24) 바로 이어서 25절에 재림의 징조로 계시록 6:12절과 꼭 같은 일을 말씀하셨다. 그러므로 여섯째 봉인부터는 재림의 징조인 것이다.〔12~17절〕

【 계시록 제 7 장】

한 글 개 역 성 경	전통원문 직역 성경
1. 이 일 후에 내가 네 천사가 땅 네 모퉁이에 선 것을 보니 땅의 사방의 바람을 붙잡아 바람으로 하여금 땅에나 바다에나 각종 나무에 불지 못하게 하더라	1. 그리고 이 일들 후에 내가 보니 네 천사들이 땅의 네 모퉁이에 섰는데, 땅의 네 바람들을 붙잡아 땅위에도 바다 위에도 모든 나무 위에도 결코 바람이 불지 못하게 하니라.
2. 또 보매 다른 천사가 살아 계신 하나님의 인을 가지고 해 돋는 데로부터 올라와서 땅과 바다를 해롭게 할 권세를 얻은 네 천사를 향하여 큰 소리로 외쳐	2. 그리고 내가 다른 천사를 보니, 살아계신 하나님의 인을 가지고 해 돋는 데로부터 올라와서, 그리고 그 땅과 바다를 해롭게 하도록 그들에게 허락된 네 천사들에게 큰 소리로 외쳐
3. 가로되 우리가 우리 하나님의 종들의 이마에 인치기까지 땅이나 바다나 나무나 해하지 말라 하더라	3. 말하기를 우리들이 우리들의 하나님의 종들을 그들의 이마 위에 인치기까지 바다도 나무들도 땅을 해하지 말라 하니라.
4. 내가 인 맞은 자의 수를 들으니 이스라엘 자손의 각 지파 중에서 인 맞은 자들이 십 사만 사천이니	4. 그리고 내가 인 맞은 자들의 수를 들으니 이스라엘 자손의 모든 지파 중에 인맞은 자들이 던진 천이라.
5. 유다 지파 중에 일만 이천이요 르우벤 지파 중에 일만 이천이요 갓 지파 중에 일만 이천이요	5. 이유다스 지파 중에 인 맞은 자가 일만 이천이고, 루벤 지파 중에 인 맞은 자가 일만 이천이며, 갇 지파 중에 인 맞은 자가 일만 이천이라.
6. 아셀 지파 중에 일만 이천이요 납달리 지파 중에 일만 이천이요 므낫세 지파 중에 일만 이천이요	6. 아세르 지파 중에 인 맞은 자가 일만 이천이고, 네프흐트할레임의 지파 중에 인 맞은 자가 일만 이천이며, 마낫세스 지파 중에 인맞은 자가 일만 이천이라.

7. 시므온 지파 중에 일만 이천이요, 레위 지파 중에 일만 이천이요, 잇사갈 지파 중에 일만 이천이고 스불론 지파 중에 일만 이천이요	**7. 쉬메온 지파 중에서 인 맞은 자가 일만 이천이고, 레위 지파 중에서 인 맞은 자가 일만 이천이며, 이사카르 지파 중에서 인 맞은 자가 일만 이천이라.**
8. 요셉 지파 중에 일만 이천이요 베냐민 지파 중에 인 맞은 자가 일만 이천이라	**8. 자불론 지파 중에서 인 맞은 자가 일만 이천이고, 이오셒의 지파 중에서 인 맞은 자가 일만 이천이며, 베니아민 지파 중에서 인 맞은 자가 일만 이천이라.**
9. 이 일 후에 내가 보니 각 나라와 족속과 백성과 방언에서 아무라도 능히 셀 수 없는 큰 무리가 흰옷을 입고 손에 종려가지를 들고 보좌 앞과 어린양 앞에 서서	**9. 이 일들 후에 내가 보니, 실로 보라, 모든 민족과 족속들과 백성들과 방언들 중에서 아무도 그것을 셀 수 없는 많은 무리가 흰옷들을 입고 그들의 손들에 종려나무 가지들을** (들고), **보좌 앞과 어린양 앞에 서서**
10. 큰 소리로 외쳐 가로되 구원하심이 보좌에 앉으신 우리 하나님과 어린양에게 있도다 하니	**10. 그리고 큰 소리로 외쳐 말하기를, 구원하심이 보좌 위에 앉으신 우리들의 하나님과 어린양께 있도다. 하며,**
11. 모든 천사가 보좌와 장로들과 네 생물의 주위에 섰다가 보좌 앞에 엎드려 얼굴을 대고 하나님께 경배하여	**11. 그리고 모든 천사들이 보좌와 장로들과 네 생물들의 주위에 섰다가 또한 그들의 얼굴을 보좌 앞에 굽혀 그리하여 하나님께 경배하며**
12. 가로되 아멘 찬송과 영광과 지혜와 감사와 존귀와 능력과 힘이 우리 하나님께 세세토록 있을찌로다 아멘 하더라.	**12. 말하기를, 아멘, 찬송과 영광과 지혜와 감사와 존귀와 능력과 힘이 우리들의 하나님께 영원들의 영원들을 향하여**(*있으시도다*)**. 아멘. 하니라.**
13. 장로 중에 하나가 응답하여 내게 이르되 이 흰옷 입은 자들이 누구며 또 어디서 왔느뇨	**13. 그리고 장로 중의 한 분이 응답하여 나에게 말하기를, 이 흰옷 입은 자들이 누구이며 그리고 어디서부터 왔느뇨? 하기에,**

14. 내가 가로되 내 주여 당신이 알리이다 하니 그가 나더러 이르되 이는 큰 환란에서 나오는 자들인데 어린양의 피에 그 옷을 씻어 희게 하였느니라	14. 그러므로 내가 그에게 말하기를 주여, 당신이 알리이다 하니. 또한 그가 나에게 말하기를, 이들은 그 큰 환란으로부터 나오고 있는 자들인데 어린양의 피에 자신들의 옷을 씻어 자신들의 옷들을 희게하였느니라.
15. 그러므로 그들이 하나님의 보좌 앞에 있고 또 그의 성전에서 밤낮 하나님을 섬기매 보좌에 앉으신 이가 그들 위에 장막을 치시리니	15. 그러므로 그들이 하나님의 보좌 앞에 있으며, 그리고 그분의 성전에서 밤낮 그분을 섬기며, 또한 보좌 위에 앉으신 분께서 그들 위에 장막을 치시리라.
16. 저희가 다시 주리지도 아니하며 목마르지도 아니하고 해나 아무 뜨거운 기운에 상하지 아니할찌니	16. 그 이후로는 그들이 굶주리지 아니하고 그 이후로 그들이 목마르지도 아니하며 태양이나 모든 불태우는 열이 결코 그들 위에 내리지 아니할 것이라.
17. 이는 보좌 가운데 계신 어린양이 저희의 목자가 되사 생명수 샘으로 인도하시고 하나님께서 저희 눈에서 모든 눈물을 씻어 주실 것임이러라	17. 왜냐하면 보좌 가운데 계신 어린양께서 그들의 목자가 되실 것이며, 그리고 그들을 생명 샘물 가로 인도하시고, 그리고 하나님께서 그들의 눈에서 일체 모든 눈물을 닦아주실 것이기 때문이라. 하니라.

【 문 단 】

5. 중간 계시 삽입《 7:1~17 》

1〉 **이스라엘 12지파 인 맞은 자** 1~8

① 땅 네 모퉁이에 선 네 천사 (1)

② 하나님의 인을 가진 한 천사 (2~3)

③ 하나님의 인을 맞은 자들 (4~8)
2〉 **보좌 앞 많은 무리들의 복됨** 9~17
① 흰옷 입은 큰 무리의 구원의 찬송 (9~10)
② 모든 천사들의 화답 찬송 (11~12)
③ 하나님의 보좌 앞에서 섬기는 성도들의 복됨 (13~17)

【 주 해 】

〈**개요**〉 7장은 6장 12~17절에서 주님의 재림 징조의 서막인 여섯째 인을 여신 후에 본격적인 어린양의 진노의 7년 대환란의 재앙이 실시되기 전 교회의 종들과 성도들에게 담대함과 소망을 갖도록 하시기 위해 진노의 재앙에서 보호받는 하나님의 인치심과 환란을 통과하여 하나님과 어린양의 보좌 앞에서 복되고 영광스런 구속의 은총을 누리게 될 것을 미리 보여 주신 것이다. 아멘!

1~8절은 7년 대환란 중 이우다오스(유대인) 중에서 인침 받아 구원받은 자들의 수이며, 9~17절은 최종적으로 이방인을 포함한 구원받은 자들이 하나님의 보좌 앞에서 영원한 복락을 누릴 것을 미리 보여 주신 것이다.

5. 중간 계시 삽입《 7:1~17 》

1〉 **이스라엘 12지파 인 맞은 자** 1~8

① 땅 네 모퉁이에 선 네 천사 (1)

1절 ▷ 그리고 이 일들 후에 내가 보니 네 천사들이 땅의 네 모퉁이 위에 섰는데, 땅의 네 바람들을 붙잡아 땅위에도 바다 위에도 모든 나무 위에도 결코 바람이 불지 못하게 하니라.

Καὶ μετὰ ταῦτα εἶδον τέσσαρας ἀγγέλους ἑστῶτας ἐπὶ
그리고 후에 이 일들 내가 보니 네 천사들이 선 것을 에
τὰς τέσσαρας γωνίας τῆς γῆς, κρατοῦντας τοὺς τέσσαρας
그 네 모퉁이 그 땅의, 붙잡아 그 네
ἀνέμους τῆς γῆς, ἵνα μὴ πνέῃ ἄνεμος ἐπὶ τῆς γῆς
바람들을 그 땅의, 하더라 못하게 불지 바람이 위 그 땅의
μήτε ἐπὶ τῆς θαλάσσης, μήτε ἐπὶ παν δένδρον.
결코아니다 위 그 바다의, 결코아니다 위에 모든 나무에.

4는 땅의 숫자로서 네 천사들이 땅의 네 모퉁이 위에 섰다는 것은 지구의 땅 표면 전체를 표현한 말이며, 성경에는 '바람'을 '사방 바람'이라 하였고,(렘 49:36) '하늘의 네 바람이 큰 바다로 몰려 불더니'라 하였다.(단 7:2; 슥 6:5) 지구는 둥글지만 동서남북 네 방향이 있다. '네 바람'이란 동서남북 방향으로 부는 바람을 의미한다.이 천사들은 바람을 맡아 관장하는 천사로서 하나님의 명을 받아 바람으로 땅을 해롭게 하도록 허락 받은 천사를 말한다. 불을 관장하는 천사가 있고,(계 14:18) 물의 천사도 있다고 하였다.(계 16:5)

하나님께서 네부카드네짜르(느부갓네살) 왕의 꿈에 보이신 거대하게 만들어진 사람의 형상은 인류역사에 세계를 지배하는 나라들이 어떻게 연속될 것을 보여 주신 것으로(단 2:28~45) 금으로 된 머리는 바뷜론(바벨론, B.C. 605~539), 은으로 된 가슴과 팔은 마다이(메데)와 파라쓰(파사, B.C. 539~331), 놋으로 된 배와 허벅다리는 헬라스(헬라, B.C. 331~168), 철로 된 다리는 흐로메(로마, B.C. 168-1453), 철 반 흙 반으로 된 마지막 발

과 열 발가락은 주님께서 재림하실 때의 적그리스도나라(B.C. 1453~20??)로서 너무나 정확하게 이루어져 온 것이다. 그런데 공중에 뜨인 돌이신 재림하시는 주님께서 마지막 적그리스도가 열 왕으로 통치하는 열 발가락의 나라를(계 17:12) 치시니 형상 전체가 부서져 여름 타작 마당의 겨같이 되어 바람에 불려 간 곳이 없고 형상을 친 돌은 태산을 이루어 온 세계에 가득해졌다고 한 것이다.(단 2:34, 35) 그러므로 주님께서 재림하시기 전 마지막 일곱째 인의 일곱 나팔과 일곱 대접의 진노와 재앙으로 세상 나라가 다 깨어져 겨같이 되어 바람에 불려 간 곳이 없게 될 것을 총체적으로 말하는 것이다.

그런데 땅의 네 바람들을 붙잡아 땅 위에나 바다 위에나 모든 나무에 잠시 불지 못하게 하였다는 것은 앞으로 일곱째 인의 첫째 나팔의 재앙부터 시작하여 전개될 재난과 재앙의 바람이 잠시 불지 못하게 하고 먼저 하실 일이 있음을 말한 것이다.

② 하나님의 인을 가진 한 천사 (2~3)

2절 ▷ 그리고 내가 다른 천사를 보니, 살아 계신 하나님의 인을 가지고 해 돋는 데로부터 올라와서, 그리고 그 땅과 바다를 해롭 게 하도록 그들에게 허락된 네 천사들에게 큰 소리로 외쳐

καὶ εἶδον ἄλλον ἄγγελον ἀναβάντα ἀπὸ ἀνατολῆς ἡλίου,
그리고 내가보니 다른 천사를 올라와서 로부터 돋는데 해,

ἔχοντα σφραγῖδα θεοῦ ζῶντος; καὶ ἔκραξεν φωνῇ
가지고 인을 하나님의 살아계신 그리고 외쳐 소리로

μεγάλῃ τοῖς τέσσαρσιν ἀγγέλοις, οἷς ἐδόθη αὐτοῖς
큰 그 네 천사들에게, 그 허락된 그들에게

제 7 장

ἀδικῆσαι τὴν γῆν καὶ τὴν θάλασσαν,
해롭게 하도록 그 땅을 과 그 바다를,

다른 천사를 보니, 살아 계신 하나님의 인을 가지고 해 돋는 데로부터 올라와서 그 땅과 바다를 해롭게 하도록 그들에게 허락된 네 천사들에게 큰 소리로 외쳐 말하였다고 하였다. 천사가 '해 돋는 데로부터' 올라 왔다는 것은 하루의 시작이 해가 돋음으로 시작되듯이 마지막 하나님의 하시는 일이 이제 시작되는 것을 의미하는 것이다. 해 돋는 나라를 한국이라 하여 한국에서 인치는 하나님의 종인 천사가 나온다는 말로서 자기를 가리킨다고 사람들을 미혹하는 자도 한 둘이 아니니 참으로 가관(可觀)이다.

야헤쯔켈(에스겔) 43:2절에 "이스라엘 하나님의 영광이 동편에서부터 오는데"라고 하였으며, 말아키(말라기) 4:2절에는 여호와의 심판의 날을 "내 이름을 경외하는 너희에게는 의로운 해가 떠올라서 치료하는 광선을 발하리니 … 또 너희가 악인을 밟을 것이니"라고 하였으니 '해 돋는 데로부터' 라는 것은 하나님의 임재를 표징한 것이다.

여기 하나님의 인치는 것을, 선지자 다니엘에게 계시하신 바(단 9:20~27) 하나님의 백성 이스라엘과 예루솰라임(예루살렘)을 위하여 세상 종말까지 작정하셨다고 하신 70이레 중 마지막 남은 한 이레(7년)와 이레의 절반(3년 반 =한 때 두 때 반 때 ← 단 12:7)은 이방인의 때는 지나고 이스라엘 백성을 위한 한 이레의 때임으로 계시록에는 전 세계에 미치는 일이기는 하지만 특히 이스라엘 백성과 히에루살렘(예루살렘)을 중심으로 되는 일을 계시하여 주신 것이다. 그러므로 이스라엘 백성 열두 지파에서 하나님의 인치는 자의 수만을 말한 것이 조금도 편협된 이상한 것이 아니며 이방인 교회의 목회자나 신자들이 여기에 대하여 안목이 열리지 않음으로 인하여 문자적 이스라엘 열두 지파가 아니라느니 에프헤소스(에베소) 1장의 성령님의 인치는 것이라느니 설왕설래하는 것은 안타까운 일이며 하나님 앞에서 삼가 해야할 일이다. 이방인이 구원을 받게 된 것은 이스라엘 백성들이 완고하여 이에수-스(예수)님을 배척하고 십자가에 못박도록 했기 때문에 하나님의 징벌을 받는 동안 구원받는 은혜의 기회가 주어진 것이지 미구에 마지막에는 하나님께서 자기 백성 이스라엘을 긍휼히 여기신다는 말씀이 구약에 너무나 많으며 성령을 부어 주시어 개심 하게 하신다고 하셨다.(겔 39:29; 슥 12:10~13:1) 오순절부터 날마다 히에루살렘(예루살렘)에서 이스라엘 백성들이 얼마나 많이 개심 하여 구원을 받았던가? 이방인의 수는 이스라엘 보다 수 백 배로 많으나 이방인 중에서 그렇게 많은 사람이 개심 하여 구원받은 역사가 없다. 이방인 교회가 이스라엘 백성을 결코 무시해서는 안 된다.

성령님의 인치심과 계시록 7장의 인치심의 다른 점

	구 분	성령님의 인(엡 1장)	하나님의 인(계 7장)
1	인치는 시기	구원의 복음을 듣고 믿을 때 (13)	여섯째 인 재앙 후(7:1)
2	인치는 대상	구원의 복음을 듣고 믿은 자 (13)	이스라엘 각 지파 중에서 구원받을 자(4)
3	인을 치는 자	성령님께서 (13)	하나님의 천사(2)
4	인치는 위치	마음에 (고후 1:22)	이마에 (3)
5	인치는 목적	구원의 보증 (14)	환난에서 보호 (9:4)
6	인침받는 자격	구원의 복음을 듣고 믿은 자 (13)	성품이 갖추어진 성도(계 14:3~5)
7	인침 받은 수	능히 셀 수 없는 큰 무리 (7:9)	이스라엘 각 지파에서 12,000명씩(5~8)

3절 ▷ 말하기를 우리들이 우리들의 하나님의 종들을 그들의 이마 위에 인 치기까지 바다도 나무들도 땅을 해하지 말라 하니라.

λέγων, Μὴ ἀδικήσητε τὴν γῆν, μήτε τὴν θάλασσαν
말하기를, 말라 해하지 그 땅을, 도 그 바다를
μήτε τὰ δένδρα, ἄχρις οὗ σφραγίζωμεν τοὺς δούλους
도 나무들을, 까지 말라 우리들이 인치기 그 종들을
τοῦ θεοῦ ἡμῶν ἐπὶ τῶν μετώπων αὐτῶν.
그 하나님의 우리들의 위에 그 이마의 그들의.

"우리들이 우리들의 하나님의 종들을 그들의 이마 위에 인 치기까지 바다도 나무들도 땅을 해하지 말라" 한다고 하였으니, 진노와 재앙이 시작되기 전 하나님의 백성들에게 인을 쳐서 불신자들과 함께 재앙을 당하지 않도록 하시기 위한 하나님의 배려인 것이다. 9:4절에 다섯째 나팔 재앙에 이마에 하나님의 인을 가지지 않은 자들만 해하라 한다 하였으니 실제의 인이 아닌가? 하나님의 인이 실제라고 하는 사람은 거의 없다.

아이깊토스(애굽)에서 밤에 천사가 모든 집의 사람과 짐승의 처음 난 것을 모조리 죽일 때 이스라엘 백성들은 어린양의 피를 문 인방과 좌우 설주에 뿌려 화를 면하게 하신 것과 같은 것이다.(출 12:21~23) 그리고 야헤즈켈(에스겔) 선지자 때도 환상 중에 하나님께서 "가는 베옷을 입고 서기관의 먹 그릇을 찬 사람을 불러 예루솰라임(예루살렘) 성읍 중에 순행하여 그 가운데서 행하는 모든 가증한 일로 인하여 탄식하며 우는 자의 이마에 표하라하시고 … 너희는 그 뒤를 좇아 성읍 중에 순행하며 아껴보지도 말며 긍휼을 베풀지도 말고 쳐서 늙은 자와 젊은 자와 처녀와 어린 아이와 부녀를 다 죽이되 이마에 표 있는 자에게는 가까이 말라 내 성소에서 시작할찌니라" 고 하셨으니 계시록에서 하나님의 인을 치시는 목적도 같은 원리임이 확실한 것이다. 안전과 보존을 위해 누구도 해치 못하는 하나님의 소유라는 인을 치는 것이다.

계시록 9:1~6절에 다섯째 나팔의 메뚜기 황충 재앙에서 이마에 하나님의 인 맞지 아니한 사람들만 해하라 한다 하였으니 사실이며 하나님의 인침은 실제인 것이다. 야헤쯔켈(에스겔) 9:1~9절에 '예루솰라임(예루살렘) 성읍 가운데서 행하는 모든 가증한 일로 인하여 한탄하여 신음하는 자들의 이마 위에 표를 찍고 표 있는 자는 죽이지 말고 그 외에는 다 죽이라고 하셨던 것을 볼 때 이마에 인치는 것이 실제이며 땅에 심판이 행해질 때 죽임을 당하지 않게 하시려는 하나님의 배려임을 알 수 있다.

여기서 '인침을 받는 하나님의 종' 을 일반 성도가 아닌 특수 사명을 받은 마지막 때의 종들 144,000이라고 하는 견해가 계시록을 전문하는 자들 가운데 적지 않다. 그러나 계시록에는 특수 사명자만 종들이라 하지 않았고, 구원받은 모든 자들을 '종' 이라고 하였다.(사명자 → 1:1, 10:7, 11:18, 15:3, 22:6. 구원받은 자 → 2:20, 19:2, 18, 19:5, 22:3) 양자를 다섯 번 씩 같이 말하였다. 특히 여기서 '이마에 하나님의 인침을 받는 자들' 을 특수 사명자 만이라고 할 수 없는 것은 9:1~6절의 재앙에서 '이마에 하나님의 인 맞지 않은 사람 만 해하라' 한다고 하였으니, 어찌 이 때에 이 지구상에서 구원받은 하나님의 종 된 일반 성도들은 인을 맞지 못하여 해를 당하고 '특수 사명자들만' 인을 맞았기 때문에 해함을 당하지 않고 고통을 당하지 않겠는가? 그리고 이때 지구상에 어찌 이스라엘 열 두 지파만 살고 있겠는가? 이스라엘 열 두 지파에서 인 맞은 자의 수를 말했다고 해서 이방인 중에서는 인 맞은 사람이 없겠는가? 이우다이오스(유대인)들의 독선적 인 선민사상처럼 사명자들이 자칫하면 특권의식을 가지기 쉽다.

그리고 여기서 하나님의 인침을 구원받은 자의 성령님의 인치심으로(고후 1:22; 엡 1:13, 4:30) 생각하려는 경향들이 많은데, 여기서의 인침은 이마에 인치는 실제인 것이다. 육안으로 보이도록 인을 칠는지 보이지 않도록 칠는지 단정할 수는 없으나 저자는 천사가 치는 것이므로 육안으로 보이지 않을 것이라 생각한다. 짐승 적그리스도도 이를 따라 666표를 받게 하는데 (계 13:16~18) 컴퓨터 칩으로 함으로 육안으로는 보이지 않는 것이다.

③ 하나님의 인을 맞은 자들 (4~8)

4절 ▷ 그리고 내가 인 맞은 자들의 수를 들으니 이스라엘 자손의 모든 지파 중에 인 맞은 자들이 던진 천이라.

καὶ	*ἤκουσα*	*τὸν*	*ἀριθμὸν*	*τῶν*	*ἐσφραγισμένων·*	*ρμδ´*
그리고	내가들으니	그	수를	자들의	인 맞은.	던진

χιλιάδες,	*ἐσφραγισμένοι*	*ἐκ*	*πάσης*	*φυλῆς*	*υἱῶν*	*Ἰσραήλ·*
천이,	인 맞은 자들이	로부터	모든	지파의	자손의	이스라엘의

여기서 전통원문과 네슬 알란드판 사본의 차이가 있으니 전통원문에는 '십 사만 사(*ἑκατὸν τεσσαράκοντα τέσσαρες* 에카톤 텟사라콘타 텟사레스)' 가 없이 '*ρμδ´ χιλιάδες*(뤼드 크힐리아데스) 던진 천' 으로 되어 있고, 네슬 알란드판 사본(개역 한글성경)에는 '*ρμδ´* 던진' 이란 말 없이 '십 사만 사천' 으로 되어 있는 것이다. '십 사만 사천' 이라는 것은 열두 각 지파에서 인 맞은 자 12,000명씩 144,000이라는 것은 보편적으로 잘 알려

져 있는데, 전통원문에 '십 사만 사(ἑκατὸν τεσσαράκοντα τέσσαρες 에카톤 텟사라콘타 텟사레스)' 가 없이 'ρμδ´ χιλιάδες(뤼드 크힐리아데스) 던진 천' 으로 되어 있다는 것은 전혀 알려지지 않고 있다.

그러면 전통원문에는 어찌하여 'ρμδ´ χιλιάδες(뤼드 크힐리아데스) 던진 천' 으로 되어 있는가? 참으로 기이하다. 'ρμδ´(림드)' 라는 말은 'ῥίπτω(립토) 던지다' 는 말로서 형용사 기수 주격 여성 복수로서 명사 주격 여성 복수인 'χιλιάδες(크힐리아데스) 천' 을 수식하는 형용사이니 '던진 천' 이 된다. 그러면 "내가 인 맞은 자들의 수를 들으니 이스라엘 자손의 모든 지파 중에 인 맞은 자들이 던진 천이라" 이니 '던진 천' 이라는 말이 무슨 뜻인가 하는 것이다.

4:10절에 24장로들이 보좌에 앉으신 하나님께 경배하며 자신들의 면류관을 보좌 앞에 던지며 찬양을 드린다고 하였으니, 면류관을 자신들의 것이 아니라 하나님의 것으로 드린다는 의미인 것이다. 그러므로 천사가 이스라엘 모든 지파에서 천 단위로 하나님의 인을 친자들은 하나님의 것으로 드려진 자들이라는 뜻일 수밖에 없다. 그러고 보면 단지 숫자인 네슬알란드판(개역한글성경)의 '십 사만 사천' (14:1)보다 '던진 천' 이라는 전통원문의 말이 너무나 의미 있는 말인 것이다.

5절 ▷ 이유다스 지파 중에 인 맞은 자가 일만 이천이고, 흐루 벤 지파 중에 인 맞은 자가 일만 이천이며, 갇 지파 중에 인 맞은 자가 일만 이천이라.

ἐκ φυλῆς	Ἰούδα,	ιβ	χιλιάδες	ἐσφραγισμένοι·	ἐκ φυλῆς
중에 지파	이유다스의,	십이	천	인 맞은 자가.	중에 지파

Ρουβήν, ιβ χιλιαχδες εσφραγισμένοι· ἐκ φυλῆς Γάδ,
흐루벤, 십이 천 인 맞은 자가. 중에 지파 갇,
ιβ χιλιαχδες εσφραγισμένοι·
십이 천 인 맞은 자가.

열두 지파의 순서가 흐루벤(르우벤) 장자부터 차서 대로가 아니고 제일 먼저 이유다스(유다) 지파를 말한다. 이것은 왕이며 구주이신 이에수-스(예수)님께서 나신 지파임으로(창 49:10; 시 60:7, 히 7:14) 제일 먼저 말한 것이 확실하다.

그러나 다른 지파의 순서가 왜 장자로부터 차서 대로가 아니고 단 지파는 왜 빠졌는가? 그리고 이오세프흐(요셉)과 그의 아들인 마낫세스(므낫세)는 두 지파로 들고 이오세프흐(요셉)의 아들인 에프흐라임(에브라임)은 빠졌는가? 이런 의문점들 때문에 '이 지파는 이방인들을 포함한 영적 이스라엘을 말한 것이다' 라고 대부분의 관점이 기운다. 그러나 본 저자는 그렇지 않은 것으로 본다. 먼저 아래의 도표를 본 후 설명하도록 한다.

모친순 ▷	(레아)			(레아 종)		(라헬) 종	(라헬)	(레			아)	(라	헬)
인친순 ▷	유다	르우벤		갓	아셀	납달리	므낫세	시므온	레위	이사갈	스불론	요셉	베냐민
	↗	→ → →	→ →	↖			↖	↖	↖	↑	↑	↑	↑
출생순 ▷	르우벤	시므온	레위	유다		단 ↓ (없어짐)	납달리	갓	아셀	이사갈	스불론	요셉	베냐민
	↑	↑	↑	↑		↑							
범죄	강간	살인	살인	음행		우상							

위의 비교 도표에서 보는 바 장자 흐루벤(르우벤)으로부터 다니(단)까지는 자신들의 범죄의 중함에 따라 인침의 순위가 뒤로 밀려난 것과 특히 다니(단) 지파는 두 번째 큰 지파였으나 가장 중한 죄인 우상숭배를 한 지파였기 때문에(삿 18:1~29~31, 왕하 10:29) 아예 이름이 빠진 것이다. 특히 창세기 49:17절 "단은 길의 뱀이요 첩경의 독사리로다"고 한 말씀에 연유하여 다니(단) 지파에서 적그리스도가 나온다는 고대의 전승 때문에 더욱 그리했을 것이다.

레아가 낳은 네 아들(르우벤, 시므온, 레위, 유다)의 죄 중에 예후다(유다)의 죄가 제일 가볍고,(창 38:12~30) 그리고 이유다스(유다)는 형제들이 이오세프흐(요셉)을 죽이자고 할 때 죽이지 말고 대상하는 자에게 팔아 우리 손을 그에게 대지 말자고 해서 이오세퓽(요셉)을 죽지 않게 한 선을 행한 자이기 때문이며,(창 37:25~28) 무엇보다 이에수-스(예수)님께서 이유다스(유다) 지파에서 나셨기 때문에(히 7:14) 인침에 제일 먼저 나오는 것이다.

각 지파에서 인 맞은 자가 각각 일만 이천이라고 했다. 왜 일만 이천일가? 하나님의 의중이시지만 일만 이천을 십이(복수)(12)와(×) 천(복수)(1.000)으로 표기하였는데 '십이' 또는 '열둘' 이라는 말 'δώδεκα(복수) 도데카' 는 일년이 열두 달인 데서 본래 천문학에서 사용되는 수였다. 왜 하나님께서 지구를 창조하실 때 일년이 열두 달이 되게 하시고 지구가 태양을 한 바퀴 도는데 열두 달이 되게 하셨겠는가? 그것은 사람은 잘 모르지만 하나님께서 그렇게 하는 것이 가장 좋기 때문에 원하셔서 그렇게 한 것이다. 하나님께서 이스라엘을 열두 아들을 열두 지파라 하시고,(창 49:28; 출 24:4) 이에수-스(예수)님께서 세상에 오셔서 사역을 하실 때도 열두 제자 곧 열두 사도를 세우셨으며,(눅 6:13) 영원한 새 히에루살렘(예루살렘) 도시의 문들도 열두 문이라 하시고,(계 21:12) 영원한 새 땅의 실과도 열두 가지라고 하셨고,(계 22:2) 도시의 벽의 기초석도 열두 보석으로 되어 있다고 하셨다.(계 21:19~20) 그러므로 '십이' 곧 '열둘'은 하나님께서 원하시는 가장 좋은 수인 것이다. '열둘'이 상징이 아닌 것은 열두 사도의 이름도 실제의 수인 열둘이 아니고 상징이라 한다면 계시록은 모두 상징이라고 해야 할 것이다. 계시록이 온통 상징이라면 기독교는 상징에 불과한 종교일 것이다. 그럴 수 있겠는가? '상징'이란 말을 조심히 사용해야 한다.

그리고 천<χιλιάδες(복수)1,000>이라는 수는 1,000,000(백만) 이상의 수를 나타낼 때 <χιλιάδες(복수)1,000> × <χιλιάδων(복수)1,000>으로 표기한 것이다.(계 5:11) 여기서 천<χιλιάδες(복수)1,000>이 실제의 수인 것은 계시록을 기록하게 하신 이에수-스(예수)님께서 말씀하신 누가복음 14:31절을 보면 "일만으로<δέκα(복수)십 χιλιάσιν(복수)천>으로써 저 이만<εἴκοσι이십(복수) χιλιάδων(복수)천>을 가지고 오는 자를 대적할 수 있을까 헤아리지 아니하겠느냐"고 하신 것은 상징이 아닌 실제의 수를 말씀하신 것이다. 만 단위로 말씀하실 때도 앞의 승수는 '10' 또는 '20'으로 하고 뒤의 피승수는 'χιλιάδων(복수)' 1,000이란 말을 사용하신 것이다.

그러므로 각 지파에서 인침을 받은 자 12,000이라 한 것은 상징이 아닌 실제의 수를 말 한 것이다. 이방인의 때가 끝나는 7년 대환란 직전 이스라엘을 치러 오게 하시는 세계대전으로 인해 이스라엘 백성들이 회개하도록 성령님을 부어주신다고 하셨으니(겔 39:28, 29; 슥 12:9~13:1) 구원받는 자가 있게 되는 것이다.

6절 ▷ 아세르 지파 중에 인 맞은 자가 일만 이천이고, 네프흐트할레임의 지파 중에 인 맞은 자가 일만 이천이며, 마낫세스 지파 중에 인맞은 자가 일만 이천이라.

ἐκ φυλῆς Ἀσὴρ, ιβ χιλιάδες ἐσφραγισμένοι· ἐκ φυλῆς
중에 지파 아세르, 십이 천 인 맞은 자가. 중에 지파
Νεφθαλείμ, ιβ χιλιάδες ἐσφραγισμένοι· ἐκ φυλῆς
네프흐트할레임, 십이 천 인 맞은 자가. 중에 지파
Μανασσῆ, ιβ χιλιάδες ἐσφραγισμένοι
마낫세스, 십이 천 인맞은 자가

일곱 번째 지파인 갇(갓) 지파가 인침에는 세 번째 지파로 나오고, 여덟 번째 지파인 아세르(아셀) 지파가 인침에는 네 번째 지파로 나온다. 그리고 여섯 번째 지파인 네프흐트할레임(납달리) 지파가 인침에는 다섯 번째 지파로 나온다. 그들의 의로움에 따라 순위가 앞서게 된 것이다. 그와 함께 각 지파에서 인 맞은 수가 12,000으로 동일한 것은 하나님은 의로우시며 또한 공평하신 분이심을 말하는 것이다. 따라서 단 지파가 빠지고 이오세프흐(요셉)의 아들인 마낫세스(므나셋) 지파가 인침에 여섯 번째 지파로 나오고 이오세프흐(요셉) 지파로 두 지파로 나온 것은 이아콥(야곱)이 열두 아들을 축복할 때 이오세프흐(요셉)에게 가장 많은 복을 빌었던 것처럼(신 33:13~17) 하나님 앞에 의롭고 충성되었던 이오세프흐(요셉)의 후손에게 두 배의 기업을 주신 것이다.

단 지파가 빠진 것은 자기들에게 주어진 기업을 차지하는데 실패했고,(삿 1:34) 단 자손이 라이쉬(라이스)에 이르러 그 지역의 이름을 단으로 개명하고 '자기를 위하여 그 새긴 신상을 세웠고 모쉐(모세)의 손자 게레숀(게르손)의 아들 예호나탄(요나

단)과 그 자손은 단 지파의 제사장이 되어 이 백성이 사로잡히는 날까지 이르렀더라' 하였으니 북 이스라엘이 우상숭배를 하여 주전 722년에 멸망하는데 결정적인 영향을 미친 것이다.(왕상 12:28~30) 2세기 후반에 활동했던 신학자 이레니우스(Irenaeus)는 '여기서 단 지파가 빠지고 마낫세스(므낫세)가 첨가된 것은 단 지파에서부터 적그리스도가 출현할 것이라는 전승 때문이었다' 고 하였다. 이와 같은 전승은 창세기 49:7절과 히에레미아스(예레미야) 8:16절의 랍비적 해석에 의한 것이었다.(R. Mdunce)

7절 ▷ 쉬메온 지파 중에서 인 맞은 자가 일만 이천이고, 르레 위스 지파 중에서 인 맞은 자가 일만 이천이며, 이사크 하르 지파 중에서 인 맞은 자가 일만 이천이라.

ἐκ φυλῆς Συμεὼν ιβ χιλιάδες ἐσφραγισμένοι· ἐκ φυλῆς
중에 지파 쉬메온 십이 천 인 맞은 자가. 중에 지파
Λευΐ, ιβ χιλιάδες ἐσφραγισμένοι· ἐκ φυλῆς Ἰσαχάρ,
르레위스, 십이 천 인 맞은 자가. 중에 지파 이사크하르,
ιβ χιλιάδες ἐσφραγισμένοι·
십이 천 인 맞은 자가.

구약 이스라엘 백성들이 하나님께 바치는 십일조와 거룩한 제물들이 르레위스(레위) 지파의 몫이었기 때문에 지파들의 배분에는 제외되었으나 이제 르레위스(레위) 지파가 제사장이 아닌 하나님의 인침 받는 영원한 기업에 참예하는 일임으로 르레위스(레위) 지파가 있는 것이다. 그리고 구약성경에서 이스라엘 열두 지파의 이름이 열거될 때 르레위스(레위) 지파가 들어가면 이오세프흐(요셉) 한 지파만이 나오는 것이 원칙이다.(창

46:8~19; 신 33:1~29)

이오세프흐(요셉) 지파가 들어가고 그 장자 마낫세스(므낫세)는 지파로 들어갔으나 차자 에프흐라임(에브라임)은 들어가지 못한 것은 교만했기 때문이라는 견해가 유력하다.(왕상 12:25; 사 7:9, 17) 그리고 시편 78:67절이나 야해쯔켈(에스겔) 37:16절의 경우와 같이 이오세프흐(요셉)과 에프흐라임(에브라임)은 동일한 대상으로 지칭되어 에프흐라임(에브라임)과 이오세프흐(요셉)은 호환이 가능한 이름이다.

8절 ▷ 자불론 지파 중에서 인 맞은 자가 일만 이천이고, 이오셒흐의 지파 중에서 인 맞은 자가 일만 이천이며, 베니 아민 지파 중에서 인 맞은 자가 일만 이천이라.

ἐκ φυλῆς Ζαβουλὼν, ιβ χιλιάδες ἐσφραγισμένοι· ἐκ
중에 지파 자불론, 십이 천 인 맞은 자가 중에
φυλῆς Ἰωσὴφ ιβ χιλιάδες ἐσφραγισμένοι· ἐκ φυλῆς
지파 이오셒흐의 십이 천 인 맞은 자가. 중에 지파
Βενιαμί, ιβ χιλιάδες ἐσφραγισμένοι.
베니아미, 십이 천 인 맞은 자가.

이오세프흐(요셉)의 아들 마낫세스(므나셋) 이름이 올려졌으면 형제인 에프흐라임(에브라임)의 이름이 거명되어야 할 것인데 이오세프흐(요셉)의 이름이 거명된 것은 에프흐라임(에브라임)의 교만 때문일 것이다.(왕상 12:25; 사 7:9, 17; 호 5:3~15)

새 하늘과 새 땅의 새 히에루살렘(예루살렘)에서 열두 지파가 있을 것인가? 그렇다. 있다. 주님께서 계시록에서 말씀하셨기 때문이며,(7:4~8, 21:12) 이치상으로도 영원한 새 하늘과 새 땅의 새 히에루살렘(예루살렘) 도시에 질서와 조직이 없겠는가?

특히 하나님과 어린양 이에수-스(예수)님을 밤낮 찬양하지 않을 수 없는데 다같이 함께 찬양하는 것이 아니라 24반열로 나누어서 반열의 차례대로 찬양하는 것이 너무나 합당하지 않은가? 다빋(다윗) 왕이 그렇게 하지 않았는가?(대상 25:1~31) 하나님 보좌의 24장로는 하나님을 찬양하고 경배하는 그 반열의 대표자로 있는 것이다.

¤ 감동과 기도 ☆

2〉 **보좌 앞 많은 무리들의 복됨** 9~17

① 흰옷 입은 큰 무리의 구원의 찬송 (9~10)

9절 ▷ 이 일들 후에 내가 보니, 실로 보라, 모든 민족과 족속들과 백성들과 방언들 중에서 아무도 그것을 셀 수 없는 많은 무리가 흰옷들을 입고 그들의 손들에 종려나무 가지들을 (들고), 보좌 앞과 어린양 앞에 서서

Μετὰ ταῦτα εἶδον, καὶ ἰδού, ὄχλος πολύς, ὃν ἀριθμῆσαι
후에 이 일들 내가 보니, 실로 보라, 무리가 많은, (사람) 셀수

αὐτὸν οὐδεὶς ἠδύνατο, ἐκ παντὸς ἔθνους καὶ φυλῶν καὶ
그것을 아무도 … 아닌 할 수, 에서 모든 민족의 과 족속들의 과

λαῶν καὶ γλωσσῶν, ἑστῶτες ἐνώπιον τοῦ θρόνου καὶ
백성들의 과 방언들의, 서서 앞에 그 보좌의 와

ἐνώπιον τουῦ ἀρνίου, περιβεβλημένοι στολὰς λευκάς, καὶ
앞에 그 어린양의, 입고 옷들을 흰 그리고

φοίνικες ἐν ταῖς χερσὶν αὐτῶν·
종려나무가지들 안에 그 손에 그들의.

지금까지 사도 이오안네스(요한)에게 보여 주신 것은 주님의

재림 7년 대환란 직전에 회개<**개심**>하여 하나님의 소유로 인침을 받아 7년 대환란에서 보호함을 받을 이우다이오스(유대인)들의 수에 대하여 알려 주셨고, 이제부터는 큰 환란에서 구원을 받아 하나님과 어린양의 보좌 앞에서 영원토록 찬양하며 복락을 누릴 성도들에 대하여 계시하여 주신 것이다.

이 부분에 대해서도 너무나 견해와 주장이 분분하다. 모든 견해를 일일이 들것 없이, 말하자면, 모든 민족과 족속들과 백성들과 방언들 중에서 흰옷을 입고 보좌 앞과 어린양 앞에 선 아무도 그것을 셀 수 없는 많은 무리는 구원받은 모든 성도들이 하나님의 보좌 앞에서 찬양하며 복락을 누리는 광경을 미리 보여 준 것이다. 왜냐하면 15~17절의 저들이 누리는 복락의 상태가 최종적 복락의 완성상태로 말씀하신 21:3~6절과 너무나 동일하기 때문이다. 최후의 백보좌 심판이 있기 전에는 있을 수 없는 일인 것이다. 그러므로 영원한 지복의 상태를 앞서 보여 주시고 기록하게 하신 것은 이 계시록의 말씀을 낭독하고 듣고 지키는 교회 성도들에게 한없는 격려와 소망이 되어 환란을 견디고 이기는 자 되도록 하기 위함인 것이다.

1~8절과 9~17절의 차이점은, 첫째 1~8절의 인침의 내용은 7년 대환란을 대비하여 대환란 전에 미리 인치는 일이며, 9~17절의 보좌 앞의 광경은 7년 대환란 후에 보좌 앞의 광경을 말한 것이다. 둘째는 1~8절은 이우다이오스(유대인)들 중에 인침을 받는 수를 말한 것이며, 9~17절의 보좌 앞의 셀 수 없는 많은 구원받은 성도는 이우다이오스(유대인)들도 포함된 모든 민족과 족속들과 백성들과 방언들 중에서 구원받은 자들이기 때문에 셀 수 없는 많은 무리라고 한 것이다. 셀 수 없는 많은 무리라고 했다해서 대부분 상상할 수 없을 정도의 많은 수라고 생각하는 경

향이다. 그러나 한 민족 그것도 7년 대환란 이우다이오스(유대인)들을 위해 남겨 둔 한 이레에 이우다이오스(유대인)들의 구원받는 수가 144,000이라 한다면 셀 수 있는 정도의 수이다. 그러나 모든 민족과 족속들과 백성들과 방언들 중에서 구원받은 자들이 1,000,000,000(1억)이라면 셀 수 있겠는가? 한 사람이 센다면 시간은 얼마나 걸리겠는가? 셀 수 없이 많은 사람이라고 해야 하지 않겠는가?

흰옷을 입고 손에 종려나무 가지를 들었다는 것은 승리와 기쁨으로 찬양하게 된 것을 말한 것이다. 이에수-스(예수)님께서 나귀 새끼를 타고 히에루살렘(예루살렘)으로 입성하실 때 많은 무리가 종려나무 가지를 가지고 맞으려 나가 외치기를 "호산나 찬송하리로다 주의 이름으로 오시는 이 곧 이스라엘의 왕이시여!"라고 했던 것이다.(요 12:13) 성경에 종려나무는 아름다운 나무로 말해졌다.(아 7:6~9) 하나님의 보좌 앞에서 찬양할 때도 종려나무 가지 같은 아름답고 멋있는 것을 손에 잡고 흔들면서 찬양할 것이다.

10절 ▷ 그리고 큰 소리로 외쳐 말하기를, 구원하심이 보좌 위에 앉으신 우리들의 하나님과 어린양께 있도다. 하며,

καὶ κράζοντες φωνῇ μεγάλῃ, λέγοντες, Ἡσωτηρία τῷ
그리고 외쳐 소리로 큰, 말하기를, 구원하심이 그
καθημένῳ ἐπὶ τοῦ θρόνου τοῦ θεοῦ ἡμῶν, καὶ τῷ ἀρνίῳ.
앉으신 위에 그 보좌의 그 하나님의 우리들의, 과 그 어린양께

하나님께 드리는 찬양은 큰 소리로 하여야 한다.(5:12; 7:10; 11:15; 12:10; 14:7; 18:2; 19:1, 6) 큰 소리로 찬양하는 것은 힘과 뜻과 정성을 다하는 것이다. 작은 소리로 찬양하는 것은 힘과 뜻

과 정성을 다하지 않는 것으로 하나님께서 기뻐하지 않으신다.

"구원하심이 보좌에 앉으신 우리들의 하나님과 어린양께 있도다" 고 외쳐 찬양하였다. '외쳐' 라는 '*κράζοντες*(크라존테스)' 는 분사 현재형으로서 찬양이 계속됨을 말한다.

구원하심이 성부 하나님을 가리키는 '보좌에 앉으신 우리들의 하나님' 과 성자 이에수-스(예수)님을 가리키는 '어린양' 께 있도다고 한 것은 성부 하나님과 성자 어린양은 동등하게 찬양과 경배를 받으실 구원의 공효자이심을 말하는 것이다. 성부 하나님께서는 구원을 경영하셨고 성자 이에수-스(예수)님께서는 구원을 이루신 것이다.

¤ 감동과 기도 ☆

② 모든 천사들의 화답 찬송 (11~12)

11절 ▷ 그리고 모든 천사들이 보좌와 장로들과 네 생물들의 주위에 섰다가 또한 그들의 얼굴을 보좌 앞에 굽혀 그리하여 하나님께 경배하며

καὶ πάντες οἱ ἄγγελοι ἑστήκεσαν κύκλῳ τοῦ θρόνου καὶ τῶν
그리고 모든 그 천사들이 섰다가 주위에 그 보좌의 또한 그

πρεσβυτέρων καὶ τῶν τεσσάρων ζῴων, καὶ ἔπεσον ἐνώπιον
장로들의 과 그 네 생물들의, 그리고 엎드려 앞에

τοῦ θρόνου ἐπὶ πρόσωπον αὐτῶν, καὶ προσεκύνησαν τῷ θεῷ,
그 보좌의 향하여 얼굴을 그들의, 그리하여 경배하며 그 하나님께

모든 천사들이 보좌와 장로들과 네 생물들의 주위에 섰다가 또한 그들의 얼굴을 보좌 앞에 굽혀 그리하여 하나님께 경배하였다. 보좌와 장로들과 생물들의 주위에 둘러 선 천사들의 수는

수백만이다.(5:11) 상상해 보라! 그 수백만의 천사들이 일제히 얼굴을 보좌 앞에 굽혀서 경배하는 장면을! 오늘날 교회들의 예배는 어떠한가? 너무나 경외함이 없다.

12절 ▷ 말하기를, 아멘, 찬송과 영광과 지혜와 감사와 존귀와 능력과 힘이 우리들의 하나님께 영원들의 영원들을 향하여 *(있으시도다)*. **아멘. 하니라.**

λέγοντες, Ἀμήν· ἡ εὐλογία καὶ ἡ δόξα καὶ ἡ σοφία
말하기를, 아멘. 그 찬송 과 그 영광 과 그 지혜
καὶ ἡ εὐχαριστία καὶ ἡ τιμὴ καὶ ἡ δύναμις καὶ ἡ ἰσχὺς
와 그 감사 와 그 존귀 와 그 능력 과 그 힘이
τῷ θεῷ ἡμῶν εἰς τοὺς αἰῶνας τῶν αἰώνων. ἀμήν.
그 하나님께 우리들의 향하여 그 영원을 그 영원의. 아멘.

"아멘, 그 찬송과 그 영광과 그 지혜와 그 감사와 그 존귀와 그능력과 그 힘이 우리들의 하나님께 영원의 영원을 향하여 (있으시도다). 아멘" 구원받은 성도들의 찬양에 화답하여 경배하며 말한 천사들의 송영이 얼마나 위대한가? 찬송과 영광과 지혜와 감사와 존귀와 능력과 힘 모두 일곱 가지이다. 그리고 매 하나 하나에 '그(ἡ 에)' 라는 관사가 있다. '그 찬송' 과 '그 영광' 과 '그 지혜' 와 '그 감사' 와 '그 존귀' 와 '그 능력' 과 '그 힘' 이라는 말이니 모두가 지극한 최고의 것이 하나님께 있으심을 송축하는 것이다. 그리고 '아멘!' 으로 시작하고 '아멘!' 으로 종결하니 앞의 아멘은 구원받은 성도들의 송영에 화답하는 것이다.

☼ 감동과 기도 ☆

③ 하나님의 보좌 앞에서 섬기는 성도들의 복됨 (13~17)

13절 ▷ 그리고 장로 중의 한 분이 응답하여 나에게 말하기를, 이 흰옷 입은 자들이 누구이며 그리고 어디서부터 왔느뇨? 하기에,

Καὶ ἀπεκρίθη εἷς ἐκ τῶν πρεσβυτέρων, λέγων μοι,
그리고 응답하여 하나가 중에 그 장로들의, 말하기를 나에게
Οὗτοι οἱ περιβεβλημένοι τὰς στολὰς τὰς λευκὰς,
이 자들이 입은 그 옷들을 그 흰,
τίνες εἰσὶν, καὶ πόθεν ἦλθον;
누구 이며, 그리고 어디서부터 왔느뇨?

그리고 장로 중에 하나가 사도 이오안네스(요한)에게 묻기를, "이 흰옷 입은 자들이 누구며 어디서부터 왔느뇨?고 하였다. 오히려 사도 이오안네스(요한)가 묻고 싶은 질문이었다.

14절 ▷ 그러므로 내가 그에게 말하기를 주여, 당신께서 알리이다 하니. 또한 그가 나에게 말하기를, 이들은 그 큰 환란으로부터 나오고 있는 자들인데 어린양의 피에 자신들의 옷을 씻어 자신들의 옷들을 희게하였느니라.

καὶ εἴρηκα αὐτῷ, Κύριε, σὺ οἶδας. καὶ εἶπέν μοι, Οὗτοί
내가 말하기를 그에게, 주여, 당신이 알리이다. 또한 그가 말하되 나에게, 이는
εἰσιν οἱ ἐρχόμενοι ἐκ της θλίψεως της μεγάλης, καὶ
인데 자들 나오는 로부터 그 환란의 그 큰, 또한
ἔπλυναν τὰς στολὰς αὐτῶν, καὶ ἐλεύκαναν στολὰς
씻어 그 옷을 그들의, 그리고 희게하였느니라 옷들을
αὐτῶν ἐν τῷ αἵματι τοῦ ἀρνίου.
그들의 안에 그 피에 그 어린양의.

사도 이오안네스(요한)는 장로에게 말하기를 "주여, 당신께서 알리이다"고 하였다. 그러자 장로는 사도 이오안네스(요한)

에게 "이들은 큰 환란으로부터 나오는 자들인데 어린양의 피에 그 옷들을 씻어 희게하였느니라" 고 대답하였다.

여기서 '큰 환란' 이라고 한 'τῆς θλίψεως τῆς μεγάλης(테-스 트흘리프세오스 테-스 메갈레스)' 가 성도가 세상에서 당하는 환란을 말한 것인가? 아니면 재림 직전 마지막 7년 대환란을 말한 것인가? '환란' 이란 말 'θλίψεως(트흘리프세오스)' 에도 관사(τῆς(테-스)가 있고 '환란' 에 '큰' 이라는 말 'μεγάλης(메갈레스)' 가 첨가된 데다 역시 관사(τῆς(테-스)가 있으니 여기서 '큰 환란' 이라 한 것은 일반적인 환란이 아닌 7년 대환란의 환란을 말하는 것이 분명하다.

'나오고 있는' 이라는 말 'ἐρχόμενοι(에르크호메노이)' 는 현재 분사형으로서 '계속 나오고 있음' 을 말하니 6:12절 여섯째 인부터 7년대환란이 시작되었으니 7년 대환란 중에 순교자들의 수가 계속 진행으로 나오게 되는 것을 말하니 말의 품사까지도 정확한 것이다. 성도들을 격려하고 소망을 가지도록 하기 위하여 7년대환란 후에 하나님의 보좌 앞에 설 광경을 미리 보여 준 것이다.

"어린양의 피에 그 옷들을 씻어 희게하였느니라" 하였으니, 계시록에서 '흰옷' 은 성도로서의 '옳은 행실' 인 것이다.(3:2, 5, 19:8) 오늘날 거의 모든 기독교인들이 어린양 이에수-스(예수)님의 피로 지은 죄를 씻음 받은 줄은 잘 알지만 행실을 씻어 희게 했다는 데는 생소한 것이다. 이에수-스(예수)님의 피를 믿음으로 죄 사함 받아 구원받는 것으로 전부라 가르치고 그렇게만 알고 신앙생활을 하고 있기 때문이다. 에브라이우스(히브리서) 9:14절에 "영원하신 성령으로 말미암아 흠 없는 자기를 하나님께 드린 그리스도의 피가 어찌 너희 양심으로 죽은 행실에서 깨끗하게 하고 살아계신 하나님을 섬기게 못하겠느뇨?"라고 하였다. 이에수-스(예수)님의 피의 공효는 단지 범했던 죄를 씻어 죄 없는 것으로 해 주실 뿐만 아니라 영과 마음까지도 깨끗하게 하여 행실까지도 깨끗한 행실을 하게 하시는 놀라운 능력이 있으신 것이다. 범죄한 죄를 씻어 죄 없는 것으로만 해 주시는 줄 아는 것은 하나만 알고 둘은 모르는 처사이다. 병의 합병증만 고쳐 주시고 근원을 고쳐 주시는 것을 모르는 것이다. 계시록 1:5절을 헬라어 직역하면 "우리들을 사랑하셔서 그분께서 자신의 피 안에서 우리의 죄들로부터 우리들을 목욕하게<**λούω**> 하시고" 이다. 이에수-스(예수)님께서 "이미 목욕한 자는 발 밖에 씻을 필요가 없느니라" 하신 말씀에서(요 13:10) 이미 '목욕한<**λούω**>자' 라는 말씀은 이에수-스(예수)님으로 말미암아 자신의 전체 양심과 마음과 행실까지 씻음 받은 자 됨을 말씀하신 것이다. 그 후로는 손발이 더러워지는 정도의 죄들을 짓게 되고 매일 매일 손발을 씻듯이 씻음을 받는 것이다.

15절 ▷ 그리하여 그들이 하나님의 보좌 앞에 있으며, 그리고 그분의 성전에서 밤낮 그분을 섬기며, 또한 보좌 위에 앉으신 분께서 그들 위에 장막을 치시리라.

διὰ τοῦτό εἰσιν ἐνώπιον τοῦ θρόνου τοῦ θεοῦ, καὶ
그리하여 그것을 그들은 이다 앞에 그 보좌의 그 하나님의, 그리고

λατρεύουσιν αὐτῷ ἡμέρας καὶ νυκτὸς ἐν τῷ ναῷ αὐτοῦ·
섬기며 그분을 낮의 과 밤의 에서 그 성전 그분의

καὶ ὁ καθήμενος ἐπὶ τοῦ θρόνου σκηνώσει ἐπ' αὐτούς.
또한 그 앉으신 위에 그 보좌 장막을 치시리니 위에 그들.

"그리하여 그들이 하나님의 보좌 앞에 있으며, 그리고 그분

의 성전에서 밤낮 그분을 섬기며, 또한 보좌 위에 앉으신 분께서 그들 위에 장막을 치시리라"고 한 것은 영원한 하나님의 보좌 앞에서의 구원받은 성도의 복된 삶을 말한 것이니, '밤낮 그분을 섬기며' 라고 한 것은 22:3절 그대로이며, '보좌 위에 앉으신 분께서 그들 위에 장막을 치시리니' 리고 한 것은 21:3절의 말씀과 같은 것이다. 그 자세한 의미는 그 절에 가서 설명할 것이다.

16절 ▷ 그 이후로는 저희가 굶주리지 아니하고 그 이후로 그들이 목마르지도 아니하며 태양이나 모든 불태우는 열이 결코 그들 위에 내리지 아니할 것이라.

οὐ πεινάσουσιν ἔτι, οὐδὲ διψήσουσιν ἔτι, οὐδὲ μὴ
저희가 굶주리지 그 이후에 아니하고 목마르지도 그 이후에 결코 아니
πέσῃ ἐπ' αὐτοὺς ὁ ἥλιος οὐδὲ πᾶν καῦμα·
내리지 위에 그들 그 태양이나 아니하고 모든 불태움.

"그 이후로는 굶주리지도 아니하고, 그 이후로 그들이 목마르지도 아니하며 어떤 뜨거운 것의 해를 받지 아니할 것이라" 한 것도 영원한 지복의 상태를 말하는 것이다.

17절 ▷ 왜냐하면 보좌 가운데 계신 어린양께서 그들의 목자가 되실 것이며, 그리고 그들을 생명 샘물 가로 인도하시고, 또한 하나님께서 그들의 눈에서 일체 모든 눈물을 닦아주실 것이기 때문이라. 하니라.

ὅτι τὸ ἀρνίον τὸ ἀνά μεσον τοῦ θρόνου ποιμανεῖ αὐτούς,
왜냐하면 어린양이 그 위에 가운데 그 보좌의 목자가 되실 것이며 그들의
καὶ ὁδηγήσει αὐτοὺς ἐπὶ ζώσας πηγὰς ὑδάτων, καὶ
그리고 인도하시고 그들을 가에 생명을 샘 물의, 또한

ἐξαλείψει ὁ θεὸς πᾶν δάκρυον ἀπὸ τῶν ὀφθαλμῶν αὐτῶν.
닦아주실 것이라 하나님께서 일체모든 눈물을 에서 그 눈들의 그들의

이 지극한 복의 상태도 21:4절과 6절의 말씀과 동일하니 여기 7:15~17절 말씀은 최종적으로 이루어질 복락을 먼저 보여 주심으로 마지막 7년 대환란 중에서 성도들에게 용기와 소망을 가지도록 준비하게 하기 위함인 것이다.

¤ 감동과 기도 ☆

【 특주 6 】

계시록에서 휴거 주장과 환란 당한다는 주장

계시록에서 1〉 7년 대환란 전에 또는 중간에 성도는 휴거 한다고 가르치는 자와 2〉 환란 전이나 중간에 휴거 없이 피란처에 가는 자와 순교하는 자가 된다고 가르치는 자로 대별된다. 실로 이것은 계시록을 가르침에 있어서 대단히 중대한 문제이다. 어느 하나가 틀리고 계시록을 잘못 해석하여 본의 아니게 거짓말을 하는 것이므로 대단히 두려운 일이다. 이 문제에 대해 심각성을 느끼지 않고 예사로 하고 있음이 더욱 두렵다.

1〉 7년 대환란 전에 또는 중간에 성도는 휴거 한다고 가르치는 자의 성경 해석과 주장

① 트헤쌀로니케(데살로니가) 전서 4:17절에 재림 때 공중으로 휴거 한다고 했다는데 대하여.

이것이 계시록에서 휴거를 주장하는 가장 주된 근원이 되고 있다. 그러나 이것은 휴거를 주장하기 위하여 성경을 잘못 인용하는 것이다. 왜냐하면 4:17절의 이 말씀은 계시록 19:11~16절 말씀처럼 주님께서 재림하실 때 죽어 있던 성도들이 먼저 부활하여 주님을 영접하기 위해 공중으로 휴거 되고 그와 함께 피란처에 가 있던 성도들도 홀연히 변화되어 공중으로 휴거 되어 -반갑고 귀한 손님이 오면 마중을 나가듯이- 공중에서 함께 주님을 영접하여 백마를 타신 주님을 따라 지상으로 강림하는 것인데(계 19:14) 이해를 원만히 하지 못하여 왜곡하는 것이다.

이때의 휴거가 7년 대환란 전 공중에서 7년 혼인잔치를 하시기 위해 재림하시는 것이라 하는데, 트헤쌀로니케(데살로니가)전서 4:13~16절에서 주님 안에서 죽었던 성도들이 먼저 부활하여 주님과 함께 강림한다고 하였으니 휴거 주장대로라면 7년 대환란 전에 성도들의 부활이 있어야 하는 것이다. 그러나 코린트호스(고린도)전서 15:23, 24절에서 부활의 차례를 첫 열매인 이에수-스(예수)님의 부활 다음으로 재림으로 말미암은 크흐리스토스(그리스도)님의 것들이며, 그 후에는 끝이니 왕국을 하나님 아버지께 바칠 때라고 하였으니 이에수-스(예수)님의 부활 다음으로는 부활이 두 번 있는 것이다. 계시록 20:4~6절에 재림하셔서 천년을 통치하실 때 함께 왕 노릇 하는 성도들을 최상의(첫째) 부활에 참예하는 복되고 거룩한 자들이라 하였고, 천년 왕국 후에 모든 죽은 자가 다 살아나서 백 보좌 앞에서 심판을 받는다고 하였으니(계 20:13) 코린트호스(고린도)전서 15:23, 24절에서 부활의 차례로 말씀하신 것과 일치하는 것이다. 7년 대환란 전에 부활과 휴거가 있다면 7년대환란 때 순교하는 성도들이 부활하는 차례가 있어야 할 것이니 맞지 않는 것이다.

② 계시록 19:9절의 '어린양의 혼인잔치' 라는 말을 모든 휴거 주장에 소급 인용하는데 대하여.

19:9절에서 '어린양의 혼인잔치' 라 한 이때는 7년 간 땅위에 전무후무한 끔찍하고 참혹한 하나님과 어린양의 진노의 재앙을 쏟아 부으시고 심판하신 후(계 6:16~17, 8:13, 15:1, 16:1, 18:20, 19:2) 이제 재림을 선언하는 때이지 7년 환란 전이나 중간이 아니다. 진노하시는 기간인데 어찌 혼인잔치를 한단 말인가? 세상 왕국의 심판이 끝나지도 않았고 세상 왕국이 하나님과 크흐리스토스(그리스도)님의 왕국이 되지도(계 11:15) 않았고 일을 마치지도 않았는데 무슨 잔치를 한단 말인가? 성경을 어찌 그렇게 이해하는지 참으로 딱하다.

③ 계시록 3:10절의 주님께서 프힐라델프헤이아(빌라델비아) 교회에 하신 말씀을 잘못 번역하여 놓고 7년 대환란을 당하지 않게 면케 하신다고 주장하는 데 대하여.

성경 헬라어를 바르게 번역하면 "*κἀγώ σε τηρήσω ἐκ τῆς ὥρας τοῦ πειρασμοὐ* 시험의 기간 중에 내가 너를 지킬 것이다 " 이다. 개역 한글성경은 "너를 지키어 시험의 때를 면하게 하리니"라고 하였는데 '면하게 하리니' 라는 말이 원어에 없다. 계시록의 말씀을 더한 것이다.(계 22:18) 그래서 한국교회는 모두 주님께서 교회는 7년 대환란을 당하지 않게 면케 하신다고 가르치고 그래서 휴거를 굳게 믿는 것이다.

한국교회의 위대한 주석가이셨던 박윤선 박사는 그의 계시록 주석 3:10절 해석에서 "앞으로 있을 큰 환난은 주님의 특별한 도우심으로 면하게 된다" 하였고, 이상근 박사도 "본 어귀를 ① 그들이 환난을 받고 그 안에서 보호를 받는다는 편(Charles)과 ② 환난 자체를 면한다는 편(Moffatt, Rist, Walvoord)이 있다.

후설을 취한다. … 재림 직전에 있을 최후의 대환난은 통과하지 않을 것으로 믿는 것이다" 고 하였다.

이렇게 한국교회의 양대 주석가이신 분들이 최후의 대환란은 면한다고 가르쳤으니 한국교회는 그렇게 알고 믿을 수밖에 없는 것이다. 이 어른들께서 헬라어를 몰라서 그런 것만은 아니다. 헬라어를 주의해 보지 않고 한글성경을 그대로 믿는 통념으로만 보았기 때문이다. 계시록 헬라어를 직역한 결과 개역 한글성경에 엄청나고 중대한 차이가 있음을 발견한 것이다.

④ 계시록 4:1절에 "이리로 올라 오라" 한 것을 교회의 휴거라고 가르치는데 대하여.

'올라 오라' 로 번역된 '*'Ἀνάβα*(아나바)' 는 '위를 향하여' 라는 뜻의 전치사 *ἀνά*(아나)와 '걷다' 라는 뜻의 동사 '*βαίνω*(바이노)' 의 부정 과거 능동 명령형 '*ἀνάβηθι*(아나베트히)' 의 코이네(Koine)식의 축약형이다. 많은 세대주의자들이 주장하는 '교회의 휴거' 를 의미하는 것이 아니며, 세대주의의 대변인임을 자임하는 왈부드(Walvoord) 역시 "문맥으로 보아 이것은 교회의 휴거를 분명하게 가리키는 것이 아니라는 사실이 명백하다" 라고 언급하였다.(옥스퍼드 원어대전, p. 310)

트헤쌀로니케(데살로니가) 전서 4:17절에 '끌어 올려' 라는 헬라어 '*ἁρπαγησόμεθα*(아르파게소메트하)' 와는 전혀 다른 뜻이다. 그러므로 계시록 4:1절의 '이리로 올라 오라' 고 한 말을 '교회의 휴거' 라고 하는 것은 억지이다. 사도 이오안네스(요한)에게 '이리로 올라 오라' 한 말씀인 것이다.

4:1절 해석에서 말한 바이지만 '이리로 올라 오라' 한 것이 휴거가 아닌 것은 '즉시 내가 성령님 안에 있게 되었다' 고 하였으며(2절) 그 후에 6:1, 3, 5, 7절에는 '오라 그리고 보라' 고 하였

고 그 이후에는 22장까지 계속 거듭 '내가 보니<εἶδον(에이돈)>' 라고 하였으니 계시를 보고 듣기 위해 성령님 안에서 보좌 앞으로 올라간 것이지 휴거된 것이 아닌 것이다. 10:1절에는 사도 이오안네스(요한)가 '하늘에서 내려오는 강력한 천사를 보니' 라고 하였으니 사도 이오안네스(요한)가 땅에 있다는 말이 아닌가? 휴거 했다가 땅에 내려 왔다는 말인가? 휴거 한 것이 아니라는 증거이다.

휴거는 재림하시는 주님을 영접하기 위해 잠자던 성도들이 먼저 부활하여 공중으로 올라가고 살아 있던 성도들도 변화된 몸으로 공중으로 올라가 주님을 맞이하여 아르마겓돈(아마겟돈) 전쟁을 위해 지상으로 강림하는 것이다.

⑤ 계시록 7:9~17절의 보좌 앞과 어린양 앞에 선 셀 수 없는 큰 무리를 휴거 된 자들이라고 하는데 대하여.

15~17절에 "그러므로 그들이 하나님의 보좌 앞에 있으며, 그리고 그분의 성전에서 밤낮 그분을 섬기며, 또한 보좌 위에 앉으신 분께서 그들 위에 장막을 치시리라. 그 이후로는 그들이 굶주리지 아니하고 그 이후로 그들이 목마르지도 아니하며 태양이나 모든 불태우는 열이 결코 그들 위에 내리지 아니할 것이라. 왜냐하면 보좌 가운데 계신 어린양께서 그들의 목자가 되실 것이며, 그리고 그들을 생명 샘물 가로 인도하시고, 그리고 하나님께서 그들의 눈에서 일체 모든 눈물을 닦아주실 것이기 때문이라." 한 말씀은 계시록 21:3~6절의 최후 새 하늘과 새 땅, 새 히에루살렘(예루살렘)에서 영원토록 사는 복된 생활을 말씀하신 것과 너무나 일치한 것이다. 그러므로 재림도 하시지 않은 때에 휴거 된 자들이 그러한 생활을 한다는 것은 말도 안 된다.

7:9~17절도 휴거가 아니다. 휴거는 공중에서 흰말을 타시고

재림하시는 주님을 공중에서 맞이하는 것이지 보좌 앞에서 찬양하는 것이 아니다. 7:14~17절은 21:3~7절과 동일한 것으로 최후의 영원한 새 하늘과 새 땅, 새 히에루살렘(예루살렘)의 복된 생활을 하는 하게 되는 것을 미리 보여 줌으로 땅에서 환란 받는 성도들을 격려하기 위함인 것이지 휴거 될 것을 보여 주신 것이 아니다.

⑥ 계시록 14:1~5절에 시온 산에 선 144,000명이 휴거 된 성도들이라고 하는데 대하여.

7:4~8절의 이스라엘 열두 지파에서 하나님의 인을 맞은 자 144,000명과 같은 수인데 7장에서는 환란 전이고 13장에서 이미 후3년 반 적그리스도 짐승의 형상 앞에 경배하게 하고 그의 표를 받게 하는 일이 시행된 후이니 환란을 겪지 않고 휴거된 자들이라고 하는 것은 맞지 않고, 더욱이 9:1~4절에 다섯째 나팔 재앙 때 "이마에 하나님의 인을 맞지 않은 사람들만 해하라" 고 하였으니 이때에 하나님의 인을 맞은 자들이 있었기 때문이 아닌가?

다시 말하지만 휴거는 하나님의 보좌 앞으로 가서 새 노래를 부르는 것이 아니지 않는가?

⑦ 계시록 15:2~3절에 '유리 바다 가에 선 자들' 도 휴거 된 자들이라고 하는데 대하여.

이들은 '짐승과 그의 우상과 그의 이름의 수를 이기고 벗어난 자들' 이라고(2절) 하지 않았는가? 이들의 몸이 휴거 되었다는 말인가? 부활했다는 말인가? 13:15절에 "짐승의 우상에게 경배하지 아니하는 자는 몇이든지 다 죽이게 하니라" 고 했는데 이때 죽임 당하지 않고 몸으로 휴거 된 자들이 있다는 말인가?

그리고 8절에 "일곱 천사들의 일곱 재난들이 마치기까지는 성전에 들어갈 수 있는 자가 아무도 없더라" 고 한 말씀은 어찌

해야 하겠는가?

어찌하든지 계시록에서 조금이라도 휴거라고 볼 수 있는 여지가 보이면 휴거로 가르쳐서 신자들에게 하나님은 자비하셔서 환란을 당치 않게 하신다는 거짓 위안을 주려고 애쓰는 것이다.

2〉 성도는 7년 대환란을 당하여 순교를 하거나 피란처에 가거나 한다는 주장

① 계시록에는 7년 대환란 중에 성도는 순교하는 자와 피란처에 가는 두 가지 외에 없다고 한다.

일곱 교회 중에 주님으로부터 경책 받지 않고 칭찬과 격려만 받은 두 교회는 스뮈르나(서머나) 교회와 프힐라델프히아(빌라델비아) 교회인데 스뮈르나(서머나) 교회는 "죽기까지 신실하라" 하셨고,(계 2:10) 프힐라델프히아(빌라델비아) 교회는 '시험의 기간 중에 지켜 주겠다' 고(계 3:10) 하신 것이다. 피란처에 가기 때문에(12:6) 죽임을 당하지 않는 것이다. 계시록 20:4~6절에 천년왕국에서 주님과 함께 왕 노릇 할 자들이 두 부류의 성도들인 것을 말씀하셨다.

② 5:11절에 '순교자들의 수가 가득 차기까지 잠시 기다리라' 하신 것은 하나님께서는 순교자를 원하신다는 것을 알 수 있다.

③ 7:14절에 하나님의 보좌 앞과 어린양 앞에 선 셀 수 없는 많은 무리를 '큰 환란에서 나오는 자들인데' 라고 한 것은 7년 대환란을 당치 않은 자라는 말이 아닌 것이다.

④ 9:4절에 "이마에 하나님의 인 맞지 아니한 사람들만 해하라" 한 것은 다섯째 나팔의 대환란 중에 7장에서 이마에 하나님의 인 맞은 자들이 살고 있다는 말이 아닌가? 그리고 이스라엘

열두 지파의 사람들만 인 맞고 그들만 세상에 살고 있겠는가?

⑤ 12:11절에 "여러 형제가 어린양의 피와 자기의 증거 하는 말을 인하여 저를 이기었으니 그들은 죽기까지 자기 생명을 사랑하지 아니하였도다"고 하였으니 성도가 환란을 당한다는 증거가 얼마나 확실한가?

⑥ 14:13절에 "지금부터 주안에서 죽는 자들은 복이 있도다" 하신 것은 후3년 반에 적그리스도 짐승이 모든 사람으로 자기 형상의 우상 앞에 절하게 할 때 절하지 않는 자는 몇이든지 다 죽이게 하는 그때부터 죽임을 당하는 성도를 말하는 것이다. 그러므로 성도들은 환란을 당하는 것이다. 죽임을 당하는 것이다.

⑦ 20:4절에 재림하신 주님과 함께 천년왕국에서 왕 노릇 할 복되고 거룩한 성도들은 제자들처럼 말씀을 잘 따른 자들과(마 19:27~28) 하나님의 말씀과 자기의 가진 증거를 인하여 죽임을 당한 자들과(계 20:4) 짐승의 우상에게 경배하지도 아니하고 이마와 손에 그의 표를 받지도 아니한 자들이 살아서 통치한다고 한 것은 분명히 성도가 환란을 통과 한 것을 말씀하신 것이다.

¤ 감동과 기도 ☆

【 특주 7 】

옷을 씻어 희게 하였다는 데 대하여

〈 7:9~10, 13~14 〉

하나님과 어린양의 보좌 앞에 서서 구원하신 은혜를 감격하며 찬양하는 많은 성도들은 "그들의 옷들을 씻어, 그리고 어린양의 피에 그들의 옷들을 희게하였다" 고 하였다.(←헬라 전통원문 직역) 여기에 대한 헬라어 원어와 성경적 바른 해설이 중요하고 필요하다.

아래에서 보듯이 개역 한글성경의 헬라어 원문 네슬 알란드 판은 'αὐττὰς(그것들을)' 로만 되어 있고 전통원문은 'στολὰς αὐτῶν 그들의 옷들을' 로 되어 있다.

"καὶ ἔπλυναν τὰς στολὰς αὐτῶν, καὶ ἐλεύκαναν
그리고 씻어 그 옷을 그들의, 또한 희게하였느니라
στολὰς αὐτῶν(αὐττὰς) ἐν τῷ αἵματι τοῦ ἀρνίου."
옷들을 그들의 (그것들을) 안에서 그 피에 그 어린양의.

네슬 알란드 판을 따른 개역 한글성경은 'αὐττὰς(그것들을)' 번역하지 않고 "어린양의 피에 그 옷을 씻어 희게 하였느니라" 로 번역하였는데, 바로 번역하면 "그들의 옷을 씻어, 그리고 어린양의 피에 그것들을 희게 하였느니라" 이다. 그리고 전통원문을 바로 번역하면 "그들의 옷을 씻어, 그리고 어린양의 피에 그들의 옷들을 희게 하였느니라" 이다. '어린양의 피에 그들의 옷들을 씻었다' 는 말이 아니고, '어린양의 피에 그들의 옷들을 희게 하였다' 는 말이다. 기독교의 전통적인 관념은 '어린양의 피에 그들의 옷들을 씻었다' 는 것인데 헬라어 원문은 의미가 그렇지 않은 것이다. 두 가지 의미의 말이다.

성도들은 먼저 자신들의 옷을 씻어서 그리고 어린양의 피로 희게 하였다는 말씀이다

'옷' 이라는 헬라어는 두 가지인데 7:14절의 옷은 στολὰς(스톨라)로서 권위의 표시인 '긴옷' 을 말하며, 신약에서 9회 중 계시록에서 5회 말해졌다.(6:11, 7:9, 13, 14, 22:14) 구원받은 성도들이 최후 하나님의 보좌 앞에서 입는 옷이다. 이에수-스(예수)님께서 변화산 위에서 변화하실 때의 옷과 같은데 '옷이 빛과 같이 희어지고' (마 17:2), '그 옷이 광채가 나며 세상에서 빨래하는 자가 그렇게 희게 할 수 없을 만큼 희어지니라' (막 9:3), '용모가 변화되고 그 옷이 희어져 광채가 나니라' (눅 9:29)한 그러한 옷인 것이다.

그리고 *ἱμάτιον*(이마티온)은 일반적인 옷으로서 신약에 60회 중 계시록에서 7회 사용되었다.(3:4, 5, 4:4, 18, 16:15, 19:13, 16)

그런즉 헬라 원어대로 말하자면 죄인들이 죄로 더러워진 옷을 어린양의 피에 바로 담가서 그렇게 희게 하는 것이 아니라 먼저 말씀을 듣고 죄를 깨달아 개심할 때 일차로 말씀으로 씻는 것이다. 엪헤시우스(에베소서) 5:26절에 헬라어와 영어는 "*ἵνα αὐτὴν ἁγιάσῃ καθαρίσας τῷ λουτρῷ τοῦ ὕδατος ἐν ῥήματι*(That he might sanctify and cleanse it with the washing of water by the word,)" "말씀에 의한 물의 씻음<*λουτρῷ* 목욕, 씻음>으로 깨끗이 하고 거룩하게 하사"라고 하였으니 씻는 것은 말씀으로 씻는<*λουτρῷ*(르루트로-) 목욕,씻음>것이다. 디도서 3:5절에도 우리를 구원하시되 "중생의 씻음<*λουτρῶ*(르루트로-) 목욕,씻음>과 성령의 새롭게 하심으로 하셨나니"라고 하였으니 개심과 함께 동반되는 중생도 새롭게함 보다 씻음이 먼저임을 말한 것이다. 계시록 1:5절에도 전통원문에는 "자신의 피안에서 우리들의 죄로부터 우리들을 씻게<*λουτρῷ*(르루트로-) 목욕하게, 씻게←피동 아닌 능동>하시고"라고 하셨다.

신약 성경에서 직접적으로 '피로 옷을 씻는다' 는 말은 없다. '피에 씻음' 에 관계 된 구절들을 보면, "죄 사함을 얻게 하려고 많은 사람을 위하여 흘리는 바 나의 피 곧 언약의 피니라"(마 26:28), "자기 피로 사신 교회를"(행 20:28), "그 피를 인하여 의롭다하심을 얻었은즉"(롬 5:9), "그의 피로 말미암아 구속 곧 죄 사함을 얻었느니라"(엡 1:7), "그의 십자가의 피로 화평을 이루사"(골 1:20), "자기 피로 영원한 속죄를 이루사"(히 9:12), "그리스도의 피가 어찌 너희 양심으로 죽은 행실에서 깨끗하게 하고 살아 계신 하나님을 섬기게 하지 못하겠느뇨"(히 9:14), "피 흘림이 없이는 사함이 없느니라"(히 9:22) "자기를 거룩하게 한 언약의 피를"(히 10:29), "자기 피로써 백성을 거룩케 하려고"(히 13:12), "피 뿌림을 얻기 위하여 택하심을 입은"(벧전 1:2), "너희 조상의 유전한 망령된 행실에서 구속된 것은 …… 오직 흠 없고 점 없는 어린 양 같은 그리스도의 보배로운 피로 한 것이니라"(벧전 1:18~19), "그 아들 예수의 피가 우리를 모든 죄에서 깨끗케 하실 것이요"(요일 1:7), "그(자신)의 피로 우리(우리들을) 죄에서 우리를(우리들을) 해방하시고(목욕하게 하시고)"← (　　)안은 전통원문 직역. (계 1:5), "피로 사서 하나님께 드리시고"(계 5:9), "어린양의 피에 희게 하였느니라"(계 7:14), "그(의) 두루마기를 씻는 자들은 복이 있으니"(계 22:14)← 네슬 알란드 판. 이상이 거의 모두다.

유일하게 계시록 22:14절에 '그의 두루마리를 씻는 자들' 이라 말이 있으나 어린양의 피로 씻는다는 말이 없으며, 전통원문에는 "그의 명령들을 행하는 자들은 복이 있으니"라고 되어 있다. 성경, 특히 계시록에서 '옷' 은 구원받은 성도들의 합당하고 옳은 행위로 말씀하셨다. 계시록 3:2~4절에 "내 하나님 앞에 네 행위의 완전한 것을 찾지 못하였나니 그러므로 네가 어떻게 받았으며 어떻게 들었는지 지키어 개심 하라 만일 일깨지 아니하면 내가 도적같이 이르리니 어느 시에 네게 임할는지 네가 알지 못하리라. 그러나 사데에 그 옷<ἱμάτιον(이마티온)>을 더럽히지 아니한 자 몇 명이 네게 있어 흰옷을 입고<ἐν λευκοῖς(엔 르루코이-스) **빛나는(흰) 가운데**> 나와 함께 다니리니 그들은 합당한 자인 연고라. 이기는 자는 이와 같이 흰옷<ἐν ἱματίοις λευκοῖς(엔 이마티오이스 르루코이-스) **빛나는(흰) 옷**>을 입을 것이요 내가 그의 이름을 생명책에서 반드시 지워버리지 아니하고 그의 이름을 나의 아버지 앞과 그분의 천사들 앞에서 시인하리라" 고 하였다. 하나님 앞에 완전한 행위를 하는 자, 주님께 합당한 자가 빛나는 흰옷을 입고 주님고 함께 다닐 것이라 하셨다. 그리고 계시록 19:7~8절에 어린양의 아내인 구원받은 성도들에게 "빛나(희)고 깨끗한 세마포를 입게 하셨은즉 이 세마포는 성도들의 옳은 행실이로다" 고 하였고, 14절에 는 "하늘에 있는 군대들이 희(빛나)고 깨끗한 세마포를 입고 흰말을 탄 그분을 따르니라" 고 하였다.

그러므로 하나님과 어린양의 보좌 앞에서 찬양하는 성도들이 자신의 옷을 씻고, 그리고 어린양의 피로(안에서) 희(빛나)게 하였다는 것은 "자기 피로 영원한 속죄를 이루사 … 그리스도의 피가 어찌 너희 양심으로 죽은 행실에서 깨끗하게 하고 살아 계신 하나님을 섬기게 하지 못하겠느뇨" (히 9:12, 14)라고 한 바와 같이 크흐리스토스(그리스도)님의 피는 죄인의 죽은 더러운 행실의 옷을 깨끗하게 하나님을 섬기는 성도가 되게 하신다는 말씀인 것이다. 그리고 "너희 조상의 유전한 망령된 행실에서 구속된 것은 … 오직 흠 없고 점 없는 어린 양 같은 그리스도의 보배로운 피로 한 것이니라" (벧전 1:18~19) 하신 것도 크흐리스토스(그리스도)님의 보배로우신 피로 조상들로부터 유전된 망령된 행실에서 구속되었다고 하였으니 어린양의 피의 능력과 공효는 구원받은 죄인이 하나님의 말씀을 듣고 죄의 행실의 옷을 벗어 개심 하는 것은 먼저 행실의 옷의 더러움을 씻는 것이며, 그렇게 개심하는 자 곧 하나님의 말씀을 따라 능동적으로 자신의 행실의 더러운 옷을 벗어 씻고져(개심)하는 자에게는 그 더러운 것이 씻어지게(깨끗하게 되게) 하여 주실 뿐만 아니라 어린양의 피는 그의 행실의 옷을 완전히 희고 빛나게까지 하게 해 주셔서 하나님의 보좌 앞에서 설 수 있게까지 해 주신다는 말씀인 것이다. 그들의 옷들을 '씻어' 라고 한 말 'ἔπλυναν(에플뤼난)' 과 '희게 하였느니라' 는 말 'ἐλεύκαναν(엘류카난)' 이 '씻음을 받았다' '희게 하여 주셨다' 는 피동이 아니고, 자신의 옷들을 능동적으로 '씻어' 어린양의 피안에서 자신의 옷들을 능동적으로 희게 하였다는 '능동태' 라는 사실에 유의해야 하는 것이다.

하나님께서 죄인들을 죄와 멸망에서 어떻게 구원하신다는 사실을 알려 주시면서 죄의 행실을 버리고 개심 하라 하시는 하나님의 주권적이며 구원을 주시는 은혜의 말씀을 들을 때 말씀을 따라 능동적으로 개심 하지 않는 자는 자신의 옷(행위)의 더러움을 능동적으로 벗어 씻으려 하지 않는 자이며, 말씀을 따라 능동적으로 자신의 죄를 씻으려(개심하려) 하지 않는 자는 어린양의 피의 능력과 공효가 그에게 아무런 상관이 없는 것이다. 성경에는 항상 개심과 죄 사함을 연관시켜 말씀하셨다.(막 1:4; 눅 3:3, 17:3, 4, 24:47; 행 2:38, 3:19, 5:31, 8:22, 26:18; 요일 1:9)

마음으로부터 행실의 옷의 더러움을 능동적으로 씻는 개심하는 자는 하나님 앞에 설 수 있는 행실의 옷을 빛나고 희게까지 하시는 어린양께서 이루어 놓으신 피의 능력과 공효를 자신이 능동적으로 취하여 자신의 행실의 옷을 빛나고 희게 하는 것이다. 이것이 헬라어 원문의 바른 뜻인 것이다.

사도 페트로스(베드로)께서는 "오직 너희를 부르신 거룩한 자처럼 너희는 모든 행실에 거룩한 자가 되라"고 하셨고,(벧전 1:15) 사도 파월-로스(바울)께서도 "그런즉 사랑하는 자들아 이 약속을 가진 우리가 하나님을 두려워하는 가운데서 거룩함을 온전히 이루어 육과 영의 온갖 더러운 것에서 자신을 깨끗케 하자"고 하셨다.(고후 7:1)

그러므로 예수님께서 십자가에 피흘려 죽으신 것은 단지 전능하고 존귀하신 그 분이 죄인 위해 죽임을 당하신 고마운 죽음이라 감격하는 그 정도만 아니다. 죽기까지 하나님 아버지를 기쁘시게 하고 완전히 순종하고 복종하여 의로우신 흠 없는 하나님의 어린양으로서 죽으심이었기 때문에 그 흘리신 보혈은 마귀와 함께 영원한 불 못에 던져질 죄인의 죄를 용서받아 깨끗이 씻을 수 있는 것이다. 만약 예수님의 성육신부터 33년 생애와 십자가에 죽으심까지 하나님을 기쁘시게 하는 완전한 순종이 없었다면 예수님의 죽으신 십자가의 피는 죄인들의 죄를 용서받게 할 수 없는 것이다. 흠 없는 어린양이 아니면 속죄를 위한 제물이 될 수 없기 때문이다.(레 4:3, 23, 28, 32)

사도 바울은 예수님의 성육신 곧 그는 근본 하나님의 본체< *μορφή* 모르프헤-**형상이**>시나 하나님과 동등 됨을 취할 것으로 여기지 아니하시고 오히려 자기를 비어 종의 형체를 가져 사람들과 같이 되었고 사람의 모양으로 나타나셨으며 자기를 낮추시고 죽기까지 복종하셨으니 곧 십자가에 죽으심이라. 그 예수님의 마음을 품으라고 하였다.

계시록에서 하나님의 보좌에 계신 예수님을 항상 어린양으로 말씀하신 이유가 무엇이겠는가?(계 5:8, 13, 6:16, 7:9, 10, 14,

12:11, 13:8, 14:4, 10, 15:3, 17:14, 19:7, 9, 21:9, 14, 27, 22:1, 3)

죄 없는 예수님의 피는 개심하여 구원받는 자의 행실까지 깨끗하게 하여 하나님을 섬기게 한다.

예수님께서 십자가에 죽으셔서 흘리신 피는 개심 하는 죄인들의, 마귀와 함께 영원한 형벌을 받아야 하는 죄를 법적으로 말끔히 없애 주시는 것만 아니다. 오늘날 기독교는 그것 밖에 모르고 그것으로 감격해 한다. 그러나 그것은 십자가 보혈의 목적과 효험을 제대로 모르고 체득하지 못한 처사이다. 행함을 배제한 믿음만에 안주한다.

히브리서 9:14절에는 "영원하신 성령으로 말미암아 흠 없는 자기를 하나님께 드린 그리스도의 피가 어찌 너희 양심으로 죽은 행실에서 깨끗케 하고 살아 계신 하나님을 섬기게 못하겠느뇨?" 라고 하였고, 히브리서 10:22절에는 "우리가 마음(혼)에 뿌림을 받아 양심(영)의 악을 깨닫고 몸을 맑은 물로 씻었으니 참 마음과 믿음의 확신으로 함께 나아가자" 고 하였다. 참 믿음으로 구원받은 자는 행함이 없을 수 없다.

하나님 아버지를 기쁘시게 순종을 완전히 한 어린양 예수님께서 십자가에 죽으셔서 흘리신 생명의 피는 개심 하는 자의 영과 혼과 몸까지 말씀과 성령으로 깨끗하게 하여 하나님을 섬길 수 있게 하는 것이다. 이것은 이론과 지식이 아니고 실제이다. 이것이 실재가 된 사람이 참으로 하나님 왕국으로 구원받은 사람이며 그의 섬김을 하나님께서 받으신다.

십자가에 피흘려 죽으신 예수님의 피의 의미와 효력을 올바로 체득하자. 그래야 진정 하나님 왕국으로 구원을 받아서 하나님을 섬길 수 있는 것이다.

¤ 감동과 기도 ☆

♤ 7장 요점 정리 ♠

① 주님의 재림 직전 7년 대환란에 집행 될 세상 사탄왕국에 대한 심판과 진노의 재앙인 일곱째 봉인의 내용이 8장부터 전개될 것인데 그 이전에 재난에서 보호하실 하나님의 소유된 백성들에게 하나님의 인을 치시는 일을 7장에서 먼저 보여주신 것이다. 그런데 거의 모든 계시록 해석자들이 이스라엘 열두 지파에서 인친 수만 말한데 대하여 문자적으로 이스라엘 지파로 보지 않고 영적 이스라엘로 보는 것이다. 그러나 이것은 선지자 다니엘에게 계시하여 주셨던 이스라엘 백성과 히에루살렘(예루살렘)을 중심하여 종말까지 70이레를 작정하신 중에 마지막 한 이레가 이스라엘 백성과 히에루살렘(예루살렘)을 중심하여 별도로 남아 있다는 사실을 제대로 파악하지 못하기 때문이다. 계시록의 7년대환란 마지막 한 이레(7년)는 이방인의 때는 끝나고 이스라엘과 히에루살렘(예루살렘)을 중심한 때임으로 계시록에는 이스라엘과 히에루살렘(예루살렘)을 중심하여 세계적으로 전개되는 일들이 기록된 것이다. 하나님의 자녀인 이스라엘에 비해 개에 불과한 이방인들이(마 15:25~28) 분수를 모르고 경거망동하지 말아야 한다.〔1~8절〕

② 7:9~17절의 하나님의 보좌 앞에서 찬양하는 흰옷 입은 셀 수 없는 많은 무리들은 장차 하나님의 보좌 앞에서 영원토록 구원의 복락을 누릴 성도들 전체를 말한 것이다. 공중이 아닌 보좌 앞에 있다는 것은 휴거가 아닌 영원복락을 말한다. 환란 중에 있는 성도들에게 격려하고 소망을 갖도록 하기 위해 인침으로 환란 중에 보호하심과 장래 구원을 미리 말씀하신 것이다. 그들의 복됨을 말하는 7:15~17절 내용이 21:3~7절 내용과 동일하기 때문이다.〔9~17절〕

【 계시록 제 8 장】

한 글 개 역 성 경	전통원문 직역 성경
1. 일곱째 인을 떼실 때에 하늘이 반 시 동안쯤 고요하더니	1. 그리고 일곱째 봉인을 여셨을 때, 하늘이 반시간만큼 고요가 시작되니라.
2. 내가 보매 하나님 앞에 시위한 일곱 천사가 있어 일곱 나팔을 받았더라	2. 그리고 내가 하나님 앞에 서 있는 일곱 천사들을 보니, 특히 그들에게 일곱 나팔들이 주어지니라.
3. 또 다른 천사가 와서 제단 곁에 서서 금 향료를 가지고 많은 향을 받았으니 이는 모든 성도의 기도들과 합하여 보좌 앞 금단에 드리고자 함이라.	3. 그리고 다른 천사가 와서 또한 제단을 향하여 세워져 금 향로를 가지고 그리고 많은 향내들이 그에게 받아졌으니 모든 성도들의 기도들에 그 보좌 앞의 금 제단 위에 드리기 위함이라.
4. 향연이 성도의 기도와 함께 천사의 손으로 부터 하나님 앞으로 올라가는지라	4. 그리고 그 성도들의 기도들에 그 향내들의 연기가 천사의 손 가운데서 하나님 앞으로 올라갔으며,
5. 천사가 향로를 가지고 단 위의 불을 담아다가 땅에 쏟으매 뇌성과 음성과 번개와 지진이 나더라	5. 그리고 그 천사가 향로를 가지고, 그리고 제단의 불에서 그것을 가득채워, 또한 땅을 향하여 던지니 그리하여 소리들과 천둥들과 번개들과 지진이 일어나니라.
6. 일곱 나팔 가진 일곱 천사가 나팔 불기를 예비하더라	6. 그리고 그 일곱 나팔들을 가진 그 일곱 천사들이 나팔들을 불기 위하여 그 자신들을 준비하였더라.
7. 첫째 천사가 나팔을 부니 피 섞인 우박과 불이 나서 땅에 쏟아지매 땅의 삼분의 일이 타서 사위고 각종 푸른 풀도 타서 사위더라	7. 그리하여 그 첫째 천사가 나팔을 부니, 실로 우박과 피에 섞인 불이 일어나서, 그리고 땅을 향하여 부어지니, 그리하여 나무들의 삼분의 일이 다 태워지고, 또한 모든 푸른 풀도 다 태워지니라.

8. 둘째 천사가 나팔을 부니 불붙는 큰 산과 같은 것이 바다에 던지우매 바다의 삼분의 일이 피가 되고	**8. 그리고 둘째 천사가 나팔을 부니, 또한 불타는 큰 산 같은 것이 바다를 향해 던지운즉, 그리하여 바다의 삼분의 일이 피가 되고,**
9. 바다 가운데 생명 가진 피조물들의 삼분의 일이 죽고 배들의 삼분의 일이 깨어지더라	**9. 그리고 바다 가운데 생명들을 가진 피조물들의 삼분의 일이 죽으며, 또한 배들의 삼분의 일이 파괴 되니라.**
10. 셋째 천사가 나팔을 부니 횃불같이 타는 큰 별이 하늘에서 떨어져 강들의 삼분의 일과 여러 물샘에 떨어지니	**10. 그리고 그 셋째 천사가 나팔을 부니 또한 횃불같이 태워지고 있는 하늘의 큰 별이 떨어지며, 그리고 강들의 삼분의 일과 물들의 샘들을 향하여 떨어지니라.**
11. 이 별 이름은 쑥이라 물들의 삼분의 일이 쑥이 되매 그 물들이 쓰게 됨을 인하여 많은 사람이 죽더라	**11. 그리고 그 별의 이름은 쓴 쑥이라. 그러므로 삼분의 일이 쑥으로 되어지고, 그리고 그 물들의 쓰게 되어짐으로 말미암아 사람들의 많은 수가 죽으니라.**
12. 넷째 천사가 나팔을 부니 해 삼분의 일과 달 삼분의 일과 별들의 삼분의 일이 침을 받아 그 삼분의 일이 어두워지니 낮 삼분의 일은 비췸이 없고 밤도 그러하더라	**12. 그리고 그 넷째 천사가 나팔부니, 또한 해의 삼분의 일과 달의 삼분의 일과 별들의 삼분의 일이 타격을 입어 그 때문에 그들의 삼분의 일이 어두워지고, 그리고 낮이 그것의 삼분의 일이 비침이 없고, 또한 밤도 그러하니라.**
13. 내가 또 보고 들으니 공중에 날아가는 독수리가 큰 소리로 이르되 땅에 거하는 자들에게 화, 화, 화가 있으리로다 이 외에도 세 천사의 불 나팔소리를 인함이로다 하니라	**13. 그리고 내가 공중에 나는 한 천사의 큰 소리로 말하는 것을 보고 또한 들으니, 땅위에 거하는 자들에게 화, 화, 화가 있으리라. 나머지 세 천사들의 불려고 하는 나팔의 소리들로 말미암아서라 하니라.**

【 문 단 】

6. 일곱 나팔 진노의 재앙《 8:1~9:21 》

1〉 **일곱째 인을 여실 때** 8:1~6

2〉 **첫째 나팔을 붊** 7

3〉 **둘째 나팔을 붊** 8~9

4〉 **셋째 나팔을 붊** 10~11

5〉 **넷째 나팔을 붊** 12~13

【 주 해 】

〈**개요**〉 8장부터 16장까지는 마지막 일곱째 인의 내용인 일곱 나팔 일곱 대접의 하나님의 진노와 재앙과 중간 삽입 계시들이다. 그리고 17~18장은 세상 사탄 왕국인 음녀와 바벨론의 멸망의 계시이며, 19장은 주님 재림의 계시, 그리고 20~22장은 재림 후에 전개될 천년왕국과 최후의 심판과 영원한 새 하늘과 새 땅의 새 히에루살렘(예루살렘)에서의 하나님 왕국의 완성이다.

주후 30년 엘라이아(감람)산에서 이에수-스(예수)님께서 예언하셨던 히에루살렘(예루살렘)의 멸망과 세상 끝의 재림의 징조에서는 히에루살렘(예루살렘)의 멸망의 징조들을 많이 말씀하시고 세상 끝의 재림의 징조는 조금 말씀하셨으나, 주후 67년 사도 이오안네스(요한)에게 주신 계시에서는 그와 반대로 이미 시작된 히에루살렘(예루살렘) 멸망에 되어지는 일들은 6:1~8절에서 첫째 인부터 넷째 인으로 간략하게 말씀하시고, 세상 끝의 재림 직전에 되어질 여섯째 인과 일곱째 인의 일들에 대해서는 6:12절부터 18장까지 아주 상세하게 계시하여 주신 것이다.

8장은 마지막 일곱째 인을 여시고 첫째 나팔부터 넷째 나팔까지의 일을 보여주신 것이다.

6. 일곱 나팔 진노의 재앙《 8:1~9:21 》

1〉 일곱째 인을 여실 때 8:1~6

1절 ▷ 그리고 일곱째 봉인을 여셨을 때, 하늘이 반시간만큼 고요가 시작되니라,

Καὶ ὅτε ἤνοιξεν τὴν σφραγῖδα τὴν ἑβδόμην, ἐγένετο σιγὴ
그리고 때에 여셨을 그 봉인을 그 일곱째, 이 시작되다 고요
ἐν τῷ οὐρανῷ ὡς ἡμιώριον. ←안에 그 하늘이 만큼 반시간.

일곱째 인을 여셨을 때, 하늘이 반시간만큼 고요가 시작되었다는 것은 마지막 일곱째 인을 열 때부터 일곱 나팔과 일곱 대접의 7년 대환란에 지구상에 전개될 일들은 창조에 버금가는 너무나 중대한 일이기에 폭풍 전에 고요함 같이 잠시 하늘에서 긴박감이 감도는 것을 말함이다. 더욱이 하나님께서 땅에 진노를 쏟으시기 전에 성도들의 기도를 흠향하시기 위해 고요하게 하신 것이다.

2절 ▷ 그리고 내가 하나님 앞에 서 있는 일곱 천사들을 보니, 특히 그들에게 일곱 나팔들이 주어지니라.

καὶ εἶδον τοὺς ἑπτὰ ἀγγέλους, οἳ ἐνώπιον τοῦ θεοῦ
그리고 내가 보니 그 일곱 천사들을, 그 앞에 그 하나님의
ἑστήκασιν, καὶ ἐδόθησαν αὐτοῖς ἑπτὰ σάλπιγγες.
서있는, 특히 주어지니라 그들에게 일곱 나팔들이.

하나님 앞에는 일곱 천사가 서 있고, 천사들에게는 각기 나팔

이 주어졌는데 일곱 나팔은 땅에 시행 될 종말의 재난들인 것이다. '나팔' 은 구약에서 하나님께서 강림하실 때,(출 19:10; 사 27:13) 거룩한 절기에,(레 23:24; 민 10:10, 29:1) 백성을 소집하고 진행을 알릴 때,(민 10:3, 5~6; 사 27:13) 전쟁에 나갈 때,(민 10:9) 여호와의 날이 임박함을 알리는 것으로,(욜 2:1; 습 1:14~16) 사용하였고, 신약에서는 종말에 대한 경고의 의미로 사용되었다.(마 24:31; 고전 15:52; 살전 4:16) 그런즉 일곱 천사들의 나팔은 즐거운 의미의 나팔이 아니라 매 나팔마다 전쟁과 같은 엄중한 경고의 나팔로 불도록 하신 것이다. 그러므로 일곱 나팔을 불 때마다의 일에 대하여 읽거나 듣는 자는 엄중한 하나님의 경고로 들어야 하는 것이다. 계시록을 읽거나 가르치는 자들이 너무나 예사로 읽고 가르치고 있다.

3절 ▷ 그리고 다른 천사가 와서 또한 제단을 향하여 세워져 금향로를 가지고 그리고 많은 향내들이 그에게 받아졌으니 모든 성도들의 기도들에 그 보좌 앞의 금 제단 위에 드리기 위함이라.

Καὶ ἄλλος ἄγγελος ἦλθεν, καὶ ἐστάθη ἐπὶ τὸ θυσιαστήριον,
그리고 다른 천사가 와서, 또한 세워져 향하여 그 제단을,
ἔχων λιβανωτὸν χρυσοῦν· καὶ ἐδόθη αὐτῷ θυμιάματα
가지고 향로를 금. 그리고 받아졌으니 그에게 향내들이
πολλά, ἵνα δώσῃ ταῖς .προσευχαῖς τῶν ἁγίων πάντων ἐπι
많은, 을 위함이라 드리기 그 기도들로 그 성도들의 모든 위에
τὸ θυσιαστήριον τὸ χρυσοῦν τὸ ἐνώπιον τοῦ θρόνου.
그 제단을 그 금 그 앞의 그 보좌의.

나팔을 받은 일곱 천사 아닌 다른 한 천사가 금 향료를 가지고 금 제단을 향하여 섰고, 금 향로에는 모든 성도들의 기도인

향내들이 받아졌는데, 보좌 앞 금 제단 위에 드리기 위함이라고 한 것이다. 보좌 앞의 이 금 제단은 성막 안 지성소의 휘장 앞 분향단을 생각하게 한다.(출 40:26~27)

하나님의 보좌 앞에서 성도들은 찬양만 아니라 기도도 향내로 드려진다는 사실을 보여주신 것이다.

4절 ▷ 그리고 그 성도들의 기도들에 그 향내들의 연기가 천사의 손 가운데서 하나님 앞으로 올라갔으며,

καὶ ἀνέβη ὁ καπνὸς τῶν θυμιαμάτων ταῖς προσευχαῖς
그리고 올라갔으니 그 연기가 그 향내의 그 기도들에
τῶν ἁγίων, ἐκ χειρὸς τοῦ ἀγγέλου, ἐνώπιον τοῦ θεοῦ.
그 성도들의, 가운데서 손의 그 천사의, 앞으로 그 하나님의.

기도는 향내들로서 연기처럼 하나님 앞으로 올라간다고 하였다. 성도들의 기도는 향내처럼 하나님의 기분을 좋으시게 하며 기쁘게 받으시는 것임을 가르치고 있다. 기도는 그러한 것임을 알고 성막 금 향단에 아침과 저녁에 향을 사르라고 하신 것처럼(출 30:7~8) 아침과 저녁으로 기도하기를 잊지 말아야 할 것이다.

5절 ▷ 그리고 그 천사가 향로를 가지고, 그리고 제단의 불에서 그것을 가득 채워, 또한 땅을 향하여 던지니 그리하여 소리들과 천둥들과 번개들과 지진이 일어나니라.

καὶ εἴληφεν ὁ ἄγγελος τὸ λιβανωτόν, καὶ ἐγέμισεν αὐτὸ
그리고 가지고 그 천사가 그 향로를, 그리고 가득채워 그것을
ἐκ τοῦ πυρὸς τοῦ θυσιαστηριου, καὶ ἔβαλεν εἰς τὴν γῆν·
에서 그 불의 그 제단의, 그리하여 던지니 을 향하여 그 땅을
καὶ ἐγένοντο φωναὶ καὶ βρονταὶ καὶ ἀστραπαὶ καὶ σεισμός.
과 일어나니라 소리들 과 천둥들 과 번개들 과 지진이

그 천사가 향로를 가지고 제단의 불에서 그것을 가득 채워 땅을 향하여 던지니 소리와 천둥과 번개와 지진이 일어났다고 하였다. 소리와 천둥과 번개는 하나님의 보좌로부터 나는 것으로 (4:5) 땅에서는 큰 지진과 큰 우박도 동반된다.(8:5, 11:19, 16:18) 참으로 하나님의 위엄과 권능을 나타내는 자연현상인 것이다.

6절 ▷ 그리고 그 일곱 나팔을 가진 그 일곱 천사들이 나팔들을 불기 위하여 그 자신들을 준비하였더라.

Καὶ οἱ ἑπτὰ ἄγγελοι ἔχοντες τὰς ἑπτὰ σάλπιγγας
그리고 그 일곱 천사들이 가진 그 일곱 나팔들을
ἡτοίμασαν ἑαυτοὺς ἵνα σαλπίσωσιν.
준비하였더라 그 자신들 을위하여 나팔들을불기를.

일곱 나팔을 가진 그 일곱 천사가 나팔을 불기 위하여 준비하는 장면을 말한 것이다.

¤ 감동과 기도 ☆

2〉 **첫째 나팔을 붊** 7

7절 ▷ 그리하여 그 첫째 천사가 나팔을 부니, 실로 우박과 피에 섞인 불이 일어나서, 그리고 땅을 향하여 부어지니, 그리하여 나무들의 삼분의 일이 다 태워지고, 또한 모든 푸른 풀도 다 태워지니라.

Καὶ ὁ πρῶτος ἄγγελος ἐσάλπισεν, καὶ ἐγένετο χάλαζα καὶ
그리고 그 첫째 천사가 나팔을 부니, 실로 일어나서 우박이 과
πῦρ μεμιγμένα αἵματι, καὶ ἐβλήθη εἰς τὴν γῆν· καὶ τὸ
불이 섞인 피에, 그리고 부어지니 향하여 그 땅을. 그리하여 그

τρίτον τῶν δένδρων κατεκάη, καὶ πᾶς χόρτος χλωρὸς κατεκάη.
세 번째 부분 나무들의 다 태워지고, 과 모든 풀 푸른 다 태워졌다.

첫째 천사가 나팔을 부니 피에 불이 섞인 우박이 일어나서 땅을 향하여 부어지니 나무들의 1/3이 다 태워지고 모든 푸른 풀도 다 태워졌다고 하였다.

일곱 나팔의 재앙과 일곱 대접의 재앙들을 해석하는 사람마다 각기 실제적인 재앙으로 보는 사람, 영적으로 해석하는 사람, 역사에 일어날 사건의 표상으로 해석하는 사람, 또는 관념적 교훈으로 해석하는 사람, 모두 각각이다. 그런가 하면 한 사람의 해석도 네 가지 관점을 두루 혼용하여 어떤 것은 실제적인 일로, 어떤 것은 영적인 일로, 어떤 것은 역사적인 일로, 어떤 것은 교훈적인 일로 해석하는 경우가 있어 읽고 듣는 자로 하여금 도무지 무엇을 말한 것인지 종잡을 수 없게 하는 것이다.

필자는 계시록의 모든 말씀과 일들은 실제적인 일인 동시에 영적인 일이 항상 병행한다는 관점으로 해석한다. 그 이상도 이하도 아니다. 하나님께서는 항상 그렇게 일하시고 말씀하시는 줄 안다.

◀실제 상황▶ 첫째 나팔의 하나님의 진노와 재앙은 주님의 재림 전 7년 대환란 초기에 시작되는 실제적인 자연재해를 말하는 것이다. '피에 불이 섞인 우박이 땅에 부어지는 것' 은 실제이다. 피에 불이 섞인 우박 '같은<ὡς>' 것이라 하지 않았다. 바로 피와 불과 우박이다. 나무의 1/3이 태워지고 모든 풀들이 다 태워지는 것도 실제 그대로이다. 아이귚토스(애굽)에 하나님께서 10가지 재앙을 내리실 때 실제로 뇌성과 함께 우박에 불덩이가 섞여 맹렬히 내리게 하셔서 밭의 모든 채소를 치시고 들의 모든

나무를 꺾으셨다고 하였다.(출 9:23~26) 그런데 첫째 나팔의 재앙에는 뇌성이란 말 없이 '피에 불이 섞인 우박이 땅을 향하여 부어진다' 고 하였으니 요란한 소리는 없으나 '피에 불이 섞인 우박' 이 지구 온 땅에 부어지니 얼마나 끔찍한 일인가? 1989년 3월 29일부터 4일 동안 인도의 남부 알파가푸람 마을에 '피비' 가 내렸다고 폰무디 타밀 나두주 보건부 장관이 주 의회에 보고하였다. 폰무디 장관은 빗방울을 채취하여 조사한 결과 '인간의 피' 가 함유되어 있었으며 주 정부는 이 사건의 원인규명에 착수했다고 밝혔다고 PTI통신이 보도하였다.(한국일보, 1990, 7, 27) 하루도 아닌 4일간이나 피비가 내렸다는데 더운 지방이 아닌 추운 지방이라면 피 섞인 우박으로 내릴 수 있는 것이다. 필자의 견해로는 인류역사에 전쟁과 학살로 헤일 수 없는 많은 사람의 피가 끔찍하게 흘려졌기 때문에 하나님께서 그 피가 증발되게 하시어 하늘에서 쏟아지게 하는 것은 당연하다고 생각한다.

◁ **영적 상황** ▷ 하나님의 이 진노의 재앙은 단순히 자연적인 것만 아니다. 영적으로도 진노하시고 재앙을 내리시는 것이다. 그러나 영적 의미는 꼭 한 가지만 아님으로 해석이 다를 수 있음을 감안해야 한다. 다만 영적 의미를 성경적으로 얼마만큼 하나님의 의중에 맞게 볼 수 있는가가 중요하다.

'우박은 불신, 피는 광신으로(Lange) 땅은 죄인들의 거처, 수목은 왕들, 풀은 평민들이라(Worsworth, Henhestenberg)' 한 것은 적절한 것 같으며 불은 에너지 곧 힘으로서 7년 대환란 시초에 온 땅의 1/3의 사람들이 불신과 광신의 힘에 사로잡혀 영적 죽임을 당하게 되는 것이다.

'우박' 은 얼어서 굳어진 빗방울이니 영적으로 불신이라 하겠고, '피에 섞인 우박' 이니 죽음의 불신, '광신' 이라 함이 적절하다. 그리고 나무는 성경에 나타난 최초의 비유가 나무에 관한 비유로서 사사기 9:8~15절에 기름을 부어 왕을 삼기 원했던 나무들에 관한 이야기다. 여기서 나무와 왕을 연관지은 것이다. 풀은 평민 즉 일반 백성을 의미하는 것은 자연스럽다.

이에수-스(예수)님의 감람산 예언에서 종말 징조로, 많은 사람이 와서 나의 이름으로 많은 사람을 그릇되게 미혹하리라 하시고,(마 24:4, 5) 거짓 선지자들이 많이 일어나 많은 사람을 미혹할 것이며,(11) "거짓 그리스도들과 거짓 선지자들이 일어나 큰 표적과 기사를 보이어 할 수만 있으면 택하신 자들도 미혹하게 하리라 … 사람들이 너희에게 말하기를 보라 그리스도가 광야에 있다 하여도 나가지 말고 보라 골방에 있다 하여도 믿지 말라" 고 하셨다.(24~26) 이렇게 종말의 징조로 잘못된 그리스도 신앙에 대하여 제일 먼저, 그리고 세 차례나 거듭 말씀하신 것은 그 폐해가 얼마나 극심할 것을 예고하신 것이다. 불신이란 것은 크흐리스토스(그리스도)를 아예 부정하고 믿지 않는 것만 불신이 아니다. 크흐리스토스(그리스도)를 믿음으로 구원을 얻었다 하면서도 그분의 말씀은 지키지 않아도 구원을 받는다는 미혹은 전혀 믿지 않는 불신보다 더 교묘하고 사악한 것이다.(요일 2:4~6, 요이 1:9~11) 사탄의 역사를 따라 모든 능력과 표적과 거짓 기적과 불의의 모든 속임으로 멸망하는 자들에게 임하여 이에수-스(예수)님께서 전파하신 바른복음 진리의 사랑을 받지 아니하여 구원함을 얻지 못하기 때문이니 하나님께서 유혹을 저희 가운데 역사하게 하사 거짓 것을 믿게 하시는 것은 진리를 믿지 않고 불의를 좋아하는 모든 자로 심판을 받게 하려 하심이라고 하셨다.(살후 2:9~12)

미혹된 자들은 얼마나 감격해 하고 피를 무릅쓰며 열렬하게 광신적으로 그릇된 신앙을 추종하는지, 그 세력은 불과 같다.(왕상 18:25~28) 이러한 것이 종말의 뚜렷한 징조인 배도이며(살후 2:3) 바로 7년 대환란 첫 나팔의 영적 진노와 재앙인 것이다. 7년 대환란 시초에 극에 달할 것이다.

3〉 둘째 나팔을 붊 8~9

8절 ▷ 그리고 둘째 천사가 나팔을 부니, 또한 불타는 큰 산 같은 것이 바다를 향해 던지운즉, 그리하여 바다의 삼분의 일이 피가 되고,

Καὶ ὁ δεύτερος ἄγγελος ἐσάλπισεν, καὶ ὡς ὄρος μέγα
그리고 그 둘째 천사가 나팔을 불었다, 또한 같은 산 큰
πυρὶ καιόμενον ἐβλήθη εἰς τὴν θάλασσαν· καὶ ἐγένετο
불 타는 던지우니 을 향해 그 바다를. 그리하여 되고
τὸ τρίτον τῆς θαλάσσης αἷμα.
그 삼분의 일이 그 바다의 피가.

둘째 천사가 나팔을 부니 불타는 큰산과 같은 것이 바다를 향해 던지우니 바다의 1/3이 피가 된다고 하였다. 바다의 1/3이 피가 되는 것이 문자 그대로의 실제라면 심판도 문자적으로 이해함이 타당하다.

그런데 불타는 큰산과 '같은 것' 이라고 표징한 것이 무엇인가? 하는 것이다. 사도 이오안네스(요한)가 보았던 불타는 큰산과 '같은' 것이 무엇인지 정확하게 규명할 수 있는 사람은 아무도 없을 것이다. 다만 바다 1/3이 피가 되어 바다 가운데 생명을 가진 피조물들의 1/3이 죽고 배들의 1/3이 파괴되는 것이 실제

되어질 일이며, 그리고 성경에서 그러한 예가 있는가를 살펴서 규명하는 것이 바로 이해하는 것이겠다.

하나님께서 아이깁토스(애굽)에 내리셨던 열 가지 재앙 중에 첫 번째에 강물이 피가 되어 물고기들이 죽고 물을 마실 수 없는 재앙이 있었다.(출 7:17~21) 필자가 종말 예언 성취에 대하여 집필하기 시작한 1980년대부터 바다 연안에 적조(바닷물이 붉게 됨)로 양식장의 고기들이 엄청나게 죽는 뉴스 보도가 있기 시작했다**【권말 첨부 자료 참조】**

◀실제 상황▶ 히에레미아스(예레미야) 51:25절에 하나님께서 바뷜론(바벨론)을 가리켜 말씀하시기를 "온 세계를 멸한 멸망의 산아 보라 나는 네 대적이라 나의 손을 네 위에 펴서 너를 바위에서 굴리고 너로 불탄 산이 되게 할 것이니"라고 하신 것이다. 20~23절에 하나님께서 바뷜론(바벨론)은 나의 철퇴 곧 병기라 내가 너로 열방을 파하며 너로 국가들을 멸하며 모든 자들을 부수게 하리라고 하시면서 '너로 불탄 산이 되게 할 것이라' 고 하셨다.

그러므로 둘째 나팔의 재앙에서 불탄 산과 같은 것이 바다를 향해 던지우는 것은 핵 폭탄이 바다에 던지우니 방사능 오염으로 바다 생물이 죽는 것을 말함이다. 불타는 산과 같은 것이 바다에 던지우는 것으로 인해 바다의 생명을 가진 생물들의 1/3이 죽는 것은 핵폭탄이 아니고는 불가능하다.

첫째 나팔에서 '피에 불이 섞인 우박' 이 땅에 부어져 땅의 수목의 1/3이 태워지고 모든 푸른 풀이 타 버리는 재앙은 핵이 아니다. 왜냐하면 이것이 핵이라면 방사능 때문에 땅에 사람이 더 이상 살 수 없는 것이다. 그러나 둘째 나팔에서 바다에 던지우는 것은 핵이 아니고는 생물의 1/3이 죽을 수 없는 것이다. 그러면 핵 폭탄이 바다에 던지우려면 핵전쟁이 난다는 말인가? 핵 전쟁이 나지 않고도 많은 핵무기가 바다에 던지우게 된다. 1991년 7월 31일 미국의 대통령 조지 부시와 소련의 지도자 미하일 고르바쵸프가 동의한 전략 핵무기 감축협정(START-II)이 미국 상원과 소련 의회에 의해 비준되어 1993년 1월 3일에 체결되었는데, 이 협정은 소련과 미국은 핵탄두 무기와 폭탄을 8,000-10,000개(소련의 경우 약 28%)와 10,000~12,000개(미국의 경우 약 15%)를 7년간에 걸쳐 감축 폐기한다는 것이다. 놀라운 것은 이 무기들을 폐기할 때 망망한 바다에 던져 폐기한다는 것이었다. 미국의 대통령 조지 W. 부시가 주도하는 우주 방위(M.D.)계획 때문에 START-II의 완전한 이행이 미루어지고 있지만 체결 후 초기에 얼마의 시행이 있었다. 그래서인지 바다의 가장 큰 생물인 고래 떼가 죽어서 해변에 밀려오는 일이 가끔 뉴스에 보도되고 있는 것이다. 그 원인이 무엇인지 모른다고 하는데 필자는 핵물질을 바다에 폐기시키는 일, 방사능 때문이라고 생각한다. 그러므로 둘째 나팔의 하나님의 재앙이 실제로 이루어질 여건이 조성되어져 있다. 거짓 평화로 가장한 적그리스도는 7년 평화조약과 함께 초기에 평화를 강조하며 핵무기 감축협정을 적극 시행하도록 할 것이며 바다에는 둘째 나팔의 재앙이 실현되는 것이다.

2006년 10월 9일 북한의 핵실험 발표로 인해 전 세계는 핵 확산 문제로 긴장이 고조되고 있다.

◁ **영적 상황** ▷ 둘째 인의 재앙도 실제만 아니라 영적인 재앙도 동반되는 것이다. '불탄 산 같은 것' 이라 하고 온 세상을 멸하고

부수는 하나님의 철퇴라고 한 바뷜론(바벨론)은 타락한 교회를 말한다. 그리고 바다는 온 세상을 의미하며 생물은 믿는 자들을 의미한다.(마 13:47; 눅 21:25) 그러므로 타락한 교회가 온 세상에 던져져서 믿는 자들 1/3을 타락시키는 재앙을 말한다.

9절 ▷ 그리고 바다 가운데 생명들을 가진 피조물들의 삼분의 일이 죽으며, 또한 배들의 삼분의 일이 파괴 되니라

καὶ ἀπέθανεν τὸ τρίτον τῶν κτισμάτων τῶν ἐν τῇ θαλάσσῃ
그리고 죽고 그 삼분의 일이 그 피조물들의 그 가운데 그 바다에
τὰ ἔχοντα ψυχάς, καὶ τὸ τρίτον τῶν πλοίων διεφθάρη.
그 가진 생명들을, 또한 그 삼분의 일이 그 배들의 파괴들 되니라

◀실제 상황▶ 하나님께서 모쉐(모세)를 통해 아이큅토스(애굽)에 내리셨던 재앙으로 강물이 피가 되고 고기들이 죽었었다.(출 7:21, 22) 둘째 나팔이 상징이 아니고 실제로 되어지는 일이다.

'배들의 1/3이 파괴 되니라' 한 것은 바다 고기가 1/3이 죽어 어획량이 급격히 줄어드니 어업 하던 많은 배들의 1/3이 출어하지 못하고 폐선 되는 것을 말한다. 지금도 바다의 오염으로 고기가 현격히 잡히지 않아 어업을 포기하고 정선 또는 폐선하는 사람이 적지 않으며, 적조로 인해 양식업자들이 폐업하는 사례가 늘어가고 있다.

◁영적 상황▷ 복음전도를 고기잡는 것으로 말씀하셨다.(마 4:18~20) 지금은 1970년대 또는 80년대와는 현격히 다르게 개척교회를 세워도 교인이 모이지를 않는다. 전도는 정말 하기가 어렵다. 그 주요 원인은 교회의 부패와 타락상 때문이다. 7년 대

환란 때는 은혜의 때가 지나버리고 교회의 타락상이 완전히 드러나는 재앙이 내려짐으로 지상 유형교회의 1/3이 파괴되는 것이다. 지금도 지역의 작은 교회는 매일 없어지는 수가 적지 않다. 서구 교회는 오래 전부터 건물만 남은 교회가 많다.

¤ 감동과 기도 ☆

4〉 **셋째 나팔을 붊** 10~11

10절 ▷ 그리고 그 셋째 천사가 나팔을 부니 또한 횃불같이 태워지고 있는 하늘의 큰 별이 떨어지며, 그리고 강들의 삼분의 일과 물들의 샘들을 향하여 떨어지니라.

Καὶ ὁ τρίτος ἄγγελος ἐσάλπισεν, καὶ ἔπεσεν ἐκ τοῦ
그리고 그 셋째 천사가 나팔을 불었다, 또한 떨어져 로부터 그

οὐρανοῦ ἀστὴρ μέγας καιόμενος ὡς λαμπας, καὶ ἔπεσεν
하늘의 별이 큰 태워지고 있는같이 횃불, 그리고 떨어지니

ἐπὶ τὸ τρίτον τῶν ποταμῶν, καὶ ἐπὶ τὰς πηγὰς ὑδάτων.
에 그 삼분의 일 그 강들의, 과 에 그 샘들을 물들의.

◀실제 상황▶ 강들의 삼분의 일과 물들의 샘들을 향하여 떨어지는 '횃불같이 태워지고 있는 하늘의 큰 별' 은 하나님의 진노하심으로 떨어지게 하는 특별한 재앙의 유성(流星)이다. 별 하나가 어떻게 여러 강들과 물의 샘들 1/3에 떨어질 수 있는가? 가능하다. 큰 유성(流星)이 지구로 떨어질 때 공기와 마찰하여 횃불 같이 보이고 분해되어 강과 물샘의 1/3에 떨어지게 하시는 것이다. 별이 떨어진다는 것은 이미 전조로도 말씀하신 것이다.(6:13)

◁**영적 상황**▷ 단지 하늘에서 별이 떨어지는 자연재해의 현상만 아닌 것이다. 영적인 재해도 동반되는 것이다. 떨어진 별로 인해 육적인 생명에 필수적인 물들이 오염되어 육의 많은 생명들이 죽는 자연재해로 보지 않는 것도 문제이지만, 단지 육의 많은 생명들이 죽게 되는 자연재해가 있는 것으로만 보고 영적인 생명을 위한 물의 오염으로 영적으로 많은 생명들이 죽는 재앙으로 보지 못하면 어두운 것이다.

11절 ▷ 그리고 그 별의 이름은 쓴 쑥이라. 그러므로 삼분의 일이 쑥으로 되어지고, 그리고 그 물들의 쓰게 되어짐으로 말미암아 사람들의 많은 수가 죽으니라.

καὶ	*τὸ*	*ὄνομα*	*τοῦ*	*ἀστέρος*	*λέγεται*	*Ἄψινθος·*	*καὶ*
그리고	그	이름은	그	별의	이라	쓴 쑥.	그러므로

γίνεται	*τὸ*	*τρίτον*	*εἰς*	*ἄψινθον,*	*καὶ*	*πολλοὶ*	*ἀνθρώπων*
되어지고	그	삼분의 일이	으로	쑥을,	그리고	많은 수가	사람들의

ἀπέθανον	*ἐκ*	*τῶν*	*ὑδάτων,*	*ὅτι*	*ἐπικράνθησαν.*
죽으니라	로 말미암아	그	물들의,	때문에	쓰게되어짐.

◀**실제 상황**▶ 하나님께서 아이깊토스(애굽)에 재앙을 내리실 때 모세에게 말씀하시기를 "아론에게 명하기를 '네 지팡이를 잡고 네 팔을 물들과 하수들과 운하와 못과 모든 호수에 펴라' 하라. 그것들이 피가 되리니 아이깊토스(애굽) 온 땅에와 나무 그릇에와 돌그릇에 모두 피가 있으리라" 고 하셨다. 그리하여 "하수의 고기가 죽고 그 물에서는 악취가 나니 아이깊토스(애굽) 사람들은 하수 물을 마실 수 없으므로 하숫가를 두루 파서 마실 물을 구하였더라" 고 하였다.(출 7:19~24) 하나님께서 사람들이 물을 먹지 못하게 하시는 재앙을 실제로 내리셨던 예이다.

시편 78:44절에 "저희의 강과 시내를 피로 변하여 저희로 마실 수 없게 하시며"라고 하였다. 그러나 그것은 약과이다. 셋째 나팔의 재앙은 온 지구상에 있을 공포의 아우성이 된다. 마실 물을 구하기 위한 투쟁은 처참한 것이다.

강들과 물 1/3에 떨어진 별의 이름은 '쓴 쑥' 이며 물들이 쓰게 됨으로 인하여 많은 사람이 죽었다. 물을 못 먹을 정도로 쓴 정도가 아니고 오염된 그 물을 먹는 사람은 죽으니 공포 그 자체이다.

◁ **영적 상황** ▷ 마시는 물이 쓰게 되어 물을 먹는 사람은 죽는 재앙은 단지 물리적인 재앙만 아님을 유의해야 한다. 히에레미아스(예레미야) 9:13~15절에 "야훼(여호와)께서 말씀하시되 이는 그들이 내가 그들의 앞에 세운 나의 법을 버리고 내 목소리를 청종치 아니하며 그대로 행치 아니하고 그 마음의 강퍅함을 따라 그 열조가 자기에게 가르친 바알들을 좇았음이라 그러므로 만군의 야훼(여호와) 이스라엘의 하나님 내가 말하노라 보라 내가 그들 곧 이 백성에게 쑥을 먹이며 독한 물을 마시우고"라고 하셨고, 23:9~22절에 이우다이아(유다)의 거짓 선지자들에 대한 말씀에서 "만군의 야훼(여호와) 내가 선지자들에 대하여 이같이 말하노라 보라 내가 그들에게 쑥을 먹이며 독한 물을 마시우리니 이는 사악이 히에루살렘(예루살렘) 선지자들에게로서 나와서 온 땅에 퍼짐이라"고 하신 것이다.

하나님을 믿는 자들이 말씀을 순종치 않고, 말씀을 가르치는 자들은 말씀을 잘못 가르침으로 하나님께서 그들에게 쑥을 먹이며 독한 물을 마시우게 하겠다 하셨으니 그로 인해 영적으로 죽게 되는 것을 말한 것이다.

셋째 나팔의 재앙에서는 마시는 물이 쓰게 되어 많은 사람이 죽는 물질적 상태의 재앙만 아니라, 하나님의 말씀을 행치 않는 기독교 신자들과 말씀을 잘못 가르치는 자들의 사악(邪惡) 때문에 기독교인 1/3이 영적 죽음을 당케 하시는 재앙인 것이다.

¤ 감동과 기도 ☆

5〉 넷째 나팔을 붊 12~13

12절 ▷ 그리고 그 넷째 천사가 나팔부니, 또한 해의 삼분의 일과 달의 삼분의 일과 별들의 삼분의 일이 타격을 입어 그 때문에 그들의 삼분의 일이 어두워지고, 그리고 낮이 그것의 삼분의 일이 비침이 없고, 또한 밤도 그러하니라.

Καὶ ὁ τέταρτος ἄγγελος ἐσάλπισεν, καὶ ἐπλήγη τὸ
그리고 그 넷째 천사가 나팔을 불었다, 또한 타격을 입어 그
τρίτον τοῦ ἡλίου καὶ τὸ τρίτον τῆς σελήνης καὶ τὸ
삼분의 일 그 해의 과 그 삼분의 일 그 달의 과 그
τρίτον τῶν ἀστέρων, ἵνα σκοτισθῇ τὸ τρίτον αὐτῶν,
삼분의 일 그 별들의, 때문에 어두워지니 그 삼분의 일 그들의,
καὶ ἡ ἡμέρα μὴ φαίνῃ τὸ τρίτον αὐτῆς, καὶ ἡ νὺξ ὁμοίως.
그리고그 낮이 없고 비춰이 그 삼분의 일이 그것의, 그리고 그 밤도 그러하니라.

넷째 천사가 나팔부니, 해의 삼분의 일과 달의 삼분의 일과 별들의 삼분의 일이 타격을 입어 그들의 삼분의 일이 어두워지고, 그리고 낮이 삼분의 일이 비침이 없고, 또한 밤도 그렇게 된다고 하였다.

◀실제 상황▶ 해와 달이 어두워진다는 것은 성경에서(사 13:9~10; 욜 3:15; 암 5:18) 그리고 이에수-스(예수)님께서 예언

하신 것이다.(마 24:29) 해와 달과 별들의 1/3이 어두워진다는 것은 낮과 밤에 1/3이 비침이 없어져 어두컴컴해진다는 것이다. 하나님께서 아이귚토스(애굽)에 재앙을 내리실 때도 아홉 번째 재앙에서 3일 동안 사람이 서로 볼 수 없고 더듬기만 할만한 캄캄한 흑암이 있어 사람이 자기 처소에서 일어나는 자가 없는 일이 있게 하셨다.(출 10:21~23)

이에수-스(예수)님께서 십자가 위에서 고통을 당하실 때도 세 시간 동안 해가 어두워지는 일이 있었다.(눅 23:44)

그러므로 넷째 천사의 나팔 재앙은 상징이 아닌 7년 대환란 때에 있을 실제의 상황임을 분명하게 알아야 한다.

◁ **영적 상황** ▷ 또한 이 재앙은 해 달 별의 천체의 어두워짐 만이 아닌 영적인 어두움의 재앙이 동반되는 것이다. 천사가 악한 소돔 성 사람들의 눈을 어둡게 하였으며,(창 19:11) 선지자 엘리사가 이스라엘을 치러 온 아람 군대 사람들의 눈을 어둡게 하여 포로로 데리고 간 일도 있었다.(왕하 6:14~19)

이 재앙은 하나님께서 영적 어두움을 내리는 재앙인 것이다. 이에수-스(예수)님께서 "네게 있는 빛이 어두우면 그 어두움이 얼마나 하겠느뇨" "그러므로 네 속에 있는 빛이 어둡지 아니한가 보라"고 하셨다.(마 6:23; 눅 11:35) 그리고 "나는 세상의 빛이니 나를 따르는 자는 어두움에 다니지 아니하고 생명의 빛을 얻으리라" 하셨다.(요 8:12) 이에수-스(예수)님의 말씀대로 따르는 바른복음을 받아들이지 않은 자는 어두움의 재앙 때에 영적인 눈이 어두워져서 생명의 빛을 보지 못하는 것이다.

¤ 감동과 기도 ☆

13절 ▷그리고 내가 공중에 나는 한 천사의 큰 소리로 말하는 것을 보고 또한 들으니, 땅위에 거하는 자들에게 화, 화, 화가 있으리라. 나머지 세 천사들의 불려고 하는 나팔의 소리들로 말미암아서라 하니라.

Καὶ εἶδον, καὶ ἤκουσα ἑνὸς ἀγγέλου πετωμένου ἐν
그리고 내가 보고, 또한 들으니 한 천사의 나는 에
μεσουρανήματι, λέγοντος φωνῇ μεγάλῃ, Οὐαί, οὐαί, οὐαί,
공중에, 말하기를 소리에 큰, 화 화 화가있으리라,
τοῖς κατοικοῦσιν ἐπὶ τῆς γῆς, ἐκ τῶν λοιπῶν φωνῶν τῖς
자들에게 거하는 위에 그 땅의, 로부터 그 나머지 소리들의 그
σάλπιγγος τῶν τριῶν ἀγγέλων τῶν μελλόντων σαλπίζειν.
나팔의 그 세 천사들의 그 하려고 하는 불려고.

사도 이오안네스(요한)가 공중에 나는 한 천사의 큰 소리로 말하는 것을 보고 또한 들으니, ‘땅위에 거하는 자들에게 화, 화, 화가 있으리라. 나머지 세 천사들의 불려고 하는 나팔의 소리들로 말미암아서라’ 고 한 것이었다. 이것은 지금까지의 재앙도 비참한 것이지만 나머지 세 나팔의 재앙은 한 천사가 큰 소리로 땅위에 거하는 자들에게 ‘화가 있으리라’ 특별히 선언할 정도로 무섭고 처참한 재앙일 것을 경고하는 것이다.

네슬 알란드 사본을 따른 개역 한글성경에는 공중에 나는 한 ‘독수리<*ἀετός*(아에토스)>’ 라고 하였다. 앞으로 있을 하나님의 진노의 화를 어찌 독수리가 선포한다는 말인가? 전통원문은 ‘천사<*ἀγγέλου*(앙겔루)>’ 로 되어 있다. 14:6절에 천사가 하늘 한 가운데로 날아가며 큰 음성으로 말하였다고 하였으니 8:13절도 동일한 천사가 맞는 것이다.

6장에서 첫째 인부터 넷째인 까지 여실 때는 각각 네 생물이

사도 이오안네스(요한)에게 '오라' 하고 보게 되었지만 다섯째부터 일곱째 인은 그렇지 않은데서 구분되고, 일곱 나팔도 첫째 나팔부터 넷째 나팔 후에 다섯째 나팔부터 일곱째 나팔은 천사가 땅에 거하는 자들에게 "화가 있으리라, 화가 있으리라, 화가 있으리라" 세 번 특별히 경고하는 데서도 구분되는 것이다. 그러므로 넷째 나팔 재앙까지는 전3년 반의 중심 재앙이며 9장의 다섯째 나팔과 여섯째 나팔의 재앙은 후3년 반에 있을 재앙으로 유도하는 재앙으로서(9장에서 설명되지만) 참으로 후3년 반의 참혹한 재앙이 연계되는 전조임에서 왜 천사가 다섯째 나팔부터 일곱째 나팔까지의 세 재앙을 가리켜 땅에 거하는 자들에게 '화가 있으리라' 고 큰 소리로 외쳤는가를 이해해야 할 것이다.

☼ 감동과 기도 ☆

♤ **8장 요점 정리** ♠

① 본격적인 하나님의 진노와 심판의 재앙인 일곱째 인을 여시기 직전 반 시 동안 고요한 정적이 흐른 것은 폭풍 전의 고요와 같은 것이다. 하나님께서 침묵하실 때 더욱 두려운 마음으로 삼가야 한다.〔1절〕

② 반 시 동안의 고요는 성도들의 기도를 들으시고 하나님의 뜻을 시행하시기 위함이었다. 하나님은 성도의 기도를 통해 일하신다. 주님께서 재림하실 때 세상에서 기도하는 믿음을 찾아볼 수 있겠느냐고 하셨다.(눅 18:8)〔3~6절〕

③ 넷째 나팔까지의 재앙은 땅의 1/3, 바다 1/3, 강의 1/3, 천체의 1/3을 치시는 재앙이다. 일곱째 나팔의 네 대접 재앙은 땅,

바다, 강, 천체의 전체에 대한 재앙이 부어진다. 노아의 홍수보다 전 우주적 재앙이다. 창조주 하나님의 진노이기 때문이다. 〔7~12절〕

A30 2004년 12월 1일 수요일

스페인 1억마리 메뚜기떼 공습 카나리아제도=로이터 연합

2004년 11월 29일 무려 1억 마리로 추정되는 붉은 메뚜기 떼가 스페인의 카나리아제도를 덮치자 관광객이 황급히 몸을 피하고 있다. 스페인 당국은 서아프리카에서 날아온 이 메뚜기 떼가 작물을 망치는 역병을 퍼뜨릴 것에 대비해 즉각 경계령을 내렸다.

【 계시록 제 9 장】

한 글 개 역 성 경	전통원문 직역 성경
1. 다섯째 천사가 나팔을 불매 내가 보니 하늘에서 땅에 떨어진 별 하나가 있는데 저가 무저갱의 열쇠를 받았더라	1. 그리고 그 다섯째 천사가 나팔을 부니. 또한 내가 본즉 별 하나가 하늘로부터 떨어졌으며, 그리고 밑바닥 없는 구덩이의 열쇠가 그에게 주어졌더라.
2. 저가 무저갱을 여니 그 구멍에서 큰 풀무의 연기같은 연기가 올라오매 해와 공기가 그 구멍의 연기로 인하여 어두워지며	2. 그리고 그 밑바닥 없는 구덩이를 열자. 또한 그 구덩이로부터 큰 용광로의 연기 같은 연기가 올라오고, 그리고 해와 공중이 그 구덩이의 연기를 인하여 어두워지며,
3. 또 황충이 연기 가운데로부터 땅 위에 나오매 저희가 땅에 있는 전갈의 권세와 같은 권세를 받았더라	3. 그리고 연기로부터 메뚜기들이 땅으로 나왔으며, 또한 그들에게 땅의 전갈들이 가지고 있는 능력 같은 능력이 주어지니라.
4. 저희에게 이르시되 땅의 풀이나 푸른 것이나 각종 수목은 해하지 말고 오직 이마에 인 맞지 아니한 사람들만 해하라 하시더라.	4. 그리고 그들에게 명해지기를, 땅의 풀을 해하지 말고, 모든 푸른 것도 말고, 모든 나무들도 말고, 오직 누구든지 만일 그들의 이마 위에 하나님의 인을 가지지 않은 사람들이라면 그렇게 하라. 하니라.
5. 그러나 그들을 죽이지는 못하게 하시고 다섯 달 동안 괴롭게만 하시는데 그 괴롭게 함은 전갈이 사람을 쏠 때에 괴롭게 함과 같더라	5. 그리고 그들을 죽이지는 않도록 하고, 그러나 다섯 달을 괴롭게 하는데, 실로 그 고통은 언제든지 전갈의 사람을 쏜 것 같은 고통이니라.
6. 그날에는 사람들이 죽기를 구하여도 얻지 못하고 죽고 싶으나 죽음이 저희를 피하리로다	6. 그리고 그날들에는 사람들이 죽기를 구하더라도, 결코 그것을 얻지를 못하고, 그리고 죽기를 원하더라도 또한 죽음이 그들로부터 도망할 것이라.

7. 황충들의 모양은 전쟁을 위하여 예비한 말들 같고 그 머리에 금 같은 면류관 비슷한 것을 썼으며 그 얼굴은 사람의 얼굴 같고	**7. 그리고 그 메뚜기들의 모양은 전쟁을 위하여 준비된 말들에 유사하고, 그리고 그들의 머리들 위에는 금에 유사한 면류관 같은 것이 있고, 더욱이 그들의 얼굴들은 사람들의 얼굴들과 같으니라.**
8. 또 여자의 머리털 같은 머리털이 있고 그 이는 사자의 이 같으며	**8. 그리고 그들은 여자들의 머리털을 닮은 머리털을 가졌고, 그리고 그들의 이들은 사자들의 이 같으니라.**
9. 또 철흉갑 같은 흉갑이 있고 그 날개들의 소리는 병거와 많은 말들이 전장으로 달려들어가는 소리 같으며	**9. 그리고 그들은 쇠로 만든 흉배들 같은 흉배들을 가졌고, 그리고 그들의 날개들의 소리는 전장으로 달려가는 많은 말들의 마차들의 소리 같고,**
10. 또 전갈과 같은 꼬리와 쏘는 살이 있어 그 꼬리에는 다섯 달 동안 사람들을 해하는 권세가 있더라	**10. 그리고 전갈들에 유사한 꼬리들을 가졌으며, 또한 그들의 꼬리들에는 쏘는 침들과 사람들을 다섯 달을 해치는 권능이 있으니라.**
11. 저희에게 임금이 있으니 무저갱의 사자라 히브리 음으로 이름은 아바돈이요 헬라음으로 이름은 아볼루온이더라	**11. 그리고 그들 위에 왕을 가졌으니 그 깊은 곳의 사자라, 그의 이름은 히브리어로 아받돈이며, 그리고 헬라어로는 아플뤼온이라.**
12. 첫째 화는 지나갔으나 보라 아직도 이 후에 화 둘이 이르리로다	**12. 첫째 화는 지나갔으나 보라, 이것들 후에 아직 화들 둘이 오느니라.**
13. 여섯째 천사가 나팔을 불매 내가 들으니 하나님 앞 금단 네 뿔에서 한 음성이 나서	**13. 그리고 그 여섯째 천사가 나팔을 부니, 또한 내가 하나님 앞의 금 제단의 네 뿔들로부터 한음성을 들었는데,**
14. 나팔 가진 여섯째 천사에게 말하기를 큰 강 유브라데에 결박한 네 천사를 놓아 주라 하매	**14. 나팔을 가진 그 여섯째 천사에게 말하기를 큰 강 유프흐라테스에 묶인 네 천사를 놓아 주라 하니라.**

15. 네 천사가 놓였으니 그들은 그 년 월 시에 이르러 사람 삼분의 일을 죽이기로 예비한 자들이더라	**15. 그리고 그 년과 그 달과 그 날과 그 시간에 사람들의 삼분의 일을 죽이기 위하여 준비된 네 천사들이 놓였으며,**
16. 마병대의 수는 이만 만이니 내가 그들의 수를 들었노라	**16. 그리고 군마병의 병력의 수는 이만 만이니, 그러므로 내가 그들의 수를 들었노라.**
17. 이같이 이상한 가운데 그 말들과 그 탄자들을 보니 불빛과 자주빛과 유황빛 흉갑이 있고 또 말들의 머리는 사자 같고 그 입에서는 불과 연기와 유황이 나오더라	**17. 그리고 이렇게 내가 보는 것 가운데 말들과 그 위에 앉은 자들을 보았는데, 불타며 자주 빛과 유황 흉배들과 사자들의 머리들 같은 말들의 머리들을 가졌으며, 그리고 그 입들에서는 불과 연기와 유황이 나오니라.**
18. 이 세 재앙 곧 저희 입에서 나오는 불의 연기와 유황을 인하여 사람 삼분의 일이 죽임을 당하니라	**18. 이들 셋에 의해 사람들의 삼분의 일이 죽임을 당하니 그들의 입들로 말미암아 나오는 불과 연기와 유황에 의하여서니라.**
19. 이 말들의 힘은 그 입과 그 꼬리에 있으니 그 꼬리는 뱀 같고 또 꼬리에 머리가 있어 이것으로 해하더라	**19. 그러니까 그들의 권능들은 입에 있고 그들의 꼬리들은 뱀들에 유사하고, 머리들을 가지고 있어, 그리하여 그것들에 의해 해치니라.**
20. 이 재앙에 죽지 않고 남은 사람들은 그 손으로 행하는 일을 회개하지 아니하고 오히려 여러 귀신과 또는 보거나 듣거나 다니거나 하지 못하는 금 은 동과 목석의 우상에게 절하고	**20. 그리고 이들 재난들에 의해 죽지 아니한 사람들의 남은 자들은 악령들과 우상들과 금들과 은들과 구리들과 돌로 만든 것들과 나무들과 볼 수도 없고 들을 수도 없고 걸을 수도 없는 것들을 절들을 하며, 그들의 손들의 행위들로부터 개심하지를 아니하니라.**
21. 또 그 살인과 복술과 음행과 도적질을 회개하지 아니하더라	**21. 그리고 그들의 살인들로부터, 그들의 마법들로부터, 그들의 음행들로부터, 그들의 도둑질들로부터 결코 개심하지를 않으니라.**

【 문 단 】

6〉 **다섯째 나팔을 붊** 9:1~12

7〉 **여섯째 나팔을 붊** 13~21

【 주 해 】

〈**개요**〉 9장은 천사가 큰 소리로 "땅에 거하는 자들에게 화 화 화가 있으리라"고 한 첫째 화인 다섯째 나팔의 재앙과 둘째 화인 여섯째 나팔의 재앙이다. 그런데 특이한 점은 첫째 나팔의 재앙부터 넷째 나팔까지는 자연에 대한 재앙인데 본 장에서의 다섯째 나팔 재앙과 여섯째 나팔 재앙은 사람에 대한 재앙이라는 것이다.

6〉 **다섯째 나팔을 붊** 9:1~12

1절 ▷ 그리고 그 다섯째 천사가 나팔을 부니. 또한 내가 본즉 별 하나가 하늘로부터 땅을 향하여 떨어졌으며, 그리고 밑바닥 없는 구덩이의 열쇠가 그에게 주어졌더라.

Καὶ ὁ πέμπτος ἄγγελος ἐσάλπισεν, καὶ εἶδον ἀστέρα
그리고 그 다섯째 천사가 나팔을 불었다. 또한 내가본즉 한 별이

ἐκ τοῦ οὐρανοῦ πεπτωκότα εἰς τὴν γῆν, καὶ ἐδόθη
로부터 그 하늘의 떨어진 향하여 그 땅을, 그리고 주어졌다

αὐτῷ ἡ κλεὶς τοῦ φρέατος τῆς ἀβύσσου.
그에게 그 열쇠가 그 구덩이의 그 밑바닥 없는.

◀**실제 상황**▶ 상징이 아닌 실제적으로 되어지는 일이다. 20:1~3절에 천사가 무저갱 열쇠와 큰 쇠사슬을 가지고 하늘로서 내려와 옛 뱀이며 마귀요 사탄인 용을 잡아 결박하여 무저갱

에 던져 만국을 미혹하지 못하도록 일 천년을 가둔다는 말이 상징인가? 이해가 잘 안되는 것은 쉽게 상징이라 해버리는 것은 계시록을 어둡게 만드는 폐해이다.

개역 한글성경에 '무저갱'으로 번역한 '*τοῦ φρέατος τῆς ἀβύσσου*(투- 프흐레아토스 테-스 아뷧수)'는 '밑바닥 없는 구덩이'이란 말인데, 부자가 죽어서 몸은 땅에 장사되어 묻혀 있고 또한 '*ᾅδης*(하데스)죽은 사람의 혼의 거처' 불꽃 중에서 고통하고 있다고 한(눅 16:23) '지옥 '*ᾅδης*(하데스)'과는 다른 말이다. '무저갱<*ἀβύσσου*(아뷧수)'은 '사탄<*Σατανᾶς*(사타나스)>' 곧 마귀<*διάβολος*(디아볼로스)'와 '악령<*δαιμόνιον*(다이모니온)← 신약에 60회>' 들을 가두는 곳으로 말해지고 있고,(눅 8:31; 계 20:3) 그곳에서 악령인 '메뚜기 떼들'이 나온다고 하였고,(계 9:2~3) 적그리스도인 '짐승'이 그곳에서 올라온다고 하였다.(계 11:7, 8)

하늘로부터 땅으로 떨어진 밑바닥 없는 구덩이(무저갱)의 열쇠가 주어진 별은 타락한 천사 사탄인 것은 '하늘로부터 떨어졌다'는 말이 선한 천사에게는 적합한 말이 아니며, 이에수-스(예수)님께서 "사탄이 하늘로부터 번개 같이 떨어지는 것을 내가 보았노라"고 하셨고,(눅 10:18) 이사야 14:12~17절에 천사의 타락을 말하면서 "너 아침의 아들 계명성(새벽별)이여 어찌 그리 하늘에서 떨어졌으며"라고 하였기 때문이다. '떨어진<*πεπτωκότα* 펲토코타>'는 완료형으로 이미 떨어져(타락하여) 있는 별이다. 그 별은 이전에 떨어졌으나 이제 떨어진 것으로 보였다.(Vincent)

무저갱은 지옥<*ᾅδης* 하데스 눅 16:23-음부>과 불못<*τὴν λίμνην τοῦ πυρός* 계 20:15-영원한 형벌의 장소>와 다른 사

탄과 그 사자들을 가두는 곳이다.(벧후 2:4; 유 1:6; 계 20:1~3)

개역 한글성경에 '무저갱' 이라 한 것은 헬라 원어에 '밑바닥 없는 구덩이' 라는 말이다. 계시록에 일곱 번 언급되었다.(9:1, 2, 11, 11:7, 17:8, 20:1, 3) 창세기 1:2절에 창조 전 땅은 혼돈하고 공허하며 '흑암이 깊음 위에' 있고 라고 한 '깊은 곳<תְּהוֹם 테홈>' 이 무저갱을 말함이 아닌가 생각한다. 에덴의 창조 전에 천사가 이미 타락했었기 때문이다. '밑바닥 없는 구덩이(무저갱)' 는 상징이나 영적이 아니고 실제로 있는 곳이다.

◁**영적 상황**▷ 또한 '밑바닥 없는 구덩이(무저갱)' 는 육안으로 볼 수 없는 영적 실존인 사탄과 악령들을 가두는 장소이기 때문에 실제로 있는 장소이면서 영적으로 실재하는 것이다. 그런데 사탄이나 악령들은 눈에 보이지 않는 영적 실존이면서 천사가 그러하듯이 또한 보이도록 나타날 수 있는 영물이다.

무저갱의 열쇠는 선한 천사가 가지고 열고 닫지만(20:1) 그에게 일시 무저갱의 열쇠가 '주어졌다' 는 것은 하나님의 뜻을 이루기 위하여 한 번 주어진 것을 말하는 것이다. 한 번 주어지고 도로 찾으시는 것이다.

2절 ▷ 그리고 그 밑바닥 없는 구덩이를 열자. 또한 그 구덩이로부터 큰 용광로의 연기 같은 연기가 올라오고, 그리고 해와 공중이 그 구덩이의 연기를 인하여 어두워지며,

καὶ ἤνοιξεν τὸ φρέαρ τῆς ἀβύσσου. καὶ ἀνέβη καπνὸς ἐκ
그리고 열었다 그 구덩이를 그 밑바닥 없는. 또한 올라왔다 연기가 로부터
τοῦ φρέατος ὡς καπνὸς καμίνου μεγάλης, καὶ ἐσκοτίσθη
그 구덩이 같이 연기 용광로의 큰, 그리고 어두워졌다

ὁ ἥλιος καὶ ὁ ἀὴρ ἐκ τοῦ καπνοῦ τοῦ φρέατος.
그 해 와 그 공중이 를 인하여 그 연기의 그 구덩이의.

◀**실제 상황**▶ 실제로 되어지는 상황이다. 그 밑바닥 없는 구덩이를 열자. 그 구덩이로부터 큰 용광로의 연기 같은 연기가 올라오고, 그리고 해와 공중이 그 구덩이의 연기를 인하여 어두워졌다고 하였다. 무저갱에는 불과 연기로 가득함을 말해준다. 그런데 그 연기는 자연의 연기와 성분이 꼭 같지는 않다. 연기 '같은<ὡς(호스)>' 이라고 하였으므로 연기와 같이 피어올라 해와 공중을 가리워 어두워지는 무저갱의 연기이다.

마귀를 초청하는 무당들은 꼭 무엇을 태워서 연기를 낸다. 마귀는 연기 가운데 나타난다고 생각하기 때문이다. 그와 같이 무저갱을 열자 연기가 큰 용광로의 연기같이 얼마나 많이 올라오는지 해와 공중이 어두워질 정도였다.

무저갱에서 올라 온 연기로 사람에게 생명을 유지하게 하는 태양의 빛이 5개월 동안 가리워지고 공기가 있는 공중이 연기로 가득하여 지니 5개월 동안 햇빛이 가리워져 햇빛을 제대로 받지 못하고 공기도 연기가 자욱하니 식물이 어떻게 되겠으며 사람의 육체의 생명 유지도 형편없게 되는 것이다.

◁**영적 상황**▷ 육체적으로만 아니다. 사탄의 방해로 사람들에게 영적인 생명을 주는 빛과 진리가 가리워져서 어두워질 것을 의미하니 7년 대환란 전 이방인의 은혜의 때가 끝나기 전에 이 에수-스(예수)님의 생명의 빛과 진리로(요 6:63, 8:12, 14:6) 영적 생명이 강건해지지 않은 신자는 이때에 그 영육이 시들시들해져서 마귀의 밥이 되기 쉬워지는 것이다.

3절 ▷ 그리고 연기로부터 메뚜기들이 땅으로 나왔으며, 또한 그 들에게 땅의 전갈들이 가지고 있는 능력 같은 능력이 주 어지니라.

καὶ ἐκ τοῦ καπνοῦ ἐξῆλθον ἀκρίδες εἰς τὴν γῆν, καὶ ἐδόθη
그리고 로부터 그 연기의 나왔다 메뚜기들이 향하여 그 땅을, 또한 주어졌다
αὐταῖς ἐξουσία, ὡς ἔχουσιν ἐξουσίαν οἱ σκορπίοι τῆς γῆς·
그들에게 능력이, 같은 가지고 있는 능력 그 전갈들이 그 땅의.

◀실제 상황▶ 그리고 연기로부터 메뚜기들이 땅으로 나오는데 그들에게 땅의 전갈들이 가지고 있는 능력 같은 능력이 주어졌다고 하였다.

개역 한글성경에 '황충' 이라고 번역한 헬라어 '*ἀκρίδες* 아크리데스' 는 '메뚜기' 이다. 황충도 메뚜기 종류이기는 하지만 요엘 1:4절에 메뚜기<אַרְבֶּה 아르베>와 황충<חָסִיל 하실>을 구별하여 말하였으니 헬라어대로 '메뚜기' 라고 해야 옳다. 4절에 "푸른 풀이나 나무들은 해하지 말라"는 명령을 받았다고 하였으니 메뚜기 재앙인 것이 사실이다. 그러나 7~11절에 연기 가운데 나타난 메뚜기들의 괴물 같은 모양과 저들의 왕이 무저갱의 사자 '아받돈<파괴>' 곧 '아폴뤼온<파괴자>' 이라 하였으니 자연의 메뚜기가 아닌 악령인 영물인 것이다. 아이귚토스(애굽)에서 메뚜기 떼는 하나님의 재앙으로 보내졌고(출 10:12~15) 이스라엘 땅에 갑자기 닥친 하나님의 진노의 채찍을 '메뚜기 재앙' 으로 말하였다.(욜 1:2~4) 메뚜기는 그 수가 많음이 이 재앙의 특징이다. 메뚜기는 종대로 날아갈 때 그 두께는 24m나 되고 길이는 약 6Km까지 된다고 한다. 이런 메뚜기 구름이 나타나면 마치 일식이 일어나는 것 같아서 땅이 어두워진다고 한다. 기록에 의하면 1866년에 메뚜기 떼가 아프리카 알지

에를 엄습하였는데 그 피해가 얼마나 엄청났던지 그후 얼마 지나지 않아 20만명의 사람이 기근으로 죽어갔다고 한다.

그런데 이 메뚜기 떼는 전갈이 가지고 있는 능력과 같은 능력이 주어진 것이다. 전갈은 집게 모양의 두 발과 등위에 앞쪽으로 굽어진 날카로운 꼬리를 가지고 작은 벌레들을 꼬리에 달린 독있는 살로 쏘아 잡아먹는다. 쏘이면 몹시 아픈데 어린 아이는 생명이 위독할 정도이다. 그러나 건강한 사람은 죽을 만 하지는 않다.

◁**영적 상황**▷ 무저갱에서 올라온 연기로부터 메뚜기 떼가 나왔다 하고, 그리고 저들의 왕이 무저갱의 사자 '아받돈<파괴>' 곧 '아폴뤼온<파괴자>' 이라 하였으니 이것은 실제이면서 영적인 해까지 주는 악령들인 것을 말한다. 하나님의 인침을 받지 못한 자들을 육적으로만 아니라 정신적으로, 죽기를 찾을 정도의 고통과 괴로움으로 해치는 것이다.

믿기는 했으나 거듭나지 못했던 신자들은 육적으로만 아니라 영적으로도 고통을 당하는 것이다. 또한 하나님의 인침을 받은 성도들은 이때부터 자신이 구원받지 못한 사람들과 다르다는 것을 확실히 알게 되고 더욱더 확실한 소망과 담대함을 가지게 되는 것이다. 아멘!

4절 ▷ 그리고 그들에게 명해지기를, 땅의 풀을 해하지 말고, 모든 푸른 것도 말고, 모든 나무들도 말고, 오직 누구든지 만일 그들의 이마 위에 하나님의 인을 가지지 않은 사람들이라면 그렇게 하라. 하니라.

καὶ	*ἐρρέθη*	*αὐταῖς*	*ἵνα*	*μὴ*	*ἀδικήσωσιν*	*τὸν*	*χόρτον*
그리고	명해졌다	그들에게	그렇게 하라	말라	해하지	그	풀을

τῆς γῆς, οὐδὲ πᾶν χλωρὸν, οὐδὲ πᾶν δένδρον, εἰ
그 땅의, 도 아닌 모든 푸른것을, 도아닌 모든 나무들을, 만약이라면
μὴ τοὺς ἀνθρώπους μόνους οἵτινες οὐκ ἔχουσιν τὴν
않은 그 사람들을 오직 누구든지 않은 가지지
σφραγῖδα τοῦ θεοῦ ἐπὶ τῶν μετώπων αὐτῶν.
인을 그 하나님의 위에 그 이마들의 그들의.

◀실제 상황▶ 하나님께서 무저갱에서 올라온 연기 가운데서 나온 이 메뚜기 떼들에게 '푸른 풀이나 나무는 해하지 말라' 하신 것은 푸른 풀이나 나무를 해하는 메뚜기인데도 이마 위에 하나님의 인을 가지지 않은 사람들만 해하라는 명령을 하셨으니 보통 메뚜기가 아닌 하나님께서 보내시는 특별한 메뚜기 재앙인 것이다.

◁영적 상황▷ 7:1~8절에서 이스라엘 열두 지파 각 지파에 12,000명씩 하나님의 인침이 있었다. 그러면 하나님의 인을 이스라엘 열두 지파에만 치신 것인가? 그렇지 않다. 이방인 가운데도 인을 치신다. 왜냐하면 다섯째 나팔 메뚜기 재앙 때 하나님의 인을 가지지 않은 사람만 해하라 하였으니 그때 땅위에 이스라엘 열두 지파만 살고 있겠는가? 더 많은 이방인들도 살고 있을 것이니 이방인들 중에는 하나님의 인침을 받은 자가 없겠는가?

하나님의 인침을 받게 하신 목적이 이렇게 재앙 가운데서 해를 당하지 않게 하실 목적인 것이다. 아이깊토스(애굽)의 재앙 가운데서도 하나님께서 이스라엘 백성들은 재앙을 당하지 않게 하셨던 것처럼(출 8:22, 9:4, 26, 11:7) 7년 대환란 가운데서도 하나님께서 택한 백성을 인을 쳐서 보호하시고 재앙을 당하지 않게 하시는 것이다. 그러므로 종말의 때에 하나님의 인침을 받

는 것이 너무나 중요하다. 14장 특주에서 어떤 자가 하나님의 인침을 받는가를 명확히 설명하였다.

5절 ▷ 그리고 그들을 죽이지는 않도록 하고, 그러나 다섯 달을 괴롭게 하는데, 실로 그 고통은 언제든지 전갈의 사람을 쏜 것 같은 고통이니라.

καὶ ἐδόθη αὐταῖς ἵνα μὴ ἀποκτείνωσιν αὐτούς, ἀλλ'
그리고 주어지되 그들에게 그렇게하여말라 죽이지는 그들을, 그러나
ἵνα βασανισθῶσιν μῆνας πέντε· καὶ ὁ βασανισμὸς
그렇게 괴롭게 달을 다섯. 실로 그 고통은
αὐτῶν ὡς βασανισμὸς σκορπίου, ὅταν παίσῃ ἄνθρωπον·
그들의 같더라 고통 전갈의, 언제든지 쏜 것 사람을,

◀**실제 상황**▶ 전갈에게 쏘여도 허약한 사람이 아니면 죽을 정도는 아닌 것처럼 이 재앙에서 메뚜기에게 쏘임을 당하는 하나님의 인을 맞지 못한 사람들은 죽고 싶을 정도로 고통스럽고 괴롭기만 할 뿐 죽지는 않는 것이다. 다닐 수도 없고, 일을 할 수도 없고, 음식을 먹는 것도 싫을 정도로 고통스러운 것이다. 그렇게 하기를 다섯 달을 하게 된다. 다섯 달은 메뚜기가 나와서 활동하다가 죽을 때까지가 다섯 달인 것과 일치한다.

노아 홍수때 물이 따위에 창일한 기간이 150일 곧 다섯 달이었다.

◁**영적 상황**▷ 다섯은 또한 마귀의 수이다. 사사기 19장에 레위인의 첩의 문제로 끔찍한 만행이 저질러진 날이 다섯째 날이며, 다섯째 나팔을 불 때 무저갱의 악령들이 출몰했고,(계 9:1~3, 11) 다섯째 대접 재앙을 짐승(사탄의 하수인)의 보좌에

쏟는다고 하였다.(계 16:10)

이때에 비로소 하나님의 인침을 받은 구원받은 성도와 구원받지 못한, 인침 받지 못한 사람들이 확연히 구별되는 때이다. 그러나 운명은 이미 결정되었기 때문에 바꿀 수 없는 것이다. 이 계시록의 목적이 바로 이런 사실을 알고 미리 준비케 하기 위함이다.

6절 ▷ 그리고 그날들에는 그 사람들이 죽기를 구하더라도, 결코 그것을 얻지를 못하고, 그리고 죽기를 원하더라도 또한 죽음이 그들로부터 도망할 것이라.

καὶ ἐν ταῖς ἡμέραις ἐκείναις ζητήσουσιν οἱ ἄνθρωποι τὸν
그리고 에는 그 날들에 그 구하더라도 사람들이 그

θάνατον, καὶ οὐχ εὑρήσουσιν αὐτόν· καὶ ἐπιθυμήσουσιν
죽기를, 그렇지만 결코 얻지를 그것을. 그리고 원하더라도

ἀποθανεῖν, καὶ φεύξεται ὁ θάνατος ἀπ' αὐτῶν.
죽기를, 또한 도망할 것이다 그 죽음이 로부터 그들의.

◀실제 상황▶ 얼마나 괴롭고 고통스러운지 사람들이 차라리 죽기를 원한다. 사람이 고통이 극심하면 죽기를 원한다. 그러나 참으로 기이한 것은 죽어지지를 않는 것이다. 죽기를 갈망하여도 그들로부터 죽음이 도망할 것이라 하였다. 죽기를 '원하다' 라고 한 '*ἐπιθυμήσουσιν*(에피트휘메수신)' 은 '강렬하게 원하다' '탐하다' '사모하다' 는 뜻을 지닌 '*ἐπιθυμεω*(에피트휘메오)' 의 미래형으로 '~위에' '~위로' 라는 뜻인 강세 접두어 '*ἐπι*(에피)' 가 앞에 나와 강렬한 욕구를 더욱 강조한 말이 된다.

◁영적 상황▷ 이때에 하나님의 인침을 받은 성도들은 얼마나 확실한 소망으로 믿음이 더 확고해지고 담대해지겠는가? 그리

하여 순교자의 수가 더 많이 찰 수 있게 되는 것이다.

7절 ▷ 그리고 그 메뚜기들의 모양은 전쟁을 위하여 준비된 말들에 유사하고, 그리고 그들의 머리들 위에는 금에 유사한 면류관 같은 것이 있고, 더욱이 그들의 얼굴들은 사람들의 얼굴들과 같으니라.

Καὶ τὰ ὁμοιώματα τῶν ἀκρίδων ὅμοια ἵπποις ἡτοιμασμένοις
그리고 그 모양은 그 메뚜기들의 유사하고 말들에 준비된
εἰς πόλεμον, καὶ ἐπὶ τὰς κεφαλὰς αὐτῶν ὡς στέφανοι
을 위하여 전쟁을, 그리고 위하여 그 머리들을 그들의 같은 면류관들
ὅμοιοι χρυσῷ, καὶ τὰ πρόσωπα αὐτῶν ὡς πρόσωπα ἀνθρώπων·
과 같은 금, 더욱이 그 얼굴들은 그들의 같고 얼굴들 사람들의.

◀**실제 상황**▶ 메뚜기들의 모양을 말한다. 참으로 괴이한 모양이다. 전쟁을 위해 준비된 말들 같이 힘있고 두려움 없이 용맹하며, 금과 같은 것으로 만든 면류관 같은 것을 썼는데 얼굴이 사람들의 얼굴과 같았다고 하였다. 사람의 얼굴 같다는 것은 지능과 능력 있음을 의미한다. 곤충과 짐승과 사람 모습을 혼합한 형태이다. 날개 달린 황소이며 반은 사람이고 반은 말인 반신 반인인 '켄타우루스', 그리고 사자 몸에 사람의 머리인 이집트의 스핑크스가 그러한 예이다. 사탄은 혼합하여 괴상한 모습을 좋아한다.

◁**영적 상황**▷ 아폴뤼온(아불루온 -파괴자)을 왕으로 하는 악령 메뚜기 떼들은 참으로 특이한 모습으로 출몰하는 괴물이다. 모습만 보아도 위압감에 짓눌리는 두려운 모습이지만 하나님의 인침을 받은 성도들에게는 범접을 못하니 그 승리감 이루 말할

제 9 장

수 없는 것이다.

8절 ▷ 그리고 그들은 여자들의 머리털을 닮은 머리털을 가졌고, 그리고 그들의 이빨들은 사자들의 이빨 같으니라.

καὶ εἶχον τρίχας ὡς τρίχας γυναικῶν· καὶ οἱ ὀδόντες
그리고 가졌고 머리털을 닮은 머리털을 여자들의. 그리고 그 이들은
αὐτῶν ὡς λεόντων ἦσαν· ←그들의 같았다 사자들의 였다

◀실제 상황▶ 여자들의 머리털 같은 머리털을 가졌고, 그리고 이는 사자들의 이 같았다. 무섭고 사납고 잔인함을 보여주는 모습이다. 모습만 보아도 공포에 질린다.

◁영적 상황▷ 악령들의 출몰하는 광경이 무서운 모습일수록 반비례로 하나님께서 그들로부터 해침을 당치 않게 하신 성도들의 승리의 안도감은 더해지며 영적 생명의 빛과 진리는 더 확실해진다. 더욱 감격하며 찬양하게 된다.

9절 ▷ 그리고 그들은 쇠로 만든 흉배들 같은 흉배들을 가졌고, 그리고 그들의 날개들의 소리는 전쟁으로 달려가는 많은 말들의 마차들의 소리 같고,

καὶ εἶχον θώρακας ὡς θώρακας σιδηροῦς· καὶ ἡ φωνη
그리고 가졌고 흉배를 같은 흉배 쇠로 만든. 그리고 그 소리는
τῶν πτερύγων αὐτῶν ὡς φωνὴ ἁρμάτων ἵππων πολλῶν
그 날개들의 그들의 같은 소리 마차들의 말들의 많은
τρεχόντων εἰς πόλεμον. ←달음질하는 으로 전쟁

◀실제 상황▶ 쇠로 만든 흉배를 가졌고 무수한 괴물들의 날개

소리는 전쟁으로 달음질하는 많은 말들의 마차들의 소리 같았다고 하였다. 메뚜기의 몸 부분의 껍질처럼 쇠로 만든 흉배를 둘렀고 날개를 가졌다고 하였으니 자연의 메뚜기는 아닌 악령들의 모습은 흡사 메뚜기를 닮은 것이다. 날개들을 가졌다는 것은 전 세계에 어느 곳에서나 그들이 신속하게 기동함을 말하며 그 날개들의 소리가 요란함은 떼를 지어 움직이는데 그 소리는 가히 소름끼치는 정도라는 말이다.

◁**영적 상황**▷ 악령들의 출몰하는 광경만 아니라 그 움직이는 소리는 밤이나 낮이나 사람들을 불안하게 하고 공포에 잡히게 한다. 특히 밤에는 잠을 이루지 못한다. 그러나 하나님의 인침을 받은 성도들은 주야로 찬송하고 기도하며 밤에도 편안히 잠을 잔다. "높으신 여호와 우리를 구하니 할렐루야!
괴롬이 심하고 환란이 극하나 피난처 있으니 여호와요"

10절 ▷ 그리고 전갈들에 유사한 꼬리들을 가졌으며, 또한 그들의 꼬리들에는 침들이 있고 그리고 사람들을 다섯 달을 해치는 권능이 있으니라.

καὶ ἔχουσιν οὐρὰς ὁμοίας σκορπίοις, καὶ κέντρα· ἦν
그리고 가졌고 꼬리들을 유사한 전갈들에, 또한 침들을. 있다
ἐν ταῖς οὐραῖς αὐτῶν καὶ ἡ ἐξουσία αὐτῶν ἀδικῆσαι
에 그 꼬리들 그들의 그리고 그 권능이 그들의 해치는
τοὺς ἀνθρώπους μῆνας πέντε. ←그 사람들을 달을 다섯.

◀**실제 상황**▶ 이 악령들이 너무나 괴이한 것은 지금까지 말한 그 정도의 모습만 아니다. 전갈들에 유사한 꼬리들을 가졌으며, 또한 그들의 꼬리들에는 쏘는 침들과 사람들을 다섯 달을 해치

는 권능이 있다고 한 것이다. 전갈들은 몸 위로 머리를 향하여 치켜 든 꼬리 끝에 독을 쏘는 침이 있어 이것으로 작은 벌레들을 쏘아 잡아먹는다. 악령들이 하나님의 인을 가지지 아니한 사람들을 쏘아 해치는 주무기는 이것이다.

이런 무수한 악령들이 전 세계에서 닷새가 아니고 한 달도 아니고 다섯 달 동안을 쏘아 해치니 그 정황이 어떠하겠는가?

◁ **영적 상황**▷ 육신을 쏘아 고통스럽게 하는 것만 아니다. 그 영과 마음까지도 쏘아 고통스럽게 하는 것이다. 악령들이 하는 일이기 때문에 육신적으로만 하지 않는다. 그들의 왕 아필뤼온(아불루온)은 '파괴자' 이다. 영과 혼과 몸으로 된 사람을 철저히 파괴하도록 하는 것이다. 이에수-스(예수)님께서 당시 가다레노스(거라사) 촌에 가셨을 때 악령 들린 사람이 무덤 안에 거처하며 밤낮 소리를 지르고 돌로 제 몸을 상하고 있었다고 함 같이(막 5:1~5) 이때에 악령들에 의해 파괴된 사람들의 정황이 그에 못지 않을 것이다. 병원은 밤낮 북새통이나 처방이나 약이 전혀 효험이 없다. 악령들이 한 일이기 때문이다.

11절 ▷ 그리고 그들 위에 왕을 가졌으니 그 깊은 곳의 사자라, 그의 이름은 히브리어로 아받돈이며, 그리고 헬라어로는 아폴뤼온이라.

καὶ ἔχουσιν ἐφ' αὐτῶν βασιλέα τὸν ἄγγελον τῆς ἀβύσσου·
그리고 가졌으니 위에 그들의 왕을 그 사자를 그 깊은곳의.

ὄνομα αὐτῷ Ἑβραϊστὶ Ἀβαδδών, καὶ ἐν τῇ Ἑλληνικῇ
이름은 그의 히브리식으로 아받돈, 그리고 는 그 헬라어로

ὄνομα ἔχει Ἀπολλύων. ←이름을 가졌다 아폴뤼온

◀**실제 상황**▶ 자연의 메뚜기는 왕이 없다고 하였다.(잠 30:27) 그러나 이 메뚜기 떼들은 왕이 있으니 깊은 곳 무저갱의 사자라고 하였다. 그러므로 이 메뚜기들은 자연의 메뚜기가 아니라 무저갱에 갇혀 있던 범죄한 천사(벧후 2:4; 유 1:6) 악령들인 것이다. 그러니 지금까지 무저갱에 갇혀 있던 범죄한 천사들인 악령들이 얼마나 앙심을 품고 보복하려고, 더욱이 그들의 왕인 '아받돈(아바돈-파괴)' 과 아폴뤼온(아폴루온-파괴자)의 지휘를 받는 악령들이 얼마나 사람을 해치겠는가? 상상을 불허한다.

◁**영적 상황**▷ 다섯 달 동안 해침을 받는 사람들의 영적 상황이 어떠하겠는가? 해침을 받지 않는 하나님의 인침을 받은 사람은 그 수가 너무나 희귀하기 때문에 눈에 띄지를 않는다. 메뚜기 떼가 지나간 곳에는 풀이나 푸른 것이나 수목이 남아 있지 않고 다 먹어버린다. 사람들은 육체적으로만 아니라 심령이 황무지와 같이 되어 전 세계 사람들은 완전히 정신적 공황상태에서 고통할 뿐 회개치를 못한다. 은혜의 시대가 지나버렸기 때문이다.

¤ 감동과 기도 ☆

12절 ▷ 첫째 화는 지나갔으나 보라, 이것들 후에 아직 화들 둘이 오느니라.

Ἡ οὐαὶ ἡ μία ἀπῆλθεν· ἰδού, ἔρχονται ἔτι δύο οὐαὶ
그 화는 그 첫째 지나갔으나. 보라, 오느니라 아직 둘 화들
μετὰ ταῦτα. ←후에 이것들

◀**실제 상황**▶ 그러나 이 끔찍한 5개월 동안의 세계적 재앙은 땅에 거하는 자들에게 첫째 화에 불과하다. 아직 화 둘이 오느니

제 9 장

라 한 것이다. '보라!' 라는 주의를 촉구하는 감탄사와 함께 '오다, 가다' 는 뜻인 *ἔρχομαι*(에르코마이)의 현재형 *ἔρχονται*(에르크혼타이)는 여전히 두 화가 현재 오고 있다는 뜻으로 "첫째 재앙은 지나갔으나 보라 더 참혹한 두 재앙이 닥쳐오고 있는 것을 보노라!" 는 의미인 것이다.

◁영적 상황▷ 첫째 나팔 재앙부터 넷째 나팔재앙까지 자연의 1/3이 황폐화 된데다 그래도 등등하던 인간들의 기세가 5개월간의 다섯째 나팔 재앙으로 한풀 꺾이고, 하나님께서 그 다음으로 어떻게 하실 것인가 폭풍 토네이도가 엄청난 위력으로 파괴하며 휩쓸고 간 후 다시 2차 3차의 재앙이 닥쳐오고 있는 정황이니 실로 참담할 뿐이다. 구원의 때가 아니요 세상 불신자들과 사탄의 왕국을 하나님의 진노와 재앙으로 심판하시고 하나님의 왕국을 이루시는 때인 것이다.

7〉 **여섯째 나팔을 붊** 13~21

13절 ▷ 그리고 그 여섯째 천사가 나팔을 부니, 또한 내가 하나님 앞의 금 제단의 네 뿔들로부터 한 음성을 들었는데,

Καὶ ὁ ἕκτος ἄγγελος ἐσάλπισεν, καὶ ἤκουσα φωνὴν
그리고 그 여섯째 천사가 나팔을 불었다. 또한 내가 들으니 음성을
μίαν ἐκ τῶν τεσσάρων κεράτων τοῦ θυσιαστηρίου
하나를 로부터 그 네 뿔들의 그 제단의
τοῦ χρυσοῦ τοῦ ἐνώπιον τοῦ θεοῦ,
그 금의 그 앞의 그 하나님의,

◀실제 상황▶ 여섯째 천사의 나팔을 불 때 땅위에 거하는 자

들에게 임하는 둘째 화이다.(8:13) 하나님 앞의 금 제단의 네 뿔들로부터 사도 이오안네스(요한)가 한 음성을 들었다. 이 제단은 8:3절의 향내와 함께 성도들의 기도가 하나님 앞에 올라가는 금 향단을 말하며, 천사에 의해 그 향단의 불이 향로에 담겨져 땅을 향하여 던지니 소리들과 천둥들과 번개들과 지진이 되기 시작했다고 하였다.(8:5) 이 금 향단은 네 뿔이 있는데(출 30:2) 이 뿔들에서 한 음성이 들렸다고 한 것은 특히 하나님께서 땅에 있는 성도들의 간절한 기도를 받으시고 응답하시어 일을 진행하심을 의미하는 것이다. 하나님께서 모든 일을 작정해 놓으셨지만 그 일들을 성도들의 기도와 화합하여 진행하여 가신다. "너희 안에서 행하시는 이는 하나님이시니 자기의 기쁘신 뜻을 위하여 너희로 소원을 두고 행하게 하시나니" (빌 2:13)

◁영적 상황▷ 향단의 네 뿔은 지구의 동서남북 네 방향을 의미하는 것으로 지구상 어디서나 하나님께 향기롭게 올라가는 기도의 총합과 일치를 말한다. 진정한 성도들의 기도는 지구상 어디에서 드리는 기도일지라도 함께 모아지고 하나로 일치하게 되어 있다. 기도의 성질과 내용이 놀랍게 일치한다는 사실이다. 같은 진리의 성령님으로 거듭나고 한 성령님에 의해서 기도하기 때문이다.(엡 2:18, 4:3, 4) 7년 대환란 때 전 지구상에서 성도들의 하는 일은 주로 기도임으로 이때 열화 같은 성도들의 기도는 7년 대환란 때 하나님께 올라가는 가장 주요한 기뻐하심의 향내이다. 이 때는 기도의 응답 역시 지체치 않으시고 응답하신다.(대하 20:9: 시 50:15, 54:7, 69:17, 77:2, 86:7, 91:15, 120:1)

14절 ▷ 나팔을 가진 그 여섯째 천사에게 말하기를 큰 강 유프

흐라테스에 묶인 네 천사를 놓아 주라 하니라.

λέγουσαν τῷ ἕκτῳ ἀγγέλῳ ὅς εἶχε τὴν σάλπιγγα,
말하기를 그 여섯째 천사에게 그 가진 그 나팔을,
Λῦ σον τοὺς τέσσαρας ἀγγέλους τοὺς δεδεμένους
놓아주라 그 네 천사를 그 묶인
ἐπὶ τῷ ποταμῷ τῷ μεγάλῳ Εὐφράτῃ.
위에 그 강에 그 큰 유프흐라테스.

◀실제 상황▶ 금단 네 뿔에서 난 음성은 나팔을 가진 여섯째 천사에게 "유프흐라테스(유브라데) 강 위에 묶인 네 천사를 놓아 주라"는 것이었다. '묶여 있다'는 것은 유프흐라테스(유브라데) 강의 대 전쟁을 주관하는 네 천사는 하나님께서 작정하신 그 전쟁이 시행되기까지 활동하지 못하도록 활동을 금지하셨는데 이제 정한 시기가 되었으므로 활동하도록 허락하라는 말이다.

선지자 히에레미아스(예레미야)의 예언에 유프흐라테스(유브라데) 강의 전쟁에 대해 예언되었다.(렘 46:10) "그날은 주 만군의 여호와께서 그 대적에게 원수 갚는 보수일이라 칼이 배부르게 삼키며 그들의 피를 가득하게 마시리니 주 만군의 여호와께서 북편 유프흐라테스(유브라데) 강가에서 희생을 내실 것임이로다"고 하였으니, 이 예언이 직접적으로 계시록 9:13~21절의 예언은 아니라 할지라도 하나님께서 그 대적을 심판하실 때 유프흐라테스(유브라데) 강가에서 희생을 내실 것이라 하심에서 이중적 예언이 되는 것이다.

◁영적 상황▷ 6:12~17절에 재림의 본격적 징조인 여섯째 인을 여실 때에 큰 지진이 일어나고, 해가 검어지며, 달이 피같이 되고, 하늘의 별들이 무수히 떨어지며, 하늘이 조각조각 나누이

고, 모든 산과 섬이 제자리로부터 이동되는 놀라운 일들이 있게 되자 땅의 왕들과 고관들과 부유한 자들과 장교들과 힘있는 자들과 모든 종과 자유로운 자들이 동굴들 안으로 산들 바위들 안으로 자신들을 숨기며 산들과 바위들에게 말하기를 "우리들 위에 떨어지라. 그리하여 보좌에 앉으신 이의 얼굴로부터 그리고 어린양의 진노로부터 우리를 숨기라. 그분의 진노의 그 큰 날이 이르렀으니 정말 어떻게 설 수 있는가?" 한다고 하였다.

세상 사람들은 공포에 질려 그렇게 하지만, 일곱째 인을 여실 때(8:1~6) 반시간쯤 고요해지면서 성도들의 기도가 하나님의 보좌 앞 금단에 드려지고, 일곱 천사에게 일곱 나팔이 주어지며, 다른 천사가 금단 위의 불을 담아 땅을 향하여 내던지니 소리들과 천둥들과 번개들과 지진이 되기 시작하며, 첫째 나팔부터 넷째 나팔이 불어지니 땅위의 자연에 대 재앙이 닥치는 것이다. 그리고 여섯째 나팔의 악령 메뚜기의 재앙으로 땅위에 하나님의 인을 맞지 않은 모든 사람이 다섯 달 동안 죽음을 구할 정도의 고통을 당하여 혼쭐이나는 것이다.

그런데 이제 여섯째 나팔 세계 인구 1/3이 죽는 유프흐라테스(유브라데스) 핵전쟁은(9:13~21) 후3년반에 적그리스도의 본색이 드러나 하나님께 예배를 금지하고(단 9:27) 모든 사람으로 하여금 자기 형상의 우상 앞에 절하게 하며, 자기 이름의 수 666이 들어 있는 매매 표를 이마나 오른 손에 받게 하는 세계 종교와 경제 질서의 재편을 단행하게 하는 계기를 만드는 전쟁인 것이다. 이 전쟁으로 세계 경제가 무너져 한 독재자 적그리스도가 나타나 세계경제 체제와 질서의 혼란을 재편하지 않으면 안될 지경에 이르게 되는 것이다. 그러므로 여섯째 나팔의 재앙인 세계 인구 1/3이 죽는 핵전쟁은 후3년반의 독재자 적그리스도가 나타나기 위한 필수불가결의 세계적 대 전쟁인 것이다.

이 전쟁도 금단의 네 뿔에서 한 음성이 나서 시행되는 것은 8:1~6절의 성도들의 기도에 연속된 하나님의 응답으로 되는 것을 말함인 것이다. 다시 말하면 이때 땅위에 있는 하나님의 인침을 받은 성도들의 영적상황은 오로지 기도에 전념하여 하나님의 하시는 일에 협력하는 것이다.

15절 ▷ 그리고 그 시간과 그 날과 그 달과 그 해에 사람들의 삼분의 일을 죽이기 위하여 준비된 네 천사들이 놓였으며,

Καὶ ἐλύθησαν οἱ τέσσαρες ἄγγελοι οἱ ἡτοιμασμένοι
그리고 놓였으니 그 네 천사들이 그 준비된
εἰς τὴν ὥραν καὶ ἡμέραν καὶ μῆνα καὶ ἐνιαυτόν,
에 그 시간 과 날 과 월 과 년
ἵνα ἀποκτείνωσιν τὸ τρίτον τῶν ἀνθρώπων.
위하여 죽이기를 그 세 번째 부분 그 사람들의.

◀실제 상황▶ 이 전쟁에서 사람 1/3이 죽는 그 년과 달과 날과 시간을 하나님께서 분명히 작정해 놓으셨다. 개역 한글성경에는 '그 년 월 일 시에' 라고 번역했으나 헬라어 성경에는 그 순서가 '시간 날 월 년' 으로 되어 있고, 그리고 전체적으로 한 관사 '*τὴν*(텐)' 으로 되어 있어 '그 해, 그 달, 그 날, 그 시에' 이 일이 이루어지도록 하나님께서 그 시간까지 작정해 놓으셨다는 말인 것이다. 실제로 정확하게 이루어질 일이다. 계시록을 지나치게 상징으로 가르치는 일은 하나님의 뜻을 엄청나게 왜곡하는 일이다.

◁영적 상황▷ 사람 1/3이 죽는 전쟁에서 예수 믿어서 구원받

았다고 하는 자들도 무수히 죽게 된다. 그러나 그들은 하나님의 인침을 받은 자들이 아니었기 때문에 환란에 순교의 죽음이 아닌 하나님의 진노의 재앙에 죽는 것이다.(신 31:17) 하나님의 인침을 받은 구속받은 성도들은 절대로 한 사람도 하나님의 진노의 재앙에 죽지 않는다.(시 27:5, 32:7, 46:1, 54:7, 121:1~8, 138:7; 요 6:39)

그러므로 마지막 때에 살고 있는 기독교인들의 최대 최우선의 일은 하나님의 인침을 받는 자가 되는 것이다. 계시록 14:1~5절에 하나님의 인침을 받은 자들이 어떤 자들임을 다섯 가지로 명확하게 말씀해 놓으셨다. 그런 자들이 인침을 받는다.

16절 ▷ 그리고 군마병의 병력의 수는 이 만 만이니, 정말 내 가 그들의 그 수를 들었노라.

καὶ	*ὁ*	*ἀριθμὸς*	*στρατευμάτων*	*τοῦ*	*ἱππικοῦ*	*δύο*	*μυριάδες*
그리고	그	수는	병력의	그	군마병의	이	만

μυριάδων·	*καὶ*	*ἤκουσα*	*τὸν*	*ἀριθμὸν*	*αὐτῶν.*
만.		들었다	그	수를	그들의.

◀실제 상황▶ 이 전쟁에 동원되는 병력의 수가 이 만만 곧 2억이라고 한 것이다. 이 수가 실제 2억이라는 데 대하여 계시록의 수에 대한 다른 부분에서는 수를 상징이라 하는 여러 주해자들 중에도 여기서는 대부분 실제 2억이라는데 일치한다.

제2차 세계대전(1931.9,1-1945.8,15)은 7년간 전쟁이었는데 총 동원된 병력은 1억 1,000만명이라고 하였다.(동아 세계 대백과사전, 25권 p. 93-105) 그때 세계 인구는 25억이었다고 하는데 60년이 지난 2006년 2월 25일 65억명에 달했다고 하고, 6년 뒤인 2012년에는 70억명에 이를 것이라고 하였다.(미국 인구

통계국. 노컷 뉴스. 2006. 2.26) 그렇다면 하나님께서 작정하신 진노와 재앙의 유프흐라테스(유브라데스) 전쟁에 2억의 병력이 동원되게 하시는 것이 어찌 불가능하다고 할 것인가?

특별히 사도 이오안네스(요한)가 "내가 그 수를 들었노라<*ἤκουσα* 에쿠사>"고 까지 하였는데 어찌 실제의 수로 보지 않겠는가? 7:4절에서도 사도 이오안네스(요한)가 이스라엘 열두 각 지파에서 12,000명씩 하나님의 인맞은 수를 "내가 들었으니<*ἤκουσα* 에쿠사>"라고 하였는데 대부분의 주해자들이 실제의 수로 보지 않고 상징수로 보고 해석하는 것이다.

◁영적 상황▷ 죽임을 당하는 1/3의 사람 약 23억 중에는 기독교인도 많이 포함된다. 말하자면 기독교인 1/3이 죽임을 당한다 해도 과언이 아니다. 그러면 이때에 죽임을 당하는 기독교인은 어찌해서인가? 바로 앞에 다섯째 나팔에서와 같이 하나님의 인을 맞지 못한 기독교인인 것이 이연하다. 그러면 기독교인인데도 어찌해서 인을 맞지 못한 것인가? 분명한 답은 계시록 14:1~5절의 성도에 들지 못했기 때문이다. 이에수-스(예수) 믿기만 하면 누구나 구원을 얻는다고 하는 싸구려 복음에 안주하였기 때문이다.

17절 ▷ 그리고 이렇게 내가 보는 것 가운데 또한 말들과 그 위에 앉은 자들을 보았는데, 불타며 자주 빛과 유황 흉배들과 사자들의 머리들 같은 말들의 머리들을 가졌으며, 그리고 그 입들에서는 불과 연기와 유황이 나오니라.

καὶ οὕτως εἶδον τοὺς ἵππους ἐν τῇ ὁράσει, καὶ τοὺς
그리고 이렇게 내가보았다 그 말들을 가운데 그 보는 것에, 또한 자들을

καθημένους ἐπ' αὐτῶν, ἔχοντας θώρακας πυρίνους καὶ
앉은 위에 그, 가졌고 흉배들을 불타는 그리고
ὑακινθίνους καὶ θειώδεις· καὶ αἱ κεφαλαὶ τῶν ἵππων ὡς
자주빛들을 과 유황들을. 그리고 그 머리들 그 말들의 같고
κεφαλαὶ λεόντων, καὶ ἐκ τῶν στομάτων αὐτῶν ἐκπορ
머리들 사자들의, 그리고 로부터 그 입들의 그들의 나오
εύεται πῦρ καὶ καπνὸς καὶ θεῖον.
더라 불 과 연기 와 유황.

◀실제 상황▶ 사도 이오안네스(요한)가 이와 같은 것은 환상 가운데 보았다는 것은 주님께서 계시하여 주신 방법을 분명하게 말한 것이다. 개역 한글성경에는 내가 '이상한 가운데' 라고 번역한 것은 아주 틀린 말이다. 여기서 보는 것 가운데라고 한 '보는 것' *ὅρασις*(호라시스)는 호라오 (*ὁράω*,보다)에서 유래한 말로서 '시각' '눈' '보는 행위' '보는 것' '출현' '현상' '환상' 을 의미한다. 70인 역본에는 '시각(봄), 출현, 환상' 이란 의미로 사용되었고, 신약성경에는 4회 사용되었는데(행 2:17; 계 4:3(2회), 9:17) 계시록 4:3절에서 2회는 하나님의 '현상' '외모' 를 의미했다. 사도 교부들에게 있어서 이 단어는 '시력' (2 Clem. 1.6), '광경' (7.6) 및 '환상' (hermas visions 2~4)을 의미하였다. 그러므로 여기 본 절에서 사도 이오안네스(요한)가 본 것은 단지 환상이라는 의미보다는 '보인 것' '출현' 이라는 의미가 두드러지는 말로서 실제적인 것을 말한다.

사도 이오안네스(요한)가 보는 것 가운데 말들과 그 위에 앉은 자들을 보았는데, 불타며 자주 빛과 유황 흉배들과 사자들의 머리들 같은 말들의 머리들을 가졌으며, 그 입들에서는 불과 연기와 유황이 나오는 것을 본 것이다. 이 유프흐라테스(유부라데스) 전쟁에 동원된 군사들의 장비들과 무기들이 얼마나 무시무시하

게 살인과 파멸을 위한 것들임을 생생히 보여준 것이었다. 특히 불과 연기와 유황이라고 한 것은 현대전의 생화학 무기와 핵무기를 여실히 표현한 말로서 계시록을 기록한 당시에 있지 않은 이런 전쟁 장비와 무기를 말한다는 것은 종말에 계획하신 하나님의 작정과 계시가 아니고는 도무지 있을 수 없는 일인 것이다.

욥기 41:19~21절에 악어(용)를 묘사하기를 "그 입에서는 횃불이 나오고 불똥이 뛰어나오며 그 콧구멍에는 연기가 나오니 마치 솥이 끓는 것과 갈대의 타는 것 같구나 그 숨이 능히 숯불을 피우니 불꽃이 그 입에서 나오며"라고 하였다.(담배 피우는 형태와 같다. 악령의 의기양양한 모습이다. 요 8:44)

◁영적 상황▷ 이 전쟁 군사들의 장비와 무기들에 대해서 실제보다 영적 의미가 어떤 것이라고 논하는데 더 비중을 두어 듣는 자들의 주의를 거기에 쏠리게 하는 것은 본말을 흐리게 함으로 크게 바람직하지 않다고 생각한다. 왜냐하면 본 여섯째 나팔의 재앙은 유프흐라테스(유브라데) 전쟁에서 일시에 사람 1/3이 죽게 하는데 우선 주목적이 있기 때문이다.

따라서 영적상황은 사람 1/3이 전쟁의 재앙으로 죽는 것은 사탄이 영적으로 사람들 1/3을 자기와 함께 할 영원한 멸망으로 들어가게 하는 결전이니 너무나 참혹한 일이 아닐 수 없다. 이 영적상황과 실상을 바로 알고 대비할 자가 얼마나 있겠는가 참으로 탄식하지 않을 수 없다.

18절 ▷ **이들 셋에 의해 사람들의 삼분의 일이 죽임을 당하니 그들의 입들로 말미암아 나오는 불에 의하여, 연기에 의하여, 유황에 의하여서니라.**

ὑπὸ τῶν τριῶν τούτων ἀπεκτάνθησαν τὸ τρίτον τῶν
에 의해 그 셋 이들로 죽임을 당하니 그 삼분의 일이 그
ἀνθρώπων, ἐκ τοῦ πυρὸς καὶ τοῦ καπνοῦ καὶ ἐκ
사람들의, 에 의하여 그 불의 과 그 연기의 그리고 에의하여
τοῦ θείου, τοῦ ἐκπορευομένου ἐκ τῶν στομάτων αὐτῶν.
그 유황의, 그 나오는 로 말미암아 그 입들의 그들의.

◀실제 상황▶ 이 여섯째 나팔의 사람 1/3을 죽게 하는 하나님의 진노와 재앙을 실제가 아닌 상징 또는 영적으로 해석하고 가르치는 자가 너무나 많다. 참으로 통탄스럽다.

불과 연기와 유황이란 사람을 대량 살상하는 화학무기와 핵무기를 말하며 '에 의하여(*ἐκ*(에크)' 를 불과 연기와 유황에 각각 세 번 말하여 "불에 의하여, 연기에 의하여, 유황에 의하여" 사람 1/3이 죽는다고 한 것은 화염에 의해죽고, 가스에 의해 죽고, 폭발에 의해 죽는 것을 의미하는 것이다.

그들의 입이란 화학무기 또는 휴대용 미사일을 발사하는 발사기 또는 핵탄두 미사일 발사대를 의미할 것이다.

◁영적 상황▷ 이 전쟁의 살상무기들은 물론 영적으로 사탄의 무기로 말할 수 있다. 불은 하나님께서 명하시지 않은 다른 불을 드리다가 죽은 아론의 아들 나답과 아비후처럼(레 10:1~2; 민 3:4) 신약 시대에도 다른 영을 받게 하는 자들이 있다.(고후 11:4) 사탄은 거짓된 전도자들을 통해 기독교인들이 다른 불 곧 다른 영으로 하나님께 예배하도록 함으로 영적 죽음을 당케 하여 기독교인 1/3 이상을 죽임을 당케 하는 것이다.

연기는 사탄이 믿지 아니하는 자들의 생각을 어둡게 하여 복음의 빛이 그들에게 빛을 내지 못하게 한다고 함 같이(고후 4:4)

어둡게 영적 연막전을 폄으로 사람들의 영을 구원받지 못하게 하는 영적 의미를 말한다. 7년 대환란 때는 사탄의 연막작전이 극심한 때이다. 그 이전에 복음의 빛을 충분히 받아야 한다.

유황은 폭발하게 하는 원료로서 사탄의 역사는 폭발적으로 위력을 나타내는 것을 의미한다. 실로 거짓된 복음의 역사는 언제나 가히 폭발적이다. 7년 대환란 때 특히 다섯째 나팔 재앙 이후는 위기에 처한 인간 세상과 거듭나지 못한 기독교인들 가운데 사탄의 거짓 역사는 최절정에 이르게 될 것을 예고함이다.

19절 ▷ 그러니까 그들의 권능들은 입에 있고,정말로 그들의 꼬리들은 뱀들에 유사하고, 머리들을 가지고 있어, 특히 그것들에 의해 해치니라.

αἱ γὰρ ἐξουσίαι αὐτῶν ἐν τῷ στόματι αὐτῶν εἰσιν·
그 그러니까 권능은 그들의 안에 그 입에 그들의 이다
αἱ γὰρ οὐραὶ αὐτῶν ὅμοιαι ὄφεσιν, ἔχουσαι κεφαλάς,
그 정말로 꼬리들 그들의 유사하고 뱀들에, 가지고 있어 머리들을,
καὶ ἐν αὐταῖς ἀδικοῦσιν. ←특히 의해 그것들에 해치니라

◀**실제 상황**▶ 그들의 권능들은 입에 있다고 한 것은 제아무리 위력 있는 무기도 입과 같이 발사하는 기구가 얼마나 성능이 좋고 정확성이 있는가에 따라 능력이 좌우되는 것이다. 그들의 꼬리들은 뱀들에 유사하다는 말은 화학 또는 핵탄두를 목표 지점까지 추진해 가는 미사일이 길다랗고 분사되는 화염 꼬리를 합쳐 뱀들에 유사하다고 표현한 것이다. 그리고 머리들을 가지고 있어 그것들에 의해 해치니라고 한 것은 목표 지점에서 폭발하는 머리처럼 생긴 탄두를 말한 것이다.

◁ **영적 상황** ▷ 사탄의 권능은 그 하수인들의 거짓된 입에 있는 것이다. 16:13~14절에 '개구리 같은 세 더러운 영이 용의 입과 짐승의 입과 거짓 선지자의 입에서 나오는데 그들은 악령의 영이라' 하였으니, 사탄과 그 하수인들의 권능이 그들의 입에서 나온다는 말이 입증되는 것이다. 거짓된 말로 미혹하는 영의 권능이 예사로운 것이 아니다.

꼬리라고 하였으니 거짓말을 가르치는 '거짓 선지자' '거짓 목사' 를 꼬리라고 하였다.(사 9:15)

☼ 감동과 기도 ☆

20절 ▷ 그리고 이들 재난들 가운데 죽지 아니한 사람들의 남은 자들은 악령들과 우상들과 금들과 은들과 구리들과 돌로 만든 것들과 나무들과 볼 수도 없고 들을 수도 없고 걸을 수도 없는 것들을 절들을 하며, 그들의 손들의 행위들로부터 개심하지를 아니하니라.

Καὶ οἱ λοιποὶ τῶν ἀνθρώπων οἳ οὐκ ἀπεκτάνθησαν ἐν ταῖς
그리고 그 남은 그 사람들의 그들은 않고 죽지 가운데 그
πληγαῖς ταύταις, οὔτε μετενόησαν ἐκ τῶν ἔργων τῶν χειρῶν
재난들에 이들에, 아니하고 개심치를 로부터 그 행위들의 그 손들의
αὐτῶν, ἵνα μὴ προσκυνήσωσιν τὰ δαιμόνια, καὶ εἴδωλα τὰ
그들의, 그렇게하여 절들을하고 그 악령들을, 과 우상들을 그
χρυσᾶ καὶ τὰ ἀργυρᾶ καὶ τὰ χαλκᾶ καὶ τὰ λίθινα καὶ τὰ
금들을 과 그 은들을 과 그 구리들을 과 그 돌로만든것들을과 그
ξύλινα, ἃ οὔτε βλέπειν δύναται, οὔτε ἀκούειν, οὔτε περιπατεῖν·
나무들을, 것 없고 볼 할 수, 못하고 듣지를, 도 없는 걸을 수.

제 9 장

◀ **실제 상황** ▶ 왜 이들 재난들에 의해 죽지 아니한 사람들의 남은 자들이 악령들과 우상들과 금들과 은들과 구리들과 돌로 만든

것들과 나무들과 볼 수도 없고 들을 수도 없고 걸을 수도 없는 것들을 절들을 하며,(시 115:5~8, 135:15~18) 그들의 손들의 행위들로부터 개심하지를 아니한다고 한 것인가? 7년 대환란의 재앙과 죽음이 온 세상을 휩쓸게 되면 신앙이 없는 불신자들은 재앙과 죽음의 두려움 때문에 하나님 앞으로 돌아오기는커녕 오히려 악령과 우상에게 운명을 희구하는 일을 극성으로 하게 된다.

◁ **영적 상황** ▷ 개심(회개)할 은혜의 시기는 이미 다 지나버렸다. 불신자들만 악령과 우상숭배를 하지 않고 기독교 신자라고 했던 대부분의 사람들 역시 그렇게 한다. 거듭나지 못했기 때문이다. 많은 기독교 신자들이 이때는 신앙을 버린다. 다섯째 나팔 재앙부터 두드러지기 시작한다.

21절 ▷ 그리고 그들의 살인들로부터, 그들의 마법들로부터 역시, 그들의 음행들로부터 역시, 그들의 도둑질들로부터 역시 개심하지를 않으니라.

καὶ οὐ μετενόησαν ἐκ τῶν φόνων αὐτῶν, οὔτε ἐκ τῶν
그리고 않고 개심치를 로부터 그 살인들의 그들의, 역시않고 로부터 그
φαρμακειῶν αὐτῶν, οὔτε ἐκ τῆς πορνείας αὐτῶν,
마법들의 그들의, 역시 않고 로부터 그 매음들의 그들의,
οὔτε ἐκ τῶν κλεμμάτων αὐτῶν.
역시않고 로부터 그 도둑질들의 그들의.

◀ **실제 상황** ▶ 그들의 살인들로부터, 그들의 마법들로부터, 그들의 음행들로부터, 그들의 도둑질들로부터 결코 개심하지를 않는다고 한 것은 사람들의 인성이 극도로 부패하고 포악해져서 도덕적 죄악이 만연하고 극성을 이룬다. 소돔 고모라 성은 아

무것도 아니다.

◁**영적 상황**▷ 세상은 도무지 돌이켜 구원을 얻을 가능성이 1%도 없는 완전히 절망적인 상태이다. 오로지 마지막 일곱째 나팔의 일곱 대접 재앙의 심판만 남았을 뿐이다.

☼ 감동과 기도 ☆

♤ 9장 요점 정리 ♠

① 무저갱은 사탄과(계 20:1~3) 악령들을(눅 8:31) 가두는 곳으로 여기서 나오는 메뚜기 떼들은 악령들로서 반인반수의 혼합된 모양을 가지고 하나님의 인 맞지 아니한 사람들만 해한다. 이 말씀을 보니 7장에 하나님의 인을 치는 목적을 알 수 있다.〔1~10절〕

② 무저갱에서 나온 메뚜기 떼들에게 '왕' 이 있는데 '파괴자' 라는 뜻인 '아폴뤼온' 이라는 사자(천사)라 하였으니 많은 수의 해충을 의미하는 메뚜기 떼들은 악령들이다. 〔11절〕

③ 여섯째 나팔 재앙은 '유프하라테스(유브라데)' 강의 전쟁으로 세계 인구 1/3이 정해진 년 월 일 시에 죽는다고 하였으니 강의 이름이 실제이고 년 월 일 시도 실제이며 동원되는 병력의 수도 이억(이만만)이 실제임을 명심해야 한다.〔13~19절〕

④ 이렇게 세계 인구 1/3이 죽는 전쟁이 있어도 어쩔 수 없는 세계 역사적 전쟁으로 여길 뿐 하나님의 진노로 말미암은 세계 종말의 재앙으로 인정치 않고 사람들은 여전히 개심치 않는다. 〔20~21절〕

【 특주 8 】

계시록에는 상징이 아니고 유사이다
〈 9:7, 10 〉

1. 성경 번역 용어의 의미를 잘못 선택했기 때문에 오해 초래

계시록 개역 한글성경에 '~같은' 이라고 번역한 헬라어는 두 가지 'ὅμοιος(호모이오스) **같은, 유사한, 닮은**' 이라는 말과 'ὡς(호스) **~와 같이, 마치 ~처럼**' 이라는 말이다.

'ὅμοιος(호모이오스) **같은, 유사한, 닮은**' 이라는 말 형용사는 (동사(호모이오오)는 15회 더 사용되었음) 신약성경에 45회 중 계시록에 거의 절반인 21회 사용되었고(1:13, 15, 2:18, 4:3, 3, 6, 7, 7, 7, 9:7, 7, 10, 19, 11:1, 13:2, 4, 11, 14:14, 18:18, 21:11, 18) ὡς(호스)는 신약성경에 504회 중 계시록에 48회 사용되었다.(1:10, 14, 14, 15, 15, 16, 17, 2:24, 27, 28, 3:3, 21, 4:1, 7, 5:6, 6:1, 11, 12, 13, 8:1, 8, 9:3, 5, 7, 7, 8, 9, 9, 17, 10:1, 1, 10, 12:15, 13:2, 2, 14:2, 2, 3, 15:2, 16:3, 21, 19:6, 6, 6, 20:8, 21:21, 22:1, 12)

'ὅμοιος(호모이오스) **같은, 유사한, 닮은**' 이라는 말과 'ὡς(호스) **~와 같이, 마치 ~처럼**' 이라는 말을 '상징' 이라 생각하고 계시록은 상징으로 된 책이므로 상징으로 해석해야 한다 하고 계시록을 해석하여 집필한 책 99% 이상이 그렇게 가르치고 있다. 그러나 이것은 계시록을 완전히 혼미하게 만드는 엄청난 오해이다.

왜냐하면 '상징(象徵)이라는 말은 국어사전(민중서림, 1999)에 "말로는 설명하기 힘든 추상적인(실제로나 구체적으로 경험할 수 없는) 사물, 개념 따위를 구체적인 사물로 나타내는 일, 또는 대상물, 표상, 심벌' -예; 비둘기는 평화의 상징-)이라고 하였다. 주님께서 계시록에 계시하여 주신 많은 것들이 "말로는 설명하기 힘든 추상적인(실제로나 구체적으로 경험할 수 없는) 사물, 개념 따위를 구체적인 사물로 나타내신 일, 또는 대상물, 표상, 심벌' 이란 말인가? 실제로나 구체적으로 경험할 수 없는 추상적인 것이란 말인가? 그러므로 계시록에는 상징으로 되어 있다고 하는 말 자체가 틀리는 것일 뿐만 아니라 계시록을 완전히 잘못 이해하게 하는 엄청난 오류이다. 상징으로 되어 있다 하면서 어떤 것은 실제로 되는 것으로 해석하기도 하니 일관성이 없이 혼미 그 자체이다.

기독교에서 소위 '상징' 이라고 하는 말 ὅμοιος(호모이오스) **같은, 유사한, 닮은'** 이라는 말은 '유사(類似-서로 비슷)하다' 로 해야 한다. '상징' 이라는 말과 '유사' 라는 말을 구별할 줄 알아야 한다. 그런데 중요한 점은 이에수-스(예수)님께서 이 ὅμοιος(호모이오스)라는 말을 32회(형용사 20회, 동사 12회)를 사용하셨다는 사실이다. 그런데 '유사하니' 라고 번역해야 할 말을 개역 한글성경은 거의 모두 '같으니' 로 번역하였으니 이것도 의미 전달이 바로 안된 것이다.

몇 구절 실례를 들면 먼저 맡트하이-오스(마태복음) 13장 씨뿌리는 비유(παραβολή 유사, 비유, 비교)의 말씀에서 "천국<하늘의 왕국>은 좋은 씨를 제<자기> 밭에 뿌린 사람과<에←여격> 같으니<유사하니>"라고 해야 하며,(24절) "천국<하늘의 왕국>은 마치 사람이 자기 밭에 갖다 심은<뿌린> 겨자씨 한알<씨앗에, 낱알에> 같으니<유사하니>"라고 해야(31절) 바른 번역이다. 33절과 44절, 45절 47절 52절 모두 그러하다. 그 외에 30회 모두 '유사하니' 로 번역해야 바른 의미이

제 9 장

다. '유사하다(서로 비슷하다)' 는 말과 '같다(서로 다르지 않다, 서로 딴 것이 아니다)' 는 말이 동일한 말이 아니기 때문이다. 엄밀히 차이가 있는 말이다.

ὅμοιος(호모이오스) **같은, 유사한, 닮은**' 이라는 말을 '같다' 로 번역한 성경을 읽는 자들에게 계시록을 가르치는 자들이 '같다' 라는 말이나 계시록의 거의 모든 것을 '상징' 이라고 해석하고 가르치니 기독교 모든 신자들이 계시록을 상징의 책으로 알고 있는 것이다. 이것은 계시록을 실제로 믿지 않게 하는 참으로 보통 심각한 문제가 아닌 것이다.

성경에는 '상징' 이라는 말이 없다. 하나님께서 성경에 기록하게 하신 말씀은 어떤 것이라도 실제로나 구체적으로 경험할 수 없는 추상적인 것을 '상징으로' 말씀하신 것이 아니며 모두 실제를 말씀하신 것이기 때문이다. '모형 *ὑπόδειγμα*(휘포데이그마) **본보기, 모형, 견본, 복사**' 라는 말은 있다.(요 13:15, 히 4:11, 8:5, 9:23, 약 5:10, 벧후 2:6) 그러므로 기독교는 '상징' 이라는 말을 절대로 사용해서는 안 된다. 성경 말씀과 기독교 신앙을 실제와 경험이 없는 추상적인 것으로 생각하게 하는 아주 위험하고 해로운 말이다.

2. 계시록은 실제의 되는 일을 서로 비슷한 것으로 보여 주셨다

그러므로 계시록의 모든 것은 실제로 되어지고 경험하게 되어질 일들을 비슷한 견본으로 미리 보여주신 것이다. 그러므로 미리 보여주신 그 비슷한 견본을 실제가 없는 '상징' 으로 생각할 것이 아니라 너무나 그 비슷한 견본과 같은 실제를 경험하게 될 것으로 그 모든 견본 뒤에 모든 실제가 있다는 것을 관가해서는 안 되는 것이다. 그러므로 미리 보여주신 그 비슷한 견본을 이해하고 해석 할 때 먼저 그 뒤에 하나님께서 작정하고 준비하신 실제가 무엇임을 간파해야 하는 것이다. 그러므로 계시록을 읽고 해석 할 때, 보여주신 그 비슷한 견본에 치중하지 말고 그 배후에 하나님께서 작정하신 실제가 무엇임을 읽을 수 있고 해석 할 수 있어야 하는 것이다. 건설업자가 고객들을 위하여 아파트 모델 하우스를 지어서 전시할 때 실제로 건축할 아파트의 견본을 최대한 거의 비슷하게 지어서 보게 하지 않는가? 모델 하우스는 실제는 아니지만 거의 비슷한 것으로, 지어질 실제의 건물이 어떤 것임을 거의 알 수 있는 것이다. 그대로 라고 해도 거의 틀리지 않는다.

계시의 말씀을 주실 때 실제를 다 그대로 말할 수 없는 것이다. 실제를 말해도 되는 것이 있고, 실제를 말해서는 안 되는 것이 있다. 그렇기 때문에 계시록에는 실제를 그대로 말씀하신 것과 실제와 비슷한 견본으로 말씀하신 것이 함께 있는 것이다.

3. 실제의 되는 일을 서로 비슷한 것으로 보여주신 이유

그러면 어찌해서 계시록에서 실제로 말씀하여 주시지 않고 그렇게 많은 것을 비슷한 견본으로 보여 주셨는가 하는 것이다.

그것은 이에수-스(예수)님께서 세상에 계실 때 많은 사람들에게 가르치시면서 많은 말씀을 비유로 가르치신 이유와 동일하다. 그것은 듣고 깨닫는 사람은 이해가 쉬워서 더 잘 깨닫게 하시고, 깨닫지 못하는 사람은 그 의미가 무엇인지를 도무지 깨닫지 못하도록 하기 위해서 그렇게 하셨다고 하였다. “하나님 왕국의 신비들을 아는 것이 너희에게는 허락되었으나 그러나 다른 사람들에게는 유사(비유)로 하나니, 그렇게 하여 그들이 보아도 보지 못하며 들어도 이해하지 못하게 하려 함이라” (눅 8:10)

그러므로 동일한 이에수-스(예수)님께서 종말에 대하여 계시하여 주신 계시록에서 많은 ὅμοιος(호모이오스) **같은, 유사한, 닮은'** 것으로 계시하여 주신 것은 깨닫지 못하는 자는 보아도 보지 못하며 들어도 이해하지 못하게 하려고 그렇게 하신 것이다.

계시록에는 '상징' 으로 보여주신 것이 아니라 실제와 비슷한 '유사한 것' 으로 보여주신 것이다. '상징' 이라는 용어는 실제적이 아닌 추상적인 것을 형상화 한 것이라는 말로서 기독교에서 사용해서는 안 되는 용어이다. 성경 말씀과 기독교 특히 계시록의 말씀은 추상적인 일을 형상화한 '상징' 이 아니다. 계시록은 실제로 되는 일이다. 단지 주님께서 세상에 계실 때 유사(비유)로 말씀하셨던 것처럼 종말의 계시임으로 더욱더 많은 유사로 사도 이오안네스(요한)에게 실제로 보여 주셨다. 이해하지 못하는 자들로 하여금 더욱 이해하지 못하게 하시고, 이해하는 자는 더욱 잘 이해하도록 하시기 위해 '유사' 로 '같은 것' 으로 보여주신 것이다. 아멘!

☼ 감동과 기도 ☆

【 계시록 제 10 장】

한 글 개 역 성 경	전통원문 직역 성경
1. 내가 또 보니 힘센 다른 천사가 구름을 입고 하늘에서 내려오는데 그 머리 위에 무지개가 있고 그 얼굴은 해 같고 그 발은 불기둥 같으며	1. 그리고 내가 하늘로부터 내려오는 강력한 다른 천사를 보니, 구름을 입었고 그리고 그 머리 위에는 무지개가 있으며, 또 그의 얼굴은 해와 같고, 그리고 그의 발들은 불기둥들 같으니라.
2. 그 손에 펴놓인 작은 책을 들고 그 오른 발은 바다를 밟고 왼발은 땅을 밟고	2. 그리고 그의 손에 펴놓인 작은 두루마리를 들고, 그의 오른 발을 바다를 향하여 두고, 또한 왼발을 땅을 향하고,
3. 사자의 부르짖는 것 같이 큰 소리로 외치니 외칠 때에 일곱 우레가 그 소리를 발하더라	3. 그리고 사자가 으르렁거리는 것같이 큰 소리로 외치며. 그리고 외칠 때에 일곱 천둥들이 그들의 소리들을 내니라.
4. 일곱 우레가 발할 때에 내가 기록하려고 하다가 곧 들으니 하늘에서 소리가 나서 말하기를 일곱 우레가 발한 것을 인봉하고 기록하지 말라 하더라	4. 그리고 일곱 천둥들이 그들의 소리들을 낼 때에 내가 그 소리들을 기록하려고 하다가, 또한 하늘에서 나는 음성을 들으니, 나에게 말하기를 일곱 천둥들이 말한 것들을 봉인하고 , 그리고 그것들을 기록하지 말라 하니라.
5. 내가 본바 바다와 땅을 밟고 섰는 천사가 하늘을 향하여 오른손을 들고	5. 그리고 내가 본 그 천사가 바다 위와 땅 위에 서서, 그리고 하늘을 향해 그의 손을 들고,
6. 세세토록 살아 계신 자 곧 하늘과 그 가운데 있는 물건이며 땅과 그 가운데 있는 물건이며 바다와 그 가운데 있는 물건을 창조하신 이를 가리켜맹세하여 가로되 지체하지 아니하리니	6. 그리고 영원들의 영원들을 향하여 살아 계시며, 하늘과 그리고 그 가운데 있는 것들과 땅과 그 가운데 있는 것들과 바다와 그 가운데 있는 것들을 창조하신 분께 맹세하기를 이후에는 결코 기회가 없기 때문이라.

7. 일곱째 천사가 소리 내는 날 그 나팔을 불게 될 때에 하나님의 비밀이 그 종 선지자들에게 전하신 복음과 같이 이루리라 8. 하늘에서 나서 내게 들리던 음성이 또 내게 말하여 가로되 네가 가서 바다와 땅을 밟고 섰는 천사의 손에 펴 놓인 책을 가지라 하기로 9. 내가 천사에게 나아가 작은 책을 달라 한즉 천사가 가로되 갖다 먹어버리라 네 배에는 쓰나 네 입에는 꿀같이 달리라 하거늘 10. 내가 천사의 손에서 작은 책을 갖다 먹어버리니 내 입에는 꿀같이 다나 먹은 후에 내 배에서는 쓰게 되더라 11. 저희가 내게 말하기를 네가 많은 백성과 나라와 방언과 임금에게 다시 예언하여야 하리라 하더라	**7. 참으로 일곱째 천사의소리내는 날들에, 나팔을 불려고 하는 그때에, 실로 하나님의 비밀이 그분의 종 선지자들에게 복음을 전파하신 대로 성취될 것이니라.** **8. 그리고 하늘에서 내가 들었던 소리가 다시 한 번 나에게 말하기를 떠나서 바다 위와 땅 위에 섰는 천사의 손에 펴놓인 작은 두루마리를 가지라 하는지라,** **9. 그러므로 내가 천사를 향하여 나아가 그에게 말하기를 그 작은 두루마리를 나에게 달라 하니, 또한 나에게 말하기를 이것을 가져다 먹어버리라 실로 네 배에는 쓸 것이나 그러나 네 입에는 꿀같이 달리라 하니라.** **10. 그리하여 내가 천사의 손에서 그 작은 책을 가져와, 그리고 그것을 먹어버리니 역시 내 입에는 꿀같이 다나 또한 그것을 먹은 후에 내 배에서는 쓰게 되니라.** **11. 그리고 그가 내게 말하기를 네가 많은 백성들과 민족들과 언어들과 왕들에 대하여 다시 예언해야 하리라. 하니라.**

【 문 단 】

7. 중간 계시 삽입《 10:1~15:8 》

1〉 **작은 두루마리** 10:1~11
2〉 **경배하는 자 척량** 11:1~2
3〉 **두 증인의 사역** 3~13
4〉 **일곱째 나팔을 붊** 14~19
5〉 **여자와 용의 환상** 12:1~17
6〉 **형상 경배와 666표** 13:1~18
7〉 **구속받은** 144,000 14:1~5
8〉 **천사의 영원한 복음** 6~13
9〉 **추수에 대한 환상** 14~20
10〉 **일곱 대접 재앙 준비** 15:1~8

【 주 해 】

〈**개요**〉 여기 10:1절부터 15:8절까지 상당히 많은 중간 계시가 주어졌다. 그 이유는 이제 본격적으로 후3년 반의 참혹하고 두려운 하나님의 최종 심판과 진노의 재앙이 시작될 것이기 때문에 먼저 하나님의 종들과 성도들에게 하나님의 계획을 알려 줌으로 놀라운 일들이 진행될 때 당황하지 않고 소망의 확신과 담대함을 가지도록 할 필요가 있기 때문이다.

1〉 **작은 두루마리** 10:1~11

1절 ▷ 그리고 내가 하늘로부터 내려오는 강력한 다른 천사를 보니, 구름을 입었고 그리고 그 머리 위에는 무지개가 있으며, 또한 그의 얼굴은 해와 같고, 그리고 그의 발들은 불기

둥들 같으니라.

Καὶ εἶδον ἄλλον ἄγγελον ἰσχυρὸν καταβαίνοντα ἐκ
그리고 내가보니 다른 천사를 강력한 내려오는데 로부터

τοῦ οὐρανοῦ, περιβεβλημένον νεφέλην, καὶ ἶρις ἐπὶ
그 하늘의, (옷을) 입고 구름을, 무지개가 있고 위에

τῆς κεφαλῆς, καὶ τὸ πρόσωπον αὐτοῦ ὡς ὁ ἥλιος,
그 머리의, 또한 그 얼굴은 그의 같고 그 해,

καὶ οἱ πόδες αὐτοῦ ὡς στύ λοι πυρός·
그리고 그 발들은 그의 같으니라 기둥들 불의.

사도 이오안네스(요한)가 본 하늘로부터 내려오는 강력한 한 천사의 모습과 광경은 아주 특별하였다. 계시록에 이 천사와 같은 모습으로 나타나 계시한 천사가 없다. 구름을 입고 그 머리 위에는 무지개가 있으며, 또 그의 얼굴은 해와 같고, 그리고 그의 발들은 불기둥들 같았던 것이다. 주님의 모습과 너무나 유사하다. 그래서 이는 천사가 아니라 주님이시다 하는 견해도 많다. 그러나 계시록에서 주님이 '천사<*ἄγγελος*(앙겔로스)>' 로 나타난 적이 없고 그럴 수도 없을 뿐만 아니라, '다른<*ἄλλον*(알론)> 천사' 라 하였으니 천사임에 이론의 여지가 없다.

그의 손에 작은 두루마리 책이 펴 놓인 것을 볼 때,(2절) 이 천사는 주님의 모습으로 주님을 대신하여 이제부터 전개 될 후3년 반의 중대한 일들을 알리고 성도들로 하여금 확실하고 담대한 소망으로 준비케 하기 위함이기 때문이다.

본서에 '구름' 에 관련하여도 일곱 번 언급된다.(1:7, 10:1, 11:12, 14:14, 15, 16)

2절 ▷ 그리고 그의 손에 펴 놓인 작은 두루마리를 들고, 그의 오른 발을 바다를 향하여 두고, 또한 왼발은 땅을 밟고,

καὶ εἶχεν ἐν τῇ χειρὶ αὐτοῦ βιβλαρίδιον ἀνεῳγμένον·
그리고 들고 안에 그 손에 그의 작은 두루마리를 펴놓인
καὶ ἔθηκεν τὸν πόδα αὐτοῦ τὸν δεξιὸν ἐπὶ τὴν θάλα-
그리고 밟고 그 발을 그의 그 오른 위에 그 바다
σσαν, τὸν δὲ εὐώνυμον ἐπὶ τὴν γῆν,
를, 그 또한 왼발을 위의 그 땅의,

그의 손에 펴 놓인 작은 두루마리를 들었다는 것은 5:1절에 보좌에 앉으신 분의 오른손에 일곱 인으로 봉인된 두루마리 책을 어린양께서 받으셔서(5:7) 그 인들을 차례로 일곱째 인까지 모두 여셨는데(6:1~12, 8:1) 일곱째 인 안의 일곱 나팔 중에 여섯째 나팔 재앙까지 시행되고 이제 마지막 일곱째 나팔의 재앙인 일곱 대접재앙이 특별히 기록된 작은 두루마리로서 이제 곧 시행되려는, 즉 후3년 반에 돌입하려는 시점인 것을 말하는 것이다.

"오른 발을 바다를 향하여 두고, 또한 왼발은 땅을 밟고"라고 한 것은 심판이 온 지구상에 미칠 것을 의미함이다.

천사의 손에 펴 놓인 작은 두루마리에 기록된 내용들은 10장부터 18장까지 후3년 반을 위한 말씀들로서 특별히 지구상의 바다와 땅에(창 1:10) 되어질 중대한 일을 선포하는 것이다.

3절 ▷ 그리고 사자가 으르렁거리는 것같이 큰 소리로 외치며. 그리고 외칠 때에 일곱 천둥들이 그들의 소리들을 내니라.

καὶ ἔκραξεν φωνῇ μεγάλῃ ὥσπερ λέων μυκᾶται· καὶ ὅτε
그리고 외치기를 소리로 큰 같이 사자가 으르렁거리는그리고 때에
ἔκραξεν, ἐλάλησαν αἱ ἑπτὰ βρονταί, τὰς ἑαυτῶν φωνάς·
외칠, 소리를 내다 그 일곱 천둥들이, 그 그들의 소리들을

사자가 으르렁거리는 것같이 큰 소리로 외칠 때 일곱 천둥들이 소리들을 냈다는 것은 이제부터 선포하는 일들은 그야말로 엄중하고 중대한 일이라는 표징인 것이다. 일곱 천둥소리가 울렸다는 것은 시편 29편에 일곱 번 '여호와의 (목)소리' 라고 반복하면서 "하나님이 뇌성을 발하시니 … 여호와의 (목)소리가 힘있음이여 여호와의 (목)소리가 위엄차도다" 하였으니 이제 선포하는 말씀들은 '힘있고 위엄찬 하나님의 말씀' 인 것을 나타낸 것이다.

4절 ▷ 그리고 일곱 천둥들이 그들의 소리들을 낼 때에 내가 그 소리들을 기록하려고 하다가, 또한 하늘에서 나는 음성을 들으니, 나에게 말하기를 일곱 천둥들이 말한 것들을 봉인하고, 그리고 그것들을 기록하지 말라 하니라.

καὶ ὅτε ἐλάλησαν αἱ ἑπτὰ βρονταί, τὰς φωνᾶς ἑαυτῶν,
그리고 때에 소리 낼 그 일곱 천둥들이, 그 소리들을 그들의,
ἔμελλον γράφειν· καὶ ἤκουσα φωνὴν ἐκ τοῦ οὐρανοῦ,
하려고 하다 기록하려고. 또한 들으니 음성을 로부터 그 하늘의,
λέγουσαν μοι, Σφράγισον ἃ ἐλάλησαν αἱ ἑπτὰ βρονταί,
말하기를 나에게, 봉인하고 것들을 말한 그 일곱 천둥들이,
καὶ μη ταῦτα γράψῃς. ←그리고 말라 그것들을 기록하지

일곱 천둥들이 소리들을 낼 때에 사도 이오안네스(요한)가 그 소리들을 기록하려고 하는데, 하늘에서 나는 음성을 들으니, "일곱 천둥들이 말한 것들을 봉인하고 그것들을 기록하지 말라" 하는 것이였다. 단지 울리는 큰 천둥소리만 아니고 말하는 것이 있는 천둥소리였고 그 말한 내용을 기록하지 말라 하신 것이다. 계시록에서 하나님께로부터 나는 '천둥소리' 라는 말이

일곱 번 나온다.(4:5, 10:3, 4, 4, 11:19, 14:2, 16:18) 하나님의 권능과 위엄과 장엄함을 나타내며 10장외에 네 번 모두 번개와 음성과 천둥의 순으로 함께 나타났다. 그런데 10장에서는 '일곱 천둥들이 말한 것들을 기록하지 말라' 하셨으니 그 일곱 천둥소리로 말한 내용이 무엇이기에 기록하지 말라 하셨을까?

일곱 천둥들이 말한 것들이 무엇인가? 궁금하다. 그러나 사도 파월로스(바울)께서 셋째 하늘 낙원에 이끌려 가서 표현 할 수 없는 말들을 들었는데 사람에게 공개하지 아니할 것들이라고 하였듯이,(고후 12:4) 주님께서 사도 이오안네스(요한)에게 계시록을 기록하게 하시면서 이것은 기록하지 말라고 하셨으니 파월로스(바울)의 경우와 같음을 알 수 있다.

짐작컨대 10장 이후 11~15장까지의 많은 중간계시가 있은 후에 16장에서 있을 마지막 일곱째 나팔의 하나님의 분노를 가득 담은 일곱 대접들이 땅을 향하여 부어지고(16:1) 큰 음녀 바뷜론(바벨론)의 심판이 완수될 때 하나님의 비밀이 그분의 종 선지자들에게 복음을 전파하신 대로 성취 될 것이므로(10:7) 그 일곱 대접에 관한 하나님의 엄중한 비밀이 천둥의 음성으로 사도 이오안네스(요한)에게 들려졌으나 하나님의 엄중한 비밀인즉 기록하지 말라 하신 것이다. 그러므로 16장에 일곱 대접이 부어지는데 대하여 간단 간단하게 말해졌으나 하나님의 일곱 대접 재앙과 음녀 바뷜론(바벨론)의 심판에 대하여 하나님의 분노의 실제를 올바로 아는 것이 정말 중요하다. 음녀 바뷜론(바벨론)과 짐승 적그리스도도 비밀이다.(17:5, 7) 비밀을 바로 아는 자가 극히 적다.

'기록하지 말라' 하신 음성은 누구의 음성일가? 계시록에 '소리<*φωνή*(프호네) **음성, 소리**>' 라는 말 54회 중에 '하늘에서 나는 음성' 으로 열 번 말해졌고,(1:10, 12, 4:1, 10:4, 8, 11:12, 15,

12:10, 14:13, 18:4) '보좌에서 나는 음성' 으로 두 번 말해졌다.(19:15, 21:3) *φωνή*(프호네)라는 말을 천둥소리 같은 단지 물리적인 소리일 때는 '소리' 라 번역해야 하지만 의사 전달을 하는 소리일 때는 '음성' 이라고 해야 옳을 것이다.

앞서 열 번 말해진 음성의 경우를 살펴보면 계시록에서 '하늘에 나는 음성' 은 계시의 주관자이신 주님의 음성인 것이 확실하다. 그러므로 여기서 "일곱 천둥들이 말한 것들을 봉인하고 그것들을 기록하지 말라" 하신 음성은 처음에 "기록하라" 하셨던 (1:11) 계시의 주관자이신 주님의 음성이다.

5절 ▷ 그리고 내가 본 그 천사가 바다 위와 땅 위에 서서, 그리고 하늘을 향해 그의 손을 들고,

Καὶ ὁ ἄγγελος ὃν εἶδον ἑστῶτα ἐπὶ τῆς θαλάσσης
그리고 그 천사가 바 내가 본 서서 위에 그 바다의
καὶ ἐπὶ τῆς γῆς, ἦρεν τὴν χεῖρα αὐτοῦ εἰς τὸν οὐρανόν,
그리고 위를 그 땅의, 들고 그 손을 그의 향하여 그 하늘을,

그리고 하늘로부터 그 놀라운 모습으로 내려온 천사가 바다와 땅위에 서서 하늘을 향하여 손을 들고 맹세를 하는 광경을 본 것이다. 다니엘 12:7절에 세마포 옷을 입은 천사가 좌우 손을 들어 하늘을 향하여 영생하시는 이를 가리켜 맹세하여 말하기를 "반드시 한 때 두 때 반 때를 지나서 성도의 권세가 다 깨어지기까지니 그렇게 되면 이 모든 일이 다 끝나리라" 하였으니 여기 5~6절 말씀과 너무나 일치한 것이다.

6절 ▷ 그리고 그 영원의 영원을 향하여 살아 계시며, 하늘과 그리고 그 가운데 있는 것들과 땅과 그 가운데 있는 것들과

바다와 그 가운데 있는 것들을 창조하신 분께 맹세하기를 이후에는 결코 기회가 없기 때문이라.

καὶ ὤμοσεν ἐν τῷ ζῶντι εἰς τοὺς αἰῶνας τῶν αἰώνων,
그리고 맹세하기를 안에 그 살아계시는 향하여 그 영원들을 그 영원들의,
ὃς ἔκτισεν τὸν οὐρανὸν καὶ τὰ ἐν αὐτῷ, καὶ τὴν γῆν
분 창조하신 그 하늘을 과 것들 가운데 그, 과 그 땅을
καὶ τὰ ἐν αὐτῇ, καὶ τὴν θάλασσαν καὶ τὰ ἐν αὐτῇ,
과 것들 가운데 그, 과 그 바다를 과 것들 안의 그,
ὅτι χρόνος οὐκ ἔσται ἔτι· 때문 기회가 결코없기 이다 그 이후에

개역 한글 성경에 '세세토록' 이라고 번역한 헬라어를 직역하면 '영원들의 영원들을 향하여' 이다. '영원' 이라 한 번만 말해도 끝남이 없는 무궁한 것인데 '영원' 이라는 말을 두 번 반복하고 둘 다 복수로 소유격과 목적격으로 하여 '영원들의 영원들을 향하여' 라고 한 것은 하나님께서는 이렇게 영원무궁토록 살아계시는 분이심을 강조하고 강조하는 의미인 것이다.

"하늘과 그 가운데 있는 것들과 땅과 그 가운데 있는 것들과 바다와 그 가운데 있는 것들을 창조하신 분께 맹세하기를 이후에는 결코 기회가 없기 때문이라"고 하였다. 개역 한글성경은 '지체하지 아니하리니' 라고 했는데 이 말의 헬라어 직역은 "이후에는 결코 기회가 없기 때문이다" 이다. 다니엘 12:7절에 천사가 맹세하면서 한 말대로 일곱째 나팔을 불 때부터는 '한 때 두 때 반 때' 곧 후3년 반이기 때문에 사람들이 개심(회개)하여 구원을 얻을 기회가 결코 없다고 맹세하면서 하는 말인즉 그때 여섯째 나팔 재앙에 죽지 않고 남는 2/3의 개심(회개)치 않는(9:18~21) 40억이 넘는 인간들에게 주시는 주님의 경고인 것이다.

☼ 감동과 기도 ☆

7절 ▷ 참으로 일곱째 천사의 소리내는 날들에, 나팔을 불려고 하는 그때에, 실로 하나님의 비밀이 그분의 종 선지자들에게 복음을 전파하신 대로 성취될 것이니라.

ἀλλὰ ἐν ταῖς ἡμέραις τῆς φωνῆς τοῦ ἑβδόμου ἀγγέλου,
참으로 에 그 날들에 그 소리내는 그 일곱째 천사의,
ὅταν μέλλῃ σαλπίζειν, καὶ τελεσθῇ, τὸ μυστήριον τοῦ θεοῦ,
그때에 하려고하다 나팔을 불려고, 성취될 것이니라 그 비밀이 그 하나님의
ὡς εὐηγγέλισεν τοῖς ἑαυτοῦ δούλοις τοῖς προφήταις.
같이 복음을 전파함 그 그분의 종들에게 그 선지자들에게.

개역 한글성경에는 소리내는 '날'이라고 단수로 번역했으나 '*ἡμέραις*(헤메라이스)'는 복수인 '날들'로서 '종말의 특정한 때'를 나타내는 전문술어이다. 이 단어는 공관복음에서 주님의 재림 전의 환란의 날들을 묘사할 때도 주님께서 동일하게 사용하셨다.(마 24:19, 38; 막 13:17, 24; 눅 17:26, 21, 23)

여기서 이 단어는 복수형으로 사용되어 주님의 재림에 앞서 특정한 기간의 환란의 날들이 있을 것을 염두에 둔 표현이다.

일곱째 천사가 소리내어 나팔을 불려고 하는 그 날들에는 하나님의 비밀이 그분의 종 선지자들에게 복음을 전파함 같이 성취 될 것이라고 하였다. 여기서 특별히 하나님의 '비밀'이라 한 것은 일곱째 천사가 나팔소리를 내는 시점 이후에 이루어지는 심대한 종말론적 사건들을 가리키는데 주님의 재림에 앞서 사탄의 세력들이 마지막으로 준동하고 성도들이 대환란의 고통 가운데 처하게 되며, 마침내 수많은 성도들의 피를 흘린 음녀 바벨론(바벨론)이 적그리스도의 열왕에게 보복을 당하고 주님께서 재림하시어 적그리스도 군대를 멸하시고 마귀를 무저갱에 가두며 천년왕국이 이루어지며 최후의 심판 후에 새 하늘과 새

땅 새 히에루살렘(예루살렘)의 복된 하나님의 영원한 왕국이 완성되는 것은 인간의 이성으로는 상상조차 할 수 없는 신비로운 일이므로 '하나님의 비밀' 이라 한 것이다. 이 모든 일이 바르고 확실하게 이해되고 믿어지는 것도 비밀이다. 그리고 복음의 사역자들을 '하나님의 비밀을 맡은 자' 라 하였다.(고전 4:1)

일곱째 천사의 나팔인 일곱 대접 재앙의 기간인 후3년 반은 기독교 복음이 결과적으로 성취되는 때이다. 성도들은 순교하는 자와 피란처에 가는 자로 결과된다.

8절 ▷ 그리고 하늘에서 내가 들었던 소리가 다시 한 번 나에 게 말하되, 또한 말하기를 떠나서 바다 위와 땅 위에 섰는 천사의 손에 펴 놓인 작은 두루마리를 가지라 하는지라,

Καὶ ἡ φωνὴ ἣν ἤκουσα ἐκ τοῦ οὐρανοῦ, πάλιν λαλοῦσα
그리고 그 음성이 그 내게들리던 로부터 그 하늘의, 다시한번 말하기를
μετ᾽ ἐμοῦ, καὶ λέγουσα, Ὕπαγε λάβε τὸ βιβλαρίδιον τὸ
에게 나의, 또한 말하기를, 떠나서 가지라 그 작은 두루마리를 그
ἠνεῳγμένον ἐν τῇ χειρι ἀγγέλου τοῦ ἐστῶτος ἐπὶ
펴놓인 에 그 손에 천사의 그 섰는 위에
τῆς θαλάσσης καὶ ἐπὶ τῆς γῆς.
그 바다의 와 위에 그 땅의

하늘에서 사도 이오안네스(요한)에게 들리던 음성이 다시 한 번 말하기를 "떠나서 바다 위와 땅 위에 섰는 천사의 손에 펴 놓인 작은 두루마리를 가지라" 한 것이다. *βιβλίον*(비블리온)은 '두루마리' 이지만 *βιβλαρίδιον*(비블라리디온)은 '작은 두루마리' 이다. 천사의 손에 펴놓인 작은 두루마리는 후3년반에 되어질 일로서 하나님의 '비밀' 이며 '복음의 성취' 에 대한 환상인 것 같다.(10:7)

9절 ▷ 그러므로 내가 천사를 향하여 나아가 그에게 말하기를 그 작은 두루마리를 나에게 달라 하니, 또한 나에게 말하기를 이것을 가져다 먹어버리라 실로 네 배에는 쓸 것이나 그러나 네 입에는 꿀같이 달리라 하니라.

Καὶ ἀπῆλθον πρὸς τὸν ἄγγελον, λέγων αὐτῷ, Δός μοι
그리고 나아가 향하여 그 천사를, 말하기를 그에게, 달라 나에게
τὸ βιβλαρίδιον. καὶ λέγει μοι, Λάβε καὶ κατάφαγε αὐτό·
그 작은 두루마리를 또한 말하기를 나에게, 갖다 그리고 먹어버리라 그것을
καὶ πικρανεῖ σου τὴν κοιλίαν, ἀλλ' ἐν τῷ στόματί σου
실로 쓸것이나 너의 그 배에는, 그러나 안에 그 입에는 너의
ἔσται γλυκὺ ὡς μέλι. ←리라 달 같이 꿀

사도 이오안네스(요한)가 천사를 향하여 나아가 말하기를 “그 작은 두루마리 책을 나에게 달라” 하니, 천사가 말하기를 “이것을 가져다 먹어버리라 실로 네 배에는 쓸 것이나 그러나 네 입에는 꿀같이 달리라”고 하였다.

그 천사는 사도 이오안네스(요한)에게 두루마리를 가져다 먹어버리라고 하였다. 두루마리에 기록된 말씀을 먹으라는 말이다. 선지자 히에레미아스(예레미야)는 하나님의 말씀을 ‘먹었다’ 고 하였고,(렘 15:16) 이에수-스(예수)님께서 페트로스(베드로)에게 “내 어린양을 먹이라” 하신 것은(요 21:15) 말씀을 먹이라는 의미이다.

그런데 천사가 가져다 먹어버리라고 한 그 두루마리에 기록된 말씀들은 먹을 때 입에는 꿀 같이 달지만 먹은 후에 배에서는 쓰게 된다고 한 것이다. 그 뜻은 작은 두루마리 책에 기록된 말씀은 11장부터 18장까지의 후3년 반에 되어질 일들로서 중간계시와 진노와 재앙의 말씀들임으로 두루마리의 글을 읽고 하나

님의 비밀과 계획을 알게 될 때 말씀은 꿀 같이 단 것이다. 애가와 애곡과 재앙의 말이 기록된 두루마리를 받아먹은 야헤즈켈(에스겔) 선지자도 그것이 입에서 달기가 꿀 같더라고 했다. (겔 2:9~3:3)

그러나 그 말씀의 내용을 소화하다 보면 하나님의 진노와 재앙이 주된 말씀들이므로 배에서는 쓴 것이다. 야헤즈켈(에스겔) 선지자도 두루마리 책의 말씀이 애가와 애곡과 재앙의 말씀인데도 입에는 꿀 같이 달았다. 그러나 하나님의 영이 들어올려 데리고 가시는데 근심하고 분한 마음으로 행하니 하나님의 권능이 힘있게 감동하셨다고 하였다.(겔 3:14) 선지자 히에레미아스(예레미야)도 하나님의 말씀을 먹었더니 말씀이 기쁨과 마음의 즐거움이 되었으니 어쩐지 기뻐하는 자들의 모임에 앉지 아니하고 홀로 앉은 것은 하나님께서 분노로 내게 채우셨기 때문이라고 하였다.(렘 15:16~17) 계시록의 말씀은 바로 이러한 것이다.

계시록의 말씀은 신비하여 듣고 먹기는 흥미롭고 단맛이 있으니 내용은 쓴맛이 많으므로 사람들이 좀처럼 먹기를 원치 않는다.

10절 ▷ 그리하여 내가 천사의 손에서 그 작은 두루마리를 가져와, 그리고 그것을 먹어버리니 역시 내 입에는 꿀같이 다나 그렇지만 그것을 먹은 후에 내 배에서는 쓰게 되니라.

καὶ ἔλαβον τὸ βιβλαρίδιον ἐκ τῆς χειρὸς τοῦ ἀγγέλου,
그리하여 내가갖다 그 작은 두루마리를 로부터 그 손의 그 천사의,
καὶ κατέφαγον αὐτό· καὶ ἦν ἐν τῷ στόματί μου ὡς μέλι
그리고 먹어버리니 그것을. 역시 그안에 그 입에는 나의 같이 꿀
γλυκύ· καὶ ὅτε ἔφαγον αὐτό, ἐπικράνθη ἡ κοιλία μου.
달다 그렇지만 후에 먹은 그것을, 쓰게되니라 그 배에서는 나의.

사도 이오안네스(요한)가 두루마리를 가져다 먹으니 과연 그렇게 되었다. 계시록의 말씀을 올바로 깨달을 때 말할 수 없는 기쁨이 있지만 그 말씀의 내막은 하나님의 진노의 심판과 재앙이 주로 되어 있으므로 쓴 것이며 그대로 전파하면 사람들이 싫어하는 말씀이므로 단 말씀이 아니라 쓴 말씀인 것이다. 계시록의 말씀을 올바로 소화한 사람은 이것이 실제가 되어야 한다.

11절 ▷ 그리고 그가 내게 말하기를 네가 백성들과 민족들과 언어들과 많은 왕들에 대하여 다시 한번 예언하여야 하리라. 하니라.

καὶ λέγει μοι, Δεῖ σε πάλιν προφητεῦσαι ἐπὶ λαοῖς
그리고 말하기를 나에게,해야한다 네가 다시한번 예언하여야 대하여백성들에게
καὶ ἔθνεσιν καὶ γλώσσαις καὶ βασιλεῦσιν πολλοῖς.
과 민족들에게 과 언어들에게 과 왕들에게 많은.

그러자 천사가 말하기를 "네가 많은 백성들과 민족들과 언어들과 왕들에 다시 한 번 예언해야 하리라"고 하였다.

'네가' 라는 주격 2인칭 대명사 '*σε*(세)' 는 헬라어에서 강조용법 외에는 사용되지 않음으로 여기서는 그 누구도 아닌 사도 이오안네스(요한)가 예언해야 한다는 것을 강조적으로 나타낸 것이다.

'백성들' '민족들' '언어들' '왕들' 모두가 여격이며, *ἐπὶ*(에피)는 '~에 대하여' 라는 뜻을 가짐으로(요 12:6) 이것은 그들의 운명에 대해 예언해야 할 책무를 말한 것이다.

'다시' 라는 말 '*πάλιν*(팔린)' 은 '(부사)새롭게' '(시간의)다시 한번' 이란 말로서 앞으로 일곱째 나팔 불 때 나타날 일들(7절) 곧, 11:15절부터 계시될 예언을 많은 백성들과 민족들과 언

어들과 왕들에게 새롭게 다시 한 번 예언해야 된다는 의미이다. 지금까지 받은 전3년 반의 일들에 비해 후3년 반에 되어질 일들의 중요성을 보다 강조한 것이다.

☼ 감동과 기도 ☆

♤ 10장 요점 정리 ♠

① 마지막 일곱 번째 나팔을 천사가 불면 최종적 하나님의 분노의 진노의 재앙인 일곱 대접 재앙이 부어진다. 이 일곱 대접 재앙은 특별히 작은 두루마리 책에 기록되었다고 하였다. 특별한 재앙임을 의미한다. 그러므로 그에 앞서 작은 두루마리 책을 들고 땅과 바다를 밟고 선 천사의 특별한 위용과 일곱 천둥소리 울린 것을 기록하지 말라하였으니 놀라운 계시이다.〔1~4절〕

② 그 특별한 천사가 하늘을 향하여 오른손을 들고 하나님께 맹세하여 말하기를 "더 이상 시간이 없으리니"라고 하였으니 다니엘 12:7절과 완전히 일치한다. 후3년 반이 끝이라는 말이다.〔5~7절〕

③ 사도 이오안네스(요한)에게 두루마리 책을 갖다 기록된 말씀을 먹고 예언하라 함으로 갖다 먹으니 입에는 다나 배에서는 썼다고 하였다. 종말에 관한 예언의 말씀은 그러하다.〔8~11절〕

【 계시록 제 11 장】

한 글 개 역 성 경	전통원문 직역 성경
1. 또 내게 지팡이 같은 갈대를 주며 말하기를 일어나서 하나님의 성전과 제단과 그 안에서 경배하는 자들을 측량하되	1. 그리고 막대에 유사한 갈대를 내게 주며 말하기를, 일어나라, 그리고 하나님의 성전과 제단과 그 안에서 경배하는 자들을 측량하되,
2. 성전 밖 마당은 측량하지 말고 그대로 두라 이것을 이방인에게 주었은즉 저희가 거룩한 성을 마흔 두 달 동안 짓밟으리라	2. 그러나 성전의 안뜰을 안으로부터 문밖에 내던지라. 그리고 그것을 측량하지 말라. 왜냐하면 그 거룩한 성을 이방인들에게 주어졌으니, 그리고 마흔 두 달을 짓밟을 것이기 때문이니라.
3. 내가 나의 두 증인에게 권세를 주리니 저희가 굵은 베옷을 입고 일천 이백 육십 일을 예언하리라	3. 그리고 나의 두 증인들에게 허락하리니, 그리하여 거친 베옷들을 입고 일천 이백 육십 일을 예언할 것이라.
4. 이는 이 땅에 주 앞에 섰는 두 감람나무와 두 촛대니	4. 이 사람들은 두 올리브 나무들이며, 그리고 이 땅의 하나님 앞에 서 있는 두 촛대들이라.
5. 만일 누구든지 저희를 해하고자 한즉 저희 입에서 불이 나서 그 원수를 소멸할찌니 누구든지 해하려 하면 반드시 이와같이 죽임을 당하리라	5. 그리고 만일 누구든지 그들을 해치려고 하면 그들의 입으로부터 불이 나와서, 그리고 그들의 원수들을 삼켜버리고, 또한 누구든지 그들을 해치려고 하면 반드시 이와같이 죽임을 당해야 하리라.
6. 저희가 권세를 가지고 하늘을 닫아 그 예언을 하는 날 동안 비 오지 못하게 하고 또 권세를 가지고 물을 변하여 피 되게 하고 아무 때든지 원하는 대로 여러 가지 재앙으로 땅을 치리로다	6. 그들이 그들의 예언의 날들에 비를 보내지 못하게 하기 위하여 하늘을 닫을 권세를 가지고, 또 물들에 대하여 그것들을 피 같은 것으로 변하게 하는 권세를 가지고, 그리고 언제든지 하려고 할 때마다 온갖 재난에 그 땅을 치니라.

7. 저희가 증거를 마칠 때에 무저갱으로부터 올라오는 짐승이 저희로 더불어 전쟁을 일으켜 저희를 이기고 죽일터인즉	**7. 그리고 그들의 증거를 마쳤을 때, 무저갱으로부터 올라오는 짐승이 그들과 더불어 전쟁을 일으킬 것이며, 그리고 그들을 이기고 또한 그들을 죽일 것이니라.**
8. 저희 시체가 큰 성 길에 있으리니 그 성은 영적으로 하면 소돔이라고도 하고 애굽이라고도 하니 곧 저희 주께서 십자가에 못박히신 곳이라	**8. 그리고 그들의 그 죽은 몸들이 큰 성의 길 위에 있으니, 어느 곳 어디서나 영적으로 소도마들과 아이귚토스라 불리우며, 또한 우리들의 주님께서 십자가에 못 박히신 곳이라.**
9. 백성들과 족속과 방언과 나라 중에서 사람들이 그 시체를 사흘 반 동안을 목도하며 무덤에 장사하지 못하게 하리로다	**9. 그리고 그 백성들과 족속들과 언어들과 민족들 가운데서 삼일 반 그들의 죽은 몸들을 볼 것이며, 그리고 그들의 죽은 몸들을 무덤들에 두지 못하게 하리라.**
10. 이 두 선지자가 땅에 거하는 자들을 괴롭게 한 고로 땅에 거하는 자들이 저희의 죽음을 즐거워하고 기뻐하여 서로 예물을 보내리라 하더라	**10. 땅위에 거하는 자들이 그들의 죽음을 즐거워하고 기뻐하며 서로 상호간에 선물을 보낼 것이라. 왜냐하면 이들 두 선지자들이 땅위에 거하는 자들을 고통을 주었기 때문이라.**
11. 삼 일 반 후에 하나님께로부터 생기가 저희 속에 들어가매 저희가 발로 일어서니 구경하는 자들이 크게 두려워하니라	**11. 그리고 삼 일 반 후에 하나님으로 말미암아 생명의 영이 그들을 향하여 들어가, 그리하여 그들의 발들로 위로 서니, 그러므로 그들을 구경하며 바라보던 자들이 크게 놀랐기 때문에 쓰러지니라.**
12. 하늘로부터 큰 음성이 있어 이리로 올라오라 함을 저희가 듣고	**12. 그리고 저희가 하늘로부터 큰 소리를 들으니, 그들에게 말하기를, 여기로 올라오라 하므로**

구름을 타고 하늘로 올라가니 저희 원수들도 구경하더라	그들이 구름 가운데서 하늘로 올라가니 또한 그들의 원수들이 그들을 구경하니라.
13. 그 시에 큰 지진이 나서 성 십분의 일이 무너지고 지진에 죽은 사람이 칠천이라 그 남은 자들이 두려워하여 영광을 하늘의 하나님께 돌리더라	13. 그리고 그 시간에 큰 지진이 일어나고, 그리하여 성의 십분의 일이 무너지며, 또한 지진에 죽은 사람들의 이름들이 칠천이라. 그리고 남은 자들이 두려워하게 되어, 실로 하늘의 하나님께 영광을 돌리니라.
14. 둘째 화는 지나갔으나 보라 셋째 화가 속히 이르는도다	14. 둘째 화는 지나갔으나, 보라 셋째 화가 속히 오느니라.
15. 일곱째 천사가 나팔을 불매 하늘에서 큰 음성들이 나서 가로되 세상 나라가 우리 주와 그 그리스도의 나라가 되어 그가 세세토록 왕 노릇 하시리로다 하니	15. 그리고 그 일곱째 천사가 나팔을 부니, 또한 하늘에서 큰 소리들이 일어나 말하기를, 우리들의 주님의 세상의 통치들이 끝나고 그리고 바로 그곳에서 그리스도님의 영원들의 영원들을 향하여 통치하시리라 하며,
16. 하나님 앞에 자기 보좌에 앉은 이십 사 장로들이 엎드려 얼굴을 대고 하나님께 경배하여	16. 그리고 하나님 앞에 자신들의 보좌들 위에 앉은 이십 사 장로들이 그들의 얼굴들을 하나님께 향하여 굽히고, 그리하여 경배하니라.
17. 가로되 감사하옵나니 옛적에도 계셨고 시방도 계신 주 하나님 곧 전능하신이여 친히 큰 권능을 잡으시고 왕노릇하시도다	17. 말씀드리기를, 당신께 감사하옵나니 지금 계신 분, 또한 계셔오신 분, 그리고 가고계신 분, 전능하신 주 하나님이시여, 친히 큰 권능을 잡으시고 통치하시기 때문입니다.
18. 이방들이 분노하매 주의 진노가 임하여 죽은 자를 심판하시며	18. 그리고 민족들이 격분하지만, 역시 당신의 진노가 나타나며, 그리고 죽은 자들의 심판받을 때입니다.

종 선지자들과 성도들과 또 무론 대소하고 주의 이름을 경외하는 자들에게 상 주시며 또 땅을 망하게 하는 자들을 멸망시키실 때로소이다 하더라	**그리고 당신의 종 선지자들과 성도들에게와 그리고 당신의 이름을 경외하는 작은 자들과 큰 자들에게 상을 주시며, 그리고 땅을 타락하게 하는 자들을 멸망시키실 때입니다. 하니라.**
19. 이에 하늘에 있는 하나님의 성전이 열리니 성전안에 하나님의 언약궤가 보이며 또 번개와 음성들과 뇌성과 지진과 큰 우박이 있더라 자들에게 산 주시며 또 땅을 망하게 하는 자들을 멸망시키실 때로소이다 하더라	19. **그리고 하늘에 있는 하나님의 성전이 열려지고, 그리고 그분의 성전안에 그분의 언약궤가 보여지며, 그리고 번개들과 소리들과 천둥들과 지진과 큰 우박이 일어나니라.**

【 문 단 】

2〉 **경배하는 자 척량** 11:1~2

3〉 **두 증인의 사역** 3~13

4〉 **일곱째 나팔을 붊** 14~19

【 주 해 】

〈**개요**〉 11장은 계시록 중에서도 난해한 부분에 속한다. 경배하는 자의 척량(1~2)이 무엇을 말함인가? 두 증인의 사역(3~13)은 어떤 것을 말함인가? 견해가 분분하기 때문이다. 특히 두 증인이 사역하는 1,260일은 전3년 반인가 후3년 반인가? 견해가 나뉘며, 성전을 이방인에게 주어 짓밟게 하신다는 마흔 두 달은 언제를 말하는 것인가? 하는 문제들이다.

2〉 경배하는 자 척량 11:1~2

1절 ▷ 그리고 막대에 유사한 갈대를 내게 주며 말하기를, 일어나라, 그리고 하나님의 성전과 제단과 그 안에서 경배하는 자들을 측량하되,

Καὶ ἐδόθη μοι κάλαμος ὅμοιος ῥάβδῳ, λέγων, Ἔγειραι,
그리고 주며 나에게 갈대를 유사한 막대기에, 말하기를, 일어나라,

καὶ μέτρησον τὸν ναὸν τοῦ θεοῦ, καὶ τὸ θυσιαστήριον,
그리고 척량하되 그 성전을 그 하나님의, 과 그 제단을,

καὶ τοὺς προσκυνοῦντας ἐν αὐτῷ·
과 자들을 경배하는 안에서 그

사도 이오안네스(요한)에게 막대기에 유사한 갈대를 주며 말하기를, 일어나라, 하나님의 성전과 제단과 그 안에서 경배하는 자들을 척량하라고 하였다.

◀실제 상황▶ 이때는 후3년반 시작되기 직전으로 짐승 적그리스도가 히에루살렘(예루살렘) 성전에 자기 형상을 세워놓고 경배하라고 강요하기 전이므로 환란성전이 7년대환란 초에 세워져서 이우다이오스(유대인)들이 히에루살렘(예루살렘) 성전에서 제사하는 때이다. 하나님께서 선지자 다니엘에게 히에루살렘(예루살렘) 성전에 대하여 종말까지 작정하신 70이레 중에 마지막 한 이레(7년)의 절반(전3년 반)에는 제사와 예물을 드리나 후3년반에는 적그리스도가 미운 물건(짐승의 형상)을 성전에 세워놓고 제사와 예물을 금한다고 하였으니(단 9:27; 참조: 살후 2:4) 본 절은 그 일을 말하는 것이다.

그런데 신약성경에 '성전'이라는 두 헬라어 'ἱερόν(히에론)'

과 ναός(나오스)가 있는데, 신약성경의 용도를 보면 ἱερόν(히에론)’ 은 73회 사용되어 주로 히에루살렘(예루살렘) 성전 건물 전체를 가리켜 말하였고(예; 마 4:5, 24:1; 막 11:15, 14:49; 눅 2:27, 21:38) ‘ναός(나오스)’ 는 주로 영적인 의미의 성전으로 말한 것을 볼 수 있다.(예; 요 2;19; 고전 3:16, 6:19; 고후 6:16; 엡 2:21; 계 21:22) 그런데 본 절에서 성전은 ναός(나오스)라고 한 것이다.

◁**영적 상황**▷ 그러므로 여기서 성전<ναός 나오스>과 제단<θυσιαστήριον 트휘시아스테리온>, 그리고 그 안에서 경배하는 자들이란 어떤 자들이란 말인가? 계시록 자체에서 성전<ναός 나오스>과 제단<θυσιαστήριον 트휘시아스테리온>을 어떻게 말씀하셨는가에 유의해야 할 것이다. 계시록에서 성전<ναός 나오스>이라는 말이 16회인데(3:12, 7:15, 11:1, 2, 19, 19, 14:15, 17, 15:5, 6, 8, 8, 16:1, 17, 21:22, 22) 본 절 외에 모두 하늘에 있는 하나님의 (보좌 앞의)성전이라고 하였다. 그런데 21:22절에 “성안에 성전을 내가 보지 못하였으니 주 하나님 곧 전능하신 이와 및 어린양이 그 성전이심이라” 한 것이다. 그리고 신약성경에서 이에수-스(예수)님 자신과(마 26:61, 요 2:19,21) 성도들 자신을 성전<ναός 나오스>이라 한 것이다.(고전 3:16; 고후 6:16, 19; 엡 2:21) 또한 하나님께서는 손으로 지은 성전에 계시지 아니하신다고 하였다.(행 17:24)

그러므로 성전<ναός 나오스> 안에서 경배한다는 것은 하나님께서 찾으시는 예배자 곧 자신이 진정 성전이 된 성도가 이에수-스(예수)님 안에서 영과 진리로 예배하는 자들을 말함인 것이다.(요 4:21~24)

제단<*θυσιαστήριον* 트휘시아스테리온>이라는 말은 8회이다. (6:9, 8:3, 3, 5, 9:13, 11:1, 14:18, 16:7) 주로 기도의 금 향단을 말하고 있다. 그러므로 성전과 제단과 그 안에서 경배하는 자들을 척량하라 하신 것은 이때 이우다이오스(유대인)들이 히에루살렘(예루살렘) 성전에서 제사하지만 구약 시편의 거듭난 성도들 같이 신앙고백을 하며 진정 영과 진리로 예배하며 기도하는 자들을 계수하라는 말씀인 것이다.

8장의 일곱째 인 전3년 반의 일곱 나팔 재앙이 임하기 전, 7장에서 재앙을 받지 않을 성도들에게 하나님의 인을 치게 하셨던 것처럼, 16장의 일곱째 나팔 후3년 반의 일곱 대접 재앙이 부어지기 전, 11장에서 진정한 예배자들을 척량 곧 계수하라는 말인 것이다. 보호하시기 위함이다. 이때 척량 받을 성도가 얼마나 될까? 이 말씀도 성도가 휴거 한 것이 아니라 땅에 있다는 것을 말한다.

2절 ▷ 그리고 성전의 안뜰을 안으로부터 문밖에 내던지라. 그리고 그것을 척량하지 말라. 왜냐하면 그 거룩한 성을 이방인들에게 주어졌으니, 그리고 마흔 두 달을 짓밟을 것이기 때문이니라.

καὶ τὴν αὐλὴν τὴν ἔσωθεν τοῦ ναοῦ ἔκβαλε ἔξω, καὶ
그리고 그 안뜰을 그 안으로(부터) 그 성전의 내던지라 문밖에,그리고
μὴ αὐτὴν μετρήσῃς, ὅτι ἐδόθη τοῖς ἔθνεσιν· καὶ τὴν
말라 그것을 척량하지, 왜냐하면 주었으니 그 이방인들에게. 그리하여 그
πόλιν τὴν ἁγίαν πατήσουσιν μῆνας τεσσαράκοντα δύο.
도시를 그 거룩한 짓밟을 것이다 달을 마흔 두.

성전 안으로<*ἔσωθεν* 에소트헨> 있는 안뜰<*αὐλὴν* 아울렌

>은 이방인의 장소로 정한 뜰이었다. 헤롯 성전에서(주전 19~주후 70) 이 뜰은 하나님께 제사 드리기 위해 돈을 바꾸거나 희생제물용 동물을 매매하던 곳이며 이에수-스(예수)님께서 이같은 일을 하는 상인들을 쫓아내셨던 것이다.(마 21:12; 요 2:14~17) 이스라엘 백성들은 이 곳을 신성한 곳으로 여기지 않았으며 이방인들에게 개방했던 곳이다. 같은 용어인 안뜰<*αὐλὴν*(아울렌)>이 페트로스(베드로)가 이에수-스(예수)님을 세 번 부인하던 장소로 말해졌다.(마 26:58, 69; 막 14:54, 66; 눅 22:55)

그러므로 "성전의 안뜰을 안으로부터 문밖에 내던지라. 그리고 그것을 척량하지 말라. 왜냐하면 그 거룩한 성을 이방인들에게 주어졌으니, 그리고 마흔 두 달을 짓밟을 것이기 때문이라" 하신 것은 하나님을 경외함이 없는(11:18) 참 예배자가 아닌 형식적이고 거짓된 이우다이오스(유대인)들은 계수하지 말고 후3년 반 마흔 두 달 대환란에 내던지라는 말씀인 것이다. 이방인들에게도 같은 메시지의 말씀이다.

개역 한글성경에 '그냥 두라' 로 번역한 '*ἔκβαλε ἔξω*(엑발레 엑소' 는 '내버리다' 는 뜻이 있는 동사 '*βάλλω*(발로)' 에 '분리' 를 나타내는 전치사 '*ἐκ*(에크)' 가 결합되어 '밖으로 던지다, 제거하다' 는 매우 강한 뜻을 지닌 부정 과거 명령형으로 '밖으로 내 던지라' 이다.

¤ 감동과 기도 ☆

3〉 두 증인의 사역 3~13

3절 ▷ 그리고 나의 두 증인들에게 허락하리니, 그리하여 거친

베옷들을 입고 일천 이백 육십 일을 예언할 것이라.

καὶ δώσω τοῖς δυσίν μάρτυσίν μου, καὶ προφητεύσουσιν
그리고 허락하리니 그 두 증인들에게 나의, 그리하여 예언할 것이다
ἡμέρας χιλίας διακοσίας ἑξήκοντα, περιβεβλημένοι σάκκους.
일을 일천 이백 육십, 입고 거친 베옷들을

중간계시의 또 한가지는 두 증인의 사역에 대한 것이니, 두 증인이 거친 베옷을 입고 일천 이백 육십(1,260=3년 반) 일을 예언하리라 하신 것이다. 두 증인은 누구를 가리킴이냐에 대해서도 견해가 분분하다. 신약교회의 표상(박윤선), 모세와 엘리야의 정신을 계승한 종(이상근), 하나님의 종들(김재준), 신의 증인들(김응조), 모세와 엘리야(조용기, 비더울프), 엘리야와 에녹(데이크), 복음을 증거하며 세상과 싸우는 교회를 상징(헨드릭슨), 종말에 복음을 증거할 법정적 증인을 상징(렌스키), 이스라엘을 회심케 하기 위하여 파견 될 종말론적인 실제 역사적 인물(죠지 래드)등 견해가 일치하지 않다.

먼저 '두 증인<τοῖς δυσίν μάρτυσίν>' 이라는 말에 정관사 'τοῖς(토이스)' 가 있는 것은 특정 인물을 가리키며, 그리고 10절에 '두 선지자<δύο προφῆται>' 라 하였으니 두 사람인 것이 확실하다. 그러므로 '교회' 또는 '불특정 다수' 라 함은 합당치 않다.

그리고 어떤 누구인가에 대하여는 두 증인의 사역이 어떤 것인지를 생각해야 할 것이다. '거친 베옷' 을 입고 예언한다고 하였으니 '거친 베옷' 은 큰 슬픔과 애통을 당했을 때 입은 옷이며,(창 37:34; 삼하 3:31; 욜 1:8) 위기와 재난을 슬퍼할 때,(왕하 28~30; 에 4:1~4) 회개할 때,(느 9:1~3; 단 9:3; 욘 3:8; 마 11:21) 통회와 겸비의 표시로,(시 69:11; 왕상 27~29) 다가오는 재앙에

대하여 애통함으로,(렘 4:6~9, 49:3) 입는 옷이니 두 증인의 사역이 어떤 것임을 알 수 있는 것이다. 7년 대환란 중에 모쉐(모세)와 엘리야후(엘리야)가 아니라 그분들의 심령과 능력으로(마 11:14; 눅 1:17) 세상 사람들을 향해 슬픔과 애통과 회개를 촉구하는 사역을 하는 두 사람을 말하는 것이다. 특히 히에루살렘(예루살렘)에서 이우다이오스(유대인)들의 개심을 촉구하는 두 증인인 것이다. 전3년 반은 이방인의 때는 이미 지났고 히에루살렘(예루살렘)을 위하여 남겨둔 한 이레의 때이기 때문이다.(단 9:27; 롬 11:25)

사역의 기간에 대해 1,260일이 언제부터 언제인가? 하는 것이다. 이미 여섯째 나팔 재앙까지 있은 후에 이 중간계시가 주어졌는데 전3년 반에 사역하는 것을 말한 것인가?

그런데 이 두증인의 사역 기간에 대하여 가장 확실한 증거는 7절에 "그들의 증거를 마쳤을 때, 무저갱으로부터 올라 오는 짐승이 그들과 더불어 전쟁을 일으킨다"고 한 것이다. 그러면 이 짐승은 언제 무저갱으로부터 올라오는 것인가? 계시록에서 짐승<*θηρίον* 떼리온>이 제일 처음 나오는 곳은 13:1절이다. 그리고 17:8절에 사도 이오안네스(요한)에게 "네가 본 짐승은 전에 있었다가 지금은 없으나 장차 무저갱으로부터 올라와 멸망으로 들어 갈 자니"라고 하였으니 분명히 무저갱으로부터 올라온 짐승이라고 한 것이다. 계시록에서 짐승<*θηρίον* 트헤리온>이란 말이 39회나 되는데 13:1절 이전에는 한 번도 나오지 않는다.

그러므로 두 증인이 사역을 마치는 때는 13장 이전 곧 일곱째 나팔인 일곱 대접 재앙이 시작되기 전 전3년 반인 것이다. 선지자 엘리야후(엘리야) 때에 그가 기도하여 이스라엘 땅에 3년 반의 가뭄이 있었고 다시 기도하니 비가 왔었다.(왕상 17:1, 18:1,

42~45; 약 5:17)

4절 ▷ 이 사람들은 두 올리브 나무들이며, 그리고 그 땅의 하나님 앞에 서 있는 두 등대들이라.

οὗτοί εἰσιν αἱ δύο ἐλαῖαι, καὶ δύο λυχνίαι αἱ ἐνώπιον
이 사람들은 이다 그 두 올리브나무들, 그리고 두 등대들 그 앞에
τοῦ θεοῦ τῆς γῆς ἑστῶσαι. ←그 하나님의 그 땅의 서있는

'*λυχνίαι*(르뤼크흐니아이)' 는 '촛대' 가 아니라 '등대' 라고 번역해야 옳다. 이 사람들은 두 올리브(감람) 나무이며 이 땅의 하나님 앞에 서 있는 두 등대라 하였으니 스가랴 4:3, 11~14절 말씀과 연관된다. 등대는 올리브(감람) 기름으로 불을 밝혀 어둠을 밝히는 성소의 중요한 기구이다. 등대 옆 좌우에 기름을 흘려내는 두 금관 옆에 있는 두 감람나무는 기름을 발리운 자 둘로서 온 세상의 주 앞에 모셔 섰는 자니라 하였다.(슥 4:11~14)

하나님께서 특별히 기름 부어 이 때에 온 세상 사람들을 향한 슬픔과 애통과 회개를 촉구하는 사역을 하게 하시는 증인인 것이다. 이와 같은 두 증인의 사역의 본질은 유의하지 않고 5절과 6절의 두 증인이 받은 권세에 대하여만 주목하는 자들이 많다.

5절 ▷ 그리고 만일 누구든지 그들을 해치려고 하면 그들의 입으로부터 불이 나와서, 그리고 그들의 원수들을 삼켜버리고, 또한 만일 누구든지 그들을 해치려고 하면 그는 반드시 이와 같이 죽임을 당해야 하리라.

καὶ εἴ τις αὐτοὺς θέλῃ ἀδικῆσαι, πῦρ ἐκπορεύεται ἐκ τοῦ
만일.…이라면 누구든지 그들을 하려고하면 해치려고, 불이 ~으로부터 나와서 그

στόματος αὐτῶν, καὶ κατεσθίει τοὺς ἐχθποὺς αὐτῶν· καὶ εἴ
입의 저희의, 그리고 삼켜버리고 그 원수들을 그들의. 또한 만일
τις αὐτοὺς θέλῃ ἀδικῆσαι, οὕτως δεῖ αὐτὸν ἀποκτανθῆναι.
누구든지 그들을 하려고 하면 해치려고, 이와같이 반드시…해야한다 그는 죽임을.

하나님께서 두 증인에게 주신 권세를 말한다 "만일 누구든지 그들을 해치려고 하면 그들의 입으로부터 불이 나와서, 그들의 원수들을 삼켜버리고, 또한 누구든지 그들을 해치려고 하면 반드시 이와 같이 죽임을 당해야 하리라" 하신 것이다. 놀라운 권세이다.

6절 ▷ 그들이 그들의 예언의 날들에 비를 보내지 못하게 하기 위하여 하늘을 닫을 권세를 가지고, 또 물들에 대하여 그 것들을 피 같은 것으로 변하게 하는 권세를 가지고, 그리 고 언제든지 하려고 할 때마다 온갖 재난에 그 땅을 치니라.

οὗτοι ἔχουσιν ἐξουσίαν κλεῖσαι τὸν οὐρανόν, ἵνα μὴ
그들이 가지고 권세를 닫는 그 하늘을, 을 위하여 아니
βρέχῃ ὑετὸς ἐν ἡμέραις αὐτῶν τῆς προφητείας· καὶ
비(를 보내다) 비 가운데 날들에 그들의 그 예언의. 그리고
ἐξουσίαν ἔχουσιν ἐπὶ τῶν ὑδάτων, στρέφειν αὐτὰ εἰς αἷμα,
권세를 가지고 대하여 그 물들의, 변하게 하고 그것들을 로 피,
καὶ πατάξαι τὴν γῆν πάσῃ πληγῇ, ὁσάκις ἐὰν θελήσωσιν.
그리고 치니라 그 땅을 모든 재난에, ~할 때마다언제든지~하려고하는.

"그들의 예언의 날들에 비를 보내지 못하게 하기 위하여 하늘을 닫을 권세를 가지고, 또 물들에 대하여 그것들을 피 같은 것으로 변하게 하는 권세를 가지고, 그리고 언제든지 하려고 할 때마다 온갖 재난에 그 땅을 친다"고 하였으니 특별한 권세를 주신 것이다. 선지자 엘리야와 모세에게 주셨던 권세도 그러했다.(왕상 17:1, 18:1, 42, 45; 약 5:17, 18; 출 7:20)

7절 ▷ 그리고 그들의 증거를 마쳤을 때, 무저갱으로부터 올라오는 짐승이 그들과 더불어 전쟁을 일으킬 것이며, 그리고 그들을 이기고 또한 그들을 죽일 것이니라.

καὶ ὅταν τελέσωσιν τὴν μαρτυρίαν αὐτῶν, τὸ θηρίον
그리고 때쯤 마쳤을 그 증거를 그들의, 그 짐승이
τὸ ἀναβαῖνον ἐκ τῆς ἀβύσσου ποιήσει πόλεμον μετ'
그 올라오는 으로부터 그 무저갱의 일으킬 것 전쟁을 더불어
αὐτῶν, καὶ νικήσει αὐτοὺς, καὶ ἀποκτενεῖ αὐτούς.
저희들의, 그리고 승리를 거둘 것 그들을, 그리고 죽일 것이니라 그들을.

두 증인이 증거를 마쳤을 때쯤 무저갱에서 짐승이 올라와 두 증인과 더불어 전쟁을 일으키고 두 증인을 이겨 그들을 죽인다고 한 것이다. 이 짐승이 어떤 존재이기에 그 큰 권세를 가진 두 증인을 이겨 죽이는 것인가? 짐승이 두 증인을 이겨 죽인다는 것은 짐승의 권세가 두 증인의 권세보다 강하여 이기고 죽이는 것이 아니다. 두 증인의 증거 하는 사명의 기간이 마쳐졌기 때문에 순교하게 되는 것을 말함이다. 하나님께서는 두 증인의 권세로 하여금 짐승을 이기게 하실 수 있지만 순교함으로서 진정한 이김을 거두도록 하시는 것이다. 12:11절에 어린양의 피와 자기의 증거하는 말을 인하여 죽기까지 생명을 아끼지 않은 성도들을 큰 용이며 옛 뱀이며 마귀인 사탄을 이긴 자라고 한 것이다. 하나님께서 주시려고 하신 말로 다할 수 없는 그 영광스럽고 복된 상을 받는 자가 되기 때문이다.

8절 ▷ 그리고 그들의 그 죽은 몸들이 큰 성의 길 위에 있으니, 어느 곳 어디서나 영적으로 소도마들과 아이귚토스(이집트)라 불리우며, 또한 우리들의 주님께서 십자가에 못

박히신 곳이라.

καὶ τὰ πτώματα αὐτῶν ἐπὶ τῆς πλατείας πόλεως
그리고 그 죽은 몸들 그들의 위에 그 길의 도시의
τῆς μεγάλης, ἥτις καλεῖται πνευματικῶς Σόδομα
그 큰, 어디든지 불리우니 영적으로 소도마들이라
καὶ Αἴγυπτος, ὅπου καὶ ὁ κύριος ἡμῶν ἐσταυρώθη.
과 아이귚토스 어느곳 또한 그 주님께서 우리들의 십자가에 못박히신.

그런데 그들의 그 죽은 몸들이 큰 성의 길 위에 있으니, 영적으로 소도마(소돔)들과 아이귚토스(이집트)라 불리우며, 또한 우리들의 주님께서 십자가에 못 박히신 곳이라고 한 것이다. '큰 성' 이라 하고, 주님께서 십자가에 못 박히신 곳이라 한 것은 히에루살렘(예루살렘)을 말한 것이다. 또한 영적으로는 멸망한 소도마(소돔) 성들과 아이귚토스(이집트)라 불리울 만큼 타락한 히에루살렘(예루살렘)인 것을 말한다. 이스라엘을 소도마(소돔)에 비하였으며(사 1:9; 렘 23:14) 주님께서 못 박히신 곳은 히에루살렘(예루살렘)이다. 그러므로 두 증인의 사역의 장소는 히에루살렘(예루살렘)이다.

지금 은혜시대인데도 히에루살렘(예루살렘)에는 기독교인이 1% 정도라 하고, 성지순례를 가보면 순수한 기독교의 분위기는 전혀 없고 온갖 이교들의 분위기로 넘쳐나 영적으로 너무나 타락한 곳임을 절감하는데 7년 대환란 때는 더 말할 것이 없다.

9절 ▷ 그리고 그 백성들과 족속들과 언어들과 민족들 가운데서 삼일 반 그들의 죽은 몸들을 볼 것이며, 그리고 그들의 죽은 몸들을 무덤들에 두지 못하게 하리라.

καὶ βλέψουσιν ἐκ τῶν λαῶν καὶ φυλῶν καὶ γλωσσῶν καὶ
그리고 볼 것이며 가운데 그 백성들의 과 족속들의 과 언어들의 과

ἐθνῶν τὰ πτώματα αὐτῶν ἡμέρας τρεῖς καὶ ἥμισυ, καὶ
민족들의 그 죽은 몸들을 그들의 일 삼 과 반, 그리고
τὰ πτώματα αὐτῶν οὐκ ἀφήσουσιν τεθῆναι εἰς μνήματα.
그 죽은 몸들을 그들의 못 하게하다 두지 에 무덤들.

백성들과 족속들과 언어들과 민족들이 두 증인의 죽은 몸들을 삼일 반 동안 무덤에 장사하지 못하게 한다. 중동에서는 기온이 높음으로 당일에 장사하나 두 증인은 삼일 반 동안 죽은 시체를 장사하지 못하게 하는 것은 최대의 가혹과 잔인하게 취급함을 표시한다.(왕상 13:22; 시79:3)

TV 중계로 세계 모든 사람들이 보게 된다.

10절 ▷ **땅위에 거하는 자들이 그들의 죽음을 즐거워하고 기뻐하며 서로 상호간에 선물을 보낼 것이라. 왜냐하면 이들 두 선지자들이 땅위에 거하는 자들을 고통을 주었기 때문이라.**

καὶ οἱ κατοικοῦντες ἐπὶ τῆς γῆς χαροῦσιν ἐπ᾽ αὐτοῖς, καὶ
그리고 자들이 거하는 위에 그 땅의 즐거워할 것이다 대하여 그들의 또한
εὐφρανθήσονται· καὶ δῶρα πέμψουσιν ἀλλήλοις, ὅτι οὗτοι οἱ
기뻐할 것이며. 그리고 선물들을 보낼 것이다 서로상호간에, 왜냐하면 이들 그
δύο προφῆται ἐβασάνισαν τοὺς κατοικοῦντας ἐπὶ τῆς γῆς.
두 선지자들이 고통을 주었기 자들을 거하는 위에 그 땅의.

땅위에 거하는 자들이 두 증인 죽음을 즐거워하며 서로 선물을 보내기까지 한다. 두 선지자가 땅위에 거하는 자들에게 고통을 주었기 때문이다. 두 선지자가 3년 6개월 동안 애통하며 땅위에 거하는 자들을 향해 회개하기를 촉구해도 도무지 회개하지 아니하므로 여러 가지 재앙으로 땅을 쳤기에 증오가 쌓였기

때문이다

11절 ▷ 그리고 삼 일 반 후에 하나님으로 말미암아 생명의 영이 그들을 향하여 들어가, 그리하여 그들의 발들로 위로 서니, 그러므로 그들을 구경하며 바라보던 자들이 크게 놀랐기 때문에 자빠지니라.

καὶ μετὰ τὰς τρεῖς ἡμέρας καὶ ἥμισυ, πνεῦμα ζωῆς ἐκ τοῦ
그리고 후에 그 삼 일들 과 반, 영이 생명의 으로말미암아
θεοῦ εἰσῆλθεν ἐπ' αὐτούς, καὶ ἔστησαν ἐπὶ τοὺς πόδας αὐτῶν,
하나님의 들어가니 향하여 그들을, 그리하여 서니 위로 그 발들을 그들의,
καὶ φόβος μέγας ἔπεσεν ἐπὶ τοὺς θεωροῦντας αὐτούς.
그러므로 놀라서 크게 넘어지다 때문에 자들 (구경하며)바라보던 그들을.

그런데 삼 일 반 후에 장사 지내지 못하게 하고 방치해 두게 한 두 증인의 시체에 하나님으로 말미암아 생명의 영이 들어가 그들의 발들로 위로 일어서니, 그들을 구경하며 바라보던 자들이 크게 놀랐기 때문에 자빠졌다고 한 것이다. 그들이 전혀 예상 못했던 일이기에 놀래 자빠진 것이다. 개역 한글성경에 구경하는 자들이 '크게 두려워하더라' 고 번역한 헬라어는 '*φόβος μέγας ἔπεσεν*(프호보스-놀라 메가스-크게 에페센-**넘어지다**)' 이니 '크게 놀라 자빠졌다' 는 말이다.

¤ 감동과 기도 ☆

12절 ▷ 그리고 저희가 하늘로부터 큰 소리를 들으니, 그들에게 말하기를, 여기로 올라오라 하므로 그들이 구름 가운데서 하늘로 올라가니 또한 그들의 원수들이 그들을 구경하니라.

καὶ ἤκουσαν φωνὴν μεγάλην ἐκ τοῦ οὐρανοῦ, λέγουσαν
그리고 듣고 소리를 큰 로부터 그 하늘의, 말하기를
αὐτοῖς, Ἀνάβητε ὧδε. Καὶ ἀνέβησαν εἰς τὸν οὐρανὸν
그들에게, 올라오라 여기로. 그리고 올라가니 로 그 하늘을
ἐν τῇ νεφέλῃ, καὶ ἐθεώρησαν αὐτοὺς οἱ ἐχθροὶ αὐτῶν.
가운데서 구름에, 또한 구경하더라 그들을 그 원수들이 그들의

그 광경을 보고 있는 사도 이오안네스(요한)에게 하늘로부터 큰 음성이 들렸다. 살아난 두 증인에게 말하기를, "여기로 올라오라" 하니 그들이 구름 가운데서 하늘로 올라가는데 그들의 원수들이 그들을 구경하니라고 하였다.

'구름' 에 관사<*τῇ* 그>가 있으니 특정한 구름을 말한다. 특별한 부활과 승천인 것이다.

13절 ▷ 그리고 그 시간에 큰 지진이 일어나고, 그리하여 성의 십 분의 일이 무너지며, 또한 지진에 죽은 사람들의 이름들이 칠천이라. 그리고 남은 자들이 두려워하게 되어, 실로 하늘의 하나님께 영광을 돌리니라.

Καὶ ἐν ἐκείνῃ τῇ ὥρᾳ ἐγένετο σεισμὸς μέγας, καὶ τὸ
그리고 에 이것 그 시간에 일어나서 지진이 큰, 그리하여 그
δέκατον τῆς πόλεως ἔπεσεν, καὶ ἀπεκτάνθησαν ἐν τῷ
십분의 일이 그 도시의 무너지고, 또한 죽은 에 그
σεισμῷ ὀνόματα ἀνθρώπων χιλιάδες ἑπτά· καὶ οἱ λοιποὶ
지진에 이름들이 사람들의 천이라 칠. 그리고 남은 자들이
ἔμφοβοι ἐγένοντο, καὶ ἔδωκαν δόξαν τῷ θεῷ τοῦ οὐρανοῦ.
두려워하여 되어, 실로 돌리니라 영광을 하나님께 하늘의.

그 시간에 큰 지진이 일어나고, 그리하여 성의 십분의 일이 무너지며, 또한 지진에 죽은 사람이 칠천이며 그리고 남은 자들

이 두려워하게 되어 실로 하늘의 하나님께 영광을 돌리니라고 하였다. 히에루살렘(예루살렘)에서만 그 정도일 것을 말하는 것이지만 전 세계적으로 일어난 상황은 말할 수 없이 준엄한 것이다. 16:19절에 마지막 일곱째 대접 재앙에서는 큰 도시 히에루살렘(예루살렘)이 세 갈래로 갈라지고 만국의 도시들도 무너진다고 하였다.

하나님께 영광을 돌린다는 것은 단지 하나님의 권능을 인정하는 행위를 가리킨다.(요 9:24; 행 12:23)

¤ 감동과 기도 ☆

4〉 일곱째 나팔을 붊 14~19

14절 ▷ 둘째 화는 지나갔으나, 보라 셋째 화가 속히 오느니라.

Ἡ οὐαὶ ἡ δευτέρα ἀπῆλθεν· ἰδού, ἡ οὐαὶ ἡ τρίτη ἔρχεται ταχύ.
그 화는 그 둘째 지나갔으나. 보라, 그 화가 그 셋째 온다 속히

여기까지가 둘째 화가 지나간 것이라고 하였다. 사람 1/3이 일시에 죽는 여섯째 나팔 재앙이 둘째 화라고 하였는데 (9:12~13) 두 증인의 사역이 끝난 11:14절에서 둘째 화가 지나가고 마지막 셋째 화가 속히 온다고 한 것이다.

15절 ▷ 그리고 그 일곱째 천사가 나팔을 부니, 또한 하늘에서 큰 음성들이 일어나 말하기를, 우리들의 주님의 세상의 왕국들이 끝나고 우리들의 주님과 크흐리스토스님 자신의(왕국이 되어), 영원의 영원을 향하여 통치하시리라 하며,

Καὶ ὁ ἕβδομος ἄγγελος ἐσάλπισεν, καὶ ἐγένοντο φωναὶ
그리고 그 일곱째 천사가 나팔을 불매, 또한 일어나 음성들이

μεγάλαι ἐν τῷ οὐρανῷ, λέγουσαι, Ἐγένοντο αἱ βασιλεῖαι
큰 에 그 하늘에서, 말하기를, 끝나고 그 왕국들이
τοῦ κόσμου τοῦ κυρίου ἡμῶν, καὶ τοῦ χριστοῦ αὐτοῦ,
그 세상의 그 주님의 우리들의, 과 그 그리스도님의 자신의,
καὶ βασιλεύσει εἰς τοὺς αἰῶνας τῶν αἰώνων.
그리고 통치하시리로다 향하여 그 영원들을 그 영원들의.

일곱째 천사가 나팔을 부니, 또한 하늘에서 큰 음성들이 일어나 말하기를, "우리들의 주님의 세상의 통치들이 끝나고 그리고 바로 그곳에서 그리스도님의 영원들의 영원들을 향하여 통치하시리라"고 한 것이다. 이것은 계시록의 주제인 동시에 기독교 복음의 완성을 말한 것이다. 일곱째 천사의 나팔로 일곱 대접의 재앙이 다 실행되고 나면 주님의 이 세상 통치는 끝나고 재림하심으로 영원들의 영원들을 향한 새로운 통치가 시작되는 것이다. 계시록의 주제가 바로 이것인 것이다.

마귀는 이 세상 왕국들의 권세와 영광들은 자기에게 넘겨진 것이라고 하였고,(눅 4:5~6) 마귀는 이 세상 왕이라 하였다.(요 12: 31) 그러나 일곱째 나팔의 재앙으로 이러한 이 세상 마귀의 통치가 끝나고 주님의 영원한 통치가 시작된다는 말씀이다.

☼ 감동과 기도 ☆

16절 ▷ 그리고 자신들의 보좌들 위에 앉은 이십 사 장로들이 하나님 앞에 그들의 얼굴들을 엎드려 하나님께 경배하며

καὶ οἱ εἴκοσι καὶ τέσσαρες πρεσβύτεροι οἱ ἐνώπιον
그리고 그 이십 과 사 장로들이 그 앞에
τοῦ θεοῦ καθήμενοι ἐπὶ τοὺς θρόνους αὐτῶν ἔπεσαν
그 하나님의 앉은 위에 그 보좌들을 자신들의 엎드려
ἐπὶ τὰ πρόσωπα αὐτῶν, καὶ προσεκύνησαν τῷ θεῷ,
앞에 그 얼굴들을 그들의, 그리고 경배하며 그 하나님께

그러자 하나님 앞에 자신들의 보좌들 위에 앉은 이십 사 장로들이 그들의 얼굴들을 하나님께 향하여 굽히고, 경배하니라고 하였다. 5:14절에서 이십 사 장로들이 하나님께 경배하는 광경 이후 다시 본 광경이니 그만큼 15절의 메시지는 너무나 귀중한 것이기 때문이다. 그 의미를 바로 아는 것이 계시록을 바로 아는 것이며 기독교 복음을 바로 아는 것이므로 너무나 귀하고 중요한 것이다. 바른 성경과 바른 복음과 바른 영성, 그리고 헬라어 직역 바른 계시록 주석은 이를 밝혀 주는 등대의 역할을 하는 것이다.

17절 ▷ 말씀드리기를, 당신께 감사하옵나니 지금 계신 분, 또한 계셔오신 분, 그리고 가고계신 분, 전능하신 주 하나님이시여, 친히 큰 권능을 잡으시고 그리고 통치하시기 때문입니다.

λέγοντες, Εὐχαριστοῦμέν σοι, κύριε ὁ θεὸς ὁ παντοκράτωρ,
말하기를, 감사하옵나니 당신께, 주 하나님 이 전능하신,
ὁ ὢν καὶ ὁ ἦν καὶ ὁ ἐρχόμενος, ὅτι εἴληφας τὴν
분 지금 계신 분 계셔오시는 분 오고계신, 때문입니다 잡으시고
δύναμίν σου τὴν μεγάλην, καὶ ἐβασίλευσας.
권능을 당신의(친히) 큰, 그리고 통치하시기.

이십 사 장로들이 하나님께 경배하며 말씀드리기를, "당신께 감사하옵나니 지금 계신 분, 또한 계셔오신 분, 그리고 오고계신 분, 전능하신 주 하나님이시여, 친히 큰 권능을 잡으시고 통치하시기 때문입니다"고 하였다. 개역 한글성경은 "옛적에도 계셨고, 시방도 계신' 주 하나님 전능하신이여"라고 했는데 헬라어 원문과는 너무나 다른 번역이며 전통원문과도 차이가 난다. 먼저 '옛적에도 계셨고'라고 번역한 헬라어 '*ὁ ἦν*(호 엔)'은 '계

셔오시는 분' 이다. *ἦν*(엔)은 '이다' '있다' 라는 뜻을 지닌 *εἰμι*´(에이미)의 미완료형이기 때문이다. 그리고 전통원문에 있는 '오고 계신 분<*ὁ ἐρχόμενος*>' 이 네슬 알란드 사본을 따른 개역 한글성경에는 없다.

사탄은 주님께서 재림하시는 그 왕국이 오면 자신의 왕국이 멸망할 것을 알기 때문에 네슬 알란드 사본에서 '오고 계신 분 <*ὁ ἐρχόμενος*>' 을 삭제한 것이다.

1:4절 8절 4:8절 세 번 있는 데서도 '장차 오실 이' 라고 번역한 것도 잘못된 것이니 '*ὁ ἐρχόμενος*(호 에르크호메노스)' 는 현재분사형으로서 '장차 오실 이' 라는 미래적 개념이 아니고 '오고 계시는 분' 또는 '오시는 분' 으로 번역된다. 완전히 다른 의미가 되며 재림의 긴박성을 삭감한 것이다. 하나님은 과거와 미래가 없으신 분이시다. 항상 현재이신 분이시다.

하나님께서는 친히 큰 권능을 잡으시고 통치하여 오시고, 지금도 통치하시며, 통치하려 오고 계시는 분이시다.

¤ 감동과 기도 ☆

18절 ▷ 그리고 민족들이 격분하지만, 역시 당신의 진노가 나타나며, 그리고 죽은 자들의 심판받을 때입니다. 그리고 당신의 종 선지자들과 성도들에게와 그리고 당신의 이름을 경외하는 작은 자들과 큰 자들에게 상을 주시며, 그리고 땅을 타락하게 하는 자들을 멸망시키실 때입니다. 하니라.

καὶ τὰ ἔθνη ὠργίσθησαν, καὶ ἦλθεν ἡ ὀργή σου καὶ ὁ καιρὸς
그리고 그 민족들이 격분하니, 역시 나타나 그 진노가 당신의 그리고 그 때입

τῶν νεκρῶν, κριθῆναι, καὶ δοῦναι τὸν μισθὸν τοῖς δούλοις
그 죽은자들의, 심판하실, 또한 주시며 그 상을 그 종들에게

σου τοῖς προφήταις, καὶ τοῖς ἁγίοις καὶ τοῖς φοβουμένοις
당신의 그 선지자들에게, 그리고 그 성도들에게 과 자들에게 경외하는
τὸ ὄνομά σου, τοῖς μικροῖς καὶ τοῖς μεγάλοις, καὶ διαφθεῖραι
그 이름을 당신의, 자들에게 작은 와 자들에게 큰, 그리고 멸망시키실
τοὺς διαφθείροντας τὴν γῆν. ← 자들을 타락케 하는 그 땅을

민족들이 격분하지만, 그럼에도 불구하고 하나님의 진노는 나타나며, 그리고 죽은 자들의 심판 받을 때는 박두하여 오고 있는 것이다. 그리고 하나님의 종 선지자들과 성도들에게와 그리고 하나님의 이름을 경외하는 작은 자들과 큰 자들에게 상을 주시며, 그리고 땅을 타락하게 하는 자들을 멸망시키실 때에 하나님의 통치하시는 왕국은 완전히 성취되는 것이다.

☼ 감동과 기도 ☆

19절 ▷ 그리고 하늘에 있는 하나님의 성전이 열려지고, 그리고 그분의 성전 안에 그분의 언약궤가 보여지며, 그리고 번개들과 소리들과 천둥들과 지진과 큰 우박이 일어나니라.

καὶ ἠνοίγη ὁ ναὸς τοῦ θεοῦ ἐν τῷ οὐρανῷ, καὶ ὤφθη
그리고 열려지고 그 성전이 그 하나님의 안에 그 하늘에, 그리고 보여지며
ἡ κιβωτὸς τῆς διαθήκης αὐτοῦ ἐν τῷ ναῷ αὐτοῦ·
그 궤가 그 언약 그분의 안에 그 성전에 그분의
καὶ ἐγένοντο ἀστραπαὶ καὶ φωναὶ καὶ βρονταὶ καὶ
그리고 일어나니라 번개들 과 소리들 과 천둥들 과
σεισμὸς καὶ χάλαζα μεγάλη. ← 지진 과 우박이 큰

이십 사 장로들의 경배와 찬양이 마쳐지자 하늘에 있는 하나님의 성전이 열려지고, 그리고 그분의 성전 안에 그분의 언약궤가 보이며, 그리고 번개들과 소리들과 천둥들과 지진과 큰 우박

이 일어났다. 언약궤가 보였는데 구약의 언약궤 안에는 십계명 두 돌판과 만나를 담은 항아리와 아론의 싹난 지팡이가 들어 있는 법궤라는 것이다.(출 34:28, 29; 히 9:4) 하나님께서 구약 이스라엘 백성들에게 임재하여 말씀하실 때는 이 법궤(언약궤) 위의 그룹 사이에서 말씀하셨다.(출 25:22, 40:34; 민 7:89; 삼하 6:2; 시 80:1)

하늘의 하나님의 성전이 열리고 언약궤가 보였다는 것은 하나님께서 구약의 택한 이스라엘 백성들에게 언약하신 말씀대로 반드시 이루시고, 또한 구속하신 영적 이스라엘(롬 2:28~29; 갈 6:16) 백성과 맺은 새 언약도 변함 없이 이루신다는 것을 증거로 보여주신 것이다.

이우다이오스(유대인) 전승에 의하면 주전 588년 1월부터 586년 7월까지 2년 6개월 간 예루솰라임(예루살렘)이 바빌론(바벨론) 군대에 포위되어 있는 동안 선지자 이르메야(예레미야)가 법궤를 어느 동굴 속에 숨겼다고 한다. 계시록 2:17절에 주님께서 "내가 감추어진 만나를 주어 먹게하리라" 하신 말씀에 비추어 영원한 기념이 될 생명나무와 법궤도 숨겨졌다가 이 때에 보여지는 것이라고 해도 틀리지 않을 것이다.

번개들과 소리들과 천둥들과 지진과 큰 우박이 일어났다는 것은 지금까지 계시한 모든 것이 하나님의 보좌로부터 나온 것이며 하나님의 무한한 권능으로 이루실 것을 증표하는 것이다.

¤ 감동과 기도 ☆

♤ 11장 요점 정리 ♠

① 하나님의 성전과 제단과 그 안에서 경배한 자들을 척량(尺量)하라 한 것은 후3년 반 직전 히에루살렘(예루살렘) 성전에서 경배하는 이우다이오스(유대인) 중에서 예배하는 자들의 영적 성숙도를 재라는 말씀이다. 12장의 후3년 반에 하나님께서 예비하신 양육처에 보내기 위한 것이다. 영적으로 성전 된 이방인도 마찬가지다.〔1~2절〕

② 두 증인은 이스라엘 백성들을 회개하도록 하기 위해 후3년 반에 적그리스도 짐승이 올라오기까지(11:7) 1,260일 동안 베옷을 입고 예언하게 하신다. 두 증인이 예언하는 전3년 반도 이방인의 구원받는 때는 이미 지난 때이다. 하나님께서는 죽임을 당한 두 증인을 지구상 모든 사람이 보는 가운데 살리셔서 모쉐와 엘리야후(엘리야)처럼 하늘로 승천하게 하신다.〔3~13절〕

③ 일곱째 나팔을 불 때 하늘에서 큰 음성들이 일어나 말하기를 "우리들의 주님의 세상의 통치들이 끝나고 그리고 바로 그곳에서 그리스도님께서 영원무궁히 통치하시리라"고 하였다. 이것은 계시록의 주제이다. 너무나 위대한 일의 선언이기에 이십사 장로들의 경배와 찬양이 따르며 하늘의 성전이 열리고 언약궤가 보이며 번개와 음성들과 뇌성과 지진과 큰 우박이 있게 된다.〔14~19절〕

【 계시록 제 12 장】

한 글 개 역 성 경	전통원문 직역 성경
1. 하늘에 큰 이적이 보이니 해를 입은 한 여자가 있는데 그 발 아래는 달이 있고 그 머리에는 열두 별의 면류관을 썼더라	**1. 그리고 하늘에 큰 표징이 보이니 여자가 빛을 입었고, 그리고 그녀의 발들 아래는 달이 있으며, 그리고 그녀의 머리 위에는 열 두 별들의 면류관을** *(쓰고 있으니라)*.
2. 이 여자가 아이를 배어 해산하게 되매 아파서 애써 부르짖더라	**2. 그리고 그 여자가 잉태하여 해산의 고통을 겪으며 부르짖고, 더욱이 출산하게 되어 고난을 받고 있는데,**
3. 하늘에 또 다른 이적이 보이니 보라 한 큰 붉은 용이 있어 머리가 일곱이요 뿔이 열이라 그 여러 머리에 일곱 면류관이 있는데	**3. 또한 하늘에 다른 표적이 보이니. 실로 보라 ! 큰 붉은 용이 일곱 머리들과 열 뿔들과 그리고 그의 머리들 위에 일곱 왕관들을 가지고 있으며,**
4. 그 꼬리가 하늘 별 삼분의 일을 끌어다가 땅에 던지더라. 용이 해산하려는 여자 앞에서 그가 해산하면 그 아이를 삼키고자 하더니,	**4. 그리고 그의 꼬리가 하늘의 별들의 삼분의 일을 끌어다가, 또한 그들을 땅을 향하여 던졌더라. 그리고 그 용이 그 여자의 아이를, 출산하면 언제든지 삼키기 위하여 그 여자의 앞에서 있으니라.**
5. 여자가 아들을 낳으니 이는 장차 철장으로 만국을 다스릴 남자라 그 아이를 하나님 앞과 그 보좌 앞으로 올려가더라	**5. 그리고 그 여자가 남자 아들을 출산하니, 모든 민족들을 쇠장대로 다스리게 될 사람이라. 그리고 그 여자의 아이가 하나님과 그분의 보좌를 향하여 끌여당겨지니라.**
6. 그 여자가 광야로 도망하매 거기서 일천 이백 육십 동안 저를 양육하기 위하여 하나님의 예비하신 곳이 있더라	**6. 그리고 그 여자가 광야를 향하여 도피하니, 그를 일천 이백 육십 일을 그 곳에서 양육하기 위하여**

	하나님으로부터 어떤 곳에 예비되어 진 장소를 가지니라.
7. 하늘에 전쟁이 있으니 미가엘과 그의 사자들이 용으로 더불어 싸울새 용과 그의 사자들도 싸우나	7. 그리고 하늘에 전쟁이 일어나 미카엘과 그의 천사들이 용에 대적하여 싸우고, 그리고 용과 그의 사자들도 싸우나,
8. 이기지 못하여 다시 하늘에서 저희의 있을 곳을 얻지 못한지라	8. 역시 이기지 못하여, 더 이상 하늘에서 그들의 얻을 지역이 없는지라,
9. 큰 용이 내어 쫓기니 옛 뱀 곧 마귀라고도 하고 사단이라고도 하는 온 천하를 꾀는 자라 땅으로 내어 쫓기니 그의 사자들도 저와 함께 내어 쫓기니라.	9. 그리하여 그 큰 용이 던져지니 옛 뱀이며, 마귀라 불리우며, 그리고 사탄이라고도 하는 온 세상을 미혹하는 자라 땅을 향하여 던져지니 또한 그의 사자들도 그와 함께 던져지니라.
10. 내가 또 들으니 하늘에 큰 음성이 있어 가로되 이제 우리 하나님의 구원과 능력과 나라와 또 그의 그리스도의 권세가 이루었으니 우리 형제들을 참소하던 자 곧 우리 하나님 앞에서 밤낮 참소하던 자가 쫓겨 났고	10. 그리고 내가 큰 소리를 들으니 하늘에서 말하기를, 이제 구원과 능력과 우리들의 하나님의 왕국과 그분의 그리스도님의 권세가 이루었으니 우리들의 하나님 앞에서 밤낮으로 우리들의 형제들의 잘못을 비난하고 고소하는 자가 아래로 던져졌기 때문이라.
11. 또 여러 형제가 어린 양의 피와 자기의 증거하는 말을 인하여 저를 이기었으니 그들은 죽기까지 자기 생명을 아끼지 아니하였도다.	11. 그리고 그들이 어린양의 피와 자신들의 증거의 말을 수단으로 그를 이겼으며, 또한 죽음에 까지 자신들의 생명을 결코 사랑하지 아니하였음이라.
12. 그러므로 하늘과 그 가운데 거하는 자들은 즐거워하라. 그러나 땅과 바다는 화 있을찐저	12. 그러므로 하늘들과 그 가운데 거하는 자들이여 다 즐거워하라. 땅과 바다를 거주지로 하는 자들에게 화 있을지라

이는 마귀가 자기의 때가 얼마 못 된 줄을 알므로 크게 분내어 너희에게 내려갔음이라 하더라	마귀가 자기의 가진 때가 아주 적음을 알고 큰 분노를 가지고 너희들 가까이 내려갔기 때문이라.
13. 용이 자기가 땅으로 내어 쫓긴 것을 보고 남자를 낳은 여자를 핍박하는지라	13. 그리고 그 용이 땅을 향하여 그렇게 던져진 것을 보았을 그때, 남자를 낳은 그 여자를 박해하니라
14. 그 여자가 큰 독수리의 두 날개를 받아 광야 자기 곳으로 날아가 거기서 그 뱀의 낯을 피하여 한 때와 두 때와 반 때를 양육 받으매,	14. 그렇지만 그 여자가 큰 독수리의 두 날개들을 받아, 광야를 향하여 자기의 어느 곳으로 날아가서, 뱀의 낯으로부터 떨어져 한 때와 두 때와 반 때를 거기서 양육 받으니라,
15. 여자의 뒤에서 뱀이 그 입으로 물을 강같이 토하여 여자를 물에 떠내려가게 하려 하되,	15. 또한 뱀이 그 여자의 뒤에서 그의 입으로부터 물을 강같이 토하여 여자를 홍수에 씻겨 가게 하려고 하나,
16. 땅이 여자를 도와 그 입을 벌려 용의 입에서 토한 강물을 삼키니,	16. 그렇지만 그 여자에게 그 땅이 도와, 즉 땅이 그의 입을 열어, 그리고 용이 그의 입의 엄청나게 토한 강물을 삼키니,
17. 용이 여자에게 분노하여 돌아가서 그 여자의 남은 자손 곧 하나님의 계명을 지키며 예수의 증거를 가진 자들로 더불어 싸우려고 바다 모래 위에 섰더라	17. 더욱 용이 여자에게 대하여 격노하여, 그리고 돌아가서, 하나님의 명령들을 지키고 또한 예수 그리스도님의 증거를 가진 그 여자의 자손의 남아 있는 사람들의 대적으로 전쟁을 일으킴으로, 그리하여 바다의 모래 위에 세워지니라.

【 문 단 】

5〉 **여자와 용의 환상** 12:1~17

① 여자에 대한 박해 (1~6)

② 천상 전투의 장면 (7~12)

③ 남은 자에 대한 대적 (13~17)

【 주 해 】

〈**개요**〉 12장에도 중간계시의 계속이다. 교회를 의미하는 여자가 사탄인 용의 박해를 받는 것을 본 표적으로서 대환란 후3년 반의 피란처에 대한 계시이다. 교회 성도들에 대한 사탄의 박해를 보여주고 그러한 박해 속에서의 하나님의 보호하심을 보여주심으로 앞으로 전개될 환란에서도 흔들리지 말고 인내할 것과,(13:10) 사탄의 세력에 굴복하거나 결탁하는 자들에게는 영원한 고통의 심판이 예고되어 있다는 사실을 알림으로(14:9~11) 인내로 승리할 것을 교훈 하신 것이다.(14:12~13)

5〉 **여자와 용의 환상** 12:1~17

① 여자에 대한 박해 (1~6)

1절 ▷ 그리고 하늘에 큰 표징이 보이니 여자가 빛을 입었고, 그리고 그녀의 발들 아래는 달이 있으며, 그리고 그녀의 머리 위에는 열 두 별들의 면류관을 *(쓰고 있으니라)*.

Καὶ σημεῖον μέγα ὤφθη ἐν τῷ οὐρανῷ, γυνὴ περιβεβλημένη
그리고 표징이 큰 보이니 안에 그 하늘에, 부인이 입었는데

τὸν ἥλιον, καὶ ἡ σελήνη ὑποκάτω τῶν ποδῶν αὐτῆς, καὶ
그 빛을, 그리고 그 달이 아래는 그 발들의 그의, 그리고

ἐπὶ τῆς κεφαλῆς αὐτῆς στέφανος ἀστέρων δώδεκα·
위에 그 머리의 그여자의 면류관을 별들의 열두.

◀실제 상황▶ '하늘에 큰 표징이 보이니' 라고 하였다. 개역한글성경에 '하늘에 큰 이적이 보이니' 라고 '*σημεῖον*(세메이-온)' 을 '이적' 이라고 번역했는데 '*σημεῖον*(세메이-온)' 은 '*σῆμα*(세마)예고' 에서 발전되었으며 '징조' 나 '표시' 라는 의미를 지닌다. 호머의 작품에서 통찰할 수 있게 해주는 시각적인 효과를 의미한다. 사도 이오안네스(요한)는 '표징' 이나 '지시해 주는 것' (계 12:1,3에서는 '징조' 로, 요 2:18에서는 '증거' 로, 계 13:13~14에서는 '놀라운 행동')이라는 외형적인 의미로 '*σημεῖον*(세메이-온)' 을 사용하였다. (킷텔 신약 원어 신학사전, 요단 출판사, 1986, P. 1127, 1132)

사도 파월-로스(바울)는 '*σημεῖον*(세메이-온)' 을 로마서 4:11절에서 할례의 '표' 로, 고린도후서 12:12절에서 사도의 '표' 된 것으로, 고린도전서 1:22절과 14:22절은 '표징' 으로 말하였다. 신약 성경에 77회 사용된 '*σημεῖον*(세메이-온)' 을 '이적(기적)' 으로 번역하는 것은 본 의미에 합당치 않다. '표적' 이라 번역한 것도 말의 의미는 맞지만 한국교회는 '이적' 이라는 관념으로 이해함으로 합당치 않다. '*σημεῖον*(세메이-온)' 은 '표징' 이라고 번역해야 한다.

그러므로 12장에서 주님께서 사도 이오안네스(요한)에게 보여주신 것은 '이적' 이 아니고 되어질 일에 대한 '표징' 이었다. 하늘에서 보여주신 광경이었지만 땅에서 실제 되어졌고 또한 되어질 일의 실상들이었다.

"하늘에 큰 표징이 보이니 여자가 빛을 입었고, 그리고 그녀의 발들 아래는 달이 있으며, 그리고 그녀의 머리 위에는 열 두 별들의 면류관을 (*쓰고 있으니라*)." 고 하였다. 12장에서 이 '여자' 가 누군가에 대하여 견해가 분분하고 주장이 팽팽하다. 로마 카톨릭 계통의 학자들은 '마리아' 라 하고, 세대주의 학자들은 구약교회 '이스라엘' 이라 하고, 보수주의 학자들은 신약적인 '교회' 라 한다.

여자가 낳은 '아이' 를 이에수-스(예수)님이라 하는 데는 견해가 거의 일치한다. 그러면 '여자' 는 마리아를 말하는 것인가? 마리아라고 하면 마리아가 광야로 가서 한 때와 두 때와 반 때를 양육받는다는 것은 무엇을 말함인가?

그리고 용이 이에수-스(예수) 크흐리스토스(그리스도)님의 증거를 가진 그 여자의 남아 있는 사람들의 대적으로 전쟁을 일으켜 바다의 모래를 밟고 섰다는 것은(12:17) 무엇을 말함인가? 이것은 마리아라고 할 수 없는 것이다.

여기서 남자아이를 낳은 여자는 '이스라엘' 을 말한다. 계시록은 하나님께서 선지자 다니엘에게 주셨던 종말까지의 계시에서(단 7:23~28, 9:20~27, 12:1~13) 하나님께서 "네 백성(이스라엘)과 네 거룩한 성(예루살렘)을 위하여 칠십 이레로 기한을 정하였나니" 라고 하시고 "기름부음을 받은 자<מָשִׁיחַ(마쉬아흐) **메시야=그리스도**> 곧 왕이 일어나기까지(예수님께서 사역을 시작하신 주후 27년)까지 69이레가(483년) 지나고 그 69이레 후에 기름부음을 받은 자<מָשִׁיחַ(마쉬아흐) **메시야=그리스도**>가 끊어져 없어질(십자가에 죽으실) 것이라" 하셨고, "그(짐승 적그리스도)가 장차 많은 사람으로 더불어 한 이레(7년) 동안의 언약을 굳게 정하겠고 그가 그 이레(7년)의 절반에 제사와 예물을 금지할 것이며" 라고 하신 것으로서 계시록은 이스라엘을 중심한 세상 마지막 7년대환란에 되어질 일들을 계시하여 주신 것이다.

◁**영적 상황**▷ 그러나 12장의 이 계시는 문자적으로 여자 이스라엘이라고만 할 것이 아니라 사도 이오안네스(요한)에게 하늘에 보이게 하신 징표<σημεῖον(세메이-온)>이기 때문에 '여자'는 실제로는 이스라엘을 말하지만 영적으로는 이스라엘을 중심한 전 세계교회를 의미하는 것이다. 계시를 주신 주님께서 마지막 22:16절에 "나 이에수-스(예수)는 교회들을 위하여 내 사자를 보내어 이것들을 너희에게 증거하였느니라"고 하셨기 때문이다.

창세기 3:15절에 하나님께서 사탄인 옛 뱀에게 "내가 너와 여자와 그리고 너의 자손과 여자의 자손 사이에 적대감을 보이게 하리니 그 남자는 네 머리를 상하게 할 것이요 너는 그의 발꿈치를 상하게 할 것이라<ס :יְשׁוּפְךָ רֹאשׁ וְאַתָּה תְּשׁוּפֶנּוּ עָקֵב הָאִשָּׁה וּבֵין זַרְעֲךָ וּבֵין זַרְעָהּ(제라-**여자의 자손**) הוּא(후-**그 남자**) וְאֵיבָה אָשִׁית בֵּינְךָ וּבֵין>" 하셨다. 하나님께서 이 말씀에서 단지 육적으로 여자와 뱀, 그리고 뱀의 자손과 여자의 자손 사이에 적대감이 있게 하시겠다는 말씀이 아닌 것이 분명하다. 영적인 관계를 말씀하신 것이다. 여자의 자손인 '그 남자<הוּא(후)>'가 뱀(사탄)의 머리를 상하게 하시고 뱀(사탄)은 그의 발꿈치를 상하게 할 것이라고 하신 '그 남자'는 사탄을 멸하려 오실 이에수-스(예수)님을 말씀하신 것이다. 그리고 아담이 그 아내를 '모든 산 자의 어미'라 하였고(창 3:20) '교회'라는 말 'ἐκκλησία(에클레시아)'는 여성명사이고,(마 16:18) 사도 페트로스(베드로)는 '바뷜론(바벨론)에 있는 그가 너희에게 문안하고'라 하였는데(벧전 5:13) '그<ἡ(헤)>'를 개역 한글성경에는 '교회'

라고 번역하였는데 여성형 관사인 것이다. 그래서 성경 아래 각주에는 '그 여자' 라고 하였다. 사도 파월로스(바울)는 '위에 있는 히에루살렘(예루살렘)은 자유자니 곧 우리 모두의 어머니라' 고 하였다.(갈 4:26)

그러면 '여자' 가 영적으로 교회라면 교회가 이에수-스(예수)님을 잉태하여 낳는다는 것은 이해하기 어렵다. 그러나 이에수-스(예수)님께서 바리새인들에게 "다빋(다윗)이 성령에 감동하여 … 크흐리스토스(그리스도)를 주라 칭하였은즉 어찌 그의 자손이 되겠느냐?" 하시니 한 말도 능히 대답하는 자가 없었다고 하였다.(마 22:41~46) 다빋(다윗)의 주로서 영원부터 계신 분이시지만 다빋(다윗)의 자손으로 나신 것처럼 이에수-스(예수)님께서는 교회를 세우셨고,(마 16:18) 교회의 머리이시지만,(골 1:18) 이스라엘(교회=여자)의 첫 아들로 나신 것이다. 17절에 여자의 '남은 자손' 이란 교회 성도들을 말한다. 그러므로 '여자' 를 하나님께서 피란처에 보내실 이스라엘과 전 세계교회 중에 피란처에 보내시는 성도라 하는 것은 무리가 아니다.

'빛을 입었다' 는 말은 이스라엘과 교회가 '생명의 빛' 을 입었다는 말이며, 발아래 '달' 은 햇빛을 받아 반사하는 달을 "궁창의 확실한 증인 달같이"라고 한 말씀 같이(시 89:37) 이스라엘과 교회의 증인됨을 말하는 것이다. 그리고 머리에 열두 별의 면류관은 이스라엘은 열두 지파를 통하여, 그리고 열두 사도의 사역을 통해 세우신 교회가 하나님 앞에 지극히 영광스러움을 나타내는 것이다.

2절 ▷ 그리고 그 여자가 잉태하여 해산의 고통을 겪으며 부르짖고, 더욱이 출산하게 되어 고난을 받고 있는데,

καὶ ἐν γαστρὶ ἔχουσα, κράζει ὠδίνουσα καὶ
그리고 잉태하여 부르짖고, 해산의 고통을 겪으며 더욱이
βασανιζομένη τεκεῖν. ← 고통하고 있는데, 출산하게 되어

주후 67년경 계시록을 기록하게 하시던 당시 70년 전 B.C. 4년경 성령님으로 이스라엘 곧 마리아에게 잉태되어 이에수-스(예수)님께서 세상에 나신 것을 말한 것이다. '출산하게 되어<τεκεῖν(테케인–)>'는 과거형이고 '고통하고 있는데<βασανιζομένη(바사니조메네)>'와 '부르짖고<ἔχουσα(에크후사)>는 현재 능동이다. 이에수-스(예수) 크흐리스토스(그리스도)님은 구약교회가 오랜 동안 잉태하여 해산의 고통을 겪으며 부르짖고 출산의 고난을 받는 것처럼 간절히 고대하여 온 그 메시아였다.(사 26:16~18, 66:7; 미 4:10, 5:2, 3) 그리고 교회는 이에수-스(예수)님의 탄생 후 산후의 고통과 같은 고통을 받고 있는 것이다.

구약에는 이스라엘 민족을 '해산하는 여자'로 표한 예가 많다.(사 13:8, 21:3, 26:17, 66:7; 렘 4:31, 13:21, 22:23; 미 4:10; 호 13:13)

사도 파윌로스(바울)는 코린트호스(고린도) 교회에게 "복음으로써 내가 너희를 낳았음이라"고 하였고,(고전 4:15) 갈라티아 교회에게는 "너희를 위하여 해산하는 수고를 하노니"라고 하였으니,(갈 4:19) 육적인 것으로만 생각할 것이 아니라 영적으로도 이해하여야 하는 것이다.(계 11:8)

3절 ▷ 또한 하늘에 다른 징표가 보이니. 실로 보라! 큰 붉은 용이 일곱 머리들과 열 뿔들과 그리고 그의 머리들 위에 일곱 왕관들을 가지고 있으며,

καὶ ὤφθη ἄλλο σημεῖον ἐν τῷ οὐρανῷ, καὶ ἰδού, δράκων
그리고 보이니 다른 표적이 에 그 하늘에, 그리고 보라, 용이
μέγας πυρρός, ἔχων κεφαλὰς ἑπτὰ καὶ κέρατα δέκα·
큰 붉은, 가지고 머리들을 일곱 그리고 뿔들을 열.
καὶ ἐπὶ τὰς κεφαλὰς αὐτοῦ διαδήματα ἑπτὰ·
그리고 위에 그 머리들에 그의 왕관들을 일곱.

하늘에 기이한 다른 징표가 보였다. 큰 붉은 용이 일곱 머리들과 열 뿔들과 그리고 그의 머리들 위에 일곱 왕관들을 가지고 있는 것이었다. 용은 옛 뱀이며 마귀요 사탄이라고 하였다.(12:9, 20:2) 크고 붉다는 것은 무서운 살인의 기세를 가진 사탄의 속성을 나타낸 것이며, 일곱 머리와 열 뿔을 가졌다는 것은 그의 화신인 짐승도 역시 일곱 머리와 열 뿔을 가졌는데,(17:7) '그 일곱 머리들은 여자가 그들 위에 앉은 일곱 산들이며 그리고 일곱 왕이라' 하였다.(17:9~10) 그리고 열 뿔들은 열 왕이라 하고 짐승과 함께 왕들처럼 권세를 일 시 받는다고 하였으니(17:12) 사탄의 마지막 적그리스도 왕국의 권세를 말하는 것이다.

또한 일곱 머리에 각각 왕관을 가졌다 한 것은 인류역사 마지막까지 세상을 지배할 사탄의 일곱 제국의 권세를 말하는 것이다.

4절 ▷ 그리고 그의 꼬리가 하늘의 별들의 삼분의 일을 끌어다가, 또한 그들을 땅을 향하여 던졌더라. 그리고 그 용이 그 여자의 아이를, 출산하면 언제든지 삼키기 위하여 그 여자의 앞에 서 있으니라.

καὶ ἡ οὐρὰ αὐτοῦ σύρει τὸ τρίτον τῶν ἀστέρων τοῦ
그리고 그 꼬리가 그의 끌어다가 그 삼분의 일 그 별들의 그
οὐρανοῦ, καὶ ἔβαλεν αὐτοὺς εἰς τὴν γῆν. καὶ ὁ δράκων
하늘의, 그리고 던졌더라 그들을 대하여 그 땅을. 그리고 그 용이

ἕστηκεν ἐνώπιον τῆς γυναικὸς τῆς μελλούσης τεκεῖν,
서서 앞에 그 여자의 그 하려는 출산,
ἵνα ὅταν τέκῃ, τὸ τέκνον αὐτῆς καταφάγῃ.
을 위하여 언제든지 출산하면, 그 아이를 그 여자의 삼키려고.

◀실제 상황▶ "그의 꼬리가 하늘의 별들의 삼분의 일을 끌어다가, 또한 그들을 땅을 향하여 던졌더라" 개역 한글성경에 '던지더라' 고 현재진행으로 번역했으나 헬라 원어 '*ἔβαλεν*(에발렌)' 은 직설 과거 능동 3인칭으로 과거에 '그가 던졌더라' 이다. 꼬리 즉 거짓말로(사 9:15) 천사들 1/3을 미혹하여 끌어다가 땅으로 던져서 타락케 한 것을 말한다.(유1:6) 사탄의 거짓말의 위력이 얼마나 대단하다는 것을 절실히 통감하여야 한다. 그리고 7년 대환란 후반에 그 타락한 천사들의 활동이 얼마나 극심할 것을 알아야 한다.

그리고 그 용이 그 여자의 아이를, 출산하면 언제든지 삼키기 위하여 그 여자의 앞에 서 있으니라 한 것은 이에수-스(예수)님께서 베들레헴에 나셨을 때 헤로데스(헤롯) 왕이 아기를 찾아 죽이려고 했던 것을 말함이다.(마 2:16)

◁영적 상황▷ 이렇게도 하나님을 대적하는 사탄의 악랄한 궤교가 마지막까지 극에 달하니 후3년 반에 일곱 대접 재앙이 어떠할 것과 최후에 사탄과 그 화신들과 그를 따른 자들을 불과 유황 못에 던져 영원히 밤낮 고통을 당하게 하시는(20:10, 14:9~11) 하나님의 공의가 마땅함을 알 것이다.

사탄은 세상에 왕과 구주로 나신(요 19:37) 아기 이에수-스(예수)님을 죽이면 하나님의 계획이 수포로 돌아갈 줄 알고 악랄하게 베들레헴과 그 모든 지경 안에 있는 사내아이를 두 살부터 그 아래로 다 죽이도록 하였다.(마 2:16) 그러나 하나님은 사탄의 궤략에 실패할 리 없는 것이다.

5절 ▷ 그리고 그 여자가 남자 아들을 출산하니, 모든 민족들 을 쇠장대로 다스리게 될 사람이라. 그리고 그 여자의 아이가 하나님과 그분의 보좌를 향하여 끌여당겨지니라.

καὶ ἔτεκεν υἱὸν ἄρρενα, ὃς μέλλει ποιμαίνειν πάντα
그리고 출산하니 아들을 남자, 사람 될 다스리는 모든
τὰ ἔθνη ἐν ῥάβδῳ σιδηρᾷ· καὶ ἡρπάσθη τὸ τέκνον
그 민족들을 중에 막대기에 쇠로만든 그리고 끌어당겨 그 아이가
αὐτῆς πρὸς τὸν θεὸν καὶ τὸν θρόνον αὐτοῦ.
그의 향하여 그 하나님을 그리고 그 보좌를 그분의.

◀실제 상황▶ 여자가 남자 아들을 출산하니, "모든 민족들을 쇠장대로 다스리게 될 사람이라" 한 것은 19:15(시 2:9)절의 재림하시는 주님을 가리켜 한 말 그대로이다. 개역 한글성경에 '철장' 이라고 번역한 '*ῥάβδῳ σιδηρᾷ*(흐랍도 시데라)' 는 '쇠로 만든 막대기' 라는 말로서 '철장' 은 '쇠로 만든 지팡이' 라는 말인즉 '쇠장대' 라고 해야 엄중한 통치의 의미가 표현되는 것이다.

그리고 "그 여자의 아이가 하나님과 그분의 보좌를 향하여 끌여당겨지니라" 한 것은 이에수-스(예수)님의 승천하신 것을 말함이다. 성도의 휴거로 보려는 유혹을 받지 않아야 한다.

◁영적 상황▷ "모든 민족들을 쇠장대로 다스리게 될 사람이라" 한 것은 주님께서 이기는 성도들에게도 그렇게 하겠다고 약속하신 특권이다. "그가 쇠장대를 가지고 저희를 다스려 질그릇 깨뜨리는 것과 같이 하리라. 나도 내 아버지께 받은 것이 그러하

니라.(계 2:27) 할렐루야! 아멘!

6절 ▷ 그리고 그 여자가 광야를 향하여 도피하니, 그를 일천 이백 육십 일을 그곳에서 양육하기 위하여 하나님으로부터 어떤 곳에 예비되어진 장소를 가지니라.

καὶ ἡ γυνὴ ἔφυγεν εἰς τὴν ἔρημον, ὅπου ἔχει τόπον
그리고 그 여자가 도피하니 향하여 그 광야를, 어느곳에 가지니라 장소를

ἡτοιμασμένον ἀπὸ τοῦ θεοῦ, ἵνα ἐκεῖ τρέφωσιν
예비되어진 로부터 그 하나님의, 을위하여 그곳에서 양육하기

αὐτὴν ἡμέρας χιλίας διακοσίας ἐξήκοντα.
그를 일을 일천을 이백을 육십을.

◀실제 상황▶ "그 여자가 광야를 향하여 도피하니, 그를 일천 이백 육십 일을 그곳에서 양육하기 위하여 하나님으로부터 어떤 곳에 예비 되어진 장소를 가지니라"고 한 것은 교회가 3년반(1,260일) 동안 하나님께서 예비하신 피란처에 도피하여 보호와 양육을 받을 것을 보여주신 것이다.

그런데 1,260일이 전3년 반을 말한 것인가 후3년 반을 말한 것인가? 하는 견해이다. 거의 모든 계시록 주석이나 강해서를 보면 1,20일을 전3년 반으로 말한 것이다. 그러나 본 필자는 후3년 반으로 본다. 그 이유는 첫째 1,260일을 말한 12장의 중간계시는 전3년 반의 마지막 재앙이라 해야 할 9:13~21절의 여섯째 나팔 재앙이 실행된 이후에 주신 계시이기 때문이며, 둘째는 1,260일을 14절에는 '한 때와 두 때와 반 때'라 하였고, 다니엘 12:7절에 '한 때 두 때 반 때'는 모든 일이 끝나는 후3년반으로 말하였기 때문에 1,260일은 후3년 반이라는 강력한 증거가 된다. 그리고 셋째는 9:1~12절의 첫째 화인 다섯째 나팔 재앙 때

에 이마에 하나님의 인을 가진 성도들이 하나님의 인을 가지지 않은 사람들 가운데 살고 있음을 전제하고 있기 때문이다.(4절) 넷째는 전3년 반에 하나님께서 예비하신 피란처에 간다면 후3년 반은 어떻게 된다는 말인가? 설명할 수 없으며 사리에 맞지 않는 것이다.

◁**영적 상황**▷ 여섯째 나팔 재앙으로 세계 인구 1/3인 24억 이상이 죽었으나 사람들은 회개하기는커녕 더 극성으로 악령과 우상을 섬기며 폭력과 음란과 거짓이 만연되어지고 사탄은 천사 1/3을 거짓으로 타락시켜 땅위에 활동하게 하는가 하면 사탄에게서 권세를 위임받는 짐승은 자기 형상의 말하는 우상을 세워 놓고 모든 사람으로 경배하게 하고 경배하지 않는 자는 다 죽이며, 자기 이름의 수가 든 매매 표를 모든 사람으로 하여금 이마나 오른 손위에 받게 하고 표를 받지 않는 사람은 매매를 못하게 하는 이런 극한 상황에서 성도가 순교를 하거나 피란처에 가지 못하면 땅에 살아 남을 수가 없는 것이다. 전3년 반의 재앙과 후3년 반의 재앙이 다른 것이다. 전3년 반의 재앙은 넷째 인까지 자연에 대한 재앙으로서 아이깊토스(애굽)에서처럼 성도들에게는 임하지 않게 하시고 또 웬만한 자연 재앙은 견딜 수 있으며, 그리고 다섯째 재앙은 하나님의 인을 가진 자는 해를 당하지 않게 하시기 때문에 피란처에 가지 않아도 성도는 해를 당하지 않는 것이다. 그러나 후3년 반은 순교하는 성도들 아니고는 피란처에 가지 않으면 도무지 살아 남을 수 없는 것이다.

그런데 피란처에 갈 수 있는 사람은 기독교 신자라고 해서 다 가는 것이 아니다. 프힐라델프헤이아(빌라델피아) 교회 성도들처럼 이에수-스(예수)님의 말씀을 가감하지 않고 평소에 잘 준

행한 자들이 가는 것이다.(3:10)

성경에 1〉 모쉐(모세)는 파르오(바로)의 낯을 피하여 미드얀(미디안) 광야로 도피하였으며,(출 3:1~4) 2〉 이스라엘 백성들은 파르오(바로)의 학정에서 도피하여 광야로 갔으며,(출 13:18) 3〉 다빋(다윗)은 솨울(사울) 왕을 피하여 도피하였으며,(삼상 23:24~25) 4〉 선지자 흘리아스(엘리야)는 이제벨(이세벨)을 피하여 도피했고,(왕상 19:1~8) 5〉 이에수-스(예수)님도 아기 때 흐로데스(헤롯)을 피하여 아이깊토스(애굽)으로 피신하였다.(마 2:13~21) 6〉 초기 교회 성도들은 광야로 토굴로 유리하였으며,(히 11:38) 7〉 후3년 반에 신실한 성도들은 하나님께서 예비하신 곳으로 가게 된다.(계 12:6)

그러면 이렇게 피란처에 보호하실 만큼 신실한 이스라엘 곧 성도들이라면 후3년 반 동안 '양육한다' 는 것은 무엇 때문인가? 필자의 생각으로는 후3년반 후에 있을 주님의 재림으로 전개될 천년왕국에서 심판의 권세와 왕노릇하기 위한(계 20:4) 준비일 것이다. 마치 사법고시에 합격한 자들을 연수원에서 연수시키는 것과 같은 이치이다.

¤ 감동과 기도 ☆

② 천상 전투의 장면 (7~12)

7절 ▷ 그리고 하늘에 전쟁이 일어나 미크하엘과 그의 천사들이 용에 대적하여 싸우고, 그리고 용과 그의 사자들도 싸우나,

Καὶ ἐγένετο πόλεμος ἐν τῷ οὐρανῷ· ὁ Μιχαὴλ καὶ
그리고 일어나 전쟁이 에 그 하늘에. 그 미크하엘 과

οἱ ἄγγελοι αὐτοῦ ἐπολέμησαν κατὰ τοῦ δράκοντος,
그 천사들이 그의 싸웠으니 대적하여 그 용의,

καὶ ὁ δράκων ἐπολέμησεν, καὶ οἱ ἄγγελοι αὐτοῦ·
그리고 그 용이 싸우고, 과 그 사자들 그의.

하늘에 전쟁이 일어나 천사장 미크하엘(미가엘)과 그의 천사들이 용 곧 사탄에 대적하여 싸우고, 그리고 용과 그의 사자들도 싸운다고 하였다. 여섯째 나팔 재앙 후 후3년 반 직전에 일어나는 하늘에서의 전쟁이다. 미크하엘(미가엘)은 전쟁을 주관하며 하나님의 백성을 호위하는 천사장이며,(단 10:13, 12:1; 유 1:9) 가브리엘은 하나님의 기쁜 메시지를 전하는 천사이다.(눅 1:19; 단 8:16, 9:21)

8절 ▷ 역시 이기지 못하여, 더 이상 하늘에서 그들의 얻을 지역이 없는지라,

καὶ οὐκ ἴσχυσαν, οὔτε τόπος εὑρέθη αὐτῶν ἔτι ἐν τῷ οὐρανῷ.
못하여 이기지, 지역이 얻을 그들의 아직도 하늘에.

여자와 아이 곧 교회와 이에수-스(예수)님을 해하려 했으나 실패한 용과 그 사자들은 천사장 미카엘과 그 천사들이 용을 대적하여 싸우고 용과 그의 사자들도 싸웠으나 이기지 못하여 하늘 안에 여전히 있을 지역이 없게 된 것이다.

9절 ▷ 그리하여 그 큰 용이 던져지니 옛 뱀이며, 마귀라 불리우며, 그리고 사탄이라고도 하는 온 세상을 미혹하는 자라, 땅을 향하여 던져지니 또한 그의 사자들도 그와 함께 던져지니라.

καὶ ἐβλήθη ὁ δράκων ὁ μέγας, ὁ ὄφις ὁ ἀρχαῖος, ὁ
그리고 던져지니 그 용이 그 큰, 그 뱀 그 옛, 그

καλούμενος διάβολος, καὶ ὁ Σατανᾶς, ὁ πλανῶν τὴν
불리우는 마귀, 그리고 그 사탄, 그 미혹하는 그
οἰκουμένην ὅλην, ἐβλήθη εἰς τὴν γῆν, καὶ οἱ ἄγγελοι
세상을 모든, 던져지니 향하여 그 땅을, 그리고 그 사자들이
αὐτοῦ μετ' αὐτοῦ ἐβλήθησαν. ←그의 함께 그와 던져들지니

그리하여 용이고 옛 뱀이며 마귀인 사탄이 그의 사자들과 함께 땅을 향하여 던져지게 된 것이다. 이에수-스(예수)님께서 70인 제자들이 돌아와서 '주님의 이름으로 악령들도 우리에게 항복하더이다' 하고 말씀드리니, 말씀하시기를 "사탄이 하늘로부터 번개같이 떨어지는 것을 내가 보았노라"고 하셨다.(눅 10:18; 요 12:31 참조)

사타니스(사탄)는 하나님의 보좌에서 쫓겨나(겔 28:16) 하늘 공중으로(엡 2:2), 하늘 공중에서 땅으로 던져지고(계 12:9), 땅에서 무저갱으로(계 20:2~3), 마지막에는 유황 불못으로 던져진다.(계 10)

10절 ▷ 그리고 내가 큰 음성을 들으니 하늘에서 말하기를, 이제 그 구원과 그 능력과 우리들의 하나님의 그 왕국과 그분의 크흐리스토스님의 그 권세가 이루었으니 우리들의 하나님 앞에서 밤낮으로 우리들의 형제들의 잘못을 비난하고 고소하는 자가 아래로 던져졌기 때문이라.

καὶ ἤκουσα φωνὴν μεγάλην λέγουσαν ἐν τῷ οὐρανῷ, Ἄρτι
그리고 들으니 음성을 큰 말하기를 안에 그 하늘에, 이제
ἐγένετο ἡ σωτηρία καὶ ἡ δύναμις καὶ ἡ βασιλεία τοῦ θεοῦ
이루었으니 그 구원 그리고 그 능력 그리고 그 왕국 그 하나님의
ἡμῶν, καὶ ἡ ἐξουσία τοῦ Χριστοῦ αὐτοῦ· ὅτι κατεβλήθη ὁ
우리들의,그리고 그 권세 그 크흐리스토스의 그분의. 때문 아래로던지졌기 그

κατήγορος τῶν ἀδελφῶν ἡμῶν, ὁ κατηγορῶν αὐτῶν ἐνώπιον
고소하는 그 형제들의 우리들의, 잘못을 비난하는 그들의 앞에서
τοῦ θεοῦ ἡμῶν ἡμέρας καὶ νυκτός. ←하나님의 우리들의 낮 밤

다시 사도 이오안네스(요한)가 큰 음성을 들으니 하늘에서 말하기를, "이제 구원과 능력과 우리들의 하나님의 왕국과 그분의 크흐리스토스(그리스도)님의 권세가 이루었으니 우리들의 하나님 앞에서 밤낮으로 우리들의 형제들의 잘못을 비난하고 고소하는 자가 아래로 던져졌기 때문이라"고 한 것이다. 이제 하나님 앞에서 성도들을 밤낮 고소하던 사탄과 그의 사자들이 전쟁에 패하여 땅으로 쫓겨났으므로 하늘에서의 하나님의 왕국과 크흐리스토스(그리스도)님의 권세가 이루어진 것이다.

11절 ▷ 그리고 그들이 어린양의 피와 자신들의 증거의 말을 수단으로 그를 이겼으며, 또한 죽음에까지 자신들의 생명을 결코 사랑하지 아니하였음이라.

καὶ αὐτοὶ ἐνίκησαν αὐτὸν διὰ τὸ αἷμα τοῦ ἀρνίου,
그리고 그들이 승리를 거두었으니 그를 통해서 그 피를 그 어린양의,
καὶ διὰ τὸν λόγον τῆς μαρτυρίας αὐτῶν, καὶ οὐκ
와 통해서 그 말을 그 증거의 자신들의, 또한 결코
ἠγάπησαν τὴν ψυχὴν αὐτῶν ἄχρι θανάτου.
사랑하지아니 그 생명을 자신들의 까지 죽음의.

그런데 하나님 앞에 사탄이 밤낮 고소하던 성도들은 어린양의 피와 자신들의 증거의 말을 수단으로 그를 이겼으며, 또한 죽음에까지 자신들의 생명을 결코 사랑하지 아니한 자들인 것이다.

사탄은 성도들의 부족한 것이나 실수하는 것을 하나님 앞에 밤낮 고소하는 것이다. 진정 거듭나서 구원받은 성도라도 부족

함과 실수가 있을 수 있다. 사탄은 이것을 하나님 앞에서 밤낮 고소하고 비웃으며 조롱한다. 그러나 변호자이신 하나님의 어린양께서 자신의 피로써 성도를 변호하시기 때문에 사탄의 고소와 비웃음과 조롱이 하나님 앞에 아무런 효력을 얻지 못하고 패한다. 더욱이 성도들은 이에수-스(예수)님의 증인으로써 재산만 아니라 죽음에까지 생명을 사랑하지 않았기 때문에 사탄의 고소와 비웃음과 조롱은 물거품이 되는 것이다. 할렐루야! 아멘!

12절 ▷ 그러므로 하늘들과 그 가운데 거하는 자들이여 다 즐거워하라. 땅과 바다를 거주지로 하는 자들에게 화 있을지라 마귀가 자기의 가진 때가 아주 적음을 알고 큰 분노를 가지고 너희들 가까이 내려갔기 때문이라.

διὰ τοῦτο εὐφραίνεσθε οἱ οὐρανοὶ καὶ οἱ ἐν αὐτοῖς
그러므로 그것이 즐거워들 하라 그 하늘들이여 그리고 그 가운데 그들
σκηνοῦντες. οὐαὶ τοῖς κατοικοῦσιν τὴν γῆν καὶ τὴν
거하는. 화 있을찐저 그 안주들을하는 그 땅을 과 그
θάλασσαν, ὅτι κατέβη ὁ διάβολος πρὸς ὑμᾶς ἔχων
바다를, 때문이라 내려갔기 그 마귀가 가까이 너희들을 가지고
θυμὸν μέγαν, εἰδὼς ὅτι ὀλίγον καιρὸν ἔχει.
분노를 큰, 알므로 왜냐하면 아주적은 때가 자기의 가진

"그러므로 하늘들과 그 가운데 거하는 자들이여 다 즐거워하라. 땅과 바다를 거주지로 하는 자들에게 화 있을지라 마귀가 자기의 가진 때가 아주 적음을 알고 큰 분노를 가지고 너희들 가까이 내려갔기 때문이라"고 하는 것이다. 하늘과 땅은 정 반대의 현상이 된다. 하늘에서는 하나님과 하늘에 거하는 모든 자들에게 말할 수 없는 기쁨과 즐거움이 있게 되지만 땅에는 마귀가 자기 때가 3년 반 밖에 안 되는 아주 적음을 알고 큰 분노로 내려

왔기 때문에 화가 있을 것이라고 한 것이다.

¤ 감동과 기도 ☆

③ 남은 자에 대한 대적 (13~17)

13절 ▷ 그리고 그 용이 땅을 향하여 그렇게 던져진 것을 보았을 그때, 누구든지 남자를 낳은 그 여자를 박해하니라.

Καὶ ὅτε εἶδεν ὁ δράκων ὅτι ἐβλήθη εἰς τὴν γῆν,
그리고 그때 보았을 그 용이 그렇게 던져진 향하여 그 땅을,
ἐδίωξεν τὴν γυναῖκα ἥτις ἔτεκεν τὸν ἄῤῥενα.
박해하다 그 여자를 누구든지 낳은 그 남자를.

사탄인 용이 이렇게 땅에 던져지자 누구든지 교회 성도들을 박해하는 것이다. 그럴 수밖에 없는 현상이다.

14절 ▷ 그렇지만 그 여자가 큰 독수리의 두 날개들을 받아, 광야를 향하여 자기의 어느 곳으로 날아가서, 뱀의 낯으로부터 떨어져 한 때와 두 때와 반 때를 거기서 양육 받으니라,

καὶ ἐδόθησαν τῇ γυναικὶ δύο πτέρυγες τοῦ ἀετοῦ
그리고 받아 그 여자가 두 날개들을 그 독수리의
τοῦ μεγάλου, ἵνα πέτηται εἰς τὴν ἔρημον εἰς τὸν
그 큰, 을 위하여 날아가 향하여 그 광야를 향하여 그
τόπον αὐτῆς, ὅπου τρέφεται ἐκεῖ καιρόν, καὶ καιρούς,
곳을 자기의, 어느곳 양육받으매 거기 한 때를, 와 두 때를,
καὶ ἥμισυ καιροῦ, ἀπὸ προσώπου τοῦ ὄφεως.
와 반을 때의, 떨어져서 낯의 그 뱀의.

그렇지만 그 여자가 큰 독수리의 두 날개들을 받아, 광야를 향하여 자기의 어느 곳으로 날아가서, 뱀의 낯으로부터 떨어져

한 때와 두 때와 반 때를 거기서 양육 받게 된다. 하나님께서 이스라엘 자기 백성을 아이귚토스(애굽)에서 구출하여 내신 것으로 "나의 아이귚토스(애굽) 사람에게 어떻게 행하였음과 내가 어떻게 독수리 날개로 너희를 업어 내게로 인도하였음을 너희가 보았느니라" 고 하셨다.(출 19:4; 신 32:11~12) 그러므로 독수리의 두 날개는 하나님의 구출과 보호하심을 의미하는 것이다.(사 40:31)

뱀 곧 사탄의 낯으로부터 떨어져 1,260일(6절), 한 때와 두 때와 반 때(14절) 곧 후3년 반 동안 보호를 받으며 양육을 받는 것이다. '자기의 어느 곳으로 날아가서' 라고 한 것은 그때 전 세계에서 성도들이 어느 곳에나 있을 것인데 각자 자기가 생각하는 적절한 곳으로 가는데 하나님께서 인도하신다는 말씀이다.

'광야' 라고 한 것은 특별하다. 실로 광야는 사람의 생각으로는 피란처가 될 수 없다. 물도 먹을 것도 없고 숨을 은신처도 마땅치 않다. 그러나 광야야말로 하나님께서 예비하시는 가장 좋은 피란처이다. 왜냐하면 땅에서 의지할 것이 아무것도 없어야 하나님만을 전적 바라고 의지할 수 있기 때문에 하나님께서 그것을 원하시며, 그리하여 광야에서 이스라엘 백성들에게 하셨던 것처럼 하나님께서 하늘로부터 먹을 양식을 내려 주시고 반석으로부터 마실 물을 내시며, 낮에는 구름으로 뜨거운 햇볕을 가리어 주시고 밤에는 불기둥으로 춥지 않게 하셨던 것처럼 하심으로 신앙의 양육을 하시는 것이다.

영(Youny)박사는 '한 때 두 때 반 때' 를 핍박자의 활동의 세 단계를 가리킨다고 하였다. '한 때' 는 하나님의 은밀한 계획 가운데 끝을 가리키는 기간이고, '두 때' 는 그 한 때의 계속으로 핍박이 강화되는 기간이며, '반 때' 는 하나님의 진노의 심판으로 그 핍박이 중단되고 마는 것을 의미한다고 하였다.

15절 ▷ 또한 뱀이 그 여자의 뒤에서 그의 입으로부터 물을 강 같이 토하여 여자를 홍수에 씻겨 가게 하려고 하나,

καὶ ἔβαλεν ὁ ὄφις ὀπίσω τῆς γυναικὸς ἐκ τοῦ στόματος
또한 부어 그 뱀이 뒤에서 그 여자의 에 의하여 그 입의
αὐτοῦ ὕδωρ ὡς ποταμόν, ἵνα ταύτην ποταμοφόρητον ποιήσῃ.
그의 물을 같이 강을, 하려고 여자를 홍수에 씻겨가게 하나.

사탄이 피란처에 가 있는 성도들을 찾아 멸하려고 애쓸 것을 말한다. 사탄이 그냥 있지 않는다. 수단 방법을 다한다.

16절 ▷ 그렇지만 그 여자에게 그 땅이 도와, 즉 땅이 그의 입을 열어, 그리고 그 용이 그의 입으로부터 토한 그 강물을 삼키니,

καὶ ἐβοήθησεν ἡ γῆ τῇ γυναικί, καὶ ἤνοιξεν ἡ γῆ τὸ
그렇지만 도와 그 땅이 그 여자에게, 즉 열어 그 땅이 그
στόμα αὐτῆς, καὶ κατέπιεν τὸν ποταμὸν ὃν ἔβαλεν
입을 그의, 그리고 삼키니 그 강물 그 토한
ὁ δράκων ἐκ τοῦ στόματος αὐτοῦ.
그 용이 로부터 그 입의 그의.

그렇지만 땅도 성도들을 도와 사탄의 박해가 미치지 못하게 하는 것이다. 자연의 위력 앞에서는 사탄도 어쩌지 못한다.

17절 ▷ 더욱 용이 여자에게 대하여 격노하여, 그리고 돌아가서, 하나님의 명령들을 지키고 또한 예수 그리스도님의 증거를 가진 그 여자의 자손의 남아 있는 자들을 대하여 전쟁을 일으켜 그리하여 바다의 모래 위에 세워지니라.

καὶ ὠργίσθη ὁ δράκων ἐπὶ τῇ γυναικί, καὶ ἀπῆλθεν
더욱 격노하여 그 용이 대하여 그 여자에게, 그리고 돌아가서
ποιῆσαι πόλεμον μετὰ τῶν λοιπῶν τοῦ σπέρματος αὐτῆς,
일으켜 전쟁을 대하여 그 남아 있는 그 자손의 그 여자의,
τῶν τηρούντων τας ἐντολὰς τοῦ θεοῦ, καὶ ἐχόντων
그 지키며 그 명령들을 그 하나님의, 과 가진
τὴν μαρτυρίαν τοῦ Ἰησοῦ χριστοῦ. καὶ ἐστάθην ἐπὶ
그 증거를 그 이에수스 크흐리스토스의. 그리하여 세워지니라 위에
τὴν ἄμμον τῆς θαλάσσης· ←그 모래를 그 바다의

사탄이 피란처에 가 있는 성도들을 해칠 수 없게되자 화를 참을 수 없게 되어 돌아가서, 하나님의 명령들을 지키고 또한 이에수-스(예수) 크흐리스토스(그리스도)님의 증거를 가진 그 여자의 자손의 남아 있는 사람들의 대적으로 전쟁을 일으켜 바다의 모래 위에 세워졌다고 한 것이다. 이 말씀을 볼 때 피란처에 가지 않은 남은 성도들이 땅에 있음을 말하고 있다.

이것을 보더라도 성도라고 다 피란처에 가는 것이 아님을 알 수 있다. 피란처에 가지 않은 남아 있는 성도들은 사탄과 전쟁하여 순교할 자들인 것이다.

일곱 교회에 대한 말씀에서도 책망 받지 않고 칭찬만 받은 두 교회가 있는데 스뮈르나(서머나) 교회는 죽기까지 신실하여 순교하는 교회 성도들을 말씀하신 것이고, 프힐라델프헤이아(빌라델비아) 교회 성도들은 이에수-스(예수)님의 말씀을 잘 지킨 교회 성도들로서 피란처에 갈 성도들을 말씀하신 것이다. 죽기까지 신실하여 순교한 성도들과 말씀을 잘 지켜 피란처에 가는 성도 중에 주님께서는 피란처에 간 성도를 더 귀중히 여기시는 것이다. 스뮈르나(서머나) 교회에는 두 가지 약속을 하셨는데 프힐라델프헤이아(빌라델비아) 교회에는 일곱 가지나 약속을

하셨기 때문이다.

¤ 감동과 기도 ☆

♤ **12장 요점 정리** ♠

① 12장에서 '여자' 는 직접적으로는 '이스라엘' 이며 실제로는 '전 세계 교회' 중에서 후3년 반에 하나님께서 피란처에 보호하실, 말씀을 잘 지킨 프힐라델프헤이아(빌라델비아) 교회와 같은(계 3:10) 성도들을 말한 것이다. 그 여자의 남은 자손을 '하나님의 계명을 지키며 이에수-스(예수)님의 증거를 가진 자들' 이라고 하였다.〔1~17절〕

② 사탄은 용이며 (에덴동산의) 옛 뱀 곧 마귀라고 하며 온 세상을 미혹<방황하게, 헤메이게, 길을 벗어나게, 죄를 짓게, 죽게>하는 자라고 하였다. 하늘의 전쟁에서 천사장 미크하엘(미가엘)에게 패하고 땅으로 던져졌으니 후3년 반에는 마귀의 횡포가 얼마나 더 극심하겠는가?〔7~12절〕

③ 그러나 여러 형제들이 어린양의 피와 자신들의 증거의 말을 수단으로 마귀를 이겼으며, 또한 죽음에까지 자신들의 생명을 결코 사랑하지 아니하였다고 하였다. 마귀는 성도를 고통과 죽음으로 신앙을 변절시키려 한다. 육신적 죽음을 두려워하지 않고 죽음에까지 자신의 생명을 결코 사랑하지 아니하는 자라야 마귀를 이기는 자가 된다.〔11절〕

④ '한 때와 두 때와 반 때' 라는 말은 다니엘 12:7절과 완전 일치한다. '한 때' 는 1년이며,(단 11:13) 후3년 반으로 완전히 끝난다고 하였다.(단 12:7) 하나님께서는 택하신 자들을 위하여 때를 단축하신다고 하셨다.(마 24:22)〔14절〕

【 특주 9 】

하나님께서 예비하신 피란처에 대하여

먼저 '피란처(避難處)' 와 '피난처(避亂處)' 의 구별을 해야 한다. 그런데 한자 옥편에 '피란처(避亂處)' 와 '피난처(避難處)' 로, '환난(患難)-근심과 재난' '환난(患亂)-재앙' 으로 (難)과 (亂)을 같이 '난' 으로 기술되어 있는 것은 잘못이며, 일반적으로 모두 그렇게 사용하고 있는 것은 잘못이다. 왜냐하면 '難' 은 '어려울 난' 으로 '난감(難堪)-견디어 내기 어려움' '난제(難題)-어려운 문제' 이며, '(患難)' 은 두음법칙에 의하여 '환난' 이 아니고 '환란' 이라고 해야 한다. '장로(長老)' 라는 말도 '장노' 라고 하면 틀리는 것이다. (老)' 라는 말이 앞에 나올 때는 노년(老年) 노회(老會)라고 해야지 '로년' '로회' 라고 하면 틀린다. 그런데 '재난' 이라 할 때 '災難' 이 아니고 '災亂' 이라고 해야 옳다. (亂-어지러울 난)은 앞에 오나 뒤에 오나 '난' 이라고 해야 하지 뒤에 온다고 두음법칙으로 '재란' 이라고 하면 틀린다.

그리고 의미상 성도들이 신앙적인 문제로 당하는 어려움을 말함에는 재난(災亂)을 당한다는 것과 다르므로 '환란(患難)' 이라고 해야 합당하고, 일반적으로 누구나 당하는 재난은 환난(患亂)이라고 해야 한다. 왜 이것을 언급하는고 하면 기독교가 이 중요한 말을 분별하지 않고 사용하고 있기 때문에 바로 해야 하기 때문이다. 그러므로 기독교는 한글이나 한자를 '환난(患亂)' 이 아니라 '환란(患難)' 으로, '피난처(避亂處)' 가 아니라 '피란처(避難處)' 라고 해야 하는 것이다.

1. 하나님께서 예비하신 피란처를 알지 못함에 대하여(다수)

계시록에서 하나님께서 7년 대환란 중에 성도들을 위하여 예비하신 피란처가 있다는 사실에 대하여 잘 가르쳐지지 않고 있고, 환란을 당하지 않고 휴거한다고는 열심히 가르치는 자가 많다.

계시록 12:6절에 "그 여자가 광야로 도망하매 거기서 일천 이백 육십 일 동안 저를 양육하기 위하여 '하나님의 예비하신 곳'이 있더라"고 한 것은 후3년 반 환란 때에 하나님께서 계명을 잘 지킨 이스라엘 백성 중에서와 이에수-스(예수)님께서 증거 하신 바른 복음을 지킨 성도를 위해 예비하시는 피란처가 있음을 말하는 것이다. 성경에는 이에 대하여 뒷받침하는 말씀들이 너무나 많다.

가깝게 계시록에서는 3:7~13절에 주님의 말씀을 잘 지킨 프힐라델프헤이아(빌라델비아) 교회 성도들을 온 세상에 닥치는 시험의 때에 지켜 주시겠다고 하신 약속의 말씀이다. 이 말씀은 프힐라델프헤이아(빌라델비아) 교회에게만 하신 말씀이 아니다. "귀를 가진 자는 누구든지 성령께서 교회들에게 하시는 말씀을 들으라" 하셨기 때문이다. 마지막 7년 대환란 때에 땅에 살고 있는 프힐라델프헤이아)빌라델비아) 교회 성도들처럼 이에수-스(예수)님의 말씀을 잘 지킨 성도는 피란처에 가서 보호함을 받게 하시는 것이다.

그리고 이에수-스(예수)님께서 세상 끝의 대환란을 예언하신 말씀 중에(마 24:21~31) 27~31절에 주님의 재림을 말씀하시면서 21~22절에 "그때에 큰 환란이 있겠음이라 창세로부터 지금까지 이런 환란이 없었고 후에도 없으리라 그날들을 감하지 아니할 것이면 모든 육체가 구원을 얻지 못할 것이나 그러나 택하신 자들을 위하여 그날들을 감하시리라" 하셨으니 대환란 중에 택하신 자들이 세상에 있을 것을 말씀하셨고, 그 환란이 너무나 혹독하기 때문이 그 환란의 날들을 단축하여 주지 아니하시면 살아 남을 자가 없을 것이라 말씀하신 것이다.

주후 70년 히에루살렘(예루살렘) 멸망에 대한 말씀이기는 하지만 "그때에 유대에 있는 자들은 산으로 도망하라. … 너희의 도망하는 일이 겨울에나 안식일에 되지 않도록 기도하라" 하셨다.(마 24:16, 20) 이에수-스(예수)님의 말씀을 기억한 당시 이우다이오스(유대인) 기독교인들은 주후 67년 전쟁이 일어나자 요단강 동편 '펠라' 라는 이방 지역으로 피신하여 화를 당치 않았다고 한다.

'도망하라' 하신 말씀,(마 24:16) 그리고 '여자가 광야로 도피하니' 라고 한 말씀(계 12:6)은 피란처로 가라는 말씀이다. 구약에 '도피성' 여섯 군데를 두라고 하신 의미도 같은 의미이다.(출 21:12~14; 민 35:9~32) 다빋(다윗)은 솨울(사울) 왕의 박해를 피하여 광야로, 숲으로, 동굴로 숨었고.(삼상 20:5 이하). 하나님께서 선지자 엘리야후(엘리야)에게는 아합 왕을 피하여 "케리트(그릿) 시냇가에 숨고 그 시냇물을 마시고 내가 까마귀들을 명하여 거기서 너를 먹이게 하리라"고 하셨다.(왕상 17:2~3) 헤사이아스(이사야) 26:20절에는 '내 백성아 갈지어다 네 밀실에 들어가서 네 문을 닫고 분노가 지나기까지 잠간 숨을지어다"고 하였고, 예호야킨(여호야김) 왕이 선지자 이르메야(예레미야)와 서기관 바루크(바룩)를 잡으라고 하였을 때는 여호와께서 그들을 숨기셨더라고 하였다.(렘 36:26)

성경에 하나님께서 성도를 숨기시는 피란처시라는 말씀이 너무나 많다. 여호와께서 다빋(다윗)을 모든 대적의 손과 솨울(사울)의 손에서 구원하신 그날에 다빋(다윗)이 노래의 말씀으로 여호와께 아뢰기를 "여호와는 나의 반석이시요, 나의 요새시요, 나를 건지시는 자시요, 나의 하나님이시요, 나의 피할 바위시요, 나의 방패시요, 나의 구원의 뿔이시요, 나의 높은 망대시요, 나의 피란처시요, 나의 구원자시라 나를 흉악에서 구원하셨도다" 고 하였다.(삼하 22: 1~3) "여호와께서 환란 날에 나를 그 초막 속에 비밀히 지키시고 그 장막 은밀한 곳에 나를 숨기시며"(시 27:5) "주께서 저희를 주의 은밀한 곳에 숨기사 사람의 꾀에서 벗어나게 하시고"(시 31: 21) "하나님은 우리의 피란처시요 환란 중에 만날 큰 도움이시라"(시 46:1) "주는 나의 피란처시요 원수를 피하는 견고한 망대이심이니이다"(시 61:3) "지존자의 은밀한 곳에 거하는 자는 전능하신 자의 그늘 아래 거하리로다" (시 91:1) "여호와를 경외하는 자에게는 견고한 의뢰가 있나니 그 자녀들에게 피란처가 있으리라"(잠 14:26) "여호와 나의 힘, 나의 보장, 환란 날의 피란처시여"(렘 16:19) "재앙의 날에 주는 나의 피난처시니이다."(렘 17:17) "나는 내 백성 이스라엘 자손의 산성이 되리로다"(욜 4:16)

2. 피란처에 가는 성도는 어떤 성도들인가에 대하여(소수)

예수 믿는다고 다 피란처에 가는 것이 아니다. 후3년 반 환란 때는 신앙이 좋은 성도 중에도 피란처에 가는 자보다 스뮈르나(서머나) 교회 성도들처럼 순교하는 자가 더 많다. 피란처에 가는 성도는 극히 적다. 프힐라델프헤이아(빌라델비아) 교회 성도들처럼 이에수-스(예수)님의 말씀을 가감하지 않고 그대로 보존하고 준행한 자라야 피란처에 가는 것이다.(계 3:10 ← 개역 한글성경에 '시험의 때를 면하게 하리니' 라고 한 것은 잘못 번역

한 것임. "시험하는 기간 중에 너를 보존하여 지키리라"가 바른 번역임)

이에수-스(예수)님께서 제자들과 함께 유월절 만찬을 드시던 자리에서 위기가 닥쳐오는 상황에서 하나님 아버지께 기도하시기를 "제가 비옵는 것은 저희를 세상에서 데려가시기를 위함이 아니요 오직 악에 빠지지 않게 보전하시기를 위함이니이다"고 하셨다.(요 17:15) 어찌 그리 믿는 자들이 환란을 당치 않고 휴거한다고 가르치기를 좋아하는지 ……

쩨판야(스바냐) 2:3절에 "여호와의 규례를 지키는 세상의 모든 겸손한 자들아 너희는 여호와를 찾으며 공의와 겸손을 구하라 너희가 혹시 여호와의 분노의 날에 숨김을 얻으리라"고 하였다.

3. 한 때 두 때 반 때가 전3년 반이라 함에 대하여.(아님)

여자(교회)가 광야 하나님께서 예비하신 곳으로 가서 양육 받는다고 한 일천 이백 육십 일(계 12:6)과 한 때 두 때 반 때(계 12:14)를 거의 모든 계시록 강해자들이 전3년 반이라고 하는 것이다. 후3년 반이 짐승 적그리스도가 용인 사탄으로부터 마흔두달(한 때 두 때 반 때) 일할 권세를 받아 본격적으로 성도를 박해할 기간이 후3년 반인데 전3년 반에 피란처에 간다면 후3년 반에는 피란처에 가는 것이 아니니 맞지 않는 것이다. 11장의 두 증인의 예언하는 기간을 1,260일이라 하였고,(11:3) 12장에서 여자(교회)가 광야로 가서 양육 받는 기간을 1,260일이라 하였기 때문에 동일하게 전3년 반으로 생각하는 것이다. 그러나 같이 1,260일이라 하였지만 같은 때가 아닌 것은 두 증인의 1,260일의 증거를 마치는 때를 분명히 말하여 '무저갱에서 짐승이 올라오는 때' 라고 하였으니,(12:7) 후3년 반이 될 수 없는 것이다. 그러나 여자(교회)가 광야로 가는 때는 1,260일이라고만 하지 않고(12:6) '한 때 두 때 반 때' 라고 하였으니,(12:14) '한 때 두 때 반 때' 라는 말은 다니엘 12:7절 말씀과 같이 모든 일이 끝나는 후3년반을 가리키는 용어인 것이다. 다니엘 9:27절에는 '이레의 절반' 이라 하였다.

그리고 여자(교회)가 1,260일 동안 광야로 가는 기간이 전3년 반일 수 없는 것이 여섯째 나팔 재앙이 실행 된 후에 (9:13~21) 사탄이 땅으로 쫓겨 내려와서(12:9) 여자(교회)를 박해하게 된다고 하였으므로(12:13) 전3년 반이 아니고 후3년 반이 되기 직전인 것이다. 이렇게 분명한데도 1,260일이라고 한 말만 가지고 두 증인이 증거 하는 기간과 같은 전3년 반이라고 하는 것이다.

☼ 감동과 기도 ☆

【계시록 제 13 장】

한 글 개 역 성 경	전통원문 직역 성경
1. 내가 보니 바다에서 한 짐승이 나오는데 뿔이 열이요 머리가 일곱이라 그뿔에는 열 면류관이 있고 그 머리들에는 참람된 이름들이 있더라	1. 그리고 내가 바다로부터 올라오는 짐승을 보니 일곱 머리들과 열 뿔들과 그 열 뿔들의 위에 열 왕관들과 그 머리들 위에는 신성모독의 이름을 가졌느니라.
2. 내가 본 짐승은 표범과 비슷하고 그 발은 곰의 발 같고 그 입은 사자의 입 같은데 용이 자기의 능력과 보좌와 큰 권세를 그에게 주었더라	2. 그리고 내가 본 그 짐승은 표범에 유사하고, 또한 그 발들은 곰의 발 같으며, 그런데다 그 입은 사자의 입 같고, 그리고 그 용이 자기의 능력과 또한 그의 보좌와 큰 권세를 그에게 주었더라.
3. 그의 머리 하나가 상하여 죽게 된 것같더니그 죽게 되었던 상처가 나으매 온 땅이 이상히 여겨 짐승을 따르고	3. 또한 내가 보니 그의 머리들의 하나가 상하여 죽게 된 것 같으니라, 그리고 그의 죽음의 상처가 고침받으니 온 땅이 더 한층 놀라 그 짐승의 뒤를 따르니라.
4. 용이 짐승에게 권세를 주므로 용에게 경배하며 짐승에게 경배하여 가로되 누가 이 짐승과 같으뇨 누가 능히 이로 더불어 싸우리요 하더라	4. 그리고 그들이 짐승에게 권세를 준 그 용을 경배하며, 또한 그 짐승을 경배하며, 말하기를, 누가 그 짐승에 유사하며 누가 그와 더불어 싸울 수 있겠는가? 하니라.
5. 또 짐승이 큰 말과 참람된 말하는 입을 받고 또 마흔 두 달 일할 권세를 받으니라	5. 그리고 그에게 크게 말하며 중상을 하는 입이 주어지고, 또한 마흔 두 달을 활동하는 권세가 그에게 주어지니,
6. 짐승이 입을 벌려 하나님을 향하여 훼방하되 그의 이름과 그의 장막 곧 하늘에 거하는 자들을 훼방하더라	6. 역시 그의 입을 열어 하나님을 향하여 중상하기를 그분의 이름과 그분의 장막과 하늘에 거하는 자들을 중상하니라.

7. 또 권세를 받아 성도들과 싸워 이기게 되고 각 족속과 백성과 방언과 나라를 다스리는 권세를 받으니	**7. 그리고 그에게 성도들의 가운데서 전쟁을 하도록 허락이 되니, 또한 그들을 이기게 되고, 더욱이 그에게 모든 족속과 언어와 민족 위에 권세가 주어지니,**
8. 죽임을 당한 어린양의 생명책에 창세 이후로 녹명되지 못하고 이 땅에 사는 자들은 다 짐승에게 경배하리라	**8. 그러므로 창세로부터 죽임을 당하신 어린양의 생명책에 그 이름들이 기록되지 못한 사람들의, 이 땅위의 거주하는 자들은 모두 그에게 경배하리라.**
9. 누구든지 귀가 있거든 들을찌어다	**9. 만일 누구든지 귀를 가졌으면 들으라.**
10. 사로 잡는 자는 사로잡힐 것이요 칼에 죽이는 자는 자기도 마땅히 칼에 죽으리니 성도들의 인내와 믿음이 여기 있느니라	**10. 만일 누구든지 포로를 끌고가면, 포로 가운데 데려가며, 만일 누구든지 칼로 죽이면 반드시 자기도 칼에 죽임을 당하리니, 성도들의 인내와 믿음이 여기 있느니라.**
11. 내가 보매 또 다른 짐승이 땅에서 올라오니 새끼양 같이 두 뿔이 있고 용처럼 말하더라	**11. 그리고 내가 다른 짐승을 보니 땅으로부터 올라오는데, 또한 어린양 같이 두 뿔들을 가졌고, 그리고 용처럼 말하니라.**
12. 저가 먼저 나온 짐승의 모든 권세를 그 앞에서 행하고 땅과 땅에 거하는 자들로 처음 짐승에게 경배하게 하니 곧 죽게 되었던 상처가 나은 자니라	**12. 그리고 먼저 짐승의 모든 권세를 그의 앞에서 행하며, 그리고 땅과 그 안에 거하는 자들을 먼저 짐승을 경배하도록 하니, 그의 죽게 되었던 상처가 고침받은 자니라.**
13. 큰 이적을 행하되 심지어 사람들 앞에서 불이 하늘로부터 땅에 내려 오게 하고	**13. 그리고 큰 표적들을 행하되, 그렇게하여 사람들 앞에서 불을 하늘 가운데서 땅을 향하여 내려오게 하며,**

14. 짐승 앞에서 받은바 이적을 행함으로 땅에 거하는 자들을 미혹하며 땅에 거하는 자들에게 이르기를 칼에 상하였다가 살아난 짐승을 위하여 우상을 만들라 하더라	**14. 그리고 짐승 앞에서 그에게 주어진 표적들을 행함을 수단으로 땅위에 거하는 자들을 미혹하며, 땅위에 거하는 자들에게 말하기를 칼의 상처를 가졌다가 또한 살아난 짐승에게 형상을 만들라 하니라.**
15. 저가 권세를 받아 그 짐승의 우상에게 생기를 주어 그 짐승의 우상으로 말하게 하고 또 짐승의 우상에게 경배하지 아니하는 자는 몇이든지 다 죽이게 하더라	**15. 그리고 그 짐승의 형상이 말하도록 하기 위하여 짐승의 형상에게 영을 주도록 허락되고, 그리고 짐승의 형상을 경배하지 않는 누구든지 모두 죽이게 하니라.**
16. 저가 모든 자 곧 작은 자나 큰 자나 부자나 빈궁한 자나 자유한 자나 종들로 그 오른손에나 이마에 표를 받게 하고	**16. 그리고 작은 자들과 큰 자들, 그리고 부자들과 빈곤한 자들을, 또한 자유로운 자들과 종들을 막론하고, 그들의 오른손 위나 그들의 이마들 위에 그들이 자신에게 낙인을 새기도록 하고,**
17. 누구든지 이 표를 가진 자 외에는 매매를 못하게 하니 이 표는 곧 짐승의 이름이나 그 이름의 수라	**17. 그리고 만일 그 짐승의 이름이나 그의 이름의 수인 그 낙인을 가지지 않은 자는 누구든지 사거나 팔 수 없게 하니라,**
18. 지혜가 여기 있으니 총명 있는 자는 그 짐승의 수를 세어보라 그 수는 사람의 수니 육백 육십 육이니라	**18. 지혜가 여기 있으니 이해력을 가진 자는 그 짐승의 수를 세어 보라. 분명히 사람의 수이니, 특히 그의 수는 육백 육십 육이니라.**

【 문 단 】

6〉 짐승의 형상 경배와 666표 13:1~18

① 바다에서 올라온 한 짐승의 모습과 권세 (1~2)
② 용과 첫째 짐승에 대한 온 땅의 숭배 (3~4)
③ 짐승의 극심한 훼방과 일시적 승리 (5~8)
④ 극심한 핍박에 대한 성도의 인내 권면 (9~10)
⑤ 땅에서 올라온 두 번째 짐승의 모습 (11)
⑥ 두 번째 짐승의 이적과 형상 경배케 함 (12~15)
⑦ 짐승의 666표 받지 않으면 매매 못하게 함 (16~18)

【 주 해 】

〈**개요**〉 13장은 무저갱에서 올라 온(11:7) 용 곧 사탄으로부터 마흔 두 달 일할 권세를 받은 바다에서 올라온 짐승이 어떻게 세계를 지배하며 성도를 어떻게 박해하는 가를 보여주신 것이다. 1~10절에 바다에서 올라온 짐승은 사탄의 하수인과 대리자로서 세상 권력으로 교회를 억압할 것과 11~18절에 땅에서 올라온 짐승은 첫째 짐승 곧 적그리스도를 위하여 이적을 행하는 거짓선지자로서 성도를 말살하려는 술책으로 마지막까지 활약함을 보여 준다.

6〉 짐승의 형상 경배와 666표 13:1~18

① 바다에서 올라온 한 짐승의 모습과 권세 (1~2)

1절 ▷ 그리고 내가 바다로부터 올라오는 짐승을 보니 일곱 머리들과 열 뿔들과 그리고 그 열 뿔들의 위에 열 왕관들과 그 머리들 위에는 신성모독의 이름을 가졌느니라.

Καὶ εἶδον ἐκ τῆς θαλάσσης θηρίον ἀναβαῖνον, ἔχον κεφαλὰς
내가 보니 로부터 그 바다의 짐승을 올라오는, 가졌고 머리들을
ἑπτὰ καὶ κέρατα δέκα· καὶ ἐπὶ τῶν κεράτων αὐτοῦ δέκα
일곱 과 뿔들을 열. 그리고 위에 그 뿔들의 그 열
διαδήματα, καὶ ἐπὶ τὰς κεφαλὰς αὐτοῦ ὄνομα βλασφημίας.
왕관들을 그리고 위에 그 머리들을 그 이름을 신성모독의.

창조 때에 땅이 드러나고 낮은 곳으로 모인 많은 물을 '바다'라 하셨는데(창 1:10) 계시록에서 '많은 물' 을 '백성들과 무리들과 민족들과 방언들이라' 고 하였다.(17:15) 그러므로 '짐승<*θηρίον* 트헤리온>' 이 바다에서 올라온다는 것은 온 세계 민족들 가운데서 특출한 자로 나타남을 의미한다. 그리고 이 짐승은 '무저갱으로부터 올라오는 자' 라고 두 번이나 말하였고,(11:7, 17:8) 여덟째 왕으로 일곱 왕 중에 속한 자로서(17:9~11에 해석) 무저갱으로부터 올라와 멸망으로 들어갈 자라 하였다.

사탄의 화신이며 대리자인 인간으로서 마지막 후3년 반에 나타날 적그리스도를 말함인데 '짐승' 이라고 함은 이성 없는 사납고 악하며 더러운 영을 가진 배만 위하는 육적인 마귀적 존재임을 의미한다.(13:2, 6, 16:13; 딛 1:11~12; 벧후 2:12; 유 1:10) 그러나 이 짐승은 다니엘 7장에서 네 짐승과 같이 적그리스도의 정치적 세계 통치체제를 말한다. 말하자면 '짐(왕)은 국가이다' 라고 말했다는 것과 같이 짐승은 적그리스도와 그 통치체제를 말한다.

'짐승<*θηρίον* 트헤리온>' 이라는 말이 계시록에 꼭 40번 나온다. 성경에서 40이라는 수는 '고난의 가득찬' 수이다. 하나님께서 노아 때에 세상을 멸하실 때 홍수를 40일 간 내리셨으며,(창 7:4, 17) 죄인에게 때리는 매는 40까지라 하셨고,(신 25:3; 고후 11:24) 이스라엘 백성이 불신앙의 징벌로 40년 간 광

야에서 고생을 하며 죽어야 했으며,(민 14:33, 32:13) 금식기도를 40일간 하는 것은 영과 혼과 육의 최대한의 고난을 무릅씀을 의미하는 것이다.(출 34:28; 마 4:2) 후3년 반의 사탄의 하수인이며 대리자인 짐승 적그리스도가 성도들에게 가하는 박해는 그만큼 가득찰 것을 의미하고 있다.

열 뿔들의 위에 열 왕관들과 그 머리들 위에는 신성모독의 이름을 가졌다고 했는데 개역 한글성경은 '왕관<*διάδημα*(디아데마)>' 을 '면류관' 으로 잘못 번역하였다. '왕관<*διάδημα*(디아데마)>' 는 오직 재림하시는 주님의 머리 위에 있는 것으로 말하고 있고(19:12) 12:3절의 용의 머리에 일곱 왕관과 13:1절의 짐승의 열 뿔에 열 왕관이 있다는 것은 '권세' 를 말한 것이다. 주님만이 왕이신데 사탄과 짐승이 자칭 왕처럼 왕관을 썼으니 신성모독인 것이다. 2:10절과 6:2절에는 왕관이 아니고 '면류관<*στέφανος*(스테프아노스)>' 이다.

2절 ▷ 그리고 내가 본 그 짐승은 표범에 유사하고, 또한 그 발들은 곰의 발 같으며, 그런데다 그 입은 사자의 입 같고, 그리고 그 용이 자기의 능력과 또한 그의 보좌와 큰 권세를 그에게 주었더라.

καὶ τὸ θηρίον ὃ εἶδον ἦν ὅμοιον παρδάλει, καὶ οἱ πόδες
그리고 그 짐승은 그 내가 본 였고 유사하고 표범에, 그리고 그 발들은
αὐτοῦ ὡς ἄρκτου, καὶ τὸ στόμα αὐτοῦ ὡς στόμα
그의 같고 곰의, 그리고 그 입은 그의 같고 입
λέοντος. καὶ ἔδωκεν αὐτῷ ὁ δράκων τὴν δύναμιν
사자의. 그리고 주었다 그에게 그 용이 그 능력을
αὐτοῦ, καὶ τὸν θρόνον αὐτοῦ, καὶ ἐξουσίαν μεγάλην.
자기의, 그리고 그 보좌를 자기의, 와 권세를 큰.

선지자 다니엘은 환상 가운데 네 짐승을 보았는데 세상 마지막까지 권력을 가질 나라로서 로마를 포악한 짐승으로 말하기를 "넷째 짐승은 무섭고 놀라우며 또 극히 강하며 또 철 이가 있어서 먹고 부숴뜨리고 그 나머지를 발로 밟았으며 …… 또 입이 있어 큰(오만한) 말을 하였느니라"고 하였다.(단 7:7~8) 그런데 선지자 다니엘은 각각의 네 짐승 사자, 곰, 표범, 열뿔 짐승을 보았는데 사도 이오안네스(요한)가 본 짐승은 네 가지 특징을 다 가진 한 짐승이었고, 그리고 1절에서 이 짐승의 머리는 일곱이라 하였는데 '입<στόμα(스토마)>'은 단수로 하나라고 한 것은 주님의 재림 직전 후3년 반에 네 특징을 다 가진 회복된 흐로메(로마) 제국(EU)에서 그 정치적 배경을 가지고 등장할 최후의 적그리스도를 말하는 것이다. 세상 마지막에 일어날 짐승 적그리스도는 흐로메(로마)의 정치적 권력을 배경으로 세계를 지배하고 교회를 잔해하는 것이다.

'짐승'이 표범이 아니라 표범과 '유사하다<ὅμοιον(호모이온)>'는 말을 유의하여야 한다. 곰의 발과 같고 사자의 입과 같다는 말도 '유사하다'는 말이다. 이것은 다니엘 7:3~8절에 있는 짐승의 특징이 종합된 것으로 최후 짐승 적그리스도의 성도들에 대한 잔인하고 무자비하며 포악함을 역설하는 말이다. 그것은 용인 사탄으로부터 능력과 보좌와 권세를 받았기 때문이다. 성도의 권세가 다 깨어지기까지라고 하였다.(단 12:7)

☼ 감동과 기도 ☆

② 용과 첫째 짐승에 대한 온 땅의 숭배 (3~4)

3절 ▷ 또한 내가 보니 그의 머리들의 하나가 상하여 죽게 된 것

같으니라, 그리고 그의 죽음의 상처가 고침 받으니 온 땅 가운데서 더 한층 놀라 그 짐승의 뒤를 따르니라.

καὶ εἶδον μίαν τῶν κεφαλῶν αὐτοῦ ὡς ἐσφαγμένην
그리고 내가보니 하나가 그 머리들의 그의 같더니 상한 것
εἰς θάνατον· καὶ ἡ πληγὴ τοῦ θανάτου αὐτοῦ ἐθεραπεύθη
된 것 죽게. 그리고 그 상처가 그 죽음의 그의 고침받으니
καὶ ἐθαυμάσθη ἐν ὅλῃ τῇ γῇ ὀπίσω τοῦ θηρίου.
더 한층 놀라 가운데서 온 그 땅 뒤를 따르다 그 짐승의.

그런데 머리가 일곱인 이 짐승의 머리 중 하나가 상하여 죽게 된 것 같더니 그의 죽음의 상처가 고침을 받자 온 땅의 사람들이 놀라 그 짐승의 뒤를 따른다고 하였다.

'일곱 머리' 는 '일곱 왕' 이라 하였다. 일곱 머리는 흐로메(로마)의 아우구스투스(Augustus, B.C. 30~A.D.14) 황제부터 티투스(Titus, A.D. 79~81) 황제까지를 말한다 하기도 하고, 아이토 스(애굽)으로부터 흐로메(로마)까지 여섯 나라와 최후의 적그리스도 제국까지라고 하는 등 여러 가지 견해가 있다.

그런데 여기서 말하는 중요한 것은 '그의 머리들의 하나가 상하여 죽게 된 것 같으니라, 그리고 그의 죽음의 상처가 고침 받으니 온 땅이 더 한층 놀라 그 짐승의 뒤를 따르니라' 고 한 것이다. 여기서 17:10~11절을 앞당겨 설명하지 않을 수 없으니 최후 적그리스도 짐승의 왕국은 일곱 번째 왕국이 망했다가 다시 재흥한 여덟 번째 8왕국이라는 것을 설명해야 하기 때문이다.

17:10~11절에 "일곱 왕이 있으니, 다섯은 망하였으나, 역시 하나는 있고, 다른 이는 아직 오지 아니하였으나, 그렇지만 언제든지 오는 때는 그는 반드시 잠시 머무르리라. 11. 그리고 전에 있었다가 지금 있지 않은 그 짐승은, 또한 그는 여덟째이니, 그

러므로 일곱 중에 속하여, 역시 멸망으로 들어가니라" 한 것은 일곱 머리 곧 일곱 왕은 세상 마지막까지 세상을 통치하며 하나님의 백성을 박해할 사탄의 일곱 차례 왕국을 말한 것인데 이미 망한 다섯은 아이깁토스(애굽), 야슈-르(앗수르). 바뷜론(바벨론), 마다이(메대)파라쓰(파사), 헬라스(헬라)을 말하고, 지금(계시록 기록 당시) 있는 것이란 흐로메(로마)를 말하며, '다른 이는 아직 오지 아니하였으나 그렇지만 언제든지 오는 때는 그는 반드시 잠시 머무르리라' 한 것은 '신흥 로마제국' 을 말하는 것이다. 이 일곱이 다 지나고 일곱 머리들의 하나가 상하여 죽게 된 것 같더니 그의 죽음의 상처가 고침 받은즉 온 땅이 더 한층 놀라 그 짐승의 뒤를 따르니라고 한 것은 흐로메(로마) 제국이 기독교적 로마제국인 신성로마제국으로 탈바꿈하여 위세를 떨치다가(주후 962-) 터어키 왕 모하메드 2세가 콘스탄티누스 2세를 공격하여 함락되므로(주후 -1453년) 신성로마제국이 끝나는 것 같았는데 마지막에 기독교를 대적하는 적그리스도의 열 왕(발가락)의 강력한 국가로(E.U) 재생하게 됨을 보고 온 세계 사람들이 경탄하여 그 통치체제를 따르게 된다는 예언인 것이다. 유럽 연합 국가 E.U는 2002년 화폐통합을 이루고 2007-2013년 7년 예산안을 통과시켰으며 헌법 통과와 대통령 선거를 앞두고 있다. 흐로메(로마) 교황청에서는 세계 종교 통합 위원회가 있어 세계 종교통합을 성사시켜 오고 있으며 이번에 선출된 베네딕토 교황은 자기 사명이 세계 종교를 통합시키는 일이라고 공언하였다.

4절 ▷ 그리고 그들이 짐승에게 권세를 준 그 용을 경배하며, 또한 그 짐승을 경배하며, 말하기를, 누가 그 짐승에 유사하

며 누가 그와 더불어 싸울 수 있겠는가? 하니라.

καὶ προσεκύνησαν τὸν δράκοντα ὅς ἔδωκεν ἐξουσίαν
그리고 경배하며 그 용을 그가 준 권세를
τῷ θηρίῳ, καὶ προσεκύνησαν τὸ θηρίον, λέγοντες, Τίς
그 짐승에게, 그리고 경배하여 그 짐승을, 말하기를, 누가
ὅμοιος τῷ θηρίῳ; τίς δύναται πολεμῆσαι μετ' αὐτοῦ;
유사하며 그 짐승에 누가 수 있겠는가 싸울 와 함께 그

사탄이 권세를 주어 세계를 놀랍게 통치하는 적그리스도 정부를 온 세계 사람들이 찬양하며 적그리스도를 신으로 경배하는 것이다. 그 어떤 누구도, 하나님이라도 대항치 못한다고 사기충천 득의만만해 하는 것이다. 바벨탑을 쌓을 때 하나님께 대한 사람들의 오만불손함은(창 11:1~9) 아무것도 아닐 정도로 극에 달한다.

¤ 감동과 기도 ☆

③ 짐승의 극심한 훼방과 일시적 승리 (5~8)

5절 ▷ 그리고 그에게 크게 말하며 중상을 하는 입이 주어지고, 또한 마흔 두 달을 활동하는 권세가 그에게 주어지니,

Καὶ ἐδόθη αὐτῷ στόμα λαλοῦν μεγάλα καὶ βλασφημίας·
그리고 주어지고 그에게 입 말하며 크게 그리고 그 중상을.
καὶ ἐδόθη αὐτῷ ἐξουσία ποιῆσαι μῆνας τεσσαράκοντα δύο·
그리고 주어지니 그에게 권세가 활동하는 달을 마흔 두

짐승에게 '크게 말하는 입이 주어진다' 는 말은 다니엘 7:8절의 말씀과 너무나 일치한다. '큰' 이란 히브리어 'רַבְרַב(라브라브)' 는 '크다, 위대하다' 는 뜻만 아니라 '오만한' 이라는 뜻도 있는 말로서 '크게 말하는 입' 이란 하나님께 대하여 오만하게 중

상모략하고 훼방하는 말을 하는 입이라는 말이다.

6절 ▷ 역시 그의 입을 열어 하나님을 향하여 중상하기를 그분의 이름과 그분의 장막과 하늘에 거하는 자들을 중상하니라.

καὶ ἤνοιξεν τὸ στόμα αὐτοῦ εἰς βλασφημίαν πρὸς
그리고 열어 그 입을 그의 하기를 중상을 향하여
τὸν θεόν, βλασφημῆσαι τὸ ὄνομα αὐτοῦ, καὶ τὴν
그 하나님을, 중상하더라 그 이름을 그분의, 그리고 그
σκηνὴν αὐτοῦ, καὶ τοὺς ἐν τῷ οὐρανῷ σκηνοῦντας.
장막을 그분의, 과 자들을 가운데 그 하늘에 거하는.

이때는 적그리스도만 아니라 사람들까지도 하나님과 천사들을 비웃고, 순교한 성도들이나 땅에 있는 성도들을 훼방하는 말이 일상화 되어버린다.(계 13:6, 16:9, 11, 21) 심판이 최정점에 달했기 때문이다.

7절 ▷ 그리고 그에게 성도들의 가운데서 전쟁을 하도록 허락 이 되니, 또한 그들을 이기게 되고, 더욱이 그에게 모 든 족속과 언어와 민족 위에 권세가 주어지니,

καὶ ἐδόθη αὐτῷ πόλεμον ποιῆσαι μετὰ τῶν ἁγίων, καὶ
그리고 허락되니 그에게 전쟁을 하여 가운데서 그 성도들의, 또한
νικῆσαι αὐτούς· καὶ ἐδόθη αὐτῷ ἐξουσία ἐπὶ πᾶσαν
이기게 되고 그들을 그리고 주어지니 그에게 권세가 위에 모든
φυλὴν καὶ γλῶσσαν καὶ ἔθνος. ←족속을 과 방언을 과 민족을

하나님께로부터 '적그리스도에게 성도들의 가운데서 전쟁을 하도록 허락이 되니' 라고 하였으니, 성도들이 후3년 반에도 땅에 남아 있어 짐승 적그리스도와 전쟁을 하여 순교를 하게 된다

고 하였는데, 어찌 성도는 환란 전이든 중간이든 환란 당치 않고 휴거한다고 가르치기를 침이 마르도록 하는가?

더욱이 그에게 모든 족속과 언어와 민족 위에 권세가 주어지니 하나님의 작정하심과 허락하에 되어지는 것이다.

다니엘 7:25절에 “그가 장차 말로 지극히 높으신 자를 대적하며 또 지극히 높으신 자의 성도를 괴롭게 할 것이며 그가 또 때와 법을 변개코자 할 것이며 성도는 그의 손에 붙인바 되어 한 때와 두 때와 반 때를 지내리라” 하였으며, 12:7절에는 “반드시 한 때 두 때 반 때를 지나서 성도의 권세가 다 깨어지기까지니”라고 하였으니 하나님께서 후3년 반에 성도가 적그리스도에 의해 환란을 당하도록 허용하신 것을 알 수 있다. 마치 경건한 성도 이요브(욥)을 사탄이 시험하도록 허용하신 것과 같은 것이다.

“그러나 심판이 시작된즉 그(짐승 적그리스도)는 권세를 빼앗기고 끝까지 멸망할 것이요 왕국과 권세와 온 천하 열국의 위세가 지극히 높으신 자의 성민에게 붙인바 되리라 그의 왕국은 영원한 왕국이라 모든 권세 있는 자가 다 그를 섬겨 복종하리라” 하였으니(단 7:26~27) 성도들이 환란을 당한 후에 왕국과 권세를 얻도록 하시는 것이 하나님의 뜻인 것이다.

8절 ▷ 그러므로 창세로부터 죽임을 당하신 어린양의 두루마리에 그 이름들이 기록되지 못한 사람들의, 이 땅위의 거주하는 자들은 모두 그에게 경배하리라.

καὶ προσκυνήσουσιν αὐτῷ πάντες οἱ κατοικοῦντες ἐπὶ
그리고 경배하리라 그에게 모두 자들은 살고 있는 위에

τῆς γῆς ὧν οὐ γέγραπταὶ τὰ ὀνόματα εν τῇ βίβλῳ
그 땅의 사람들의 못한 기록되지 그 이름들이 에 그두루마리에

τῆς ζωῆς τοῦ ἀρνίου ἐσφαγμένου ἀπὸ καταβολῆς κόσμου.
그 생명의 그 어린양의 죽임을 당한 로부터 창 세.

창세로부터 죽임을 당하신 어린양의 생명책에 그 이름들이 기록되지 못하고 땅위의 거주하는 자들은 모두 짐승 적그리스도에게 경배하게 되는 것이다. 그때에 짐승 적그리스도에게 경배하는가 하지 않는가를 보면 구원받는 자인가 아닌가를 알 수 있는 것이다. 경배하지 않는 자는 누구를 막론하고 죽이기 때문에 경배하지 않으면 죽음을 각오해야 한다. 이때에 순교자의 수가 가득차게 되는 것이다.(6:9~11)

¤ 감동과 기도 ☆

④ 극심한 핍박에 대한 성도의 인내 권면 (9~10)

9절 ▷ 만일 누구든지 귀를 가졌으면 들으라.

Εἴ τις ἔχει οὖς, ἀκουσάτω.
만약~이라면 누구든지 가졌으면 귀를, 들으라.

주님께서 일곱 교회에 하신 말씀에는 "귀 있는 모든 사람은 성령께서 교회들에게 말씀하시는 것을 들으라"고 하셨다. 여기서는 "누구든지 귀를 가졌으면 들으라"고 하셨으니, 신자나 불신자나 누구를 막론하고 귀를 가진 자라면 듣고 깨달으라는 말씀이다.

"들으라 < *ἀκουσάτω*(아쿠사토) >"는 명령법 과거 능동으로 누구나 적극적으로 들어야 할 주님의 명령인 것이다.

10절 ▷ 만일 누구든지 포로로 끌고 가면, 포로로서 떠나며, 만

일 누구든지 칼로 죽이면 반드시 그는 칼에 죽임을 당해야 하리니, 성도들의 인내와 믿음이 여기 있느니라.

εἴ τις αἰχμαλωσίαν συνάγει, εἰς αἰχμαλωσίαν ὑπάγει· εἴ
만일 누구든지 포로를 끌고가면, 로서 포로를 떠나다. 만일
τις ἐν μαχαίρᾳ ἀποκτενεῖ, δεῖ αὐτὸν ἐν μαχαίρᾳ ἀποκταν
누구든지 칼에 죽이면, 반드시~해야한다 그는 칼에 죽임을
θῆναι· ὧδέ ἐστιν ἡ ὑπομονὴ καὶ ἡ πίστις τῶν ἁγίων.
당하리니. 여기 이다 그 인내 그리고 그 믿음 그 성도들의.

성도들의 박해 당하는 모습을 말함이니 포로로 끌려가며, 칼에 죽임을 당하면서도 순순히 믿음으로 인내한다고 함이다. 번역이 다소 난해하나 "성도들의 인내와 믿음이 여기 있느니라"고 함이 중심이므로 여기에 맞게 번역하면 틀리지 않을 것이다.

히에레미아스(예레미야) 15:2절에 "여호와의 말씀에 사망할 자는 사망으로 나아가고 칼을 받을 자는 칼로 나아가고 기근을 당할 자는 기근으로 나아가고 포로 될 자는 포로 됨으로 나아갈 찌니라 하셨다 하라"는 동일한 말씀이 있다. 43:11절에도 동일하다.

이것은 성도들에게『고요히 최후의 환란을 받으며 순교도 감수하라는 권면이다. 사로잡히게 작정된 자는 아무래도 사로잡히고, 칼로 죽임을 당하게 될 자는 아무래도 칼로 죽을 것이니, 고요히 환란을 각오하라는 것이다. '인내, *ὑπομονὴ*'는 '아래 *ὑπο*,라는 말과 ' 거주 *μονὴ*'라는 말의 합성어로 어떤 중압 아래 머물러 버티는 것을 가리킨다. 본문의 경우에는 종말적 환란 아래서 도피할 생각을 하지 않고 핍박에 직면하라는 것이다.』

【이상근 박사 계시록 주석】

여기서도 성도는 환란을 당한다는 사실을 입증하고 있다. 하

나님은 성도를 사랑하셔서 환란을 당하지 않고 휴거하게 하신다고 가르치는 것은 주님의 말씀에 일치하지 않으며,(마 10:39; 요 12: 25; 21:19, 22; 계 12:11) 순교자의 수가 가득 차서 첫째(최상의) 부활에 참예하는 복되고 거룩한 자가 되기를 원하시는(6:9~11, 20:4, 6) 주님의 뜻에 반하는 것으로 이것은 기독교인들을 사탄의 밥으로 기르고 있는 것이 된다.

⑤ 땅에서 올라온 두 번째 짐승의 모습 (11)

11절 ▷ 그리고 내가 다른 짐승을 보니 땅으로부터 올라오는 데, 또한 어린양 같이 두 뿔들을 가졌고, 그리고 용처 럼 말하니라.

Καὶ εἶδον ἄλλο θηρίον ἀναβαῖνον ἐκ τῆς γῆς, καὶ
그리고 내가 보니 다른 짐승을 올라오니 으로부터 그 땅의, 또한
εἶχεν κέρατα δύο ὅμοια ἀρνίῳ, καὶ ἐλάλει ὡς δράκων.
가졌고 뿔들을 두 같이 어린양, 그리고 말하니라 처럼 용.

사도 이오안네스(요한)가보니 다른 짐승이 땅으로부터 올라오는데, 어린양 같이 두 뿔들을 가졌고, 그리고 용처럼 말하는 것이었다. 이 짐승은 앞의 짐승과 많이 다르니 앞의 짐승은 사납고 무서운 모습이고 열 뿔을 가졌으나 이 짐승은 어린양 이에수-스(예수)님과 너무나 흡사하게 두 뿔을 가졌고 그런데 말하는 것은 사탄 곧 용이 말하는 것과 같았던 것이다. '짐승' 으로 말해진 것은 하나님의 양떼를 해하는 자임을 말한다. 그는 양과 유사한 모양으로 나아오나 속은 이리와 같이 양떼를 죽이고 삼키는 악한 짐승이다.(마 7:15) 이 둘째 짐승은 첫째 짐승을 위하여 있고,(14절) 첫째 짐승은 사탄 곧 용으로부터 권세를 위임받

은 존재로서(2절) 사탄과 두 짐승은 하나님의 삼위일체를 본 딴 것이다. 자기를 하나님으로 위장하는데 너무나 그럴듯하게 온갖 꾀를 다 부린다. 사람들을 미혹하기 위함이다.

그리고 12~18절까지 이 짐승이 하는 일들을 보면 완전히 앞의 짐승 적그리스도를 위하여 있는 짐승이며, 이적을 행하여 사람들을 미혹한다는 것은 거짓선지자임을 말하는 것이다. 이후 그는 짐승과 함께 거짓선지라로 불리운다.(16:13, 19:20, 20:10) 첫째 짐승은 적그리스도는 세상 권력으로 성도들을 통제하고 죽이나 둘째 짐승 거짓 선지자는 거짓 교리로서 기독교인들을 미혹하고 잘못되게 한다. 첫째 짐승의 박해에 항거한 자들 중에도 거짓 선지자의 미혹에 넘어가는 자가 많다. 사탄의 교묘한 수법이다.

⑥ 두 번째 짐승의 이적과 형상 경배케 함 (12~15)

12절 ▷ 그리고 먼저 짐승의 모든 권세를 그의 앞에서 행하며, 그리고 땅과 그 안에 거하는 자들을 먼저 짐승을 경배하도록 하니, 그의 죽게 되었던 상처가 고침 받은 자니라.

καὶ τὴν ἐξουσίαν τοῦ πρώτου θηρίου πᾶσαν ποιεῖ ἐνώ
그리고 그 권세를 그 먼저 짐승의 모든 행하고 앞

πιον αὐτοῦ· καὶ ποιεῖ τὴν γῆν καὶ τοὺς κατοικοῦντας
에서 그의. 그리고 하니 그 땅을 과 자들을 거하는

ἐν αὐτῇ ἵνα προσκυνήσωσιν τὸ θηρίον τὸ πρῶτον, οὗ
안에 그 을 위하여 경배하도록 그 짐승을 그 먼저, 자라

ἐθεραπεύθη ἡ πληγὴ τοῦ θανάτου αὐτοῦ·
고침받은 그 상처가 그 죽게되었던 자신의.

이 짐승 거짓 선지자가 먼저 짐승의 모든 권세를 그의 앞에서

행하며, 그리고 땅과 그 안에 거하는 자들을 그의 죽게 되었던 상처가 고침 받은 자 먼저 짐승을 경배하도록 한다. 그것이 이 짐승 거짓 선지자의 주 임무이다.

6.25 전쟁이 발발했을 때, 불과 3일만에 서울을 함락한 공산군을 미쳐 피할 수 없었던 많은 목사들이 종로 승동교회에 모였다. 저들은 간절히 기도하고 찬송을 부른 후, 목숨을 부지하기 위하여 '김일성 장군 환영대회' 를 열기로 결의했고, 곧이어 길다란 플랜카드를 써서 걸고는, 며칠 후 큰 대회를 치렀다. 그 대회에서 '김일성 장군 주도하에 남북통일을 이룩하자' 는 결의문까지 채택하였던 것이다. 지금은 그런 상황이 오면 더 말할 것 없다. 예수님의 말씀대로 순교를 가르치지 않는 기독교는 죽은 교회이다.

이 첫째 짐승 적그리스도는 죽게 되는 상처를 입게 되나 고침을 받아 다시 건재한 모습을 보임으로 세계 모든 사람들로부터 동정과 추앙을 받으며 부활한 크흐리스토스(그리스도)와 같이 위세 한다.

13절 ▷ 그리고 큰 표적들을 행하되, 그렇게하여 또한 사람들 앞에서 불을 하늘 가운데서 땅을 향하여 내려오게 하며,

καὶ ποιεῖ σημεῖα μεγάλα, ἵνα καὶ πῦρ ποιῇ καταβαίνειν
그리고 행하되 표적들을 큰, 그렇게하여 불을 하고 내려오게
ἐκ τοῦ οὐρανοῦ εἰς τὴν γῆν ἐνώπιον τῶν ἀνθρώπων.
로부터 그 하늘의 향하여 그 땅을 앞에서 그 사람들의.

큰 표적들을 행하는데 사람들 앞에서 불을 하늘 가운데서 땅을 향하여 내려오게도 한다. 그러니 올바른 믿음이 없는 많은 기독교인들도 그 표적을 보고 추종하는 것이다. 거짓 선지자도 사

탄의 권세를 받아 참 선지자처럼 능력을 행한다.(막 13:22; 살후 2:9) 하나님께서 불의의 모든 속임과 유혹을 저희 가운데 역사하게 하시어 멸망하는 자들로 거짓 것을 믿게 허용하시는 것은 진리를 믿지 않고 불의를 좋아하는 모든 신자나 불신자들로 하여금 심판을 받게 하시기 위함인 것이다.(살후 2:9~12)

사람들을 깜짝 놀랍게 속이는 마술사들이 사람들에게 얼마나 환호를 받는가? 그러나 마술사들과 모든 거짓말로 속이는 자들은 불과 유황으로 타는 못에 참예하리라고 하였다.(21:8)

14절 ▷ 그리고 짐승 앞에서 그에게 주어진 표적들을 행함을 수단으로 땅위에 거하는 자들을 미혹하며, 땅위에 거 하는 자들에게 말하기를 칼의 상처를 가졌다가 그리고 살아난 짐승에게 형상을 만들라 하니라.

καὶ πλανᾷ τοὺς κατοικοῦντας ἐπὶ τῆς γῆς, διὰ τὰ
그리고 미혹하며 자들을 거하는 위에 그 땅의, 수단으로 그
σημεῖα ἃ ἐδόθη αὐτῷ ποιῆσαι ἐνώπιον τοῦ θηρίου,
이적들을 그 주어진 그에게 행함을 앞에서 그 짐승의,
λέγων τοῖς κατοικοῦσιν ἐπὶ τῆς γῆς, ποιῆσαι εἰκόνα
말하기를 자들에게 거하는 위에 그 땅의, 만들라 형상을
τῷ θηρίῳ ὃ ἔχει τὴν πληγὴν τῆς μαχαίρας καὶ ἔζησεν.
그 짐승에게 그 가졌다가 그 상처를 그 칼의 그리고 살아난.

적그리스도 앞에서 그에게 주어진 마술 같은 놀라운 이적들을 행하며 그것을 수단으로 땅위에 거하는 자들을 미혹하여 짐승 적그리스도에게 형상을 만들라고 한다. 필자의 생각이지만 공공적인 장소에서만 아니라 모든 사람들로 하여금 각자 짐승의 형상을 소유하도록 할 것이다. 아마 그때는 사람들이 휴대폰을 가지듯이 각자 짐승 적그리스도의 형상의 매력적인 전자기

기를 소유하도록 하고 일정하게 경배한다는 입력을 하게 하면서 체크 할 것이다. 경배한다는 입력이 빠지는 자는 불러서 문초할 것이다.

짐승의 형상을 만들라 한다는 말 '만들라 *ποιῆσαι*(포이에-사이)' 는 부정 과거 능동으로 모든 사람 각자가 자진 만든다는 말이다.

15절 ▷ 그리고 그 짐승의 형상이 말하도록 하기 위하여 짐승 의 형상에게 영을 주도록 허락되고, 그리고 짐승의 형 상을 경배하지 않는 누구든지 모두 죽이게 하니라.

καὶ ἐδόθη αὐτῷ δοῦναι πνεῦμα τῇ εἰκόνι τοῦ θηρίου, ἵνα
그리고 허락되어 그에게 주도록 영을 그 형상에게 그 짐승의, 하기위하여
καὶ λαλήσῃ ἡ εἰκὼν τοῦ θηρίου, καὶ ποιήσῃ, ὅσοι ἂν μὴ
그리고 말하도록 그 형상이 그 짐승의, 그리고 하니라, 모두 하는 아니
προσκυνήσωσιν τὴν εἰκόνα τοῦ θηριου ἵνα ἀποκτανθῶσιν.
경배하지 그 형상을 그 짐승의 게 죽이.

그런데 놀라운 것은 공공 장소의 짐승의 형상만 아니라 개인이 소유한 작은 인형이 적그리스도의 실제 음성으로 말을 하도록 하기 위하여 짐승의 형상에게 영을 주도록 허락되고, 그리고 짐승의 형상을 경배하지 않는 누구든지 모두 죽이게 하는 것이다. 사도 이오안네스(요한) 때는 상상할 수도 없던 일이지만 이제는 이러한 일이 가능하게 되었다. 놀라운 일이다. 적그리스도의 음성이 녹음으로 전자기기를 통해 울려 퍼지나 그 음성에는 사탄의 영이 역사하는 음성임으로 듣는 자들이 열광하고 흠모하여 자랑스럽게 경배한다. 기독교인들도 의례적으로 모두 경배하고 경배하지 않는 자를 비판하나 경배하지 않는 자는 확실

히 지목되어 고발되고 고문을 당하고 죽임을 당하게 된다. 이때에 가면 기독교인이건 아니간 간에 전 세계 사람들은 짐승의 형상에게 경배하느냐 하지 않느냐 하는 양자 택일의 운명적 기로에 놓이게 되며 결국 두 진영으로 나누어진다. 하나님을 경배하는 자들과 짐승과 그 형상에게 경배하는 자들, 이마에 하나님의 인을 맞은 자들과 이마나 손에 짐승의 이름이나 그 수의 낙인을 받은 자들, 그리고 적그리스도에게 경배하지 않음으로 죽임을 당하나 영원한 생명의 복락을 누릴 자들과 일시 죽임을 면하나 곧 땅에 쏟아지는 하나님의 진노의 재앙을 당하고 그리고 영원한 유황과 불타는 못에서 밤낮 고통을 받아야 할 자들이다.

¤ 감동과 기도 ☆

⑦ 짐승의 666표 받지 않으면 매매 못하게 함 (16~18)

16절 ▷ 그리고 작은 자들과 큰 자들, 그리고 부자들과 빈곤한 자들을, 또한 자유로운 자들과 종들을 막론하고, 그들의 오른손 위나 그들의 이마들 위에 그들이 자신에게 낙인을 새기도록 하고,

καὶ ποιεῖ πάντας, τοὺς μικροὺς καὶ τοὺς μεγάλους,
그리고 하고 모두를(막론하고), 작은 자들을 그리고 그 큰 자들을,

καὶ τοὺς πλουσίους καὶ τοὺς πτωχούς, καὶ τοὺς ἐλευθέ
그리고 그 부자들을 그리고 그 빈곤자들을, 그리고 그 자유로운

ρους καὶ τοὺς δούλους, ἵνα δώσῃ αὐτοῖς χάραγμα ἐπὶ
자들을 과 그 종들을, 하도록 주 그들에게 낙인을 위에

τῆς χειρὸς αὐτῶν τῆς δεξιᾶς, ἢ ἐπὶ τῶν μετώπων αὐτῶν,
그 손의 그들의 그 오른손, 그 위에 그 이마들의 그들의,

『한글 개역성경은 '히나 도신 아우토이스' 를 단순히 '받게'

로 번역했지만, '히나' 가 결과절을 이끄는 종속 접속사이고, '도신' 이 '주다' 라는 뜻을 지닌 '디도미(δίδωμι)' 의 3인칭 부정 과거 능동태 가정법이며, '아우토이스' 가 복수 3인칭 대명사이므로 엄밀하게는 '그들이 그 자신에게 주다' 라는 뜻이다. 말하자면 땅에서 나온 짐승은 모든 사람이 자신들의 손으로 스스로 자신들에게 표를 새기도록 만드는 것이다.』**【옥스퍼드 원어 성경대전, 계시록 2권** p.125**】** 이 헬라어 원문대로 그때에 67억이 넘는 전세계 사람들에게 666표를 받게 하는 것은 강압적으로 받게 하는 것이 아니라 이 표를 가지지 않는 사람은 어떤 거래도 할 수 없는 전세계적 시스템을 운용하기 때문에 모든 사람들은 자진해서 이 표를 받도록 한다는 말인 것이다.

그리고 짐승 거짓선지자는 이적과 권세로 작은 자들과 큰 자들, 그리고 부자들과 빈곤한 자들, 자유로운 자들과 종들을 막론하고, 그들의 오른손 위나 그들의 이마들 위에 그들 스스로 낙인(표시)을 새기도록 한다. 이것은 하나님께서 자신의 종들의 이마에 인치신 것처럼(7:3, 9:4, 14:1) 자기 백성들의 이마에 낙인을 새기도록 하는 것이다. 사탄은 이것도 하나님께서 하시는 것을 모방하여 한다.

그런데 하나님께서는 인을 성도들의 '이마' 에만 치시고 그 인은 거래를 하는 것이 아닌데(7:3, 9:4, 14:1, 22:4) 짐승은 이마 위에가 아니면 오른 손에 낙인을 새기게 하고 그것으로 경제생활의 주요 수단으로 하게 한다는 것이다. 손은 '활동' 을, 이마는 '신분' 을 표시한다.

17절 ▷ 그리고 만일 그 짐승의 이름이나 그의 이름의 수인 그 낙인을 가지지 않은 자는 누구든지 사거나 팔 수 없게 하니

라, 그

καὶ ἵνα μή τις δύνηται ἀγοράσαι ἢ πωλῆσαι, εἰ μὴ
그리고 게 하니 없게 누구든지 할 수 사거 나 팔 수, 만일 않은
ὁ ἔχων τὸ χάραγμα ἢ τὸ ὄνομα τοῦ θηριου, ἢ τὸν
자는 가지지 그 낙인을 나 그 이름을 그 짐승의, 나 그
ἀριθμὸν τοῦ ὀνόματος αὐτοῦ. ←수를 그 이름의 그의

『계 13:16; 계 13:17에서 두 번째 짐승이라는 비유를 통하여 로마제국의 사제들의 행동거지를 노골적으로 언급하는 대목이 나온다: “저가 모든 자 곧 작은 자나 큰 자나 부자나 빈궁한 자나 자유한 자나 종들로 그 오른손에나 이마에 표를 받게 하고 누구든지 이 표를 가진 자 외에는 매매를 못하게 하니 이 표는 곧 짐승의 이름이나 그 이름의 수라”. (참조: 계 13:11~18). 여기서 카라그마는 사탄의 ‘보호’를 의미한다. 그들은 “첫번째 짐승” (즉 로마제국의 노선)에 대하여 모든 사람이 인정하고 충성을 바쳐야 한다고 강요한다. 황제의 우상은 말을 할 수 있도록 만들어졌다(계 13:15). 이처럼 황제의 신성을 주장하는 한편, 그들은 또 오른 손이나 이마에 첫번째 짐승의 “표”(카라그마)를 가진 사람만이 매매를 할 수 있게 한다. 이 “표”는 그 짐승의 이름, 또는 수(Number)이다(계 13:18).

이와 대조적으로 이처럼 표를 하는 관습은 고대 세계에 흔히 있었던 것으로서, 그것은 소유와 보호를 의미하였다. 묵시문학에서는, 카라그마 투 데리우, 즉 짐승의 표가 적그리스도적 권세에 대한 비굴한 추종을 의미하는 예가 거듭 거듭 나온다(계 14:9; 계 20:4; 계 13:17; 계 14:11; 계 16:2; 계 19:20). 이러한 상황에 대처하여 하나님의 “인”(계 7:1~8)이 주어지며, 짐승의 표를 지닌 모든 자들에게는 진노가 있으리라는 위협이 가해진다

(계 14:9; 계 14:11). 사탄의 표를 받지 않은 자들에게는 악한 권세를 심판하는 권리가 약속된다(계 20:4).』(바이블렉스 C D, 이병철, 1995)

짐승의 이 표에 대하여 논란이 많다. 계시록을 가르치는 자들 가운데서 이 표가 실제이냐 상징이냐 함에서 주장이 극명하게 나뉜다. 이것은 어느 것이든 한편이 틀리는 것이다.

이 문제의 논란에 있어서 유의해야 할 것은 먼저 '짐승의 이름이나 그의 이름의 수인 그 낙인을 가지지 않은 자는 누구든지 사거나 팔 수 없게 한다' 는 것이다. '사거나 파는 것' 이 상징일 수 없고 실제 경제 거래이다. 그렇다면 실제의 표가 아닌 것으로 사거나 팔 수 없는 것이다. 그러므로 실제의 표이다. 지금도 이미 개인 고유번호로 설정된 카드 하나로 세계 어느 곳에서도 거래할 수 있는 것이 일반화되어 있지 않은가?

그리고 이 낙인(표)은 단지 경제적 거래만을 위한 것이 아니고 짐승과 그 적그리스도의 형상에 경배하는 것과 결부되는 것으로 말씀하셨으니,(13:15~18, 14:9~11, 20:4) 짐승과 그 적그리스도의 형상에 경배하는 것이 상징일 수 없으므로 짐승의 표를 받는 것도 단순한 상징이 아니고 실제인 것이다.

뿐만 아니라 짐승과 그 적그리스도의 형상에 경배하는 것과 짐승의 표를 받는 것은 따로 나눌 수 없는 결부된 것이며 그 표를 받는 자는 일곱 대접 재앙인 하나님의 분노의 포도주를 마실 뿐만 아니라 영원무궁토록 밤낮 쉼을 얻지 못하고 천사들과 어린양 앞에서 불과 유황의 고통을 받게 된다고 하였으니,(14:9~11) 이 표를 받는 것이 신앙에 아무런 문제가 없는 상징이라고 가르치는 것은 완전이 계시록의 말씀을 곡해하는 것이다.

18절 ▷ 지혜가 여기 있으니 이해력을 가진 자는 그 짐승의 수를 세어보라. 분명히 한 사람의 수이니, 특히 그의 그 수는 육백 육십 육이니라.

Ὧδε ἡ σοφία ἐστιν. ὁ ἔχων τὸν νοῦν, ψηφισάτω τὸν
여기 그 지혜가 있으니. 자는 가진 그 이해력, 세어보라 그
ἀριθμὸν τοῦ θηριου· ἀριθμὸς γὰρ ἀνθρώπου ἐστιν, καὶ
수를 그 짐승의. 수는 진실로, 분명히 사람의 이니, 특히
ὁ ἀριθμὸς αὐτοῦ. χξς ←그 수는 그의 육백 육십 육이니라

"지혜가 있어 이해력을 가진 자는 그 짐승의 수를 세어 보라. 왜냐하면 한 사람의 수이니, 그의 수는 육백 육십 육이기 때문이다."고 직역된다. '사람의' 로 번역되는 '*ἀνθρώπου*(안뜨로푸)'는 소유격 단수로 한 사람을 가리키며, '원인' 이나 '이유' 를 나타내는 접속사 '*γὰρ*(가르)' 가 앞에 있고, 세어보도록 제안한 짐승의 수는 한 사람의 수이기 때문이다.

개역 한글성경 네슬 알란드 판에는 '*ἑξακόσιοι ἑξήκοντα ἕξ*(헥크사코시오이 헥크세콘타 헥크시) 육백 육십 육' 으로 되어 있으나 표준원문에는 '육백 육십 육' 의 단축형 '*χξς* (키크시 시그마)' 로 되어 있다.

666이 누구 혹은 무엇을 말한 것인지 많은 논란이 되어 왔다. 지금까지 제시된 견해 가운데 가장 널리 인정되는 것은 666이 '네로 황제' 를 지칭한다는 것이다. 네로(Nero)는 라틴어로 네론(Neron)으로 표기하는데, 이 철자는 각각 N=50, E=6, R=500, O=60, N=50으로서 모두 666이 된다. 히브리인들도 히브리어 알파벳에 각각 수를 매겨 사용하였다. '네로 황제' 를 뜻하는 'Nero Caesar' 를 히브리어로 음역한 'נֵרוֹן קסר' 의 각각 철자에 해당하는 수는 נ=50, ר=200, ו=6, ן(נ)=50, ק=100, ס=60,

ᄀ=200으로 모두 합하면 666이 된다. 로마 교황이 머리에 쓴 관에 '하나님의 아들 대리자' 라는 글이 새겨져 있는데 라틴어로 'Vicarius Filii Dei' 도 666이 되고, 로마를 전체적으로 가리키는 'λατέινος(라테이노스)' 도 λ=30, α=1, τ=300. ϵ=5, ι=10, ν=50, ο=70, ς=200 =666이 된다.

'컴퓨터(Computer)' 의 알파벧 수치도 666이 된다는 사실이다. (갈대아(바빌론)어에서 A는 6의 배수로 나감으로, C=18, o=90, m=78, p=96, u=126, t=120, e=30, r=180, 모두 666이 된다.

6은 사람의 수이다. 제 6일에 창조되었고 7과 같이 사람은 완전하지 못하다는 의미가 있다.

『스미스(Smith, Charles) 교수의 흥미로운 지적은 1에서 36까지의 합이 666이며 계시록에는 짐승의 악한 활동이 36차 나타난다고 한 것이다.』(이상근 박사 계시록 주석)

유럽연합의 본부가 있는 벨지움의 브뤼셀에는 3층이나 되는 초대형 컴퓨터가 설치되어 있고 그 이름이 공교롭게도 '짐승(Beast)' 인데 이 컴퓨터는 5개 대륙의 2천개 이상의 은행과 연결되어 있고 1일 컴퓨터의 처리 건수도 50만 회가 넘으며 세계 67억의 인구를 각자의 번호로 입력하고도 남는 용량이라고 한다.

☼ 감동과 기도 ☆

♤ 13장 요점 정리 ♠

① 바다에서 올라 온 열 뿔과 일곱 머리를 가진 짐승이 사탄(용)으로부터 마흔 두달(후3년 반) 일할 권세를 받는다고 하였다. 일곱 머리는 일곱 왕이라 하였는데(17:10) 종말까지 역사적으로 하나님의 백성 이스라엘을 괴롭힌 세계적 제국의 왕들을

말한 것이며, 열 뿔 역시 열 왕이라 하였으니(17:12) 일곱 중에 속한 왕으로서 마지막 여덟째 짐승 적그리스도가 통치하는 세계 제국 10개 연방국의 왕들인 것이다. 이것은 '짐승의 신비' 라 하였다.(17:7)〔1~7절〕

② 어린양의 생명책에 이름이 기록되지 못하고 그때에 땅위에 거주하는 자들은 모두 조금도 거리낌 없이 짐승 적그리스도에게 경배한다 하였고, 그리고 '성도들의 인내와 믿음이 여기 있느니라' 고 하였으니 이때 성도들이 환란을 당하는 것을 말하는 것이다. 다니엘 12:7절에도 후3년 반인 "한 때 두 때 반 때를 지나서 성도의 권세가 다 깨어지기까지니 그렇게 되면 이 모든 일이 끝나리라" 하였으니 후3년반에도 성도들이 땅위에 있는 것이다.〔8절〕

③ "누구든지 귀를 가진 자는 들으라" 하시면서 '사로잡히며, 칼로 죽임을 당하는 일과 성도들의 인내와 믿음이 여기 있느니라' 하신 것은 명심하여 들으라는 말씀이다.〔9~10절〕

④ 땅에서 올라온 두 번째 짐승은 첫 번째 짐승 적그리스도를 위하여 역사하는 거짓선지자이다.(20:10) 큰 이적을 행하며 사람들을 미혹하여 모든 사람으로 하여금 짐승의 형상을 만들게 하고 자발적으로 경배하게 한다. 경배하지 않는 자는 다 죽이고, 그리고 짐승의 이름의 수인 666표를 받지 않으면 사고 팔지를 못하게 하니 너도나도 자발적으로 경배하고 표를 받는다.〔11~18절〕

⑤ 계시록을 가르치는 거의 모든 사람이 '666 표는 상징이라' 고 한다. 그렇다면 다섯 번이나 항상 함께 말해지는(14:9, 11, 15:2, 16:2, 20:4) '적그리스도의 형상에 경배하는 것' 도 상징이라야 하며, '매매를 못하게 한다는 것' 도 상징이어야 하

며,(13:17) 이런 자들은 '하나님의 분노의 포도주로부터 마실 것이라' 고 한(14:10) 첫째 대접 재앙도(16:2) 상징이어야 하며, "또한 거룩한 천사들과 어린양 앞에서 불과 유황 가운데서 고통을 받게될 것" 이라고 한 형벌도 상징이어야 하는 것이다. 그렇다면 계시록은 어떻게 되는가? 〔15~18절〕

짐승의 형상

【 계시록 제 14 장】

한 글 개 역 성 경	전통원문 직역 성경
1. 또 내가 보니 어린양이 시온 산에 섰고 그와 함께 십 사만 사천이 섰는데 그 이마에 어린양의 이름과 그 아버지의 이름을 쓴 것이 있도다.	1. 그리고 내가 보았으니, 역시 보라, 어린양께서 시온 산 위에 서 계시고, 그리고 십 사만 사천이 그분과 함께 했는데, 그들의 이마들 위에 새겨진 그분의 아버지의 이름을 가지고 있었느니라.
2. 내가 하늘에서 나는 소리를 들으니 많은 물소리도 같고 큰 뇌성도 같은데 내게 들리는 소리는 거문고 타는 자들의 그 거문고 타는 것 같더라	2. 그리고 내가 하늘로부터 많은 물들의 소리 같은 소리를 들으니, 또한 천둥의 큰 소리 같고, 그리고 수금 연주자들이 그들의 수금에서 수금을 타는 소리를 내가 들으니라.
3. 저희가 보좌와 네 생물과 장로들 앞에서 새 노래를 부르니 땅에서 구속함을 얻은 십 사만 사천인 밖에는 능히 이 노래를 배울 자가 없더라.	3. 그리고 보좌 앞과 네 생물들과 장로들 앞에서 새로운 노래 같은 노래를 하는데 땅으로부터 구속함을 받은 자들 십 사만 사천이 아니면 아무도 이 노래를 배울 수 없으니라.
4. 이 사람들은 여자로 더불어 더럽히지 아니하고 정절이 있는 자라 어린양이 어디로 인도하든지 따라가는 자며 사람 가운데서 구속을 받아 처음 익은 열매로 하나님과 어린양에게 속한 자들이니,	4. 이 사람들은 여자들과 같이 결코 더럽히지 아니하였으니. 왜냐하면 처녀들이라. 이 사람들은 무엇이든지 어디든지 인도하는 어린양에게 따르는 자들이며, 이 사람들은 사람들로부터 구속을 받아, 하나님과 어린양께 첫 열매라.
5. 그 입에 거짓말이 없고 흠이 없는 자들이더라.	5. 그리고 그들의 입에 결코 속임이 발견되지 않으니, 왜냐하면 하나님의 보좌 앞에서 흠이 없기 때문이라.

6. 또 보니 다른 천사가 공중에 날아가는데 땅에 거하는 자들 곧 여러 나라와 족속과 방언과 백성에게 전할 영원한 복음을 가졌더라	6. **그리고 내가 공중 가운데 날아가는 다른 천사를 보니, 땅에 거하는 자들, 즉 모든 민족과 족속과 언어와 백성을 가르쳤던 영원한 복음을 가지고 있으니라.**
7. 그가 큰 음성으로 가로되 하나님을 두려워하며 그에게 영광을 돌리라 이는 그의 심판하실 시간이 이르렀음이니 하늘과 땅과 바다와 물들의 근원을 만드신 이를 경배하라 하더라	7. **큰 소리로 말하기를, 하나님을 두려워하라. 그리고 그분께 영광을 돌리라. 그분의 심판의 시간이 왔기 때문이다. 그리고 하늘과 땅과 바다와 물들의 근원을 만드신 분을 경배하라 하니라.**
8. 또 다른 천사 곧 둘째가 그 뒤를 따라 말하되 무너졌도다 무너졌도다 큰 성 바벨론이여 모든 나라를 그 음행으로 인하여 진노의 포도주로 먹이던 자로다 하더라.	8. **그리고 다른 천사가 뒤따르며 말하기를, 무너졌도다 무너졌도다 그 큰 성 바벨론이여, 왜냐하면 모든 민족들을 그녀의 음행의 진노의 포도주로 마시게 했기 때문이라 하니라.**
9. 또 다른 천사 곧 셋째가 그 뒤를 따라 큰 음성으로 가로되 만일 누구든지 짐승과 그의 우상에게 경배하고 이마에나 손에 표를 받으면,	9. **그리고 셋째 천사가 그들에게 뒤따르며, 큰 소리로 말하기를, 만일 누구든지 그 짐승과 그의 형상에게 경배하고 그리고 그의 이마 위에나 그의 손 위에 표를 받게 되면,**
10. 그도 하나님의 진노의 포도주를 마시리니 그 진노의 잔에 섞인 것이 없이 부은 포도주라 거룩한 천사들 앞과 어린양 앞에서 불과 유황으로 고난을 받으리니,	10. **실로 그는 하나님의 분노의 포도주로부터 마시리니 그분의 진노의 잔에 섞인 것이 없이 부은 것이라. 또한 거룩한 천사들과 어린양 앞에서 불과 유황 가운데서 고통을 받게될 것이다.**
11. 그 고통의 연기가 영원무궁토록 올라가리로다 짐승과 그의 우상에게 경배하고	11. **그리하여 그들의 그 고통의 연기가 영원들의 영원들 그리하여 그들의 그 고통의 연기가 영원들의 영원들까지 올라가며, 그리고 그 짐승과 그의 형상을 경배하고,**

그 이름의 표를 받는 자는 누구든지 밤낮 쉼을 얻지 못하리라 하더라	**또한 만일 누구든지 그의 이름의 표를 받으면 결코 밤낮 쉼을 가지지 못할 것이다.**
12. 성도들의 인내가 여기 있나니 저희는 하나님의 계명과 예수 믿음을 지키는 자들이니라	12. **성도들의 인내가 여기 있으니, 그들은 하나님의 명령들과 예수님의 신실함을 보존하여 지키는 이것이라. 하니라.**
13. 또 내가 들으니 하늘에서 음성이 나서 가로되 기록하라 자금 이후로 주안에서 죽는 자들은 복이 있도다 하시매 성령이 가라사대 그러하다 저희 수고를 그치고 쉬리니 이는 저희의 행한 일이 따름이라 하시더라	13. **그리고 내가 하늘로부터 소리를 들으니 나에게 말씀 하시기를, 기록하라. 지금부터 주님 안에서 죽어가며 죽는 자들은 복이 있다. 참으로 성령님께서 말씀하시기를, 자신들의 수고들로부터 쉬며, 또한 자신들의 행위들이 자신들과 함께 따르기 때문이다 하니라.**
14. 또 내가 보니 흰 구름이 있고 구름 위에 사람의 아들 같은 이가 앉았는데 그 머리에는 금 면류관이 있고 그 손에는 이한 낫을 가졌더라	14. **그리고 내가 보니, 그런데 보라, 흰 구름이 있고, 그 구름 위에 사람의 아들 같은 앉으신, 그분의 머리 위에 금 면류관이 있고, 그리고 그분의 손에는 예리한 낫을 가지시니라**
15. 또 다른 천사가 성전으로부터 나와 구름 위에 앉은 이를 향하여 큰 음성으로 외쳐 가로되 네 낫을 휘둘러 거두라 거둘 때가 이르러 땅에 곡식이 다 익었음이로다 하니	15. **그리고 다른 천사가 성전으로부터 나와, 구름 위에 앉으신 분께 큰 소리로 외치기를, 당신의 낫을 보내셔서 그리하여 수확하소서, 수확할 때가 당신께 왔기 때문이며, 땅의 곡식이 말랐기 때문입니다.**
16. 구름 위에 앉으신 이가 낫을 땅에 휘두르매 곡식이 거두어지니라	16. **그리하여 구름을 향하여 앉으신 분께서 그분의 낫을 땅을 향하여 아래로 던지니 세상이 수확되니라.**

17. 또 다른 천사가 하늘에 있는 성전에서 나오는데 또한 이한 낫을 가졌더라	17. **그리고 다른 천사가 하늘에 있는 성전으로부터 나오는데, 역시 그가 예리한 낫을 가지고 있으니라.**
18. 또 불을 다스리는 다른 천사가 제단으로부터 나와 이한 낫을 가진 자를 향하여 큰 음성으로 불러 가로되 네 이한 낫을 휘둘러 땅의 포도송이를 거두라 그 포도가 익었느니라 하더라	18. **그리고 불 위에 권세를 가진 다른 천사가 제단으로부터 나와, 역시 예리한 낫을 가진 자에게 크게 큰 소리로 소리지르기를 너의 예리한 낫을 던져 땅의 포도송이를 거두라. 그분의 포도송이들이 무르익었기 때문이라. 하니라.**
19. 천사가 낫을 휘둘러 땅의 포도를 거두어 하나님의 진노의 큰 포도주틀에 던지매	19. **그리고 그 천사가 그의 낫을 땅으로 던져, 땅의 포도를 모은 그 포도를 하나님의 큰 분노의 포도즙틀에 던지니,**
20. 성 밖에서 그 틀이 밟히니 틀에서 피가 나서 말굴레까지 닿았고 일천 육백 스다디온에 퍼졌더라	20. **그리하여 성 밖에서 그 포도즙틀이 밟혀, 그리고 그 포도즙틀로부터 피가 나와서 말들의 굴레들까지,** *(거기)***로부터 일천 육백 스타디온***(까지 퍼지니라)*

【 문 단 】

7〉 **구속받은** 144,000 **성도들** 14:1~5

8〉 **천사의 선포하는 영원한 복음** 6~13

9〉 **추수에 대한 환상** 14~20

【 주 해 】

〈**개요**〉 14장도 중간 삽입계시의 연속으로서 13장에서 후3년 반에 사탄과 거짓선지자는 짐승의 형상 경배와 666 매매 표로서 성도들을 죽음으로 몰았으나 하나님의 인침을 받은 성도들은 이기는 자 되어 하나님의 보좌 앞에서 구속의 새 노래를 부르게 됨을 계시하여 주신 것이다. 성도의 격려와 소망을 위한 메시지이다.

7〉 구속받은 144,000 성도들 14:1~5

1절 ▷ 그리고 내가 보았으니, 역시 보라, 어린양께서 시온 산 위에서 계시고, 그리고 십 사만 사천이 그분과 함께 했는데, 그들의 이마들 위에 새겨진 자신의 아버지의 이름을 가지고 있었느니라.

Καὶ εἶδον, καὶ ἰδού, ἀρνίον ἑστηκὸς ἐπὶ τὸ ὄρος Σιών,
그리고 내가보니, 역시 보라, 어린양이 섰고 위에 그 산을 시온의,
καὶ μετ' αὐτοῦ ἑκατὸν τεσσαράκοντα τέσσαρες χιλιάδες,
그리고 함께 그와 일백 사십 사 천,
ἔχουσαι τὸ ὄνομα τοῦ πατρὸς αὐτοῦ γεγραμμένον ἐπὶ
가지고 있으니 그 이름을 그 아버지의 그분의 새겨진 위에
τῶν μετώπων αὐτῶν. ←그 이마들의 그들의.

어린양이신 주님과 함께 시온산에 선 144,000의 성도들은 그들의 이마에 하나님 아버지의 이름이 새겨진 자들이라고 하였다. 여기서 말한 144,000은 7:1~8절에 이스라엘 열두 지파에서 인맞은 자의 수를 말한 것이다. 그런데 거의 모든 계시록을 해석하는 자들이 이 144,000은 구원받은 자를 상징하는 수라고 함으로 본질을 흐리게 하는 것이다. 7:1~3절에서 천사가 하나님의 인을 가지고 해 돋는 데로부터 올라와 땅과 바다를 해롭게 하도록 허락된 네 천사들에게 말하기를 "우리가 우리 하나님의 종들

의 이마 위에 인치기까지 땅이나 바다나 나무들을 해하지 말라” 하고 전 지구상에서 인을 쳤는데, 그 인친 수를 사도 이오안네스(요한)가 들으니 이스라엘 열두 지파에서는 각기 12,000명이라 하였다는 것이다. 사도 이오안네스(요한)가 들었다고 했는데 어찌 이것을 천사가 지구상에 인친 사람 전체의 수로, 또한 상징으로 말한 것으로 듣는가?

이방인들 중에도 셀 수 없는 많은 사람이 인침을 받은 자가 있는데,(9~10) 이스라엘 열두 지파에서는 144,000명이라는 말씀이다. 하나님께서 구원하시는 정한 수가 있다는 것을 말씀하신 것이다. 9:1~11절의 다섯째 나팔 재앙 때 이마에 하나님의 인을 가지지 않은 자들만 해하게 하시는데, 어찌 이때 이스라엘 열두 지파만 땅위에 살고 있겠는가? 훨씬 더 많은 이방인들이 살고 있을 것인데 이방인들 중에는 인침을 받은 자가 없겠는가? 7:1~8절에서 사도 이오안네스(요한)가 이스라엘 열두 지파에서 인침을 받은 자의 수가 얼마임을 들었고, 이어서 9절에 이 일 후에 보니 ‘모든 민족과 족속들과 방언들 중에서 아무도 그것을 셀 수 없는 많은 무리’ 라고 하였으니 이스라엘 열두 지파와 이방인을 분명히 구별하여 말한 것이다. 그런데도 어찌하여 이스라엘 열두 지파에서 인맞은 자 144,000을 이방인을 포함한 전체의 인맞은 자의 상징이라고 하는지 ‘상징’ 이란 말은 계시록에 없는 사람이 만든 말이다. 계시록에서 상징(象徵)이라는 말을 사용하면 안된다. 왜냐하면 상징(象徵)이라는 말은 ‘말로는 설명하기 힘든 **추상적인** 사물, 개념 따위를 구체적인 사물로 나타내는 대상물, 표상, 심벌’ 이라는 말인데(국어사전, 민중서림, 1999) 계시록이 추상적인 것을 나타낸 것이라는 말인가? 완전히 틀린 말이며 계시록을 혼미하게 만드는 말이다. 절대 계시록은 상징이 아니다. 계시록의 많은 것들은 상징으로 보여주신 것이 아니라 형용사인 '유사한(닮은) <ὅμοιος 호모이오스 (신약에 45회 중 계시록에 21회 사용)> 것으로 보여주신 것이다.

개역 한글성경은 네슬 알란드 사본을 따랐기 때문에 그 이마에 '어린양의 이름과 그 아버지의 이름을' 쓴 것이 있도다고 하였으나 전통원문과 여기서 직역한 영어 킹제임스 성경에는 '어린양의 이름과' 는 없다. 두 이름이 새겨졌다는 것은 이치에 맞지 않고, 계시록 자체의 말씀에도 맞지 않다. 7:2절에 '하나님의 인' 이라 하였고, 22:4절에도 '그분의 이름도 저희 이마 위에 있으리라' 하였으니 '어린양의 이름과 그 아버지의 이름' 이 아니라 '그 아버지의 이름' 만이 새겨지는 것이다. 여기서도 성경 변개한 것이 드러난다.

그러므로 어린양 주님과 함께 시온산에 선 이스라엘 열두 지파에서 인침을 받아 대환란에서 구원함을 받은 144,000명은 대환란에서 구원받은 자들을 닮은 모델로 보여주신 것이다. 상징으로 보여주신 것인가? 어린양도 상징이고, 시온산도 상징이고, 144,000도 상징이고, 자신의 이마에 새겨진 아버지의 이름도 상징이고, 저들이 어떤 자들이라고 말한 것들도(3~5) 상징이란 말인가? 어떤 것은 상징이라 하고 어떤 것은 실제라고 하니 '혼미' 그 자체이다.

2절 ▷ 그리고 내가 하늘로부터 많은 물들의 소리 같은 소리를 들으니, 또한 천둥의 큰 소리 같고, 그리고 수금 연주자들이 그들의 수금에서 수금을 타는 소리를 내가 들으니라.

καὶ ἤκουσα	*φωνὴν*	*ἐκ*	*τοῦ*	*οὐρανοῦ*	*ὡς*	*φωνὴν*	*ὑδάτων*
그리고 내가들으니	소리를	로부터	그	하늘의	같은	소리를	물들의

πολλῶν, καὶ ὡς φωνὴν βροντῆς μεγάλης· καὶ φωνὴν
많은, 또한 같은 소리를 천둥의 큰. 그리고 소리를
ἤκουσα κιθαρῳδῶν κιθαριζόντων ἐν ταῖς κιθάραι̂ αὐτῶν.
내가 듣는 수금연주자들의 수금을 타는 에서 그 수금에 그들의.

하늘로부터 사도 이오안네스(요한)에게 들리는 소리들은 많은 물들의 소리 같고 큰 천둥의 소리 같이 웅장하고, 그러면서도 수금의 연주 소리와 같이 너무나 장엄하고도 신묘한 소리였다. 이 세상에 아무리 훌륭한 관혁악단의 소리라도 하늘의 소리에 일점도 비교할 수 없는 것이다.

3절 ▷ 그리고 보좌 앞과 네 생물들과 장로들 앞에서 새로운 노래 같은 노래를 하는데 실로 땅으로부터 구속함을 받은 자들 십 사만 사천이 아니면 아무도 이 노래를 배울 수 없으니,

καὶ ᾄδουσιν ὡς ᾠδὴν καινὴν ἐνώπιον τοῦ θρόνου, καὶ
그리고 노래하다 같은 노래를 새로운 앞에서 그 보좌의, 과
ἐνώπιον τῶν τεσσάρων ζῴων καὶ τῶν πρεσβυτέρων· καὶ
앞에서 그 네 생물들의 과 그 장로들의 실로
οὐδεὶς ἠδύνατο μαθεῖν τὴν ᾠδὴν, εἰ μὴ αἱ ἑκατὸν τεσσα
아무도 아닌 할 수 있는 배울 그 노래를, 라면 아니 그 일백 사
ράκοντα τέσσαρες χιλιάδες, οἱ ἠγορασμένοι ἀπὸ τῆς γῆς.
십 사 천, 그 구속함을 받은 으로부터 그 땅의.

하늘의 장엄하고 그 신묘막측한 소리와 함께 구속함을 받은 성도들이 부르는 노래 또한 구속함을 받은 자 외에는 아무도 배울 수 없는 새로운 노래인 것이다. '새 노래 같은 노래' 라고 한 것은 이 세상에서는 들어보지 못한 너무나 새롭고 놀라운 아름다운 노래라는 말이다. 이 세상에서 가수들이 노래 소리 조금 잘

낸다고 얼마나 추앙을 받고 돈도 버는가?

'새' 라는 헬라어 καινός(카이노스)는 신약성경에서 42회 나오며, 형태에 관하여 '새로운', 즉 '갓 만들어진, 최신의, 사용하지 않은 것' 을 나타내며, 또한 내용에 관하여 '새로운', 즉 '새로운 종류의, 전례가 없는, 신기한, 전대미문의 것' 을 표현한다. 일반적 용법에서 카이노스는 지금까지 존재해 왔던 것과 비교해 볼 때, 질적으로 새로운 것, 곧 과거의 것보다 더 훌륭한 것이란 뜻을 나타낸다. 땅에서 구속함을 얻은 성도들은 하나님의 보좌 앞에서 이러한 '새로운 노래' 를 부르는 것이다.

하이든의 제자였던 모짜르트가 한 때 하이든이 칠 수 없는 훌륭한 음악을 작곡하겠다고 장담하며 스승과 내기를 걸었다. 모짜르트는 한 5분 동안 무엇인가 열심히 긁적이더니 스승에게 곡을 드렸다. 하이든은 몇 소절을 치더니, "이것이 뭐야? 왜 여기에 중간 건반을 쳐야 하는 음표가 있나? 두 팔을 벌려 피아노 건반 양쪽 끝을 치고 있는데 어떻게 중간을 친단 말인가?"

모짜르트는 "선생님, 제가 한 번 쳐볼까요?" 하고는 빙그레 웃으며 곡을 치기 시작했다. 모차르트는 그 부분에 가서 두 팔이 피아노 양쪽 끝 건반을 누르고 있으므로 머리를 앞으로 수그리더니 코끝으로 탁 쳐서 음의 효과를 멋지게 냈던 것이다. 스승 하이든이 상상치 못했던 곡의 연주였다.

하늘의 '새 노래' 도 가히 상상할 수 없었던 아름답고 감미롭고 웅장한 노래일 것이 분명하다. 알렐루이야!

4절 ▷ 이 사람들은 여자들과 함께 결코 더럽히지 아니하였으니. 왜냐하면 처녀들이라. 이 사람들은 무엇이든지 어디든지 인도하는 어린양에게 따르는 자들이며, 이 사람들은 사람

들로부터 구속을 받아, 하나님과 어린양께 첫 열매라.

οὗτοί εἰσιν οἳ μετὰ γυναικῶν οὐκ ἐμολύνθησαν· παρθένοι
이 사람들은 이다 자들 와 함께 여자들 결코 아니 더럽히지, 처녀들이라
γάρ εἰσιν· οὗτοι εἰσιν οἱ ἀκολουθοῦντες τῷ ἀρνίῳ ὅπου
왜냐하면 이다. 이 사람들은 이다 자들 따르는 어린양에게 어디든지
ἂν ὑπάγῃ. οὗτοι ἠγοράσθησαν ἀπὸ τῶν ἀνθρώπων, ἀπαρχὴ
무엇이든지 인도하는 이 사람들은 구속을 받아 로부터 그 사람들, 첫 열매라
τῷ θεῷ καὶ τῷ ἀρνίῳ. ←그 하나님에게 과 그 어린양에게

"이 사람들은 여자들과 함께 결코 더럽히지 아니하였으니. 왜냐하면 처녀들이라." 고 한 말은 사도 파윌-로스(바울)께서 성도들에게 "내가 하나님의 열심으로 너희를 위하여 열심 내노니 내가 너희를 정결한 처녀로 한 남편인 크흐리스토스(그리스도)님께 드리려고 중매함이로다" 고 함과 같은 것이다.(고후 11:2) 진정 거듭남으로 구속함을 받은 자들은 정결한 처녀로 한 남편인 크흐리스토스(그리스도)님께 신부가 되는 것과 같다는 말이다.

"이 사람들은 무엇이든지 어디든지 인도하는 어린양에게 따르는 자들이며," 라고 한 것은 구속받은 자들의 특성은 어린양 이에수-스(예수)님께서 무슨 말씀을 하셨든지, 어디로 가라 하셨든지 인도하는 대로 따라가는 자들인 것이다.

"이 사람들은 사람들로부터 구속을 받아, 하나님과 어린양께 첫 열매라." 한 것은, 이스라엘 백성들이 곡식의 '첫 열매' 와(출 23:19; 느 10:35) 가축의 '첫 새끼' 와(레 27:26) 사람의 '첫 아들' 은(출 13:2) 하나님의 것으로 드려졌던 것처럼, 땅에서 사람들 가운데 구속받은 자들은 하나님과 어린양께 첫 열매인 것이다.

선지자 히에레미아스(예레미야)는 이스라엘 백성을 하나님의 '처음 열매' 라 하였고,(렘 2:3) 이아코보스(야고보) 1:18절에

서는 크흐리스토스(그리스도)인들은 하나님의 창조하신 모든 창조물 중에 '첫 열매' 라고 하였다. 에파이네토스(에배네도)는 아크하이아(아가야)에서 크흐리스토스(그리스도)께 '처음 익은 열매' 라 하였고,(롬 16:5) 스테프하나스(스데바나)의 집은 아크하이아(아가야)의 '첫 열매' 라고 하였다.(고전 16:15)

그러므로 땅에서 사람들 가운데서 진정 구속함을 받은 성도들은 하나님과 어린양께 드려진 가장 사랑스런 '첫 열매' 인 것이다.

5절 ▷ 그리고 그들의 입에 결코 속임이 발견되지 않으니, 왜냐하면 하나님의 보좌 앞에서 흠이 없기 때문이라.

καὶ ἐν τῷ στόματι αὐτῶν οὐχ εὑρέθη δόλος· ἄμωμοι
그리고 안에 그 입에 그들의 없기 발견되지 속임이. 흠이없는
γάρ εἰσιν ἐνώπιον τοῦ θρόνου τοῦ θεοῦ.
왜냐하면 이기 앞에 있는 그 보좌 그 하나님의.

그리고 이마에 하나님의 인침을 받아 대환란 중에서 구속함을 받은 성도들은 그 입에서 속이는 거짓말을 찾아 볼 수 없는 것이다. 그것은 하나님의 보좌 앞에서 흠이 없기 때문이라고 하였다. 실로 새 히에루살렘(예루살렘)에 거짓말하는 자는 결코 들어가지 못한다고 하셨다.(계 21:17)

"우리가 다 실수가 많으니 만일 말에 실수가 없는 자면 온전한 < *τέλειος*(텔레이오스) **완전한** > 사람이라" 고 하였다. '말은 그 사람의 인격의 시험품이라' 함은 말은 그 사람의 마음에서 나오는 것이므로 그 사람의 마음을 나타내는 것이기 때문이다.

☆ 감동과 기도 ☆

8〉 천사의 선포하는 영원한 복음 6~13

6절 ▷ 그리고 내가 공중 가운데 날아가는 다른 천사를 보니, 땅에 거하는 자들, 즉 모든 민족과 족속과 언어와 백성을 가르쳤던 영원한 복음을 가지고 있으니라.

Καὶ εἶδον ἄλλον ἄγγελον πετώμενον ἐν μεσουρανήματι,
그리고 내가보니 다른 천사를 날아가는데 가운데 공중에
ἔχοντα εὐαγγέλιον αἰώνιον εὐαγγελίσαι τοὺς κατοικοῦντος
가졌더라 복음을 영원한 복음을 가르쳤던 자들 거하는
ἐπὶ τῆς γῆς, καὶ πᾶν ἔθνος καὶ φυλὴν καὶ γλῶσσαν καὶ λαόν,
위에 그 땅의, 곧 모든 민족을 과 족속을 과 언어를 과 백성을,

사도 이오안네스(요한)는 공중에 날아가는 다른 천사를 보니 그 천사는 땅에 거하는 자들, 즉 모든 민족과 족속과 언어와 백성 을 가르쳤던 영원한 복음을 가지고 있었다. 여기서 개역 한글성경이 '전할 영원한 복음' 이라 번역했기 때문에 계시록을 해석하고 가르치는 사람 거의 모두가 오류를 범하고 있는 것이다. '전할' 이라고 번역한 헬라어 '*εὐαγγελίσαι*(유앙겔리사이)' 는 '*εὐαγγελίζω*(유앙겔리조) **복음을 전파하다(가르치다)**' 의 부정사 과거 능동으로 '**복음을 가르쳤던**' 으로 해야 함으로 "모든 민족과 족속과 언어와 백성을 가르쳤던 영원한 복음을 가지고 있으니라" 라고 해야 한다. 개역 한글성경이 '전할 영원한 복음' 이라 오역함으로서 모든 사람이 이 천사가 가진 복음은 유별한 복음으로 해석하는 것이다. 이 천사가 가진 복음은 유별한 어떤 복음이 아니라 이미 모든 민족과 족속과 언어와 백성을 가르쳤던 복음인 것이다. 복음은 오직 한 종류이며 영원히 변함이 없는 복음이다. 영원한 복음이 별달리 있는 것이 아니다.

그러면 왜 여기서 천사가 새삼 이미 모든 민족과 족속과 언어와 백성을 가르쳤던 복음인 영원한 복음을 가지고 있다고 하였는가? 영원한 복음을 가진 천사가 큰 소리로 외치고(7절) 뒤이어 두 천사가 연이어 외친 8~12절의 내용을 보면 1〉 하나님의 심판의 시간이 왔기 때문에 그분을 두려워하고 영광을 돌리고 경배하라는 것이며,(7절) 2〉 큰 성 바벨론(바벨론)의 멸망을 선언하며,(8절) 3〉 짐승의 형상에게 경배하고 그의 표를 받은 자들이 받을 형벌이 얼마나 두려운가를 여실히 선포하고, 결론적으로 성도들의 인내는 하나님의 명령들과 예수님의 신실함을 보존하여 지키는 것이라고 한 것이다.(9~12)

천사가 가진 영원한 복음은 모든 민족과 족속과 언어와 백성을 가르쳤던 복음인데 창조로부터 종말까지의 완전하고 바르게 가르친 복음인 것을 말하고, 특히 계시록의 복음을 어떻게 올바로 전파하고 가르쳤는가는 대단히 중요함을 말해 주고 있는 것이다.

7절 ▷ 큰 소리로 말하기를, 하나님을 두려워하라. 그리고 그 분께 영광을 돌리라. 그분의 심판의 시간이 왔기 때문이다. 그리고 하늘과 땅과 바다와 물들의 근원을 만드신 분을 경배하라 하니라.

λεγοντα ἐν φωνῇ μεγάλῃ, Φοβήθητε τὸν θεὸν, καὶ δότε
말하기를 으로 음성 큰, 두려워하라 그 하나님을,그리고 돌리라
αὐτῷ δόξαν, ὅτι ἦλθεν ἡ ὥρα τῆς κρίσεως αὐτοῦ· καὶ
그분께 영광을, 때문이라 왔으니 그 시간이 그 심판의 그분의. 그리고
προσκυνήσατε τῷ ποιήσαντι τὸν οὐρανὸν καὶ τὴν γῆν
경배하라 그 만드신 그 하늘을 과 그 땅을
καὶ θάλασσαν καὶ πηγὰς ὑδάτων.
과 바다를 과 근원을 물들의

"하나님을 두려워하라. 그리고 그 분께 영광을 돌리라. 그분의 심판의 시간이 왔기 때문이다. 그리고 하늘과 땅과 바다와 물들의 근원을 만드신 분을 경배하라" 참으로 중요한 복음의 메시지이다. 하나님을 두려워하는 것은 알아야 할 것의 시작이며 출발이라고 하였다.(시 111:10; 잠 1:7, 9:10) 이에수-스(예수)님께서도 하나님을 두려워하라고 가르치셨고,(눅 12:5) 사도 파월로스(바울)께서도 "하나님을 두려워하는 가운데서 거룩함을 완전히 이루어 육과 영의 온갖 더러운 것에서 자신을 깨끗케 하자"고 했는데,(고후 7:1) 오늘날 기독교는 하나님을 두려워하는 복음을 가르치지 않는다. 복음의 시작과 출발이 바로 되어 있지 않다.

개역 한글성경에 '심판하실 시간이' 라고 번역한 것은 'κρίσεως(크리세오스)' 가 소유격이기 때문에 '심판의 시간이' 라고 해야 한다.

오늘날 기독교는 '하나님의 심판의 시간이 가까웠다' 는 복음을 전하고 있는가? 이에수-스(예수)님과 사도들과 계시록에서 '하나님의 심판이 가까웠음을 많이 가르치셨다. 그리고 하나님 보좌의 장로들과 천사들처럼 하나님을 경배하고 있는가?

8절 ▷ 그리고 다른 천사가 뒤따르며 말하기를, 무너졌도다 무너졌도다 그 큰 성 바뷜론이여, 왜냐하면 모든 민족들을 그녀의 음행의 진노의 포도주로 마시게 했기 때문이라 하니라.

Καὶ ἄλλος ἄγγελος ἠκολούθησεν, λέγων, Ἔπεσεν ἔπεσεν
그리고 다른 천사가 뒤따르며, 말하기를, 무너졌다 무너졌다
Βαβυλὼν ἡ πόλις ἡ μεγάλη· ὅτι ἐκ τοῦ οἴνου τοῦ θυμοῦ
바뷜론 그 도시 그 큰 왜냐하면 에의해 그 포도주 그 진노의
τῆς πορνείας αὐτῆς πεπότικεν πάντα ἔθνη.
그 음행의 그녀의 마시게 한 모든 민족들을.

개역 한글성경은 '그' 음행으로 번역하였으나 'αὐτῆς(아우테스)' 가 여성 3인칭 대명사 소유격이기 때문에 '그' 로 번역하면 지시대명사 또는 남성 3인칭 대명사로 오해될 수 있기 때문에 반드시 '그녀의' 음행으로 번역하여야 한다.

둘째 천사는 음녀 바뷜론(바벨론)의 멸망을 예고하였는데, 멸망의 이유는 모든 민족들을 그녀의 음행의 진노의 포도주를 마시게 했기 때문이라고 하였다. 16:19절에도 "그 큰 바뷜론(바벨론)이 … 그분의 분노하신 진노의 포도주 잔이 그녀에게 주어지니"라고 하였고, 17:15절에는 "음녀의 앉은 물은 많은 백성들과 무리들과 민족들과 방언들이라"고 하였다. 17:18절에는 "네가 본 그 여자는 땅의 왕들 위에 그 통치권을 가진 그 큰 그 도시라"라고 하였으며, 18:2절에는 "무너졌도다, 무너졌도다, 그 위대한 바뷜론(바벨론)이여, 그렇지만 악령들의 거주지가 되었고, 또한 모든 더러운 영의 장소와 온갖 깨끗지 못하고 그리고 미워하는 새들의 장소가 되었도다"고 하였다. 17장과 18장에 바뷜론(바벨론)이 어떤 존재이며 그 죄악이 어떠하며 그 멸망이 어떠할 것임을 자세히 말해주고 있다. 7년 대환란 종말의 최후 심판과 재앙은 바뷜론(바벨론)의 멸망으로 마쳐진다. 둘째 천사가 그것을 예고하고 있다.

이 음녀 바뷜론(바벨론)은 계시록 기록 당시 흐로메(로마) 제국을 가리키기도 했지만 실제는 최후 종말에 있을 흐로메(로마) 적그리스도 정부를 말하는 것이다. 최후 종말에 있을 일을 말한 것이기 때문이다.

9절 ▷ 그리고 셋째 천사가 그들에게 뒤따르며, 큰 소리로 말하기를, 만일 누구든지 그 짐승과 그의 형상에게 경배하고

그리고 그의 이마 위에나 그의 손위에 표를 받게 되면,

Καὶ τριτος ἄγγελος ἠκολούθησεν αὐτοῖς, λέγων ἐν
그리고 셋째 천사가 뒤를 따르며 그들에게, 말하기를 로
φωνῇ μεγάλῃ, Εἴ τις τὸ θηριον προσκυνεῖ καὶ τὴν
소리로 큰, 만일 누구든지 그 짐승을 경배하고 그리고 그
εἰκόνα αὐτοῦ, καὶ λαμβάνει χάραγμα ἐπὶ τοῦ μετώπου
형상에게 그의, 그리고 받게되면 낙인을 위에 그 이마의
αὐτοῦ, ἢ ἐπὶ τὴν χεῖρα αὐτοῦ,
그의 그 위에 그 손을 그의,

둘째 천사의 뒤를 따라 셋째 천사는 누구든지 짐승의 형상에게 경배하고 이마 위에 그의 낙인을 받는 자들에 대한 경고를 한다. 13장에서 이미 시행되기 시작한 일로서 후3년 반에서 적그리스도가 세계 모든 사람을 자기에게 굴복시키기 위하여 취한 엄중한 조치이며 성도들에 대하여 가차없이 가한 가장 잔인한 박해의 수단이었다.

다음절에 그 짐승과 그의 형상에게 경배하고 그리고 그의 이마 위에나 그의 손위에 표를 받게 되면 그는 하나님의 분노의 포도주로부터 마시게 되며(첫째 대접 독종 재앙), 또한 천사들과 어린양 앞에서 불과 유황 가운데서 고통을 받게될 것이라 하였으니 받을 형벌이 상징이 아니고 실제인즉 짐승과 그의 형상에게 경배하고 그의 이마 위에나 그의 손위에 표를 받는 것도 실제인 것이다. 상징이라 가르치고 그렇게 알고 준비하지 않고 있는 자들은 그때에 적그리스도 짐승의 형상에 경배하고 표를 받을 수밖에 없게 된다. 그 결과도 당연히 받아야 한다.

10절 ▷ 실로 그는 하나님의 분노의 포도주로부터 마시리니 그 분의 진노의 잔에 섞인 것이 없이 부은 것이라. 또한 그

거룩한 천사들과 그 어린양 앞에서 불과 유황 가운 데서 고통을 받게될 것이다.

καὶ αὐτὸς πίεται ἐκ τοῦ οἴνου τοῦ θυμοῦ τοῦ θεοῦ,
실로 그는 마시리니 로부터 그 포도주 그 분노의 그 하나님의,
τοῦ κεκερασμένου ἀκράτου ἐν τῷ ποτηρίῳ τῆς ὀργῆς
것이라 부은 섞인 것이 없이 안에 그 잔에 그 진노의
αὐτοῦ, καὶ βασανισθήσεται ἐν πυρὶ καὶ θείῳ ἐνώπιον
그분의, 또한 고통을 받으리니 가운데 불에 과 유황에 앞
τῶν ἁγίων ἀγγέλων, καὶ ἐνώπιον τοῦ ἀρνιου·
그 거룩한 천사들의, 과 앞에서 그 어린양의.

하나님의 진노의 잔에 섞인 것이 없이 부은 분노의 포도주로부터 마시게 될 것이라 함은 조금도 완화되지 않은 하나님의 격심한 진노의 징벌을 받을 것을 말한 것이다. 영원한 유황과 불못의 형벌만 아니라 그 이전에 후3년 반에 하나님께서 천사를 통해 땅위 쏟을 일곱 대접의 재앙을 당하게 하신다는 말씀이다.(16:2)

특히 '거룩한 천사들과 어린양 앞에서' 라고 함은 흐로메(로마) 콜롯세움 원형 경기장 수많은 관중 앞에서 성도들을 참혹하게 고문하고 죽일 때 그 광경을 보며 열광하던 군중들 같이 짐승과 그의 형상에게 경배하지 않기 때문에 잡혀서 고문과 죽임을 당하는 성도들을 향하여 비웃고 조롱하던 짐승의 표를 받고 경배하던 자들이 영원히 당하게 될 형벌을 말한 것이다.

불과 유황으로 타는 불못은 마귀와 그 사자들을 위하여 예비된 영영한 형벌의 불이다.(마 25:41) 마귀와 그 사자들을 따라 이용된 사람이나 어떤 존재이든 함께 이 형벌의 불에 던져진다.(막 9:42~49; 계 11:9~11, 19:20, 20:13~15) 하나님께서 소도마(소돔)와 고믈흐라(고모라)를 실제로 유황과 불로 형벌하셨

던 것처럼(창 19:24) 계시록에서 여러 번 말해진 바(14:10, 19:20, 20:10, 14, 15, 21:8) 실제 하나님의 최후 영원한 심판의 형벌을 말하는 것이다.

11절 ▷ 그리하여 그들의 그 고통의 연기가 영원들의 영원들까지 올라가며, 그리고 그 짐승과 그의 형상을 경배하고, 또한 만일 누구든지 그의 이름의 표를 받으면 결코 밤 낮 쉼을 가지지 못할 것이다.

καὶ ὁ καπνὸς τοῦ βασανισμοῦ αὐτῶν ἀναβαίνει εἰς αἰῶνας
그리하여 그 연기가 그 고통의 그들의 올라간다 까지 영원들

αἰώνων· καὶ οὐκ ἔχουσιν ἀνάπαυσιν ἡμέρας καὶ νυκτος
영원들의. 그리고 못한다 가지지 쉼을 낮의 과 밤의

οἱ προσκυνοῦντες τὸ θηρίον καὶ τὴν εἰκόνα αὐτοῦ, καὶ
그 경배하고 그 짐승을 과 그 형상을 그의, 또한

εἴ τις λαμβάνει τὸ χάραγμα τοῦ ὀνόματος αὐτοῦ.
만일 누구든지 받으면 그 낙인을 그 이름의 그의.

개역 한글성경에는 '그' 고통의 연기라고 번역했으나, '*αὐτῶν*(아우톤)' 이 3인칭 남성 복수 인칭대명사로 정확히 '그들의' 고통의 연기라고 번역해야 한다. 흐로메(로마)에서 교황을 선출하게 되면 굴뚝에 검은 연기가 올라가게 한다. '연기가 올라간다' 는 말이 일치하니 기이하다.

그리고 '받으면' 이라는 '*λαμβάνει*(람바네이)' 는 동사 직설 현재 능동으로서 자발적으로 짐승 적그리스도의 낙인을 받는 것을 말한다. 월드컵 응원을 위해서 대한민국의 백성들이 전국적으로 그리고 전 세계에서 자발적으로 붉은 티 셔츠를 사서 입고 악마의 이름으로 응원하는 것과 같이 할 것이다.

유황 불못에 처해져 당할 그들의 그 고통은 연기가 영원들의

영원들까지 올라갈 것이다. 그리고 그 짐승과 그의 형상을 경배하고, 그의 이름의 표를 받는 자도 거기서 결코 밤낮 쉼을 가지지 못할 것이라 하였다. 너무나 상상이 되지 않는 고통이므로 어떻게 설명할 수 없고 어떤 누가 제대로 이해할 수도 없다. 헤일 수 없는 많은 기독교인이나 불신자들이 적그리스도의 광포한 죽음의 위협을 두려워하여 죽음을 면해보고자 경배하고 표를 받았으나 잠간 죽음을 면했을 뿐 그 죄로 인한 형벌은 상상할 수 없는 영원한 죽음과 고통의 형벌이다. 그 이유는 하나님의 경고의 말씀을 무시하고 하나님은 두려워하지 않고 목숨을 죽이는 사람을 두려워했기 때문이다. 육신의 죽음을 두려워 한 자는 영원한 생명의 새 히에루살렘(예루살렘)에 들어가지 못한다고 하셨다.(21:8)

12절 ▷ 성도들의 인내가 여기 있으니, 그들은 하나님의 그 명령들과 이에수-스님의 신실함을 보존하여 지키는 이것이라. 하니라.

Ὧδε ὑπομονὴ τῶν ἁγίων ἐστιν· ὧδε οἱ τηροῦντες τὰς ἐντολὰς
여기있으니 인내가 성도들의 이니. 이런방법 그들은 지키는 그 명령들을
τοῦ θεοῦ καὶ τὴν πίστιν Ἰησοῦ.
그 하나님의 과 그 신실함을 예수님의

성도들의 인내가 여기 있다고 한 것은 이때에 성도들이 이런 박해 가운데서도 하나님의 명령들을 수행(守行)하기를 이에수-스(예수)님께서 죽기까지 신실하여 하나님 아버지의 명령들을 수행(守行)하심 같이 한다는 말씀이다. 후3년 반에도 순교하는 성도들이 있다는 말씀이다. 휴거는 여기서도 부인되고 있다. 주님께서는 성도들을 휴거 시키는 것을 원치 않으시고 스뮈르나

(서머나) 교회처럼 순교하기를 원하신다.(2:10, 6:11)

특히 인내한 성도들은 '짐승에게 경배하지 말고 표를 받지 말라' 하신 하나님의 명령을 이에수-스(예수)님께서 죽기까지 하나님 아버지의 신실하게 지키신 것 같이 하나님의 명령을 지킨 성도들이라는 말이다. 성도들을 격려하는 말씀이다.

13절 ▷ 그리고 내가 하늘로부터 소리를 들으니 나에게 말씀 하시기를, 기록하라. 지금부터 주님 안에서 죽어가며 죽는 자들은 복이 있다. 참으로 성령님께서 말씀하시기를, 자신들의 수고들로부터 쉬며, 또한 자신들의 행위들이 자신들과 함께 따르기 때문이다 하니라.

Καὶ ἤκουσα φωνῆς ἐκ τοῦ οὐρανοῦ, λεγούσης' μοι, Γράψον,
그리고 내가 들으니 소리의 로부터 그 하늘의, 말하기를 나에게, 기록하라

Μακάριοι οἱ νεκροὶ οἱ ἐν κυρίῳ ἀποθνῄσκοντες ἀπάρτι.
복이 있다 그 죽은자들은 그 안에 주님에게 죽으며 지금부터.

Ναί, λέγει τὸ πνεῦμα, ἵνα ἀναπαύσωνται ἐκ τῶν κόπων
참으로, 말씀하시기를 성령께서, 때문이다 쉬기 로부터 그 수고들의

αὐτῶν· τὰ δὲ ἔργα αὐτῶν ἀκολουθεῖ μετ' αὐτῶν.
자신들의. 그 또한 행위들이 자신들의 따름이라 함께 자신들의.

또 다시 하늘로부터 음성이 들렸다. "지금부터 주님 안에서 죽어가며 죽는 자들은 복이 있다"고 한 것이다. 개역 한글성경은 '자금 이후로' 라고 번역하여 언제부터라는 말인지 분명하지를 않다. 필자는 어릴적부터 성경을 읽으며 이 말을 '창조 이후' 라고 생각해 왔다. 대부분의 계시록 관련 서적에서 이 말을 '지금부터' 라고 분명히 하지 않고, 그리고 '이제부터' 라고는 하더라도 언제부터라는 말인지를 분명히 하지 않고 있다.

여기서 '지금부터' 라고 한 것은 후3년 반의 시작 무렵인, 모

든 사람으로 하여금 짐승 적그리스도가 자기 형상의 우상에게 경배하게 하고 경배하지 않는 자는 몇이든 다 죽이게 하며, 666 자기 이름의 수가 든 낙인을 받아야만 매매를 할 수 있게 하는 그때부터를 말하는 것이다. 참 성도로서 피란처에 가지 않은 자는 다 죽임을 당할 수밖에 없는 때이다.

이때에 죽임을 당하는 성도들은 주님께서 재림하셔서 세상을 새롭게 하여 천년 동안 통치하실 때 첫째 부활에 참예하여 함께 왕 노릇 할 것이기 때문에 정말 복된 것이다.(20:4~6)

개역 한글성경에는 "주안에서 죽는 자들은" 이라고 번역했지만 헬라어 원문에는 "주안에서 '죽어가며 < ἀποθνήσκοντες(아포트흐네스콘테스) **동사 분사 현재 능동** >' '죽는 < νεκροὶ(네크로이) **형용대명사 주격** >' 자들" 이라고 중복하여 말해져 있다. 이것은 이때 죽어가며 죽는 성도들에 대하여 주님께서 현장을 세심히 지켜보고 계심을 의미한다.

20:4~6절에 그 복됨이 입증된다. 첫째(최상의) 부활에 참예하여 천 년 동안 주님과 함께 왕노릇 하며 둘째 사망이 감히 범접하지 못한다. 이때는 거의 모든 기독교인들이 살기 위해 변절하기 때문에 이때의 순교는 더욱 하나님께 영광이 되며 귀중한 것이다.

¤ 감동과 기도 ☆

9〉 **추수에 대한 환상** 14~20

14절 ▷ 그리고 내가 보니, 실로 보라, 흰 구름이 있고, 그 구름 위에 사람의 아들 유사한 앉으신, 그분의 머리 위에 금 면류관이 있고, 그리고 그분의 손에는 예리한 낫을 가지

셨으며,

Καὶ εἶδον, καὶ ἰδού, νεφέλη λευκή, καὶ ἐπὶ τὴν νεφέλην
그리고 내가 보니, 실로 보라, 구름이 흰, 그리고 위에 그 구름을
καθήμενος ὅμοιος υἱῷ ἀνθρώπου, ἔχων ἐπὶ τῆς κεφαλῆς αὐτοῦ
앉았는데 유사한 아들 사람의, 가졌고 위에 그 머리의 그분의
στέφανον χρυσοῦν, καὶ ἐν τῇ χειρὶ αὐτοῦ δρέπανον ὀξύ.
면류관이 금, 그리고 에는 그 손에 그분의 낫을 예리한.

다시 사도 이오안네스(요한)가 보니, 하늘에 흰 구름이 있고, 그 구름 위에 사람의 아들 유사한 앉으신 분이 계신데, 그분의 머리 위에 금면류관이 있고, 그리고 그분의 손에는 예리한 낫을 가지신 것이었다. 참으로 놀라운 광경임으로 사도 이오안네스(요한)는 '보라!<***ἰδού*** 이두>' 하고 감탄사를 발하였다. 재림하시는 주님의 모습 같은데 손에 예리한 낫을 가지신 모습에 저으기 놀라지 않을 수 없었다. 분명히 무슨 의도를 가지신 모습이었다.

머리에 재림하실 때의 왕관<*διάδημα* 디아데마>이 아니고 (19:12) 이기는 자가 쓰는 면류관<*στέφανος* 스테프하노스>이니 재림이 아닌 이기신 자로서 의로운 심판자의 모습인 것이다.

15절 ▷ 그리고 다른 천사가 성전으로부터 나와, 구름 위에 앉으신 분께 큰 소리로 외치기를, 당신의 낫을 보내셔서 그리하여 수확하소서, 수확할 때가 당신께 왔기 때문이며, 땅의 곡식이 말랐기 때문입니다.

καὶ ἄλλος ἄγγελος ἐξῆλθεν ἐκ τοῦ ναοῦ, κράζων ἐν
그리고 다른 천사가 나와 로부터 그 성전의, 외치기를 로
μεγάλῃ φωνῇ τῷ καθημένῳ ἐπὶ τῆς νεφέλης, Πέμψον
큰 소리에 분께 앉으신 위에 그 구름의, 보내셔서

τὸ δρέπανόν σου καὶ θέρισον, ὅτι ἦλθεν σοι ἡ ὥρα τοῦ
그 낫을 당신의 그리하여 수확하소서, 때문이며 왔기 당신께 그 때가 그
θερίσαι, ὅτι ἐξηράνθη ὁ θερισμὸς τῆς γῆς.
수확할, 때문입니다 말랐기 그 곡식이 그 땅의.

그런데 하늘의 성전으로부터 다른(넷째) 천사가 나와서 구름 위에 앉으신 분을 향하여 큰 소리로 외치기를 "당신의 낫을 보내셔서 수확하소서, 수확할 때가 당신께 왔기 때문이며, 땅의 곡식이 말랐기 때문입니다"고 한 것이다. 13절의 하늘의 성전에서 난 음성과 같이 "지금부터 주안에서 죽어 가며 죽는 자들은 복이 있다"고 하신 말씀대로, 그리고 주님의 머리에 금면류관이 있는 것은 스뮈르나(서머나) 교회에 "죽기까지 신실하라 그리하면 내가 생명의 면류관을 네게 주리라" 하신 말씀대로(2:10) 금면류관을 받을 순교자들을 모으시는 것을 의미한 것이다. 재림하실 때 천사들을 보내셔서 택하신 자들을 사방에서 모으신다고 주님께서 말씀하셨는데,(마 24:31) 여기서는 재림이 아닌데 주님께서 친히 곡식을 거두신다는 것은 이때의 세계적 대 공포의 박해 중에서 순교한 자들을 특별히 유념하신다는 의미인 것이다. 천년왕국에서 함께 왕 노릇 할 자들이기 때문이다.(20:4~6)

16절 ▷ 그리하여 구름을 향하여 앉으신 분께서 그분의 낫을 땅을 향하여 아래로 던지니 그러자 그 세상이 수확 되니라.

καὶ ἔβαλεν ὁ καθήμενος ἐπὶ τὴν νεφέλην τὸ δρέπανον αὐτοῦ
그리하여아래로 던지니 그앉으신 향하여 그 구름을 그 낫을 그분의
ἐπὶ τὴν γῆν, καὶ ἐθερίσθη ἡ γῆ.
향하여 그 땅을, 그러자 수확되니라 그 세상이

"그분의 낫을 땅을 향하여 아래로 던지니 세상이 수확 되니라"고 한 것은 성도들이 순교를 하여 수가 차게 되는 것을 말함이다. 추수한 곡식은 하늘의 창고에 들이는 것이라고 하셨다.(마 13:30)

17절 ▷ 그리고 다른 천사가 하늘에 있는 그 성전으로부터 나오는데, 역시 그가 예리한 낫을 가지고 있으니라.

Καὶ ἄλλος ἄγγελος ἐξῆλθεν ἐκ τοῦ ναοῦ τοῦ ἐν τῷ οὐρανῷ,
그리고 다른 천사가 나오는데 으로부터 그 성전 그 안 그 하늘에
ἔχων καὶ αὐτὸς δρέπανον ὀξύ.
가지고 역시 그가 낫을 예리한

그리고 다른(다섯째) 천사가 하늘에 있는 성전으로부터 나오는데 역시 예리한 낫을 가지고 있는 것이었다. 이것은 또한 무엇을 위함인가? 천사로 하여금 하게 하시는 일이니 좀 다른 일인 것 같다. 역시 재림 때의 일은 아니다.

18절 ▷ 그리고 불 위에 권세를 가진 다른 천사가 제단으로부터 나와, 역시 예리한 낫을 가진 자에게 크게 큰 소리로 소리지르기를 너의 예리한 낫을 던져 땅의 포도송이를 거두라. 그분의 포도송이들이 무르익었기 때문이라. 하니라.

Καὶ ἄλλος ἄγγελος ἐξῆλθεν ἐκ τοῦ θυσιαστηρίου, ἔχων
그리고 다른 천사가 나와 으로부터 그 제단, 가진
ἐξουσίαν ἐπὶ τοῦ πυρός, καὶ ἐφώνησεν κραυγῇ μεγάλῃ
권세를 위에 그 불의, 역시 소리지르기를 큰소리로 크게
τῷ ἔχοντι τὸ δρέπανον τὸ ὀξύ, λέγων, Πέμψον σου τὸ
자에게 가진 그 낫을 그 예리한, 말하기를, 던지라 너의 그

δρέπανον τὸ ὀξύ, καὶ τρύγησον τοὺς βότρυας τῆς γῆς,
낫을 그 예리한, 그리하여 거두라 그 포도송이를 그 땅의,
ὅτι ἤκμασαν αἱ σταφυλαὶ αὐτῆς.
때문이다 익었기 그 포도송이들이 그분의

그런데 불을 다스리는 천사가 예리한 낫을 가진 천사에게 큰 소리로 소리지르기를 "너의 예리한 낫을 땅에 던지라. 그분의 포도송이들이 익었기 때문이라"고 하였다. 여기서 '포도송이'는 무엇을 말함인가?

성경에서 포도나 포도주는 '좋은 의미'와 '나쁜 의미' 두 가지를 가지고 있음을 유의해야 한다. 그렇지 않으면 어떤 의미로 해석하든 꺼림칙한 것이다.

좋은 의미로는 이에수-스(예수)님은 포도나무이며 성도는 포도 열매를 맺는 가지로서 열매를 많이 맺으면 하나님을 기쁘시게 하는 것으로,(요 15:5, 8) 사람의 마음과 생명을 기쁘게 하는 것으로,(삿 9:13; 시 104:15; 전 10:19) 하나님의 백성 이스라엘을,(사 5:2) 하나님의 말씀과 구원으로 말해졌다.(사 55:1)

나쁜 의미로는 소돔과 고모라 밭의 쓴 포도와 독한 포도주,(신 32:32~33) 거만케 하는 포도주,(잠 20:1) 왕이 마시는 것으로 마땅치 않은 포도주,(잠 4) 이스라엘 백성이 맺은 들포도,(사 5:2, 4) 하나님께 대하여 맺은 이방 포도,(렘 2:21) 신 포도,(렘 31:30) 진노의 포도주틀로 말해졌다.(사 63:3; 계 14;19, 19:15)

그런데 계시록에서는 포도주나 포도주틀을 좋은 의미가 아닌 하나님의 진노의 형태로 말한 것이다.

19절에 '모은 그 포도를 하나님의 그 큰 분노의 포도즙틀에 던지라' 한다 하셨으니 나쁜 의미의 포도인 것이다.

그런데 이런 포도송이를 왜 '그분의 포도송이'라 하였는가?

그것은 창조주로서 인생들을 하나님의 형상으로 에덴동산에 좋은 포도나무로 내시고 좋은 땅과 햇빛과 공기와 물과 계절을 주셨고 좋은 포도 맺기를 목적하셨는데도 인생들이 하나님께 대하여 이처럼 나쁜 열매를 맺었으니 심판의 권리가 있으심을 말하는 것이다. 심판은 창조주 하나님께만 있는 특별한 주권이다.

'무르익었다' 는 말 '**ἤκμασαν**(에크마산)' 은 '절정 < **ἀκμή**(아크메)>' 에서 온 말로 그들의 죄악이 절정에 달하여 하나님의 심판의 때도 절정에 이르렀음을 의미하는 말이다.

19절 ▷ 그리고 그 천사가 그의 낫을 땅으로 던져, 땅의 포도를 모은 그 포도를 또한 하나님의 그 큰 분노의 포도즙틀에 던지니,

καὶ ἔβαλεν ὁ ἄγγελος τὸ δρέπανον αὐτοῦ εἰς τὴν γῆν,
그리고 던지니 그 천사가 그 낫을 그의 향하여 그 땅을
καὶ ἐτρύγησεν τὴν ἄμπελον τῆς γῆς, καὶ ἔβαλεν εἰς
그리고 포도를 모은 그 포도를 그 땅의, 또한 던지니 향하여
τὴν ληνὸν τοῦ θυμοῦ τοῦ θεοῦ τὴν μεγάλην.
그 포도즙틀을 그 분노의 그 하나님의 그 큰.

천사가 그의 낫을 땅을 향하여 던져서 땅에서 모은 그 포도들을 하나님의 큰 분노의 포도즙틀을 향하여 던졌다고 하였다. 7년 대환난 특히 후3년 반에 집중적으로 하나님의 진노의 재앙으로 죽는 사람이 2012년 70억에서(미국 인구 통계소 발표, 2006, 3, 26) 수십 억이 넘을 것이니 하나님의 큰 분노의 포도즙틀이 아닐 수 없다. 노아 홍수 때에 겨우 여덟(8)명이 죽지 않았던 것을 생각해 보라. 노아 홍수 때도 당시 사람들이 노아의 말을 노아의 식구 외에는 한 사람도 믿지 않았다.

20절 ▷ 그리하여 성 밖에서 그 포도즙 틀이 밟혀, 그리고 그 포도즙 틀로부터 피가 나와서 말들의 굴레들까지, (*거기*) **로부터 일천 육백 스타디온**(*까지 퍼지니라*)

καὶ ἐπατήθη ἡ ληνὸς ἔξω τῆς πόλεῶ, καὶ ἐξῆλθεν
그리하여 밟혀서 그 포도즙틀이 밖에서 그 도시의, 그리고 나와
αἷμα ἐκ τῆς ληνοῦ ἄχρι τῶν χαλινῶν τῶν ἵππων, ἀπὸ
피가 에서 그 포도즙틀 까지 그 굴레들의 그 말들의, 로부터
σταδίων χιλίων ἑξακοσίων. ←스타디온 일천 육백

포도즙틀이 성밖에서 밟힌다는 것은 히에루살렘(예루살렘) 도시는 주님께서 재림하셔서 천년왕국의 수도로 하실 것이기 때문에(슥 14:1~21) 후3년 반의 대 재앙은 히에루살렘(예루살렘) 성 밖에서 실행될 것을 말한 것이다.

그때에 죽는 사람이 얼마나 많은지 그 피가 말의 굴레까지 차고 1,600스타디온 즉 300Km까지 퍼진다고 하였다. 1,600스타디온은 이스라엘의 남북의 길이를 말한다. 1,600은 하나님의 징벌과 고난의 수인 40을 두 번 곱한(40×40) 수로서 무서운 진노를 의미하는 것이다.

☼ 감동과 기도 ☆

【 특주 10 】

다니엘이 계시 받은 70주의 남은 한 이레

이예수-스(예수)님께서 엘라이아(감람)산에서 종말의 징조를 말씀 하실 때 선지자 다니엘의 계시를 들어 말씀하셨다.(마 24:15)

성경에 종말에 관한 예언에서 선지자 다니엘의 계시록은 인류역사 종말의 때를 분별하는데 가장 확실하여 놀랍다. 하나님께서 네부카드네짜르(느부갓네살) 왕의 꿈에 세계역사 마지막까지 이어질 대 제국의 순서를 한 사람 형상으로 보여주신 것을 대 제국에서 아무도 해석하지 못했으나 하나님께서 다니엘로 하여금 해석하게 하셨다. 세계역사는 다니엘의 형상의 해석대로 정확하게 이어져 왔고 지금 세계는 세상 적그리스도 왕국을 부숴뜨릴 뜨인 돌이신 주님의 재림 전 마지막 끝에 나타날 발과 열 발가락 적그리스도의 제국으로 돌입하고 있는 긴박한 시점이다.

유럽연합(EU)은 화폐가 통합되었고,(1922년) 정치 통합을 위한 헌법을 각국이 비준하는 절차를 밟고 있으며,(2004년부터 → 반 철 반 흙이라서 잘 섞이지 않는 것도 예언 대로임) 놀라운 것은, 난항을 겪던 2007~2013년 7년 유럽연합(EU) 예산안이 2005년 독일의 메르켈 총리가 등장하여 조절함으로 통과 된 것이다.(2005년 12월 17일 ←**책 말미에 자료 첨부**) 예산안 그것도 2007년부터 2013년까지 7년 예산안이 통과되었다는 것은 무엇을 시사하여 주고 있는 것인가? 분명히 임박해 옴을 예고하고 있지 않는가?

2006년 6월 19일 북극에서 1,000Km 지점인 노르웨이령 '스피츠 베르젠' 섬 영구동토층에 지구 대 재앙의 때 식량 공급을 위한 종자 은행인 『**최후의 날 저장고**』건설이 시작되었다고 하는 것이다. (← **자세한 내용은 책 말미에 첨부된 자료 참조 바람**) 이것은 무엇을 시사하는가? 불신자들도 지구에 대 재앙이 올 것을 예감하고 준비하고 있지 않는가? 그런데도 기독교인들은 계시록의 말씀대로 될 날이 가까움을 얼마나 예감하고 있으며 어떻게 준비하고 있는가 하는 것이다.

또한 선지자 다니엘의 70주 예언은 종말의 기한에 대해서 놀랍게 정확하고 확실하다. 하나님께서 히에루살렘(예루살렘)을 위하여 종말의 끝까지 작정하신 기한에 관한 70주는 주전 538년경 다니엘이 자신의 죄와 이스라엘 백성의 죄를 자복하고 히에루살렘(예루살렘)을 위하여 기도하고 있을 때 천사 가브리엘이 계시하여 준 것이다.(단 9:20~27)

"다니엘아 내가 이제 네게 지혜와 총명을 주려고 나왔나니 곧 네가 기도를 시작할 즈음에 명령이 내렸으므로 이제 네게 고하려 왔느니라. 너는 크게 은총을 입은 자라. 그런즉 너는 이 일을 생각하고 이 계시를 깨달을찌니라. 네 백성과 네 거룩한 성을 위하여 칠십 이레로 기한을 정하였나니, 허물이 마치며 죄가 끝나며 죄악이 영속되며 영원한 의가 드러나며 계시와 예언이 응하며 또 지극히 거룩한 자가 기름부음을 받으리라. 그러므로 너는 깨달아 알찌니라. 히에루살렘(예루살렘)을 중건하라는 영이 날 때부터 기름부음을 받은 자 곧 왕이 일어나기까지 일곱 이레와 육십 이 이레가 지날 것이요, 그 때 곤란한 동안에 성이 중건되어 거리와 해자가 이룰 것이요, 육십 이 이레 후에 기름부음을 받은 자가 끊어져 없어질 것이며, 장차 한 왕의 백성이 와서 그 성읍과 성소를 훼파하려니와 그의 종말은 홍수에 엄몰됨 같을 것이며, 또 끝까지 전쟁이 있으리니 황폐할 것이 작정되었느니라. 그가 장차 많은 사람으로 더불어 한 이레 동안의 언약을 굳게 정하겠고, 그가 그 이레의 절반에 제사와 예물을 금지할 것이며, 또 잔포하여 미운 물건이 날개를 의지하여 설 것이며, 또 이미 정한 종말까지 진노가 황폐하는 자에게 쏟아지리라 하였느니라." (단 9:22~27)

선지자 다니엘이 하나님께서 보내신 천사 가브리엘로부터 받은 9장의 이 계시와 함께 7장과 12장의 계시는 종말의 예언에서 보배와 같이 너무나 소중하다.

'이레' 라는 말은 한 주간 7일을 말하는 것이며, '한 이레' 동안의 언약을 굳게 정하겠고 라는 말은 '7일' 동안의 언약을 정한다는 말이 아니라 '7년' 동안의 언약을 정한다는 말이다. 그리고 '이레의 절반에 이르러' 라는 말은 '3일 반에 이르러' 라는 말이 아니라 '3년 반에 이르러' 라는 말이다. 왜냐하면 '3년 반' 이라는 말을 7:25절과 12:7절에서 '한 때 두 때 반 때' 라고 하였고,(주님께서 신약 계시록 12:14절에서도 '한 때 두 때 반 때' 라는 동일한 용어로 사도에게 계시하여 주셨음) 다니엘 11:13절에 "몇 때 곧 몇 해 후에<עֵת שָׁנָה(에트 샤나)>"라고 했으니 '때' 라는 말은 1년을 말하며, '한 때 두 때 반 때' 는 '3년 반' 을 말한다. 그러므로 '한 이레' 곧 7일은 '7년' 을 말하며, '이레의 절반' 은 '3년 반' 을 말한다.

그런즉 70주(70×7년)는 490년을 말하며, 히에루살렘(예루살렘)을 중건하라는 아르타흐솨쉬타(아닥사스다) 왕의 조서가 내린(스 7:11~13) 주전 457년부터 '일곱 이레' 49년 만에 학사 에즈라(에스라)와 선지자 네헴야(느헤미야)의 시대에 수도 유다 재건을 향한 그들의 노력이 완료된 것이다.(Leon Wood, 다니엘 주석, pp. 368~369) 그리고 히에루살렘(예루살렘)을 중건이 완료된 주전 408년부터 '육십 이 이레' 434년이 지나서 기름부음을 받은 자 곧 왕이 일어날 것이라고 한 것은 주후 27년 이에수-스(예수)님께서 이오르다네스(요단)강에서 침례(세례)를 받으시고 성령으로 충만하여 공생애를 시작하신 것으로 정확히 이루어진 것이다. 다만 이에수-스(예수)님께서 30세가 되셨을 때에 사역을 시작하셨는데(눅 3:23) 4년의 차이가 나는 것은 기독교가 흐로메(로마) 제국의 국교로 공인된 후 주후 526년 황제 유스틴의 요청으로 수도사 디오니시우스 엑시구오스가 이에수-스(예수)님의 탄생 연도를 4년 늦게 계산하여 오차가 생긴 것이다. 누구나 이것을 인정한다.

그리고 "육십 이 이레 후에 기름부음을 받은 자가 끊어져 없어질 것이며"라고 한 것은 이에수-스(예수)님께서 십자가에 죽음으심으로 확실히 이루어졌다.

그리고 "장차 한 왕의 백성이 와서 그 성읍과 성소를 훼파하려니와"라고 한 것은 주후 70년 히에루살렘(예루살렘)이 흐로메(로마) 황제의 아들 티투스(Titus) 장군이 지휘하는 군대에 의해 참혹하게 멸망함으로 정확하게 이루어졌다.

그리고 "그의 종말은 홍수에 엄몰 됨 같을 것이며, 또 끝까지 전쟁이 있으리니 황폐할 것이 작정되었느니라" 하였으니 주후 70년 히에루살렘(예루살렘)이 멸망한 이후 한 번도 회복되지 않았으며 1936년이 지난 지금도 성전 터에는 이슬람 사원이 세워진 채로 버티고 있고 히에루살렘(예루살렘) 문제는 가장 해결하기 어려운 분쟁의 문제가 되고 있다. 하나님께서 작정하신 대로이다.

"그가 장차 많은 사람으로 더불어 한 이레 동안의 언약을 굳게 정하겠고"라고 하였으니 '그가'라고 한 것은 히에루살렘(예루살렘)을 멸망시킨 흐로메(로마)의 마지막 왕 적그리스도가 이스라엘과 7년 평화협정을 맺을 것을 말함이다. 그런데 히에루살렘(예루살렘)에 끝까지 전쟁이 있고 황폐할 것이 작정되었다고 하신 것도 그대로 성취되었고, 오랜 세월 후 끝에 와서 한 이레의 언약을 맺을 것이라 하였으니 이제 이 일이 가까이 다가온 것이다.

그리고 "그가 그 이레의 절반에 제사와 예물을 금지할 것이며, 또 잔포하여 미운 물건이 날개를 의지하여 설 것이며, 또 이미 정한 종말까지 진노가 황폐하는 자에게 쏟아지리라" 한 것은 7년 대환란의 후3년 반에 하나님의 백성들에게 극심한 박해가 있을 것을 말함이니 계시록에 '한 때 두 때 반 때' '일천 이백 육십 일' '마흔 두 달' 주님께서 계시하여 주심과 너무나 일치한 것이다.

하나님께서 천사 가브리엘을 통해 선지자 다니엘에게 계시하여 주신 히에루살렘(예루살렘)을 위하여 정하신 70주의 예언이 역사 가운데 얼마나 정확하게 이루어져 왔음을 절실히 감지해야 한다. 그러므로 이제 마지막 성취될 적그리스도가 이스라엘 히에루살렘(예루살렘)에 대한 평화를 보장한다고 굳게 언약하는 한 이레가 임박하다는 것과 70주의 앞의 모든 정확한 성취와 같이 마지막 한 이레도 정확하게 이루어진다는 사실, 그리고 한 이레의 절반인 '한 때 두 때 반 때'가 종말 예언에 강조되어 있다는 사실을 주목해야 하는 것이다. 아멘!

☼ 감동과 기도 ☆

♤ 14장 요점 정리 ♠

① 어린양과 함께 시온산에 서서 하나님의 보좌와 네 생물과 이십 사 장로들 앞에서 구속의 새 노래를 부르는 144,000의 성도들은 7:1~8절에서 이스라엘 열두 지파에서 하나님의 인침을 받은 자들이다. 왜 이방인 중에서 인침 받은 수는 말하지 않았는가? 그 이유는 계시록은 이스라엘을 위해 하나님께서 종말까지 작정하신 70이레 중에 남겨진 마지막 한 이레에(단 9:24~27) 되어지는 일들을 중점으로 기록하게 하셨기 때문에 마지막 한 이레에 이스라엘 열두 지파에서 구원받는 자들의 수만을 말씀하신 것이다.〔1절〕

② 이스라엘 열두 지파에서 인침 받은 144,000은 그들의 영적 품성을 말씀하신 것을 볼 때 최초 오순절 히에루살렘(예루살렘) 교회의 구원받은 성도들, 그리고 이방인 교회 성도들 이상으로 성숙된 성도들이다. 후3년 반 동안 광야에서 특별히 하나님의 양육을 받았기(12:14) 때문이다.〔2~5절〕

③ 천사가 가진 영원한 복음은 모든 민족과 족속과 언어와 백성을 가르쳤던(헬라어 품사) 복음인데 창조로부터 종말 계시록까지의 완전하고 바르게 가르친 복음을 말하는 것이다.〔6~12절〕

④ 하늘로부터 소리가 들려 말씀하신 것은 "기록하라. 지금부터 주님 안에서 죽어가며 죽는 자들은 복이 있다"고 하신 것이다. 후3년 반부터 짐승의 형상에게 경배하지 않음으로 죽임을 당하는 성도들, 그리고 666 짐승의 표를 받지 않음으로 굶주려 죽는 성도들을 말함인데 주님께서 재림하실 때 부활하여 천년왕국에서 주님과 함께 왕 노릇 할 것임으로 복되다고 한 것이다.

〔13절〕

⑤ 구름을 향하여 앉으신 분이 "그분의 낫을 땅을 향하여 아래로 던지니 세상이 수확 되니라"고 한 것은 순교하는 성도들을 거두어들이는 것을 말함이다.〔14~16절〕

⑥ 예리한 낫을 가진 천사가 낫을 땅에 던져 익은 포도송이를 거두어 땅에서 모은 그 포도들을 하나님의 큰 분노의 포도즙틀을 향하여 던지니 포도즙틀이 성밖에서 밟혀 그 피가 말의 굴레까지 차고 1,600스타디온 즉 300Km까지 퍼진다고 하였다. 1,600스타디온은 이스라엘의 남북의 길이를 말한다. 1,600은 고난의 수인 40을 두 번 곱한(40×40) 수로서 하나님의 무서운 진노로 이스라엘에서 만도 얼마나 많은 사람이 죽을 것을 의미한 것이다.〔17~20절〕

【 특주 11 】

어떤 자가 하나님의 인침을 받는가?

계시록 7장에 천사가 하나님의 종들의 이마에 하나님의 인을 치는데 이스라엘 열두 지파에서 인침을 받은 자의 수가 모두 144,000이라 하였고, 9장에서 다섯째 나팔 재앙에서 이마에 하나님의 인을 가지지 않은 자만 해하라는 명령이 있으며, 14장에는 시온산 위에 서신 어린양과 함께 한 144,000은 땅에서 구속받은 자들이라고 하였으니, 7년 대환란 때에 하나님의 인침을 받는 것은 가장 중요한 일의 하나이다.

하나님의 인침을 본 따서 사탄의 대리자인 짐승 적그리스도와 하수인인 거짓 선지자는 놀라운 권세와 이적으로 전 세계 사람들을 장악하여 짐승의 형상에게 경배하게 하고, 그리고 사람들의 이마나 오른손에 666 짐승의 이름의 수치가 든 표를 받게 하고 누구든지 이 표를 가진 자 외에는 매매를 못하게 한다고 한 것이다.(13:16~17) 그런데 이를 중요시해야 할 이유는 누구든지 짐승의 형상에 경배하고 그 이름의 표를 받는 자는 영원한 유황과 불못에 던져진다고 말씀하셨다는 사실이다.(14:9~12) 그리고 구원받는 성도들은 짐승과 그의 형상과 그의 이름의 수를 이기고 벗어난 자들이라고 하였으며,(15:2) 천년왕국에서 왕노릇할 성도들은 짐승과 그의 형상에 경배하지 않고 그의 표를 받지도 않은 자들이라고 하였다.(20:4~6)

그러므로 계시록에서 이 문제는 그 표가 어떻다 아니다 하는 논란 이전에 중대한 생멸(生滅)의 문제임으로 심각하게 다루지 않으면 안된다. 지금 이 부분을 읽는 독자께서도 선입견을 일체 유보하고 오로지 말씀 앞에서 진지하기를 바라마지 않는다.

짐승의 표가 어떠니 하는 문제는 각자 자기 주관에 따라 주장이 드세므로 성경에 말씀하신 이상 지면상으로 이러니 저러니 할 필요가 없는 것 같다. 그러나 하나님의 인침에 대하여는 분명히 해야 한다. 특히 어떤 자가 하나님의 인침을 받는가에 대하여는 본문 해석에서 보다 명확한 가르침이 있어야 한다고 생각한다. 144,000명이 이스라엘 열두 지파에서 인침을 받은 자들을 말한 것인가? 아니면 구원받은 자들 모두를 표징으로 말한 것인가는 논란할 문제가 아니다. 왜냐하면 구원받은 자 모두가 144,000명만은 아닌 것이 분명하다.(7:8, 9, 9:4)

중요한 것은 여기 계시록 14:1~13절에서 이들이 어떤 자들이라고 분명하고 확실하게 말씀하신 것이다.

첫째, 구속함을 얻은 새 노래를 부르는 자들이라고 하셨다.(3)

5:9절에 네 생물과 장로들도 '새 노래'를 불렀다고 하였다. 어린양께서 "죽임을 당하시고 그리고 당신의 피 가운데 모든 족속과 언어와 백성과 민족 중에서 우리를 하나님께로 향하여 구속하셨기 때문이라" 하고 찬양하였으니, 14:3절과 함께 구속함을 얻은 거듭난 자들의 하나님과 어린양께 감격함으로 부르는 노래인 것이다. 이 새 노래는 7년 대환란 후 천년왕국과 백보좌 대심판, 그리고 만물이 새로워진 새 하늘과 새 땅 새 히에루살렘(예루살렘)에 들어갔을 때 하나님의 보좌 앞에서 진정 이 '새 노래'가 불려질 것이다. 지금은 아무리 설명해도 필자 자신도 그렇게 실감이 나지 않는다. 구속하신 은혜를 찬송하며 감격하고 눈물을 흘려 본적이 있는가? 구속함을 얻은 자 외에는 배울 수 없는 노래이다.

둘째, 여자들과 함께 더럽히지 아니한 처녀들이라고 하셨다.(4)

'처녀들'이라고 했다 해서 결혼하지 아니한 처녀들이라야 구원을 얻거나 미혼 처녀를 주님께서 가장 귀하게 보신다는 말이 아니며, 구원받은 처녀라야 하나님의 인침을 받는다는 말도 아니다.

구속받은 성도는 남편인 주님께 대하여 순결한 처녀와 같아야 한다는 말씀이다. 사도 파윌로스(바울)께서는 "내가 하나님의 열심으로 너희를 위하여 열심 내노니 내가 너희를 정결한 처녀로 한 남편인 크흐리스토스(그리스도)께 드리려고 중매함이로다"고 하였다.(고후 11:2) 이어서 3~4절에 "뱀이 그 간계로 유아(이와)를 미혹케 한 것같이 너희 마음이 크흐리스토스(그리스도)를 향하는 진실함과 깨끗함에서 떠나 부패할까 두려워하노

라. 만일 누가 가서 우리의 전파하지 아니한 다른 이에수-스(예수)를 전파하거나, 혹 너희의 받지 아니한 다른 영을 받게 하거나, 혹 너희의 받지 아니한 다른 복음을 받게 할 때에는 너희가 잘 용납하는구나"라고 하였다.

그러므로 '여자들과 함께 더럽히지 아니한 정결한 처녀'란 어떤 의미의 말인가? 오늘날 교회인 여자들이 신앙의 도덕적 순결만 아니라 바른복음 진리에 있어 이에수-스(예수)님께 진실<ἁπλότης(아플로테스) **마음이 단순**>함과 순결함에서 떠나 부패하여 더럽혀진 가운데서도 순결을 지킨 성도들을 말하는 것이다. 이에수-스(예수)님을 믿는다고 다 하나님의 인침을 받는 것이 아니라 더럽혀진 교회(여자)들 중에서 결혼할 남편 이에수-스(예수)님께 대한 순결을 지킨 성도라야 하나님의 인침을 받는 것이다.

순결을 지키는 것이 어떤 것인지도 모르고 순결을 지킬 수 있겠는가? 순결의 기준이 무너진 오늘의 세태이다.

셋째, 어린양이 무엇이든지 어디로든지 인도하는 대로 따르는 자들이다.(4)

어린양 이에수-스(예수)님께서 말씀하신 대로, 그리고 따르라고 하신 대로 잘 따라 가는 자들이 구속받은 자들이요 7년 대환란 때 하나님의 인침을 받아 지켜 보호하심을 받을 자들인 것이다. 이에수-스(예수)님의 말씀을 잘 지킨 프힐라델프헤이아(빌라델비아) 교회에 약속하신 말씀이 온 세상에 임할 시험의 때에 지켜 주시겠다고 하신 것이다.(3:10) 이스라엘 백성 중에나 이방인 중에나 주님께서는 자신의 양들을 아신다.(요 10:14)

넷째, 사람들 중에서 구속을 받아 하나님과 어린양께 첫 열매 된 자들이다.(4)

"이 사람들은 사람들로부터 구속을 받아, 하나님과 어린양께 첫 열매라." 한 것은, 이스라엘 백성들이 곡식의 '첫 열매' 와(출 23:19; 느 10:35) 가축의 '첫 새끼' 와(레 27:26) 사람의 '첫 아들' 은(출 13:2) 하나님의 것으로 드려졌던 것처럼, 땅에서 사람들 가운데 구속받은 자들은 하나님과 어린양께 첫 열매인 것이다.

선지자 히에레미아스(예레미야)는 이스라엘 백성을 하나님의 '처음 열매' 라 하였고,(렘 2:3) 이아코보스(야고보) 1:18절에서는 크흐리스토스(그리스도)인들은 하나님의 창조하신 모든 창조물 중에 '첫 열매' 라고 하였다. 에파이네토스(에배네도)는 아크하이아(아가야)에서 크흐리스토스(그리스도)께 '처음 익은 열매' 라 하였고,(롬 16:5) 스테프하나스(스데바나)의 집은 아크하이아(아가야)의 '첫 열매' 라고 하였다.

그러므로 땅에서 사람들 가운데서 진정 구속함을 받은 성도들은 하나님과 어린양께 드려진 가장 사랑스런 '첫 열매' 인 것이다.

다섯째, 입에 결코 속임이 없고 하나님의 보좌 앞에서 흠이 없는 자들이다(5)

입에 결코 속임이 없다는 것은 그 마음에 거짓이 없다는 말이다. 마음에 있는 것이 입에 말로 나오기 때문이다.

새 히에루살렘(예루살렘)에 거짓말하는 자는 결코 들어가지 못한다고 하셨다.(계 21:17) 거짓말쟁이요 거짓의 아비인 마귀에게 속한 거짓이 있는 자는(요 8:44) 거짓이 없으신 하나님의(딛 1:2) 보좌 앞에 설 수가 없는 것이다.

하나님께서 보시기에 조금이라도 거짓이 있는 자는 7년 대환란 때 하나님의 인침을 받지 못하는 것이다.

이상의 다섯 가지 특성을 가진 자라면 다른 것은 말하지 않아도 다 갖추어진 사람이라 할 수 있는 것이다. 이 다섯 가지 특성은 하나님의 인침을 받는 자들의 필수적인 특성임으로 반드시 갖추어져야 하나님의 인침을 받는다.

하나님의 인침을 받는 것이 얼마나 귀중함을 지금은 깨닫지 못하나 대환란 그때에 가면 너무나 절절히 느끼게 될 것이다. 대환란이 오기 전에 하나님의 인침을 받을 수 있는 자의 특성이 갖추어져야 한다.

¤ 감동과 기도 ☆

【 계시록 제 15 장】

한 글 개 역 성 경	전통원문 직역 성경
1. 또 하늘에 크고 이상한 다른 이적을 보매 일곱 천사가 일곱 재앙을 가졌으니 곧 마지막 재앙이라 하나님의 진노가 이것으로 마치리로다	1. **그리고 내가 하늘에 크고 놀라운 다른 표징, 마지막 일곱 재난들을 가진 일곱 천사들을 보았으니, 하나님의 분노가 이것들에 끝마쳐질 것이기 때문이라**
2. 또 내가 보니 불이 섞인 유리 바다 같은 것이 있고 짐승과 그의 우상과 그의 이름의 수를 이기고 벗어난 자들이 유리바다 가에 서서 하나님의 거문고를 가지고,	2. **그리고 불에 섞인 유리바다 같은 것을 내가 보니 짐승과 그의 형상과 그의 표와 그의 이름의 수로부터 이긴 자들이, 유리 바다를 향하여 서서 하나님의 수금들을 가지고,**
3. 하나님의 종 모세의 노래 어린 양의 노래를 불러 가로되 주 하나님 곧 전능하신이여 하시는 일이 크고 기이하시도다 만국의 왕이시여 주의 길이 의롭고 참되시도다	3. **그리고 하나님의 종 모세의 노래와 그 어린양의 노래를 부르며 말하기를, 주 하나님 전능자시여 당신의 하시는 일이 크고 또한 놀라우십니다. 거룩한 자들의 왕이시여 당신의 길들이 의롭고 참되십니다.**
4. 주여 누가 주의 이름을 두려워하지 아니하며 영화롭게 하지 아니하오리이까 오직 주만 거룩하시니이다 주의 의로우신 일이 나타났으매 만국이 와서 주께 경배하리이다 하더라	4. **누가 주님 당신을 두려워하지 아니하며, 그리고 영화롭게 하지 아니하리이까. 홀로 거룩하시며, 모든 민족들이 당신 앞에서 경배할 것이기 때문이며, 당신의 의로우신 일들이 나타났기 때문입니다 하니라.**
5. 또 이 일 후에 내가 보니 하늘에 증거 장막의 성전이 열리며	5. **그리고 이것들 후에 내가 보니, 역시 보라, 하늘에 있는 증거 장막의 성전이 열리며,**

6. 일곱 재앙을 가진 일곱 천사가 성전으로부터 나와 맑고 빛난 세마포 옷을 입고 가슴에 금띠를 띠고	**6. 그리고 일곱 재난들을 가진 일곱 천사들이 깨끗하고 빛난 베옷을 입고, 그리고 가슴들에는 금띠를 띠고, 성전으로부터 나아왔는데,**
7. 네 생물 중에 하나가 세세에 계신 하나님의 진노를 가득히 담은 금대접 일곱을 그 일곱 천사에게 주니	**7. 그리고 네 생물들 가운데 하나가 일곱 천사들에게, 영원들의 영원들을 향하여 살아 계시는 하나님의 분노를 가득히 담은 일곱 금 대접들을 일곱 천사들에게 주니,**
8. 하나님의 영광과 능력을 인하여 성전에 연기가 차게 되매 일곱 천사의 일곱 재앙이 마치기까지는 성전에 능히 들어갈 자가 없더라	**8. 하나님의 영광과 그분의 능력으로 말미암아 성전이 연기로 가득차게 되므로 일곱 천사들의 일곱 재난들이 마치기까지는 성전에 들어갈 수 있는 자가 아무도 없으니라.**

【 문 단 】

10〉 **일곱 대접 재앙 준비** 15:1~8

① 마지막 일곱 재앙의 예고 (1)

② 환란을 이긴 자들의 어린양의 노래 (2~4)

③ 일곱 대접 재앙의 준비 완료 (5~8)

【 주 해 】

〈**개요**〉 15장에서 10장부터 있은 많은 중간계시의 마감이 된다. 16장에 마지막 일곱 나팔의 일곱 대접 재앙이 부어지기 전 15장에서 그 준비하는 광경이 보여졌다. 세상 왕국에 대한 너무나 엄중한 하나님의 마지막 진노의 심판과 재앙이기 때문이다.

① 마지막 일곱 재앙의 예고 (1)

1절 ▷ 그리고 내가 하늘에 크고 놀라운 다른 표징, 마지막 일곱 재난들을 가진 일곱 천사들을 보았으니, 하나님의 분노가 이것들 중에 끝마쳐질 것이기 때문이라.

Καὶ εἶδον ἄλλο σημεῖον ἐν τῷ οὐρανῷ μέγα καὶ θαυμαστόν, ἀγγέλους ἑπτὰ, ἔχοντας πληγὰς ἑπτὰ, τὰς ἐσχάτας, ὅτι ἐν αὐταῖς ἐτελέσθη ὁ θυμὸς τοῦ θεοῦ.

그리고 내가보니 다른 표징을 가운데 그 하늘에 크고 그리고 놀라운, 천사들을 일곱, 가졌으니 재난들을 일곱, 그 마지막을, 때문이라 중에 이것들에 끝마쳐지리라 그 분노가 그 하나님의.

사도 이오안네스(요한)는 다시 하늘에 크고 놀라운 징표를 보았는데 마지막 일곱 재난들을 가진 일곱 천사였다. '일곱 재난들' 로 세상을 치심은 르래비(레위)기 26:21절에 "너희가 나를 거스려 내게 청종치 않을진대 내가 너희 죄대로 너희에게 칠 배나 더 재앙을 내릴 것이라" 하신 대로이다.

개역 한글성경에 '이상한' 이라 번역한 '*θαυμαστόν*(트하우마스톤)' 은 '놀라운, 신기한' 이라는 형용사이며, '이적' 이라 번역한 '*σημεῖον*(세메이온)' 은 '*σῆμα*(세–마) **예고**' 에서 발전되었으며 '*σῆμα*(세–마)' 와 함께 '징조' 나 '표시' 라는 의미를 지닌다.【**신약 신학 원어사전, 요단출판사,** 1986, pp. 1127, 1134】 그러므로 신약성경에 77회 사용된 이 헬라어는 '징표' 라고 번역해야 정확한 말이다. '상징' 이라 하면 더더욱 안 된다.

『헬라 원어로 '*σημεῖον*(세메이온)' 은 표호(票號)를 의미하는 바 앞으로 있을 큰 일에 대한 징조를 가리킨다.』(이상근 박사 계시록 주석)

"하나님의 분노가 이것들에 마쳐질 것이기 때문이라" 하나님의 분노의 마지막 일곱 대접 재앙을 가진 일곱 천사를 보았을 때 참으로 긴장되고 떨려 놀라지 않을 수 없었다.

② 환란을 이긴 자들의 어린양의 노래 (2~4)

2절 ▷ 그리고 불에 섞인 유리바다 같은 것을 내가 보니, 짐승과 그의 형상과 그의 표와 그의 이름의 수로부터 이긴자들이 유리 바다를 향하여 서서 하나님의 수금들을 가지고,

Καὶ εἶδον ὡς θάλασσαν ὑαλίνην μεμιγμένην πυρί, καὶ τοὺς νικῶν
그리고 내가보니 같은 바다를 유리를 섞인 불에, 그리고 자들 승리한
τας ἐκ τοῦ θηρίου καὶ ἐκ τῆς εἰκόνος αὐτοῦ καὶ ἐκ τουῦ χαράγ
그 에게서 그 짐승의 과 로부터 그 형상 그의 과 로부터 그 낙인의
ματος αὐτοῦ, ἐκ τοῦ ἀριθμοῦ τοῦ ὀνόματος αὐτοῦ, ἑστῶτας
그의, 로부터 그 수의 그 이름의 그의, 서서
ἐπὶ τὴν θάλασσαν τὴν ὑαλίνην, ἔχοντας κιθάρας τοῦ θεοῦ.
향하여 그 바다를 그 유리를, 가지고들 수금들을 그 하나님의

'불에 섞인 유리 같은 바다' 라고 한 것은 하나님의 심판이 가리우는 것 없이 넓고 깊다는 것을 표징한 것이다. 다니엘 7:10절에 "불이 강처럼 흘러 그 앞에서 나오며 … 심판을 베푸는데 책들이 펴 놓였더라" 하였고, 시편 36:6절에 "주의 판단은 큰 바다와 일반이라" 하였으며, 로마서 11:33절에는 "깊도다 하나님의 지혜와 지식의 부요함이여 그의 판단은 측량치 못할 것이며 그의 길은 찾지 못할 것이로다"고 하였으니, 하나님의 심판은 '불에 섞인 유리 같은 바다' 같음을 징표로 보여 주는 것이었다.

"짐승과 그의 형상과 그의 표와 그의 이름의 수로부터 이긴자들이 유리 바다를 향하여 서서 하나님의 수금들을 가지고"라고

한 것은 후3년 반에 순교한 자들을 말하는데 하나님의 심판하신 위대한 일을 찬양하기 위함인 것이다. 이들을 휴거한 자들이라고 하는 자들이 많은데 본 장의【 특주 】에서 밝히겠지만 '짐승과 그의 형상과 그의 표와 그의 이름의 수로부터 이긴자들' 이 죽임을 당한 순교자들이지 어찌 휴거된 자들이라고 하는가? 아니면 순교자들이 부활을 했단 말인가? 참으로 딱하다.

짐승의 형상에 경배하지 않고 그의 표를 받지 않기 위해 죽임을 당했던 성도들이 하나님의 심판의 바다를 향하여 서서 찬양하려 하는 것은 6:9~11절의 순교자들의 탄원도 들으신 하나님께서 그 기도를 들어 주심에 대하여 감격하고 감사하게 되는 모습과 광경을 미리 보여주신 것이다.

3절 ▷ 그리고 하나님의 종 모세의 노래와 그 어린양의 노래를 부르며 말하기를, 주 하나님 전능자시여 당신의 하시는 일이 크고 또한 놀라우십니다. 그 거룩한 자들의 왕이시여 당신의 그 길들이 의롭고 그리고 참되십니다.

καὶ ᾄδουσιν τὴν ᾠδὴν Μωσέως δούλου τοῦ θεοῦ, καὶ
그리고 불러 그 노래를 모세의 종의 그 하나님의, 과
τὴν ᾠδὴν τοῦ ἀρνίου, λέγοντες, Μεγάλα καὶ θαυμαστὰ
그 노래를 그 어린양의, 말하기를, 크고 또한 놀랍도다
τὰ ἔργα σου, κύριε ὁ θεὸς ὁ παντοκράτωρ· δίκαιαι
그 하시는 일이 당신의, 주 그 하나님 그 전능자시여. 의롭고
καὶ ἀληθιναὶ αἱ ὁδοί σου, ὁ βασιλεὺς τῶν ἁγιων.
그리고 참되시도다 그 길들이 당신의, 그 왕이시여 그 거룩한 자들의.

그들이 부른 노래는 하나님의 보좌 앞에서 부르는 '새 노래' 가 아니고 '하나님의 종 모세의 노래와 그 어린양의 노래' 라고 한 것이다. 모세의 노래라는 것은 이스라엘 백성들이 홍해 바다

에서 아이깊토스(애굽) 군대들이 뒤를 추격해 오다가 바다 가운데 수장되어 몰사하는 것을 보고 바다 가에서 홍해 바다를 내려다보며 하나님을 찬양했던 그와 같은 노래라는 말이다.(출 15:1~21) 그러므로 이 노래는 다음 16장의 일곱 대접의 심판과 17~18장의 바빌론(바벨론)의 최종 심판이 있은 후에 되어질 성도들의 승리를 미리 보여 주심으로 격려와 용기를 주시기 위함이지 16장의 대접 심판이 실행되기도 전에 15장에서 휴거하여 하나님의 심판과 구원을 찬양한다는 것은 너무나 사리에도 맞지 않는 풀이이다.

4절 ▷ 누가 주님 당신을 두려워하지 아니하며, 그리고 영화 롭게 하지 아니하리이까. 홀로 거룩하시며, 모든 민족들이 당신 앞에 나아와 경배할 것이기 때문이며, 당신의 그 의로우신 일들이 나타났기 때문입니다 하니라.

τίς οὐ μὴ φοβηθῇ, σε. κύριε, καὶ δοξάσῃ τὸ ὄνομά σου;
누가 결코아니 두려워하지,당신을. 주님, 그리고 영화롭게하지 그 이름을 당신의;
ὅτι μόνος ὅσιος· ὅτι πάντα τὰ ἔθνη ἥξουσιν καὶ προσ
때문 홀로 거룩하시기. 때문 모든 그 민족들이 나아와 그리고 경배
κυνήσουσιν ἐνώπιόν σου· ὅτι τὰ δικαιώματά σου
할 것이기 앞에서 당신의. 때문 그 의로우신 일들이 당신의
ἐφανερώθησαν. ←나타났기.

찬양의 계속이다. 어린양의 찬양인데도 5:8~13절 찬양과 내용이 다른 것은 어린양께서 세상을 심판하신 일을 찬양하는 것이기 때문이다. "누가 주님 당신을 두려워하지 아니하며, 그리고 영화롭게 하지 아니하리이까. 홀로 거룩하시며, 모든 민족들이 당신 앞에서 경배할 것이기 때문이며, 당신의 의로우신 일들

이 나타났기 때문입니다" 어린양의 진노의 날이(6:16~17) 마쳐질 때 불려질 찬양이다.

¤ 감동과 기도 ☆

③ 일곱 대접 재앙의 준비 완료 (5~8)

5절 ▷ 그리고 이것들 후에 내가 보니, 역시 보라, 하늘에 있는 그 증거 장막의 성전이 열리며,

Καὶ μετὰ ταῦτα εἶδον, καὶ ἰδού, ἠνοίγη ὁ ναὸς τῆς σκηνῆς
그리고 후에 이것들에 내가보니, 역시 보라, 열리며 그 성전이 그 장막의
τοῦ μαρτυρίου ἐν τῷ οὐρανῷ, ←그 증거의 있는 그 하늘에

이것들 후에 보인 것은 하늘에 있는 증거 장막의 성전이 열리는 것이었다. '증거 장막의 성전' 이 무엇인가에 대해 해석하기 어려우나 '증거' 라는 말은 먼저 순교한 성도들을 '하나님의 말씀과 저희의 가진 증거를 인하여 죽임을 당한 혼들' 이라 하였고,(6:9) 계시록에서 성도들을 '증거' 를 가진 자들이라고 여러 번 말해졌음에 유의할 필요가 있다.(1:2, 9, 6:9, 12:11, 17, 17:6, 19:10, 20:4) 그리고 '장막' 이라 한 것은 순교자들의 혼들의 거처인 장막이라 함이 합당하며, 그 혼들이 탄원하는 제단이 있는 장막 성전이며, 그 제단으로부터 하나님의 진노를 담은 일곱 대접을 받아 땅에 붓기 위해 그곳으로부터 나온다고 봄이 가장 합당하다고 생각한다. 논란할 필요는 없다. 계시를 주신 주님의 의중과 계시록 전반에 걸쳐 얼마나 합당하느냐가 중요할 뿐이다.

6절 ▷ 그리고 일곱 재난들을 가진 일곱 천사들이 깨끗하고 또

한 빛나는 베옷을 입고, 그리고 가슴들에는 금띠를 띠고, 성전으로부터 나아왔는데,

καὶ ἐξῆλθον οἱ ἑπτὰ ἄγγελοι ἔχοντες τὰς ἑπτὰ πληγας,
그리고 나아와 그 일곱 천사들이 가진 그 일곱 재난들을,
ἐκ τοῦ ναοῦ, ἐνδεδυμένοι λίνον καθαρὸν καὶ λαμπρόν,
으로부터 그 성전, 옷을 입고 베 깨끗하고 또한 빛나는,
καὶ περιεζωσμένοι περὶ τὰ στήθη ζώνας χρυσᾶς.
그리고 띠고 에 그 가슴들 띠를 금.

일곱 재난들을 가진 일곱 천사들이 깨끗하고 빛난 베옷을 입고, 그리고 가슴들에는 금띠를 띠고, 성전으로부터 나아왔다고 한 것은 흡사 이에수-스(예수)님의 차림인 것이다. 그것은 일곱 대접 심판이 완전무결하며 금띠 곧 왕적 권위를 가진 하나님 어린양의 심판인 것을 표징하는 것이다.

7절 ▷ 그리고 네 생물들의 하나가 일곱 천사들에게, 영원의 영원을 향하여 살아 계시는 하나님의 분노를 가득히 담은 일곱 금 대접들을 일곱 천사들에게 주니,

καὶ ἓν ἐκ τῶν τεσσάρων ζῴων ἔδωκεν τοῖς ἑπτὰ
그리고 하나 로부터 그 네 생물들의 주니 그 일곱
ἀγγέλοις ἑπτὰ φιάλας χρυσᾶς, γεμούσας τοῦ θυμοῦ
천사들에게 일곱 대접들을 금, 가득히 담은 그 분노를
τοῦ θεοῦ τοῦ ζῶντος εἰς τοὺς αἰῶνας τῶν αἰώνων.
그 하나님의 그 살아계신 을 향하여 그 영원들을 그 영원들의.

네 생물 중 하나가 하나님의 분노를 가득히 담은 일곱 금 대접을 일곱 천사에게 주었다고 하였다. 생물 중 하나가 금 대접을 일곱 천사에게 주었다는 것은 일곱 나팔과 달리 특별한 일이기

때문이다. 계시록에서 하나님 보좌의 생물을 말한 16회 외에 첫째 인부터 넷째 인까지만 각각 생물이 말하였다 하였는데,(6:1~7) 일곱 금 대접은 생물 중 하나가 직접 일곱 천사들에게 주었다는 것은 아주 특별한 것이다. 그리고 하나님의 분노를 '가득히 담은' 금 대접이라 하였으니 얼마나 진노가 크심을 의미한 것이다.

8절 ▷ 그리고 하나님의 그 영광과 그분의 그 능력으로 말미암아 성전이 연기로 가득 차게 되니 그러므로 그 일곱 천사들의 그 일곱 재난들이 마치기까지는 그 성전 안으로 들어갈 수 있는 자가 아무도 없으니라.

καὶ ἐγεμίσθη ὁ ναὸς καπνοῦ ἐκ τῆς δόξης τοῦ θεοῦ, καὶ
그리고 차게되니 그 성전이 연기의 의하여 그 영광의 그 하나님의, 과
ἐκ τῆς δυνάμεως αὐτοῦ· καὶ οὐδεὶς ἠδύνατο εἰσελθεῖν εἰς
말미암아 그 능력의 그분의.그러므로 아무도 없더라 수 있는 들어 갈 안으로
τὸν ναόν, ἄχρι τελεσθῶσιν αἱ ἑπτὰ πληγαὶ τῶν ἑπτὰ ἀγγέλων.
그 성전을, 까지 마치기 그 일곱 재난들이 그 일곱 천사들의.

"하나님의 영광과 그분의 능력으로 말미암아 성전이 연기로 가득차게 되므로 일곱 천사들의 일곱 재난들이 마치기까지는 성전에 들어갈 수 있는 자가 아무도 없으니라" 한 것은 하나님의 분노의 일곱 대접 심판의 재앙이 세상에 다 쏟아져서 마치기까지는 하나님께서 분노하시는 때임으로 그 누구도 하나님의 존전에 나아갈 수 없다고 한 것이다. 연기는 분노를 표징하는 것이다.(시 18:7~8)

이때가 후3년 반이고 하나님의 분노의 기간인데 세상에서는 7년 대환란과 재앙이 있고 주님께서 공중에 강림하여 휴거된 성도

들과 함께(순교자들이 이때 다 부활해서 혼인잔치에 참예해야 되지 않겠는가?) 혼인잔치를 한다는 것이 도대체 맞는 말인가?

¤ 감동과 기도 ☆

【 특주 12 】

7년 대환란 전이나 중간에 휴거가 있는가?

계시록 종말론에서 가장 큰 폐해 한 가지는 '휴거설' 이다. 이 문제를 특별히 다루지 않을 수 없다. 7년 대환란 시작과 함께 공중재림 하심으로 믿는 자들은 전혀 환란을 당하지 않고 그때 휴거한다고 가르치는 사람이 있는가 하면, 대환란 중간에 휴거한다고 가르치는 사람. 또는 대환란 동안 휴거가 일곱 번이나 있다고 가르치는 사람도 있다. 휴거(携去)라는 용어가 성경에 없다. 만들어낸 말이다.

트헤쌀로니케(데살로니가)전서 4:17절에 주님께서 재림하실 때 죽은 성도들이 먼저 부활하여 공중으로 올라가고, 그리고 살아 있던 성도들도 구름 속으로 끌어올려<ἁρπάζω(하르파조) **잡아채, 끌어당겨, 데려가**>' 공중에서 주를 영접하게 하시리니 그리하여 우리가 주와 함께 영원히 있으리라 한데서 휴거(携去)라는 말을 만들었다.

이제 휴거를 주장하는 이들의 성경해석의 잘못을 밝히고, 그리고 휴거를 말할 수 없는 성경의 많은 증거들을 밝히고자 한다.

1. 휴거를 주장하는 이들의 성경해석의 잘못

1〉 4:1절에 "여기로 올라 오라" 한 말을 교회의 휴거라고 한다.

앞서 말했지만 이때가 휴거라면 죽은 성도들이 부활하여 공중으로 올라가야 한다. 4:1절에 그러한 장면이 있는가? 사도 이오안네스(요한)에게 성령님 안에서 하나님의 보좌의 광경을 보도록 하신 것이지, 어찌해서 교회가 휴거하여 공중에서 재림하시는 주님을 영접하는 것이라고 해석하는가?

2〉 3:10절에 "시험에 때를 면하게 하리니"라고 했다는 것이다.

성경 번역을 잘못했기 때문에 신앙을 잘못되게 하는 대표적 예이다. 헬라어 원어 성경은 "*κἀγώ*(그러므로 내가) *σε*(너를) *τηρήσω*(지킬 것이다) *ἐκ*(중에) *τῆς* (그) *ὥρας*(기간) *τοῦ*(그) *πειρασμοῦ*(시험의)" 로서 "그러므로 내가 그 시험의 (그) 기간 중에 너를 지킬 것이다" 이다. '면하게 하리니' 라고 번역해 놓았기 때문에 휴거를 주장하는 것이다. 한국교회의 대표적 주석가이신 박윤선 박사와 이상근 박사의 계시록 주석에서 두 분 다 '환란을 면하게 하신다' 고 하였다. 헬라어를 잘 아시는데 왜 그러셨는지 참으로 이상하다.

3〉 7:9~17절의 셀 수 없는 무리들은 휴거 된 성도들이라고 한다.

이 무리들이 휴거한 성도들이라면 공중에서 재림의 주님과 함께 혼인잔치를 하는 광경이라야 하지 어찌 보좌 앞에 서서 찬양을 하는가? 보좌 앞에는 20:11~15절의 최후의 백보좌 심판 후에 가는 것이다. 어찌 보좌 앞으로 휴거 되어 바로 가는가? 그리고 15~17절의 그 성도들이 누리는 복된 생활은 백보좌 심판 후에 새 하늘과 새 땅에서 누리는 영원한 복락을 말한 21:3~6절 말씀과 동일한 것이니 구원받은 성도들이 영원한 보좌 앞에서 누릴 복된 생활을 미리 보여 주심으로 환란 중에 성도들에게 위로와 용기를 주기 위한 것이지 휴거를 말한 것이 아닌 것이다.

4〉 11:11절의 두 증인이 하늘로 올라가는 것도 휴거라 한다.

하늘로 올라간다는 말만 있으면 휴거라 하려고 한다. 두 증인은 '두 선지자' 라 하였으니(10절) 두 사람을 말하는 것이지 교회를 말하는 것이 아니다. 그리고 죽었다가 살아나서 하늘로 올라간 것이니 살아 있던 성도가 하늘로 올라가는 것과는 다른 것이다.

5〉 12:5절에 여자가 낳은 아이가 올라가는 것도 휴거라 한다.

이 아이는 이에수-스(예수)님을 가리킨다. 그런데 휴거를 주장하는 사람은 아이를 성도들이라 한다. 그러면 앞서도 말했지만 어찌해서 공중이 아닌 하나님 보좌 앞으로 끌어 올려졌는가?

6〉 14:1절의 시온산 위의 144,000은 휴거 된 자들이라고 한다.

3절에 "보좌 앞과 네 생물들과 장로들 앞에서 새 노래를 노래" 한다고 하였으니 어찌 공중 혼인잔치의 광경인가? 하나님의 보좌 앞과 네 생물들과 장로들 앞에서 7년간 혼인잔치를 한다는 말인가? 휴거 주장에 의하면 휴거는 하나님의 보좌 앞으로가 아니라 재림하실 때 공중으로 되는 것이다.(살전 4:17) 공중과 보좌가 같다는 말인가?

7〉 불 섞인 유리 바다 같은 데 선 자들은 휴거 된 자들이라 한다.

15:2절에 이들은 짐승과 그의 형상과 그의 표와 그의 이름의 수로부터 이긴 자들이라고 하였다. 분명히 후3년 반에 짐승과 거짓 선지자의 박해 때에 죽기까지 자기 생명을 사랑하지 아니함으로 이긴 자들이다.(12:11) '불 섞인 유리바다' 가 공중 혼인잔치 자리인가? 3~4절에 '불 섞인 유리 바다 같은 데 서서' 찬양하는 찬양의 내용이 공중 혼인잔치의 노래인가? 이때에 일곱 천사가 하나님의 진노를 가득히 담은 일곱 대접을 생물로부터 받고 땅에 쏟으려 하는 때이며, 성전에 연기가 가득차서 일곱 천사의 일곱 재난이 마치기까지는 성전에 들어갈 있는 자가 아무도

없다고 하였는데,(15:8) 이 후3년 반 기간에 혼인잔치가 있다는 말인가? 상식적으로도 맞지 않다.

8〉 **"나의 백성아 그녀로부터 나오라. 그리하여 그녀의 죄들에 참여하지 않도록 하고, 그리고 그녀의 재난들로부터 받지 않도록 하라"** 하였으니 하나님의 백성이 후3년 반에도 세상에 있다는 말이 아닌가?

9〉 **다니엘 7:25절에 성도는 그(적그리스도)의 손에 붙인바 되어 한 때 두 때 반 때를 지나리라 하였고, 12:7절에도 "반드시 한 때 두 때 반 때를 지나서 성도의 권세가 다 깨어지기까지니 그렇게 되면 이 모든 일이 다 끝나리라"** 하였으니 후3년 반에 성도들이 적그리스도의 손에 붙인바 되어 죽임을 당하고, 성도의 권세가 다 깨어지기까지라는 말은 성도가 환란을 당한다는 강력한 증거가 아닌가? 왜 이것은 가르치지 않고 휴거만 가르치는가?

10〉 **살전 4:17절에 공중으로 끌어올린다는 말로 휴거를 주장한다.**

그러나 주님께서 재림하실 때 죽었던 성도들이 먼저 살아나서 공중으로 올라가고, 그리고 살아 있던 성도들이 변화된 몸으로 공중으로 올라가는 순서이다. 휴거를 주장하려면 휴거와 함께 죽었던 성도들의 부활이 먼저 있어야 하는 것이다. 그렇다면 6:9~11절에 다섯째 인을 여실 때 순교자들의 혼이 탄원하는 것을 들으시고 순교자의 수가 차기까지 잠시 동안 쉬라 하신다 했는데 대환란 전에 순교자의 수가 다 차서 부활하고 휴거한다는 말은 맞지 않는 말이다.

2. 성도가 환란을 당한다는 성경에 거듭된 증거들.

7년 대환란 동안 성도가 재앙은 당하지 않으나 환란은 당한다.

1〉 스뮈르나 교회에 "죽기까지 신실하게 되라. 또한 내가 생명의 면류관을 네게 줄 것이다" 휴거가 아닌 순교를 원하셨다.

스뮈르나 교회만큼 신앙생활을 하는 교회 성도라면 휴거 되고도 남을 만 하지 않은가? 그런데도 죽기까지 신실하라 하신 것은 생명의 면류관은 죽기까지 하는 자들에게 주는 것이기 때문이다.

2〉 다섯째 인을 여셨을 때 순교자들의 탄원을 들으시고 긴 흰 옷을 주시며 동무 종들도 죽임을 당하여 그 수가 차기까지 잠시 쉬라 하셨으니 순교자의 수가 차기를 원하시는 주님이시다.

순교를 가르쳐야지 휴거를 인식시키는 것은 사복음서에 기록된 주님의 가르침에도 맞지 않다. 7년 대환란은 순교자의 수가 마지막으로 가득참으로 하나님의 뜻이 이루어지는 때이다. 이에수-스(예수)님께서 게트흐세마네(겟세마네) 동산에서 아버지께 기도하실 때 십자가의 잔을 옮겨 주시기를 피땀 흐르도록 간구하셨으나 십자가를 지고 죽임을 당하는 것이 하나님 아버지의 뜻이었다. 성도들을 휴거시키실 수 있으나 그렇게 하는 것이 하나님의 뜻이 아니고 죽음으로 하나님께 영광을 돌리는 것이다.(요 21:18~19)

3〉 9:4절에 다섯째 나팔 재앙에서 이마에 하나님의 인 갖지 않은 사람만 해하라 하신 것은 그때에 성도가 땅에 있다는 증거이다.

다섯째 나팔 재앙 때에 이마에 하나님의 인 맞지 않은 자만 해하라 한다 하셨는데, 어찌 그때 땅위에 이스라엘 백성들만 살고, 이스라엘 백성중에서만 하나님의 인침을 받은 자가 있어 해를 받지 않는다는 말인가? 이스라엘 백성이든 이방인이든 9:4절에서 말하는 바는 그때 전3년 반에도 이마에 하나님의 인 맞은 성도가

(14:1~5) 땅위에 살고 있다는 것을 암시하는 말씀인 것이다.

4〉 11:1**절에 하나님의 성전과 제단과 그 안에서 경배하는 자들을 척량하라 하신 것은 그때 참 예배하는 성도들이 있다는 증거.**

2절에 거룩한 성을 마흔 두 달을 이방인들에게 주어졌다고 하였으니 '마흔 두 달' 은 후3년 반을 말하는 것으로,(13:5) 이때에 하나님께 예배하는 성도들이 있음을 말하는 것이다.

5〉 12:11**절에 어린양의 피와 자신들의 증거의 말을 통해서 사탄을 이긴 것은 죽음에까지 자신들의 생명을 사랑하지 아니하였음이라 한 것은 참 성도들이 환란 중에 있다는 증거이다.**

하나님은 이런 성도의 수가 많이 차기를 원하시지 환란을 당치 않고 휴거시키시는 것을 원하는 하나님이 아니시다.

6〉 12:14**절에 여자가 광야 하나님께서 예비하신 곳으로 도피하여 한 때 두 때 반 때를 양육 받는다는 것은 이때 성도가 있다는 말이다.**

여자는 교회라는데 거의 모든 견해가 일치한다. 그리고 '한 때 두 때 반 때' 는 후3년 반을 말하는 것이다.(단 12:7)

7〉 12:17**절에 용 곧 사탄이 하나님의 명령들을 지키고 이에수-스 크흐리스토스님의 증거를 가진 그 여자의 자손의 남은 사람들의 대적으로 전쟁을 일으킨다고 한 것은 이때 성도가 있다는 말이다.**

여자의 자손의 남은 자들은 이스라엘 곧 성도를 말하며 이때 용 곧 사탄이 성도들과 전쟁을 일으키는 것은 후3년 반 때의 일을 말하는 것이다. 초대교회로부터 교회 역사 가운데 진정한 성도는 순교를 원하였지 휴거 되기를 바라지 않았다.

8〉 13:7**절에 짐승에게 성도들과 전쟁을 하도록 허락되고, 또한 성도들을 이기게 된다고 하였으니 이때 성도가 있다는 말이다.**

다니엘 12:7절에 '반드시 한 때 두 때 반 때를 지나서 성도의 권세가 다 깨어지기까지니 그렇게 되면 이 모든 일이 다 끝나리라" 하였으니 후3년 반에 성도가 있다는 말이다.

9〉 13:8절에 창세로부터 죽임을 당한 어린양의 생명책에 그 이름이 기록되지 못하고 이 땅위에 사는 자들은 모두 짐승에게 경배하리라 하였으니 생명책에 기록된 성도가 있다는 말이다.

생명책에 이름이 기록되고 후3년 반에 땅위에 사는 성도들은 짐승에게 경배하지 않기 때문에 죽임을 당하는데 죽임을 당하는 자가 있다고 한 말씀은(15절) 그러한 성도가 환란 때 있다는 말씀이다.

10〉 13:10절에 '성도들의 인내와 믿음이 여기 있느니라" 하였으니 분명히 환란 중에 인내하고 믿음을 지킨다는 말이 아닌가?

이런 성도들이 있음으로 하나님께 영광이 되는 것이지 어찌 휴거 되면 하나님께 영광이 되겠는가? 하나님을 인간 위주의 하나님으로 생각하지 말아야 한다.

11〉 14:12절에도 '성도들' 의 인내는 하나님의 명령들과 이에수-스님의 신실함을 보존하여 지키는 방식으로 한다고 하였다.

바로 앞의 두 절에 하나님께서 "짐승과 그의 형상을 경배하고 누구든지 그의 이름의 표를 받으면 불과 유황 가운데서 고통을 받게 되고, 그 고통의 연기가 영원무궁토록 올라 갈 것이며, 결코 밤낮 쉼을 얻지 못하리라"고 엄중히 경고하신 명령을 이에수-스(예수)님께서 신실하게 아버지의 말씀을 지킴 같이 지킨다는 말씀이다.

12〉 14:13절에 "지금부터 주안에서 죽으며 죽은 자들은 복이 있다"고 하신 말씀은 후3년 반에 짐승의 형상에 경배하지 않고 그의 표를 받지 않기 위해 죽임을 당하는 성도들을 말한 것이다.

헬라어 원문에 주안에서 '죽으며<ἀποθνῄσκοντες 동사 분사 현재 능동>' '죽는<νεκροὶ 형용대명사 주격>' 자들이라고 중복하여 말한 것은 이때 죽음의 복됨을 강조한 의미이다. 20:4~6절에 그 복됨이 입증된다. 거의 모든 기독교인들이 변절하는 때임으로 이때의 순교는 더욱 하나님께 영광이 되며 귀중한 것이다.

13〉 14:16절**의 주님께서 친히 낫을 땅에 던져 곡식을 수확하는 것은 이때에 순교자들을 수확하신다는 표시이다.**

재림하시는 주님의 모습이 아니고(19:11~16) 심판하시는 주님의 모습과 광경도 아니다.(20:11~15) 순교자의 수확이라 해석한 글을 보지 못하였는데 이 해석이 확실하다고 생각한다. 그러므로 후3년 반의 주님의 가장 큰 기대는 순교자의 수확이다.

14〉 16:6절**에 셋째 천사의 대접 심판은 강과 물들의 근원을 피가 되게 하는 것인데 그렇게 함은 그들이 성도들과 선지자들의 피를 흘렸기 때문이라 하였다. 성도들이 피를 흘리는 대환란이다**

이렇게 성도들이 피흘리는 대환란이라고 거듭 말씀하셨는데도 아랑곳없이 이를 가르치지는 않고 걸핏하면 휴거를 들먹인다.

15〉 16:15절**에는 "깨어 있는 자, 그리고 자신의 옷들을 지켜 벌거벗고 다니지 아니하는 자가 복이 있느니라"고 하였으니 이때에 이런 자가 있을 것을 의미하는 말씀이다.**

'옷'은 행위의 옷을 말한다.(3:1~5, 17~18, 19:8) 환란 때에 깨어 있는 자라야 행위의 옷을 도둑맞지 않고 벌거벗고 다니지 않을 수 있다.

16〉 17:6절**에 음녀는 성도들의 피와 이에수-스님의 증인들의 피로부터 취하도록 마셨다고 하였으니 후3년 반에 얼마나 많은**

성도들이 죽임을 당한 것을 말함이 아니가?

이렇게까지 말씀을 기록하셨는데도 이런 말씀에는 눈과 귀가 열리지 않고 휴거만 찾고 있으니 탄식스럽다.

17〉 17:14**절에 어린양의 편에 부르심을 받고, 뽑힘을 받고, 진실한 자들은 짐승을 이기리라 하였으니 성도가 환란 중에 있다는 말씀이 아닌가? 최후의 대 승리는 주님과 함께 짐승을 이기는 것이다.**

계시록에서 가장 크게 이기는 자는 어린양이신 주님과 함께 짐승을 이기는 것이다. 계시록을 짐승을 이기도록 가르쳐야 한다.

18〉 18:4**절에 "내 백성아 그녀로부터 나오라" 고 하였으니 하나님의 백성인 성도들이 재림 직전까지 땅위에 있음을 말함이 아닌가?**

어찌하여 이런 말씀을 보고서도 음녀가 활동하는 환란 때에 성도들이 땅위에 있는 것으로 보이지 않는가? 참으로 놀랍다.

19〉 18:24**절에도 "선지자들과 성도들과 땅위에서 죽임을 당한 모든 자의 피가 그 여자에게서 보였느니라" 하였는데 계시록에서 환란과 관계하여 '성도들' 이라는 말을 아홉 번이나 했다.**

(5:8, 8:3, 4, 13:7, 10, 14:12, 16:6, 17:6, 18:24)

20〉 20:4**절에 재림하신 주님과 함께 천년 동안 왕노릇 할 성도들 중에 '짐승에게나 그의 형상을 경배하지 아니하고 이마 위에나 손위에 표를 받지 아니한 자들' 이 포함 된 것은 후3년 반에 땅위에 있었던 주님과 함께 하여 짐승을 이긴 성도들이 아닌가?**

계시록 외에도 다니엘서와 여러 성경 말씀에 성도가 환란을 당한다는 말씀이 많은데(단 7:25, 12:7; 마 24:24, 31; 요 16:33, 17:15; 살후 2:4, 9~12) 영이 열리는 사람이라면 이상에 말한 계시록의 말씀만으로도 충분히 깨달을 수 있을 것이다. 아멘! 아멘!

¤ 감동과 기도 ☆

♤ 15장 요점 정리 ♠

① 15장의 말씀은 후3년 반에서도 반이 지난 때에 죽음에 까지 자기 생명을 사랑하지 아니하여 짐승 적그리스도의 형상에 경배하지 아니하고 그의 표를 받지 아니함으로 이긴 성도들이(12:11) 마치 이스라엘 백성들이 홍해 바닷가에서 불렀던 감격의 노래처럼 하나님의 보좌 앞에 있는 유리 바닷가에 서서 하나님의 종 모세의 노래, 어린양의 노래를 부르는 광경을 미리 보여주신 것이다. 〔2~4절〕

② 일곱 대접 재앙으로 하나님의 진노가 완료되는데(1절) 그 시행 직전의 하나님의 장엄한 임재 광경을 보여주신 것이다. 〔5~8절〕

【계시록 제 16 장】

한 글 개 역 성 경	전통원문 직역 성경
1. 또 내가 들으니 성전에서 큰 음성이 나서 일곱 천사에게 말하되 너희는 가서 하나님의 진노의 일곱 대접을 땅에 쏟으라 하더라	1. 그리고 내가 성전으로부터 큰 음성을 들으니, 일곱 천사들에게 말하기를, 너희들은 가서, 그리고 하나님의 분노의 대접들을 땅을 향하여 부으라 하니라.
2. 첫째가 가서 그 대접을 땅에 쏟으매 악하고 독한 헌데가 짐승의 표를 받은 사람들과 그 우상에게 경배하는 자들에게 나더라	2. 그리하여 첫째가 가서, 그리고 그 대접을 땅을 향하여 그 위에 부으니, 정말 아프고 악독한 종기가 그 짐승의 표를 가진 사람들과 그의 형상에게 경배하는 자들을 대하여 나니라.
3. 둘째가 대접을 바다에 쏟으매 , 바다가 곧 죽은 자의 피같이 되니 바다 가운데 모든 생물이 죽더라	3. 그리고 둘째 천사가 그의 대접을 바다를 향하여 부으니, 또한 죽은 자의 피같이 되고, 그리고 바다 가운데 모든 살아있는 생물이 죽으니라.
4. 셋째가 그 대접을 강과 물 근원에 쏟으매 피가 되더라	4. 그리고 셋째 천사가 그의 대접을 강들과 물들의 근원을 향하여 부으니, 역시 피가 되니라.
5. 내가 들으니 물을 차지한 천사가 가로되, 전에도 계셨고, 시방도 계신 거룩하신이여 이렇게 심판하시니 의로우시도다.	5. 그리고 내가 들으니 물들의 천사가 말하기를, 지금도 계시고, 또한 계셔오시고, 그리고 앞으로도 계실 분이시여 그렇게 심판하시기 때문에, 주님께서는 의로우십니다.
6. 저희가 성도들과 선지자들의 피를 흘렸으므로, 저희로 피를 마시게 하신 것이 합당하니이다, 하더라	6. 그들이 성도들과 선지자들의 피를 흘렸기 때문에, 그러므로 주님께서 그들에게 피를 주어 마시게함이 진실로 합당하십니다고 하니라.

7. 또 내가들으니 제단이 말하기를 그러하다, 주 하나님 전능하신 시여 심판하시는 것이 참되시고 의로우시 도다, 하더라.	7. **그리고 그 제단의 가운데서 다른 말하는 것을 내가 들으니, 그러하옵니다. 주 하나님 전능자시여, 실로 당신의 심판들은 참되고 의로우십니다 하니라.**
8. 넷째가 그 대접을 해에 쏟으매, 해가 권세를 받아 불로 사람들을 태우니,	8. **그리고 넷째 천사가 그의 대접을 해를 향하여 부으니, 또한 그 사람들을 불 가운데 태우도록 그에게 허락 되니라.**
9. 사람들이 크게 태움에 태워진 지라 재앙들을 행하는 권세를 가지신 하나님의 이름을 훼방하며 또 회개하여 영광을 주께 돌리지 아니하더라.	9. **그리하여 그 사람들이 크게 불태움을 받아 태워지니라. 그리고 이들 재난들에 대해 권세를 가지신 하나님의 이름을 중상하며, 그리고 개심하여 그 분께 영광을 돌리지 아니하니라.**
10. 또 다섯째가 그 대접을 짐승의 보좌에 쏟으니 그 나라가 곧 어두워지며 사람들이 아파서 자기 혀를 깨물고,	10. **그리고 다섯째 천사가 그의 대접을 짐승의 왕좌를 향하여 부으니, 그러므로 그의 왕국이 어둡게 되며, 더욱이 그 고통을 인하여 자신들의 혀를 깨무니라.**
11. 아픈 것과 종기로 인하여 하늘의 하나님을 중상하고, 저희 행위를 회개치 하니하더라	11. **그리고 그들의 종기들과 그들의 고통들 가운데 하늘의 하나님을 중상하고, 또한 그들의 행위들로부터 개심하지 아니하니라.**
12. 또 여섯째가 그 대접을 큰 강 유프라테스에 쏟으매, 강물이 말라서 동방에서 오는 왕들의 길이 예비되더라.	12. **그리고 여섯째 천사가 그의 대접을 그 큰 강 유프흐라데를 향하여 부으니, 그리하여 그 물이 마르고, 그러므로 해의 동쪽으로부터 왕들의 길이 예비되니라.**
13. 또 내가 보매 개구리 같은 더러운 세 영이 용의 입과 짐승의 입과 거짓 선지자의 입에서 나오니,	13. **그리고 용의 입으로부터, 또한 짐승의 입으로부터, 뿐만 아니라 거짓선지자의 입으로부터 개구리들에 유사한**

	더러운 세 영들을 내가 보았는데,
14. 저희는 귀신들의 영이라 이적을 행하여 온 천하 임금들에게 가서 하나님 곧 전능하신 이의 큰날에 전쟁을 위하여 그들을 모으더라.	**14. 그러니까 그들은 악령들의 영들이라, 온 세상과 땅의 임금들을 향하여 가서 이적들을 행하며, 그리하여 하나님 전능하신 분의 그 큰 날의 전쟁에 그들을 모으니라.**
15. 보라 내가 도적같이 오리니, 누구든지 깨어 자기 옷을 지켜 벌거벗고 다니지 아니하며 자기의 부끄러움을 보이지 아니하는 자가 복이 있도다.	**15. 보라, 내가 도적 같이 가니, 깨어있는 자, 그리고 자신의 옷들을 지켜 그렇게 하여 벌거벗고 다니지 아니하고, 그리고 자신의 부끄러움을 보지 않는 자가 복이 있느니라.**
16. 세 영이 히브리 음으로 아마겟돈이라 하는 곳으로 왕들을 모으더라	**16. 그리고 그가 히브리어로 아르마家돈이라 불리우는 지역으로 그들을 모으니라.**
17. 일곱째가 그 대접을 공기 가운데 쏟으매, 큰 음성이 성전에서 보좌로부터 나서 가로되 되었다 하니	**17. 그리고 일곱째 천사가 그의 대접을 공중을 향하여 부으니, 또한 하늘의 성전으로부터 큰 소리가 나오는데, 그 보좌로부터, 말씀하시기를, 이루어졌다 하니라.**
18. 번개들과 음성들과 뇌성이 있고, 또 큰 지진이 있어 어찌 큰지 사람들이 땅에 있어 옴으로 이같이 큰 지진이 없었더라	**18. 그리하여 소리들과 천둥들과 번개들과 큰 지진이 일어나는데. 실로 땅위에 사람들이 창조되기로부터 그렇게 매우 큰 지진이 결코 일어나지 않았으며,**
19. 큰 성이 세 갈래로 갈라지고 만국의 성들도 무너지니 큰 성 바벨론이 하나님 앞에 기억하신 바 되어 그의 맹렬한 진노의 포도주잔을 받으매	**19. 그리고 큰 도시가 세 갈래로 갈라지고, 그리고 민족들의 도시들이 무너지며, 또한 하나님 앞에 그 큰 바벨론이 기억하신 바 되어 그분의 분노의 진노의 포도주잔을 그녀에게 주니,**

20. 각 섬도 없어지고 산악도 간데 없더라	20. **그러므로 모든 섬이 사라지고, 그리고 산들도 결코 보이지 않으니라.**
21. 또 중수가 한 달란트나 되는 큰 우박이 하늘로부터 사람들에게 내리매, 사람들이 그 박재로 인하여 하나님을 중상하니, 그 재앙이 심히 큼이러라.	21. **그리고 무게가 한 달란트나 되는 큰 우박이 하늘로부터 사람들을 향하여 떨어지니, 그러므로 사람들이 우박의 재난으로 말미암아 하나님을 중상하니 그 재난이 몹시 크기 때문이라.**

【 문 단 】

8. 일곱 대접 재앙 《 16:1~21 》

1〉 **첫째 대접을 쏟음** 1~2

2〉 **둘째 대접을 쏟음** 3

3〉 **셋째 대접을 쏟음** 4~7

4〉 **넷째 대접을 쏟음** 8~9

5〉 **다섯째 대접을 쏟음** 10~11

6〉 **여섯째 대접을 쏟음** 12~16

7〉 **일곱째 대접을 쏟음** 17~21

【 주 해 】

〈**개요**〉 16장에는 2~11절에 이스라엘 백성들이 아이깊토스(애굽)에서 나오기 전에 그 온 땅에 내려졌던 재앙들과 유사한 다섯 가지 하나님의 최후 진노의 재앙들이 끔찍하게 온 세상에 부어지는 현상과 12~21절에는 사탄이 온 세계의 열왕 그의 적 그리스도의 군대를 모아 재림하시는 주님과 성도들로 더불어 최후의 대 결전을 준비하는 상황을 계시하여 주신 것이다.

8장의 일곱 나팔과 16장의 일곱 대접 재앙을 대조하여 보면,

	7 나팔 재앙 (8:1~		7 대접 재앙 (16:1~	
1	땅	**우박과 피에 섞인 불이 부어짐** 나무들 1/3, 모든 풀 타버림	땅	**정말 아프고 독한 종기가** 짐승의 표를 받고 경배하는 자들에게
2	바다	**불타는 큰 산과 같은 것이 던져짐** 1/3 피가 되고 생물 1/3 죽음	바다	**죽은 자의 피같이 되고** 바다 가운데 있는 모든 생물이 죽음
3	강물	**횃불 같이 타는 큰 별이 떨어지니** 강,물 1/3 쓰게되어 많이 죽음	강물	**강들과 물들의 근원을 향해 부음** 강과 물들이 모두 피가 됨
4	해달별	**해 1/3, 달 1/3, 별1/3이 타격 입음** 1/3이 어두워지고 비침 없음	해	**불 가운데 사람들을 태우도록 함** 사람들이 크게 불태움을 받음
5	인없는자	**무저갱으로부터 메뚜기 떼가 나옴** 하나님의 인 없는 자들만 쏨	짐승보좌	**왕국이 어두워짐** 종기의 고통을 인하여 자신들의 혀를 깨뭄
6	유프라테	**유프라데에 묶인 네 천사를 놓음** 년,월,일,시에 사람 1/3이 죽음	유프라테	**물이 마르고 동쪽 왕들의 길 예비** 아르마겐돈 전쟁 위해 왕들 모음
7	하늘	**하늘에서 큰 소리들 번개 천둥** 주님의 왕국 선포, 경배 찬양	공중	**소리들 천둥들 번개들 큰 지진** 큰 도시가 무너지고 섬과 산이 사라짐

일곱 나팔 재앙과 일곱 대접 재앙은 그 대상 장소가 같음을 보며, 그러나 그 범위와 강도가 일곱 대접 재앙에 현저히 극심해졌음을 알 수 있다. 그리고 나팔 재앙은 짐승이 지배하는 세상 환경이었으나 대접 재앙은 성도들 없이 짐승을 따르는 사람들에게이다.

1〉 **첫째 대접을 쏟음** 1~2

1절 ▷ 그리고 내가 성전으로부터 큰 음성을 들으니, 일곱 천사들에게 말하기를, 너희들은 가서, 그리고 하나님의 분노의 그 대접들을 땅을 향하여 부으라 하니라.

Καὶ ἤκουσα φωνῆς μεγάλης ἐκ τοῦ ναοῦ, λεγούσης
그리고 내가들으니 소리의 큰 으로부터 그 성전, 말하기를
τοῖς ἑπτὰ ἀγγέλοις, Ὑπάγετε, καὶ ἐκχέατε τὰς φιάλας
그 일곱 천사들에게, 너희들은 가서,그리고 부으라 그 대접들을
τοῦ θυμοῦ τοῦ θεοῦ εἰς τὴν γῆν.
그 분노의 그 하나님의 향하여 그 땅을.

바로 앞의 15:8절에 하나님의 영광과 그분의 능력으로 말미암아 성전이 연기로 가득 차게 되었다고 하고, 이어서 '성전으로부터 큰 음성이 들렸다' 하였으니 하나님의 음성인 것이다. "너희들은 가서, 그리고 하나님의 분노의 대접들을 땅을 향하여 부으라"고 하셨다. 8:1~7절에 일곱 나팔의 재난이 시작될 때는 이러한 명령 없이 천사가 나팔을 불기 시작했다. 그러나 일곱 대접의 재앙은 하나님께서 친히 일곱 천사들에게 "너희들은 가서 하나님의 분노의 대접들을 땅을 향하여 부으라"고 명령하셨으니 얼마나 엄중한 일임을 나타내심이다.

2절 ▷그리하여 첫째가 가서, 그리고 그 대접을 땅을 향하여 그 위에 부으니, 정말 아프고 악독한 종기가 그 짐승의 표를 가진 사람들과 그의 형상에게 경배하는 자들을 대하여 나니라.

Καὶ ἀπῆλθεν ὁ πρῶτος, καὶ ἐξέχεεν τὴν φιάλην αὐτοῦ
그리고 가서 그 첫째가, 그 위에 부으니 그 대접을 그의
ἐπὶ τὴν γῆν· καὶ ἐγένετο ἕλκος κακὸν καὶ πονηρὸν εἰς
향하여 그 땅을. 그리하여 나니라 종기가 아프고 정말 악독한 대하여
τοὺς ἀνθρώπους τοὺς ἔχοντας τὸ χάραγμα τοῦ θηρίου,
그 사람들을 그 가진 그 표를 그 짐승의,
καὶ τοὺς τῇ εἰκόνι αὐτοῦ προσκυνοῦντας.
과 자들 형상에게 그의 경배하는.

첫째 나팔에서는 땅과 수목과 푸른 풀의 1/3이 타버리는 재앙이었다.(8:7) 그러나 이때 첫째 대접 심판에서는 수목이나 푸른 풀은 해함이 없고 그 짐승의 표를 가진 사람들과 그의 형상에게 경배하는 자들에게만 독종이 나서 고통 하도록 하는 것이다. 이때부터 성도에 관한 말이 없음은 피란처에 간 소수의 성도들 외에 지상에서 성도는 다 죽임을 당하였기 때문이다.

첫째 천사가 가서 그 대접을 땅을 향하여 부으니, 그 짐승의 표를 가진 사람들과 그의 형상에게 경배하는 자들에게 아프고 악독한 궤양 종기가 났다. 아이귚토스(애굽) 사람들과 짐승들에게 내렸던 여섯째 재앙도 독종 재앙이었다.(출 9:8~11) '독종' 'שְׁחִין(셰힌)' 은 문둥병으로(레 13:20) 발바닥부터 정수리까지 나서 고치지 못할 심한 종기로(신 28:35) 히스기야 왕에게 났던 죽을 종처로(왕하 9:7) 그리고 욥이 발바닥에서부터 정수리까지 났던 악창으로(욥 2:7) 같은 'שְׁחִין(셰힌)' 으로 말하였으니 어떤 독종이었음을 짐작케 한다. 쉬리아(수리아) 안티오커스나 헤롯도 이런 병으로 죽었다.(행 12:23) 첫째 대접 재앙의 '아프고 독한 종기' 가 어떤 것임을 알게 한다. 한 둘이 아닌 온 몸에 발생한 궤혈 종기이다.

하나님의 일곱 분노의 대접 중 제일 먼저 분노의 대접이 적그리스도 짐승의 표를 받은 자들과 그의 형상에게 경배하는 자들에게 부어지는 것이다. 셋째 대접과 다섯째 대접 재앙이 짐승과 거짓 선지자 그리고 짐승과 그의 형상에 경배하고 그의 표를 받은 자들에 대한 재앙임을 직접적으로 말씀하셨고, 다른 대접 재앙들도 그들의 활동하는 세상 무대에 대한 재앙임을 보건데 하나님께서 무엇을 분노하시고 누구를 재앙으로 치시는가를 알 수 있다.

☆ 감동과 기도 ☆

2〉 둘째 대접을 쏟음 3

3절 ▷ 그리고 둘째 천사가 그의 대접을 바다를 향하여 부으니, 또한 죽은 자의 피같이 되고, 그리고 바다 가운데 모든 살아있는 생명이 죽으니라.

Καὶ ὁ δεύτερος ἄγγελος ἐξέχεεν τὴν φιάλην αὐτοῦ
그리고 그 둘째 천사가 부으니 그 대접을 그의
εἰς τὴν θάλασσαν· καὶ ἐγένετο αἷμα ὡς νεκροῦ, καὶ
향하여 그 바다를. 또한 되니 피 같이 죽은자의, 그리고
πᾶσα ψυχὴ ζῶσα ἀπέθάέ ἐν τῇ θαλάσσῃ.
모든 생명이 살아있는 죽으니라 가운데 그 바다에.

개역 한글성경은 네슬 알란드 판을 따랐기 때문에 일곱째까지 '천사<ἄγγελος(앙겔로스)>' 라는 말이 여섯 번 모두 없다.

둘째 천사가 하나님의 분노의 대접을 바다를 향하여 붓자 바다가 죽은 자의 피같이 되고 바다 가운데 모든 생물이 다 죽는다고 한 것이다. 둘째 나팔 재앙에서는 바다 1/3이 피가 되어 바다 가운데 생물의 1/3이 죽었으나 둘째 대접의 진노에서는 모든 바다가 죽은 자의 피같이 되고 모든 살아 있는 생명이 다 죽는다고 하였으니 하나님의 분노가 얼마나 크심을 말하는 것이다. 하나님의 분노의 크심을 얼마나 실제로 아는가는 계시록에서 가장 중요한 일 중의 하나이다. 계시록을 해석하고 가르치는 종들은 사도 이오안네스(요한)처럼 엎드러져 죽은 자 같이 되는 두려움이 있어야 한다.(1:17) 하나님을 경외하는 즉 두려워하는 것은 지식의 근본<τψιαρε(레쉬트) **첫째, 가장 중요한 시작**>이라 하였으니(시 111: 10; 잠 1:7) 하나님을 두려워하지 않는 기독교인은 가장 중요한 시작도 되지 않은 것이다.

☼ 감동과 기도 ☆

3〉 셋째 대접을 쏟음 4~7

4절 ▷ 그리고 셋째 천사가 그의 대접을 강들과 물들의 근원을 향하여 부으니, 역시 피가 되니라.

Καὶ ὁ τρίτος ἄγγελος ἐξέχεεν τὴν φιάλην αὐτοῦ εἰς
그리고 그 셋째 천사가 부으니 그 대접을 그의 향하여
τοὺς ποταμοὺς καὶ εἰς τὰς πηγὰς τῶν ὑδάτων· καὶ
그 강들을 과 향하여 그 근원 그 물들의. 역시
ἐγένετο αἷμα. ←되니라 피가

셋째 천사가 하나님의 분노의 대접을 강들과 물들의 근원을 향하여 붓자 역시 모든 물이 피가 되었다. 아이깊토스(애굽)에서 첫째 재앙 때 강들과 나일강과 못과 모든 호수가 피가 되어 사람들이 물을 마시지 못하게 되어 강들 주위를 두루 파서 마실 물을 구하였다고 하였다.(출 7:17~24) 시편 78:44절에는 '하나님께서 저희의 강과 시내를 피로 변하여 마실 수 없게 하셨다'고 하였다.

셋째 나팔 재앙 때에는 횃불 같이 타는 큰 별이 강들과 물들의 샘들 1/3에 떨어져 물들의 1/3이 쓰게 되어 사람들의 많은 수가 죽었다고 했으나,(8:10~11) 셋째 대접의 심판에서는 물이 쓰게 된 것이 아니라 피가 되었다고 하였다. 이것은 일곱 대접 심판이 일곱 나팔 재앙보다 더욱 준엄한 심판의 형태임을 나타낸다. 그때 전 세계적으로 되어질 상황을 생각해 보면 정말 두렵지 않을 수 없다. 지금도 세계 어느 한 강이 강변의 화학공장이 폭발하여 강물이 오염되면 세계적인 뉴스가 되고 있는데 그때는 전 세계의 물이 다 피가 되니 어떠하겠는가?

5절 ▷ 그리고 내가 들으니 물들의 천사가 말하기를, 지금도 계시고, 또한 계셔오시고, 그리고 앞으로도 계실 분이시여 그렇게 심판하시기 때문에, 주님께서는 의로우십니다.

καὶ ἤκουσα τοῦ ἀγγέλου τῶν ὑδάτων λέγοντος, Δίκαιος,
그리고 내가 들으니 그 천사가 그 물들의 말하기를, 의로우십,
κύριε, εἶ, ὁ ὢν καὶ ὁ ἦν καὶ ὁ ἐσόμενος
주님께서는, 니다, 지금도 계시고 또한 계셔 오시고 그리고 분 앞으로도 계실
ὅτι ταῦτα ἔκρινας· ← 때문에 그렇게 심판하시기

물들을 관장하는 천사가 말하기를 '모든 물들이 피가 되는 이 재앙의 심판은 하나님의 의로우신 심판 때문이라' 고 한 것이다. 이때는 긍휼과 용서의 때가 아니요 의로운 심판만 있는 때이다.

7:1절에는 땅위의 네 바람을 잡은 네 천사라 하였고, 14:18절에는 '불의 위에 권세를 가진 천사' 라고 하였으니 하나님께서는 천사들로 하여금 모든 일의 각 영역을 맡아 관장하도록 하시는 것을 알 수 있다. 하나님의 심판은 의로우시다고 하였다.

네슬 알란드 판을 따른 개역 한글성경에는 전에도 계셨고 시방도 계신<*ὁ ὢν καὶ ὁ ἦν*>(바른 번역 → **지금도 계시고, 또한 계셔오시고**) '거룩하신 이여<*ὅσιος*(호시스)' 로 되어 있으나 전통원문(공인본문)에는 지금도 계시고, 또한 계셔오시고 '앞으로도 계실 분<*ὁ ἐσόμενος*(호 에소메노스)>' 으로 되어 있다.

6절 ▷ 그들이 성도들과 선지자들의 피를 흘렸기 때문에, 그러므로 그들에게 피를 주어 마시게 함이 진실로 합당하십

니다고 하니라.

ὅτι αἷμα ἁγίων καὶ προφητῶν ἐξέχεαν, καὶ αἷμα αὐτοῖς
때문에 피를 성도들의 과 선지자들의 흘렸으니,그러므로 피를 그들에게
ἔδωκας πιεῖν· ἄξιοι γάρ εἰσιν. ←주어 마시게 합당 진실로 이다

이사야 49:26절에는 "내가 너를 학대하는 자로 자기의 고기를 먹게 하며, 새 술에 취함 같이 자기의 피에 취하게 하리니"라고 비유적으로 말하였으나 여기서는 문자적으로 가차없는 보응을 말한 것이다.

사탄의 사주를 받아 짐승 적그리스도와 거짓선지자가 짐승과 그의 형상에게 경배하지 않는 자와 짐승의 표를 받지 아니하는 종들과 성도들을 무참하게 살해하였으므로 하나님께서 짐승과 거짓 선지자와 그의 편에서 굴종하는 세계 모든 백성들에게 피를 마시게 하는 것이 합당하다고 하였다. 하나님께서 이렇게 분노하지 않을 수 없는 이유를 분명히 말한 것이다.

7절 ▷ 그리고 그 제단의 가운데서 다른 말하는 것을 내가 들으니, 그러하옵니다. 주 하나님 전능자시여, 실로 당신의 그 심판들은 참되고 의로우십니다 하니라.

καὶ ἤκουσα ἄλλου ἐκ τοῦ θυσιαστηρίου λέγοντος,
그리고 내가들으니 다른 가운데서 그 제단의 말하기를,
Ναί, κύριε ὁ θεὸς ὁ παντοκράτωρ, ἀληθιναὶ καὶ
그러하옵니다, 주 그 하나님 그 전능자시여, 참되고 실로
δίκαιαι αἱ κρίσεις σου. ←의로우십니다 그 심판들은 당신의

개역 한글성경은 번역하기를 '제단이 말하기를' 하였으나 바른 번역이 되지 못한다. 전치사 '*ἐκ*(에크)'는 '로부터, ~가운데,

~에서' 라는 말이며 '제단' 은 소유격으로서 '제단이' 라고 주격으로 할 수 없고, '다른' 이라는 'ἄλλου(알루)' 라는 말이 개역 한글성경 네슬 알란드 사본에는 없다.

그러므로 바른 번역은 제단의 가운데서 다른 말하는 것을 들으니 "그러하옵니다. 주 하나님 전능자시여, 실로 당신의 심판들은 참되고 의로우십니다" 이다. 6:9절에 다섯째 인을 여셨을 때 순교자들의 생명들이 탄원하기를 "거룩하시고 참되신 주님, 심판하여 땅위에 거주하는 자들로부터 우리들의 피를 변호하지 아니하시기를 언제가지입니까?" 라고 하였는데 이제 그 탄원이 성취됨으로(6:11) 순교자들이 "그러하옵니다. 주 하나님 전능자시여, 실로 당신의 심판들은 참되고 의로우십니다" 고 합창하는 것이다. 너무나 오래 동안 기다려온 심판이기 때문에 감격 이루 말할 수 없다.

¤ 감동과 기도 ☆

4〉 넷째 대접을 쏟음 8~9

8절 ▷ 그리고 넷째 천사가 그의 대접을 해를 향하여 부으니, 또한 그 사람들을 불 가운데 태우도록 그에게 허락되니라.

Καὶ ὁ τέταρτος ἄγγελος ἐξέχεεν τὴν φιάλην αὐτοῦ
그리고 그 넷째 천사가 부으니 그 대접을 그의
ἐπὶ τὸν ἥλιον· καὶ ἐδόθη αὐτῷ καυματίσαι τοὺς
향하여 그 해를. 또한 허락되니 그에게 태우도록 그
ἀνθρώπους ἐν πυρί· ←사람들을 가운데 불에

'사람들' 에 관사 'τοὺς(투스) 그' 가 있어 2절의 그 짐승의 표를 가진 사람들 그리고 그의 형상에게 경배하는 자들임을 말한다.

넷째 천사는 하나님의 분노의 대접을 해를 향하여 붓도록 허락되니 그 사람들이 해의 열기로 불에서 타듯이 태움을 받는 것이다. 영원한 유황 불 못의 형벌을 조금 미리 맛보게 되는 것이다.

태양의 열은 속이 30,000도이고 표면은 6,000도이다. 사람들이 불 가운데 태워진다고 하였는데 이것을 실제로 믿는 사람이 얼마나 되겠는가? 하나님은 아주 간단하게 이렇게 하실 수 있다. 해가 더 뜨거워지게 하지 않아도 태양과 지구의 거리를 조금만 가깝게 만 하면 사람들은 태워지고 난리가 난다.

자연현상으로 여름에 40도 정도의 더위가 2,3주간만 계속되어도 온 지구촌에 일사병 열사병으로 죽는 사람이 속출하고, 전기 변압기들이 과부하로 터져서 냉방이 멈추고, 냉장고가 가동이 안되어 음식이 상하고 난리인데, 하나님의 진노인 넷째 대접 재앙에 태양이 사람을 태워 크게 태워진다고 하였으니 상상을 초월하는 일이다.

9절 ▷ 그리하여 사람들이 크게 불태움을 받아 태워지니라. 그리고 이들 재난들에 대해 권세를 가지신 하나님의 이름을 중상하며, 또한 개심하여 그분께 영광을 돌리지 아니하니라.

καὶ ἐκαυματίσθησαν οἱ ἄνθρωποι καῦμα μέγα, καὶ ἐβλασ
그리하여 사리워지니라 그 사람들이 불태움을 크게, 그러므로 중상-

φήμησαν τὸ ὄνομα τοῦ θεοῦ τοῦ ἔχοντος ἐξουσίαν ἐπὶ
하며 그 이름을 그 하나님의 그 가지신 권세를 에대해

τὰς πληγὰς ταύτας, καὶ οὐ μετενόησαν δοῦναι αὐτῷ δόξαν.
그 재난들을 이들, 또한 아니 개심하여 돌리지 그분께 영광을.

사람들이 크게 불태움을 받아 태워진다. 전 세계 사람들은 태양의 불태움을 피하려고 지하로 도피하는데 주력할 것이다. 그러니 지상에서의 일상 생활을 할 수 없음으로 전 세계 시스템은 마비되고 혼란하여 정말 두려움과 공황의 늪에 빠진다.

그런데 더욱 놀라운 일은 그 사람들이 이들 재난들에 대해 권세를 가지신 하나님의 이름을 악명으로 욕하며 명예를 훼손하는 중상을 하며, 개심하여 그분께 영광을 돌리지 아니하는 것이다. 은혜의 때가 벌써 지나 구원의 날이 아닌 심판의 날이기 때문이며, 짐승의 표를 받은 사람들 그리고 그의 형상에게 경배하는 자들은 구원받을 자들이 아니기 때문에 개심 되지를 않는다.

☼ 감동과 기도 ☆

5〉 다섯째 대접을 쏟음 10~11

10절 ▷ 그리고 다섯째 천사가 그의 대접을 짐승의 왕좌를 향하여 부으니, 그러므로 그의 왕국이 어둡게 되며, 더욱이 그 고통을 인하여 자신들의 혀를 깨무니라.

Καὶ ὁ πέμπτος ἄγγελος ἐξέχεεν τὴν φιάλην αὐτοῦ ἐπὶ τὸν
그리고 그 다섯째 천사가 부으니 그 대접을 그의 를 향하여 그
θρόνον τοῦ θηρίου· καὶ ἐγένετο ἡ βασιλεία αὐτοῦ ἐσκοτωμένη· καὶ ἐμασσῶντο τάς γλώσσας αὐτῶν ἐκ τοῦ πόνου,
보좌를 그 짐승의. 그러므로 되며 그 왕국이 그의 어둡게
더욱이 깨물고 그 혀를 자신들의 을 인하여 그 고통의,

다섯째 천사는 하나님의 분노의 대접을 짐승의 보좌를 향하여 붓는다. 그러자 짐승의 왕국이 어두워지며 사람들이 고통을 인하여 혀를 깨물게 된다. 고통을 인하여 혀를 깨문다고 하였으니 어느 정도 고통인지를 짐작할 수 있다. '깨물고' 라고 한 헬라

어 '*ἐμασσῶντο*(에맛손-토)'는 '반죽하다'라는 뜻을 지닌 '*μάω*(마오)'에서 파생하여 "씹다'라는 뜻을 나타내는 '*μασάομαι*(마사오마이)'의 미완료 시제로서 사람들이 고통 때문에 자신의 혀를 계속해서 반복적으로 깨물고 있음을 말하는 것이다.

넷째 대접의 태양이 사람들을 태우는 재앙으로 지구촌 어느 곳이든 모든 사람들이 지하 어두운 곳으로 피하여 살면서 그러면서도 개심 하기는커녕 오히려 하나님을 욕하고 중상한다. 하나님께서는 저들이 은신하여 사는 지하 어느 곳이든 조금이라도 어두움이 있는 곳이면 고통이 있게 하는 것이다. 사람들은 태양의 불태움을 피하여 어두운 곳으로 숨으나 하나님의 심판은 저들이 피한 어두움에까지 재앙을 내리신다. 하나님의 심판을 피하여 숨을 곳이 없다. 사탄의 조종을 받아 어두움의 이 세상 주관자인(엡 6:12) 짐승의 왕국에 내리시는 하나님의 심판이기 때문이다. 아이귚토스(애굽)에 내리셨던 아홉째 재앙이 어두움의 재앙이었다. 그러나 이스라엘 자손들의 거처에는 빛이 있었다.(출 10:21~23)

11절 ▷ 그리고 그들의 종기들과 자신들의 고통들 가운데 하늘의 하나님을 중상하고, 또한 그들의 행위들로부터 개심하지 아니하니라.

καὶ ἐβλασφήμησαν τὸν θεὸν τοῦ οὐρανοῦ ἐκ τῶν πόνων
그리고 중상하고 그 하나님 그 하늘의 가운데 그 고통들의
αὐτῶν καὶ ἐκ τῶν ἑλκῶν αὐτῶν, καὶ οὐ μετενόησαν
자신들의 과 로부터 그 종기들의 그들의, 또한 아니 개심치
ἐκ τῶν ἔργων αὐτῶν. ←로부터 그 행위들의 저들의

첫째 대접 재앙에서 정말 아프고 악독한 종기가 짐승의 표를 가진 자들, 그의 형상에 경배한 자들에게 났다고 하였는데 그 지독한 종기로 아픈 고통이 다섯째 대접 재앙까지 계속되고 있을 뿐만 아니라 더욱 극심해짐을 말한다. 이요브(욥)는 그의 친구들이 찾아 왔을 때 몇 달째 고통을 당하고 있었다고 하였다.(욥 7:3) 그런데 첫째 대접 재앙 때의 종기의 고통이 다섯째 재앙에도 계속되고 있으니 적어도 일년 이상 계속되는 고통이다.

바로 앞의 넷째 대접 심판의 재앙을 당하면서도 사람들이 개심치 않고 오히려 하나님을 중상한다고 했는데, 다섯째 심판의 재앙인 악한 종기와 헌데로 인한 고통으로 혀를 깨물면서도 여전히 하늘의 하나님을 중상하고 저들의 행위들을 개심치 않는다. 완전히 구제불능인 것이다.

¤ 감동과 기도 ☆

6〉 여섯째 대접을 쏟음 12~16

12절 ▷ 그리고 여섯째 천사가 그의 대접을 그 큰 강 유프흐라데를 향하여 부으니, 그리하여 그 물이 마르고, 그러므로 해의 동쪽으로부터 왕들의 길이 예비되니라.

Καὶ ὁ ἕκτος ἄγγελος ἐξέχεεν τὴν φιάλην αὐτοῦ ἐπὶ
그리고 그 여섯째 천사가 부으니 그 대접을 그의 향하여

τὸν ποταμὸν τὸν μέγαν τὸν Εὐφράτην· καὶ ἐξηράνθη
그 강들을 그 큰 그 유프흐라데를. 그리하여 말라서

τὸ ὕδωρ αὐτοῦ. ἵνα ἑτοιμασθῇ ἡ ὁδὸς τῶν βασιλέων
그 물이 그의. 그러므로 예비되니라 그 길이 그 왕들의

τῶν ἀπὸ ἀνατολῶν ἡλίου. ←그 으로부터 동쪽 해의

여섯째 천사가 그 대접을 큰 강들 유프겐흐라데(유브라데)를 향하여 부으니 그 강물이 마르고 동쪽으로부터 오는 왕들의 길이 예비된다고 하였다. 이것은 인류역사상 가장 최후의 전쟁, 재림하신 주님과 성도들을 대적하여 싸우는 사탄과 짐승과 거짓 선지자의 2억의 군대들과(9:14~16) 아르마겐돈 전쟁을 하기 위하여 준비하게 하는 것이다.

성경 말씀을 그대로 믿지 않는 자들 중에 홍해 바다가 갈라지고 모든 이스라엘 백성들이 걸어서 건넌 것을 홍해 바닷물이 발목에 찰까말까 하는 곳으로 건넜다고 주장한다. 그렇다면 참으로 하나님의 능력이 아닌가? 그 정도의 얕은 물에 추격하던 수많은 마병과 병거들이 다 수장되게 하셨으니 말이다.(출 14:21~31)

짐승 적그리스도의 본부는 흐로메(로마)에 있는데 최후의 전쟁을 위한 왕들은 왜 동쪽 유프흐라테스(유브라데)를 지나서 온다고 하였는가? 유프흐라테스(유브라데)강 동편 이란은 자살 폭탄 군사 40,000명을 양성하고 있다고 호언하였다.(2006. 4.17)

불교가 성한 동양의 나라들 특히 불의 종주국인 인구 4억인 인도와 용을 대단히 숭상하는 인구 13억인 중국, 그리고 베트남, 태국도 불교국으로서 용의 조종을 받는 나라들이다. 용이 충동하면 동쪽으로부터 왕들이 아르마돈(아마겟돈)으로 모일 여건이 준비되어 있다.

13절 ▷ 그리고 그 용의 입으로부터, 또한 그 짐승의 입으로부터, 뿐만 아니라 그 거짓선지자의 입으로부터 개구리들에 유사한 더러운 세 영들을 내가 보았는데,

Καὶ εἶδον ἐκ τοῦ στόματος τοῦ δράκοντος, καὶ ἐκ τοῦ
그리고 내가 보니 으로부터 그 입의 그 용의, 또한 으로부터 그
στόματος τοῦ θηρίου, καὶ ἐκ τοῦ στόματος τοῦ ψευδο
입의 그 짐승의, 뿐만아니라 로부터 그 입의 그 거짓선
προφήτου, πνεύματα τρία ἀκάθαρτα ὅμοια βατραχοις·
지자의, 영들을 세 더러운 유사한 개구리에.

사도 이오안네스(요한)는 용의 입으로부터, 그리고 짐승의 입으로부터, 그리고 거짓 선지자의 입으로부터 개구리에 유사한 더러운 세 영들을 보았다고 하였다. 소위 사탄의 삼위일체라고 하는 용과 짐승과 거짓선지자 각각의 입에서 더러운 영들이 보였다고 주지시킨다. 하나님께서 삼위일체이심 같이 사탄도 하나님 같은 행세를 하는 것을 나타낸다. 개구리는 물에 사는 것 중에 지느러미와 비늘이 없는 것으로 하나님께서 혐오스런 것이라 하셨다.(레 11:10) 그리고 개구리는 하나님께서 미쯔라임(애굽)에 내리셨던 두 번째 재앙이었는데,(1~14) 개구리는 땅을 기면서 계속 소리를 지르는 것이 특징이다. 말로써 사람을 잘못되게 미혹하는 영임을 말한다. 다른 예수, 다른 영, 다른복음(고후 11:4)이 더러운 세 영들이다. 지금도 온 세계는 이 세 더러운 개구리 영으로 시끄럽다.

개역 한글성경에는 입에서 '나오니' 라고 했으나 헬라 원문에는 '나오니' 라는 말이 없다.

14절 ▷ 그러니까 그들은 악령들의 영들이라, 온 세상과 땅의 임금들을 향하여 가서 이적들을 행하며, 그리하여 하나님 전능하신 분의 그 큰 날의 전쟁에 그들을 모으니라.

εἰσὶν γὰρ πνεύματα δαιμόνων ποιοῦντα σημεῖα, ἐκπορε-
이라 그러니까 영들 악령들의 을 행하여 이적들을, 가서

ύεσθαι ἐπὶ τοὺς βασιλεῖς τῆς γῆς καὶ τῆς οἰκουμένης
향하여 그 임금들을 그 땅의 그리하여 그 세상의
ὅλης, συναγαγεῖν αὐτοὺς εἰς πόλεμον τῆς ἡμέρας
온, 모으더라 그들을 에 전쟁을 그 날의
ἐκείνης τῆς μεγάλης τοῦ θεοῦ τοῦ παντοκράτορος.
그 그 큰 그 하나님의 그 전능하신이의.

개역 한글성경에 '귀신' 이라고 번역한 '*δαίμων*(다이몬)' 은 '죽은 사람의 넋' 인 '귀신(鬼神)' 이 아니고 '악령' 이다. '죽은 사람의 넋' 이 귀신으로 사람을 미치게 하고, 병들게 하고, 나쁜 일을 한다는 것은 헬라의 이교사상으로서 기독교에 받아들여진 잘못된 사상이다. 성경에서 헬라어 사탄<*Σατανᾶς*(사타나-스)>인 마귀<*διάβολος*(디아볼로스)>는 항상 단수인 것은 하나이기 때문이며 그 사자인 악령은<*δαίμων*(다이몬)' 은 단수 또는 복수로(군대→막 5:9, 15) 되어 있는 것은 수가 많기 때문이다. 용과 짐승과 거짓선지자의 입에서 보인 영들은 사탄의 사자인 악하고 더러운 영들인 것이다.

15절 ▷ 보라, 내가 도적 같이 가니, 깨어있는 자, 그리고 자신의 옷들을 지켜 그렇게 하여 벌거벗고 다니지 아니하고, 그리고 자신의 부끄러움을 보지 않는 자가 복이 있느니라.

Ἰδού, ἔρχομαι ὡς κλέπτης. μακάριος ὁ γρηγορῶν,
보라, 가니 같이 도적, 복이 있다 자가 깨어있는,
καὶ τηρῶν τὰ ἱμάτια αὐτοῦ, ἵνα μὴ γυμνὸς περιπατῇ,
그리고 지켜 그 옷들을 자신의, 그렇게 하여 벌거벗고 다니지,
καὶ βλέπωσιν τὴν ἀσχημοσύνην αὐτοῦ.
그리고 보지 그 부끄러움을 자신의.

여기 7년 대환란이 끝날 때가 가까운 여섯째 대접 재앙에서

제 16 장

까지 "깨어있는 자, 그리고 자신의 옷들을 지켜 그렇게 하여 벌거벗고 다니지 아니하고, 그리고 자신의 부끄러움을 보지 않는 자가 복이 있느니라" 고 하신 것은 이때도 참된 성도가 세상에 남아 있다는 말씀인 것이다. 피란처에 가 있는 성도를 말함일 것이다. 피란처에 간 성도가 아니고는 세상에 살아 남아 있을 수가 없기 때문이다.

주님께서 재림하시는 시간까지 살아 남아 있는 성도가 하나도 없다면 재림하실 때 사방에서 택하신 자들을 모은다는 말씀이나(마 24:31) 살아 있던 성도들이 휴거 되어 공중에서 재림하시는 주님을 만난다는 성경 말씀이(살전 4:15~18) 맞지 않을 것이다.

16절 ▷ 그리고 그가 히브리어로 아르마家돈이라 불리우는 지역을 향해 그들을 모으니라.

καὶ	*συνήγαγεν*	*αὐτοὺς*	*εἰς*	*τὸν*	*τόπον*	*τὸν*	*καλούμενον*
그리고	모으니라	그들을	향해	그	지역을	그	불리우는

Ἑβραϊστὶ Ἀρμαγεδδών. ← 히브리어로 아르마겐돈

주님께서는 히에루살렘(예루살렘) 엘라이아(감람)산에서 승천하셨는데 올라가신 그대로 오신다고 하심 같이(행 1:11) 엘라이아(감람산)산에 재림하신다고 예언되어 있다.(슥 14:4) 그런데 '아르마겐돈(아마겟돈)' 은 엘라이아(감람)산에서 약간 서북쪽으로 카르멜(갈멜)산 아래 평원을 말하는데 이곳은 옛부터 중대한 전쟁의 격전지로 이름 있는 메기돈(므깃도)으로 본다.

이 장소의 정확한 위치를 밝혀내기 위한 노력의 역사를 추적하면, 유명한 에버하아드 넷슬(Eberhard Nestle)은 "가장 그럴

듯한 설명은 무엇보다도 이곳과 메기돈(므깃도)이 관련 있다고 보는 것이다"고 하였다. 특히 '아르마겓돈(아마겟돈)'은 '아르'와 '메깃돈'의 합성어로 '아르'는 일반적으로 '산'을 가리키며, '메깃돈'은 '므깃도'라는 지명에서 파생한 것이다. '므깃도 산'은 갈멜산'을 의미한다.(옥스퍼드 원어 성경대전) 여러 학자들이 지적해 온 바 '아르마겓돈(아마겟돈)'은 최종 전투를 위한 군사 동원지로 알려져 있는 것이다. 재림하시는 주님께서 이곳에서 짐승 적그리스도와 그의 군대들을 멸하시고 짐승과 거짓 선지자를 생포하도록 하신다.(19: 19~21) 이 전쟁을 최후의 '아르마겓돈(아마겟돈)' 전쟁이라 한다.

열왕기하 23:29절에 페라트(유브라데스)강과 메기돈(므깃도)이 전쟁에 연관되어 언급된 것은 좋은 증거가 된다. "요쉬야(요시야) 당시에 미쯔라임(애굽) 왕 파르오 네코(바르느고)가 아슈-르(앗수르) 왕을 치고자 하여 페라트(유브라데스) 강으로 올라가므로 요쉬야(요시야) 왕이 나가서 방비하더니 미쯔라임(애굽) 왕이 요쉬야(요시야)를 메기돈(므깃도)에서 만나 본 후에 죽인지라"(왕하 23:29) 페라트(유브라데스)강과 메기돈(므깃도)이 연관되어 있다.

☼ 감동과 기도 ☆

7〉 일곱째 대접을 쏟음 17~21

17절 ▷ 그리고 일곱째 천사가 그의 대접을 공중을 향하여 부으니, 또한 하늘의 그 성전으로부터 큰 소리가 나오는데, 그 보좌로부터, 말씀하시기를, 이루어졌다 하니라.

Καὶ ὁ ἕβδομος ἄγγελος ἐξέχεεν τὴν φιάλην αὐτοῦ
그리고 그 일곱째 천사가 부으니 그 대접을 그의
εἰς τὸν ἀέρα· καὶ ἐξῆλθεν φωνὴ μεγάλη ἀπὸ τοῦ ναοῦ
향하여 그 공중을. 또한 나오니 소리가 큰 로부터 그 성전의
τοῦ οὐρανοῦ, ἀπὸ τοῦ θρόνου, λέγουσα, Γέγονεν.
그 하늘의, 로부터 그 보좌의, 말하기를, 이루어졌다.

마지막 일곱째 천사가 하나님의 분노의 일곱째 대접을 공중을 향하여 부었다. 개역 한글성경에 '공기' 라고 번역한 헬라어 'ajhvr(아에르)' 는 신약성경에서 7회 나오는데 행 22:23; 고전 9:26; 살전 4:17; 엡 2:2등을 보아 '공기' 보다는 '공중' 으로 번역해야 옳다. '공중' 은 마귀의 거처로 말해지고 있으므로(엡 2:2, 6:12) 공중을 향하여 하나님의 분노의 대접을 붓는다는 것은 최종적으로 마귀의 거처에 재앙을 부으신다는 말씀이다.

그때 하늘의 성전으로부터 큰 소리가 나서 말하기를 "이루어졌다" 고 하였다. '*Γέγονεν*(게고넨)' 은 직설 완료 능동으로 하나님께서 용 곧 마귀의 거처에 재앙을 부으심으로 심판을 능동적으로 완료하시는 것을 선포하는 것이다.

18절 ▷ 그리하여 소리들과 천둥들과 번개들과 큰 지진이 일어나는데. 실로 땅위에 사람들이 창조되기로부터 그렇게 매우 큰 지진이 결코 일어나지 않았으며,

καὶ ἐγένοντο φωναὶ καὶ βρονταί, καὶ ἀστραπαί, καὶ σεισμὸς
그리고 일어나고 소리들 과 천둥들, 과 번개들, 과 지진이
ἐγένετο μέγας, οἷος οὐκ ἐγένετο ἀφ' οὗ οἱ ἄνθρωποι
일어나고 큰, 그와같은 결코 일어나지 로부터 않았 그 사람들이
ἐγένοντο ἐπὶ τῆς γῆς, τηλικοῦτος σεισμὸς οὕτως μέγας.
창조되기 위에 그 땅의, 매우 큰 지진이 그렇게 큰.

그리하여 소리들과 천둥들과 번개들과 큰 지진이 일어나는데. 실로 땅위에 사람들이 창조되기로부터 그렇게 매우 큰 지진이 결코 일어나지 않았다고 하였다. 국지적이 아닌 전 세계적으로 동시에 지상 최후 최대의 지진이 일어나며 천둥들과 번개들이 울려 퍼지는데 놀라서 심장마비로 죽는 사람이 부지기수이고 온 세계 사람들이 정신이 나가 어찌할 줄을 모르게 된다. 지진의 복구, 엄두도 내지 못한다.

19절 ▷ 그리하여 큰 도시가 세 갈래로 갈라지고, 그리고 민족들의 도시들이 무너지며, 또한 하나님 앞에 그 큰 바뷜론이 기억하신 바 되어 그분의 분노의 진노의 포도주 잔을 그녀에게 주니,

καὶ ἐγένετο ἡ πόλις ἡ μεγάλη εἰς τρία μέρη, καὶ αἱ
그리고 갈라지고 그 도시가 그 큰 로 세 갈래, 그리고 그
πόλεις τῶν ἐθνῶν ἔπεσον· καὶ Βαβυλὼν ἡ μεγάλη
도시들이 그 민족들의 무너지며. 또한 바뷜론이 그 큰
ἐμνήσθη ἐνώπιον τοῦ θεοῦ, δοῦναι αὐτῇ τὸ ποτήριον
기억하신바되어 앞에 그 하나님의, 주니 그에게 그 잔을
τοῦ οἴνου τοῦ θυμοῦ τῆς ὀργῆς αὐτοῦ.
그 포도주의 그 분노의 그 진노의 그분의.

지진으로 세계의 큰 도시가 세 갈래로 갈라지고 도시들이 수없이 무참하게 무너진다. 죽는 사람을 셀 수 없으며, 도시마다 화재가 일어나 전 세계는 그야말로 아수라장이며 생지옥이다. 통곡하는 소리 울부짖는 소리가 천지를 진동한다.

그런데 지상에서 하나님께서 철저하게 응징할 대상이 있으니, 음녀 바뷜론(바벨론)인 것이다. 하나님의 분노의 진노의 잔을 그녀에게 주었다고 하였다. 여기서 특별히 '분노의' '진노

의' 잔이라고 이중으로 말한 것은 하나님께서 얼마나 분노하시고 진노하신다는 극도의 표현인 것이다. 그만큼 그 응징이 막중할 것을 말함이니 17장과 18장 두 장에 걸쳐 그 응징이 말해진 것은 그만큼 오래 참고 참으신 하나님의 분노가 얼마나 크셨음을 증명하는 것이다.

20절 ▷ 그리하여 모든 섬이 사라지고, 그리고 산들도 결코 보이지 않으니라.

καὶ πᾶσα νῆσος ἔφυγεν, καὶ ὄρη οὐχ εὑρέθησαν.
그리하여 모든 섬이 사라지고, 그리고 산들 결코 아니 보이지.

여섯째 인을 여셨을 때는 '모든 산과 섬이 제 지점으로부터 이동되었다' 고 하였으나, 이제 여기서는 지진이 전 세계적으로 얼마나 극심했던지 모든 섬이라는 섬은 다 사라져버리고 험준한 산들도 보이지 않게 되어 육지는 단순하고 동산 같아지는 것이다. 천년왕국을 위한 새 하늘과 새 땅으로 천지개벽이 되는 것이다. 천년왕국 때는 섬이 필요 없음으로 없어지고 높은 산도 없어지고 육지도 천년왕국 통치에 알맞게 재편되는 것이다.

"말일에 여호와의 전의 산이 모든 산꼭대기에 굳게 설 것이요 모든 작은 산 위에 뛰어나리니 만방이 그리로 모여들 것이라. 많은 백성이 가며 이르기를 오라 우리가 여호와의 산에 오르며 야곱의 하나님의 전에 이르자. 그가 그 도로 우리에게 가르치실 것이라 우리가 그 길로 행하리니 이는 율법이 시온에서부터 나올 것이요 여호와의 말씀이 예루살렘에서부터 나올 것임이니라. 그가 열방 사이에 판단하시며 많은 백성을 판결하시리니 무리가 그 칼을 쳐서 보습을 만들고 그 창을 쳐서 낫을 만들 것이며 이 나라와 저 나라가 다시는 칼을 들고 서로 치지 아니하며 다시는 전쟁을 연습지 아니하리라" (사 2:2~4)

이 예언은 천년왕국을 예언한 것으로 히에루살렘(예루살렘)이 모든 산꼭대기 곧 작은 산들 위에 굳게 설 것이라 하였으니 천년왕국의 수도인 히에루살렘(예루살렘)이 지구상에서 가장 높은 지역이 되어(20:9 ←천년왕국이 끝나고 반역하는 백성들이 넓은 땅위로 기어올라 싸우려 한다고 하였음) 그곳에 주님께서 계시면서 통치하실 것이기 때문에 지금의 히에루살렘(예루살렘)과 이스라엘과 중동 그리고 세계 지도와는 완전히 달라지는 것이다.

21절 ▷ 그리고 무게가 한 달란트나 되는 큰 우박이 하늘로부터 사람들을 향하여 떨어지니, 그러므로 사람들이 우박의 재난으로 말미암아 하나님을 중상하니 그들의 그 재난이 몹시 크기 때문이라.

καὶ χάλαζα μεγάλη ὡς ταλαντιαία καταβαίνει ἐκ τοῦ
그리고 우박이 큰 나 되는 무게가 달란트 떨어지니 로부터 그
οὐρανοῦ ἐπὶ τοὺς ἀνθρώπους· καὶ ἐβλασφήμησαν οἱ
하늘의 을 향하여 그 사람들을. 그러므로 중상하니 그
ἄνθρωποι τὸν θεὸν, ἐκ τῆς πληγῆς τῆς χαλάζης· ὅτι
사람들이 그 하나님을, 말미암아 그 재난의 그 우박의. 때문에
μεγάλη ἐστὶν ἡ πληγὴ αὐτῆς σφόδρα.
크기 이라 그 재난이 그들의 몹시.

무게가 한 달란트나 되는 큰 우박이 하늘로부터 사람들을 향하여 떨어진다고 하였다. 한 달란트는 약 34Kg의 무게로서 이렇게 큰 우박이 사람들에게 떨어지니 맞은 사람은 즉사하게 된다. 이 우박은 자연의 기후로 형성된 우박이 아니라 '하나님으

로 말미암은' 우박이라 하였음으로 초자연적인 재앙의 우박인 것이다. 이요브(욥)기 38:22~23절에 "네가 눈 곳간에 들어갔었느냐 우박 창고를 보았느냐 내가 환난 때와 전쟁과 격투의 날을 위하여 이것을 저축하였노라"고 하였고, 야헤쯔켈(에스겔) 13:13절에는 "나 주 여호와가 말하노라 …… 분노하여 큰 우박덩이로 훼멸하리라"고 하셨으니 '큰 우박'은 하나님의 분노의 징벌인 것이다. 사람만 아니라 건물이나 농작물의 파괴도 이루 말할 수 없게 되니 참으로 온 세상은 파멸 그 자체인 것이다.

그런데 그 재난이 몹시 크기 때문에 사람들이 우박의 재난으로 말미암아 하나님을 중상한다고 한 것이다. 이렇게도 인간들은 완고하다. 마귀가 달리 없는 것이다.

¤ 감동과 기도 ☆

♤ 16장 요점 정리 ♠

① 하나님의 성전에서 큰 음성이 나서 일곱 천사에게 말하기를 "너희는 가서 하나님의 진노의 일곱 대접을 땅을 향하여 부으라"고 하였다. 하나님의 명령에 의해 시행되는 재앙이다.〔1절〕

② 첫째 천사가 대접을 땅을 향하여 부으니 짐승의 표를 가진 사람들과 그의 형상에게 경배하는 자들에게 정말 아프고 악독한 궤양 종기가 났다. 제일 먼저 하나님의 진노는 짐승의 표를 가진 사람들과 그의 형상에게 경배하는 자들에게였다. 짐승의 표를 가지고 그의 형상에게 경배하는 것을 하나님께서 얼마나 노하시는가를 알아야 하는데 상징이라 가르치니 참으로 통탄스럽다.〔2절〕

③ 둘째 대접부터 넷째 대접까지 바다와 강물과 해에 재앙이 부어져 바다의 생물들이 다 죽고, 셋째 나팔에서는 강물이 쓰게 되었으나(8:10~11) 셋째 대접 재앙에는 모두 피가 되어버린다. 물을 먹지 못하는 지구상의 모든 사람들에게 넷째 나팔 재앙은 해가 사람을 크게 태운다. 무서운 하나님의 진노이다. 그런데도 사람들은 회개하기는커녕 하나님을 중상한다. 회개와 구원의 때가 아니기 때문이다.〔3~9절〕

④ 다섯째 천사가 대접을 짐승의 왕좌에 부으니 그 왕국이 어두워지며 사람들이 아픈 것과 종기로 인하여 혀를 깨물며 역시 하늘의 하나님을 욕하고 회개치 아니한다.〔10~11절〕

⑤ 여섯째 천사가 그 대접을 큰 강 유프흐라테스(유브라데)에 부으니 강물이 마르고 동방에서 오는 왕들의 길이 예비 되어 전능하신 주님의 재림의 날에 있을 아르마겓돈(아르마겟돈) 전쟁이 예비 된다. 주님께서 "보라 내가 도적같이 간다" 고 재림의 긴박함을 말씀하시고 "누구든지 깨어있는 자, 그리고 자신의 옷들을 지켜 벌거벗고 다니지 아니하고, 그리고 자신의 부끄러움을 보지 않는 자가 복이 있느니라" 고 하셨다.〔12~16절〕

⑥ 일곱째 천사가 대접을 공중에 부으니 번개와 음성들과 뇌성이 있고, 또 큰 지진이 있는데 어찌나 큰지 사람이 땅에 있어온 이후로 이처럼 큰 지진이 없었던 것이다. 큰 도시가 세 갈래로 갈라지고, 민족들의 도시들도 무너지며, 모든 섬과 산들도 사라져 보이지 않게 된다. 이로 인해 지구의 대륙과 지표는 평화로운 천년왕국을 위한 지형으로 새로워진다.〔17~20절〕

⑦ 무게가 34Kg이나 되는 우박이 사람들에게 쏟아지니 심히 큰 이 재앙으로 인하여 사람들이 회개치 않고 오히려 하나님을 욕한다고 하였다.〔21절〕

【 계시록 제 17 장】

한 글 개 역 성 경	전통원문 직역 성경
1. 또 일곱 대접을 가진 일곱 천사 중 하나가 와서 내게 말하되, 이리로 오라. 내가 많은 물 위에 앉은 큰 음녀의 받을 심판을 네게 보이리라.	1. 그리고 일곱 대접들을 가진 일곱 천사 중에 하나가 와서, 또한 나와 함께 대화하며 말하기를, 이리로 오라, 내가 많은 물들의 위에 앉은 그 큰 음녀의 심판을 네게 보이리라 하니라.
2. 땅의 임금들도 그로 더불어 음행하였고, 땅에 거하는 자들도 그 음행의 포도주에 취하였다 하고,	2. 땅의 왕들이 저와 함께 간음하였고, 그리고 땅을 거주하는 자들도 그 여자의 간음의 포도주에 의해 술취하였다 하고,
3. 곧 성령으로 나를 데리고 광야로 가니라 내가 보니 여자가 붉은 빛 짐승을 탔는데, 그 짐승의 몸에 참람된 이름들이 가득하고 일곱 머리와 열 뿔이 있으며	3. 그리고 성령님으로 나를 광야로 데리고 가니라. 그리고 내가 여자를 보니 붉은 빛 짐승을 탔는데 하나님께 대한 중상모략의 이름들이 가득하고 일곱 머리들과 열 뿔들을 가졌으며,
4. 그 여자는 자주 빛과 붉은 빛 옷을 입고 금과 보석과 진주로 꾸미고 손에 금잔을 가졌는데 가증한 물건과 그의 음행의 더러운 것들이 가득하더라.	4. 그리고 그 여자는 자주색과 진홍색 옷을 입고, 또한 금과 보석과 진주들로 꾸몄으며, 그녀의 손에 금잔을 가졌는데 몹시 미운 것과 그녀의 음행의 더러운 것들이 가득하니라.
5. 그 이마에 이름이 기록되었으니, 비밀이라 큰 바벨론이라 땅의 음녀들과 가증한 것들의 어미라, 하였더라.	5. 그리고 그의 이마 위에 이름이 기록되었으니, 비밀이라, 큰 바벨론이라, 땅의 음녀들과 몹시 미운 것들의 어미라.
6. 또 내가 보매 이 여자가 성도들의 피와, 예수의 증인들의 피에 취한지라. 내가 그 여자를 보고, 매우 기이히 여기고 크게 기이히 여기니	6. 그리고 내가 성도들의 피와 예수님의 증인들의 피로부터 취하도록 마신 그 여자를 보고, 실로 기이히 여기며, 내가 그 여자를 보고는 크게 놀라니라

7. 천사가 가로되 왜 기이히 여기느냐 내가 여자와 그의 탄바 일곱 머리와 열 뿔 가진 짐승의 비밀을 네게 이르리라	**7. 그리고 그 천사가 내게 말하기를 왜 기이히 여기느냐? 그러므로 내가 그 여자와 그 여자를 태운 일곱 머리와 열 뿔을 가진 짐승의 비밀을 네게 말하리라.**
8. 네가 본 짐승은 전에 있었다가, 시방 없으나, 장차 무저갱으로부터 올라와 멸망으로 들어갈 자니. 땅에 거하는 자들로서, 창세 이후로 생명에 책에 녹명되지 못한 자들이, 이전에 있다가 시방 없으나 장차 나올 짐승을 보고 기이히 여기리라.	**8. 네가 본 짐승은 전에 있었다가 그러나 지금은 없으며, 그렇지만 무저갱으로부터 올라와, 또한 멸망에 들어갈 것이라. 그리고 세상의 창조로부터 생명의 책에 이름들이 기록되지 못한 사람들, 땅위에 거하는 자들이 전에 있었으나 지금은 없을지라도 그렇지만 있을 어떤 사람 짐승을 보고 기이히 여기리라.**
9. 지혜 있는 뜻이 여기 있으니, 그 일곱머리는 여자가 앉은 일곱 산이요	**9. 그 지혜를 가진 생각이 여기 있으니, 그 일곱 머리들은 그 여자가 거기 그들 위에 앉은 일곱 산들이라.**
10. 또 일곱 왕이라 다섯은 망하였고 하나는 없고 다른이는 아직 이르지 아니하였으나 이르면 반드시 잠시 동인 계속하리라	**10. 그리고 일곱 왕이 있으니, 다섯은 망하였으나, 역시 하나는 있고, 다른 이는 아직 오지 아니하였으나, 그렇지만 언제든지 오는 때는 그는 반드시 잠시 머무르리라.**
11. 전에 있었다가 시방 없어진 짐승은 여덟째 왕이니 일곱 중에 속한 자라 저가 멸망으로 들어가리라	**11. 그리고 전에 있었다가 지금 있지 않은 그 짐승은, 또한 그는 여덟째이니, 그러므로 일곱 중에 속하여, 역시 멸망으로 들어가니라**
12. 네가 보던 열 뿔은 열 왕이니, 아직 나라를 얻지 못하였으나 다만 짐승으로 더불어 임금처럼 권세를 일시동안 받으리라	**12. 그리고 네가 보았던 열 뿔들은 열 왕이니 누구든지 왕국을 아직 취하지 아니하였으나 그러나 그 짐승과 함께 왕들처럼 권세를 한 때 받으리라.**

제 17 장

13. 저희가 한 뜻을 가지고 자기의 능력과 권세를 짐승에게 주더라.	**13. 그들이 한 뜻을 가지고, 그리고 자기들의 능력과 권세를 그 짐승에게 주니라.**
14. 저희가 어린양으로 더불어 싸우려니와 어린양은 만주의 주시요 만왕의 왕이시므로 저희를 이기실터이요 또 그와 함께 있는 자들 곧 부르심을 입고 빼내심을 얻고 진실한 자들은 이기리로다.	**14. 그들이 어린양의 대적이 되어 싸우려니와, 그렇지만 어린양은 주들의 주님이시며, 또한 왕들의 왕이시기 때문에 이기실 것이며, 그리고 그분의 같은 편에 부르심을 받고, 또한 뽑힘을 받고, 뿐만아니라 진실한 자들은 이기리로다.**
15. 또 천사가 내게 말하되, 네가 본바 음녀의 앉은 물은 백성과 무리와 열국과 방언들이니라	**15. 그리고 그가 내게 말하기를, 네가 본 바 음녀의 앉은 물들은 어디로든지 백성들과 무리들과 민족들과 방언들이니라.**
16. 네가 본바 이 열뿔과 짐승이 음녀를 미워하여 망하게 하고 벌거벗게 하고 그 살을 불로 아주 사르리라	**16. 그리고 네가 본 바 짐승 위의 열 뿔들은 그들에게서 그 음녀를 미워할 것이며, 또한 그녀를 황폐하게 하고 그리고 벌거벗겨, 게다가 그녀의 살들을 먹을 것이며, 그리고는 그녀를 불로 다 태워버릴 것이라.**
17. 하나님이 자기 뜻대로 할 마음을 저희에게 주사 한 뜻을 이루게 하시고 저희 나라를 그 짐승에게 주게 하시되 하나님의 말씀이 응하기까지 하심이니라	**17. 그것은 하나님께서 자신의 뜻을 행할 마음을 그들에게 주시고, 그리고 한 뜻을 이루게 하시되, 그리하여 하나님의 말씀을 성취하시기까지 그 짐승에게 그들의 왕국을 주시기 때문이라.**
18. 또 네가 본바 여자는 땅의 임금들을 다스리는 큰 성이라 하더라	**18. 그리고 네가 본 그 여자는 땅의 왕들 위에 그 통치권을 가진 그 큰 그 도시라**

【 문 단 】

9. 바벨론 멸망과 재림《 17:1~19:21 》

1〉 **큰 창녀가 탄 짐승** 17:1~18

① 음녀가 받을 심판에 대한 예고 (1~2)

② 짐승을 탄 음녀의 모습과 이름 (3~6상)

③ 음녀의 모습을 사도가 기이히 여김 (6하)

④ 음녀와 탄 짐승의 비밀에 대한 설명 시작 (7)

⑤ 일곱 머리와 열 뿔 가진 짐승의 정체 (8~12)

⑥ 어린양에 대한 짐승의 대적과 패배 (13~14)

⑦ 짐승 열 뿔의 배반에 의한 음녀의 파멸 예고 (15~17)

⑧ 음녀의 정체가 무엇임을 말함 (18)

【 주 해 】

〈**개요**〉 일곱 가지 삽입계시(① 7:1~17 ② 10:1~11 ③ 11:1~13 ④ 12:1~17 ⑤ 13:1~18 ⑥ 14:1~20 ⑦ 17:1~18:24)에서 마지막이다. 19장의 재림에 앞서 16장에서 성도들을 박해한 사탄의 하수인으로서 짐승 적그리스도 국가가 하나님의 분노의 진노의 대접 재앙으로 어떻게 파멸의 지경에 이르게 될 참상을 말씀하신데 이어 17장과 18장에는 또한 그 적그리스도를 이용하여 함께 성도들을 박해한 음녀 바뷜론(바벨론)이 어떻게 심판의 형벌을 받을 것을 계시하여 주신 것이다.

① 음녀가 받을 심판에 대한 예고 (1~2)

1절 ▷ 그리고 일곱 대접들을 가진 일곱 천사 중에 하나가 와서, 또한 나와 함께 대화하며 말하기를, 이리로 오라, 내가 많

은 물들의 위에 앉은 그 큰 음녀의 심판을 네게 보이리라 하니라.

Καὶ ἦλθεν εἷς ἐκ τῶν ἑπτὰ ἀγγέλων τῶν ἐχόντων τὰς
그리고 와서 하나가 로부터 그 일곱 천사들의 그 가진 그
ἑπτὰ φιάλας, καὶ ἐλάλησεν μετ' ἐμοῦ, λέγων μοι, Δεῦ ρο,
일곱 대접들을, 또한 대화하여 함께 나의, 말하기를 나에게, 이리로오라
δείξω σοι τὸ κρίμα τῆς πόρνης τῆς μεγάλης, τῆς καθη
보이리라 네게 그 심판을 그 음녀의 그 큰, 그 앉은
μένης ἐπὶ τῶν ὑδάτων τῶν πολλῶν·
위에 그 물들의 그 많은

일곱 대접들을 가진 일곱 천사 중에 하나가 사도 이오안네스(요한)에게 와서 말하기를, "이리로 오라, 내가 많은 물들의 위에 앉은 그 큰 음녀의 심판을 네게 보이리라" 한 것은 17, 18장이 짐승과 연관된 음녀에 대한 심판임으로 하나님의 분노의 진노의 일곱 대접 심판의 연장인 것을 말하는 것이다.

'음녀' 로 번역한 *πόρνη*(포르네)는 '페르네미(*περνημι* 팔다)' 에서 유래했으며, 여기서 속어 '포르노(*Πορνο*)' 라는 영어가 나왔다. '매춘부, 창녀, 음녀' 를 의미하는데 신약성경에서 12회 사용되었다. 문자적 의미로는, 이득을 위해서든 색욕을 위해서든 불법의 성애에 탐닉하는 모든 여자에 대해 사용되었다.(마 21:31 이하; 눅 15:30; 고전 6:15 이하; 히 11:31; 약 2:25).

구약에서는 하나님의 백성들이 마음으로 하나님을 떠나 이방과 짝하고 우상숭배 하는 것을 음란한 행위로 규정하고 수없이 경고하고 통렬히 책망하였다.(출 34:15; 레 7:7; 삿 2:17; 대하 21:11, 13; 사 1:21, 23:17; 렘 3:3; 겔 6:9; 16:15, 22, 26, 23:30, 35; 호 4:12)

이에수-스(예수)님께서도 이 세대를 '악하고 음란한 죄 많은

세대' 라 하셨으며,(마 12:39; 막 8:38) 계시록에서도 일곱 교회 중 두 교회에 '우상의 제물 먹는 것과 간음하는 것' 을 책망하신 것이다.(2:14, 20)

17장에서 '음녀<*πόρνη*(포르네)>' 는 누구를 말한 것인가? 하는 것이 중요한 관점이다. 이에 대하여는 자세한 관찰과 설명이 필요함으로【특주】에서 다루고자 한다. 결론적으로는 이 '음녀' 는 주님의 재림 직전 후3년 반 마지막에 심판 받을 적그리스도와 결탁하여 참 성도들의 피를 흘리는데 혈안이 될 범 세계 거짓종교의 본부인 것이다.

【 특주 13 】

큰 음녀 바뷜론의 정체는 무엇인가?

17장과 18장에서 '음녀<*πόρνη*(포르네)>' 와 '바벨론<*Βαβυλών*(바뷜론)>' 은 누구를 말한 것인가? 하는 것이 중요한 관점이다. 존슨(Alan. F. Johnson)은 "본 장의 해석이 계시록 전체의 해석을 지배할 정도로 그 의미가 중요하다" 고 하였다.

2절에 땅의 왕들이 그녀와 더불어 간음하였고, 땅에 거주하는 자들도 그 여자의 간음의 포도주에 의해 술취하였다고 하였으며, 3절에는 일곱 머리와 열 뿔을 가진 붉은 빛 짐승을 탔다고 하였다. 4절에는 그 여자는 자주색 옷과 진홍색 옷을 입고 금과 보석과 진주들로 꾸몄고 음행의 더러운 것들이 가득한 금잔을 가졌다고 하였다. 5절에는 이마에 '큰 바뷜론, 땅의 창녀들과 몹시 미운것들의 어미' 라는 이름이 쓰여 있다 하였고, 6절에는 성도들의 피와 이에수-스(예수)님의 증인들의 피를 취하도록 마셨다고 하였다. 15절에 음녀의 앉은 물은 많은 백성들과 무리들과 방언들이라 하였고, 16절에는 짐승의 열 뿔들이 그 음녀를 미워하여 그녀를 황폐하게 하고 벌거벗겨 그녀의 살을 먹으며 그녀를 불로 다 태워버린다고 하였다. 18:2절에는 음녀 곧 바뷜론(바벨론)은 악령들의 거주지가 되고 모든 더러운 영의 장소와 온갖 깨끗지 못하고 미워하는 새들의 장소가 되었다고 하였다. 3절에는 그녀의 간음의 포도주 가운데서 모든 민족들이 마시고 땅의 왕들도 그녀와 함께 간음하였으며 땅의 상인들도 그녀의 사치의 세력을 인하여 부하게 되었다고 하였으니, 과연 이 음녀 곧 바뷜론(바벨론)은 누구를 말함인가 하는 것이다.

이에 대하여는 스코필드(C.I. Scofield) 박사가 명확하게 말하였다. 『계시록에서 두 개의 바벨론을 구별해야 한다. … 하나는 정치적 바벨론으로서 짐승과 연합한 제국, 곧 이방세계의 최종적인 지배 형태를 나타낸다. 종교적인 바벨론은 '큰 음녀' 인데(17:1), 이것은 정치적 바벨론에 의해 멸망 당한다.(17:15~18) 그렇게 되면 짐승이 숭배의 유일한 대상이 될 것이다. 정치적 바벨론의 권세는 주께서 영광 중에 다시 오실 때 멸망한다』고 한 것은 바로 본 것이다.

여러 특징들 중에서 가장 핵심적인 것은 이 음녀 바뷜론(바벨론)이 하나님으로부터 심판을 받는 것은 2절에 땅의 왕들이 그녀와 더불어 간음하고, 땅에 거주하는 자들도 그 여자의 간음의 포도주에 의해 술 취하고, 6절에 성도들의 피와 이에수-스(예수)님의 증인들의 피를 취하도록 마신 것 때문이라 한 것이다.

거짓되고 부패한 기독교를 중심한 범 세계 거짓종교 총 본부인 도시가 사탄의 하수인인 짐승 적그리스도와 결탁하여 성도들을 죽이는 일에 혈안이 된 '간음'과 같은 행위를 하게 되는 것을 말하기 위해 주님께서 그 정체를 의인화하여 '큰 음녀'라고 하시고 또한 '큰 바벨론'이라 하신 것이다. 17:7절에 "그 여자(바벨론)를 태운 일곱 머리와 열 뿔을 가진 짐승의 비밀"이라 하였으니 범 세계 거짓종교의 총 본부인 여자(도시 바벨론)는 짐승(적그리스도)의 체제 위에 군림하며 위세를 떨치다가 짐승(적그리스도)의 열 뿔인 열 왕에게 배척을 받아 파멸을 당하는 것이다.(17:16)

3절에는 일곱 머리와 열 뿔을 가진 붉은 빛 짐승을 탔다고 하였다. 4절에는 그 여자는 자주색 옷과 진홍색 옷을 입고 금과 보석과 진주들로 꾸몄고 음행의 더러운 것들이 가득한 금잔을 가졌다고 하였다. 5절에는 이마에 '큰 바벨론, 땅의 창녀들과 몹시 미운것들의 어미'라는 이름이 쓰여 있다. 사람들로 하여금 잘못된 신앙으로 음란하게 하나님을 떠나게 하는 잘못된 종교들의 집합체인 범 종교세력은 하나님께서 몹시 미워하시는 것들의 어미인 것이다. 그 음녀 곧 바뷜론(바벨론)은 악령들의 거주지가 되고 모든 더러운 영의 장소와 온갖 깨끗지 못하고 미워하는 새들의 장소가 된 곳이다. 불순한 음녀의 그 의도와 행위가 알려지자 적그리스도의 열 왕에게 버림을 받아 끔찍한 보복을 받는 것이다.

이 음녀 바뷜론(바벨론)의 그 특성과 행위에 대해서는 각 구절에서 설명할 것이지만 결론적으로 말하면 사탄의 하수인인 짐승 곧 마지막 적그리스도와 결탁하여 기독교의 성도들을 말살하는 범 세계 종교세력의 본부인 도시를 말한다. 짐승 적그리스도는 정치세력이지만 음녀 바뷜론(바벨론)은 종교세력인 것이다. 사탄은 정치적 세력으로 성도를 박해할 뿐만 아니라 종교적 세력을 통해 더욱 기독교 참 성도들을 해한다. 지금도 세계 각처에서 횡행하는 폭력과 테러는 정치적인 이유 보다 대부분이 종교적인 갈등과 이유 때문이다. 종교적인 갈등과 대립과 증오는 어떤 무엇으로도 해결할 수 없는 무서운 고질(痼疾)이다.

2절 ▷ 땅의 왕들이 저와 함께 간음하였고, 그리고 땅을 거주하는 자들도 그 여자의 그 간음의 포도주에 의해 술취하였다 하고,

μεθ' ἧς ἐπόρνευσαν οἱ βασιλεῖς τῆς γῆς, καὶ ἐμεθύσθησαν
함께 저와 간음하였고 그 왕들도 그 땅의, 그리고 술취하였다
ἐκ τοῦ οἴνου τῆς πορνείας αὐτῆς οἱ κατοικοῦντες τὴν γῆν.
에 의해 그 포도주의 그 간음의 그 여자의 자들도 영원히 안주하는 그 땅을,

땅의 왕들이 그 음녀(바벨론)와 함께 간음하였고, 땅을 거주지로 하는 자들도 그 여자의 간음의 포도주에 의하여 술 취하였다고 한 것은 범 세계 거짓종교 총 본부는 온갖 방책으로 세계 지도자들과 민족들을 하나님을 떠나게 만들며, 그 방책이 얼마나 권모술수인지 사람들이 취하여 정신을 차리지 못하는 것이다.

¤ 감동과 기도 ☆

② 짐승을 탄 음녀의 모습과 이름 (3~6상)

③ 음녀의 모습을 사도가 기이히 여김 (6하)

3절 ▷ 그리고 성령님으로 나를 광야로 데리고 가니라. 그리고 내가 여자를 보니 붉은 빛 짐승을 탔는데 하나님께 대한 중상모략의 이름들이 가득하고 일곱 머리들과 열 뿔들을

가졌으며,

καὶ ἀπήνεγκέν με εἰς ἔρημον ἐν πνεύματι· καὶ εἶδον
그리고 데리고 가니라 나를 로 광야를 으로 성령님 . 그리고 내가 보니
γυναῖκα καθημένην ἐπὶ θηρίον κόκκινον, γέμον ὀνομάτων
여자를 탓는데 위에 짐승을 붉은빛, 가득하고 이름들의
βλασφημίας, ἔχον κεφαλὰς ἑπτὰ καὶ κέρατα δέκα.
중상의, 가졌으며 머리들을 일곱 과 뿔들을 열을.

성령님으로 사도 이오안네스(요한)를 광야로 데리고 가셔서 거기서 짐승(적그리스도)을 탄 여자(바빌론)를 보게 하셨다. 왜 광야에서 그를 보게 하셨는가? 12:6절에서 교회인 여자가 광야로 도망하여 하나님께서 예비하신 곳에서 일천 이백 육십 일을 양육 받는다고 하였다. 그러므로 짐승(적그리스도)을 탄 여자(바빌론)가 광야에서 보였다는 것은 교회를 박해하려 했던 용과 짐승과 한 통속임을 보여주는 것이다.

그 음녀는 일곱 머리들과 열 뿔들을 가진 붉은 빛 짐승을 탔는데 하나님께 대한 중상의 이름들이 가득하였다고 하였다. 특히 '일곱 머리' 에 대하여 견해가 많으나, 가장 확실한 것은 짐승 곧 최후의 적그리스도 정치 통치 체제와 범 세계 종교 통합 체제가 결탁하여 함께 교회를 박해할 것을 보여주신 것이다.

제 17 장

4절 ▷ 그리고 그 여자는 자주색과 진홍색 옷을 입고, 또한 금과 보석과 진주들로 꾸몄으며, 그녀의 손에 금잔을 가졌는데 몹시 미운 것과 그녀의 음행의 더러운 것들이 가득하니라.

καὶ ἡ γυνὴ ἦ περιβεβλημένη πορφύρᾳ καὶ κοκκίνῳ, καὶ
그리고 그 여자는 그 옷을 입고 자주색에 과 진홍색에, 과
κεχρυσωμένη χρυσῷ καὶ λίθῳ τιμίῳ καὶ μαργαρίταις,

꾸미고 금에 과 석에 보 과 진주들에
ἔχουσα χρυσοῦν ποτήριον ἐν τῇ χειρὶ αὐτῆς, γέμον
가졌는데 금을 잔을 에 그 손에 그녀의, 가득하니라
βδελυγμάτων καὶ ἀκαθάρτητος πορνείας αὐτῆς,
몹시 미운 것이 과 더러운 것들이 음행의 그녀의,

그 여자는 자주색과 진홍색 옷을 입고, 또한 금과 보석과 진주들로 꾸몄다는 것은 사치한 것을 말하며, 손에 금잔을 가졌는데 몹시 미운 것과 그녀의 음행의 더러운 것들이 가득하다는 것은 향락을 의미하는 것이겠다. 거짓종교는 사치하고 음행하고 향락하는 것이 신조이다. 영적이 아니고 육적인 종교이기 때문이다.

5절 ▷ 그리고 그의 이마 위에 이름이 기록되었으니, 비밀이라, 큰 바빌론이라, 땅의 음녀들과 몹시 미운 것들의 어미라.

καὶ ἐπὶ τὸ μέτωπον αὐτῆς ὄνομα γεγραμμένον, μυστή
그리고 위에 그 이마를 그의 이름이 기록되었으니, 비밀
ριον, Βαβυλὼν ἡ μεγάλη, ἡ μήτηρ τῶν πορνῶν καὶ τῶν
이라, 바빌론이라 그 큰, 그 어미라 그 음녀들의 과 그
βδελυγμάτων τῆς γῆς. ←몹시미운 것들의 그 땅의

음녀의 이마 위에 이름이 기록되어 있는데 '비밀' '큰 바빌론' '음녀들과 미운 것들의 어미'라는 것이었다. 참으로 세상 사람들에게 신비감과 친근감을 느끼게 하는 이름이다.

6절 ▷ 그리고 내가 성도들의 피와 예수님의 증인들의 피로부터 취하도록 마신 그 여자를 보고, 실로 기이히 여기며, 그리고 내가 그 여자를 보고는 크게 놀라니라.

καὶ εἶδον τὴν γυναῖκα μεθύουσαν ἐκ τοῦ αἵματος τῶν
그리고 내가 보니 그 여자를 취하도록 마신지라 로부터 그 피의 그
ἁγίων καὶ ἐκ τοῦα ἵματος τῶν μαρτύρων Ἰησοῦ· καὶ
성도들의 과 로부터 그 피의 그 증인들의 예수님의. 그리고
ἐθαύμασα, ἰδὼν αὐτήν, θαῦμα μέγα.
기이히여기니, 내가보고 그여자를, 놀라고 크게.

그런데 사도 이오안에스(요한)가 그 여자를 보니 성도들의 피와 예수님의 증인들의 피로부터 취하도록 마셨는지라 실로 기이히 여기며 크게 놀랐다고 한 것이다. 크게 놀라지 않을 수 없는 것은 여자가 술에 취한 것이 아니라 성도들의 피와 예수님의 증인들의 피를 취하도록 마셨다는 것이다.

☼ 감동과 기도 ☆

④ 음녀와 탄 짐승의 비밀에 대한 설명 시작 (7)

7절 ▷ 그리고 그 천사가 내게 말하기를 왜 기이히 여기느냐? 그러므로 내가 그 여자와 그 여자를 태운 일곱 머리와 열 뿔을 가진 짐승의 비밀을 네게 말하리라.

καὶ εἶπέν μοι ὁ ἄγγελος, Διατί ἐθαύμασας; ἐγὼ σοι
그리고 말하기를 나에게 그 천사가, 왜 기이히여기느냐? 내가 네게
ἐρῶ τὸ μυστήριον τῆς γυναικός, καὶ τοῦ θηρίου τοῦ
말하리라 그 비밀을 그 여자의, 와 그 짐승의 그
βαστάζοντος αὐτήν, τοῦ ἔχοντος τὰς ἑπτὰ κεφαλὰς
태운 그여자를, 그 가진 그 일곱 머리를
καὶ τὰ δέκα κέρατα. ←와 그 열 뿔을

천사가 사도에게 "왜 기이히 여기느냐?"고 하면서 "내가 그

여자와 그 여자를 태운 일곱 머리와 열 뿔을 가진 짐승의 비밀을 네게 말하리라"고 하였다. 여자와 짐승은 '비밀'이 있는 것이며, 그 비밀을 천사가 말하여 준다고 한 것이다. 그러므로 여자와 짐승에 대하여 천사가 말하여 준 것에 충실히 따르지 않고 해석하는 것을 삼가야 한다. 특히 여자 곧 '음녀'에 대해 해석들이 너무 많은 것 같다. 이해를 돕기 위해 해석을 하더라도 천사가 말한 것을 전체적으로 충실히 반영한 해석이라야 한다.

⑤ 일곱 머리와 열 뿔 가진 짐승의 정체 (8~12)

8절 ▷ 네가 본 짐승은 전에 있었다가 그리고 지금은 없으며, 그렇지만 무저갱으로부터 올라와, 또한 멸망에 들어갈 것이라. 그리고 세상의 창조로부터 생명의 책에 이름들 이기록되지 못한 사람들, 땅위에 거하는 자들이 전에 있었으나 지금은 없을지라도 그렇지만 있을 어떤 사람 짐승을 보고 기이히 여기리라.

θηρίον ὃ εἶδες, ἦν, καὶ οὐκ ἔστιν, καὶ μέλλει ἀνα
짐승은 그 네가본, 전에있었다가 그리고 없으며 지금은, 그렇지만 오는 올라

βαίνειν ἐκ τῆς ἀβύσσου, καὶ εἰς ἀπώλειαν ὑπάγειν· καὶ θαυ
로부터 그 무저갱, 또한 에 멸망에 들어갈 것. 그리고 기이히

μάσονται οἱ κατοικοῦντες ἐπὶ τῆς γῆς, ὧν οὐ γέγραπται τὸ
여기리라 그 거하는 위에 그 땅의, 고 않 기록되지 그

ὀνόματα ἐπι τὸ βιβλίον τῆς ζωῆς ἀπὸ καταβολῆς κόσμου,
이름들이 위에 그 두루마리를 그 생명의 로부터 창조 세상의,

βλέποντες τὸ θηρίον ὅ τι ἦν, καὶ οὐκ ἔστιν, καίπερ ἐστίν.
보고 그 짐승을 사람 어떤 전에있었으나 그는 이다, 비록 일지라도 그는 이다.

"네가 본 짐승은 전에 있었다가 그러나 지금은 없으며, 그렇

지만 무저갱으로부터 올라와, 또한 멸망에 들어갈 것이라" 하였고, "땅위에 거하는 자들이 전에 있었으나 지금은 없을지라도 그렇지만 (장차)있을 어떤 사람 짐승을 보고 기이히 여기리라" 하였으니, 이 사람을 '적그리스도'로 보는데는 누구나 이론이 없다. 그런데 난점은 적그리스도가 사람인데 어떻게 마귀의 거처인 무저갱에서 올라오는가이다.

이에수-스(예수)님께서 말아키(말라기) 선지자가 "보라 내가 요호와의 크고 두려운 날이 이르기 전에 내가 선지 엘리야를 너희에게 보내리니"라고 하나님께서 예언하게 하셨던 엘리야를 "만일 너희가 즐겨 받을찐대 오리라 한 엘리야가 곧 이 사람이니라" 하심으로(마 11:14) 침례 이오안네스(요한)가 예언한 대로 온 엘리야라고 하셨다. 엘리야의 심령과 능력으로 사역한 침례 이오안네스(요한)를 예언한 엘리야가 온 것이라 하신 것이다.(눅 1:17)

그와같이 10~11절에 일곱 왕 중에 속하면서 여덟째로 오는 '전에 있었다가 지금은 있지 않은 그 짐승'은 무저갱에서 올라온다고 하였는데 무저갱에서 올라 온 것은 적그리스도의 악령을 말하며 적그리스도의 악령이 든 사람은 그때 땅위에 있는 네로나 히틀러 같은 한 사람인 것이다. 그렇기 때문에 주님께서 재림하셔서 짐승과 거짓선지자를 잡아 산채로 유황 불못에 던진다고 하셨다.(19: 20) 적그리스도 행세를 했던 안티오커스 에피파네스나 네론(네로)이 환생하여 오는 것이 아니다.

9절 ▷ 그 지혜를 가진 생각이 여기 있으니, 그 일곱 머리들은 그 여자가 거기 그들 위에 앉은 일곱 산들이라.

ὧδε ὁ νοῦς ὁ ἔχων σοφίαν. αἱ ἑπτὰ κεφαλαὶ, ὄρη
여기 그 생각이 그 가진 지혜를. 그 일곱 머리들은, 산들
εισὶν ἑπτὰ ὅπου ἡ γυνὴ κάθηται ἐπ' αὐτῶν.
이며 일곱 거기 그 여자가 앉은 위에 그들의.

짐승의 일곱 머리들은 여자가 거기 그들 위에 앉은 일곱 산들이라 하였는데 '일곱 산들' 은 무엇을 말함인가? 의인화 된 '여자' 는 바뷜론(바벨론)이며, 18절에 '그 여자는 땅의 왕들 위에 그 통치권을 가진 그 큰 그 도시라' 고 하였으니 달리 해석해서는 안되며 머리가 온 몸을 통치하듯이 후3년 반에 전 세계적으로 짐승 적그리스도 위에 군림하여 통치하는 범 종교 통치의 본부가 있는 도시를 말하는 것이 확실하다. '산' 은 힘과 권력을 의미한다.

흐로메(로마)의 저술가들은 흔히 흐로메(로마)를 지칭할 때 '일곱 산의 도시' 라는 표현을 하였다. 실제로 흐로메(로마)는 티베르 강 왼편에 있는 일곱 개의 언덕에 자리잡은 부락들로 시작되었으며 세르비우스 툴리우스(Servius Tullius) 때부터 일곱 언덕의 도시로 발달했다. 일곱 개의 실제의 산은 팔라틴(Palatine), 아벤틴(Aventine), 셀리안(Celian), 에스퀼린(Esquilline), 비미날(Viminal), 퀴리날(Quirinal), 카피톨린(Capitoline)이다. 과연 전 세계의 종교를 통합하여 짐승 적그리스도와 결탁한 실제적 통치권을 행사할 수 있는 도시는 어디이겠는가 짐작이 가는 것이다. 지혜를 가진 생각을 할 수 있는 사람이라면 '일곱 산' 은 종교적으로 전 세계를 통치하는 그 도시의 지리를 말한 것임을 충분히 알 수 있다.

10절 ▷ 그리고 일곱 왕이 있으니, 다섯은 망하였으나, 역시 하

나는 있고, 다른 이는 아직 오지 아니하였으나, 그렇지 만 언제든지 오는 때는 그는 반드시 잠시 머무르리라.

καὶ βασιλεῖς ἑπτά εἰσιν· οἱ πέντε ἔπεσαν, καὶ ὁ εἷς ἔστιν,
그리고 왕 일곱 있다. 그 다섯은 망하였고, 그리고 그 하나는 있고,
ὁ ἄλλος οὔπω ἦλθεν· καὶ ὅταν ἔλθῃ ὀλίγον αὐτὸν δεῖ μεῖναι.
이는 다른 아직 아니 오지. 그렇지만 때는 언제든지 오면 잠시 그는 반드시 머무르리라

개역 한글성경은 '또 일곱 왕이니' 라고 번역함으로 '일곱 산' 을 '일곱 왕' 으로 해석하게 하였다. 그러나 '이니' 라고 번역한 **εἰσιν**(에이신)은 '그들은 있다' '그들은 이다' 라는 말인데 지리적으로 말한 '일곱 산' 을 여자 휘하의 '또 일곱 왕이니' 라고 하면 12절에 '열 뿔들은 열 왕' 이라고 한 말과 겹쳐져 충돌되는 것이다. 그러므로 지리적으로 말한 '일곱 산' 과는 달리 "또 일곱 왕이 있으니" 라고 해야 과거와 현재와 미래에 있을 일곱 왕으로 말한 의미에 부합하는 것이다.

'일곱 왕' 에 대하여는 망한 다섯 왕은 '미쯔라임(애굽), 아슈르(앗수르), 바벨(바벨론), 파라쓰(바사), 야반(헬라)' 이라 하고, '하나는 있고' 라 한 것은 흐로메(로마)이며, 장차 올 일곱째는 흐로메(로마) 이후에 올 나라라고 하는 해석이 있다. 반면에 '일곱 왕' 은 흐로메(로마) 일곱 황제라고도 한다. 그러나 이런 해석은 자연스럽지 않다. 이 말씀에서 주안점은 다음 11~12절에 있다.

11절 ▷ 그리고 전에 있었다가 지금 있지 않은 그 짐승은, 또한 그 는 여덟째이니, 그러므로 일곱 중에 속하여, 역시 멸망으 로 들어가니라

καὶ τὸ θηρίον ὃ ἦν, καὶ οὐκ ἔστιν, καὶ αὐτὸς ὄγδοός
그리고 그 짐승은 자라 전에 있었던 그리고 않은지금있지, 그리고 그는 여덟째

ἐστιν, καὶ ἐκ τῶν ἑπτά ἐστιν, καὶ εἰς ἀπέλεια ὑπάγει.
이니, 그러므로 에 그 일곱들 속한자, 역시 향하여 멸망을 들어가니라.

'전에 있었다가 지금은 있지 않은 짐승' 이라고 한 것은 망한 다섯 왕 모두가 짐승이 아니었고 그 중의 하나가 짐승이었는데 일곱 왕 중의 하나로서 장차 여덟째 왕 곧 짐승으로 와서 잠시 머무르다가 멸망으로 들어가리라고 한 것이다. 그러므로 일곱 왕 중의 하나로 여덟 번째로 올 왕은 장차 최후에 무저갱으로부터 올라올 적그리스도 짐승의 악령인 것은 확실한데 계시록 기록 당시 이전에 있었던 짐승이라 한 것은 어느 왕을 가리킨 것이냐에 대하여는 단정하기 어렵고 꼭 단정할 필요도 없는 것이다. 주안점은 다시 나타날 짐승인 것이다.

12절 ▷ 그리고 네가 보았던 열 뿔들은 열 왕이니 누구든지 왕국을 아직 취하지 아니하였으나 그러나 그 짐승과 함께 왕들처럼 권세를 한 때 받으리라.

καὶ τὰ δέκα κέρατα ἃ εἶδες, δέκα βασιλεῖς εἰσιν,
그리고 그 열 뿔들은 그 네가 보았던, 열 왕 이니,
οἵτινες βασιλείαν οὔπω ἔλαβον, ἀλλ' ἐξουσίαν ὡς
누구든지 왕국을 아직 아니 취하지, 그러나 권세를 처럼
βασιλεῖς μίαν ὥραν λαμβάνουσιν μετὰ τοῦ θηρίου.
왕들 한 때를 받으리라 과 함께 그 짐승의.

열 뿔들은 열 왕이며 그들은 왕국을 아직 취하지 아니하였으나 그러나 그 짐승과 함께 왕들처럼 권세를 한 때 받으리라고 한 것은 최후의 적그리스도인 짐승은 세계 통치체제를 열 왕국으로 할 것을 의미한 것이다.

¤ 감동과 기도 ☆

⑥ 어린양에 대한 짐승의 대적과 패배 (13~14)

13절 ▷ 그들이 한 뜻을 가지고, 그리고 자기들의 능력과 권세를 그 짐승에게 주니라.

οὗτοι μίαν γνώμην ἔχουσιν, καὶ τὴν δύναμιν καὶ
그들이 한 뜻을 가지고, 그리고 그 능력 과
τὴν ἐξουσίαν ἑαυτῶν τῷ θηρίῳ διαδιδώσουσιν.
그 권세를 자기들의 그 짐승에게 주니라.

짐승 적그리스도의 세계 통치체제인 열 뿔 곧 열 왕국의 왕들은 한 뜻을 가지고 힘과 권세를 최고의 통치자인 짐승 적그리스도에게 위임한다는 것을 말함이다. 그러므로 이때 적그리스도의 세계 통치는 일사불란하고 강력한 것이다.

14절 ▷ 그들이 어린양의 대적이 되어 싸우려니와, 그렇지만 어린양은 주들의 주님이시며, 또한 왕들의 왕이시기 때문에 이기실 것이며, 그리고 그분의 같은 편에 부르심을 받고, 또한 뽑힘을 받고, 뿐만아니라 진실한 자들은 이기리로다.

οὗτοι μετὰ τοῦ ἀρνίου πολεμήσουσιν, καὶ τὸ ἀρνίον νικήσει
저희가 더불어 어린양으로 싸우려니와, 그렇지만 그어린양은 이기실 것이요
αὐτούς, ὅτι κύριος κυρίων ἐστὶν καὶ βασιλεὺς βασιλέων·
그들을, 때문에 주 주들의 시요 또한 왕 왕들의.
καὶ οἱ μετ' αὐτοῦ, κλητοὶ καὶ ἐκλεκτοὶ καὶ πιστοί.
그리고 자들 같은편에 그분의, 부르심을 받고 그리고 뽑힘을 진실한 자들.

그렇게 일사불란한 세계적 힘과 권세로 어린양 주님을 대항하여 싸우려고 하는 것이다.

제 17 장

그러나 어린양은 '주들의 주이시며 왕들의 왕이시므로' 그들을 이기실 것이며, 그분의 같은 편에 부르심을 받고 뽑힘을 받고 진실한 자들은 어린양 주님과 함께 이기게 되는 것이다.

이때도 주님과 함께 이기는 성도들이 땅에 있음을 말하고 있다.

¤ 감동과 기도 ☆

⑦ 짐승 열 뿔의 배반에 의한 음녀의 파멸 예고 (15~17)

15절 ▷ 그리고 그가 내게 말하기를, 네가 본 바 음녀의 앉은 곳 그 물들은 어디로든지 백성들과 무리들과 민족들과 방언들이니라.

Καὶ λέγει μοι, Τὰ ὕδατα ἃ εἶδες, οὗ ἡ πόρνη κάθηται,
그리고 말하기를 내게, 그 물들은 그 네가 본바, 곳은 그 창녀의 앉은,

λαοὶ καὶ ὄχλοι εἰσὶν, καὶ ἔθνη καὶ γλῶσσαι.
백성들 무리들 이니라, 민족들 방언들이니라.

음녀의 앉은 물들은 백성들과 무리들과 민족들과 방언들이라고 하였으니 달리 해석해서는 안 된다. 짐승 적그리스도의 세계 통치 정치체제와 결탁한 음녀 바뷜론(바벨론) 도시인 종교 통치 체제 본부는 전 세계 백성들과 무리들과 민족들과 방언들 위에 세력을 행사하는 것이다. '위에 앉았다' 는 것은 지배한다는 의미이다.

16절 ▷ 그리고 네가 본 바 짐승 위의 열 뿔들은 그들에게서 그 음녀를 미워할 것이며, 또한 그녀를 황폐하게 하고 그리고 벌거벗겨, 뿐만 아니라 그녀의 살들을 먹을 것이며, 그리고는 그녀를 불로 다 태워버릴 것이라.

καὶ τὰ δέκα κέρατα ἃ εἶδες ἐπὶ τὸ θηρίον, οὗτοι
그리고 그 열 뿔들은 바 네가 본 위에 그 짐승, 그들에게
μισήσουσιν τὴν πόρνην, καὶ ἠρημωμένην ποιήσουσιν
미워할 것이며 그 창녀를, 또한 황폐하게 하고
αὐτὴν καὶ γυμνήν, καὶ τὰς σάρκας αὐτῆς φάγονται,
그녀를 그리고 벌거벗겨, 뿐만 아니라 그 살들을 그의 먹을 것이며,
καὶ αὐτὴν κατακαύσουσιν ἐν πυρί.
그리고는 그녀를 다 태워버릴 것이다 로 불.

그런데 놀라운 것은 음녀와 결탁하여 음녀를 등에 태우고 활동하던 그 짐승 위의 열 뿔들이 등에 태웠던 그 음녀를 미워하여, 미워할 뿐만 아니라 그녀를 황폐하게 하기를 벌거벗겨 그녀의 살들을 먹고 그리고는 그녀를 불로 다 태워버린다고 한 것이다.

왜 이렇게 할까? 의아스럽지만 그럴 수 있는 것은 음녀 곧 종교 통치체제가 적그리스도의 정치 통치체제를 이용하면서 너무나 기고만장하고 경제적으로 비대하여질 뿐 아니라 전 세계인들로부터 적그리스도의 정치체제보다 종교 통치체제가 더 우월하게 추앙을 받음으로 종교 통치체제인 음녀를 없애버리려 하는 것이다.

17절 ▷ 그것은 하나님께서 자신의 뜻을 행할 마음을 그들에게 주시고, 그리고 한 뜻을 이루게 하시되, 그리하여 하나님의 말씀을 성취하시기까지 그 짐승에게 그들의 왕국을 주시기 때문이라.

ὁ γὰρ θεὸς ἔδωκεν εἰς τὰς καρδίας αὐτῶν ποιῆσαι τὴν
그 때문이라 하나님께서 주사 에 그 마음을 그들의 할 그
γνώμην αὐτοῦ, καὶ ποιῆσαι μίαν γνώμην, καὶ δοῦναι τὴν
뜻을 자신의, 그리고 이루게하시고 한 뜻을, 그리하여 주시되 그

βασιλείαν αὐτῶν τῷ θηρίῳ, ἄχρι τελεσθῇ τὰ ῥήματα τοῦ θεοῦ.
왕국을 그들의 그 짐승에게, 까지 성취하기 그 말씀을 그 하나님의.

그러나 이것은 질투로 인한 짐승의 뜻만 아니라 궁극적으로는 하나님께서 열 왕들을 통해 음녀를 심판하시는 말씀을 이루시기 까지 짐승에게 그들의 왕국을 주시는 것이다. 적그리스도의 왕국의 열 왕을 통해 음녀를 심판하시는 것이다. 그 심판의 참상과 광경이 얼마나 끔찍한지 18장에 나타나 있는 것이다.

⑧ 음녀의 정체가 무엇임을 말함 (18)

18절 ▷ 그리고 네가 본 그 여자는 땅의 왕들 위에 그 통치권을 가진 그 큰 그 도시라.

καὶ ἡ γυνὴ ἣν εἶδες, ἔστιν ἡ πόλις ἡ μεγάλη, ἡ
그리고 그 여자는 바 네가 본, 이라 그 도시 그 큰, 그
ἔχουσα βασιλείαν ἐπὶ τῶν βασιλέων τῆς γῆς.
가진 왕권을 위에 그 왕들의 그 땅의.

음녀 곧 그 여자는 땅의 왕들 위에 그 통치권을 가진 그 큰 그 도시라고 하였으니 다르게 해석을 해서는 안된다. 만약 천사가 이렇게 해석하여 주지 않았다면 '음녀' 에 대하여 해석이 구구할 것이다. 이렇게 분명하게 "땅의 왕들 위에 그 통치권을 가진 그 큰 그 도시라"고 해석까지 해 주었는데도 불구하고 이 '음녀' '바빌론(바벨론)' 에 대한 해석들을 보면,(존칭 생략)

'거짓된 종교와 악한 정치를 포함하는 이 세상' (박윤선), '전 세계 백성을 지배할 세속 도시' (이상근), '흐로메(로마)와 거짓 교회' (김응조), '흐로메(로마)' (김재준, 헨드릭슨, 워치만 니,

로버트 H 마운스, 레마 주석), '모든 가증한 것의 모체' (손기태) '말세지 말의 대환란기에 등장할 배도하는 교회' (이광복) '카톨릭' (조용기,정종호) '하나님 없이 인간들끼리 건설하여 높아진 세상과 세상에 속한 모든 것들' (이병규), '역사의 종말에 성도들을 핍박하고 신앙을 저버리게 하는 사탄적 배경을 가진 세계적 조직' (옥스퍼드 원어 성경대전), '기독교를 타락시킬 이방종교의 가장' (데이크), 적그리스도의 수도 '(래드), '부정한 의식이 가득찬 종교적 의미에서의 바벨론' (왈부르드), '교만하고 우상숭배적이고 억압적인 본질이 뿌리 깊이 담겨져 있는 포로 당시의 바벨론' (존슨), '적그리스도 세력의 구체적인 중심 도시' (비더 울프), '큰 제국이고 많은 부하 왕들을 거느린 수도' (렌스키).

이렇게도 일치되지 않는지 참으로 딱하다.

¤ 감동과 기도 ☆

♤ 17장 요점 정리 ♠

① 17장에는 세상 마지막 사탄의 왕국인 짐승 적그리스도의 체제와 결탁한 종교 통합체제인 음녀 바빌론(바벨론)의 정체에 대한 계시이다. 짐승은 일곱 머리와 열 뿔을 가졌는데 일곱 머리는 일곱 왕으로서 역사 가운데 하나님의 백성 이스라엘을 괴롭혀 온 제국의 왕들이며, 열 뿔 역시 열 왕으로서 일곱 왕 중에 마지막에 나타날 사탄의 왕국인 세계 열 연방국가로서의 짐승 적그리스도의 국가를 말한다. 그런데 음녀 곧 바빌론(바벨론)은 세계를 지배하는 짐승 적그리스도 체제와 결탁하여 교회를 잔해하는 종교 통합체제이다.〔1~18절〕

② 그 짐승 위의 열 뿔들이 등에 태웠던 그 음녀를 미워하여 그녀를 황폐하게 하기를 벌거벗겨 그녀의 살들을 먹고 그리고는 그녀를 불로 다 태워버린다고 하였다. 하나님께서 음녀를 심판하시기 위하여 이렇게 하도록 하신다.〔16~18절〕

"히틀러는 하나님이 보내신 사자!" 스테파닉 주교

【 계시록 제 18 장】

한 글 개 역 성 경	전통원문 직역 성경
1. 이 일 후에 다른 천사가 하늘에서 내려오는 것을 보니 큰 권세를 가졌는데 그의 영광으로 땅이 환하여 지더라.	1. 그리고 이 일들 후에 내가 보니 천사가 하늘로부터 큰 권세를 가지고 내려오는데, 그러므로 그의 영광에 의해 땅이 밝게 되니라.
2. 힘센 음성으로 외쳐 가로되 무너졌도다, 무너졌도다, 큰 성 바벨론이여 귀신의 처소와 각종 더러운 영의 모이는 곳과 각종 더럽고 가증한 새의 모이는 곳이 되었도다	2. 그리고 힘있는 큰 소리로 외쳐 말하기를, 무너졌도다, 무너졌도다, 그 위대한 바빌론이여, 그렇지만 악령들의 거주지가 되었고, 또한 모든 더러운 영의 장소와 온갖 깨끗지 못하고 그리고 미워하는 새의 장소가 되었도다
3. 그 음행의 진노의 포도주를 인하여 만국이 무너졌으며 또 땅의 왕들이 그로 더불어 음행하였으며 땅의 상고들도 그 사치의 세력을 인하여 치부하였도다 하더라	3. 그녀의 간음의 분노의 포도주에서 모든 민족들이 마시고, 땅의 왕들도 역시 그녀와 함께 음행하였으며, 뿐만 아니라 땅의 상인들도 그녀의 사치의 세력을 인하여 부하게 되었도다 하니라.
4. 또 내가 들으니 하늘로서 다른 음성이 나서 가로되 내 백성이 거기서 나와 그의 죄에 참예하지 말고 그의 받을 재앙들을 받지 말라.	4. 그리고 내가 하늘로서 다른 음성을 들으니, 말하기를, 나의 백성아 그녀로부터 나오라. 그리하여 그녀의 죄들에 참여하지 않도록 하고, 그리고 그녀의 재난들로부터 받지 않도록 하라.
5. 그 죄는 하늘에 사무쳤으며 하나님은 그의 불의한 일을 기억하신지라.	5. 그녀의 죄들이 하늘에까지 다다랐으며, 그리고 하나님께서는 그녀의 부정한 행위들을 기억하셨기 때문이라.
6. 그가 준 그대로 그에게 주고 그의 행위대로 갑절을 갚아 주고	6. 그녀가 너희에게 준 것같이 그녀에게 돌려주고, 그리고 그녀의 행위들을

그의 섞은 잔에도 갑절이나 섞어 그에게 주라	**따라 그녀에게 두 배를 갑절로 갚아 주고, 그 잔 안에 섞었으니 그녀에게 두 배를 섞으라.**
7. 그가 어떻게 자기를 영화롭게 하였으며, 사치하였던지 그만큼 고난과 애통으로 갚아주라 그가 마음에 말하기를 나는 여황으로 앉은 자요 과부가 아니라 결단코 애통을 당하지 아니하리라 하니	**7. 그가 얼마나 자기를 크게 영화롭게 하며 사치스럽게 살았던지 그만큼 그녀에게 고통과 애통을 주라. 왜냐하면 그녀의 마음에 말하기를 나는 여왕으로 앉았고, 그리고 결코 과부가 아니며, 또한 결단코 애통을 당하지 아니하리라 하기 때문이다.**
8. 그러므로 하루동안에 그 재앙들이 이르리니 곧 사망과 애통과 흉년이라 그가 또한 불에 살라지리니 그를 심판하신 주 하나님은 강하신 자이심이니라	**8. 그러므로 그 재난이 그녀에게 한 날 안에 올 것이니, 애통과 굶주림과 죽음과 불에 태워지는 것이라. 그녀를 심판하신 주 하나님은 강하시기 때문이라.**
9. 그와 함께 음행하고 사치하던 땅의 왕들이 그 불붙는 연기를 보고 위하여 울고 가슴을 치며	**9. 그리고 그녀를 위해 울며 슬퍼하고, 또한 그녀와 함께 간음하고, 더욱이 사치스럽게 살던 땅의 왕들이 그녀의 불붙는 연기를 보는 동안 그녀를 위하여 가슴을 칠 것이니라.**
10. 그 고난을 무서워하여 멀리 서서 가로되 화 있도다 화 있도다 큰 성 견고한 성 바벨론이여 일시간에 네 심판이 이르렀다 하리로다	**10. 그러므로 그녀의 고통의 두려움을 멀리 떨어져 서서 말하기를, 화 있도다, 화 있도다, 그 큰 그 도시 그 강대한 그 도시 바벨론이여, 너의 심판이 일시에 왔기 때문이라.**
11. 땅의 상고들이 그를 위하여 울고 애통하는 것은 다시 그 상품을 사는 자가 없음이라	**11. 그리고 땅의 상인들이 울며, 또한 그녀를 위하여 애통해 하니, 그들의 상품을 사는 자가 더이상 하나도 없기 때문이라.**

12. 그 상품은 금과 은과 보석과 진주와 고운 세마포와 자주 옷감과 비단과 붉은 옷감이요 각종 향목과 각종 상아 기명이요 값진 나무와철과 옥석으로 만든 각종 기명이요,

13. 계피와 향료와 향과 향유와 유향과 포도주와 감람유와 고운 밀가루와 밀과 소와 양과 말과 수레와 종들과 사람의 영혼들이라.

14. 바벨론아 네 영혼의 탐하던 과실이 네게서 떠났으며, 맛있는 것들과 빛난 것들이 다 없어졌으니 사람들이 결코 이것들을 다시 보지 못하리로다

15. 바벨론을 인하여 치부한 이 상품의 상고들이 그 고난을 무서워하여 멀리 서서 울고 애통하며

16. 가로되 화 있도다 화 있도다 큰 성이여 세마포와 자주와 붉은 옷을 입고 금과 보석과 진주로 꾸민 것인데

17. 그러한 부가 일시간에 망하였도다. 각 선장과 각처를 다니는 선객들과 선인들과 바다에서 일하는 자들이 멀리 서서

18. 그 불붙는 연기를 보고 외쳐 가로되 이 큰 성과 같은 성이 어디

12. 상품은 금과 은과 보석과 진주와 세마포와 자주색 옷감과 비단과 붉은 옷감과 각종 향나무와 각종 상아 그릇과 각종 값진 나무로 만든 그릇과 청동과 철과 옥석과

13. 계피와 향들과 향유와 향나무와 포도주와 감람유와 고운 밀가루와 밀과 소들과 양들과 말들과 수레들과 몸들과 사람들의 생명이라.

14. 그리고 네 생명체의 그 욕망의 과실이 너로부터 떠났으며, 또한 모든 기름진 것들과 빛난 것들이 너로부터 떠났으며, 그리고 이것들을 더 이상 절대 보지 못하리라.

15. 그 여자로부터 이러한 것들로 부하게 된 그 상인들이 멀리 떨어져 서서, 그 여자의 고통의 무서움 때문에 슬퍼하며 그리고 울부짖고,

16. 그리고 말하기를 오호 슬프다! 오호 슬프다! 그 큰 그 도시여! 세마포와 자색옷과 진홍색을 입었고, 그리고 금과 보석과 진주들로 꾸민 것인데,

17. 이처럼 거대한 부유함이 일시에 황폐하게 되었기 때문이라. 그리고 모든 선장과 모든 배들 위의 무리들과 선원들과 바다에서 일하는 얼마나 많은 자들이 멀리 떨어져 서서,

18. 그리고 그 여자의 불붙는 연기를 모두 보며 외쳐 말하기를, 그 큰 도시

있느뇨 하며	**에 유사한 것이 어디 있겠는가? 하며,**
19. 티끌을 자기 머리에 뿌리고 울고 애통하여 외쳐 가로되, 화 있도다 화 있도다 이 큰 성이여여 바다에서 배 부리는 모든 자들아 너의 보배로운 상품을 인하여 치부하였더니 일시간에 망하였도다.	**19. 그리고 티끌을 자신의 머리들 위에 뿌리고, 그리고 슬퍼하며 울부짖고 외쳐 말하기를, 오호 슬프다, 오호 슬프다, 그 큰 도시여! 바다에서 배를 가지고 있는 모든 자들이 그 여자의 풍성한 값비싼 것으로 말미암아 엄청나게 부요하더니 일시에 황폐되었기 때문이라 하니라.**
20. 하늘과 성도들과 사도들과 선지자들아 그를 인하여 즐거워하라 하나님이 너희를 신원하시는 심판을 그에게 행하셨음이라 하더라	**20. 하늘과 거룩한 사도들과 선지자들아 그분을 향하여 기쁘게 되라. 하나님께서 너희들의 심판을 그 여자에게서 결정하셨기 때문이라.**
21. 이에 한 힘센 천사가 큰 맷돌 같은 돌을 들어 바다에 던져 가로되 큰 성 바벨론이 이같이 몹시 떨어져 결코 다시 보이지 아니하리로다.	**21. 그리고 한 힘센 천사가 연자맷돌 같은 큰 돌을 들어, 그리고 바다를 향해 던지고 말하기를, 그 큰 도시 바벨론이 이렇게 난폭하게 던져질 것이며, 그리하여 다시 보이지 아니할 것이다 하니라.**
22. 또 거문고 타는 자와 풍류하는 자와 퉁소 부는 자와 나팔 부는 자들의 소리가 결코 다시 네 가운데서 들리지 아니하고 무론 어떤 세공업자든지 결코 다시 네 가운데서 보이지 아니하고 또 맷돌소리가 다시 네 가운데서 들리지 아니하고	**22. 그리고 수금 연주자들과 음악가들과 피리연주자들과 나팔수들의 소리가 네 가운데 결단코 다시 들리지 아니하고, 그리고 어떤 장인이나 어떤 기술자가 네 가운데 결단코 다시 보이지 아니하며, 또한 맷돌 소리가 결단코 네 가운데서 들리지 아니할 것이라.**
23. 등불 빛이 결코 다시 네 가운데서 비취지 아니하고	**23. 그리고 이후에 네 가운데 등불 빛이 결단코 비치지 아니하고,**

신랑과 신부의 음성이 결코 다시 네 가운데서 들리지 아니하리로다 너의 상고들은 땅의 큰 왕족들이라 네 복술을 인하여 만국이 미혹되었도다	**또한 이후에 네 가운데 신랑과 신부의 소리가 결단코 들리지 아니하리라. 너의 상인들은 땅의 고관들이기 때문이며, 너의 마법에 모든 민족들이 미혹되었기 때문이라.**
24. 선지자들과 성도들과 및 땅에서 죽임을 당한 모든 자의 피가 이 성중에서 보였느니라 하더라	**24. 그리고 선지자들과 성도들과 땅위에서 죽임을 당한 모든 자들의 피가 그 여자에게서 보였느니라 하니라.**

【 문 단 】

2〉 **창녀 바벨론의 심판** 18:1~24

① 바뷜론의 파멸을 예고하는 천사의 음성 (1~3)

② 하나님의 백성들에게 바뷜론을 떠나라는 경고 (4~5)

③ 바뷜론에 대한 심판의 정당성과 심판주의 위엄 (6~8)

④ 바뷜론의 멸망으로 인한 왕들의 비가 (9~10)

⑤ 바뷜론의 멸망으로 상인들의 비가 (11~17상)

⑥ 바뷜론의 멸망으로 인한 운송업자들의 비가 (17하-19)

⑦ 바뷜론의 멸망으로 인한 성도들의 환호 (20)

⑧ 바뷜론의 철저한 멸망을 천사가 선언함 (21~23상)

⑨ 바뷜론이 멸망한 세 가지 원인 (23하-24)

【 주 해 】

〈**개요**〉 17장은 바뷜론의 심판 받기 전의 죄악상을 말한 것이며, 18장은 엄중 심판의 결과와 참상을 말씀하신 것이다.

① 바빌론의 파멸을 예고하는 천사의 음성 (1~3)

1절 ▷ 그리고 이 일들 후에 내가 보니 천사가 하늘로부터 큰 권세를 가지고 내려오는데, 그리하여 그의 영광에 의해 땅이 밝게 되니라.

Καὶ μετὰ ταῦτα εἶδον ἄγγελον καταβαίνοντα ἐκ τοῦ
그리고 후에 이것들 내가보니 천사가 내려오는 것을 로부터 그
οὐρανοῦ, ἔχοντα ἐξουσίαν μεγάλην· καὶ ἡ γῆ ἐφωτίσθη
하늘의, 가졌는데 권세를 큰. 그리하여 그 땅이 밝게되니라
ἐκ τῆς δόξης αὐτοῦ. ← 에의해 그 영광의 그의

사도 이오안네스(요한)가 보니 천사가 하늘로부터 큰 권세를 가지고 내려오는데, 그의 영광에 의해 땅이 밝게 되니라고 하였다. 천사가 '큰 권세를 가지고' 내려오며, '그의 영광에 의해 땅이 밝게 되는 것은 '큰 음녀' 인 큰 바빌론(바벨론)을(17:1, 5) 심판하러 내려 오기 때문이다. 심판이 엄중할 것을 의미한다..

2절 ▷ 그리고 힘있는 큰 소리로 외쳐 말하기를, 무너졌도다, 무너졌도다, 그 위대한 바빌론이여, 그렇지만 악령들의 거주지가 되었고, 또한 모든 더러운 영의 장소와 온갖 깨끗지 못하고 그리고 미워하는 새의 장소가 되었도다.

καὶ ἔκραξεν ἐν ἰσχύϊ, φωνῇ μεγάλῃ, λέγων, Ἔπεσεν
그리고 외쳐 로 힘센, 소리에 큰, 말하기를, 무너졌도다
ἔπεσεν Βαβυλὼν ἡ μεγάλη, καὶ ἐγένετο κατοικητήριον
무너졌도다 바빌론이 그 위대한, 그렇지만 되었고 거주지가
δαιμόνων, καὶ φυλακὴ παντὸς πνεύματος ἀκαθάρτου,
악령들의, 또한 장소가 모든 영의 더러운,
καὶ φυλακὴ παντὸς ὀρνέου ἀκαθάρτου καὶ μεμισημένου·
과 장소가 모든 새의 깨끗지 못한 그리고 미워하는.

천사가 힘있는 큰 소리로 '무너졌도다, 무너졌도다, 그 위대한 바뷜론이여' 라고 외쳐 말하였다. 참으로 짐승 적그리스도와 결탁한 범 세계 종교 통치체제 본부인 그 도시가 그렇게 무너지게 된 것은 그 도시가 악령들의 거주지가 되었고, 또한 모든 더러운 영의 장소와 온갖 깨끗지 못하고 그리고 미워하는 새의 장소가 되었기 때문이라고 하였다. 하나님께서 선민 이스라엘 백성들에게 부정한 새들은 먹지 말라 명하셨고,(레 14:11~20) 이에수-스(예수)님께서는 '새' 를 마음에 뿌려진 말씀을 빼앗아 버려서 구원을 얻지 못하게 하는 마귀에 비유하셨다.(눅 8:5, 12)

큰 음녀 곧 바뷜론(바벨론)은 세계 모든 종교의 통합 통치본부이니 얼마나 각종 더러운 영과 하나님께서 미워하시는 부정한 새들의 모이는 장소이겠는가?

3절 ▷ 그녀의 간음의 분노의 포도주로부터 모든 민족들이 마시고, 땅의 왕들도 역시 그녀와 함께 음행하였으며, 뿐만 아니라 땅의 상인들도 그녀의 사치의 세력으로부터 부하게 되었도다 하니라.

ὅτι ἐκ τοῦ οἴνου τοῦ θυμοῦ τῆς πορνείας αὐτῆς πέπωκεν
때문에 로부터 그 포도주의 그 분노의 그 간음의 그녀의 마셨으며
πάντα τὰ ἔθνη, καὶ οἱ βασιλεῖς τῆς γῆς μετ' αὐτῆς
모든 그 민족들이, 역시 그 왕들 그 땅의 함께 그녀의
ἐπόρνευσαν, καὶ οἱ ἔμποροι τῆς γῆς ἐκ τῆς δυνάμεως
음행하였으며, 뿐만 아니라 그 상인들이 그 땅의 로부터 그 세력의
τοῦ στρήνους αὐτῆς ἐπλούτησαν. ← 그 사치의 그녀의 치부하였도다

"그녀의 간음의 분노의 포도주에서 모든 민족들이 마시고, 땅의 왕들도 역시 그녀와 함께 음행하였으며"라고 한 것은 종교

통합정책으로 종교가 혼합되니 모든 민족들이 독한 포도주에 취한 것 같이 참 종교를 분별할 수가 없어 하나님을 떠나는 간음을 하게 되고 백성의 통치자들은 세계 종교 통합정책에 동조함으로 함께 음행을 하게 되는 것이다.

뿐만 아니라 땅의 상인들도 그녀의 사치의 세력을 인하여 부하게 되었도다고 하였으니 세계 종교 통합본부에 엄청난 헌금이 모여 쌓이고 그 막대한 부를 사치하고 향락하는데 씀으로 전 세계의 상인들이 부하게 되는 것이다.

23절에 상인들은 '땅의 고관들' 이라고 하였다. 세계 종교 통합본부의 하부조직은 각 나라의 고관들이다. 종교 통합본부는 각국의 고관들에게 엄청난 부를 안겨주며 매수하여 조직을 강화한 것이다.

¤ 감동과 기도 ☆

② 하나님의 백성들에게 바벨론을 떠나라는 경고 (4~5)

4절 ▷ 그리고 내가 하늘로서 다른 음성을 들으니, 말하기를, 나의 백성아 그녀로부터 나오라. 그리하여 그녀의 죄들에 참여하지 않도록 하고, 그리고 그녀의 재난들로부터 받지 않도록 하라.

Καὶ ἤκουσα ἄλλην φωνὴν ἐκ τοῦ οὐρανοῦ, λέγουσαν, Ἐξέλθετε
그리고 내가들으니 다른 소리를 로서 그 하늘의, 말하기를, 나오라

ἐξ αὐτῆς ὁ λαός μου, ἵνα μὴ συγκοινωνήσητε ταῖς ἁμαρτίαις
로부터 거기 그 백성아 나의, 않도록 참여하지 그 죄들에

αὐτῆς, καὶ ἵνα μὴ λάβητε ἐκ τῶν πληγῶν αὐτῆς·
그의, 그리고 않도록 받지 로부터 그 재난들의 그의.

그런데 하늘로서 들리는 다른 음성이 말하기를, "나의 백성아 그녀로부터 나오라. 그리하여 그녀의 죄들에 참여하지 않도록 하고, 그리고 그녀의 재난들로부터 받지 않도록 하라"는 것이었다.

이 말씀도 후3년 반인 이때도 하나님의 백성이 땅위에 있다는 말인 것이다. 하나님의 백성은 종교 통합체제에 있지 말고 "그녀로부터 나오라"고 하는 것이다. 진리를 거스리며 화목하고 하나되고 친구가 되는 것은 영적 간음이다.(약 4:4) 그 종교통합체제 아래 있다는 것은 그 간음의 죄에 참예하는 것이요, 참예하는 자는 그녀가 받을 재앙을 함께 받아야 하기 때문이다. 하나님께 대한 음녀 죄악의 체제에 대한 징벌과 파멸을 예고하시고 한편 성도들에게는 거기서 나올 것을 권고하신다.

아브라함을 우상의 도시 카쓰디(갈대아) 우르에서 불러내시고,(창 12:1) 르롵(롯)을 멸망할 소도마(소돔)에서 떠나라 하셨고,(창 19:12~14) 하나님의 진노로 멸망할 코라흐(고라)의 장막 사면으로부터 이스라엘 백성들로 하여금 떠나라 하셨다.(민 16:23~26) 하나님의 백성들에게 바뷜론에서 나오고 카쓰디(갈대아)인에게서 피하라 하시고,(사 48:20; 렘 51:6) 신약에서도 "교훈을 거스려 분쟁을 일으키고 거치게 하는 자들을 살피고 저희에게서 떠나라" 하였고,(롬 16:17) "다른 교훈을 하며 바른 말씀 곧 우리 주 예수 그리스도의 말씀과 경건에 관한 교훈에 착념치 아니하면 저는 교만하여 아무것도 알지 못하고 변론과 언쟁을 좋아하는 자니 … 너는 이러한 데서 떠나라(*ἀφίστασο ἀπο τῶν τοιοῦτων*←전통원문에는 있음)"고 하였다.(딤전 6: 3~5)

5절 ▷ 그녀의 죄들이 하늘에까지 다다랐으며, 그리고 하나님께

제
18
장

서는 그녀의 부정한 행위들을 기억하셨기 때문이라.

ὅτι ἠκολούθησαν αὐτῆς αἱ ἁμαρτίαι ἄχρι τοῦ οὐρανοῦ,
때문이라 다다르다 그녀의 그 죄들이 까지 그 하늘의,
καὶ ἐμνημόνευσεν ὁ θεὸς τὰ ἀδικήματα αὐτῆς.
그리고 기억하셨기 그 하나님께서 그 부정한 행위들을 그녀의.

종교 통합으로 인한 그녀의 죄들은 하늘에 다다를 만큼 사무쳤고, 하나님께서는 그녀의 부정한 행위들을 도무지 지나쳐버리거나 잊을 수 없을 만큼 막심한 죄악이라는 것이다. 히에레미아스(예레미야) 51:9절에 "우리가 바빌론(바벨론)을 치료하려 하여도 낫지 아니한즉 버리고 각기 고토로 돌아가자 그 화가 하늘에 미쳤고 궁창에 달하였음이로다"고 하였다.

¤ 감동과 기도 ☆

③ 바빌론에 대한 심판의 정당성과 심판주의 위엄 (6~8)

6절 ▷ 그녀가 너희에게 준 것같이 그녀에게 돌려주고, 그리고 그녀의 행위들을 따라 그녀에게 두 배를 갑절로 갚아 주고, 그 잔 안에 섞었으니 그녀에게 두 배를 섞으라.

ἀπόδοτε αὐτῇ ὡς καὶ αὐτὴ ἀπέδωκεν ὑμῖν καὶ διπλώσατε
돌려주고 그에게 같이 그리고 그녀가 준 너희에게 그리고 두 배로하고
αὐτῇ διπλᾶ κατὰ τὰ ἔργα αὐτῆς· ἐν τῷ ποτηρίῳ ᾧ
그녀에게 두 배를 따라 그 행위들을 그녀의. 안에 그 잔에 그
ἐκέρασεν, κεράσατε αὐτῇ διπλοῦν.
섞었으니, 섞으라 그녀에게 두 배를.

개역 한글성경의 사본인 네슬 알란드 판에는 '그가 준 그대로'에서 '너희에게'라는 말이 없고, '그의 행위대로 갑절을 갚

아주고' 에서 '그녀에게' 라는 말이 없으나, 전통원문에는 '그가 너희에게 준 그대로' '그의 행위대로 그녀에게 갚아주고' 로 되어 있다. 그리고 개역 한글성경은 '갑절을 갚아주고' 라고 했으나 갑절 즉 '두 배' 라는 말이 두 번인데 한 번만 번역한 것이다. "두 배를 두 배로 갚아주고" 이다. 2×2=4 즉 네 배를 갚아주라는 말로서 구약 하나님의 율법의 배상의 법칙에 따라(출 22:1; 삼하 12:6; 눅 19:8) 엄중한 심판의 보응을 명령하신 것이다. "그 잔 안에 섞었으니 그녀에게 두 배를 섞으라" 하신 것도 그러한 뜻이다.

하나님은 언제까지나 사랑과 관용으로만 일관하시지 않는다. 최후의 심판의 때가 오면 가차없이 엄중한 보응을 하신다. 보복하시고 보응하시고 갚으시는 하나님이시다.(렘 51:56; 나 1:2; 사 40:10; 마 16:27; 롬 2:6; 12:19, 13:4; 계 22:12)

7절 ▷ 그가 얼마나 자기를 크게 영화롭게 하며 그리고 사치스럽게 살았던지 그렇게 많이 그녀에게 고통과 애통을 주라. 왜냐하면 그녀의 마음에 말하기를 나는 여왕으로 앉았고, 그리고 결코 과부가 아니며, 또한 결단코 애통을 당하지 아니하리라 하기 때문이다.

ὅσα ἐδόξασεν ἑαυτὴν καὶ ἐστρηνίασεν, τοσοῦτον
얼마나 크게 영화롭게하였으며 자기를 그리고 사치스럽게 살았던지, 그렇게많이
δότε αὐτῇ βασανισμὸν καὶ πένθος· ὅτι ἐν τῇ καρδίᾳ
주라 그녀에게 고통을 과 애통을. 때문이다 에 그 마음에
αὐτῆς λέγει, Κάθημαι βασίλισσα, καὶ χήρα οὐκ εἰμί,
그녀의 말하기를, 앉았고 여왕으로, 그리고 과부가 결코 아니라,
καὶ πένθος οὐ μὴ ἴδω. ←또한 애통을 결코 아니 당하지

“그가 얼마나 자기를 크게 영화롭게 하며 사치스럽게 살았던지 그만큼 그녀에게 고통과 애통을 주라” 하셨으니 이에수-스(예수)님께 말씀하신 부자와 나사로에 대한 말씀에서 부자가 지옥 불꽃 중에서 고통하며 혀끝에 물 한 방울 적셔 주기를 애원했을 때 아브라암(아브라함)이 “얘 너는 살았을 때에 네 좋은 것을 받았고, 나자로스(나사로)는 고난<나쁜 것>을 받았으니 이것을 기억하라. 이제 저는 여기서 위로를 받고 너는 고민을 받느니라<고통을 당하느니라>”고 했던(눅 16:25) 공의의 법칙 그대로인 것이다.

“그녀의 마음에 말하기를 나는 여왕으로 앉았고, 그리고 결코 과부가 아니며, 또한 결단코 애통을 당하지 아니하리라 하였기 때문이라” 하셨다. 적그리스도와 결탁하여 성도를 잔해하는 종교 통합체제가 얼마나 오만하고 득의하며 자신만만해 했는지 하나님 앞에 오만불손한 그 자태를 이루 말로 다 표할 수 없다.

8절 ▷ 그러므로 그 재난이 그녀에게 한 날 안에 올 것이니, 애통과 굶주림과 죽음과 불에 태워지는 것이라. 그녀를 심판하신 주 하나님은 강하시기 때문이라.

διὰ τοῦτο ἐν μιᾷ ἡμέρᾳ ἥξουσιν αἱ πληγαὶ αὐτῆς,
그러므로 그것이 안에 한 날 올 것이니 그 재난들이 그녀에게,
θάνατος καὶ πένθος καὶ λιμός· καὶ ἐν πυρὶ κατακαυ
죽음 과 애통 과 굶주림. 과 가운데 불에 태워
θήσεται· ὅτι ἰσχυρὸς κύριος ὁ θεὸς ὁ κρίνων αὐτήν.
지리니. 때문이라 강하시기 주 그 하나님 그 심판하신 그녀를.

“그러므로 그 재난이 그녀에게 한 날 안에 올 것이니, 죽음과 애통과 굶주림과 불에 태워지는 것이라. 그녀를 심판하신 주 하

나님은 강하시기 때문이라" 17:16절에 짐승 적그리스도 정치체제의 열 왕들이 종교 통합체제에 보복한다는 말 그대로인 것이다. "그 음녀를 미워할 것이며 또한 그녀를 황폐하게 하고, 그리고 벌겨벗겨 그의 살들을 먹을 것이며, 그리고는 그녀를 불로 다 태워버릴 것이라" 그녀를 심판하신 주 하나님은 강하시기 때문이다.

이런 이야기가 있다. 히틀러가 점쟁이를 찾아가, "내가 언제 죽겠소?" 하고 물었다. 점쟁이는, "유대 명절날에 죽겠군요." 히틀러는 이상하다는 듯이, "내가 유대 명절날에 죽는다는 확실한 근거가 뭐요?" 라고 하자, "당신이 죽는 날은 유대인의 명절날이 되기 때문이요." 라고 했다는 것이다.

☼ 감동과 기도 ☆

④ 바벨론의 멸망으로 인한 왕들의 비가 (9~10)

9절 ▷그리고 그녀를 위해 울며 슬퍼하고, 또한 그녀와 함께 간음하고, 더욱이 사치스럽게 살던 땅의 왕들이 그녀의 불붙는 그 연기를 보는 동안 그녀를 위하여 가슴을 칠 것이니라.

Καὶ κλαύσονται αὐτήν, καὶ κόψονται ἐπ' αὐτῇ οἱ βασιλεῖς
위해 슬퍼하며 울고 그녀를, 가슴을 칠것이며 위하여 그녀를 그 왕들이
τῆς γῆς, οἱ μετ' αὐτῆς πορνεύσαντες καὶ στρηνιάσαντες,
그 땅의, 그 함께 그녀와 간음하고 더욱이 사치스럽게 살던,
ὅταν βλέπωσιν τὸν καπνὸν τῆς πυρώσεως αὐτῆς,
동안 보는 그 연기를 그 불붙는 그녀의,

그녀와 함께 간음하고, 더욱이 사치스럽게 살던 땅의 왕들이 그녀의 불붙는 연기를 보는 동안 그녀를 위하여 슬퍼하고 가슴

을 치며 울 것이라 하였다. 회개의 눈물이 아니라 그 멸망이 너무나 급속히 왔고 참혹하기 때문에 우는 통한의 눈물인 것이다.

10절 ▷ 그러므로 그녀의 고통의 두려움을 멀리 떨어져 서서 말하기를, 화 있도다, 화 있도다, 그 큰 그 도시 그 강대한 그 도시 바벨론이여, 너의 심판이 일시에 왔기 때문이라.

ἀπὸ μακρόθεν ἑστηκότες διὰ τὸν φόβον τοῦ βασανισμοῦ
떨어져 멀리 서서 그러므로 그 두려움을 그 고통의

αὐτῆς, λέγοντες, Οὐαί, Οὐαὶ ἡ πόλις ἡ μεγάλη, Βαβυλών,
그녀의, 말하기를, 화있도다, 화있도다, 도시 그 큰, 바벨론이여,

ἡ πόλις ἡ ἰσχυρά, ὅτι ἐν μιᾷ ὥρᾳ ἦλθεν ἡ κρίσις σου.
그 도시 그 강대한, 때문이다 안에 한 시간에 왔다 그 심판이 너의.

그녀의 고통의 두려움을 멀리 떨어져 서서 말하기를, 화 있도다, 화 있도다, 그 큰 그 도시 그 강대한 그 도시 바벨론이여, 너의 심판이 일시에 왔기 때문이라 한다고 하였으니 세계 종교 통합체제인 음녀 바빌론(바벨론)에 일시에 전격적으로 내린 하나님의 심판은 너무나 상상 이외의 일임으로 바라보는 자들이 속으로 중얼거릴 뿐이다.

¤ 감동과 기도 ☆

⑤ 바빌론의 멸망으로 상인들의 비가 (11~17상)

11절 ▷ 그리고 땅의 상인들이 울며, 또한 그녀를 위하여 애통해 하니, 그들의 상품을 사는 자가 더 이상 하나도 없기 때문이라.

Καὶ οἱ ἔμποροι τῆς γῆς κλαίουσιν καὶ πενθοῦσιν ἐπ'
그리고 그 상인들이 그 땅의 울고 또한 애통하니 위하여

αὐτῇ, ὅτι τὸν γόμον αὐτῶν οὐδεὶς ἀγοράζει οὐκέτι·
그녀를, 때문이라 그 상품을 그들의 하나도없기 사는 더이상.

세계의 부를 장악하여 세계 모든 고관인 바이어들에게 부러움을 샀던 세계 종교 통합체제가 일시에 망하자 허탈한 고관 상인들은 더 이상 상품을 거래하며 부를 축척할 수 없기에 울고 애통해 하는 것이다.

12절 ▷ 상품은 금과 은과 보석과 진주와 세마포와 자주색 옷감과 비단과 붉은 옷감과 각종 향나무와 각종 상아 그릇과 각종 값진 나무로 만든 그릇과 청동과 철과 옥석과

γόμον χρυσοῦ, καὶ ἀργύρου, καὶ λίθου τιμίου, καὶ μαργαρίτου,
상품을 금의, 과 은의, 과 석 보, 과 진주의,
καὶ βύσσου, καὶ πορφύρας, καὶ σηρικοῦ, καὶ κοκκίνου· καὶ πᾶν
와 세마포, 과 자주색 옷감, 과 비단, 과 붉은 옷감. 와 모든
ξύλον θύϊνον, καὶ πᾶν σκεῦος ἐλεφάντινον, καὶ πᾶν σκεῦος
나무 향나무, 과 모든 그릇 상아, 과 모든 그릇
ἐκ ξύλου τιμιωτάτου, καὶ χαλκοῦ, καὶ σιδήρου, καὶ μαρμάρου,
나무 값진, 과 청동, 과 철, 과 옥석,

바이어들인 땅의 고관들이 조달했던 상품들의 목록을 말하였으니, 금과 은과 보석과 진주 등 보석류와 세마포와 자주색 옷감과 비단과 붉은 옷감 같은 고급의류와 각종 향나무와 각종 상아 그릇과 각종 값진 나무로 만든 그릇 등 고급 가구류, 그리고 청동과 철과 옥석과 같은 건축 재료들이다. '옥석' 은 '희게 빛나는 대리석' 을 말한다. 각종 사치품들이다.

13절 ▷ 계피와 향들과 향유들과 향나무들과 포도주와 감람유

와 고운 밀가루와 밀과 소들과 양들과 말들과 수레들과 몸들과 사람들의 생명들이라.

καὶ κινάμωμον, καὶ θυμιάματα καὶ μύρον, καὶ λίβανον,
와 계피를, 과 향들을 과 향유들을, 과 향나무들을,

καὶ οἶνον, καὶ ἔλαιον, καὶ σεμίδαλιν, καὶ σῖτον, καὶ
와 포도주를, 와 감람유를, 와 고운밀가루를, 과 밀을, 과

κτήνη, καὶ πρόβατα, καὶ ἵππων, καὶ ῥδῶν καὶ σωμάτων,
소들을, 과 양들을, 과 말들의, 과 수레들의 과 몸들의,

καὶ ψυχὰς ἀνθρώπων. ←과 생명들을 사람들의

계피와 향들과 향유와 향나무는 향 재료들을 말하며, 포도주와 감람유는 음료들, 그리고 고운 밀가루와 밀은 양식을, 소들과 양들과 말들과 수레들은 가축과 운송 수단들, 또한 몸들과 사람들의 생명이라 한 것은 사람까지도 값으로 사고 판 것을 말한다. '신체' '몸' 을 말하는 '*σῶμα*' 의 소유격 남성 복수인 '*σωμάτων*(소마톤)' 을 개역 한글성경에는 '종들' 이라 번역하고, 영어 킹제임스 성경도 'slave 노예' 로 번역하였기 때문에 한글 킹제임스 성경도 '노예들' 로 번역한 것이다. 이것은 헬라어 원문에서부터 오역이다. '몸들' 로 번역해야 하고, 그리고 '사람들의 영혼' (개역 한글성경) '사람들의 혼' (킹제임스)으로 번역한 것도 '사람들의 생명' 이라고 번역해야 정확한 것이다. 사람의 '*σῶμα*(소마) **몸,신체**' 와 '*ψυχή*(프쉬케) **혼,생명**' 을 구별할 수 있어야 한다.

이러한 것들은 노아 홍수 때처럼 사람들이 얼마나 육체가 되어 육체만을 위해 사는 짐승과 같은 존재가 되었음을 증거해 주는 것이다. 노아 때와 같이 하나님께서 땅위에 사람 지으셨음을 한탄하셔야 하는 형국인 것이다.

14절 ▷ 그리고 네 생명체의 그 욕망의 과실이 너로부터 떠났으며, 또한 모든 기름진 것들과 빛난 것들이 너로부터 떠났으며, 그리고 이것들을 더 이상 결코 보지 못하리라.

καὶ ἡ ὀπώρα τῆς ἐπιθυμίας τῆς ψυχῆς σου ἀπῆλθεν
그리고 그 과실이 그 욕망의 그 생명체의 네 떠났으며
ἀπὸ σοῦ, καὶ πάντα τὰ λιπαρὰ καὶ τὰ λαμπρὰ ἀπῆλθεν
로부터 너, 또한 모든 그 기름진것들 과 그 빛난 것들이 떠났으며
ἀπὸ σοῦ, καὶ οὐκέτι οὐ μὴ εὑρήσῃς αὐτά.
로부터 너, 그리고 더 이상아니 결코 아니 보지 이것들을

철저한 멸망의 잔해만 남은 상태를 이름이다.

15절 ▷ 그 여자로부터 이러한 것들로 부하게 된 그 상인들이 멀리 떨어져 서서, 그 여자의 고통의 무서움 때문에 울부짖고 그리고 슬퍼하며,

οἱ ἔμποροι τούτων οἱ πλουτήσαντες ἀπ' αὐτῆς, ἀπὸ
그 상인들이 이러한 것들의 그 부하게 된 로부터 그여자, 떨어져
μακρόθεν στήσονται διὰ τὸν φόβον τοῦ βασανισμοῦ
멀리 서서 때문에 그 무서움 그 고통의
αὐτῆς, κλαίοντες καὶ πενθοῦντες,
그녀의, 울부짖고 그리고 슬퍼하며

그 여자의 고통의 무서움 때문에 상인이었던 고관들이 계속 울부짖고 슬퍼한다. 너무나 상상할 수 없는 충격적인 일이기 때문이다.

제 18 장

16절 ▷ 그리고 말하기를 오호 슬프다! 오호 슬프다! 그 큰 그도시여! 세마포와 자색옷과 진홍색을 입었고, 그리고 금과

보석과 진주들로 꾸민 것인데,

καὶ λέγοντες, Οὐαί, οὐαί, ἡ πόλις ἡ μεγάλη, ἡ περιβεβλημένη
그리고 말하기를, 오호, 슬프다, 그 도시여 그 큰, 그 입고
βύσσινον καὶ πορφυροῦν καὶ κόκκινον, καὶ κεχρυσωμένη
세마포를 와 자색옷 과 진홍색을, 그리고 꾸민것인데
ἐν χρυσῷ καὶ λίθῳ τιμίῳ καὶ μαργαρίταις·
로 금 과 석 보 과 진주들.

오호 슬프다! 오호 슬프다! 그 큰 그 도시여! 세마포와 자색옷과 진홍색을 입었고, 그리고 금과 보석과 진주들로 꾸민 것인데 하면서 계속 애석해 한다. 하나님은 이런 슬픔을 조금도 돌아보지 않으시고 오히려 노하신다.

¤ 감동과 기도 ☆

⑥ 바뷜론의 멸망으로 인한 운송업자들의 비가 (17하~19)

17절 ▷ **이처럼 거대한 부유함이 일시에 황폐하게 되었기 때문이라. 그리고 모든 선장과 모든 배들 위의 무리들과 선원들과 그리고 바다에서 일하는 얼마나 많은 자들이 멀리 떨어져 서서,**

ὅτι μιᾷ ὥρᾳ ἠρημώθη ὁ τοσοῦτος πλοῦτος. Καὶ πᾶς κυβε-
때문이다 한 시간에 황폐케 되었기 이처럼거대한. 부유함이. 그리고 모든 선장
ρνήτης, καὶ πᾶς ἐπὶ τῶν πλοίων ὁ ὅμιλος, καὶ ναῦται, καὶ
과 모든 위의 그 배들의 그 무리, 과 선원들,그리고
ὅσοι τὴν θάλασσαν ἐργάζονται, ἀπὸ μακρόθεν ἔστησαν,
많은 그 바다에서 일하는, 떨어져 멀리 서서,

'이처럼 거대한 부유함이 일시에 황폐하게 되었기 때문이라'

하면서 음녀의 부유함이 황폐된 것을 계속 슬퍼한다. 이런 일에 종사하던 모든 사람들이 한결같이 그리한다.

18절 ▷ 그리고 그 여자의 불붙는 연기를 모두 보며 외쳐 말하기를, 그 큰 그 도시에 유사한 것이 어디 있겠는가? 하며,

καὶ ἔκραζον, ὁρῶντες τὸν καπνὸν τῆς πυρώσεως αὐτῆς,
그리고 외쳐, 보고들 그 연기를 그 불붙는 그여자의,
λέγοντες, Τίς ὁμοία τῇ πόλει τῇ μεγάλῃ
말하기를, 어디 유사한 그 도시에 그 큰

그 위대한 도시의 불붙는 잔해에서 계속 피어오르는 연기를 바라보며 그 큰 도시의 황폐됨을 아쉬워하는 것이다.

19절 ▷ 그리고 티끌을 자신의 머리들 위에 뿌리고, 그리고 울부짖고 또한 슬퍼하며 외쳐 말하기를, 오호 슬프다, 오호 슬프다, 그 큰 도시여! 바다에서 배를 가지고 있는 모든 자들이 그 여자의 풍성한 값비싼 것으로 말미암아 엄청나게 부요 하더니 일시에 황폐되었기 때문이라 하니라.

καὶ ἔβαλον χοῦν ἐπὶ τὰς κεφαλὰς αὐτῶν, καὶ ἔκραζον
그리고 뿌리고 티끌을 위에 그 머리들을 자신들의, 그리고 외쳐
κλαίοντες καὶ πενθοῦντες, λέγοντες, Οὐαὶ, οὐαί,
울부짖고 또한 슬퍼하며, 말하기를, 오호 슬프다, 오호 슬프다,
ἡ πόλις ἡ μεγάλη, ἐν ᾗ ἐπλούτησαν πάντες οἱ ἔχοντες
그 도시여 그 큰 가운데 그 부하였더니 모든 자들이 가지고있는
πλοῖα ἐν τῇ θαλάσσῃ ἐκ τῆς τιμιότητος αὐτῆς, ὅτι
배를 에서 그 바다에 으로 말미암아 그 풍성한 값비싼 그 여자의, 때문이라
μιᾷ ὥρᾳ ἠρημώθη. ← 일 시에 황폐하게 되었기

땅의 고관 곧 상인들이 티끌을 자신의 머리들 위에 뿌리고,

제 18 장

그리고 슬퍼하며 울부짖고 외쳐 말하기를, 오호 슬프다, 오호 슬프다, 그 큰 도시여! 하며 그 부요하던 도시의 황폐된 것을 슬퍼하는 것이다.

이렇게 이 도시의 멸망과 황폐됨을 6~19절까지 무려 열 네 절에 걸쳐 말해진 것은 놀라운 일이 아닐 수 없다. 그만큼 하나님께서 세계 종교 통합체제의 음녀를 분노하시고 진노하셨다는 사실을 상기시키는 것이다.

¤ 감동과 기도 ☆

⑦ 바벨론의 멸망으로 인한 성도들의 환호 (20)

20절 ▷ 하늘과 거룩한 사도들과 선지자들아 그분을 향하여 기쁘게 되라. 하나님께서 너희들의 심판을 그 여자에게서 결정하셨기 때문이라.

Εὐφραίνου ἐπ' αὐτήν, οὐρανέ, καὶ οἱ ἅγιοι ἀπόστολοι καὶ
기뻐게 되라 향하여 그분을, 하늘, 과 그 거룩한 사도들 과
οἱ προφῆται, ὅτι ἔκρινεν ὁ θεὸς τὸ κρίμα ὑμῶν ἐξ αὐτῆς.
그 선지자들, 때문이라 결정하셨음이라 하나님께서 심판을 너희들의 에게서 그 여자.

"하늘과 거룩한 사도들과 선지자들아 그분을 향하여 기쁘게 되라. 하나님께서 너희들의 심판을 그 여자에게서 결정하셨기 때문이라" 하셨으니 지금까지 그토록 음녀의 심판과 멸망을 슬퍼한 상인들과는 반대로 거룩한 사도들과 선지자들에게는 그 여자에게 심판을 행하신 하나님을 향하여 기쁘게 되라고 하신 것이다. 얼마나 정 반대인가? 하나님의 심판으로 인하여 기쁘게 되는 것이 성도들이다.

¤ 감동과 기도 ☆

⑧ 바벨론의 철저한 멸망을 천사가 선언함 (21~23상)

21절 ▷ 그리고 한 힘센 천사가 연자맷돌 같은 큰 돌을 들어, 그리고 바다를 향해 던지고 말하기를, 그 큰 도시 바벨론이 이렇게 난폭하게 던져질 것이며, 그리하여 다시 보이지 아니할 것이다 하니라.

Καὶ ἦρεν εἷς ἄγγελος ἰσχυρὸς λίθον ὡς μύλον μέγαν,
그리고 들어 한 천사가 힘센 돌을 같은 연자맷돌 큰,
καὶ ἔβαλεν εἰς τὴν θάλασσαν, λέγων, Οὕτως ὁρμήματι
그리고 던져 향해 그 바다를, 말하기를, 이렇게 난폭하게
βληθήσεται Βαβυλὼν ἡ μεγάλη πόλις, καὶ ου μὴ εὑρεθῇ ἔτι.
던져질 것이다 바벨론이 그 큰 도시, 그리하여 절대로 보이지 다시.

한 힘센 천사가 큰 연자 맷돌 같은 돌을 들어 바다를 향해 던지고 말하기를 "그 큰 도시 바벨론이 이렇게 난폭하게 던져질 것이며 절대로 다시 보이지 아니하리라"고 하였다. 완전하고 영원히 멸망되었음을 선언한 것이다.

22절 ▷ 그리고 수금 연주자들과 음악가들과 피리연주자들과 나팔수들의 소리가 네 가운데 결단코 다시 들리지 아니하고, 그리고 어떤 장인이나 어떤 기술자가 네 가운데 결단코 다시 보이지 아니하며, 또한 맷돌 소리가 결단코 네 가운데서 들리지 아니할 것이라.

καὶ φωνὴ κιθαρῳδῶν καὶ μουσικῶν καὶ αὐλητῶν καὶ
그리고 소리가 수금 연주자들의 과 음악가들 과 피리연주자들 과
σαλπιστῶν οὐ μὴ ἀκουσθῇ ἐν σοὶ ἔτι, καὶ πᾶς τεχνίτης
나팔수들 결단코 아니 들리지 가운데 네 다시, 그리고 어떤 장인

πάσης τέχνης οὐ μὴ εὑρεθῇ ἐν σοὶ ἔτι, καὶ φωνὴ
어떤 기술자가 결단코 아니 보이지 가운데 네 다시, 또한 소리가
μύλου οὐ μὴ ἀκουσθῇ ἐν σοὶ ἔτι,
맷돌 결단코 아니 들리지 가운데 네 다시,

즐거운 노래의 음악 연주자들의 연주소리가 네게서 결단코 들리지 않을 것이고, 어떤 장인이나 기술자가 네게서 결단코 보이지 않을 것이며, 맷돌 소리가 네게서 결단코 들리지 않을 것이라 하신 것은 완전하고 영구하게 파멸되었음을 말하는 것이다.

¤ 감동과 기도 ☆

⑨ 바빌론이 멸망한 세 가지 원인 (23하~24)

23절 ▷ 그리고 이후에 네 가운데 등불 빛이 결단코 더 이상 비치지 아니하고, 또한 이후에 네 가운데 신랑과 신부의 소리가 네 가운데 결단코 들리지 아니하리라. 너의 상인들은 땅의 고관들이기 때문이며, 너의 마법에 모든 민족들이 미혹되었기 때문이라.

καὶ φῶς λύχνου οὐ μὴ φάνῃ ἐν σοὶ ἔτι, καὶ φωνὴ
그리고 빛이 등불 결단코아니 비치지 가운데 네 더이상 또한 소리가
νυμφίου καὶ νύμφης οὐ μὴ ἀκουσθῇ ἐν σοὶ ἔτι· ὅτι
신랑의 과 신부의 결단코 않을 들리지 가운데 너 더이상 때문이며
οἱ ἔμποροί σου ἦσαν οἱ μεγιστᾶνες τῆς γῆς, ὅτι ἐν
그 상인들은 너의 이라 그 고관들 그 땅의, 때문이라
τῇ φαρμακείᾳ σου ἐπλανήθησαν πάντα τὰ ἔθνη.
그 마법에 너의 미혹되었음 모든 그 민족들이.

멸망의 첫째 원인은 '물질주의에 빠진' 때문이었다. 한 교회 한 종교의 물질만 해도 엄청나게 부요한데 이때에는 전 세계 종

교가 하나로 통합되었으니 그 물질의 부요가 얼마만하겠는가?

'이후에 네 가운데 등불 빛이 결단코 비치지 아니하고, 또한 이후에 네 가운데 신랑과 신부의 소리가 네 가운데 결단코 들리지 아니하리라' 한 것은 다시는 사람이 살지 않는 곳이 되리라는 말씀이다. 이렇게 하나님께서는 이 도시의 터까지도 증오하시는 것이다.

'너의 상인들은 땅의 고관들이기 때문이며' 라는 말은 바벨론으로 인해 부요 해진 자들은 땅의 고관들이었다.

멸망의 둘째 원인은 '거짓신앙에 빠진' 때문이다. '너의 마법에 모든 민족들이 미혹되었기 때문이라' 한 것은 세계 모든 민족들이 그렇게 한결같이 세계 종교 통합체제에 순응하게 된 것은 예사로 된 일이 아니고 마법에 미혹되었기 때문이라는 것이다. '마법<*φαρμακείᾳ*(프하르마케이아)>' 는 '마귀의 세력을 작용시켜 불가사의한 일을 행하는 술법' 으로 세계 모든 민족이 통합 종교체제에 순응한다는 것은 마귀 세력의 작용으로 되는 일이다. 어찌 종교가 통합될 수 있는가? 참으로 불가사의(不可思議)한 일이다.

24절 ▷ 그리고 선지자들과 성도들과 땅위에서 죽임을 당한 모든 자들의 피가 그 여자에게서 보였느니라 하니라.

καὶ ἐν αὐτῇ αἷμα προφητῶν καὶ ἁγίων εὑρέθη, καὶ πάντων
에게서 그 여자 피가 선지자들의 과 성도들의 보였느니라, 과 모든자들의
τῶν ἐσφαγμένων ἐπὶ τῆς γῆς. ←그 죽임을 당한 위에서 그 땅의

선지자들과 성도들과 땅위에서 죽임을 당한 모든 자들의 피가 그 여자에게서 보였느니라고 다시 말한 것은 하나님께서 이

렇게 심판하시는 셋째 원인이 음녀 바빌론(바벨론)이 선지자들과 성도들과 땅위에서 많은 사람의 피를 흘렸기 때문이라는 것이다.

¤ 감동과 기도 ☆

♤ 18장 요점 정리 ♠

① 18장은 음녀 바빌론(바벨론)에 대한 하나님의 심판과 멸망이 얼마나 참혹함을 말씀하신 것이다. '무너졌도다, 무너졌도다 위대한 바빌론(바벨론)이여!' 세계 모든 종교의 통합 통치본부이니 얼마나 각종 더러운 영과 하나님께서 미워하시는 부정한 새들의 모이는 장소이겠는가? 하나님께서 얼마나 미워하시겠는가?〔2절〕

② 특히 세계 종교 통합체제인 음녀 바빌론(바벨론)이 심판을 받는 것은 아주 상세하고 길게 말해진 그 넘치는 사치와 부요 때문이며, 뿐만 아니라 선지자들과 성도들과 땅위에서 많은 사람의 피를 흘렸기 때문이라는 것이다.〔13~19, 24절〕

【 계시록 제 19 장】

한 글 개 역 성 경	전통원문 직역 성경
1. 이 일 후에 내가 들으니 하늘에 허다한 무리의 큰 음성 같은 것이 있어 가로되 할렐루야 구원과 영광과 능력이 우리 하나님께 있도다.	1. 그리고 이 일 후에 내가 하늘에 많은 무리의 큰 소리를 들으니, 말하기를, 할렐루야, 그 구원과 그 영광과 그 존귀와 그 능력이 우리들의 주 하나님께 있도다.
2. 그의 심판은 참되고 의로운지라. 음행으로 땅을 더럽게 한 큰 음녀를 심판하사 자기 종들의 피를 그의 손에 갚으셨도다 하고	2. 그분의 심판들은 참되고 그리고 의롭기 때문이며, 그 여자의 간음에 땅을 부패케 하는 그 큰 음녀를 심판하사, 그리하여 자신의 종들의 피를 그 여자의 손에 갚으셨기 때문이라 하니라.
3. 두번째 가로되 할렐루야 하더니 그 연기가 세세토록 올라가더라	3. 그리고 두 번째 말하기를 할렐루야 하니, 또한 그 여자의 연기가 영원들의 영원들을 향하여 올라가니라.
4. 또 이십 사 장로와 네 생물이 엎드려 보좌에 앉으신 하나님께 경배하여 가로되 아멘 할렐루야 하니	4. 그리고 이십 사 장로들과 네 생물들이, 또한 보좌 위에 앉으신 하나님께 경배하고 말하기를 아멘 할렐루야 하니,
5. 보좌에서 음성이 나서 가로되 하나님의 종들 곧 그를 경외하는 너희들아 무론대소하고 다 우리 하나님께 찬송하라 하더라	5. 뿐만 아니라 보좌로부터 소리가 나서 말하기를, 모든 그분의 종들과 그분을 경외하는 자들과 작은 자들과 큰 자들아, 우리들의 하나님께 찬양하라 하니라.
6. 또 내가 들으니 허다한 무리의 음성도 같고, 많은 물소리도 같고 큰 뇌성도 같아서 가로되 할렐루야 주 우리 하나님 전능하신 분이 통치하시도다	6. 그리고 내가 들으니 많은 무리의 소리 같고, 또한 많은 물들의 소리도 같으며, 그리고 강력한 천둥들의 소리 같은데 말하기를, 할렐루야!

	주 하나님 전능하신 분께서 통치하시기 때문이라 하니라.
7. 우리가 즐거워하고 크게 기뻐하여 그에게 영광을 돌리세, 어린양의 혼인 기약이 이르렀고 그 아내가 예비하였으니	7. **우리가 즐거워 하고, 그리고 크게 기뻐하여, 또한 그분께 영광을 돌리세, 어린양의 결혼식이 이르렀고 그분의 아내가 자신을 예비하였기 때문이라.**
8. 그에게 허락하사 빛나고 깨끗한 세마포를 입게 하셨은즉 이 세마포는 성도들의 옳은 행실이라 하더라	8. **그리고 그에게 입도록 하기 위해 깨끗하고 그리고 빛난 세마포를 주셨으니, 세마포는 성도들의 옳은 행실이기 때문이라.**
9. 천사가 내게 말하기를, 기록하라 어린양의 혼인 잔치에 청함을 입은 자들이 복이 있도다 하고 또 내게 말하되 이것은 하나님 참되신 말씀이라 하기로	9. **그리고 나에게 말하기를 기록하라. 어린양의 결혼식 잔치를 일컬음 받기까지 된 자들은 복들이 있다. 그리고 나에게 말하기를 이것들은 참되신 하나님의 말씀들이라 하니라.**
10. 내가 그 발 앞에 엎드려 경배하려고 하니 그가 나더러 말하기를 나는 너와 및 예수의 증거를 받은 네 형제들과 같이 된 종이니 삼가 그리하지 말고 오직 하나님께 경배하라 예수의 증거는 대언의 영이라 하더라	10. **그리고 내가 그의 발들 앞에 엎드려 경배하려 하니, 또한 나에게 말하기를, 보라, 나는 너와 함께 종된 자이며 그리고 예수님의 증거를 가진 너의 형제들이니 하나님께 경배하라. 예수님의 증거는 예언의 영이기 때문이다 하니라.**
11. 또 내가 하늘이 열린 것을 보니 보라 백마와 탄자가 있으니 그 이름은 충신과 진실이라 그가 공의로 심판하며 싸우더라	11. **그리고 내가 하늘이 열린 것을 보니, 그러므로 보라, 흰 말과 그 위에 탄 자라. 이름은 신실과 진실이니 그리고 의 가운데 심판하며 또한 싸우시니라.**
12. 그의 눈이 불꽃같고 그 머리에 많은 면류관이 있고 또 이름 쓴 것	12. **또한 그 눈들이 불꽃 같으시며, 그리고 그분의 머리 위에는 많은 왕관들**

이 하나가 있는데 자기 밖에 아는 자가 없고	이 있고, 새겨진 이름을 가지셨으니 자신 외에는 아는 자가 아무도 없으니라.
13. 또 그가 피 뿌린 옷을 입었는데 그 이름은 하나님의 말씀이라 칭해지더라.	13. 그리고 피에 적신 옷을 입으셨는데, 또한 그분의 이름은 하나님의 그 말씀이라 칭해지니라.
14. 하늘에 있는 군대들이 희고 깨끗한 세마포를 입고 백마를 타고 그를 따르더라.	14. 그리고 하늘에 있는 군대들이 희고 그리고 깨끗한 세마포를 입고 흰말들 위에서 그분을 따르니라.
15. 그의 입에서 이한 검이 나오니 그것으로 만국을 치겠고 친히 저희를 철장으로 다스리며 또 친히 하나님 곧 전능하신 이의 맹렬한 진노의 포도주 틀을 밟겠고	15. 그리고 그분의 입에서 예리한 칼이 나오니, 그렇게 하여 그것으로 민족들을 치겠고, 그리고 그분께서 쇠막대기 안에 그들을 다스리며, 그리고 전능하신 하나님의 분노와 진노의 포도주 틀을 밟으시리라.
16. 그 옷과 그 다리에 이름 쓴 것이 있으니 만왕의 왕이요 만주의 주라 하였더라	16. 그리고 그분의 옷 위에와 그분의 허벅다리 위에 새겨진 이름을 가지셨으니, 왕들의 왕이며, 그리고 주들의 주님이시라.
17. 또 내가 보니 한 천사가 해에 서서 공중에 나는 모든 새들을 향하여 큰 소리로 외쳐 가로되 와서 하나님의 잔치에 모여	17. 그리고 내가 보니 한 천사가 해 가운데 서서, 또한 하늘 중간에 날고 있는 모든 새들에게 큰 소리로 외쳐 말하기를, 하나님의 큰 잔치에 오라 그리고 모이라.
18. 왕들의 고기와 장군들의 고기와 장사들의 고기와 말들과 그 탄 자들의 고기와 자유한 자들이나 종들이나 무론대소하고 모든 자의 고기를 먹으라 하더라	18. 그리하여 왕들의 살들과 장군들의 살들과 힘센 자들의 살들과 말들의 살들과 그들 위에 탄 자들의 살들과 자유한 자들과 종들과 작거나 또는 크거나 모든 자들의 살들을 먹으라 하니라.

19. 또 내가 보매 그 짐승과 땅의 임금들과 그 군대들이 모여 그 말 탄 자와 그의 군대로더불어 전쟁을 일으키다가	**19. 그리고 내가 보니 짐승과 땅의 왕들과 그의 군대들이 모여 말 위에 타신 분을 대적하고, 그리고 그분의 군대에 대적하여 전쟁을 일으키다가,**
20. 짐승이 잡히고 그 앞에서 이적을 행하던 거짓 선지자도 함께 잡혔으니 이는 짐승의 표를 받고 그의 우상에게 경배하던 자들을 이적으로 미혹하던 자라. 이 둘이 산채로 유황불 붙는 못에 던지우고	**20. 그리고 짐승과 그의 앞에서 표적들을 행하던 거짓선지자도 함께 잡혔으니, 짐승의 표를 받고, 그리고 그의 형상에게 경배하던 자들을 미혹하던 자라. 산채로 둘이 유황 불 붙는 못에 던지우고,**
21. 그 나머지는 말 탄 자의 입으로 나오는 검에 죽으매 모든 새가 그 고기로 배불리우더라	**21. 그리고 나머지는 말 위에 타신 그분의 입에서 나오는 칼에 죽으니, 그리하여 모든 새들이 그들의 살들로 배불리우니라.**

【 문 단 】

3〉 **재림 전 찬양과 경배** 19:1~10

① 바벨론 멸망으로 인한 하늘의 찬양 (1~5)

② 어린양 혼인 잔치 준비로 인한 찬양 (6~8)

③ 어린양 혼인잔치에 초대된 자의 복됨 (9)

④ 사도의 천사 경배 시도와 천사의 만류 (10)

4〉 **만왕의 왕 주님의 재림 광경** 11~16

5〉 **짐승과 그 군대의 멸망** 17~21

① 아르마겟돈 전쟁의 전개 (17~18)

② 짐승과 거짓 선지자의 생포와 유황불에 던짐 (19~20)

③ 짐승 편에 섰던 자들의 죽임 (21)

【 주 해 】

〈**개요**〉 1~10절에는 음녀 바벨론(바벨론)에 대한 심판의 멸망과 어린양의 결혼식 잔치가 이르렀음에 대한 하늘의 기쁨과 찬양이 어떠함과 그리고 11~21절에는 백마를 타고 재림하시는 주님께서 짐승과 그의 군대들을 멸하시고 짐승과 거짓선지자를 산채로 잡아 유황 불못에 던짐을 보여주셨다.

3〉 **재림 전 찬양과 경배** 19:1~10

① 바벨론 멸망으로 인한 하늘의 찬양 (1~5)

1절 ▷ 그리고 이 일 후에 내가 하늘 가운데 많은 무리의 큰 소리를 들으니, 말하기를, 할렐루야, 그 구원과 그 영광과 그 존귀와 그 능력이 우리들의 주 하나님께 있도다.

Καὶ μετὰ ταῦτα ἤκουσα φωνὴν ὄχλου πολλοῦ μεγάλην ἐν
그리고 후에 이 일 내가들으니 소리를 무리의 많은 큰 가운데
τῷ οὐρανῷ, λέγοντος, Ἀλληλουια· ἡ σωτηρία καὶ ἡ δόξα
그 하늘에, 말하기를, 할렐루야. 그 구원 과 그 영광
καὶ ἡ τιμὴ καὶ ἡ δύναμις κυρίῳ τῷ θεῷ ἡμῶν·
과 그 존귀 와 그 능력 주 그 하나님께 우리들의

'이 일후에' 라 함은 계시의 장면과 내용이 전환되는 것을 말함이다. 18장의 음녀 바뷜로(바벨론)의 심판과 멸망에 대한 땅의 왕들과 상인들과 해상 운송업자들의 애가와는 판이하게 하늘에서 울려퍼지는 하나님의 참되고 의로우신 심판을 찬양하는 장면이다.

'하늘에 많은 무리의 소리를 들으니' 라고 한 것은 2절의 찬

양의 내용을 보아 천사들의 찬양인 것이다. 18:20절에 거의 같은 내용인 "하늘과 거룩한 사도들과 선지자들아 그분을 향하여 기쁘게 되라. 왜냐하면 하나님께서 너희들의 심판을 그 여자에게 결정하셨기 때문이라"고 한 것을 보아 성도들이 아닌 객관적 입장에서 천사들의 말로 이해할 수 있기 때문이다.

'Ἀλληλουια(알렐루이아)'는 '여호와를 찬양하라'는 히브리어 'הָלַל(할랄) **찬양**' 'יָהּ(야흐-**야훼의 축약형**)'의 헬라어 음역으로서 신약성경에는 본장 1, 3, 4, 6절에만 나타나 있다. 그만큼 특별한 찬양이다. 시편 기자들이 하나님께 대한 감사와 기쁨을 표현할 때 외쳤던 시편의 기사를 연상케 한다.(시 106:1, 48, 111:1, 112:1, 113:1, 135: 1, 21, 146:1, 10, 147:1, 20, 148:1, 14, 149:1, 9, 150:1, 6)

네슬 알란드 판을 따른 개역 한글성경에는 '구원과 영광과 존귀와 능력'에서 '존귀<τιμή(티메)>'가 빠졌고, '우리들의 주 하나님'에서 'κύριος(퀴리오스) 주'가 빠졌다.

최후의 종말에 이르러 진정 구원과 영광과 존귀와 능력이 하나님께 있음이 만 천하에 드러나게 됨을 말하는 것이다. 네 가지 말이 모두 정관사 'ἡ(헤) 그'가 있어 '그 구원, 그 영광, 그 존귀, 그 능력'으로 되어 있는 것은 하나님의 구원과 영광과 존귀와 능력은 오직 유일하게 독특하고 귀중하기 때문이다.

2절 ▷ **그분의 심판들은 참되고 그리고 의롭기 때문이며, 그 여자의 간음으로 땅을 부패케 하는 그 큰 음녀를 심판하사, 그리하여 자신의 종들의 피를 그 여자의 손에 갚으셨기 때문이라 하니라.**

ὅτι ἀληθιναὶ καὶ δίκαιαι αἱ κρίσεις αὐτοῦ· ὅτι ἔκρινεν
때문이며 참되고 그리고 의롭기 그 심판들 그분의 때문이다 심판하사
τὴν πόρνην τὴν μεγάλην, ἥτις ἔφθειρεν τὴν γῆν ἐν
그 음녀를 그 큰, 그 여자는 부패시키는 그 땅을 으로
τῇ πορνείᾳ αὐτῆς, καὶ ἐξεδίκησεν τὸ αἷμα τῶν δούλων
그 간음에 그여자의, 그리하여 갚으셨도다 그 피를 그 종들의
αὐτοῦ ἐκ τῆς χειρὸς αὐτῆς. ←자신의 로부터 그 손의 그여자의

'*ὅτι*(호티) **왜냐하면**' 이라는 원인이나 이유를 말하는 접속사가 먼저 문두에 있는 것은 천사들이 그렇게 찬양하는 이유를 말하는 것이다. 찬양의 이유는 하나님 '그분의 심판들은 참되고 그리고 의롭기 때문이며, 그 여자의 간음에 땅을 부패케 하는 그 큰 음녀를 심판하사, 그리하여 자신의 종들의 피를 그 여자의 손에 갚으셨기 때문이라' 는 것이다.

국가에는 사회의 여러 가지 분쟁을 해결하기 위하여 사법부가 있고, 사법부의 판단을 돕기 위해 준사법 기관인 검찰과 변호사 제도가 있다. 이런 제도가 있어도 인간의 판단은 절대적으로 올바르지 못하기 때문에 항소와 상고등 삼심제도를 두기도 한다. 그럼에도 때로는 엉뚱한 피해자가 나오기도 하고 죄를 지은 자가 자유롭게 활보하기도 하는 것이다. 그러나 하나님의 심판 절대로 오류가 있을 수 없고 정확하여 참되고 의로운 것이다. 하나님의 심판만이 성도의 소망이 되는 것이다.

개역 한글성경에 '더럽게 한' 이라고 번역한 '*ἔφθειρεν*(에프흐트헤이렌)' 은 '더럽히다, 부패시키다' 의 미완료형 '부패시키는' 으로 번역되어 한 차례만 부패시킨 것이 아니라 계속해서 반복적으로 땅을 더럽히고 부패시켰던 음녀 바빌론(바벨론)의 죄악상을 나타내는 말이다. 뿐만 아니라 그 음녀는 하나님의 종들

로 하여금 무수히 피를 흘리게 하였기 때문에 보응하신 것이 마땅하다 함이다.

3절 ▷ 그리고 두 번째 말하기를 할렐루야 하니, 또한 그 여자의 연기가 그 영원의 영원을 향하여 올라가니라.

καὶ δεύτερον εἴρηκαν, Ἀλληλουϊά· Καὶ ὁ καπνὸς
그리고 두 번째 말하기를, 할렐루야. 또한 그 연기가
αὐτῆς ἀναβαίνει εἰς τοὺς αἰῶνας τῶν αἰώνων.
그 여자의 올라가더라 향하여 그 영원들을 그 영원들의.

다시 두 번째 '*'Αλληλουια*(알렐루이아)' 하니 그 음녀의 연기가 영원들의 영원들을 향하여 올라가니라 하였다. 음녀의 멸망이 영원함을 말한 것이다.

4절 ▷ 그리고 이십 사 장로들과 네 생물들이, 또한 보좌 위에 앉으신 하나님께 경배하고 말하기를 아멘 할렐루야 하니,

Καὶ ἔπεσαν οἱ πρεσβύτεροι οἱ εἴκοσι καὶ τέσσαρες, καὶ
그리고 엎드려 그 장로들이 그 이십 과 사, 과
τὰ τέσσαρα ζῷα, καὶ προσεκύνησαν τῷ θεῷ τῷ καθημένῳ
그 네 생물들이, 또한 경배하여 그 하나님께 그 앉으신
ἐπὶ τοῦ θρόνου, λέγοντες, Ἀμήν· Ἀλληλουϊά.
위에 그 보좌의, 말하기를, 아멘! 할렐루야.

천사들에 이어 이십 사 장로들과 생물들도 보좌 위에 앉으신 하나님께 경배하고 말하기를 '*'Αμήν· 'Αλληλουια*(아멘 알렐루이아)' 하였다. '아멘 알렐루이아!' 함께 말해진 곳은 여기 뿐이다.

5절 ▷ 뿐만 아니라 보좌로부터 소리가 나서 말하기를, 모든 그 분의 종들과 그분을 경외하는 자들과 작은 자들과 큰 자들아, 우리들의 하나님께 찬양하라 하니라.

Καὶ φωνὴ ἐκ τοῦ θρόνου ἐξῆλθεν λέγουσα, Αἰνεῖτε τὸν
뿐만아니라 소리가 로부터 보좌의 나와서 말하기를, 찬양하라 그
θεὸν ἡμῶν πάντες οἱ δοῦλοι αὐτοῦ, καὶ οἱ φοβούμενοι
하나님께 우리들의 모든 그 종들 그분의, 과 그 경외하는
αὐτόν καὶ οἱ μικροὶ καὶ οἱ μεγάλοι.
그분을 과 그 작은자들 과 그 큰자들.

천사들과 이십 사 장로들과 생물들이 하나님의 참되고 의로우신 심판을 찬양한데 이어 하나님의 보좌로부터 들린 소리는 "하나님을 경외하는 모든 자들도 하나님을 찬양하라"는 것이었다.

¤ 감동과 기도 ☆

② 어린양 혼인 잔치 준비로 인한 찬양 (6~8)

6절 ▷ 그리고 내가 들으니 많은 무리의 소리 같고, 또한 많은 물들의 소리도 같으며, 그리고 강력한 천둥들의 소리 같은데 말하기를, 할렐루야! 주 하나님 전능하신 분께서 통치하시기 때문이라 하니라.

Καὶ ἤκουσα ὡς φωνὴν ὄχλου πολλοῦ, καὶ ὡς φωνὴν ὑδάτων
내가 들으니 같은 소리를 무리의 많은, 또한 같은 소리를 물들의
πολλουν, καὶ ὡς φωνὴν βροντῶν ἰσχυρῶν, λέγοντας,
많은, 와 같은 소리를 천둥들의 강력한, 말하기를,
Ἀλληλούϊα· ὅτι ἐβασίλευσεν κύριος ὁ θεὸς ὁ παντοκράτωρ.
할렐루야! 때문이라 통치하시기 주 그 하나님이 분께서 전능하신.

많은 무리의 소리 같고, 또한 많은 물들의 소리도 같으며, 그리고 강력한 천둥들의 소리 같은데 라고 '같다' 고 한 것은 많은 사람의 소리이기는 한데 꼭 어떤 소리라고 지목할 수 없는 소리로서 특별히 음녀 바빌론(바벨론)에 의해 피흘려 죽임을 당한 성도들과 순교자들 그리고 모든 성도들을 총칭하여 말한 것이다.

그들이 찬양하여 말하기를 "알렐루이아! 주 하나님 전능하신 분께서 통치하시기 때문이라",

7절 ▷ 우리가 즐거워하고, 그리고 크게 기뻐하여, 또한 그분께 영광을 돌리세, 어린양의 결혼식이 이르렀고 그리고 그분의 아내가 자신을 예비하였기 때문이라.

χαίρωμεν καὶ ἀγαλλιώμεθα, καὶ δῶμεν τὴν δόξαν αὐτῷ·
우리가 즐거워하고 그리고 크게 기뻐하여, 또한 돌리세 그 영광을 그분께!
ὅτι ἦλθεν ὁ γάμος τοῦ ἀρνίου, καὶ ἡ γυνὴ αὐτοῦ
때문이라 이르렀고 그 결혼식이 그 어린양의, 그리고 그 아내가 그분의
ἡτοίμασεν ἑαυτήν· ← 예비하였으니 자신을

'즐거워한다' 는 말 '*χαίρω*(크하이로)' 는 기쁨을 표시하는 일반적인 말로서 마음에 넘치는 기쁨을 말하지만 '크게 기뻐하며' 라는 말 '*ἀγαλλιάω*(아갈리아오)' 는 '*ἄγαν*(아간) **많이, 크게**' 라는 말과 '*ἅλλομαι*(할로마이) **뛰다, 날뛰다**' 는 말의 합성어로서 '몹시(크게) 기뻐하다, 기뻐 날뛰다' 를 의미한다. 이에수-스(예수)님께서 "나를 인하여 너희를 욕하고 핍박하고 거짓으로 너희를 거스려 모든 악한 말을 할 때에는 너희에게 복이 있나니 기뻐하고 즐거워하라 <*ἀγαλλιᾶσθε*(아갈르리아-스트헤) 기뻐 날뛰라, 넘치게 기뻐하라>하늘에서 너희의 상이 큼이니라" 고 하셨을 때 이 말을 사용하셨다.(마 5:11~12)

원인이나 이유를 말하는 접속사 'ὅτι(호티)' 는 그렇게 성도들이 즐거워하고 크게 기뻐하며 하나님께 영광을 돌릴 이유는 어린양의 결혼식이 이르렀고 그분의 아내가 자신을 예비하였기 때문이라고 한 것이다.

8절 ▷ 그리고 그에게 입도록 하기 위해 깨끗하고 그리고 빛나는 세마포를 주셨으니, 세마포는 그 성도들의 옳은 행실이기 때문이라.

Καὶ ἐδόθη αὐτῇ ἵνα περιβάληται βύσσινον καθαρὸν και
그리고 주셔서 그에게 하기위해 입게하셨으니 세마포를 깨끗하고 그리고
λαμπρόν· τὸ γὰρ βύσσινον τὰ δικαιώματα ἐστιν τῶν ἁγίων.
빛나는. 때문이라 세마포는 옳은 행실 이기 그 성도들의.

『옳은 행실<τὰ δικαιώματα(타 디카이오마타)>는 '온전히 바른 행실' '옳다고 인정받은 행실' 이다. 바울의 유명한 '하나님의 의' (롬 1:17, 3:21, 5:1등)와 통한다. 그러나 바울의 의는 믿음으로 얻어지는 순간적인 구원이나 본서의 의는 거기에서 출발한 의로운 생활을 가리킨다. 전자는 교리적이나 후자는 실천적이다.』(이상근 박사 계시록 주석)

신부인 성도들에게 옳은 행실의 깨끗하고 빛난 세마포를 주셔서 입게 하셨기 때문에 더욱 기뻐할 일이라는 것이다. 어린양의 결혼식을 준비한 성도는 옳은 행실의 깨끗하고 빛난 세마포를 입어야 한다. 이 옷은 어린양이 신부인 성도들에게 주셔서 입어서 신부인 자신을 준비하도록 하신 것이다. 히브리서 9:14절에 "영원하신 성령으로 말미암아 흠 없는 자기를 하나님께 드린 그리스도의 피가 어찌 너희 양심으로 죽은 행실에서 깨끗하게 하고 살아 계신 하나님을 섬기게 못하겠느뇨?" 라고 하였다. 그

러므로 흠 없는 어린양의 피는 성도들의 행실을 깨끗케 하신 것이다.

¤ 감동과 기도 ☆

③ 어린양 혼인잔치에 초대된 자의 복됨 (9)

9절 ▷ 그리고 나에게 말하기를 기록하라. 어린양의 결혼식 잔치를 일컬음 받기까지 된 자들은 복들이 있다. 그리고 나에게 말하기를 이것들은 참되신 하나님의 말씀들이라 하니라.

Καὶ λέγει μοι, Γράψον, Μακάριοι οἱ εἰς τὸ δεῖπνον
그리고 말하기를 나에게, 기록하라, 복들이 있다 그들은 까지 그 잔치를

τοῦ γάμου τοῦ ἀρνίου κεκλημένοι. καὶ λέγει μοι, Οὗτοι
그 결혼식의 그 어린양의 일컬음 받기. 그리고 말하기를 나에게, 이것은

οἱ λόγοι ἀληθινοὶ εἰσιν τοῦ θεοῦ.
그 말씀들 참되신 이라 그 하나님의.

'어린양의 결혼식 잔치에 부름을 받은 자들' 이라 한 말로서 구원받은 자도 신부가 아닌 손님으로 구원받는 자가 있다고 해석하는 사람도 있다. 그러나 이것은 구원받은 자들이 신앙생활의 정도에 따라 등급이 있는 것으로 구분하는 것이니 소위 '부끄러운 구원' 이 있는 것으로 가르치는 것과 같다. 부끄러운 구원이라도 받으면 유황 불못에 가는 것보다는 백 배 낫다는 얄팍한 인간적 계산에 연유한 가르침인 것이다. 도대체 '부끄러운 구원' 이 있을 수 있는가? 하나님 아버지의 영원한 왕국의 구원의 계획과 어린양 주님의 보혈과 진리의 성령님의 거듭나게 하시고 충만케 하시는 역사가 '부끄러운 구원' 을 받게 하시는가? 어린양의 신부가 되지 못하고 손님으로 결혼식에 참예케 하신

다는 말인가?

여기서 '부르심을 입은' 이라고 번역한 헬라어 'κεκλημένοι(케클레메노이)' 는 계시록에서 일곱 번 사용되었는데(1:9, 11:8, 12:9, 16: 16, 19:9, 11, 13) 일곱 번 모두 명칭을 그렇게 부르다는 뜻으로 사용되었고, 구원을 위해 '부르심을 받고' 라는 말은 같은 계시록 17:14절에 단 한번 'κλητοὶ(클레토이)' 라는 말을 사용했다. 신약성경에서 'κλητοὶ(클레토이)' 는 10회 사용되었다.(마 22:14; 롬 1:1, 6, 7, 8:28, 고전 1:1, 2, 24; 유 1:1; 계 17:14) 그리고 'εἰς(에이스)' 는 '도달되는 지점' 을 가리키는 말이며, 'κεκλημένοι(케클레메노이)' 는 분사 완료형 수동태임으로 '일컬음 받기까지 된' 이라고 해야 할 것이다.

그러므로 직역하면 "어린양의 결혼식 잔치를 일컬음 받기까지 된 자들은" 이라는 말로서, 바로 앞 7~8절에 이어진 말인즉 '성도들에게 깨끗하고 빛난 세마포를 주셔서 입게 하심으로 어린양의 결혼식 잔치의 신부라 할 만큼 일컬음을 받기까지 예비된 자들은 참으로 복이 있다' 는 말씀인 것이다.

그리고 사도 이오안네스(요한)에게 "기록하라. 이것은 참되신 하나님의 말씀이라" 고 특별히 말씀하셨으니 계시록에서 '복 있는 자' 라고 일곱 번 말씀하신 중에서(1:3, 14:13, 16:15, 19:9, 20:6, 22:7, 14) 가장 핵심 되는 복됨을 말씀하신 것이기 때문인 것 같다. 'εἰς(에이스)' 라는 말은 도달되거나 들어가는 지점을 지적하는 말로서 '충분한' '완전한' 이라는 의미이기도 하다. 충분하고 완전한 성도의 옳은 행실의 깨끗하고 빛난 결혼식 예복을 입어 준비되어진 자들은 참으로 복이 있다는 말씀이다.

¤ 감동과 기도 ☆

④ 사도의 천사 경배 시도와 천사의 만류 (10)

10절 ▷ 그리고 내가 그의 발들 앞에 엎드려 경배하려 하니, 또한 나에게 말하기를, '나를 주목하지 말라 나는 너와 함께 종 된 자이며 그리고 이에수-스님의 증거를 가진 너의 형제들이니 하나님께 경배하라. 이에수-스님의 증거는 예언의 영이기 때문이다' 하니라.

Καὶ ἔπεσον ἔμπροσθεν τῶν ποδῶν αὐτοῦ προσκυνῆσαι
그리고 내가 엎드려 앞에 그 발들의 그의 경배하려 하니

αὐτῷ· καὶ λέγει μοι, Ὅρα μή· σύνδουλός σού εἰμι καὶ
그에게 또한 말하기를 나에게, 주목하지 말라. 함께 종된 너와 이니 과

τῶν ἀδελφῶν σου τῶν ἐχόντων τὴν μαρτυρίαν τοῦ Ἰησοῦ·
그 형제들 너의 그 가진 그 증거를 그 이에수-스님의

τῷ θεῷ προσκύνησον· ἡ γὰρ μαρτυρία τοῦ Ἰησοῦ ἐστιν
하나님께 경배하라 때문이다 증거는 그 이에수-스님의 이기

τὸ πνεῦμα τῆς προφητείας. ←그 영 그 예언의

사도 이오안네스(요한)가 천사의 발 앞에 경배하려고 하자 천사가 "(나에게) 주목하지 말라! 나는 너와 함께 종 된 자이며 그리고 예수님의 증거를 가진 너의 형제들이니 하나님께 경배하라"고 하였다. 사도는 천사에 대한 경외감 때문에 엎드려 절하려고 하였다. 22:8~9절에도 다시 그러했다. 너무나 감격하고 장엄한 광경에 압도되어 얼떨결에 취하려고 한 행동으로 천사의 제지를 받았다. 엎드려 절하는 행동은 하나님께만 해야하기 때문이다.(마 4:8~10)

천사가 사도에게 '나는 너와 함께 종 된 자'라 하고, "예수님의 증거는 예언의 영이기 때문이다"고 한 것은 '너와 너의 형제들도 천사인 나와 함께 이에수-스(예수)님의 증거를 가진 자들

인즉' 예언의 영으로 말미암아 예언하는 자에게 경배할 것이 아니라 하나님께만 해야 한다고 분명하게 일러준 것이다.

☼ 감동과 기도 ☆

4〉 만왕의 왕 주님의 재림 광경 11~16

11절 ▷ 그리고 내가 하늘이 열린 것을 보니, 그러므로 보라, 흰 말과 그 위에 탄 자라. 이름은 신실과 진실이니 그리고 의 가운데 심판하며 또한 싸우시니라.

Καὶ εἶδον τὸν οὐρανὸν ἀνεῳγμένον, καὶ ἰδού, ἵππος
그리고 내가보니 그 하늘이 열린 것을, 그러므로 보라, 말

λευκός, καὶ ὁ καθήμενος ἐπ᾽ αὐτὸν, καλούμενος πιστὸς
흰, 과 자 탄 위에 그, 이름은 신실

καὶ ἀληθινός, καὶ ἐν δικαιοσύνῃ κρίνει καὶ πολεμεῖ·
과 진실, 그리고 가운데 의에 심판하고 또한 싸우시니라.

사도 이오안네스(요한)가 또한 하늘이 열린 것을 보게 되었다. "보라, 흰말과 그 위에 탄 자라. 이름은 신실과 진실이니 그리고 의 가운데 심판하며 또한 싸우시니"라고 하였다.

주님께서 재림하시는 광경이 보이기 시작했다. 먼저 하늘이 열리고 주님께서 흰말을 타셨는데 주님의 이름은 '신실과 진실'이며 '의 가운데 심판하고 싸우시는' 모습이시었다. '심판하고'라는 말 '**κρίνει**(크리네이)'와 '싸우시니라'고 한 '**πολεμεῖ**(폴레메이–)'는 둘 다 동사 직설 현재 능동으로 현재 심판하고 싸우시며 재림하시는 광경을 말함이니 재림하시는 순간부터 7년대환란 최후의 심판과 싸움은 이미 시작되었음을 의미하는 말이다.

주님의 재림의 모습은 흰말을 타고 강림하시는데 음녀 바빌론(바벨론)은 이미 짐승의 열 왕들에 의해 망하였고(17:15~18) 이제 주님의 입의 예리한 칼로 민족들을 치며 철장으로 다스리고 전능하신 하나님의 분노와 진노의 포도주틀을 밟으시되(15절) 특히 짐승과 땅의 왕들과 그의 군대들을 멸하려(19절) 오시는 것이다.

주님의 이름이 '신실과 진실' 이라 함은 주님의 심판과 싸움이 조금도 잘못됨이 없는 신실하고 진실한 심판과 싸움임을 말하는 것이다. 세상 인간들의 심판과 분쟁과 싸움은 얼마나 신실하고 진실하지 못하여 잘못된 것이 많은지 말로 다할 수 없다.

12절 ▷ 또한 그분의 눈들이 불꽃같으시며, 그리고 그분의 머리 위에는 많은 왕관들이 있고, 새겨진 이름을 가지셨으니 자신 외에는 아는 자가 아무도 없으니라.

οἱ δὲ ὀφθαλμοὶ αὐτοῦ ὡς φλὸξ πυρός, καὶ ἐπὶ τὴν
그 또한 눈들이 그분의 같고 불꽃 불의, 그리고 위에 그
κεφαλὴν αὐτοῦ διαδήματα πολλά, ἔχων ὄνομα γεγραμ-
머리를 그분의 왕관들이 많은, 가졌으니 이름을 새긴것이
μένον ὃ οὐδεὶς οἶδεν εἰ μὴ αὐτός·
그 아무도 없고 아는 외에는 그자신.

'그분의 눈이 불꽃같으시며' 라고 한 것은 계시의 초두 1:14절에서 주님의 모습에서도 동일하게 말해졌던 바, 공의의 심판자로서 위엄과 통찰력과 분노를 의미하는 것이다. 의의 심판관으로서의 자질이다.

"그분의 머리 위에는 많은 왕관<διάδημα(디아데마)>들이 있고, 새겨진 이름을 가지셨으니 자신 외에는 아는 자가 아무도

없으니라" 한 것은 주님은 하나님 아버지로부터 하늘과 땅의 모든 권세 곧 많은 왕관을 받으신 분이시다.(마 28:18; 빌 2:9~11) 6:2절에 흰말을 탄 자가 받은 것은 면류관<**στέφανος**(스테파노스)>이고 왕관<**διάδημα**(디아데마)>이 아니다.

그리고 그 왕관들에는 이름이 새겨져 있는데 그 이름은 주님 자신 외에는 아는 자가 없다고 하였다. 그 이름은 너무나 존귀하고 영화로운 이름이기에 주님께서 알게 하실 그때까지는 알려지지 않는 것이다.

13절 ▷ 그리고 피에 적신 옷을 입으셨는데, 또한 그분의 이름은 하나님의 그 말씀이라 칭해지니라.

καὶ περιβεβλημένος ἱμάτιον βεβαμμένον αἵματι· καὶ
그리고 입었는데 옷을 적신 피에 또한

καλεῖται τὸ ὄνομα αὐτοῦ, Ὁ λόγος τοῦ θεοῦ.
칭해지니라 그 이름은 그분의, 그 말씀이라 그 하나님의.

성도들과 함께 흰옷을 입을 것이라 하신 말씀(3:4)과 달리 주님께서 피에 적신 옷을 입으셨다고 한 것은 지금까지 땅에서 피흘려 죽임을 당한 종들과 성도들의 피에 적셔진 옷을 입으시고 세상을 심판하여 보응하려 오시는 주님이심을 의미하는 것이다. 계시록에서 성도들의 피를 흘린 기록들을 보면.

6:10 → "심판하여 땅에 거주하는 자들로부터 우리들의 피를 변 호하지 아니하시기를 언제까지입니까"

13:15 → "짐승의 형상을 경배하지 않는 자는 누구든지 모두 죽이게 하니라",

16:6 → "그들이 성도들과 선지자들의 피를 흘렸기 때문에"

17:6 → "성도들의 피와 예수님의 증인들의 피로부터 취하도

록 마신 그 여자를 보고”
18:24 → “선지자들과 성도들과 땅위에서 죽임을 당한 모든 자들의 피가 그 여자에게서 보였느니라”
19:2 → “자신의 종들의 피를 그 여자의 손에서 갚으셨기 때문이라”

이사야 63:1~3절에 원수의 피가 옷에 뛰었다고 한 말로 그런 옷으로 보지만 재림하시는 주님의 옷은 원수의 더러운 피에 적신 옷이라 하기보다 순교자들의 거룩한 피에 적신 옷이라고 보는 것이 왕관을 쓰신 의의 심판과 구원의 주님께 더 합당하다. 주님께서는 표징으로도 더러운 옷을 입으신 분이라 할 수 없다.

또한 ‘그분의 이름은 하나님의 그 말씀이라 칭해지니라’ 고 한 것은 하나님의 말씀으로 심판하시고 구원하시는 분이심을 말한다. 창조부터 심판까지 모든 것을 오직 하나님의 그 말씀으로 하신다.

14절 ▷ 그리고 하늘에 있는 군대들이 희고 그리고 깨끗한 세마포를 입고 흰말들 위에서 그분을 따르니라.

καὶ τὰ στρατεύματα ἐν τῷ οὐρανῷ ἠκολούθει αὐτῷ ἐφ’
그리고 그 군대들이 있는 그 하늘에 따르더라 그분을 위에서
ἵπποις λευκοῖς, ἐνδεδυμένοι βύσσινον λευκὸν καὶ καθαρόν.
말들에 흰, 입고 세마포를 희고 그리고 깨끗한.

‘하늘에 있는 군대들’ 은 성도들을 말함인가 천사들을 말함인가? 성도들과 천사들을 함께 말한 것이 옳다. 왜냐하면 천사들은 주님과 성도들의 수종자들로서(단 7:10; 마 4:11; 히 1:14) 재림하실 때 성도들을 함께 데려 오신다 하셨고,(살전 4:14) 천사들과 함께 나타나신다고 하셨기 때문이다.(마 25:31; 살후

1:7) 그리고 천사들도 흰옷을 입었다고 하였다.(요 20:12; 행 1:10)

15절 ▷ 그리고 그분의 입에서 예리한 칼이 나오니, 그렇게하여 그것으로 민족들을 치겠고, 그리고 그분께서 쇠막대기로 그들을 다스리며, 그리고 전능하신 하나님의 그 분노와 그 진노의 그 포도즙틀을 밟으시리라.

καὶ ἐκ τοῦ στόματος αὐτοῦ ἐκπορεύεται ῥομφαία ὀξεῖα,
그리고 로부터 그 입에서 그분의 나오니 칼이 예리한,
ἵνα ἐν αὐτῇ πατάσσῃ τὰ ἔθνη· καὶ αὐτὸς ποιμανεῖ
그렇게하여 그것 치겠고 그 민족들을, 그리고 그분이 다스리며
αὐτοὺς ἐν ῥάβδῳ σιδηρᾷ· καὶ αὐτὸς πατεῖ τὴν ληνὸν
그들을 로서 막대기에 쇠 그리고 그분께서 밟겠고 그 포도즙틀을
τοῦ οἴνου τοῦ θυμοῦ καὶ τῆς ὀργῆς τοῦ θεοῦ τοῦ παντοκράτορος.
그 포도주 그 분노의 와 그 진노의 그 하나님의 그 전능하신이의.

'그분의 입에서 예리한 칼이 나오니 그것으로 민족들을 치겠고' 라고 하였는데 헤사이아스(이사야) 11:4절에 "그 입의 막대기로 세상을 치며 그 입술의 기운<רוּחַ(루아흐) **숨,바람,영**>으로 악인을 죽일 것이며"라고 하였으며, 신약 트헤쌀로니케(데살로니가) 2:8절에도 "주 이에수-스(예수)께서 그 입의 기운<*πνεῦμα*(프뉴마) **숨, 바람, 영**>으로 저를 죽이시고 강림하여 나타나심으로 폐하시리라" 하였으니 동일하게 말씀하였다.

주님의 입에서 나오는 '좌우에 날선 어떤 검보다도 예리하여 혼과 영과 관절과 골수를 찔러 쪼개기까지 하며 마음의 생각과 뜻을 감찰하는 하나님의 말씀' 으로(히 4:12; 엡 6:17) 민족들을 심판하신다는 말씀이다. 그리고 그분께서 '쇠막대기 안에 그들을 다스리며 전능하신 하나님의 분노와 진노의 포도주 틀을 밟

으시리라' 하신, 특히 '하나님의 분노와 진노의 포도주 틀을 밟으신다' 는 것은 엄중하고 철저하게 징벌하신다는 말씀이다.

16절 ▷ 그리고 그분의 옷 위에와 그분의 허벅다리 위에 새겨진 이름을 가지셨으니, 왕들의 왕이며, 그리고 주들의 주님이시라.

καὶ ἔχει ἐπὶ τὸ ἱμάτιον καὶ ἐπὶ τὸν μηρὸν αὐτοῦ τὸ
그리고 가졌으니 위에 그 옷을 와 위에 그 허벅다리 그분의 그
ὄνομα γεγραμμένον, Βασιλεὺς βασιλέων καὶ κύριος κυρίων.
이름을 새긴 것이, 왕이며 왕들의 그리고 주시라 주들의.

'그분의 옷 위에와 그분의 허벅다리 위에 새겨진 이름을 가지셨으니, 왕들의 왕이며, 그리고 주들의 주님이시라' 한 것은 주님께서 어떤 분이심을 세상 모든 사람에게 알리는 것이다. 옷 위에와 허벅다리 위에 이름을 새겼다는 것은 장군들의 전투복 상의와 하의에 장군의 호를 새기는 것처럼 주님의 신분을 밝히는 것이다.

¤ 감동과 기도 ☆

5〉 짐승과 그 군대의 멸망 17~21

① 아르마겐돈 전쟁의 전개 (17~18)

17절 ▷ 그리고 내가 보니 한 천사가 해 가운데 서서, 또한 하늘 중간에 날고 있는 모든 새들에게 큰 소리로 외쳐 말하기를, 하나님의 큰 잔치에 오라 그리고 모이라.

Καὶ εἶδον ἕνα ἄγγελον ἑστῶτα ἐν τῷ ἡλίῳ· καὶ ἔκραξεν
그리고 내가보니 한 천사가 서서 가운데 그 해에 또한 외쳐
φωνῇ μεγάλῃ λέγων πᾶσιν τοῖς ὀρνέοις τοῖς πετωμένοις
소리에 큰 말하기를 모든 그 새들에게 그 날고 있는
ἐν μεσουρανήματι, Δεῦτε καὶ συνάγεσθε εἰς τὸ δεῖπνον
가운데 하늘 중간에, 오라 그리고 모이라 에 그 잔치를
τοῦ μεγάλου θεοῦ, ←그 큰 하나님의

천사가 공중에 날고 있는 모든 새들에게 모든 죽은 자들의 살을 먹도록 모여 오라고 하는 것이다. "주검이 있는 곳에는 독수리들이 모일찌니라" 하신 말씀이(마 24:28) 이루어지는 것이다.

러시아 등 세계 곳곳에서 독수리와 까마귀 떼들이 번식해가며 피해를 주고 있다는 뉴스 보도나 조류독감의 전 세계가 확산을 우려하는 상황과 보도들은 새들에 관한 이 말씀을 상기케 한다.

18절 ▷ 그리하여 왕들의 살들과 장군들의 살들과 힘센 자들의 살들과 말들의 살들과 그들 위에 탄 자들의 살들 자유한 자들과 종들과 작거나 또는 크거나 모든 자들의 살들을 먹으라 하니라.

ἵνα φάγητε σάρκας βασιλέων, καὶ σάρκας χιλιάρχων, καὶ
그리하여 먹으라 살들을 왕들의, 과 살들을 장군들의, 과
σάρκας ἰσχυρῶν, καὶ σάρκας ἵππων καὶ τῶν καθημένων
살들을 힘센자들의, 과 살들을 말들의 과 자들의 탄
ἐπ' αὐτῶν, καὶ σάρκας πάντων, ἐλευθέρων καὶ δούλων
위에 그들, 과 살들을 모든 자들의, 자유한자들의 과 종들의
καὶ μικρῶν καὶ μεγάλων. ←과 작은 자들 과 큰

참으로 끔찍한 광경이다. 사람의 수인 여섯 계층의 사람들의 살을 먹으라고 하였다. 짐승 적그리스도의 군대로서 666 짐승

의 표를 받았던 자들이며 200,000,000(2억)의 군대들이(9:16, 16:12) 죽임을 당한 시체들이다.

야헤즈켈(에스겔) 39:17~20절에 종말의 전쟁을 예언한데서도 동일한 광경이 예언되었고, 이에수-스(예수)님께서 재림하시는 광경을 예언하시면서(마 24:27; 눅 17:24~36) 이어서 각 28절과 37절에 "주검<***πτῶμα***(프토-마) **시체**> 있는 곳에는<***ἐκεῖ***(에케이~) **그곳에**> 독수리들이 모일것이다"고 하신 것은 이때에 되어질 일을 예언하신 것임을 알지 않고는, 재림의 광경을 말씀하시고 이어서 왜 '시체가 있는 그곳에 독수리들이 모일 것이다' 고 하셨는지 그 상관 관계를 이해할 수 없는 것이다.

② 짐승과 거짓 선지자의 생포와 유황불에 던짐 (19~20)

19절 ▷ 그리고 내가 보니 짐승과 땅의 왕들과 그의 군대들이 모여 말 위에 타신 분을 대적하고, 그리고 그분의 군대에 대적하여 전쟁을 일으키다가,

Καὶ εἶδον τὸ θηρίον καὶ τοὺς βασιλεῖς τῆς γῆν, καὶ τὰ
그리고 내가보니 그 짐승 과 그 왕들을 그 땅의, 과 그
στρατεύματα αὐτῶν συνηγμένα ποιῆσαι πόλεμον μετὰ τοῦ
군대들이 그의 모여 일으키다가 전쟁을 대적하여 자와
καθημένου ἐπὶ τοῦ ἵππου, καὶ μετὰ τοῦ στρατεύματος αὐτοῦ.
탄 위에 그 말, 과 대적하여 그 군대의 그분의,

주님과 그 군대를 대적하여 전쟁을 한 자들은 땅의 짐승과 왕들과 그리고 그의 군대들이다. 최후의 아르마겐돈(아마겟돈) 전쟁이다.(16:16) 최후의 이 전쟁도 열국이 히에루살렘(예루살렘)을 치러오는 전쟁이다.(슥 14:1~15)

20절 ▷ 그리고 그 짐승과 그의 앞에서 그 표적들을 행하던 거짓 선지자도 함께 잡혔으니, 그 짐승의 표를 받고, 그리고 그의 형상에게 경배하던 자들을 미혹하던 중에 그 둘이 산채로 유황 가운데 그 불붙는 못 속으로 던지우고,

καὶ ἐπιάσθη τὸ θηρίον, καὶ μετὰ τούτου ὁ ψευδοπροφήτης
그리고 잡히고 그 짐승이, 과 함께 그의 그 거짓선지자
ὁ ποιήσας τὰ σημεῖα ἐνώπιον αὐτοῦ, ἐν οἷς ἐπλάνησεν
그 행하던 그 표적들을 앞에서 그의, 중에 저 미혹하던
τοὺς λαβόντας τὸ χάραγμα τοῦ θηρίου, καὶ τοὺς προσκυνοῦντας
그 받고 그 표를 그 짐승의, 그리고 그 경배하던
τῇ εἰκόνι αὐτοῦ· ζῶντες ἐβλήθησαν οἱ δύο εἰς τὴν λίμνην
그 형상에게 그의 산채로 던지우고 그 둘이 속으로 그 못
τοῦ πυρὸς τὴν καιομένην ἐν τῷ θείῳ.
그 불 그 붙는 가운데 그 유황

짐승 적그리스도와 거짓선지자는 잡혀서 산채로 불붙는 유황 못에 던져진다. 최후의 백보좌 심판 전에, 그리고 사탄 보다 먼저 영원한 형벌에 즉결 처분된다. 그만큼 하나님의 분노가 크심을 말한다. 사탄도 사탄이지만 인간으로서 사탄의 앞잡이가 되어 무수한 사람들을 멸망으로 인도한 자들에 대한 하나님의 분노는 더욱 급하시다.

③ 짐승 편에 섰던 자들의 죽임 (21)

21절 ▷ 그리고 나머지는 그 말 위에 타신 그분의 입으로부터 나오는 그 칼에 죽으니, 그리하여 모든 새들이 그들의 살로 말미암아 배불리우니라.

καὶ οἱ λοιποὶ ἀπεκτάνθησαν ἐν τῇ ῥομφαίᾳ τοῦ καθημένου
그리고 그 나머지는 죽으니 에 그 칼에 그 타신
ἐπὶ τοῦ ἵππου, τῇ ἐκπορευομένῃ ἐκ τοῦ στόματος αὐτοῦ·
위에 그 말의, 그 나오는 으로부터 입 그분의
καὶ πάντα τὰ ὄρνεα ἐχορτάσθησαν ἐκ τῶν σαρκῶν αὐτῶν.
그리하여 모든 그 새들이 배불리우니라 로말미암아 그 살로 그들의,

주님께서 재림하셔서 '그 입의 기운으로 죽이신다' 고 하였다.(살후 2:8) 마지막에 살아 남겨진 자들이 천년왕국의 백성이 될 것이다. 마지막에 온 땅에서 2/3는 멸절하고 1/3은 남겨서 불 가운데 던져 은같이 연단하며 금같이 시험하여 주님의 이름을 부르며 내 백성이라 하고 그들은 말하기를 '여호와는 내 하나님이라' 할 것이라 하였다. 그리고 히에루살렘(예루살렘)을 치러 왔던 열국 중에 남은 자가 해마다 올라와서 그 왕 만군의 여호와께 숭배하며 초막절을 지키리라 하였다.(슥 14:16)

☆ 감동과 기도 ☆

♤ **19장 요점 정리** ♠

① 하늘의 많은 무리들이 음녀에 대한 하나님의 참되고 의로우신 심판을 찬양하고 24장로와 생물들도 엎드려 보좌에 앉으신 하나님께 경배한다. 또한 하나님의 통치와 어린양의 혼인식이 이르렀으며 아내인 성도들이 옳은 행실의 빛나고 깨끗한 세마포로 예비하였음을 찬양하고 축하한다.〔1~10절〕

② 마침내 주님의 재림의 광경을 보게 된다. 성도들도 함께 강림한다. 재림의 광경은 승리의 장군과 군대의 모습이다. 짐승 적그리스도의 군대를 멸하시고 이 땅에 주님과 성도들이 천년 동안 통치하는 왕국을 세우려 오시기 때문이다.〔11~21절〕

【 계시록 제 20 장】

한 글 개 역 성 경	전통원문 직역 성경
1. 또 내가 보매 천사가 무저갱 열쇠와 큰 쇠사슬을 그 손에 가지고 하늘로서 내려와서	**1. 그리고 내가 하늘로부터 내려오는 한 천사를 보니, 무저갱의 열쇠와 그의 손에 큰 쇠사슬을 가졌고**
2. 용을 잡으니 곧 옛 뱀이요 마귀요 사단이라 잡아 일천 년 동안 결박하여	**2. 그리고 그 용을 붙잡았으니, 그 옛 뱀을. 그는 마귀이며 그리고 사탄이라. 그리하여 그를 일천 년을 결박하여**
3. 무저갱에 던져 잠그고 그 위에 인봉하여 천년이 차도록 다시는 만국을 미혹하지 못하게 하였다가 그 후에는 반드시 잠간 놓이리라	**3. 그리고 그를 무저갱에 던져, 또한 잠그고. 그리고 그 위에 봉인하여, 그렇게 하여 그 이후로 일천 년이 끝마쳐지는 동안 민족들을 미혹하지 못하도록 하고, 그렇지만 그 후에는 반드시 잠시 풀려져야 하리라.**
4. 또내가 보좌들을 보니, 거기 앉은 자들이 있어 심판하는 권세를 받았더라 또 내가 보니 예수의 증거와 하나님의 말씀을 인하여 목베임을 받은 자의 영혼들과, 또 짐승과 그의 우상에게 경배하지도 아니하고 이마와 손에 그의 표를 받지도 아니한 자들이 살아서 그리스도로 더불어 천년 동안 왕노릇하니.	**4. 그리고 내가 보좌들 보니, 또한 그 위에 앉은 그들에게 심판이 맡겨지니라. 그리고 예수님의 증거와 하나님의 말씀을 위하여 목베임을 받은 그들의 생명들과 짐승에게나 그의 형상을 경배하지 않고 그들의 이마 위에나 그들의 손위에 낙인을 받지도 않은 누구든지 살아서, 그리하여 크흐리스토스님과 함께 천 년을 왕 노릇하니라.**
5. (그러나 나머지 죽은 자들은 그 천년이 차기까지 살지 못하더라) 이는 첫째 부활이라	**5. 그러나 다른 남아 있는 죽은 사람들은 그 천 년이 끝마치기까지 결코 다시 살지 못하니 이는 최상의 부활이라.**

6. 이 첫째 부활에 참예하는 자들은 복이 있고 거룩하도다 둘째 그들을 다스리는 권세가 없고 도리어 그들이 하나님과 그리스도의 제사장이 되어 천년 동안 그리스도로 더불어 왕 노릇하리라.	**6. 그 최상의 부활에 몫을 가지는 자는 복이 있고 거룩하도다. 두 번째 죽음이 결코 그들 위에 권세를 가지지를 못하고 오히려 하나님과 그리스도님의 제사장들일 것이며 그분과 함께 천 년을 왕 노릇할 것이라.**
7. 천 년이 차매 사단이 그 옥에서 놓여	**7. 그리고 그 천 년이 끝마치므로 그 사탄이 그의 감옥으로부터 풀려질 것이며,**
8. 나와서 땅의 사방 백성 곧 곡과 마곡을 미혹하고 모아 싸움을 붙이리니 그 수가 바다 모래 같으리라	**8. 그리고 땅의 사방 민족들 곡과 마곡을 미혹하여 나올 것이며, 전쟁을 위하여 그들을 모으니 그들의 수가 바다의 모래더미 같으니라.**
9. 저희가 지면에 너리 퍼져 성도들의 진영과 사랑하시는 성을 두르매 하늘에서 불이 내려와 저희를 소멸하고	**9. 그리고 저희가 넓은 땅위로 기어올라, 그리하여 성도들의 성과 사랑 받은 도시를 에워싸나, 그렇지만 하나님으로부터 하늘에서 불이 내려와, 또한 그들을 삼키니라.**
10. 또 저희를 미혹하는 마귀가 불과 유황못에 던지우니 거기는 그 짐승과 거짓 선지자도 있어 세세토록 밤낮 괴로움을 받으리라	**10. 그리고 그들을 미혹한 그 마귀가 불과 유황의 못을 향하여 던지우니, 거기는 그 짐승과 그 거짓선지자도 영원들의 영원들을 향해 밤과 낮의 고통을 받을 것이라.**
11. 또 내가 크고 흰 보좌와 그 위에 앉으신 자를 보니 땅과 하늘이 그 앞에서 피하여 간데 없더라	**11. 그리고 내가 크고 흰 보좌와 그 위에 앉으신 분을 보니, 그 땅과 하늘이 그분의 얼굴로부터 사라지고 그리고 그들에게 지점이 보이지 아니하니라.**
12. 또 내가 보니 죽은 자들이 무론 대소하고 그 보좌 앞에 섰는데,	**12. 그리고 내가 죽은 자들을 보니, 가장 작거나 가장 위대하거나, 하나님**

책들이 펴 있고 또 다른 책이 펴졌으니 곧 생명책이라 죽은 자들이 자기 행위를 따라 책들에 기록된 대로 심판을 받으니	앞에 섰는데, 또한 두루마리들이 열려져 있고, 그리고 다른 두루마리가 열려졌으니, 생명의 (두루마리)라. 그리고 죽은 자들이 두루마리들에 기록되어진 것들에 의하여 자신들의 행위들을 대하여 심판을 받으니,
13. 바다가 그 가운데서 죽은 자들을 내어 주고 또 사망과 음부도 그 가운데서 죽은 자들을 내어 주매 각 사람이 자기 행위대로 심판을 받고	13. 그리고 바다가 그들 가운데서 죽은 그들을 넘겨주고, 또한 죽음과 지옥도 죽은 그들 가운데서 넘겨주니, 그리하여 모든 사람이 자신의 행위들을 대하여 심판을 받고,
14. 사망과 음부도 불 못에 던지우니 이것은 둘째 사망 곧 불 못이라.	14. 그리고 죽음과 지옥도 불 못을 향하여 던지우니 이것은 둘째 죽음이라.
15. 누구든지 생명책에 기록되지 못한 자는 불못에 던지우더라	15. 그리고 만일 누구든지 그 생명의 책에 기록된 것이 발견되지 않으면 불의 못을 향하여 던지우니라.

【 문 단 】

10. 천년왕국과 최후 심판 《 20:1~15 》

1〉 **마귀를 무저갱에 가둠** 1~3

2〉 **천년왕국 왕노릇 할 자** 4~6

3〉 **천년왕국후 대적 소멸** 7~10

4〉 **최후의 대심판** 11~15

【 주 해 】

〈**개요**〉 20장에는 재림하신 주님께서 짐승 적그리스도와 땅의 왕들의 군대를 멸하시고 짐승과 거짓선지자를 잡아 산채로 유황 불 못에 던지신 후(19:19~21) 천사로 하여금 사탄을 잡아 무저갱에 가두게 하시고 첫째 부활에 참예하는 성도들과 함께 천년 동안 왕 노릇하실 것을 계시하여 주신 것이다.(20:1~6)

그리고 천년왕국후 무저갱에서 잠시 풀려난 사탄이 땅의 사방 백성들을 미혹하여 성도들의 진과 사랑하시는 도시를 에워싸고 전쟁을 하게 하나 하나님께로부터 불이 내려와 저들을 삼키고 마귀는 유황 못에 던저져 영원무궁토록 고통을 받게 된다.(7~10)

그리고 하늘과 땅은 사라지고 죽었던 모든 인류가 살아나서 하나님의 백보좌 앞에서 심판을 받아 영원한 구원과 멸망으로 운명에 처해지는 최후의 대심판을 계시하여 주신 것이다.

그러므로 계시록 20장은 기독교 복음신앙의 말미를 장식하는 결론 부분으로서 대단히 중요하다.

10. 천년왕국과 최후 심판《 20:1~15 》

1〉 마귀를 무저갱에 가둠 1~3

1절 ▷ 그리고 내가 하늘로부터 내려오는 한 천사를 보니, 무저갱의 열쇠와 그의 손에 큰 쇠사슬을 가졌고

Καὶ εἶδον ἄγγελον καταβαίνοντα ἐκ τοῦ οὐρανοῦ, ἔχοντα τὴν
그리고 내가보니 천사를 내려오는 로부터 그 하늘의, 가지고 그

κλεῖδα τῆς ἀβύσσου, καὶ ἅλυσιν μεγάλην ἐπὶ τὴν χεῖρα αὐτοῦ.
열쇠를 그 무저갱의, 와 쇠사슬을 큰 에 그 손을 그의.

한 천사가 무저갱의 열쇠와 큰 쇠사슬을 가지고 하늘로부터 내려온 것은 사탄인 용을 잡아 무저갱에 가두기 위해서이다. 사탄은 하나님께 범죄 타락한 그룹 천사이다.(사 14:11~15; 겔 28:13~15) 천사를 어떻게 쇠사슬로 결박할 수 있는가? 사람의 생각으로는 잘 이해가 안되지만 하나님은 하실 수 있다. 사탄이 자기를 나타낸 형상이 용이다. 용은 나타났다가 사라지기도 하는 영물이다. 그러나 하나님은 천사로 하여금 사탄인 용을 잡아 결박하게 하신다. 성경에 자기 처소를 떠난 범죄한 천사들을 결박하여 어두운 구덩이 흑암에 가두셨다고 하였으며,(벧후 2:4: 유 1:6) 많은 악령들이 이에수-스(예수)님께 자기들을 무저갱에 들어가라 하지 마시기를 간구하였다고 하였으니(눅 8:31) 사탄을 결박하여 무저갱에 가둔다는데 대하여 의문의 논란을 해서는 안 된다.

2절 ▷ 그리고 그 용을 붙잡았으니, 그 옛 뱀을. 그는 마귀이며 그리고 사탄이라. 그리하여 그를 일천 년을 결박하여

καὶ ἐκράτησεν τὸν δράκοντα, τὸν ὄφιν τὸν ἀρχαῖον, ὅς
그리고 붙잡으니 그 용을, 그 뱀을 그 옛, 그는
ἐστιν Διάβολος καὶ σατανᾶς, καὶ ἔδησεν αὐτὸν χίλια ἔτη,
이라 마귀 와 사탄, 그리하여 결박하여 그를 일천 년을,

천사가 용을 붙잡았으니 에덴에서 흐하바(하와)를 미혹했던 옛뱀이며 마귀요 사탄인 것이다.(12:9) 일천 년 곧 천년왕국이 끝날 때까지 결박한다. 짐승과 거짓선지자를 유황 불못에 던질 때(19:20) 함께 던지지 않고 천 년 동안 가두어 두시는 것은 천년왕국 후에 백성들을 미혹하는 시험을 하도록 하기 위함이다. 천년왕국의 백성이 천년동안 복된 생활을 누렸지만 과연 구원

받을 수 있는 자들인지 테스트 받을 필요가 있기 때문이다.

3절 ▷ 그리고 그를 무저갱을 향해 던져, 또한 잠그고. 그리고 그 위에 봉인하여, 그렇게 하여 그 이후로 일천 년이 끝마쳐지는 동안 민족들을 미혹하지 못하도록 하고, 그렇지만 그 후에 그는 반드시 잠시 놓여야 하리라.

καὶ ἔβαλεν αὐτὸν εἰς τὴν ἄβυσσον, καὶ ἔκλεισεν αὐτόν,
그리고 던져 그를 을 향해 그 무저갱을, 또한 잠그고 그를,
καὶ ἐσφράγισεν ἐπάνω αὐτοῦ, ἵνα μὴ πλανήσῃ τὰ ἔθνη
그리고 봉인하여 위에 그의, 그렇게하여 미혹하지 민족들을
ἔτι, ἄχρι τελεσθῇ τὰ χίλια ἔτη· καὶ μετὰ ταῦτα δεῖ
그이후로, 동안 끝마쳐지는 그 일천 년이, 그렇게하여 후에 그반드시해야한다
αὐτὸν λυθῆναι μικρὸν χρόνον. ← 그는 놓여야 잠 간

무저갱에 던져 잠그고 봉인하여 그 이후로 일천 년이 끝마쳐지는 동안 민족들을 미혹하지 못하게 하고 그 후에는 반드시 잠간 놓여야 한다고 하셨다. 천년왕국의 백성이었던 사람들을 미혹하기 위해서이다.

¤ 감동과 기도 ☆

2〉 천년왕국 왕노릇 할 자 4~6

4절 ▷ 그리고 내가 보좌들 보니, 또한 그 위에 앉은 그들에게 심판이 맡겨지니라. 그리고 이에수-스님의 증거와 하나님의 말씀을 위하여 목베임을 받은 그 생명들, 짐승에게나 그의 형상을 경배하지 않고 그들의 이마 위에와 그들의 손위에 낙인을 받지도 않은 누구든지 살아서 그리하여 크

흐리스토스님과 함께 일천 년을 왕노릇 하니라.

Καὶ εἶδον θρόνους, καὶ ἐκάθισαν ἐπ' αὐτούς, καὶ κρίμα ἐδόθη
내가 보니 보좌들을, 또한 앉은 위에 그들이, 그리고 심판이 맡겨졌다
αὐτοῖς· καὶ τὰς ψυχὰς τῶν πεπελεκισμένων διὰ τὴν μαρτυρίαν
그들에게 그리고 그 생명들을 그 목베임을 받은 위하여 그 증거를
Ἰησοῦ, καὶ διὰ τὸν λόγον τοῦ θεοῦ, καὶ οἵτινες οὐ προσεκύνησαν
이에수-스님의, 와 위하여 그 말씀을 그 하나님의, 그리고 누구든지 아니한 경배하지
τῷ θηρίῳ, οὔτε τὴν εἰκόνα αὐτοῦ, καὶ οὐκ ἔλαβον τὸ χάραγμα
그 짐승에게, 도아니 그 형상을 그의, 그리고 아니한 받지도 그 표를
ἐπὶ τὸ μέτωπον αὐτῶν, καὶ ἐπὶ τὴν χεῖρα αὐτῶν· καὶ ἔζησαν,
위에 그 이마를 그들의, 와 위에 그 손을 그들의 그러므로 살아서,
καὶ ἐβασίλευσαν μετὰ Χριστοῦ τὰ χίλια ἔτη·
그리고 왕노릇하니 함께 크흐리스토스님 그 일천 년을,

천년왕국에서 크흐리스토스(그리스도)님과 함께 천 년을 왕노릇 할 세 부류의 성도들이 어떤 자들임을 말하였다.

첫째는 보좌들 위에 앉은 성도들로서 심판하는 권세가 주어졌다. 이 성도들은 이에수-스(예수)님께서 페트로스(베드로)에게 말씀하셨던 대로 '모든 것을 버리고 주님을 좇은 자들' 이다.(마 19:27~29) 이에수-스(예수)님의 말씀대로 전적 준행한 자들임으로 다른 사람을 심판하는 최고의 권위를 가지게 하신 것이다.

둘째는 하나님의 말씀과 이에수-스(예수)님의 증거를 위하여 목베임을 받은 자 곧 순교자들인 것이다. 하나님의 진리의 말씀을 위하여 용감한 자들로서 왕 노릇하기에 적합한 성도들이다.

셋째는 7년 대환란 때 짐승과 그 형상을 경배하지 아니하고 이마나 그의 손에 그 낙인을 받지도 아니한 자들이 부활체로서 만왕의 왕이신 주님과 함께 천 년 동안 왕 노릇 하는 것이다.

'살아서' 라는 헬라어 'ἔζησαν(에제산)' 은 '살다' 라는 말로서 이것을 무천년 곧 신약시대가 천년왕국이라고 주장하는 오늘날 기독교의 일반적 견해는 영적 부활 곧 '중생' 을 말한다고 한다.

그러나 5절에 "나머지 죽은 자들은 그 천 년이 차기까지 '살지<ἀνέζησαν(안에제산)>' 못하더라" 에서 'ἀν(다시) + έζησαν(살다)' 의 합성어를 '부활' 로 말하였으니, 4절의 'ἔζησαν(에제산)' 은 부활을 전제로 한 '살아서' 라는 말이며, 그리고 이 세 부류의 성도들을 4절과 5절에 첫째 곧 최상의 부활<ἀνάστασις(아나스타시스)>에 참예하는 자들이라고 하였기 때문에, 영원한 생명의 부활체를 입는 것에 조금도 의문의 여지가 없는 것이다. 그러면 순교자를 포함한 이 세 부류의 성도들을 첫째(최상의) 부활에 참예하는 자라고 하면서 3절에서는 '부활<ἀνάστασις(아나스타시스)>' 하여 라고 하지 않고 '살아서<ἔζησαν(에제산)>' 라고 하였는가? 그것은 첫째 부류의 성도들 중에는 주님께서 재림하실 때 말씀을 잘 준행한 성도들이 피란처에서 지켜 보호하심을 받고 있을 자들이 있어 저들은 죽음을 당하지 않고 홀연히 부활체로 변화되어 공중으로 휴거 되어 재림하시는 주님을 맞이하여 지상으로 내려올 것이기 때문에(살전 4:16~17) '살아서<ἔζησαν(에제산)>' 라는 말을 사용한 것이다. 성경에 기록하게 하신 말씀은 이렇게 정확하고 한 가지 일치한 의미이다. 그런데도 성경 말씀을 원만히 이해하지 못하는 여러 사람들이 자꾸 다른 이론을 내세움으로 성경말씀을 혼잡하게 하여 듣는 자로 하여금 혼미하게 하는 것이다.(고후 2:17, 4:2) 특히 천년왕국에 대하여 '무 천년왕국론' '과거 천년왕국론' '현재 천년왕국론' '미래 천년왕국론 중에서도 후 천년왕국론, 천상 천년왕국론, 전 천년왕국론으로 나뉘고, 전 천년왕국론에서도 세대주의 전 천년설과 역사적 전 천년설로 나뉜다. 이렇게 천년왕국은 하나인데 일곱 가지로 해석이 있으니 정말 혼미한 것이다. 세상의 어떤 종교도 그 경전의 해석이 기독교의 성경만큼 복잡하게 분분하지 않다. 사탄은 참 구원의 도인 기독교를 이렇게 집중적으로 공략하여 구원을 받지 못하게 하고 있다. 그러므로 비상하게 정신을 차려 바른 성격해석을 찾지 않으면 사탄의 술책에 잡히고 만다. 성경 원어를 올바로 직역하여 이에수-스(예수)님의 바른 복음의 관점으로 해석한 이 계시록 주석은 최선의 방책이라고 확신한다.

5절 ▷ 그러나 다른 남아 있는 죽은 사람들은 그 일천 년이 끝마치기까지 결코 다시 살지 못하니 이는 최상의 부활이라.

οἱ δὲ λοιποὶ τῶν νεκρῶν οὐκ ἀνέζησαν ἕως
그 그러나 다른 남아 있는 사람들 그 죽은 못하고 다시살지 까지
τελεσθῇ τὰ χίλια ἔτη. αὕτη ἡ ἀνάστασις ἡ πρώτη.
끝마치기 그 일천 년이. 이는 그 부활이라 그 최상의.

첫째 최상의 부활에 참예하는 세 부류의 사람들 외에는 천년왕국이 끝나기까지 죽은 사람들이 부활하지 못한다고 하셨다. 개역 한글성경의 계통인 네슬 알란드 판에는 '살지 못하더라<***οὐκ ἔζησαν***(우크 에제산)>' 으로 되어 있으나, 전통원문에는 '다시 살지 못하니라<***οὐκ ἀνέζησαν***(우크 안에제산)>' 로 되어 있다.

'***πρώτη***(프로테)' 는 '(시간 장소 중요성에 있어서)최상의, 먼저, 주요한, 첫째의, 최초의, 최고의' 라는 말로서 순서에 있어 '첫째' 라는 말보다 '최상의' '최고의' 라는 의미가 더 적합함으로 '최상의 부활' 이라고 함이 합당하다. 천년왕국에서 왕 노릇

하는 성도들은 최상 최고의 복되고 거룩한 부활에 참예하는 자들인 것이다. 기왕 기독교의 신앙생활을 하는 자라면 이 부활에 참예하는 자가 되려고 해야 할 것이다. 먼저 바로 알지 못하면 그렇게 될 수 없다.

6절 ▷ 그 최상의 부활에 몫을 가지는 자는 복이 있고 거룩하도다. 두 번째 죽음이 결코 그들 위에 권세를 가지지를 못하고 오히려 하나님과 크흐리스토스님의 제사장들일 것이며 그분과 함께 일천 년을 왕 노릇할 것이라.

μακάριος καὶ ἅγιος ὁ ἔχων μέρος ἐν τῇ ἀναστάσει
복이있고 그리고 거룩하도다 그 가지는 몫을 가운데 그 부활에
τῇ πρώτῃ· ἐπὶ τούτων ὁ θάνατος ὁ δεύτερος οὐκ ἔχει
그 최상의 위에 그들에게 그 죽음이 그 두 번째 결코아니 가지지를
ἐξουσίαν, ἀλλ᾽ ἔσονται ἱερεῖς τοῦ θεοῦ καὶ τοῦ
권세를, 오히려 일 것이다 제사장들이 그 하나님의 과 그
Χριστοῦ, καὶ βασιλεύσουσιν μετ᾽ αὐτοῦ χίλια ἔτη.
크흐리스토스님의,그리고 왕 노릇할 것이다 함께 그분과 일천 년을.

천년왕국에서 주님과 함께 왕 노릇 하는 성도들의 복됨은 왕 노릇 자체만 아니라 두 번째 죽음이 그들 위에 권세를 가지지 못하는 것이다. 영생이 보장되어 있다는 말씀이다. 이에수-스(예수)님께서 페트로스(베드로)에게 말씀하셨던 것과 일치하니 “세상이 새롭게 되어 인자가 자기의 영광의 보좌에 앉을 때에 나를 좇는 너희도 열두 보좌에 앉아 이스라엘 열두 지파를 심판하리라. 또 내 이름을 위하여 집이나 형제나 자매나 아버지나 어머니나 자식이나 전토를 버린 자마다 백 배 < *έκατονταπλασίονα*(에카톤타플라시오나) >를 받고 또 영생을 상속하리

라" 하신 대로이다.

마가복음 10:29~30절에는 "나와 복음을 위하여 집이나 형제나 자매나 아버지나 어머니나 아내나 자식이나 전토를 하나 없이<οὐδείς ἔστιν(우데이스 에스틴)> 버린 자는, 누구 없이 핍박 중에, 이후로 정해진 때에<νῦν ἐν τῷ καιρῷ τούτῳ> 집과 형제와 자매와 모친과 자식과 전토 백 배와 오는 영원에 영원한 생명이 주어진다.(전통원문 헬라어 직역)"고 하셨다. '백 배'가 주어지는 '이후로 정해진 때'는 천년왕국을 말함이며, '영원한 생명'은 천년왕국후 영원에 주어지는 것을 말씀하신 것이다.

주님과 함께 천 년 동안 왕 노릇하게 된다. 이 '천 년'에 대하여 실제 '천 년'이 아니고 '상징'으로 보는 사람이 대부분이다. 이것은 보통 문제가 아니다. '천 년'이 '실제'인가 '상징'인가에 따라 엄청난 신앙과 생활의 차이를 초래하기 때문이다. 그렇기 때문에 이 문제에 대하여 '특주'로 다루고자 한다.

¤ 감동과 기도 ☆

【 특주 14 】

천년왕국이 실제로 있는가 상징인가?

‘천년왕국이 실제인가 상징인가’ 하는 문제는 계시록에서 대단히 중요한 문제 중의 하나이다. 왜냐하면 주님의 재림과 (19:11~21) 최후 백 보좌 심판(20:11~15) 사이에 천년왕국이 (20:1~10) 실제로 있느냐 없느냐 하는 것은 엄청난 차이가 있는 것이며, 그리고 ‘천년왕국’ (20:1~10절)을 상징으로 본다면 계시록의 모든 것을 상징으로 보아야 마땅함으로 계시록의 체계가 완전히 부정되는 것이기 때문이다.

1. 20:1~10절의 천년왕국이 상징일 수 없다.

‘일 천년<*χίλια ἔτη*(크힐리아 에테)>’ 이란 말이 여섯 번이나 말해졌는데 계시록 해석을 하면서 무분별하게 ‘상징(象徵)’ 이란 말을 도입함으로 계시록을 ‘상징(象徵)’ 곧 **‘추상적인 것을 구체적인 것으로 나타낸 것’** 으로(민중 엣센스 국어사전, 1999) 보게 한 것이다. 계시록이 추상적인 것이란 말인가? 그렇게 생각하니 ‘천 년’ 이란 말도 추상적인 것을 상징으로 말한 것이라 해석하는 것이다. 그러면 20:1~10절에서 다른 것은 왜 상징으로 보지 않고 ‘일천 년’ 만 상징으로 보아야 하는가? ‘일천 년’ 이 상징이라면 ‘천사’ ‘무저갱’ ‘열쇠’ ‘큰 쇠사슬’ ‘손’ ‘하늘’ ‘용’ ‘옛 뱀’ ‘마귀’ ‘사탄’ ‘결박’ ‘잠그고’ ‘봉인하여’ ‘만국’ ‘미혹’ ‘놓이리라’ ‘보좌들’ ‘앉은 자들’ ‘심판’ ‘권세’ ‘예수(님)의 증거’ ‘하나님의 말씀’ ‘목 베임’ ‘혼들’ ‘짐승’ ‘그의 형상’ ‘이마’ ‘손’ ‘그의 표’ ‘그리스도’ ‘왕 노릇’ ‘첫째 부활' '복이 있고' '거룩하도다' '둘째 사망' '제사장' 모두가 추상적인 것으로 상징으로 나타낸 것이라고 해야 하지 않는가? 그렇다면 계시록의 다른 것도 모두 상징이라고 해야 할 것이다. 기독교가 계시록을 상징이라고 가르치기 때문에 믿는 자들이 계시록을 실제적인 것으로 생각하지 않는 것이다.

주님께서 계시록을 **'추상적인 것을 구체적인 것으로 나타낸 것'**으로 상징(象徵)으로 계시하여 주신 것이 아니라 **실제적인 것을 표징<(σημεῖον 세메이온)>으로 또는 실제적인 그대로 나타내 보여주신 것이다.**

2. 20:1~10절이 상징이라면 11~15절도 상징이 되기 때문이다.

20:1~10절의 천년왕국이 실제가 아니고 상징이라면 11~15절의 천년왕국이 끝나면 사탄이 무저갱에서 풀려 나와 바닷가의 모래더미 같이 많은 땅의 사방 백성 곡과 마곡을 미혹하여 왕 노릇하던 성도들의 진과 수도 히에루살렘(예루살렘)을 에워싸고 전쟁을 일으키니 하늘에서 하나님께로부터 불이 내려 와 그들을 다 삼켜 버리고 사탄은 불과 유황 못에 던져진다는 것도 상징이어야 할 것이다. 왜냐하면 이 일은 천년왕국과 관계없는 별개의 일이 아니고 7절에 '그 일천 년이 끝마치고' 될 일이라고 하였기 때문이다. 그리고 천년왕국이 실제가 아니라면 이어서 말씀하신 11~15절의 최후의 대 심판도 실제가 아니어야 할 것이다. 그럴 수 있는가?

3. 선지자들이 예언한 천년왕국은 상징이 아니기 때문이다.

하나님께서 헤사이아스(이사야) 선지자를 통해 땅위에 멧시아스(메시야)가 와서 이루실 왕국에 대하여 예언하게 하셨다.(11:1~10, 24:14~15,23, 27:1~3, 65:17~25) 헤사이아스(이사야) 선지자가 예언한 멧시아스(메시야) 왕국이 상징이라면 멧시아스(메시야)의 고난을 예언한 것도(53:1~12) 상징이어야 할 것이다. 그럴 수 있는가?

선지자 다니엘이 네부카드네짜르(느부갓네살) 왕이 꿈에 본 형상을 하나님의 영감으로 해석하였는데 주님께서 재림하시기까지 연속적으로 세계를 지배해 나갈 나라를 보여주신 것으로 정확하게 이루어졌고 이루어지고 있다. 금 머리인 바뷜론(바벨론)으로부터 반 철과 반 흙으로 된 주님께서 재림하여 멸하실 마지막 열 왕의 때까지 모두가 상징이 아닌 실제의 나라를 표징으로 보여주신 것이었다. 그러므로 주님께서 재림하셔서 열 왕의 짐승의 나라를 멸하시고 온 세상에 가득하게 하실 '뜨인 돌의 왕국' 도 상징이 아닌 실제의 왕국인 것이다.

그 외에도 주님께서 재림하셔서 왕국을 세우실 것을 거듭 예언한바 있고,(단 2:34~35, 7:13~14, 25~27) 선지자 히에레미아스(예레미야)와 제카르야(스가랴), 미카(미가)도 예언하였는데 상징이 아니다.(렘 23:5; 슥 14:4~21; 미 4:1~4) 이에수-스(예수)님께서 말씀하신 것도(마 19:28, 25:31~34; 눅 19:17~19) 상징이 아니다.

¤ 감동과 기도 ☆

3〉 천년왕국후 대적 소멸 7~10

7절 ▷ 그리고 그 일천 년이 끝마치므로 그 사탄이 그의 감옥으로부터 풀려질 것이며,

Καὶ ὅταν τελεσθῇ τὰ χίλια ἔτη, λυθήσεται ὁ Σατανᾶς
그리고 이므로 끝마치 그 천 년이, 풀려질 것이며 그 사탄이
ἐκ τῆς φυλακῆς αὐτοῦ, ← 으로부터 그 감옥의 그의

천년왕국의 그 일천 년이 끝나면 사탄이 갇혀 있던 감옥인 무저갱에서 풀려진다. 하나님의 허락하에서이다.

8절 ▷ 그리고 땅의 사방 민족들 곡과 마곡을 미혹하여 나올 것이며, 전쟁을 위하여 그들을 모으니 그들의 수가 바다의 모래더미만큼 같으니라.

καὶ ἐξελεύσεται πλανῆσαι τὰ ἔθνη τὰ ἐν ταῖς τέσσαρσιν
그리고 나올 것이라 미혹하여 그 민족들을 그 에 그 사
γωνίαις τῆς γῆς, τὸν Γὼγ καὶ τὸν Μαγώγ, συναγαγεῖν
방 그 땅의, 그 곡 과 그 마곡을, 모아
αὐτοὺς εἰς πόλεμον, ὧν ὁ ἀριθμὸς ὡς ἡ ἄμμος τῆς θαλάσσης.
그들을 위하여 전쟁을. 만큼그들의수가같으니라 그 모래더미 그 바다의.

무저갱에서 풀려난 사탄은 천년왕국의 땅의 사방 백성 곡과 마곡을 미혹하여 주님과 성도들을 대적하여 전쟁을 일으키게 하는데 그 수가 바다 모래더미와 같이 많다. 천년왕국 동안 평화롭고 복된 생활을 할 수 있었기에 인간이 기하급수로 번성하여 많아졌다. 그러나 이렇게 번성하여 많아진 인간들은 구원하신 백성들이 아니었다. 그렇기 때문에 사탄을 통하여 시험할 필요가 있었다.

9절 ▷ 그리고 저희가 넓은 땅위로 기어올라, 그리하여 성도들의 진과 사랑받은 도시를 에워싸나, 그렇지만 하나님으로부터 하늘에서 불이 내려와, 또한 그들을 삼키니라.

καὶ ἀνέβησαν ἐπὶ τὸ πλάτος τῆς γῆς, καὶ ἐκύκλωσαν
그리고 기어올라 위에 그 넓은 그 땅의, 그리하여 에워싸니
τὴν παρεμβολὴν τῶν ἁγίων, καὶ τὴν πόλιν τὴν
그 진을 그 성도들의, 과 그 도시를 그
ἠγαπημένην· καὶ κατέβη πῦρ ἀπὸ τοῦ θεοῦ ἐκ τοῦ
사랑받은. 그렇지만 내려와 불이 로부터 그 하나님의 로부터 그
οὐρανοῦ, καὶ κατέφαγεν αὐτούς·
하늘의, 또한 삼키니라 그들을.

넓은 땅위로 기어올라 성도들의 진과 사랑하시는 도시 히에루살렘(예루살렘)을 에워싼다. 그렇지만 하늘의 하나님께로부터 불이 내려와 그들을 삼켜버리는 것이다. 하나님의 직접적인 심판을 의미한다.(왕하 1:10, 12) 참으로 놀라운 일이다. 어찌해서 천년동안 백성이었던 자들이 이렇게 일심동체 반역의 무리가 되고 또한 하나님께로부터 불이 내려와 그들을 모두 삼켜버리는가? 천년왕국의 백성들은 구원받은 자들이라고 거의 모든 계시록 해석자들이 가르치고 있지 않는가? 이에 대하여 다시 '특주' 로 다루고자 한다.

¤ 감동과 기도 ☆

【 특주 15 】

천년왕국의 백성들은 구원받은 자인가?

천년왕국의 백성들은 구원받은 자들인가 구원받지 않은 자들인가에 대하여 거의 대부분 천년왕국에는 '구원받은 자들만 들어간다' 고 가르치거나, 아니면 대부분의 계시록 강해서에서는 이점을 언급하지 않고 있다. 천년왕국에는 '구원받은 자들만 들어간다' 고 가르치는 그 가장 확실한 성경의 근거를 헤사이아스(이사야) 35:1~10절에서 특히 9절에 "오직 구속함을 얻은 자만 그리로 행할 것이며"라고 한 말에 둔다. 그러나,

1. 헤사이아스 35장의 예언은 천년왕국에 대한 예언이 아니다.

헤사이아스 11:1~10절과 65:17~25절은 천년왕국에 대한 예언이지만 35:1~10절은 이예수-스(예수)님의 공사역에 대한 예언인 것이다. 왜냐하면 피상적으로 보면 세 곳의 예언이 동일한 것 같지만 자세히 살펴보면 35:1~10절은 두 곳과 다르니 천년왕국의 예언인 11:1~10절과 65:17~25절에는 '이리와 표범과 사자와 곰과 독사' 가 있고,(11:6~8) '이리와 사자와 뱀' 이 있으나,(65:25) 35:1~10절에는 "거기는 사자가 없고 사나운 짐승이 그리로 올라가지 아니하므로 그것을 만나지 못하겠고"라고 했으니,(9) 같은 헤사이아스(이사야) 선지자의 예언인데도 다른 것이다. 만약 같은 천년왕국의 예언이라면 예언은 서로 상치되어 성경은 틀리는 것이다. 있을 수 없는 일이다.

그리고 35:5절에 "그때에 소경의 눈이 밝을 것이며 귀머거리의 귀가 열릴 것이며 그때에 저는 자는 사슴 같이 뛸 것이며 벙

어리의 혀는 노래하리니"라고 한 것은 이에수-스(예수)님의 공사역 때에 이루어진 것이니 이에수-스(예수)님께서 이오안네스(요한)의 제자들에게 가서 고하라 하시면서 "소경이 보며, 앉은뱅이가 걸으며, 문둥이가 깨끗함을 받으며, 귀머거리가 들으며, 죽은 자가 살아나며, 가난한 자에게 복음이 전파된다 하라"고 하신 것이다.(마 11:5) '벙어리의 혀는 노래하리니' 라고 한 것은 이에수-스(예수)님께서 벙어리를 고쳐 주신 것을 말함이다.(눅 11:14) 그러므로 35:1~10절은 재림 후의 천년왕국의 예언이 아니고 초림하셔서 사역하실 때에 성취 될 것을 예언한 것이다.

그리고 9,10절에 "오직 구속함을 얻은 자만 그리로 행할 것이며 여호와의 속량함을 얻은 자들이 돌아오되"라고 한 것은 이에수-스(예수)님의 구속사역이 이루어진 오순절 이후 하나님의 왕국이 세상에 실현되어졌으니 사도 파윌로스(바울)께서 흐로메(로마)서 14:17~18절에 현재 세상에 실현되어진 하나님의 왕국을 "하나님의 왕국은 먹는 것과 마시는 것이 아니요 반대로 성령님 안에서 의와 평화와 기쁨이라. 왜냐하면 이러한 것들 안에서 크흐리스토스(그리스도)님께 예속된 자는 하나님께 매우 기쁨이 되며 사람들에게 인정을 받기 때문이라"고 하였다. 이러한 성령님 안에서 실현된 하나님의 왕국에는 진리의 성령님으로 거듭난 참으로 구속받은 자만 참예할 수 있는 것이다. 최초 히에루살렘(예루살렘) 교회는 성령님 안에서 보이지 않는 무형교회는 100% 순수했지만, 보이는 유형교회까지도 거의 99,9% 순수한 교회였다.(행 2:14~47, 4:23~5:13)

그러므로 헤사이아스(이사야) 35:9,10절에서 "오직 구속함을 얻은 자만 그리로 행할 것이며"라고 한 말은 이에수-스(예수)님의 초림 사역을 예언한 것인데, 천년왕국 예언으로 잘못 알고 이 구절로 천년왕국의 백성은 구속받은 자들 만이라고 하는 것은 완전히 잘못된 것이다.

2. 제카르야(스가랴) 선지자는 백성이 불신자임을 예언했다.

제카르야(스가랴) 14:1~20절에 주님의 재림과 천년왕국에 대한 예언을 하였다. 4절에 "그날에 그의 발이 히에루살렘(예루살렘) 앞 동편 감람산에 서실 것이요" 그리고 5절에 "나의 하나님 여호와께서 임하실 것이요 모든 거룩한 자가 주와 함께하리라" 한 것은 주님의 재림을 예언한 것이다. 8~11절은 땅위에 세워질 천년왕국을 예언한 것이니, "그날에 생수가 히에루살렘(예루살렘)에서 솟아나서 절반은 동해로, 절반은 서해로 흐를 것이라. 여름에도 겨울에도 그러하리라. 여호와께서 천하의 왕이 되시리니 그날에는 여호와께서 홀로 하나이실 것이요 그 이름이 홀로 하나이실 것이며, … 히에루살렘(예루살렘)이 높이 들려 그 본처에 있으니리 … 사람이 그 가운데 거하며 다시는 저주가 있지 아니하리니 히에루살렘(예루살렘)이 안연히 서리로다" 고 한 것이다.

그리고 나서 백성에 대한 예언이 있으니 16~19절에 "히에루살렘(예루살렘)을 치러 왔던 열국 중에(겔 38:1~9; 슥 14:1~3) 남은 자가 해마다 올라와서 그 왕 만군의 여호와께 숭배하며 초막절을 지킬 것이라. 천하 만국 중에 그 왕 만군의 여호와께 숭배하려 히에루살렘(예루살렘)에 올라오지 아니하는 자에게는 비를 내리지 아니할 것인즉 만일 미쯔하르(애굽)족속이 올라오지 아니할 때에는 창일함이 있지 아니하리니 여호와께서 초막절을 지키러 지키러 올라오지 아니하는 열국을 치시는 재앙을 그에게 내리실 것이라 미쯔하르(애굽) 사람이나 열국 사람이나 초막절을 지키러 올라오지 아니하는 자의 받을 벌이 이러하니라" 고 하였으니 천년왕국의 백성들이 어떤 자일 것을 예언한 것이다.

3. 계시록 20:7~9절의 백성들이 어찌 구원받은 자들인가?

천 년이 끝마쳐지자 사탄이 그의 감옥으로부터 풀려나 땅의 사방 민족들을 미혹하여 전쟁을 위하여 그들을 모으니 그들의 수가 바다의 모래더미 같아 저희가 넓은 땅위로 기어올라 성도들의 성과 사랑 받은 도시를 에워싸고 전쟁을 하려고 하는 것이다. 그렇지만 하나님으로부터 하늘에서 불이 내려와 그들을 삼켜버린다고 하였으니 이 백성들이 어찌 구원받은 자들인가? 상식적으로도 구원받은 자들이라고 할 수 없는 것이다. 구원받은 자들이라면 어찌 사탄의 미혹을 받아 성도들을 대항하여 싸우려고 하며, 어찌 하나님으로부터 하늘에서 불이 내려와 그들을 삼켜버리겠는가? 네슬 알란드 판을 따른 개역 한글성경에는 '하늘에서 불이 내려와' 라고 되어 있지만 전통원문에는 '하나님으로부터 <ἀπὸ τοῦ θεοῦ> 하늘에서 불이 내려와' 로 되어 있어 백성 모두를 삼켜버린 불은 단지 하늘에서 내린 재난의 불이 아니라 하나님으로부터 내린 진노의 불임을 말하니 어찌 이 민족들이 구원받은 자들일 수 있는가?

뿐만 아니라 이 백성들의 명칭이 '곡과 마곡' 이니 구원받은 자들이라면 계시하시는 주님께서 어찌 이런 명칭으로 말씀하셨겠는가? '곡과 마곡' 은 야헤쯔켈(에스겔) 38:1~16절에 말년에 하나님의 명령을 받고 이스라엘 백성을 치러 오는 무리들을 가리켜 '곡과 마곡' 이라 하였다. 구원받은 자들을 '곡과 마곡' 이라 할 수 없다.

이렇게 분명하게 성경에 말씀하셨는데도 천년왕국의 백성이 구원받은 자들인지 구원받지 못한 자들인지 분별치 못하여 분명하게 가르치지 않을 뿐만 아니라, 오히려 구원받은 자들이라는 쪽으로 대부분 가르치고 있으니 탄식하지 않을 수 없다. 구원받은 성도는 다 하나님께 대하여 왕들과 제사장들이 된 자들인데(1:6 ←개역 한글성경은 왕<*βασιλεῖς*(바실레이스)>이란 말을 '나라'로 번역하여 구원받은 자를 '왕'으로 만드셨다는 사실을 모르게 하고 있음) 어찌 천년왕국의 백성들이 다 하나님께 대하여 왕과 제사장 된 성도들이란 말인가? 말도 안된다.

¤ 감동과 기도 ☆

10절 ▷ 그리고 그들을 미혹한 그 마귀가 불과 유황의 못을 향하여 던지우니, 거기는 그 짐승과 그 거짓선지자도 있어 영원의 영원을 향해 밤과 낮의 고통을 받을 것이다.

καὶ ὁ διάβολος ὁ πλανῶν αὐτοὺς ἐβλήθη εἰς τὴν λίμνην τοῦ
그리고 그 마귀가 그 미혹하는 그들을 던지우니 향하여 그 못을 그
πυρὸς καὶ θείου, ὅπου τὸ θηρίον καὶ ὁ ψευδοπροφήτης· καὶ
불의 과 유황의, 거기에 그 짐승 과 그 거짓선지자도 마찬가지로
βασανισθήσονται ἡμέρας καὶ νυκτὸς εἰς τοὺς αἰῶνας τῶν αἰώνων.
고통을 받을 것이다 낮의 과 밤의 향하여 그 영원들을 그 영원들의.

최종적으로 마귀를 유황 불 못을 향하여 던지신다. 그곳에는 이미 짐승과 거짓선지자가 던져져 있으며(19:20) 영원들의 영원들을 향하여 밤낮 고통을 받는 마귀와 그 사자들을 위하여 예비된 형벌의 장소이다.(마 25:41)

¤ 감동과 기도 ☆

4〉 최후의 대심판 11~15

11절 ▷ 그리고 내가 크고 흰 보좌와 그 위에 앉으신 분을 보니, 땅과 하늘이 그분의 얼굴로부터 사라지고 그리고 그들에게 지점이 보이지 아니하니라.

Καὶ εἶδον θρόνον λευκὸν μέγαν καὶ τὸν καθήμενον ἐπ'
그리고 내가보니 보좌를 흰 크고 와 분을 앉으신 위에
αὐτοῦ, οὗ ἀπὸ προσώπου ἔφυγεν ἡ γῆ καὶ ὁ οὐρανός,
그, 그 로부터 얼굴 사라지고 그 땅 과 그 하늘이,
καὶ τόπος οὐχ εὑρέθη αὐτοῖς.
그리고 지점이 아니하니라 보이지 그들에게

크고 흰 보좌와 그 위에 앉으신 분이 있는데 땅과 하늘이 그분의 면전에서 사라져 보이지 않았다. 계시록에서 '보좌에 앉으신 분' 이라는 말이 열두 번 말해졌는데 모두 하나님 아버지로 알려지고 있다.(4:2, 9, 10, 5:1, 7, 13, 6:16, 7:10, 15, 19:4, 20:11, 21:5) 또 외경에도 최후의 심판은 하나님께서 하시는 것으로 되어 있다.(Ⅳ Esd. 6:1~10, 7:33등) "우리가 다 하나님의 심판대 앞에 서리라 … 모든 혀가 하나님께 자백하리라 하였느니라 그러므로 우리 각인이 자기 일을 하나님께 설명해야 하리라"고 하였다.(롬 14:10~12) 그런데 "아버지께서 아무도 심판하지 않으시고 심판을 다 아들에게 맡기셨으니"라고 한 말씀이나 (요 5:22) 성자 이에수-스(예수)님께서 심판하실 것이라는 말씀들이 있다.(마 25:1~46; 눅 19:17 -19; 행 10:42; 고후 5:10; 딤후 4:1)

4:4절에 24 장로들의 보좌는 복수 < *θρόνοι*(트흐로노이) > 로 되어 있는데, 여기서 희고 큰 '보좌' 라고 한 '*θρόνον*(트흐로논)'

은 목적격 단수이며, 22:1절과 3절에 '하나님과 어린양의 보좌' 라고 한 데서도 '보좌' 는 단수이다. 그것은 하나님과 어린양 이에수-스(예수)님은 하나이신 것을 의미한다.

이에수-스(예수)님께서 세상에 오셔서 하신 모든 말씀은 하나님 아버지께서 명령하여 주신 말씀 그대로 한 것이라고 하셨으니(요 12:48~50) 그러므로 본 절은 이에수-스(예수)님께서 심판하시되 하나님 아버지의 위임을 받아서 하는 것임을 분명히 하는 것이다.

12절 ▷ 그리고 내가 죽은 자들을 보니, 가장 작거나 가장 위대하거나, 하나님 앞에 섰는데, 또한 두루마리들이 열 려져 있고, 그리고 다른 두루마리가 열려졌으니, 생명의 (두루마리)라. 그리고 죽은 자들이 두루마리들에 기록되어진 것들에 의하여 자신들의 행위들을 대하여 심판을 받으니,

καὶ εἶδον τοὺς νεκρούς, μὶκροὺς καὶ μεγάλους. ἑστῶτας
그리고 내가보니 자들을 죽은, 가장작으 나 가장 위대하거나. 섰는데
ἐνώπιον τοῦ θεοῦ, καὶ βιβλία ἠνεῴχθησαν· καὶ βιβλίον
앞에 그 하나님의,그리고 두루마리들이 열려져 있고 그리고 두루마리가
ἄλλο ἠνεῴχθη, ὅ ἐστιν τῆς ζωῆς· καὶ ἐκρίθησαν οἱ νεκροὶ
다른 열려졌으니, 그 이라 그 생명의, 그리고 심판을 받으니 자들이 죽은
ἐκ τῶν γεγραμμένων ἐν τοῖς βιβλίοις, κατὰ τὰ ἔργα αὐτῶν.
에의하여 것들 기록되어진 가운데 그 두루마리들에, 에대하여 그 행위들을 자신들의

'죽은 자들을 보니, 가장 작거나 가장 위대하거나, 하나님 앞에 섰는데' 라고 하였다. 창조이후 세상에 태어났다가 죽은 모든 인류가 다 살아 생전의 모습으로 살아나서 크고 흰 보좌에 앉으신 하나님 앞에 선다. 네슬 알란드 사본을 따른 개역 한글성경에

는 '보좌 앞에 섰는데' 라고 되어 있으나 전통원문에는 '하나님의 보좌 앞에 섰는데' 라고 되어 있으니 계시록에서 열두 번 '보좌에 앉으신 분' 을 하나님 아버지로 말한 것과 일치하니 전통원문이 확실한 것이다. 개역 한글성경은 보좌에 앉으신 분을 이에수-스(예수)님으로 생각하게 한다. 사도 파윌로스(바울)께서 흐로메(로마)서 14:10~12절에 "우리가 다 하나님의 심판대 앞에 서리라. … 모든 혀가 하나님께 자백하리라. … 이러므로 우리 각인이 자기 일을 하나님께 직고하리라" 고 하였으니 심판대는 '하나님의 심판대' 이다. 크흐리스토스(그리스도)의 심판대라는 말은 코린트호스(고린도)후서 5:10절에 한 번 나온다. 그리고 흐로메(로마)서 2:16절에는 "하나님이 이에수-스 크흐리스토스로 말미암아 사람들의 은밀한 것을 심판하시는 그 날이라" 하였으니 하나님께서는 이에수-스 크흐리스토스로 말미암아 사람들을 심판하시는 것이다.

"또한 두루마리들이 열려져 있고, 그리고 다른 두루마리가 열려졌으니, 생명의 (두루마리)라. 그리고 죽은 자들이 두루마리들에 기록되어진 것들에 의하여 자신들의 행위들을 대하여 심판을 받으니" 라고 하였다. '두루마리들' 이라고 복수로 말한 것은 구원받지 못하는 사람들이 많기 때문에 그들의 이름과 행위들이 기록된 두루마리가 여러 권인 것이다. 그러나 구원받는 성도들은 구원받지 못하는 사람들보다 훨씬 적기 때문에 생명의 두루마리는 단수로 한 권의 두루마리인 것이다. 여기에는 구원받은 자들의 이름과 행위가 기록되어 있는 것이다. 죽은 자들이 두루마리들에 기록되어진 것들에 의하여 자신들의 행위들을 대하여 심판을 받는다. 모든 사람의 행위가 필림 같은 두루마리에 다 기록된다.

13절 ▷ 그리고 바다가 그들 가운데서 죽은 그들을 넘겨주고, 또 한 죽음과 지옥도 죽은 그들 가운데서 넘겨주니, 그리하여 모든 사람이 자신의 행위들을 대하여 심판을 받고,

καὶ ἔδωκεν ἡ θάλασσα τοὺς ἐν αὐτῇ νεκροὺς καὶ ὁ
그리고 넘겨주고 그 바다가 그들을 가운데서 그들에 죽은 또한 그
θάνατος καὶ ὁ ᾅδης ἔδωκαν ἐν αὐτοῖς νεκρούς· καὶ
죽음 과 그 지옥 넘겨주니 가운데서 그들에 죽은. 그리하여
τοὺς ἐκρίθησαν ἕκαστος κατὰ τὰ ἔργα αὐτῶν.
그 심판을 받고 모든 사람이 에대하여 그 행위들을 자신의.

바다에 빠져 죽은 사람은 고기가 그 시체를 뜯어먹어 없어졌지만 바다가 죽은 자를 다 내어준다고 한 것은 죽은 사람 한 사람도 빠짐없이 심판 받기 위해 다 살아난다는 것을 말함이다. 죽음과 지옥도 그 가운데서 죽은 자들을 내어준다는 것은 구원받지 못하는 불신자도 심판 받기 위해 모두 살아난다는 말씀이다.

14절 ▷ 그리고 죽음과 지옥도 불 못을 향하여 던지우니 이것은 둘째 죽음이라.

καὶ ὁ θάνατος καὶ ὁ ᾅδης ἐβλήθησαν εἰς τὴν λίμνην
그리고 그 죽음 과 그 지옥도 던지우니 향하여 그 못을
τοῦ πυρός· οὗτος ἐστιν ὁ δεύτερός θάνατος.
그 불의 이것은 이라 그 둘째 죽음.

그리고 죽음과 지옥도 불 못에 던져진다고 한 것은 이제 죽음과 지옥은 필요 없게 되고 둘째 죽음인 불 못만 영원할 것이기 때문이다. 하나님께서 에덴 동산에서 아담에게 "네가 먹는 날에는 죽고 죽으리라"고 이중으로 죽음을 경고하신 것은 범죄하면 두 번 죽을 것을 말씀하신 것이다. 사람들은 둘째 죽음이 있음을

인지하지 못하고 둘째 죽음이 얼마나 두려운 것인지를 너무나 모르고 있다. 사탄의 기만술에 빠져 있다. 네슬 알란드 사본을 따른 개역 한글성경은 마가복음 9:43~49절에 이에수-스(예수)님께서 세 번 강조하여 "거기는 그들의 구더기도 죽지 않고 그 불도 꺼지지 않느니라" 말씀하신 것을 두 번이나 (없음)이라 하여 빼버렸다. 둘째 죽음을 두려워하지 않도록 하기 위한 술책이다.

15절 ▷ 그리고 만일 누구든지 그 생명의 두루마리 안에 발견되지 아니하면 불의 못을 향하여 던지우니라.

καὶ εἴ τις οὐχ εὑρέθη ἐν τῇ βίβλῳ τῆς ζωῆς
그리고 만일 누구든지 아니하면 발견되지 안에 그 두루마리에 그 생명의
γεγραμμένος, ἐβλήθη εἰς τὴν λίμνην τοῦ πυρός.
던지우니라 못을 향하여 그 못의. 그 불의.

누구든지 그 생명의 두루마리에 기록된 것이 발견되지 않으면 불 못을 향하여 던지운다. 아무리 선한 일을 많이 했더라도 생명의 두루마리에 기록되지 않은 사람은 불 못에 던지운다. 어떤 사람이 생명책에 기록된다고 성경에 말씀하고 있는가를 살피고 유의해야 한다. 그리고 그런 사람으로 준비해야 한다.

¤ 감동과 기도 ☆

♤ 20장 요점 정리 ♠

① 천년왕국은 사탄이 결박되어 무저갱에 갇힘으로 미혹이 없다. 그리고 사도 페트로스(베드로)나(마 19:27~28) 사도 파월-로스(바울)처럼 모든 것을 버리고(빌 3:7~14) 주님을 따른 성도들이 보좌에서 심판하는 권세를 받고, 이에수-스(예수)님의 증거와

하나님의 말씀을 인하여 목베임을 받은 성도들과 짐승의 형상에게 경배하지 아니하고 그의 표를 받지도 않은 자들이 부활의 몸으로 살아서 주님과 함께 왕 노릇 하는 것이다.〔1~6절〕

② 천년이 차면 무저갱에 갇혔던 사탄이 풀려 나와 천년왕국에서 백성이었던 바다 모래 같은 많은 사람을 미혹하여 천년왕국의 수도인 히에루살렘(예루살렘)과 성도들의 진을 에워싸고 전쟁을 하게 한다. 그러자 하늘에서 하나님께로부터 불이 내려와 저들을 모두 삼켜버린다. 천년왕국 동안에는 구원받는 일이 없다.〔7~9절〕

③ 사탄이 불과 유황 못에 던지우니 거기는 이미 그 짐승과 거짓 선지자도 있어 영원무궁토록 밤낮 고통을 받는다.〔10절〕

④ 크고 흰 보좌와 그 위에 앉으신 분이 계신데 땅과 하늘은 그 앞에서 사라져 보이지를 않는다. 인류 역사상 죽은 자들이 죽은 데서 모두 살아나 자기 행위를 따라 책들에 기록된 대로 심판을 받는데 생명의 두루마리에 이름이 없는 자들은 누구를 막론하고 불못에 던지우니 이것이 둘째 사망이다.〔11~15절〕

【 특주 16 】

어떤 사람이 생명의 두루마리에 기록되지 않고, 되는가?

성경에 어떤 사람이 두루마리(책)에 기록되고 기록되지 않는다는 말씀이 일곱 번 있다. 그 말씀을 살피고 유의하여 준비하는 것이 대단히 중요하다. 성경에 두루마리(책)에 기록된 자들에 대한 말씀이 있고, 또한 생명의 두루마리(책)에서 지워버린다는 말씀이 있다. 어떻게 두루마리(책)에서 지워버린다는 말씀이 있는가? 그것은 아무래도 부르심을 입는 것과 택하심을 받는 두 가지 사실, "부르심을 받은<κλητοὶ> 자는 많되 택하심을 받은<ἐκλεκτοί> 자는 아주 적으니라"고 하신 말씀과(마 22:14) "형제들아 더욱 힘써 너희 부르심<κλητοι>과 택하심<ἐκλεκτοί>을 굳게<확고하게> 하라" 하신 말씀과(벧후 1:10) 연관된다고 할 것이다. 이에수스(예수)님께서 "참으로 결혼식은 준비되었으나 그러나 부름을 받은 자들은 적당하지 아니하니"라고 하신 말씀에(마 22:8) 비추어 볼 때 하나님께서 구원하시려고 초청하여 부른 자들의 이름이 기록된 책이 생명의 두루마리(책)인데 적당치 않은 자는 지워버린다고 함이 옳을 것이다.

1. 생명의 두루마리에 이름을 지워버린다고 하신 말씀들

1〉 **하나님께 범죄하는 사람은 지워버려진다.**(출 32:33)

이스라엘 백성이 시나이(시내)산 아래서 금송아지를 만들어 놓고 '이는 너희를 미쯔라임(애굽) 땅에서 인도하여 낸 신이로다.' 하고는 번제를 드리고 앉아서 먹고 마시며 일어나 뛰놀므로 하나님께서 모쉐(모세)에게 말씀하시기를 "내가 이 백성을 보니 목이 곧은 백성이로다. 그런즉 나대로 하게 하라 내가 그들에게 진노하여 그들을 진멸하고 너로 큰 나라가 되게 하리라"고 하셨다. 그러자 모쉐(모세)는 하나님께 간구하였다. "슬프도소이다. 이 백성이 자기들을 위하여 금 신을 만들었사오니 큰 죄를 범하였나이다. 그러나 합의하시면 이제 그들의 죄를 사하옵소서 그렇지 않사오면 원컨대 주의 기록하신 책에서 내 이름을 지워버려 주옵소서"라고 하니 하나님께서 "누구든지 내게 범죄하면 그는 내가 내 책에서 지워버리리라"고 하셨다.(출 32:31~32)

여기서 하나님께 범죄하는 것이 어떤 것인지를 유의해야 한다. 하나님께서 모쉐(모세)에게 말씀하시기를 "너는 내려가라 네가 미쯔라임(애굽) 땅에서 인도하여 낸 네 백성이 부패하였도다. 그들이 내가 그들에게 명한 길을 속히 떠나 자기를 위하여 송아지를 부어만들고 그것을 숭배하며 그것에게 희생을 드리며 말하기를 이스라엘아 이는 너희를 미쯔라임(애굽) 땅에서 인도하여 낸 신이라 하였도다."고 하신 것이다. 그리고 신명기 9:16절에 모쉐(모세)가 한 말은 "내가 본즉 너희가 너희 하나님 여호와께 범죄하여 자기를 위하여 송아지를 부어만들어서 급속히 여호와의 명하신 도를 떠났기로 … 여호와께서 심히 분노하사 너희를 멸하려 하셨으므로"라고 한 것이다. 시편 106:19~20절에는 "저희가 호레브(호렙)에서 송아지를 만들고 부어 만든 우상을 숭배하여 자기 영광을 풀 먹는 소의 형상으로 바꾸었도다"라고 하였다.

이러한 말씀들을 종합해 볼 때, 먼저 '하나님께서 명하신 길을 속히 떠나 자기를 위하여 송아지를 만들어 그것을 숭배하며'라고 하신 말씀,(출 32:8) 그리고 신명기 9:16절에서도 "너희 하나님 여호와께 범죄하여 자기를 위하여 송아지를 부어만들어서 급속히 여호와의 명하신 도를 떠났기로"라고 한 것이다. 20:23절에 하나님께서 이미 모쉐(모세)를 통해 이스라엘 백성들에게 "너희는 나를 비겨서 은으로 하나님을 금으로 하나님을 너희를 위하여 만들지 말라"고 명하셨는데도 모쉐(모세)가 두 번째 산 위로 올라간 동안 이런 범죄를 저질렀으니 '자기들을 위하여 급속히 여호와의 명하신 도를 떠났던 것이다.'

이런 범죄가 당시 이스라엘 백성들에게만 국한된 일이며 보이는 우상을 섬기는 문제만이겠는가? 사도 파월로스(바울)께서는 갈라디아 교회들에게 경고하기를 "크흐리스토스(그리스도)의 은혜로 너희를 부르신 이를 이같이 속히 떠나 다른<ἕτερον(헤테론) **변형된, 다른**> 복음 좇는 것을 내가 이상히 여기노라. 다른<ἄλλο(알로) **다른, 그 밖의**> 복음은 없나니 다만 어떤 사람들이 너희를 요란케 하여 크흐리스토스(그리스도)의 복음을 변하려함<μεταστ ρέψαι(메타스트레프하이) **변함(방향을 바꿈), 곡해함, 벗어나게 함**>이라. 그러나 우리나 혹 하늘로부터 온 천사라도 우리가 너희에게 전한 복음 외에 다른<παρ'(파르) 반대편의, 유사한> 복음을 전하면 저주를 받으라<명령사> 우리가 전에 말하였거니와 내가 지금 다시 말하노니 만일 누구든지 너희의 받은 것 외에 다른<παρ'(파르) **반대편의, 유사한**> 복음을 전하면 저주를 받으라"하고 '저주를 받으라'는 말을 세 번이나 하였으니 얼마나 엄중한 경고인가? 이스라엘 백성들이 하나님께서 명하신 말씀을 예사로 하고 속히 떠나 하나님을 자기들이 좋아하는 형상으로 만들어 섬겼으니, 오늘날 기독교에 하나님께서 그 아들 이에수스(예수)님을 보내셔서 전하게 하신 하나님의 왕국복음을 망각하고 인간구원과 행복을 위주로 하는 변형된 복음이 만연되어 있음을 통찰하여야 한다. 바른성경 바른복음 바른영성 바른계시록이 어떤 것인지를 시급히 통감하고 확신하고 증거 하여야 한다.

2〉 **악인은 의인과 함께 생명책에 기록되지 못한다.**(시 69:28)

다빋(다윗)은 "저희를 생명의 두루마리(책)에서 도말하사 의인과 함께 기록되게 마소서"라고 하였다.(시 69:28) 그러면 의인은 어떤 자를 말함인가? 지혜자 쉐로모(솔로몬)는 "완전히 행하는 자가 의인이라"하였고,(잠 20:7) 모쉐(모세)는 "노아는 의인이요 당세에 완전한 자라"고 하였다.(창 6:9) 야헤즈켈(에스겔) 14:14절에 하나님께서 "비록 노아, 다니엘, 욥, 이 세 사람이 거기 있을찌라도 그들은 자기의 의로 자기의 생명만 건지리라. 나 주 여호와의 말이니라" 고 하셨다.

오늘날 기독교는 믿음으로 의롭다함을<*Δικαιωθέντες*(디카이오트헨테스)> 받는 것만 전부인줄 알고,(롬 5:1) 개심<*μετανοεῖτε*(메타노에이테)>과 중생의 씻음과 성령님의 새롭게 하심으로(딛 3:5) 의를 행하는 새로운 성품의 새 피조물 됨은 관심을 두지 않는다. 이것은 경건의 모양은 있으나 경건의 능력은 부인하는 것이다.(딤후 3:5) 믿음에 의해 법적으로 받는 칭의만 알고 중생으로 인한 성품이 실제로 변화되어 의로와지는 것은 알지 못하고 중요시하지 않는다. 이것은 하나님 앞에서 실제 의가 없는 것이다. 로마서 1:17절의 "의<*δίκαιος*(디카이오스) (**사상, 행위등이)올바른, 공정한**>인(사람)은 믿음으로 살리라"는 말씀의 바른 뜻을 알아야 한다.

3〉 거짓 선지자는 생명책에 기록되지 못한다.(겔 13:9)

야헤즈켈(에스겔) 13:9절에 "그 선지자들이 허탄한 묵시를 보며 거짓 것을 점쳤으니 내 손이 그들을 쳐서 내 백성의 공회에 들어오지 못하게 하며 이스라엘 족속의 호적에도 들어오지 못하게 하며 이스라엘 땅에 들어가지 못하게 하리니 너희가 나를 여호와인줄 알리라" 고 하셨다.

거짓 선지자의 특징은 '백성을 유혹하여 평화가 없으나 평화가 있다' 고 하는 것이었다.(렘 6:14 ←그들이 내 백성의 상처를 가볍게 고쳐 주면서 말하기를 평화다 평화다 하나 평화가 없도다. 8:11, 14:13 ←슬프도소이다 주 여호와여 선지자들이 그들에게 이르기를 너희가 칼을 보지 아니하겠고 기근은 너희에게 이르지 아니할 것이라 여호와께서 이곳에서 너희에게 확실한 평화를 주시리라 하나이다. 여호와께서 내게 이르시되 선지자들이 내 이름으로 거짓 예언을 하도다. 겔 13:10 ←그들이 내 백성을 유혹하여 평화가 없으나 평화가 있다 함이라. 담을 쌓을 때에 회칠을 하는도다. 16; 미 3:5,6 ←내 백성을 유혹하는 선지자는 이에 물면 평화를 외치나 그 입에 무엇을 채워주지 아니하는 자에게는 전쟁을 준비하는도다. 이런 선지자에 대하여 여호와께서 가라사대 그러므로 너희가 밤을 만나리니 이상을 보지 못할 것이요 …)

2. 생명의 두루마리에 이름이 기록되었다고 하신 말씀들.

4〉 **바른 복음사역에 헌신한 자들이 기록되었다.**(빌 4:2, 3)

사도 파월로스(바울)께서 프휠립포이(빌립보) 교회에 보낸 서신에서 "또 참으로 나와 멍에를 같이 한 자 네게 구하노니 복음에 나와 함께 힘쓰던 저 부녀들을 돕고 또한 클레메스(글레멘드)와 그 외에 나의 동역자들을 도우라 그 이름들이 두루마리(책)에 있느니라" 고 하였다.(빌 4:2~3)

이에수스(예수)님께서도 칠십인 전도자들이 전도를 하고 돌아와서 기뻐하며 "주의 이름으로 악령들도 우리에게 항복하더이다" 라고 말씀드리니, 주님께서 말씀하시기를 "악령들이 너희에게 항복하는 것으로 기뻐하지 말고 너희 이름이 하늘에 기록된 것으로 기뻐하라" 고 하셨으니,(눅 10:20) 두루마리(책)에 기록된 것을 말씀하신 것이다. 미국의 시민권만 받아도 얼마나 기뻐하는가?

이에수스(예수)님과 사도 파월로스(바울)께서 전파하신 복음대로 바른복음을 위해서 헌신하고 충성한 자들의 이름이 두루마리(책)에 기록되는 것이 확실함을 알 수 있다.

5〉 **만족한 행위로 주님과 동행하는 자가 기록된다.**(계 3:5)

주님께서 사르데이스(사데) 교회에 하신 말씀 중에서 하나님 앞에 네 행위들에서 만족한 것을 찾지 못하였기 때문에 깨어 일어나 나머지 죽게 되려는 것들을 강하게 하라고 하시면서 "사르데이스(사데)에서 자신의 옷들을 결코 더럽히지 아니한 아주 소수의 이름들이 있어 빛나는 가운데 나와 함께 다니리니 그들은 칭찬 받을 만 하기 때문이라. 이기는 그는 흰옷들을 입을 것이며 내가 그의 이름을 생명의 두루마리(책)로부터 결코 지워버리지 않을 것이다"고 하셨다.

이렇게 복음의 말씀이 주어지고 들었지만 복음에 합당항 행위가 없는 이름만 가진 기독교인이 아니라 하나님 앞에 만족한 행위가 있는 성도는 주님과 동행하는 자이며 주님께서 그의 이름을 생명의 두루마리(책)에서 결코 지워버려지는 일이 없도록 보장하시겠다는 말씀이다. 하나님 앞에 만족할 만 하고 칭찬 받을 만하게 말씀에 합당하게 생활하는 것이 얼마나 귀중함을 알아야 한다.

6〉 **짐승과 그의 형상에게 경배하지 않는 자이다.**(계 13:8)

7년 대환란 후3년 반에 '창세로부터 죽임을 당하신 어린양의 생명의 두루마리(책)에 그 이름이 기록되지 못하고 이 땅위에 사는 자들은 모두 짐승과 그의 형상에게 경배할 것이라' 하였다. 경배하지 않는 자는 누구든지 모두 죽이게 한다고 하였으니,(13:15) 진정 구원받지 않은 생명의 두루마리에 이름이 기록되지 않은 많은 기독교인들은 그때에 모두 배교하고 짐승과 그의 형상에게 경배하게 되는 것이다. 그러므로 어떤 자람이 생명의 두루마리에 기록되는지 말씀을 상고하여 기록된 자가 되는 준비를 시급히 해야 하는 것이다.

7〉 **계시록의 말씀에서 제하여버리는 자는 지워진다.**(계 22:19)

주님께서 계시록을 기록하는 일을 마치면서 마지막으로 엄중한 경고를 하셨다. 그런데 사탄은 성경 마가복음 9:43~49절에서 주님께서 엄중히 "거기는 그들의 구더기도 결코 죽지 않고 불도 결코 꺼지지 않느니라" 세 번이나 경고하신 말씀을 두 번이나 삭제하여 버린 것처럼, 계시록 22:19절의 말씀도 변조하였다. 네슬알란드 사본을 따른 개역 한글성경은 만일 누구든지 이 책의 예언의 말씀에서 제하여 버리면 하나님이 '이 책(두루마리)에 기록된 생명 나무와 및 거룩한 성에 참예함을 제하여 버리시리라' 고 하였는데, 전통원문은 "생명의 두루마리(책)와 거룩한 도시로부터 그의 부분을 제하여 버리시리라" 고 되어 있는 것이다.

☼ 감동과 기도 ☆

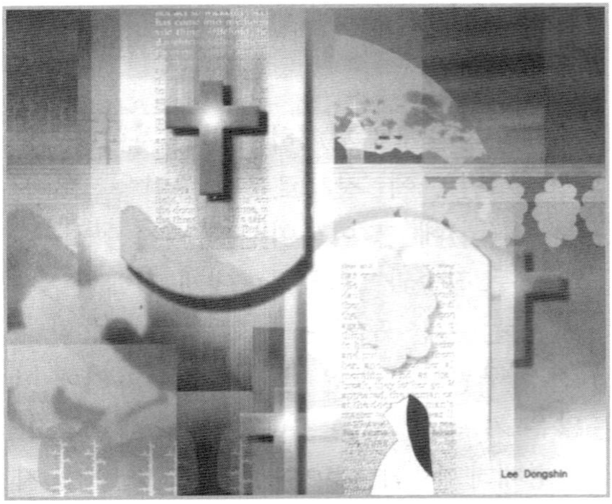

【 계시록 제 21 장】

한 글 개 역 성 경	전통원문 직역 성경
1. 또 내가 새 하늘과 새 땅을 보니 처음 하늘과 처음 땅이 없어졌고, 바다도 다시 있지 않더라	1. 그리고 내가 새 하늘과 새 땅을 보니, 그러니까 처음 하늘과 처음 땅은 사라지고, 그리고 바다도 또한 있지 아니하니라.
2. 또 내가 보매 거룩한 성 새 예루살렘이 하나님께로부터 하늘에서 내려오니 그 예비한 것이 신부가 남편을 위하여 단장한 것 같더라.	2. 그리고 나 요한이 거룩한 도시, 새로운 예루살렘이 하나님으로 말미암아 하늘로부터 내려오는 것을 보니, 그녀의 남편에게 꾸민 신부 같으니라.
3. 내가 들으니 보좌에서 큰 음성이 나서 가로되, 보라, 하나님의 장막이 사람들과 함께 있으매 하나님이 저희와 함께 거하시리니, 저희는 하나님의 백성이 되고, 하나님은 친히 저희와 함께 계셔서	3. 그리고 내가 하늘로부터 나는 큰 소리의 들은바, 말하기를, 보라, 하나님의 장막이 사람들의 가운데,, 또한 그들의 가운데 거하시리니, 그리하여 그들은 그분의 백성이 될 것이며, 뿐만 아니라 하나님께서는 친히 그들의 가운데서 그들의 하나님이실 것이다.
4. 모든 눈물을 그 눈에서 씻기시매 다시 사망이 없고 애통하는 것이나 곡하는 것이나 아픈 것이 다시 있지 아니하리니 처음 것들이 다 지나갔음이러라	4. 그리고 하나님께서 그들의 눈에서 모든 눈물을 닦으시니, 그러므로 그 이후는 죽음이 결코 있지 않으며, 그 이후에는 애통하는 것이 없고, 애곡하는 것이 없고, 아픈 것이 결코 있지 아니하리니, 처음 것들이 다 지나가 버렸기 때문이라.
5. 보좌에 앉으신 이가 가라사대 보라 내가 만물을 새롭게 하노라 하시고 또 가라사대 이 말은 참되고 신실하니 기록하라 하시고,	5. 그리고 보좌 위에 앉으신 분께서 말씀하시기를, 보라, 내가 모든 것을 새롭게 만드노라. 그리고 나에게 말씀하시기를, '기록하라. 이 말들은 진실

	하고 신실하기 때문이다' 고 하시니라.
6. 또 내게 말씀하시되, 이루었도다. 나는 알파와 오메가요 처음과 나중이라. 내가 생명수 샘물로 목마른 자에게 값없이 주리라	6. **그리고 나에게 말씀하시기를, '이루어졌다. 나는 알파와 오메가이며, 시작과 끝이다. 그리고 내가 목마른 자들에게 생명수의 샘물을 값없이 주리니,**
7. 이기는 자는 이것들을 유업으로 얻으리라 나는 저희 하나님이 되고 그는 내 아들이 되리라.	7. **이기는 자는 모든 것을 상속하는 자가 될 것이다. 그리고 나는 그에게 하나님일 것이며, 또한 그는 나에게 아들일 것이다.**
8. 그러나 두려워하는 자들과 믿지 아니하는 자들과 흉악한 자들과 살인자들과 행음 자들과 술객들과 우상숭배자들과 모든 거짓말하는 자들은 불과 유황으로 타는 못에 참예하리니, 이것이 둘째 사망이라.	8. **그러나 두려워하고, 또한 믿지 아니하고, 그리고 미워하며, 더욱이 살인자들, 음행자들 뿐만 아니라 마법사들과 우상숭배자들과 그리고 모든 거짓말하는 자들에게, 그들의 몫은 불과 유황에 태워지는 못에서, 둘째 죽음이라 '하시니라.**
9. 일곱 대접을 가지고 마지막 일곱 재앙을 담은 일곱 천사중 하나가 나아와서 내게 말하여 가로되 이리 오라	9. **그리고 마지막 일곱 재난을 담은 일곱 대접을 가진 일곱 천사들 중 하나가 나를 향하여 가까이 나아와서, 그리고 나와 함께 대화하여 말하기를, '이리로 오라. 내가 네게 어린양의 아내 신부를 보이리라.**
10. 성령으로 나를 데리고 크고 높은 산으로 올라가 하나님으로부터 하늘에서 내려오는 거룩한 성 예루살렘을 보이니	10. **그리하여 성령님 안에서 크고 높은 산을 향하여 나를 데리고 가, 그리고 큰 도시 거룩한 예루살렘을 나에게 보이니, 하나님께로부터 하늘에서 내려오는데,**

11. 하나님의 영광이 있으매, 그 성의 빛이 지극히 귀한 보석같고, 마치 벽옥과 수정같이 밝더라	**11. 하나님의 영광을 가졌고, 그리고 그의 빛이 가장 귀한 보석과 같으며 수정처럼 맑은 푸른 옥보석 같으니라.**
12. 크고 높은 성곽이 있고 열 두 문이 있는데, 문에는 열 두 천사가 있고 그 문들 위에 이름을 썼으니 이스라엘 자손 열 두 지파의 이름들이라.	**12. 크고 높은 벽을 가졌고 열 두 문들을 가졌으며, 그리고 문들 앞에 열 두 천사들을 가졌으며, 또한 문들 위에 이름들을 썼는데 이스라엘 자손들의 열 두 지파들의 이름들이라.**
13. 동편에 세 문, 북편에 세 문, 남편에 세 문, 서편에 세 문이니	**13. 동쪽의 앞으로 세 문들, 북쪽의 앞으로 세 문들, 남쪽의 앞으로 세 문들, 서쪽의 앞으로 세 문들이며,**
14. 그 성의 성곽은 열 두 기초석이 있고 그 위에 어린 양의 십이 사도의 열 두 이름이 있더라.	**14. 그리고 그 도시의 성벽은 열 두 기초들을 가졌고, 그리고 그것들에는 그 어린양의 열 두 사도들의 이름들이 있으며.**
15. 내게 말한 자가 그 성과 그 문들과 성곽을 척량하려고 금갈대를 가졌더라	**15. 그리고 나와 함께 말한 그가 그 도시와 그것의 문들과 그것의 성벽을 척량하려고 금 갈대를 가지고 있으니라.**
16. 그 성은 네 모가 반듯하여 장광이 같은지라 그 갈대로 그 성을 척량하니 일만 이천 스다디온이요 장과 광과 고가 같더라	**16. 그리고 그 도시는 네모로 세워졌는데, 또한 그것의 길이와 넓이가 매우 거대하고, 얼마나 큰지, 그 갈대로 그 도시를 척량하니 일만 이천 스타디온이며, 그것의 길이와 넓이와 높이가 일치하니라.**
17. 그 성곽을 측량하매 일백 사십 사 규빗이니 사람의 척량 곧 천사의 척량이라	**17. 그리고 그것의 성벽을 척량하니 일백 사십 사 규빗 사람의 척량이며, 천사의 것이라.**
18. 그 성곽은 벽옥으로 쌓였고 그 성은 정금인데 맑은 유리같더라	**18. 그리고 그것의 성벽의 건축은 벽옥이었고, 그리고 그 도시는 순결한 금**

	인데 깨끗한 맑고 투명한 돌 같으니라.
19. 그 성의 성곽의 기초석은 각색 보석으로 꾸몄는데 첫째 기초석은 벽옥이요 둘째는 남보석이요 셋째는 옥수요 넷째는 녹보석이요	19. **그리고 그 도시의 벽의 기초들은 모든 보석으로 장식되었는데, 그 기초는 첫째가 벽옥이며 둘째가 청보석이며 셋째가 옥수이며 넷째가 녹보석이며**
20. 다섯째는 홍마노요 여섯재는 홍보석이요 일곱째는 황옥이요 여덟째는 녹옥이요 아홉째는 담황옥이요 열째는 비취옥이요 열한째는 청옥이요, 열두째는 자정이라.	20. **다섯째가 홍마노이며 여섯째가 홍보석이며 일곱째가 노란보석이며 여덟째는 녹옥이며 아홉째는 황옥이며 열째는 녹색을 띤 황옥이며 열 한째는 보라색 보석이며 열 둘째는 자색수정이니라.**
21. 그 열 두 문은 열 두 진주니 문마다 한 진주요 성의 길은 맑은 유리 같은 정금이더라	21. **그리고 열 두 문들은 열 두 진주들인데, 모두 각각 하나의 문들은 하나의 진주로 만들었으며, 그리고 그 도시의 그 길은 깨끗한 맑고 투명한 돌 같은 순결한 금이라.**
22. 성안에 성전을 내가 보지 못하였으니 이는 주 하나님 곧 전능하신 이와 및 어린양이 성전이심이라.	22. **그리고 내가 그 안에 성전을 보지 못하였으니, 주 하나님 전능하신 분과 그 어린양께서 그**(도시)**의 성전이시며,**
23. 그 성에는 해나 달의 비췸이 쓸데 없으니 이는 하나님의 영광이 비취고 어린양이 그 등이 되심이라	23. **그리고 그 도시는 해나 달의 비췸이 그 안에 더 이상 필요 없으니, 하나님의 영광이 그**(도시)**를 비취고 그 어린양께서 그**(도시)**의 등불이 되시기 때문이라.**
24. 만국이 그 빛 가운데로 다니고 땅의 왕들이 자기 영광을 가지고	24. **그리고 구원받은 자들의 민족들이 그분의 빛 가운데서 다닐 것이며,**

그리로 들어오리라	**또한 땅의 왕들이 자신들의 영광과 존귀를 그곳으로 가지고 오니라**
25. 성문들을 낮에 도무지 닫지 아니하리니 거기는 밤이 없음이라	**25. 그리고 그(도시)의 문들을 낮에 결코 닫지 않으니, 그곳에는 결코 밤이 없기 때문이라.**
26. 사람들이 만국의 영광과 존귀를 가지고 그리로 들어오겠고	**26. 그리고 그들이 민족들의 영광과 존귀를 그곳으로 가져올 것이며,**
27. 무엇이든지 속된 것이나 가증한 일 또는 거짓말하는 자는 결코 그리로 들어오지 못하되 오직 어린양의 생명의 책에 기록된 자들뿐이라.	**27. 그리고 모든 더럽게 하고, 또한 몹시 밉게하며, 게다가 거짓말하며, 뿐만 아니라 그 어린양의 생명의 책에 기록되지 않은 자들은 결코 그리로 들어오지 못하니라.**

【 문 단 】

11. 하나님 왕국의 완성《 21:1~22:5 》

1〉 **새 하늘과 새 땅** 21:1~8

① 새 하늘과 새 땅 새 히에루살렘 (1~2)

② 하나님께서 장막을 함께 하심 (3~4)

③ 만물을 새롭게 만드시고 성도와 악인을 영원히 분리 (5~8)

2〉 **새 예루살렘의 보배로움** 9~27

① 천사가 요한에게 보여준 새 히에루살렘의 광경 (9~10)

② 새 히에루살렘의 아름다운 모습과 열두 문과 기초석 (11~14)

③ 새 히에루살렘 도시의 크기 (15~17)

④ 새 히에루살렘 도시의 만들어진 재료들 (18~21)

⑤ 새 히에루살렘의 성전 (22)

⑥ 새 히에루살렘의 광선 (23~25)
⑦ 생명책에 기록된 자들만 새 히에루살렘에 들어감 (26~27)

【 주 해 】

〈**개요**〉 앞서 19,20장에서는 재림하신 주님께서 사탄과 짐승과 거짓 선지자를 비롯한 세상 모든 악한 세력들에 대하여 최종적이고 완전한 심판을 이행하시고 성도들과 함께 하나님의 왕국을 이루어 천년 간 통치하신 후 최후의 대심판으로 인류의 역사를 마감하시는 일을 계시하셨다. 이제 21장에서는 하나님의 영원한 왕국을 위해 예비하신 새 하늘과 새 땅 새 히에루살렘(예루살렘)이 어떠함을 계시하여 주심으로 환란 중에 있는 성도들에게 용기와 소망을 주시고자 함이다.

1〉 **새 하늘과 새 땅** 21:1~8

① 새 하늘과 새 땅 새 히에루살렘 (1~2)

1절 ▷ 그리고 내가 새 하늘과 새 땅을 보니, 그러니까 처음 하늘과 처음 땅은 사라지고, 그리고 바다도 또한 있지 않기 때문이라.

Καὶ	*εἶδον*	*οὐρανὸν*	*καινὸν*	*καὶ*	*γῆν*	*καινήν·*	*ὁ*	*γὰρ*	*πρῶτος*
그리고	내가보니	하늘을	새	과	땅을	새	그	그러니까	처음

οὐρανὸς	*καὶ*	*ἡ*	*πρώτη*	*γῆ*	*παρῆλθεν,*	*καὶ*	*ἡ*	*θάλασσα*	*οὐκ*	*ἔστιν*	*ἔτι.*
하늘	과	그	처음	땅이	사라지고,	그리고	그	바다도	않기	있지	역시

새 하늘과 새 땅을 보니 처음 하늘과 처음 땅은 이미 사라지고 바다도 있지 않았다. 처음 창조된 하늘과 땅과 바다는 사탄과

타락한 인간들이 죄악으로 더럽혔으므로 사탄의 최종적으로 유황 불 못에 던져지고(20:10) 땅과 하늘은 사라져 보이지 아니하며,(20:11) 모든 인류는 하나님의 심판의 보좌 앞에서 심판을 받는다.(20:11~15) 창조 이후 죽었던 모든 인류가 하나님 앞에서 심판을 받는 때는 땅과 하늘과 바다가 더 이상 필요 없게 되므로 사라져 버리게 하신다. 특히 새 하늘과 새 땅에는 바다가 없는 것이다. 새 하늘과 새 땅에는 해나 달이 필요 없고 밤도 없듯이(21:23,25) 바다도 필요 없기 때문에 있지 않게 하신 것이다.

새 하늘과 새 땅은 순전히 영적인 것만 아닌 물질적 요소가 있는 새 하늘과 새 땅이다. 부활하신 이에수-스(예수)님께서 제자들 앞에 나타나셔서 "내 손과 발을 보고 나인 줄 알라. 또 나를 만져 보라. 영은 살과 뼈가 없으되 너희 보는 바와 같이 나는 있느니라" 하시고, 또 구운 생선 한 토막과 벌꿀을 드셨던 것이다.(눅 24:39, 42~43) "내 아버지의 왕국에서 새것으로 너희와 함께 마시는 날까지"라고 하신 것은(마 26:29) 새 하늘과 새 땅에도 새것으로 마시는 것이 있을 것을 말씀하신 것이다. 죽지 않고 산몸으로 올리워 간 에녹과 엘리야도 있다.

2절 ▷ 그리고 나 요한이 거룩한 도시, 새로운 히에루살렘이 하나님으로 말미암아 하늘로부터 내려오는 것을 보니, 그녀의 남편에게 꾸민 신부 같으니라.

καὶ	*ἐγὼ*	*Ἰωάννης*	*εἶδον*	*τὴν*	*πόλιν*	*τὴν*	*ἁγίαν,*	*Ἱερουσαλὴμ*
그리고	나	요한이	보니	그	도시	그	거룩한,	히에루살렘이

καινήν,	*καταβαίνουσαν*	*ἀπό*	*τοῦ*	*θεοῦ*	*ἐκ*	*τοῦ*	*οὐρανοῦ,*
새로운,	내려오니	로말미암아		하나님의	로부터	그	하늘의,

ἡτοιμασμένην	*ὡς*	*νύμφην*	*κεκοσμημένην*	*τῷ*	*ἀνδρὶ*	*αὐτῆς.*
예비한 것이	같더라	신부	단장한	그	남편에게	그녀의.

개역 한글성경에 '성' 이라고 번역한 헬라어 '*πόλιν*(폴린)' 은 '도시' 라는 말임으로 '성' 이라고 번역하면 의미상 옳지 않을 뿐 아니라, 16절에 새 히에루살렘(예루살렘) 도시의 크기는 '성' 이라고 하면 도무지 맞지 않는 말인 것이다. '도시' 라고 해도 표현이 안될 만큼 거대하다.

새 히에루살렘(예루살렘)이 하나님으로 말미암아 하늘로부터 내려오는데 그 단장한 것이 신부가 그 남편에게 꾸민 것 같았다고 하였으니 얼마나 화려하고 아름다움을 말하는 것이다.

¤ 감동과 기도 ☆

② 하나님께서 장막을 함께 하심 (3~4)

3절 ▷ 그리고 내가 하늘로부터 나는 큰 소리의 들은바, 말하기를, 보라, 하나님의 장막이 사람들의 가운데, 또한 그들 가운데 거하시리니, 그리하여 그들은 그분의 백성이 될 것이며, 뿐만 아니라 하나님께서는 친히 그들의 가운데서 그들의 하나님이실 것이다.

καὶ ἤκουσα φωνῆς μεγάλης ἐκ τοῦ οὐρανοῦ, λεγούσης, Ἰδού,
내가 들으니 소리의 큰 로부터 하늘의, 말하기를, 보라,
ἡ σκηνὴ τοῦ θεοῦ μετὰ τῶν ἀνθρώπων, καὶ σκηνώσει μετ᾽
그 장막이 그 하나님의 가운데 그 사람들의, 또한 거하시리니 가운데
αὐτῶν· καὶ αὐτοὶ λαοὶ αὐτοῦ ἔσονται, καὶ αὐτὸς ὁ θεὸς
그들의 그리하여 그들은 백성들이 그분의 될것이라, 뿐만아니라 친히 그 하나님
ἔσται μετ᾽ αὐτῶν θεὸς αὐτῶν. ←일 것이다 가운데 그들의 하나님 그들의

개역 한글성경에는 '보좌<*θρόνου*>에서' 라고 하였으나, 전통원문은 '하늘<*οὐρανοῦ*>로부터' 나는 큰 소리가 말하였

다고 하였으니 천사의 말하는 소리이다.

'하나님의 장막이 사람들 가운데 있게 되어 하나님께서 그들 가운데 거하시며 그들은 그분의 백성이 되며 하나님께서는 친히 그들 가운데서 그들의 하나님이실 것이라' 하였으니, '가운데' 또는 '함께' 라는 말 '*μετὰ*(메타)' 가 세 번 반복된 것은 최상급 강조로서 하나님께서 성도들 가운데 함께 계시는 것이 얼마나 행복한 것임을 나타낸 말씀이다.

4절 ▷ 그리고 하나님께서 그들의 눈에서 모든 눈물을 닦으시니, 그러므로 그 이후는 죽음이 결코 있지 않으며, 그 이후에는 애통하는 것이 또한 없고, 애곡하는 것이 또한 없으며, 아픈 것이 또한 결코 있지 아니하리니, 처음 것들이 다 지나가 버렸기 때문이라.

καὶ ἐξαλείψει ὁ θεὸς πῶν δάκρυον ἀπὸ τῶν ὀφθαλμῶν αὐτῶν,
그리고 닦으시니 하나님께서 모든 눈물을 로부터 그 눈들의 그들의,
καὶ ὁ θάνατος οὐκ ἔσται ἔτι· οὔτε πένθος, οὔτε κραυγή,
그러므로 그 죽음이 없을 것이다 그이후에 또한 없을 애통하는 것, 또한없을 애곡하는 것
οὔτε πόνος οὐκ ἔσται ἔτι· ὅτι τὰ πρῶτα ἀπῆλθον.
또한없을 아픈 것 결코 있지 그 이후에 때문 처음 것들이 다 지나갔음이라.

'하나님께서 그들의 눈에서 모든 눈물을 닦으시니, 그러므로 그 이후는 죽음이 결코 있지 않으니 묘지가 필요 없다. 그 이후에는 애통하는 것이 없고, 애곡하는 것이 없고, 아픈 것이 결코 있지 아니하니 병원이 필요 없다. 처음 것들이 다 지나가 버렸기 때문이라' 고 한 것은 성도들이 땅위에서 핍박과 고난과 아픔과 죽음을 당하며 흘린 모든 애통의 눈물을 하나님께서 친히 닦아 주시니 다시는 그러한 것들이 결코 있지 않게 되는 것은 처음 것

들은 이제 다 지나갔기 때문이다. 얼마나 큰 위로인가? 하나님께서 친히 눈물을 닦아주실 성도들은 땅위에서 여러 가지 많은 눈물을 흘리며 살았던 자들이다. 성도들은 다 눈물의 사람들이었다. 주님께서 "애통하는 자들은 복이 있나니 저희가 위로를 받을 것이라" 말씀하셨고,(마 5:4) 주님은 '슬픔의 사람' 이셨으며,(사 53:3←전통원문) 세상에서 육체로 계실 때에 심한 통곡과 눈물로 간구와 소원을 올리셨다.(히 5:7)

¤ 감동과 기도 ☆

③ 만물을 새롭게 만드시고 성도와 악인을 영원히 분리 (5~8)

5절 ▷ 그리고 보좌 위에 앉으신 분께서 말씀하시기를, 보라, 내가 모든 것을 새롭게 만드노라. 그리고 나에게 말씀 하시기를, '기록하라. 이 말들은 참되고 그리고 신실하기 때문이다' 고 하시니라.

Καὶ εἶπεν ὁ καθήμενος ἐπὶ τοῦ θρόνου, Ἰδού, καινὰ
말씀하시기를 그 앉으신 위에 그 보좌의, 보라, 새롭게
πάντα ποιῶ. καὶ λέγει μοι, Γράψον· ὅτι οὗτοι οἱ λόγοι
모든 것들을 만드노라 말씀하시기를 나에게, 기록하라 왜냐하면 이 그 말들은
ἀληθινοὶ καὶ πιστοί εἰσιν. ←참되고 그리고 신실하기

그리고 보좌 위에 앉으신 하나님께서 친히 말씀하시기를 "보라, 내가 모든 것을 새롭게 만드노라" 하셨다. 보좌에 앉으신 하나님께서 "보라, 내가 모든 것을 새롭게 만드노라" 말씀하신 것은 놀랍고 감명스런 말씀이 아닐 수 없다. 이전 것은 기억되거나 마음에 생각나지 않을 만큼 놀랍고 새로운 창조이기 때문이다.(사 65:17) 처음 창조인 지금 이 세상도 얼마나 신기하고 묘

한가?

그리고 이오안네스(요한)에게 말씀하시기를, 특별히 이 말들은 진실하고 신실하기 때문에 기록하라 하셨다. '모든 것을 새롭게 한다' 하시는 하나님의 말씀은 그냥 예사로 하는 말씀이 아니고 중대한 말이며 또한 진실한 말이며 신실하게 반드시 이룰 말씀이라는 뜻이다.

6절 ▷ 그리고 나에게 말씀하시기를, '이루어졌다. 나는 알파와 오메가이며, 시작과 끝이다. 그리고 내가 목마른 그에게 그 생명의 샘물로부터 값없이 주리니,

Καὶ εἶπέν μοι, Γέγονεὖ ἐγώ εἰμι τὸ Α καὶ τὸ Ω, ἡ
말씀하시기를 나에게, 이루어졌다 나는 이다 그 알파 와 그오메가, 그
ἀρχὴ καὶ τὸ τέλος. ἐγὼ τῷ διψῶντι δώσω ἐκ τῆς πηγῆς
시작 과 그 끝. 내가 그에게 목마른 주리니 로부터 그 샘물의
τοῦ ὕδατος τῆς ζωῆς δωρεάν. ←그 물의 그 생명의 값없이

그리고 이오안네스(요한)에게 말씀하시기를, '이루어졌다. 나는 알파와 오메가이며, 시작과 끝이다. 그리고 내가 목마른 자들에게 생명수의 샘물을 값없이 주리니' 라고 하셨다. 이에수스(예수)님께서 십자가에 못박히셔서 마지막에 '다 이루었다' 하셨던(요 19:30) 것은 세상에 보내심 받은 구속의 사역을 완수하여 다 이루셨다는 말씀이었던 것처럼, 보좌에 앉으신 하나님께서 친히 '다 이루었다' 하시는 것은 경륜하신 영원하신 계획이 이제 다 이루지게 되었다는 참으로 심대한 말씀이다. 이 말씀을 하실 날을 위하여 하나님께서는 지금도 쉬지 않고 일하시는 것이다. 알파<*Α*>와 오메가<*Ω*>라는 말은 헬라어 알파벧 첫 글자와 마지막 글자로서 하나님은 모든 일을 시작<*ἀρχὴ* 아르

크헤>하시고 끝<*τέλος* 텔로스>을 완성하시는 분이라는 의미이다.

'목마른 자들에게 생명수의 샘물을 값없이 주리니' 라고 하신 것은 불의로 점철된 광야와 같은 땅위에서 그처럼 하나님의 왕국과 그분의 의를 구하여 목말라 했던 성도들에게(마 5:6, 6:33) 생명수의 샘물을 마음껏 마시게 하시는 것이다. 이것이 얼마나 귀한 복인지 22:17절에 다시금 말해진다. 장기 금식을 해 보면 배고픈 것은 40일도 참을 수 있으나 물을 먹지 않는 것은 10일도 도무지 참기 어렵다.

7절 ▷ 이기는 자는 모든 것을 상속하는 자가 될 것이다. 그리고 나는 그에게 하나님일 것이며, 또한 그는 나에게 아들일 것이다.

ὁ νικῶν κληρονομήσει πάντα, καὶ ἔσομαι αὐτῷ θεὸς,
승리를 거두는 상속자가되리라 모든 것을, 그리고 일것이며 그에게 하나님,
καὶ αὐτὸς ἔσται μοι ὁ υἱός. ←그는 일 것이다 나에게 아들

'이기는자' 곧 만난을 무릅쓰고 승리하는 자 되라고 하시는 것이 주님께서 계시록에서 성도들에게 열두 번이나 응원하시는 주요한 말씀이다.(2:7, 11, 17, 26, 3:5, 12, 21, 21, 12:11, 15:2, 17:14, 21:7) "이기는 자는 모든 것을 상속하는 자가 될 것이며, 그리고 나는 그에게 하나님일 것이며, 또한 그는 나에게 아들일 것이다" 고 하셨다. 계시록에서 말씀하시는 '이기는 자' 라야 하나님께서 예비하신 모든 것을 상속하는 자가 되며, 하나님은 이기는 자의 하나님이시며 이기는 자가 하나님의 아들이라 이라 말씀하신 것이다. '될 것이라' 가 아니라 '일 것이다<*ἔσομαι*

에소마이>' 이다. 이긴 후에 그렇게 되어지는 것이 아니고 이기려고 싸우고 있을 때 이미 하나님은 그들의 하나님이시며 그들은 하나님의 아들이었다는 말씀이다. '될 것이라' 하면 틀린다.

8절 ▷ 그러나 두려워하고, 또한 신실치 아니하고, 그리고 미워하며, 더욱이 살인자들, 음행자들 뿐만 아니라 마법사들과 우상숭배자들과 그리고 모든 거짓말하는 자들에게, 그들의 몫은 불과 유황에 태워지는 못에서, 둘째 죽음이라 하시니라.

δειλοῖς δὲ καὶ ἀπίστοις καὶ ἐβδελυγμένοις καὶ φονεῦσιν
두려워하고 그러나 또한 신실치 아니하고 그리고 미워하고 더욱이 살인자들

καὶ πόρνοις καὶ φαρμακεεῦσιν καὶ εἰδωλολάτραις,
뿐만아니라 음행자들 과 마법사들 과 우상숭배자들,

καὶ πᾶσιν τοῖς ψευδέσιν, τὸ μέρος αὐτῶν ἐν τῇ λίμνῃ
과 모든 자들 거짓말하는, 자기 몫을 받으리니 그들의 가운데 그 못

τῇ καιομένῃ πυρὶ καὶ θείῳ, ὅ ἐστιν δεύτερος θάνατος.
그 타는 불에 과 유황에, 그 이라 둘째 죽음.

『'두려워하는 자들' 로 번역된 '*δειλοῖς*(델로이스)' 는 '두려워하다, 비겁하다' 는 뜻인 '*δείδω*(데이도)' 에서 파생한 명사로서 천성적인 소심한 두려움이 아니라 배교의 압력에 굴복하여 개인의 안위를 선택한 자들을 말한다.(마 13:21; 막 8:35) '믿지 아니한 자들' 로 번역한 '*ἀπίστοις*(아피스토이스)' 는 부정 접두어 '*ἀ*(아)' 와 '신실한' 이라는 뜻을 지닌 *πιστός*(피스토스)의 합성어로서 짐승의 압력에 굴복된 신실치 못한 자들을 말한다.』(옥스퍼드 원어 성경대전)

그리고 성도들을 미워했던 자들, 더욱이 성도들을 죽도록 고발하고 잡아주고 죽인 살인자들, 음행자들, 뿐만 아니라 사람들

을 마법으로 현혹하고 속게 한 자들과 우상숭배를 예사로한 자들, 그리고 모든 거짓말하는 자들, 그들의 몫은 둘째 죽음 곧 불과 유황에 태워지는 못에 던져지는 것이라 하셨다.

이에수스(예수)님께서 육체의 죽음을 두려워하지 말고 둘째 죽음에 던져지는 것을 두려워하라고 하셨다.(눅 12:4~5)

¤ 감동과 기도 ☆

2〉 새 예루살렘의 보배로움 9~27

① 천사가 요한에게 보여준 새 히에루살렘의 광경 (9~10)

9절 ▷ 그리고 마지막 일곱 재난을 담은 일곱 대접을 가진 일곱 천사들 중 하나가 나를 향하여 가까이 나아와서, 그리고 나와 함께 대화하여 말하기를, '이리로 오라. 내가 네게 어린양의 아내 신부를 보이리라'.

Καὶ ἦλθεν πρός με εἷς τῶν ἑπτὰ ἀγγέλων τῶν ἐχόντων
그리고 나아와서 향하여 중 하나가 그 일곱 천사들의 그 가지고
τὰς ἑπτὰ φιάλας τὰς γεμούσας τῶν ἑπτὰ πληγῶν τῶν
그 일곱 대접을 그 담은 그 일곱 재난을 그
ἐσχάτων, καὶ ἐλάλησεν μετ᾽ ἐμοῦ, λέγων, Δεῦρο, δείξω
마지막의, 와 대화하여 와 함께 나의, 말하기를,이리로오라 내가보이리라
σοι τὴν νύμφην τοῦ ἀρνίου τὴν γυναῖκα.
네게 그 신부를 그 어린양의 그 아내를.

하나님의 진노의 재난을 담아 쏟았던 일곱 대접을 가진 일곱 천사 중에 하나가 사도 이오안네스(요한)에게 친밀하게 말하여 '이리로 오라. 내가 네게 어린양의 아내 신부를 보이리라' 고 하였다.

어린양의 아내 신부를 네게 보이리라 하고는 17절부터 새 히에루살렘(예루살렘)을 보여 주었으니, 성도들이 아내인 신부이지(19:7~8) 어떻게 새 히에루살렘(예루살렘)이 신부인가? 함이다. 17:4~5절에 '음녀'를 큰 바뷜론(바벨론)이라 하였고, 18절에는 그 '여자(음녀)'는 땅의 왕들 위에 '그 통치권을 가진 그 큰 도시'라 하였으니, 통치체제가 있는 도시를 의인화(擬人化)하여 말한 것이다. 그와 같이 바뷜론(바벨론)이 도무지 비교가 되지 않는 영원무궁토록 하나님의 통치권을 가진 영광스럽고 큰 도시 새 히에루살렘(예루살렘)을 의인화(擬人化)하여 어린양의 아내인 신부라 한 것이다.

그럼에도 이에 대한 해석을 거의 모두가 '교회가 크흐리스토스(그리스도)의 아내와 같다'고 한 성경 말씀(엡 5:23~25; 계 19:7~8)을 따라 큰 도시 새 히에루살렘(예루살렘)을 상징 또는 영적으로 '구원받은 성도들의 공동체'라고 하는 것이다. 그렇게 함으로 큰 도시 새 히에루살렘(예루살렘)을 실제의 도시로 생각하지 않고 21:11절부터 22:5절까지의 새 히에루살렘(예루살렘)의 외형과 재료들에 대하여 실제가 아닌 상징 또는 영적인 것으로 해석하여 가르치는 것이다.

그러므로 여기에 대하여 어떻게 해석하고 가르치느냐에 따라 계시하여 주신 주님의 뜻을 완전히 왜곡하느냐 하지 않느냐 하는 중대한 결과를 초래하는 것이다. 주님께서 제자 사도들에게 마지막 위로하신 말씀은 "너희를 위하여 처소< *τόπος*(토포스) **집, 거처, 장소**>를 예비하러 가노니 가서 너희들에게 처소< *τόπος*(토포스) **집, 거처, 장소**>가 예비 되면"이라고 거듭 실제의 집이나 거처를 예비하러 가신다고 하셨으니 큰 도시 새 히에루살렘(예루살렘)을 영적으로만 해석하는 것은 분명히 옳지 않다.

10절 ▷ 그리하여 성령님 안에서 크고 그리고 높은 산을 향하여 나를 데리고 가, 그리고 큰 도시 거룩한 히에루살렘을 나에게 보이니, 하나님께로부터 하늘 가운데 내려오는데,

καὶ ἀπήνεγκέν με ἐν πνεύματι ἐπ' ὄρος μέγα καὶ ὑψηλόν,
그리하여 데리고가 나를 안에 성령님에게 을향하여 산을 크고 그리고 높은,
καὶ ἔδειξέν μοι τὴν πόλιν τὴν μεγάλην, τὴν ἁγίαν
그리고 보이니 나에게 그 도시 그 큰, 그 거룩한
Ἱερουσαλὴμ, καταβαίνουσαν ἐκ τοῦ οὐρανοῦ ἀπὸ τοῦ θεοῦ,
히에루살렘을, 내려오는 가운데 그 하늘의 로부터 그 하나님의,

천사가 사도 이오안네스(요한)를 성령안에서 크고 높은 산으로 데리고 가서 큰 도시 거룩한 히에루살렘(예루살렘)이 하나님께로부터 하늘에서 내려오는 오는 것을 보게 하였다. 크고 높은 산으로 데리고 갔다는 것은 히에루살렘(예루살렘) 도시가 입방체로서 높이가 약 2,220Km로서(16절) 백두산의 높이가 바다로부터 2,744Km이니 그처럼 높은 산으로 데려갔다는 말이다. 새 하늘과 새 땅에는 그런 높은 산이 있음을 말한다.

② 새 히에루살렘의 아름다운 모습과 열두 문과 기초석 (11~14)

11절 ▷ 하나님의 영광을 가졌고, 그리고 그의 빛이 가장 귀한 보석과 같으며 수정처럼 맑은 푸른 옥보석 같으니라.

ἔχουσαν τὴν δόξαν τοῦ θεοῦ· καὶ ὁ φωστὴρ αὐτῆς
가졌고 그 영광을 그 하나님의 그리고 그 빛이 그의
ὅμοιος λίθῳ τιμιωτάτῳ, ὡς λίθῳ ἰάσπιδι κρυσταλλίζοντι·
과 같으며 보석 가장 귀한, 같고 보석 푸른옥 수정처럼 맑은

하나님께로부터 하늘에서 내려오는 새 히에루살렘(예루살렘)이 하나님의 영광을 가졌다고 하였다. 영광이라는 말 'δόξα(독사)는 '하나님께서 존재하시는 양식' 을 의미하는 말로서 '부요함, 명예로움, 복됨, 광채, 아름다움, 위엄, 감탄, 칭송' 등 모든 좋은 것이 겸비된 상태를 말하는 것이다. 그러므로 새 히에루살렘(예루살렘)이 하나님의 영광을 가졌다는 것은 그렇게 복되고 귀하게 예비되었음을 말하는 것이다. 그런데 특히 그 빛이 가장 귀한 보석과 같으며 벽옥 보석 같고 수정과 같이 깨끗하다고 표현하였다. 그 무엇으로 표현 할 수 없는 너무나 보배롭고 귀한 광경이기에 '같으며' '같고' '같이' 라는 말로 표현한 것이다.

12절 ▷ 크고 또한 높은 벽을 가졌고. 열 두 문들을 가졌으며, 그리고 문들 앞에 열 두 천사들, 그리고 문들 위에 이름들을 썼는데 이스라엘 자손들의 열 두 지파들의 이름들이라.

ἔχουσάν τε τεῖχος μέγα καὶ ὑψηλόν, ἔχουσαν πυλῶνας
가졌고 그 벽을 크고 또한 높은, 가졌는데 문들을
δώδεκα, καὶ ἐπὶ τοῖς πυλῶσιν ἀγγέλους δώδεκα, καὶ ὀνόματα
열 두, 그리고 앞에 그 문들에 천사들을 열 두, 그리고 이름들을
ἐπιγεγραμμένα, ἅ ἐστιν τῶν δώδεκα φυλῶν τῶν υἱῶν Ἰσραήλ.
위에 썼는데, 그 이라 그 열 두 지파들의 그 자손들의 이스라엘.

크고 높은 벽을 가졌는데 열두 문들을 가졌고 그 문들 앞에는 열두 천사들이 있고, 그 문들 위에는 이스라엘 열두 지파의 이름들을 썼다고 하였다. '크고 높은 벽' 이라고 하였는데 17절에 144규빗이라 하였으니 높이 약 64,8m 정도의 벽이다. 보통 성에는 둘러싼 성벽이 있으나 큰 도시는 넓기 때문에 벽을 쌓기가

어렵다. 그렇기 때문에 성처럼 벽이 있고 문이 있는 도시는 없다. 새 히에루살렘(예루살렘) 도시는 입방체 네모로 세워진 도시인데 한 면의 길이가 약 2,220Km이므로 사방으로 둘러 있는 벽의 길이는 적어도 10,000Km는 된다. 그 높이가 약 64,8m이며 그 재료가 단단하고 귀한 벽옥으로 되어 있으니(18절) 상상할 수 없는 규묘이다. 그리고 사방에 열두 문이 있으며 각 문 앞에는 열두 천사가 있다고 한 것은 새 하늘과 새 땅의 새 히에루살렘(예루살렘) 도시는 영광스러우며 또한 하나님의 완벽한 보호하심이 있다는 것을 말하는 것이다. 어떤 사람은 약 64,8m를 성벽의 두께라 하지만, '크고 높은 벽' 이라 하였으니 벽의 높이를 말한 것이지 두께를 말한 것이 아니다.

문들 위에는 이스라엘 열두 지파의 이름들이 있다고 한 것은 이스라엘 백성들이 광야에서 머물 때에 성막을 중심하여 동서남북에 각 세 지파가 진을 치게 하셨던 것처럼(민 2:1~31) 새 히에루살렘(예루살렘)에서도 구원받은 성도들이 하나님을 찬양하는 열두 반열로 조직될 것인데 그 열두 반열이 새 히에루살렘(예루살렘)의 사방에 각기 세 반열씩 거주하며 각기 자기 반열의 문들을 통하여 출입할 것을 말씀하신 것이다. 새 히에루살렘(예루살렘)에 살게 되는 성도들은 유대인과 이방인 모두가 영적 이스라엘로서(갈 6:15~16) 열두 반열로 지파가 된다.

왜 영원한 새 히에루살렘(예루살렘) 도시의 문에 구약의 이스라엘 열두 지파의 이름이 있다고 하였는가? 오늘날 전 세계 기독교의 생각에는 이해가 잘 되지 않지만, 하나님은 영원하신 경륜 가운데 이스라엘 백성을 택하셔서 이스라엘을 통해 율법과 복음을 주시고 메시야를 보내시고 히에루살렘(예루살렘)을 중심으로 인류 구원의 역사를 이루신다는 사실을 간과하지 말아야 한다. 설령 구원받은 이방인의 수가 숫적으로 많을지라도 이스라엘을 중심으로 하신다는 하시는 것이다. 구약시대에 이스라엘 백성 중에 이방인들이 섞여 살았어도 이스라엘 백성의 규례대로 해야만 했다.

13절 ▷ 동쪽의 앞으로 세 문들, 북쪽의 앞으로 세 문들, 남쪽의 앞으로 세 문들, 서쪽의 앞으로 세 문들이며,

ἀπ' ἀνατολῆς πυλῶνες τρεῖς· ἀπὸ βορρᾶ πυλῶνες τρεῖς·
떨어져서 동쪽의 문들 세, 떨어져서 북쪽의 문들 세
ἀπὸ νότου πυλῶνες τρεῖς· ἀπὸ δυσμῶν πυλῶνες τρεῖς.
떨어져서 남쪽의 문들 세 떨어져서 서쪽의 문들 세.

새 하늘과 새 땅에는 해와 달이 없으므로(21:23) 동서남북이 없지만 거대한 새 히에루살렘(예루살렘) 도시가 네모로 세워졌기 때문에(21:16) 한 면의 벽에 문이 세 개씩 있는 것이다. 그런데 한 면의 벽의 길이가 2,220Km이므로 55Km마다 문 하나가 있는 셈이다. 사방의 문은 동일하다. 문은 도시로 들어가는 권세라고 하였고,(22:14) 이에수스(예수)님은 "나는 문이라" 고 하셨다.(요 10:9)

14절 ▷ 그리고 그 도시의 성벽은 열 두 기초들을 가졌고, 그리고 그것들 위에 그 어린양의 열 두 사도들의 이름들이 있으며.

καὶ τὸ τεῖχος τῆς πόλεως ἔχον θεμελίους δώδεκα, καὶ
그리고 그 벽은 그 도시의 가졌고 기초들을 열 두, 그리고
ἐν αὐτοῖς ὀνόματα τῶν δώδεκα ἀποστόλων τοῦ ἀρνίου.
위에 그것들에 이름들을 그 열 두 사도들의 그 어린양의.

그 도시의 벽은 열두 기초들이 있고 그 기초에는 어린양의 열두 사도들의 이름이 있다고 하였다. 새 히에루살렘(예루살렘)에 들어가는 왕국 복음의 권세를 하나님의 어린양 이에수스(예수)님께서 교회의 기초로 세우셨던 열두 사도들에게 주셨던 것을 의미한다.(마 16:18, 28:18~20; 요 20:23; 엡 2:20)

③ 새 히에루살렘 도시의 크기 (15~17)

15절 ▷ 그리고 나와 함께 말한 그가 그 도시와 그것의 문들과 그것의 성벽을 척량하려고 금 갈대를 가지고 있으니라.

Καὶ ὁ λαλῶν μετ' ἐμοῦ εἶχεν κάλαμον χρυσοῦν, ἵνα μετρήση
그가 말한 함께 나와 가졌더라 갈대를 금, 하려고 척량하려고
τὴν πόλιν, καὶ τοὺς πυλῶνας αὐτῆς, καὶ τὸ τεῖχος αὐτῆς.
그 도시를, 와 그 문들을 그것의, 과 그 벽을 그것의.

사도 이오안네스(요한)과 함께 말한 천사가 그 도시와 그것의 문들과 그것의 벽을 척량하려고 금 갈대를 가지고 있었다. 왜 그 규모들을 척량하여 알려 주셨는가를 잘 음미해야 한다. 상징으로 말하려고 척량한 것인가?

16절 ▷ 그리고 그 도시는 네모로 세워졌는데, 또한 그것의 길이가 매우 거대하며 그리고 그 넓이가 얼마나 큰지, 그리고 그 갈대로 그 도시를 척량하니 일만 이천 스타디온 가량이며, 그것의 길이와 넓이와 높이가 일치하니라.

καὶ ἡ πόλις τετράγωνος κεῖται, καὶ τὸ μῆκος αὐτῆς
그리고 그 도시는 네 모로 세워졌는데. 또한 그 길이가 그것의
τοσοῦτόν ἐστιν ὅσον καὶ τὸ πλάτος. καὶ ἐμέτρησεν τὴν
매우 거대하 며 얼마나 큰지 그리고 그 넓이가. 그리고 척량하니 그

πόλιν τῷ καλάμῳ ἐπὶ σταδίων δώδεκα χιλιάδων· τὸ
성을 그 갈대로 가량이며 스타디온 열두 천 그
μῆκος καὶ τὸ πλάτος καὶ τὸ ὕψος αὐτῆς ἴσα ἐστίν.
길이 와 그 넓이 와 그 높이가 그것의 일치하 니라.

새 히에루살렘(예루살렘) 도시는 네모로 세워졌는데, 그것의 길이와 넓이가 매우 거대하고, 얼마나 큰지, 그 갈대로 그 도시를 척량하니 일만 이천 스타디온이며, 그것의 길이와 넓이와 높이가 일치하니라' 고 하였다. 한 스타디온은 약 185m로서 12,000 스타디온은 약 2,220Km이다. 네모로 세워져 길이와 넓이와 높이가 일치 하다는 것은 정사면 입방체인 것을 말함이다. 이것은 새 히에루살렘(예루살렘) 도시가 지극히 안정되고 균형 잡히고 완전함을 말한다.

그리고 여기서 유의할 것은 새 히에루살렘(예루살렘) 도시가 믿는 자들이 생각하는 것보다는 규모가 너무나 작다는 것이다. 보통 기독교인들이 생각하는 천국은 무한히 넓고 크다고 하는 것이다. 그러나 하나님의 생각과 사람의 생각은 너무나 다른 경우가 많다. 구원받은 자의 수에 대해서도 성경에서 말씀하시는 것과 오늘날 기독교인들이 생각하는 것은 하늘과 땅의 차이이다.

18~21절에 자세히 말하고 있지만 2,220km 정사면 입방체 새 히에루살렘(예루살렘) 도시가 어떤 재료로 건축되었다고 하였는가? 모두 다이아몬드와 온갖 진귀한 황금보석들로 세워졌다 하지 않는가? 오늘날 지구상의 평면에 평균 2~30m 높이로 건설된 도시가 아니고 오스피텔과 같이 2,220,000m 정사면 입방체로 건설된 그 도시가 모두 다이아몬드와 온갖 진귀한 황금보석들로 세워졌으니 상상할 수 있겠는가? 그런 도시가 지구만 해야 하고 태양만큼 커야 한단 말인가? 그것은 사람 생각일 뿐이다.

구원받은 자의 수에 대해서도 오늘날 대부분 기독교인들의 생각하는 것과 성경에 말씀하시고 비춰지는 것과는 하늘과 땅의 차이이다. 그렇기 때문에 사도 이오안네스(요한)는 크기만 아니라 그 건설된 재료들을 볼 때 감탄하여 "**그것의 길이와 넓이가 매우 거대하고, 얼마나 큰지!**"라고 한 것이다. 돌이나 나무나 콘크리트로 건축된 것이라면 거대하고 크다는 말이 그렇게 감탄의 말이 아닐 것이다.

17절 ▷ 그리고 그것의 성벽을 척량하니 일백 사십 사 규빗 사람의 척량이며, 천사의 것이라.

καὶ	*ἐμέτρησεν*	*τὸ*	*τεῖχος*	*αὐτῆς*	*ἑκατὸν*	*τεσσαράκοντα*
그리고	척량하니	그	벽을	그것의	일백	사십

τεσσάρων	*πηχῶν*	*μέτρον*	*ἀνθρώπου,*	*ὅ*	*ἐστιν*	*ἀγγέλου.*
사	규빗	척량을	사람의,	것	이다	천사의.

새 히에루살렘 도시의 높이가 2,220Km인데 벽의 높이가 64,8m 정도 밖에 안되는가 하고 의아하겠지만 사람의 키가 2m도 채 안되는데 사람 키의 32배이니 얼마 높은 벽인가? 그리고 도시의 벽을 감옥처럼 수백m로 높게 해야만 하는가?

그리고 이 척량의 치수를 대부분의 사람들이 상징으로 해석하나 상징으로 해석하면 안 되는 것이 '사람의 척량이며, 천사의 것이라.' 고 했기 때문이다. 이 말을 한 이유는 사람들이 상징으로 해석할 것을 아시고 그렇게 하지 말라고 이 말을 첨부한 것이다. 그런데도 불구하고 거의 모든 사람이 상징으로 해석하니 참으로 답답한 노릇이다.

④ 새 히에루살렘 도시의 만들어진 재료들 (18~21)

18절 ▷ 그리고 그것의 성벽의 건축은 푸른 옥이었고, 그리고 그 도 시는 순결한 금인데 깨끗한 유리 같으니라.

καὶ ἦν ἡ ἐνδόμησις του τείχους αὐτῆς ἴασπις· καὶ
그리고 였다 그 건축 그 벽의 그것의 벽옥 그리고
ἡ πόλις χρυσίον καθαρόν, ὁμοία ὑάλῳ καθαρῷ,
그 도시는 금 순결한, 같더라 유리에 깨끗한,

도시 벽의 건축 재료는 벽옥이라 하였다. '벽옥' 은 아주 단단한 옥돌로서 매우 아름다운 결을 가지고 있다. 보통 색깔은 빨강, 갈색, 또는 노랑이지만 간혹 초록, 파랑 또는 흑색일 때도 있다. 이런 아름답고 단단한 보석으로 도시 둘레에 벽이 건축되었다.

그리고 그 도시는 순결한 금인데 깨끗한 맑고 투명한 돌 같으니라고 하였으니 이것은 다이아몬드와 같은 보배로운 것으로 그 도시 전체가 건설되었다는 말이니 가히 상상이 되겠는가? 이렇게 다이아몬드와 같이 보배롭과 강한 보석으로 건축되었기 때문에 영원 영원토록 변함이 없고 낡아지지 아니하고 실증이 나지 않는 것이다.

19절 ▷ 그리고 그 도시의 벽의 기초들은 모든 보석으로 장식 되었는데, 그 기초는 그 첫째가 푸른 옥이며 그 둘째가 청보석이며 그 셋째가 옥수이며 그 넷째가 녹보석이며

καὶ οἱ θεμέλιοι τοῦ τείχους τῆς πόλεως παντὶ λίθῳ τιμίῳ
그리고 그 기초들은 그 벽의 그 도시의 모든 석에 보
κεκοσμημένοι. ὁ θεμέλιος ὁ πρῶτος ἴασπις· ὁ δεύτερος
장식되었는데. 그 기초는 그 첫째 벽옥 그 둘째
σάπφειρος· ὁ τρίτος χαλκηδών· ὁ τέταρτος σμάραγδος·
청보석 그 셋째 옥수 그 넷째 녹보석

예솨야(이사야) 60:18절에 "네 성벽을 구원이라. 네 성문을 찬송이라 칭할 것이라" 고 하셨다.

새 히에루살렘(예루살렘) 도시를 둘러 있는 벽의 기초가 열두 가지 보석으로 '장식되었다 <*κεκοσμημένοι* 케코스메메노이>' 는 말을 한 것은 보기에 아름답게 하셨다는 말이다. 구원이 얼마나 귀하고 아름다운 것을 말함이다. 그리고 벽의 '기초' 를 그렇게 하셨다는 것은 구원을 튼튼하게 하셨다는 것에 역점을 두는 것이다.

20절 ▷ 그 다섯째가 홍마노이며 그 여섯째가 홍보석이며 그 일곱째가 노란보석이며 그 여덟째는 녹옥이며 그 아홉 째는 황옥이며 그 열째는 녹색을 띤 황옥이며 그 열한째는 보라색 보석이며 그 열 둘째는 자색수정이니라.

ὁ πέμπτος σαρδόνυξ· ὁ ἕκτος σάρδιος· ὁ ἕβδομος χρυσόλιθος·
그 다섯째 홍마노 그 여섯째 홍보석 그 일곱째 노란보석
ὁ ὄγδοος βήρυλλος· ὁ ἔνατος τοπάζιον· ὁ δέκατος χρυσόπρασος·
그 여덟째 녹옥 그 아홉째 황옥 그 열째 녹색을 띤 황옥
ὁ ἑνδέκατος ὑάκινθος· ὁ δωδέκατος ἀμέθυστος.
그 열 한째 보라색 보석 그 열 둘째 자색 수정.

열두 가지 보석은 이스라엘 열두 지파를 표징하여 제사장이 가슴에 착용하는 흉배에 물린 보석이었고,(출 28:15~21) 새 히에루살렘(예루살렘) 도시에 거주하는 영적 이스라엘의 열두 반열을 표징하는 것이다.

21절 ▷ 그리고 그 열두 문들은 열 두 진주들인데, 모두 각각 하나의 문들은 하나의 진주로 만들었으며, 그리고 그 도시

의 그 길은 맑은 유리 같은 순결한 금이라.

καὶ οἱ δώδεκα πυλῶνες, δώδεκα μαργαρῖται· ἀνὰ εἷς ἕκαστος
그리고그 열두 문들은, 열두 진주들 각각 하나의 모두
τῶν πυλώνων ἦν ἐξ ἑνὸς μαργαρίτου· καὶ ἡ πλατεῖα
그 문들의 이고 로 만든 한 진주의 그리고 그 길은
τῆς πόλεως, χρυσίον καθαρὸν, ὡς ὕαλος διαφανής.
그 도시의, 금 순결한, 같은 유리 맑은.

열두 문들은 열두 진주들인데 한 문은 하나의 진주로 만든 것이라고 하였다. 정말 놀라운 것이다. 이렇게 큰 진주를 어디서 볼 수 있겠는가? 흠이 없는 진주는 극치의 상태를 표징하는 것들 중에서 가장 고대에 쓰였던 표현 중의 하나이며 가장 귀중한 보석 가운데 하나였다.(마 13:45~46) 이에수스(예수)님께서는 좋은 진주를 구하는 장사의 비유와(마 13:45) 진주를 돼지 앞에 던지지 말라고 말씀하셨다.(마 7:6)

특히 진주는 조개 속에서 살아 움직이는 과정에서 생성되는 유일한 보석으로서 새 히에루살렘(예루살렘) 그 도시에 거주하게 된 성도들의 땅위에서의 고통의 삶이 복되어졌음을 의미한다.

실제로 있었던 일인데 미국에 어느 농부가 경마표가 당첨되어 상금이 2억불이나 되었다. 마사회는 바로 당첨자를 발표하지 않고 상금 받을 사람을 조사해 보았더니, 알아본 결과 찢어지게 가난한 농부였다. 그런 사람에게 일시에 2억불이나 상금을 주면 심장마비가 되지 않을가 염려하여 전달 방법을 궁리 중에 그가 카톨릭 신자인 것을 알고 성당 신부에게 알려 그 돈을 지혜롭게 전달해 줄 것을 부탁했다. 신부가 농부를 찾아갔다. “여보, 미스터 죤, 이번에도 경마표를 사셨지요?, 만일 1등이 당첨되면 그 상금을 어떻게 하시겠어요?” 그 농부는, “신부님, 맞을 리가 있나요. 하지만 2억불이 당첨되면 그 중 1억불은 신부님께 드리고……" 이렇게 말하자 '꽈탕' 하고 넘어져 심장마비로 숨이 끊어졌으니 넘어진 사람은 농부가 아니라 신부였다.

새 히에루살렘(예루살렘)의 영광에 들어가는 성도들 중에 심장마비(?)로 쓰러질 자가 부지기수일 것이다.(?) 그러나 걱정할 필요가 없으니 부활의 몸이며 그곳에는 죽음이 없기 때문이다.

☼ 감동과 기도 ☆

⑤ 새 히에루살렘의 성전 (22)

22절 ▷ 그리고 내가 그 안에 성전을 보지 못하였으니, 주 하나님 전능하신 분과 그 어린양께서 그(*도시의*) 성전이시며,

Καὶ ναὸν οὐκ εἶδον ἐν αὐτῇ· ὁ γὰρ κύριος ὁ θεὸς
그리고 성전을 아니 내가보지 안에 그(도시) 그 때문이라 주 그하나님께서
ὁ παντοκράτωρ ναὸς αὐτῆς ἐστιν, καὶ τὸ ἀρνίον.
그 전능하신 자 성전 그(도시의)이심이라, 과 그 어린양.

새 히에루살렘(예루살렘) 도시에는 별도의 성전이 없다. 주 하나님 전능하신 분과 그 어린양께서 그 도시의 성전이시기 때문이다. 새 히에루살렘(예루살렘) 도시 전체가 하나의 성전인 것이다. 왜냐하면 하나님의 임재가 온 도시를 채우고(11) 모든 성도들이 제사장임으로(1:6, 20:6) 새 히에루살렘(예루살렘) 전체가 성전인 것이다.

⑥ 새 히에루살렘의 광선 (23~25)

23절 ▷ 그리고 그 도시는 해나 달의 더 이상 가질 필요가 없으

니 하나님의 영광이 그(도시)를 비취고 그 어린양께서 그(도시)의 등이 되시기 때문이라.

καὶ ἡ πόλις οὐ χρείαν ἔχει τοῦ ἡλίου, οὐδὲ τῆς σελήνης,
그리고 그 도시는 없다 필요 가질 그 해의, 더 이상 그 달의,
ἵνα φαίνωσιν ἐν αὐτῇ· ἡ γὰρ δόξα τοῦ θεοῦ ἐφώτισεν
그렇게하여 비췸이 가운데 그(도시) 그 때문이라 영광이 그 하나님의 비춰고
αὐτήν, καὶ ὁ λύχνος αὐτῆς τὸ ἀρνίον.
그(도시를), 그리고 그 등이 그(도시)의 그 어린양이.

그 도시에는 해나 달의 비췸이 필요 없다. 하나님의 영광이 그 도시를 비춰고 어린양께서 그 도시의 등이 되시기 때문이다. 하나님의 영광의 비췸에 비하면 해나 달의 비췸은 촛불에 불과하다. "다시는 낮에 해가 네 빛이 되지 아니하며 달도 네게 빛을 비취지 않을 것이요, 오직 여호와께서 네게 영영한 빛이 되시며 네 영광이 되시리니"라고 선지자가 예언한 대로이다.(사 60:19~20)

24절 ▷ 그리고 구원받은 자들의 민족들이 그분의 빛 가운데서 다닐 것이며, 또한 땅의 왕들이 자신들의 영광과 존귀를 그곳으로 가지고 오니라

καὶ τὰ ἔθνη τῶν σωζομένων ἐν τῷ φωτὶ αὐτῆς περιπατή
그리고 그 민족들이 그 구원받은 자들의 가운데 그 빛 그분의 다니게 될
σουσιν· καὶ οἱ βασιλεῖς τῆς γῆς φέρουσιν τὴν δόξαν καὶ
것이며 또한 그 왕들이 그 땅의 가지고온다 그 영광을 과
τὴν τιμὴν αὐτῶν εἰς αὐτήν. ← 그 존귀를 자신들의 그곳으로

네슬 알란드 사본을 따른 개역 한글성경에는 '구원받은 자들의' 이라는 헬라어 '*σωζομένων*(소조메논)' 이라는 말이 삭제되

어 있어 '만국이' 라고 번역되어 있으나 전통원문은 '구원받은 자들의 민족들이' 라고 되어 있다.

'땅의 왕들이 자신들의 영광과 존귀를 그곳으로 가지고 오니라' 고 한 것은 구원받지 못한 세상 왕들을 말함이 아니고 구원받은 자들은 '하나님을 향하여 왕들과 제사장들이 된 자들' 이기 때문에, (1:6) 그리고 땅위의 천년왕국에서 왕 노릇 한 자들이 자신들의 영광과 존귀를 가지고 그 진주 문을 통하여 그 도시로 들어가게 될 것을 말씀하신 것이다.

25절 ▷ 그리고 그(도시)의 문들을 낮에 결코 닫지 않으니, 그 곳에는 결코 밤이 없기 때문이라.

καὶ οἱ πυλῶνες αὐτῆς οὐ μὴ κλεισθῶσιν ἡμέρας· νὺξ
그리고 그 문들을 그(도시)의 결코 아니 닫지 낮의 밤이
γὰρ οὐκ ἔσται ἐκεῖ. ← 때문 없기 이라 그곳에는

그리고 그 도시에는 결코 밤이 없는 것이다. 처음 창조하실 때는 사람이 일하고 나서 잠을 자고 쉬어야 하기 때문에 밤이 있도록 하셨지만, 새 히에루살렘(예루살렘)에서는 피곤하게 노동하지 않는 데다 영원한 생명의 몸은 피곤치 아니하므로 잠자면서 쉬어야 할 필요가 없기 때문에 밤이 없는 것이다.

그(도시) 문들을 낮에 결코 닫지 않는 것은 새 하늘과 새 땅에는 외적도 악한 자도 없기 때문에 문을 닫을 필요가 없다.(사 60: 11, 18; 요 10:9; 계 3:8) 또한 밤이 없는 것은 어두움의 일이 없는 곳이기 때문이며,(롬 13:12~14) 일할 수 없는 밤이 없으며,(요 9:4) 죽음이 없는 곳이며,(눅 1:79) 두려움이 없는 곳이며,(아 3:8) 도적이 없는 곳이며,(렘 49:9) 근심이 없기 때문이

며,(욥 17:7) 무지함이나 이치를 어둡게 하는 일이 없기 때문이다.(욥 38:2; 엡 4:18) 또한 악인의 길로 가는 자가 없기 때문이며,(잠 4:19) 어두움의 권세가 없기 때문이며,(눅 22:53) 형제를 미워하는 자가 없기 때문이며,(요일 2:11) 슬피 울며 이를 가는 바깥 어두운 곳이 아니기 때문이다.(마 22:13, 25:30)

"하나님은 빛이시라 그에게는 어두움이 조금도 없으시니라" 하였고,(요일 1:5) 선지자 헤사이아스(이사야)는 회복될 시온에 대하여 예언하기를 "다시는 낮에 해가 네 빛이 되지 아니하며 달도 네게 빛을 비취지 않을 것이요 오직 여호와가 네게 영영한 빛이 되며 네 하나님이 네 영광이 되리니"라고 하였다.(사 60:19)

☼ 감동과 기도 ☆

⑦ 생명책에 기록된 자들만 새 히에루살렘에 들어감 (26~27)

26절 ▷ 그리고 그들이 민족들의 영광과 존귀를 그곳으로 가져올 것이며,

καὶ οἴσουσιν τὴν δόξαν καὶ τὴν τιμὴν τῶν ἐθνῶν εἰς αὐτήν.
그들이가져올 것이며 그 영광을 과 그 존귀를 그 민족들의 으로 그곳.

'그들이' 라는 말은 자신들의 영광과 존귀를 그곳으로 가지고 들어오는 왕들인 성도들을 말한다. 그러므로 성도들은 백보좌 심판으로 개인적으로 자신들이 누릴 영광과 존귀를 가지고 들어오는 동시에 민족들의 영광과 존귀 즉 민족적으로 누릴 영광과 존귀도 그곳으로 가지고 온다는 말이다. 그 자세한 것은 신비이다.

27절 ▷ 그리고 모든 더럽게 하고, 또한 몹시 밉게하며, 게다가 거짓말하며, 뿐만 아니라 그 어린양의 생명의 두루마리에 기록되지 않은 자들은 결코 그리로 들어오지 못하니라.

καὶ οὐ μὴ εἰσέλθῃ εἰς αὐτὴν πᾶν κοινοῦν, καὶ ποιοῦν
그리고 결코 아니 들어오지 리로 그 모든 더럽게하고, 또한 하는
βδέλυγμα καὶ ψεῦδος· εἰ μὴ οἱ γεγραμμένοι ἐν τῷ βιβλίῳ
몹시밉게 게다가 거짓말 라면 아니 자들 기록된 에 두루마리의
τῆς ζωῆς τοῦ ἀρνίου. ←그 생명의 그 어린양의

그리고 모든 더럽게 하고, 또한 몹시 밉게하며, 게다가 거짓말하는 자는 하나님께서 미워하는 일을 행한 자들이다.

뿐만 아니라 어린양의 생명의 두루마리에 기록되지 않은 자들은 결코 그리로 들어오지 못한다.

¤ 감동과 기도 ☆

♤ **21장 요점 정리** ♠

① 1~8절과 24~27절은 새 하늘과 새 땅 그리고 거룩한 도시 새 히에루살렘(예루살렘)이 얼마나 복되며 어떤 자들이 들어감을 말한 것이며, 9~23절은 그 도시 히에루살렘(예루살렘)이 얼마나 보배롭고 귀하게 건축되었음을 말하였다. 사람으로는 도무지 그렇게 건축할 수 없고 상상할 수도 없는 보석 재료들이다. 〔9~23절〕

② 영원무궁한 도시의 이름이 이스라엘의 수도 히에루살렘(예루살렘)과 같고, 도시의 문들이 열둘이고 그 문들 위에는 이스라엘 열두 지파의 이름이 새겨져 있고, 기초석도 열둘인데 거기는 이우다이오스(유대인)인 열두 사도의 이름이 있다고 하였

으니, 하나님은 이스라엘 백성을 중심으로 영원한 왕국을 이루심을 보여주신 것이다.〔10~14절〕

③ 구원받은 자들의 민족들이 그 빛 가운데로 다니며, 땅위의 천년왕국에서 왕 노릇 한 자들이 자신들의 영광과 존귀를 가지고 그 진주 문을 통하여 그 도시로 들어가게 될 것을 말씀하셨다. 생명의 두루마리에 기록된 자들만 그곳에 들어간다.〔24~27절〕

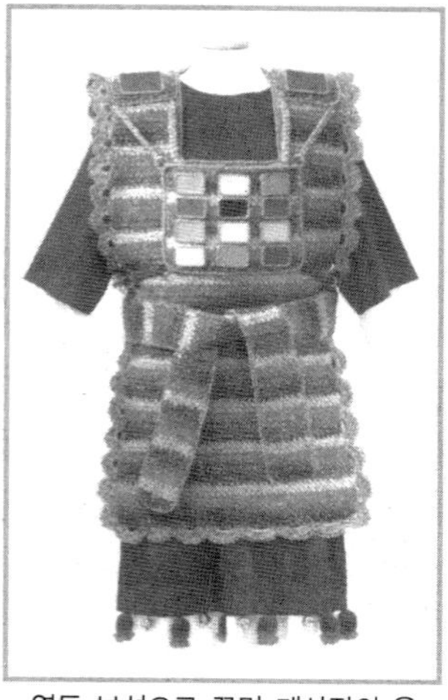

열두 보석으로 꾸민 제사장의 옷

【 계시록 제 22 장】

한 글 개 역 성 경	전통원문 직역 성경
1. 또 저가 수정 같이 맑은 생명수의 강을 내게 보이니 하나님과 및 어린양의 보좌로부터 나서	1. 그리고 그가 수정 같이 맑고 깨끗한 강을 내게 보이니, 하나님과 어린양의 보좌로부터 나오며,
2. 길 가운데로 흐르더라 강 좌우에 생명 나무가 있어 열 두 가지 실과를 맺히되 달마다 그 실과를 맺히고 그 나무 잎사귀들은 만국을 소성하기 위하여 있더라	2. 그 넓은 길 가운데와 강의 이쪽과 저쪽에 생명의 나무가 열 두 실과를 모든 한 달마다 그 실과를 생산하고, 그리고 그 나무의 그 잎사귀들은 민족들의 치료를 위하니라.
3. 다시 저주가 없으며 하나님과 그 어린양의 보좌가 그 가운데 있으리니 그의 종들이 그를 섬기며	3. 그리고 그 이후에는 모든 저주가 없으며, 또한 하나님과 그 어린양의 보좌가 그들 가운데 있으며, 그리하여 그분의 종들이 그분에게 섬길 것이라.
4. 그의 얼굴을 볼 터이요 그의 이름도 저희 이마에 있으리라	4. 실로 그들이 그분의 얼굴을 볼 것이며, 또한 그분의 이름이 그들의 이마들의 위에 있으리라.
5. 다시 밤이 없겠고 등불과 햇빛이 쓸데없으니 이는 주 하나님이 저희에게 비취심이라 저희가 세세토록 왕노릇 하리로다	5. 그리고 거기에는 밤이 없으며, 그러므로 등불을 가질 필요가 없고, 또한 햇빛이 필요 없으니, 주 하나님께서 그들을 비취실 것이기 때문이라. 그리하여 영원들의 영원들을 향하여 그들이 왕노릇 할 것이라.
6. 또 그가 내게 말하기를 이 말은 신실하고 참된지라 주 곧 선지자들의 영의 하나님이 그의 종들에게 결코 속히 될 일을 보이시려고 그의 천사를 보내셨도다	6. 그리고 나에게 말씀하기를 이 말들은 신실하고 또한 참되도다. 그러므로 거룩한 선지자들의 주 하나님께서 반드시 속히 되어지기 시작해야 했던 일들을 그분의 천사를 보내셔서 그분의

	종들에게 보이셨느니라 하니라.
7. 보라 내가 속히 오리니 이 책의 예언의 말씀들을 지키는 자가 복이 있으리라 하더라	**7. 보라 ! 내가 속히 간다. 이 책의 예언의 말씀들을 보존하여 지키는 자가 복이 있다.**
8. 이것들을 보고 들은 자는 나 요한이니, 내가 듣고 볼 때에 이일을 내게 보이던 천사의 발 앞에 경배하려고 엎드렸더니	**8. 그리고 이것들을 보고 들은 자는 나 요한이니, 그리하여 내가 듣고 그리고 본 때에 이일들을 나에게 보이던 그 천사의 발 앞에 경배하려고 엎드렸더니,**
9. 저가 내게 말하기를 나는 네 형제 선지자들과 또 이 책의 말을 지키는 자들과 함께 된 종이니 그리하지 말고 오직 하나님께 경배하라 하더라	**9.그러므로 나에게 말하기를, '주의하라. 하나님께서 금하신다. 나는 너와 너의 형제들인 선지자들과 이 책의 말씀들을 지키는 자들과 함께 된 종이기 때문이다. 하나님께 경배하라' 하니라.**
10. 또 내게 말하되 이 책의 예언의 말씀을 인봉하지 말라 때가 가까우니라	**10. 그리고 나에게 말하기를 '이 책의 예언의 말씀들을 봉인하지 말라. 왜냐하면 그 때가 가깝기 때문이다.**
11. 불의를 하는 자는 그대로 불의를 하고 더러운 자는 그대로 더럽고, 의로운 자는 그대로 의를 행하고 거룩한 자는 그대로 거룩되게. 하라	**11. 불의를 하는 자는 더욱 불의를 하게 하고, 그리고 더러워지는 자는 더욱 더럽게 하고, 그리고 의로운 자는 더욱 의롭게 되며, 그리고 거룩한 자는 더욱 거룩 되게 하라 하니라.**
12. 보라 내가 속히 오리니 내가 줄 상이 내게 있어 각 사람에게 그의 일한 대로 갚아 주리라	**12. 그러므로 보라 ! 내가 속히 간다. 그리고 내가 줄 보상이 내게 있어 각자에게 그의 행한 대로 나눠 줄 것이다.**
13. 나는 알파와 오메가요 처음과 나중이요 시작과 끝이라	**13. 나는 알파와 오메가이며, 시작과 성취이며, 첫째와 마지막이다.**

제
22
장

14. 그 두루마기를 빠는 자들은 복이 있으니 이는 저희가 생명 나무에 나아가며 문들을 통하여 성에 들어갈 권세를 얻으려 함이로다	14. 그분의 명령들을 실행하는 자들은 복이 있으니, 그렇게 하여 생명의 나무를 향하며, 그리고 그 도시를 향하여 문들에 들어가는 그들의 권세가 있으리라.
15. 개들과 술객들과 행음자들과 살인자들과 우상숭배 자들과 및 거짓말을 좋아하며 지어내는 자마다 성 밖에 있으리라.	15. 그러나 개들괴 마술사들과 간음자들과 살인자들과 우상숭배자들, 그리고 거짓말을 좋아하며 만드는 모든 자들은 문밖에 있으리라
나 예수는 교회들을 위하여 내 사자를 보내어 이것들을 너희에게 증거 하게 하였노라 나는 다윗의 뿌리요 자손이니 곧 광명한 새벽 별이라 하시니라	16. 나 예수는 나의 천사를 보내어 교회들에 대하여 이것들을 너희에게 증거 하였노라. 나는 다빈의 뿌리와 자손이며, 그리고 특히 새벽에 빛나는 그 별이라.
17. 성령과 신부가 말씀하시기를, 오라 하시는 도다 듣는 자도 오라 할 것이요 목마른 자도 올것이요 또 원하는 자는 값없이 생명수를 받으라 하시더라	17. 그리고 성령님과 신부가 말씀하시기를, 오라! 그리고 듣는 자는 말하라. 오라, 또한 갈망하는 자도 말하라. 오라, 그리고 원하는 자는 값없이 생명수를 받으라.
18. 내가 이 책의 예언의 말씀을 듣는 각인에게 증거하노니 만일 누구든지 이것들 외에 더하면 하나님이 이 책에 기록된 재앙들을 그에게 더 하실 터이요	18. 내가 이 책의 예언의 말씀들을 듣는 모든 자에게 증거하노니, 만일 누구든지 이것들에 더하면 하나님께서 이 책에 기록된 재난들을 그를 향하여 더하실 것이며,
19. 만일 누구든지 이 책의 예언의 말씀에서 제하여 버리면 하나님이 이 책에 기록된 생명나무와 및 거룩한 성에 참예함을 제하여 버리시리라	19. 그리고 만일 누구든지 이 예언의 책의 말씀들로부터 떼어버리면 하나님께서 생명의 책과 그리고 이 책에 기록된 거룩한 도 시 가운데서 그의 부분을 제하여 버리리라.

20. 이것들을 증거 하신 이가 가라사대 진실로 속히 오리라 하시거늘 아멘 주 예수여 오시옵소서. 21. 주 예수의 은혜가 모든 자들에게 있을찌어다 아멘.	**20. 이것들을 증거 하신 분께서 말씀하시기를 '진실로 내가 속히 간다.' 아멘! 주 예수님 진실로 오시옵소서!** **21. 우리들의 주 예수 그리스도님의 은혜가 너희 모두와 함께 할지어다. 아멘!**

【 문 단 】

3〉 **새 예루살렘의 복된 생활** 22:1~5

① 도시의 길과 강 좌우의 생명나무 (1~2)

② 다시 저주가 없는 영원무궁토록 복된 새 히에루살렘 (3~5)

12. 위로와 경고와 축원《 22:6~21 》

1〉 **보라 내가 속히 간다** 6~17

① 계시를 주신 주님의 신실하신 선언 (6~7)

② 계시를 받은 사도의 증언 (8상)

③ 사도의 천사 경배 시도와 천사의 만류 (8하~9)

④ 계시록을 닫아두지 말라 명하심 (10~11)

⑤ 재림의 조속한 실현의 재 약속 (12)

⑥ 재림에 대비할 것을 경고하심 (13~16)

⑦ 재림에 대한 성령님과 교회의 화답 (17)

2〉 **말씀 가감 금지 경고** 18~19

3〉 **기록자의 응답과 축원** 20~21

【 주 해 】

〈**개요**〉 장 구분에서 1~5절은 21장의 새 히에루살렘의 복된 생활에 대하여 계속된 말씀으로서 21장에 분류되어야 하는 말씀이다. 그리고 6~21절은 본 계시록의 결어적 말씀으로서 주님의 위로와 약속과 경고로 계시가 마감되고 끝에는 계시를 받아 기록한 사도 이오안네스(요한)의 주님의 오심에 대한 응답과 독자들에 대한 축원으로 맺는다.

본 장에서 유의해야 할 점은 6~20절 중 여러 말들이 말하는 자가 누구인가 하는 것이다. 7절에 "보라! 내가 속히 간다. 이 두루마리의 예언의 말씀을 보존하고 행하는 자가 복이 있으리라" 하신 말씀은 분명히 주님의 말씀이고, 9절에 "오직 하나님께 경배하라" 고 한 말은 천사의 말이며, 10절에 "이 두루마리의 예언의 말씀을 봉인하지 말라 왜냐하면 그 때가 가깝기 때문이다. …… 보라! 내가 속히 간다. 그리고 내가 줄 보상이 내게 있어 각자에게 그의 행한 대로 나눠 줄 것이다.(12절) 나는 알파와 오메가이며 시작과 끝이며 최후와 최후이다.(13절) …… 나 예수는 나의 천사들을 보내어 교회들에 대하여(16절) … 내가 이 두루마리의 예언의 말씀들을(18절) … 이것들을 증거 하신 이가 말씀하시기를 '내가 진실로 속히 간다." (20절)

이 말씀들을 볼 때 6~20절의 말씀들은 주로 계시록의 계시자이신 주 이에수스(예수)님의 말씀인 것을 알 수 있다.

3〉 **새 예루살렘의 복된 생활** 22:1~5

① 도시의 길과 강 좌우의 생명나무 (1~2)

1절 ▷ 그리고 그가 수정같이 맑고 깨끗한 강을 내게 보이니, 하나님과 어린양의 보좌로부터 나오며,

Καὶ ἔδειξέν μοι καθαρὸν ποταμὸν ὕδατος ζωῆς, λαμπρὸν
그리고 그가 보이니 내게 깨끗한 강을 수의 생명의, 맑고

ὡς κρύσταλλον, ἐκπορευόμενον ἐκ τοῦ θρόνου τοῦ θεοῦ
같이 수정, 으로부터 나오다 로부터 그 보좌 그 하나님의
καὶ τοῦ ἀρνίου. ←과 그 어린양의

새 히에루살렘(예루살렘)의 복된 생활에 대한 계속되는 계시이다. 하나님과 어린양의 보좌로부터 나오는 수정같이 맑고 깨끗한 생명수의 강이 보였다. 시편 36:9~10절에 "주의 복락의 강수로 마시우리이다. 대저 생명의 원천이 주께 있사오니"라고 하였으며, 히에레미아스(예레미야) 2:13절과 17:13절에 "생수의 근원이신 여호와를 버림이라" 하였다. 이에수스(예수)님께서도 "내가 주는 물을 먹는 자는 영원히 목마르지 아니 하리니 나의 주는 물은 그 속에서 영생하도록 솟아나는 샘물이 되리라"고 하셨다.(요 4:14)

그러므로 하나님과 어린양의 보좌로부터 생명수의 강이 흘러나오는 것은 하나님과 어린양께서 영원한 복락의 생명의 원천이심을 보여주신 것이다. 네슬 알란드 사본을 따른 개역 한글성경에는 '깨끗한<*καθαρὸν*(카트하론)>' 이란 말이 없다.

산골 바위 위로 흘러내리는 물이 얼마나 깨끗하여 수정 같이 맑은가? 하나님의 보좌에서 흘러나오는 생명수의 강은 얼마나 깨끗하고 맑은지 감탄이 나올 지경이다.

2절 ▷ 그 넓은 길 가운데와 강의 이쪽과 저쪽에 생명의 나무가 열 두 실과를 모든 한 달마다 그 실과를 생산하고, 그리고 그 나무의 그 잎사귀들은 민족들의 치료를 위하니라.

ἐν μέσῳ τῆς πλατείας αὐτῆς, καὶ τοῦ ποταμοῦ, ἐντεῦθεν
데 가운 그 넓은 길 그(도시)의, 와 그 강의, 여기서,양쪽

καὶ ἐντεῦθεν, ξύλον ζωῆς, ποιοῦν καρποὺς δώδεκα, κατὰ
과 저기서, 양쪽, 나무가 생명의, 맺히되 실과를 열 두, 마다
μῆνα ἕνα ἕκαστον ἀποδιδοῦν τὸν καρπὸν αὐτοῦ· καὶ τὰ
달 한 모든-마다 생산하고 그 실과를 그의 그리고 그
φύλλα τοῦ ξύλου εἰς θεραπείαν τῶν ἐθνῶν.
잎사귀들은 그 나무의 위하여 치료 그 민족들의.

개역 한글성경에 '길' 이라고 한 '*πλατεία*(플라테이아)' 는 '넓은 길, 거리' 라는 말이며, '길 가운데로 흐르더라' 고 번역하여 1절에 '보좌로부터 나와서' 라는 말의 연속으로 번역했으나 헬라 원어에 '보좌로부터 나오니라' 하고 마침표(.)가 있고, 그리고 2절에 '넓은 길' 과 <**καὶ** and> '강 좌우에' 라고 되어 있으니 생명나무가 강 좌우에만 있는 것이 아니고 넓은 길 가운데와 강 좌우에 있다는 말이다. 그런데도 원어를 유의하지 않고 『대부분의 학자들과 번역본들은 한글 개역성경과 동일하게 이를 생명수의 강이 새 예루살렘의 대로 한 가운데로 흐르는 것으로 이해한다.』(옥스퍼드 원어 성경대전 계시록 II) 그러므로 첫 창조 때 에덴에서는 네 갈래의 강이 흘렀으나(창 2:10) 생명수의 강은 두 갈래로 흐르는 것이다.

그리고 '생명의 나무가 열 두 실과를 모든 한 달마다 그 실과를 생산하고' 라고 한 것은 생명나무 과실은 한가지만으로 단조롭지 않고 열두 가지로 풍성한 과실이며 매달마다 새롭게 열리므로 저장할 필요 없이 언제나 신선한 열매를 먹을 수 있는 것이다. 그리고 '그 나무의 그 잎사귀들은 민족들의 치료를 위하니라' 고 하였으니 생명나무의 잎사귀들로 인해 병이 없으므로 의사나 병원이 필요 없는 것이다.

② 다시 저주가 없는 영원무궁토록 복된 새 히에루살렘 (3~5)

3절 ▷ 그리고 그 이후에는 모든 저주가 없으며, 또한 하나님과 그 어린양의 보좌가 그들 가운데 있으며, 그리하여 그분의 종들이 그분에게 섬길 것이라.

καὶ πᾶν κατανάθεμα οὐκ ἔσται ἔτι· καὶ ὁ θρόνος τοῦ
그리고 모든 저주가 없으 니 그 이후에 또한 그 보좌가 그
θεοῦ καὶ τοῦ ἀρνίου ἐν αὐτῇ ἔσται· καὶ οἱ δοῦλοι
하나님의 과 그 어린양의 가운데 그들 있으며 그리하여 그 종들이
αὐτοῦ λατρεύσουσιν αὐτῷ· ←그분의 섬길 것이며 그분에게

그리고 그 이후에는 모든 저주가 없다는 것이다. 여기서 '저주' 라는 말 헬라어 '*κατανάθεμα*(카타나트헤마)' 는 '***κατά*** **아래**' 와 '***ἀνάθεμα*** **파문 당하는**' 이란 말의 합성어로 신약에서 여기서만 사용된 말이다. 이 말은 '자격을 빼앗고 쫓아낸다' 는 말로서 어떤 연유로든 하나님의 보좌 앞에서 자격을 빼앗고 쫓아내는 일이 없다는 말인 것이다. 구약성경에 '저주' 라는 말 אָרַר(아라르) 63회 קָלַל(칼랄) 82회 קָבַב(카바브) 8회 נָקַב(나카브) 25회 זָעַם(자암) 12회나 있다. 얼마나 이스라엘 백성 가운데 저주가 많았음을 알 수 있다.

또한 하나님과 그 어린양의 보좌가 그들 가운데 있으며, 그리하여 그분의 종들이 그분에게 섬길 것이라고 하였다. '섬긴다' 는 말 '*λατρεύσουσιν*(라트류수신)' 은 '경의를 표하다, 섬기다, 예배하다' 라는 의미의 '*λάτρεύω*(라트류오)' 의 미래형으로서 하나님께 대하여 계속적으로 경의를 표하며 예배하는 것을 말하는 것이다.

'하나님과 어린양' 이라 하였는데 '보좌' '*θρόνος*(트흐로노

스)' 는 단수이고, '그분에게' '*αὐτῷ*(아우토-)' 도 단수이니 '하나님과 어린양' 은 하나이신 것을 말한 것이다.

4절 ▷ 실로 그들이 그분의 얼굴을 볼 것이며, 또한 그분의 이름이 그들의 이마들 위에 있으리라.

καὶ ὄψονται τὸ πρόσωπον αὐτοῦ, καὶ τὸ ὄνομα αὐτοῦ
그들이 볼 것이며 그 얼굴을 그분의, 또한 그 이름이 그분의
ἐπὶ τῶν μετώπων αὐτῶν. ← 위에 그 이마들의 그들의

그때는 하나님의 얼굴을 볼 것이다. 지금 이 세상에서의 육신의 눈으로는 하나님의 얼굴을 뵈올 수 없지만 영원한 하나님의 보좌에서는 영화된 성도들이므로 하나님의 얼굴을 뵈올 수 있다.

그리고 성도들의 이마에는 영광스러운 하나님의 이름이 있다. 세계적 유명 상품의 상표가 고귀하듯이 하나님의 이름의 표시는 아름답고 자랑스런 표시이다.

사람으로 하나님과 하나 되게 하되 섞여서 하나 되게 하신다는 주장은 사탄적인 말이다. 구원받은 사람은 어디까지나 피조자로서 하나님의 성품에는 참여하나 하나님과는 엄연히 다른 객채이다. 이마에 아버지의 이름이 있는 존재이다.

5절 ▷ 그리고 거기에는 밤이 없으며, 그러므로 등불을 가질 필요가 없고, 또한 햇빛이 필요 없으니, 주 하나님께서 그들을 비취실 것이기 때문이라. 그리하여 영원들의 영원들을 향하여 그들이 왕노릇 할 것이라.

καὶ νὺξ οὐκ ἔσται ἐκεῖ καὶ χρείαν οὐκ ἔχουσιν λύχνου
그리고 밤 없 으니 거기에 또한 필요 없으니 가질 등불의

καὶ φωτὸς ἡλίου, ὅτι κύριος ὁ θεὸς φωτίζει αὐτούς·
또한 빛이 해의, 때문 주 그 하나님께서 비취실것이기 그들을
καὶ βασιλεύσουσιν εἰς τοὺς αἰῶνας τῶν αἰώνων.
그리하여 왕 노릇할 것이라 향하여 그 영원들을 그 영원들의.

그리고 거기는 밤이 없으므로 등불이나 햇빛이 필요 없다. 하나님의 영광의 빛이 있기 때문이다. 하나님의 밝고 아름다운 영광의 빛에 비하면 햇빛은 촛불에 불과하다.

성도들은 영원들의 영원들을 향하여 왕 노릇 한다.

☼ 감동과 기도 ☆

12. 위로와 경고와 축원《 22:6~21 》

1〉 보라 내가 속히 간다 6~17

① 계시를 주신 주님의 신실하신 선언 (6~7)

6절 ▷ 그리고 나에게 말씀하기를 이 말들은 신실하고 또한 참되도다. 그러므로 거룩한 선지자들의 주 하나님께서 반드시 속히 되어지기 시작해야 했던 일들을 그분의 천사를 보내셔서 그분의 종들에게 보이셨느니라 하니라.

Καὶ εἶπέν μοι, Οὗτοι οἱ λόγοι πιστοὶ καὶ ἀληθινοί· καὶ κύριος
말하기를 나에게, 이 그 말들은 신실하고 또한 참되도다 그러므로 주
ὁ θεὸς τῶν ἁγίων προφητῶν ἀπέστειλεν τὸν ἄγγελον αὐτοῦ
그하나님께서 그 거룩한 선지자들의 보내셨도다 그 천사를 그분의
δεῖξαι τοῖς δούλοις αὐτοῦ ἃ δεῖ γενέσθαι ἐν τάχει.
보이셨다 그 종들에게 그분의 일을 반드시 해야했던 되어져야 속히.

21:5절에 보좌에 앉으신 하나님께서 "내가 모든 것을 새롭게 만드노라" 하시고는 특별히 "기록하라. 왜냐하면 이 말들은 진실하고 신실하기 때문이라" 고 하셨는데, 여기서 계시하시는 주님께서 "이 말들은 신실하고 참되도다" 고 말씀하셨다. "거룩한 선지자들의 주 하나님께서 반드시 속히 되어지기 시작했던 일들을 그 분의 천사를 보내셔서 그분의 종들에게 보이셨느니라" 고 하셨다.

주님께서 사도 이오안네스(요한)에게 계시하신 모든 말씀들은 거룩한 선지자들을 보내셔서 말씀하여 오셨던 하나님께서 반드시 속히 되어져야 했던 일들을 그 분의 천사를 보내셔서 그 분의 종들에게 보이셨던 것이라고 계시의 초두인 1:1절의 사도 이오안네스(요한)의 선언한 바를 주님께서 계시의 마지막에 재차 확실하게 보증해 주시는 말씀이다.

계시록의 모든 말씀들은 지금까지 이렇게 지연되어 올 일이 아니고 '속히 되어져야 했던 일들' 이며(1:1절 ← **헬라어 직역**) 그리고 사도 이오안네스(요한)가 '본 것들과 그때에 있는 일들과 그러한 것들 후에 되어질 일' 이었다.(1:19절 ← **헬라어 직역**) 그럼에도 어찌하여 이렇게 지연되어져 옴으로 사람들이 말씀의 성취도(成就度)를 의문하게 된 것인가? 참으로 이 문제는 계시록에서 난제 중에 난제가 아닐 수 없다.

정답은 하나님께서는 사람들이 회개<*μετάνοιαν*(메타노이안) **개심**>에 이르기를 원하시는데(벧후 3:7~16) 사람들이 좀처럼 개심하지 않음으로 아무도 멸망치 않기를 원하시는 하나님께서 하루를 천 년같이, 천 년을 하루같이 오래 참고 기다려 주시는 것이지 이유 없이 지연된 것이 아닌 것이다. 그런데도 인간들은 계시록의 예언성취가 늦어진 것이 하나님의 불신실 때문인 것 같이 생각하고, 복음이 아직 모든 민족에게 전파되지 않아서라 하고 있으니 착각도 이만저만이 아닌 것이다.

개역 한글성경에 '보이시려고' 라고 번역한 'δεῖξαι(데이-크사이)' 는 '보여주다' 는 말 'δείκνυμι(데이크뉘오)' 의 부정 과거 능동(**능동적 과거 단회적 사건**) 으로서 '틀림없이 시작되어야 했던 일' 곧 유대전쟁을 비롯한 히에루살렘(예루살렘) 멸망의 징조들이 시행됨을 하나님께서 자신의 여러 종들에게 이미 보이셨고, 히에루살렘(예루살렘) 멸망 후에 이방인의 구원받는 수가 차면(눅 21:24; 롬 11:25) 마지막 이스라엘을 위한 한 이레의 계시록의 일들이 시행되고 주님의 재림이 이루어질 것을 또한 천사를 사도 이오안네스(요한)에게 보내어 보다 완전한 종말의 계시를 기록하게 하셔서 모든 종들에게 알게 하려 하셨다는 말씀이다.

【 특주 17 】

영원토록 왕 노릇은 어떤 것인가?

이 세상에서 왕(王) 노릇이라 하면 사람들 위에서 다스리는 것을 의미한다. 그러므로 새 히에루살렘(예루살렘)에서 영원토록 왕 노릇 한다는 것을 백성이 있어야 왕 노릇 하는 것인데 다 왕 노릇 한다면 누가 백성들인가 하는 것이다. 그러나 새 히에루살렘(예루살렘)에서 영원토록 왕 노릇 한다는 것은 사람 위에서 다스리는 왕 노릇이 아니다.

1. 사탄을 이기고 주님과 함께 왕 노릇 한다.

하나님 왕국의 최대 원수는 사탄이었다. 주님께서 사탄을 이기시고 사탄의 일을 멸하셔서 구속하신 성도들로 하여금 주님과 함께 왕 노릇하게 하신다.(요일 3:8; 계 12:11, 17:14, 20:10)

2. 죄 없이 의의 왕 노릇을 한다.

사탄이 사람을 비참하게 만든 방법은 죄를 짓게 하여 죄의 종이 되게 하는 것이었다. 그러나 구속받은 성도들은 법적으로 죄 사함 받을 뿐만 아니라(롬 3:24, 8:33~34) 거듭남으로 새로운 피조물로서 실제로 의의 성품을 가지게 됨으로 의를 행하는 의엿한 왕 노릇을 한다.(롬 5:21, 6:18; 고전 15:34; 엡 4:24

3. 죽음이 없는 영원한 생명의 왕 노릇을 한다.

죄의 결과는 죽음이다.(롬 5:12) 그러나 죄 사함 받고 의롭다 하심을 받을 뿐만 아니라 의를 행하는 자가 됨으로 죽음이 그에게서 떠나고 영원한 생명이 주어진 성도는 죽음이 없는 영원한 생명으로 왕 노릇 한다. 세상에서 신하는 왕에게 '만세수를 하옵소서' 하는 것이 왕을 기분 좋게 하는 인사말이다. 구속받은 성도는 구원받는 순간부터 영원히 사는 왕이 되는 것이다.(계 1:6)

4. 질병이 없는 왕 노릇을 한다.

죽음은 질병으로 말미암아 온다. 왕들은 질병으로 죽어 왕 노릇을 못하게 된 경우가 많다. 천년왕국과 하나님 보좌 앞에서 왕 노릇하는 성도들은 질병이 없으므로 왕 노릇을 못하는 경우가 없다.(신 7:15; 시 103:3; 마 4:23; 계 22:2)

5. 고통이 없는 왕 노릇을 한다.

육체적 고통만 아니라 어떤 근심이나 걱정의 심적, 영적 고통이나 탄식도 다 달아나 버리고 평안함으로 왕 노릇 한다.(사 35:10)

6. 슬픔이 없는 왕 노릇을 한다.

슬픔도 없다. 울며 씨를 뿌렸기 때문이다.(시 126:6; 사 35:10) 하나님께서 눈물을 다 닦아내시기 때문이다.(계 7:17; 21:4)

7. 기쁨으로 왕 노릇을 한다.

슬픔이 없을 뿐만 아니라 구원의 하나님으로 인하여 기쁨으로 왕 노릇하게 된다. 거듭난 성도들은 이 땅에 실현된 하나님의 왕국에서부터 기쁨 가운데 왕 노릇한다.(시 16:11, 35:9; 126:5~6; 사 35:10; 롬 14:17~18) 천년왕국과 영원한 새 히에루살렘(예루살렘)에서는 더 말할 수 없는 기쁨 중에 왕 노릇한다.

8. 가난이 없는 왕 노릇을 한다.

하나님께서는 부르신 모든 자에게 부요하시다.(롬 10:12; 계 2:9) 성도는 모든 좋은 것에 부족함이 없이 왕 노릇 한다.(34:10) 천년왕국과 새 히에루살렘(예루살렘)에서는 더 말할 것이 없다.

9. 싸움이 없는 평화의 왕 노릇을 한다.

이 땅의 사람들은 족함이 없기 때문에 빼앗기 위해 싸운다. 그러나 거듭난 성도는 파월로스(바울)처럼 '먹을 것과 입을 것이 있는 것으로 만족하며' '어떠한 형편에도 자족하는 비결을 배워 능력 주시는 자 안에서 모든 것을 할 수 있는 것' 이다.(딤전 6:8) 그렇기 때문에 시기와 질투와 싸움이 없이 평화 가운데 왕 노릇을 하며 살아간다. 천년왕국과 새 히에루살렘(예루살렘)에서는 더 말할 것이 없다. 실로 구원받은 성도는 좋은 것에 부족이 없기 때문에 싸울 이유가 없다.(시 34:10) 새 히에루살렘(예루살렘) 명칭 자체가 '평화의 기초' 라는 뜻이다. 주님은 평화의 왕이시므로(사 9:6) 거듭난 성도들은 이 땅에 실현된 하나님의 왕국에서부터 평화 가운데 왕 노릇한다.(롬 14:17~18)

10. 미움 없이 사랑으로 왕 노릇 한다.

이아코보스(야고보) 2:8절에 "네 이웃 사랑하기를 네 자신과 같이 하라 하신 왕의<*βασιλικὸν*(바실리콘) ←개역 한글성경은 '최고한' 이라 번역하였음> 법을 지키면 잘하는 것이거니와" 라고 하였으니 '사랑' 은 왕의 법인 것이다. 하나님의 왕국은 사랑의 왕국이다. 사람을 다스리는 권력을 행사하는 왕이 아니라 오히려 사랑으로 서로 봉사하는 왕인 것이다. 다른 사람을 섬김으로서 다른 사람으로부터 섬김을 받는 것이다. 말하자면 내가 남을 사랑하고 섬김으로 내가 모든 사람으로부터 사랑과 섬김을 받는 왕인 것이다.(눅 22:24~30)

11. 영광스러움으로 왕노릇을 한다.

구원받은 성도들을 주님의 영원한 영광에 들어가게 하셨다고 하였다.(벧전 5:10) 재림하실 때 주님께서 아버지의 영광으로 거룩한 천사들과 함께 오신다고 하였다.(막 8:38) 영광이라는 말 '*δόξα*(독사)' 는 '하나님께서 존재하시는 양식' 을 의미하는 말로서 '부요함, 명예로움, 복됨, 광채, 아름다움, 위엄, 감탄, 칭송' 등 모든 좋은 것이 겸비된 상태를 말하는 것이다. 거듭남으로 구원받은 성도들은 현재 이 세상에 성령님 안에서 실현된 하나님의 왕국에서부터 이런 영광으로 왕 노릇한다. 천년왕국에서는 재림하신 주님과 함께 본격적으로 영광으로 왕 노릇한다.

12. 지혜로움으로 왕노릇 한다.

헤사이아스(이사야) 11:2절에 멧시아스(메시아) 왕국에 대하여 예언하면서 "여호와의 신 곧 지혜와 총명의 영이요 모략과 재능의 영이요 지식과 여호와를 경외하는 영이 그 위에 강림하시리니"라고 하였으니 멧시아스(메시아)는 지혜의 왕이실 것을 말한 것이다. 왕은 지혜로와야 하는 것이다. 시편 111:10절에 "여호와를 경외함이 지혜의 근본이라 그 계명을 지키는 자는 다 좋은 지각이 있나니 여호와를 찬송함이 영원히 있으리로다"고 하였다.

13. 새 노래를 부름으로 왕 노릇 한다.

하나님께서 죄인들을 어린양의 피안에서 목욕시켜 왕들과 제사장들로 만드셔서 하나님 보좌 앞에서 이렇게 영광스러운 왕 노릇을 하게 하신(1:5~6) 구속의 은총을 노래하지 않을 수 없는 것이다. 하나님의 보좌 앞에서 부르는 이 노래는 너무나 장엄하고 웅장하여 왕의 노래라 하고도 남는 것이다.

14. 천사가 수종드는 왕 노릇을 한다.

천사가 수종드는 왕 노릇을 하게 된다. 천사들은 구원받은 성도들에게 봉사하고 수종드는 자로 예비하셨다고 하셨다.(히 1:14) 한 천사가 하룻밤에 앗수르 군대 185,000명을 시체가 되게 하였는데(사 37:36) 그런 천사가 수종드는 왕이니 얼마나 위대한 왕인가? 초대교회는 구원받은 자들에게는 수호 천사가 있다고 믿었다.(행 12:15) 이에수스(예수)님께서도 그런 뜻으로 말씀하셨다.(마 18:10)

15. 아름답고 보배로운 곳에서 왕 노릇 한다.

천년왕국과 새 히에루살렘(예루살렘)이 얼마나 아름답고 보배로운 곳인지 가히 상상할 수 없다.(21:1~22:5) 이 세상도 자연 광경이 얼마나 감탄할 정도로 아름다운 곳이 많은가? 사람이 만든 건축물도 얼마나 경탄할 정도로 화려하고 아름다운 곳이 많은가? 그러나 천년왕국과 새 히에루살렘(예루살렘)의 아름다움에는 비교할 수 없는 것이다. 21장에서 그 보배롭고 아름다움을 말한바 있다. 그런 곳에서 왕노릇 한다.

16. 의인들과 함께 왕 노릇 한다.

말과 생각과 뜻이 일치하는 의인들과 함께 거하며 왕 노릇하니 너무나 행복한 것이다. 세상에는 말과 생각과 뜻이 일치하는 사람이 너무나 없다. 그러나 새 히에루살렘(예루살렘)에는 의견의 불일치나 분쟁과 다툼이 없는 곳이다. 불결한 것이나 미운 일 또는 거짓말하는 자, 술객들과 행음자들과 살인자들과 우상숭배자들이 없는 참으로 복된 왕국이다.(21:27, 22:15)

17. 강한 몸으로 왕 노릇 한다.

게트흐세마네(겟세마네) 동산에서 영은 준비되어 있으나 육신이 약하여 기도하지 못했던 제자들 같이 피곤하고 연약한 몸이 아니라 달음박질하여도 곤비치 않고 걸어가도 피곤치 않는

몸이다.(사 40:31) 영과 혼과 몸이 일치하게 강력한 몸인 것이다.(고전 15:43)

18. 영적인 몸으로 왕 노릇 한다.

강력한 몸일 뿐만 아니라 영적인 몸으로 부활하신 이에수스(예수)님께서 제자들이 문을 잠그고 있었지만 그대로 들어오셨던 것처럼 시공간을 초월하는 몸, 즉 천사와 같이 임재하기도 하고 떠나기도 하는 몸인 것이다.(요 20:19; 고전 15:44)

19. 생명과실과 생명수를 먹으며 왕 노릇 한다.

그렇지만 살과 뼈가 있는 몸이며 먹고 마시는 몸인 것이다.(눅 24:36~43) 영원한 하나님의 왕국에서 먹는 것은 생명나무 과실과 생명수이다. 새것으로 먹고 마신다고 하셨다.(마 26:29)

20. 황금보석으로 꾸민 집에 살면서 왕 노릇 한다.

21:1~27절에 사도 이오안네스(요한)에게 보여주신 그 새 히에루살렘(예루살렘)이 황금보석으로 건축된 얼마나 거대한 도시인지 상상해 볼 수 있겠는가? 길도 다이아몬드와 같은 보석으로 되었으니 도무지 상상도 할 수 없는 도시 새 히에루살렘(예루살렘)이다. 이 말씀이 실제로 믿어지지 않는다면 믿지 않는 불신자와 다름이 무엇이겠는가? 이렇게 황금보석으로 꾸민 집에 살면서 이와 같은 왕 노릇을 한다.

21. 금 면류관을 쓰고 희고 빛난 옷을 입고 왕 노릇 한다.

머리에 금 면류관을 쓰고 희고 빛난 옷을 입게 된다고 성경에 거듭 거듭 말씀하셨다.(고전 9:25; 딤후 4:8; 계 2:10, 3:4, 5, 11, 4:4, 7, 7:9, 19:14) "그때에 의인들은 아버지의 왕국에서 해와 같이 빛날 것이라" 고 주님께서 말씀하셨다,(마 13:43)

22. 모든 것이 즉각 시행되는 왕 노릇을 한다.

이 세상에서는 무슨 생각이나 말이 즉각 시행되는 일이 거의 없다. 참으로 답답하다. 그러나 하나님의 왕국의 사람들에게는 옳은 일들, 모든 것이 즉각 즉각 시행되니 정말 마음 시원하고 흡족하다. 성도들 서로간에도 그러하거니와 수종드는 천사들이 그러하니 얼마나 속 시원하겠는가? 하나님께서는 그 성도들이 "부르기 전에 응답하시고 말을 마치기 전에 들을 것이라" 고 하셨다.(사 65:24)

23. 모든 것이 새로워진 곳에서 왕 노릇 한다.

모든 것이 이 세상과는 너무나 새로워진 곳에서 왕 노릇한다. 실존들과 환경과 질서가 정의롭고 공평하고 부요하여 이 세상과 같은 반목과 질시와 증오가 없으며 데모가 있지 않다.

24. 하나님께 영광을 돌리며 왕 노릇한다.

하나님께 영광을 돌리는 것이 자신들에게 영광이 된다. 비천한 신분의 종이 장관으로 택함을 받아 왕을 모시는 자가 되었을 때 얼마나 영광이 되겠는가?

☼ 감동과 기도 ☆

7절 ▷ 보라! 내가 속히 간다. 이 두루마리의 예언의 말씀들을 보존하여 지키는 자가 복이 있다.

Ἰδού, ἔρχομαι ταχύ. μακάριος ὁ τηρῶν τοὺς λόγους τῆς
보라, 내가(오다,가다) 속히 복있다 자가 지키는 그 말씀들을 그
προφητείας τοῦ βιβλίου τούτου. ← 예언의 그 두루마리의 이

"보라! 내가 속히 간다" 주님께서 하신 말씀이다. '*ἔρχομαι* (에르코마이)' 는 '간다, 온다' 는 말로서 현재형이다. 주님께서 말씀하신 것이니 "내가 속히 간다"라고 해야 한다. 그런데 개역 한글성경에 '내가 속히 오리라' 하고 미래형으로 번역한 것은 읽는 자로 하여금 주님의 재림을 현재 오시는 것으로 생각하지 않게 하고 막연한 미래로 생각하게 하였으니 계시록에서 가장 중대한 재림의 인식에 대한 잘못을 범한 것이다. 주님께서 '내가 속히 간다' 고 현재형으로 일곱 번 말씀하신 것을 개역 한글성경에는 '내가 속히 오리라' 고 모두 미래형으로 번역하였다.(2:5, 16, 3:11, 16:15, 22:7, 12, 20) 이것은 분명히 실수가 아닌 고의적인 성경변개이다. 실수가 아니라면 당장 고쳐야 한다. 중대한 문제이기 때문이다.

제 22 장

② 계시를 받은 사도의 증언 (8상)

③ 사도의 천사 경배 시도와 천사의 만류 (8하-9)

8절 ▷ 그리고 이것들을 보고 그리고 들은 자는 나 요한이니, 그리하여 내가 듣고 그리고 본 때에 이일들을 나에게 보이던 그 천사의 발 앞에 경배하려고 엎드렸더니,

Καὶ ἐγὼ Ἰωάννης ὁ βλέπων ταῦτα καὶ ἀκούων· καὶ ὅτε
그리고 나 요한 그 보고 이것들을 그리고 들은 그리하여 때
ἤκουσα καὶ ἔβλεψα ἔπεσα προσκυνῆσαι ἔμπροσθεν τῶν
내가 듣고 그리고 본 엎드렸더니 경배하려고 앞에 그

ποδῶν τοῦ ἀγγέλου τοῦ δεικνύοντός μοι ταῦτα.
발들의 그 천사의 그 보이던 나에게 이 일들을.

사도 이오안네스(요한)이 주님의 말씀을 듣고 있을 때 새 히에살렘(예루살렘) 광경을 보여 주던 천사가 서 있는지라 너무나 감격하여 그 천사의 발 앞에 경배하려고 엎드렸다. 전에 19:10절에서 천사의 발 앞에 경배하려고 엎드렸다가 주의를 받았는데 여기서 또 그렇게 하려고 하였으니 사도 이오안네스(요한) 같은 이가 이렇게 과오를 범하게 되기 쉬운 것을 보면 여타 신자들은 얼마나 잘못하기 쉬운 것을 알 수 있다.

9절 ▷ 그러므로 나에게 말하기를, '(나에게) 주목하지 말라!' 나는 너와 너의 형제들인 선지자들과 이 두루마리의 말씀들을 지키는 자들과 함께 된 종이기 때문이다. 하나님께 경배하라' 하니라.

καὶ λέγει μοι, Ὅρα μή· σύνδουλός σού γάρ εἰμι, καὶ
말하기를 나에게, 주목하지 말라 함께된 종 너의 때문이다, 이니, 과
τῶν ἀδελφῶν σου τῶν προφητῶν, καὶ τῶν τηρούντων
그 형제들 너의 그 선지자들의, 과 자들의 지키는
τοὺς λόγους τοῦ βιβλίου τούτου· τῷ θεῷ προσκύνησον.
그 말들을 그 두루마리의 이 그 하나님께 경배하라.

'나를 주목하지 말라!' 여기서 '*Ὅρα*(호라)' 는 '*ὁράω*(호라오) **보다, 경험하다, 지각하다, 주목하다, 유의하다**' 라는 말의 현재 명령형으로서 동사를 부정하는 부정어 '*μή*(메)' 와 함께 사용되어 나를 '보지 말라' '주목하지 말라' 는 말이다. '나는 너와 너의 형제들인 선지자들과 이 두루마리의 말씀들을 지키는 자들과 함께 된 종이기 때문이다. 하나님께 경배하라' 고 하였다.

계시록에서 참으로 하나님의 종 된 자들은 사도 이오안네스(요한)와 그의 형제들인 선지자들과 계시록의 말씀을 보존하고 지키는 자들이라고 하였다. 그리고 천사들은 그러한 자들과 함께 하나님의 종 된 자라고 천사가 말하였다.

¤ 감동과 기도 ☆

④ 계시록을 닫아두지 말라 명하심 (10~11)

⑤ 재림의 조속한 실현의 재 약속 (12)

10절 ▷ 그리고 나에게 말하기를 '이 두루마리의 예언의 말씀들을 봉인하지 말라. 왜냐하면 그 때가 가깝기 때문이다.

καὶ λέγει μοι, Μὴ σφραγίσῃς τοὺς λόγους τῆς προφητείας
말하기를 나에게, 말라 봉인하지 그 말씀들을 그 예언의
τοῦ βιβλίου τούτου· ὅτι ὁ καιρὸς ἐγγύς ἐστιν.
그 두루마리의 이 왜냐하면 그 때가 가깝기 이다.

주님께서 사도 이오안네스(요한)에게 이 두루마리의 예언을 봉인하여 두지 말라 하시면서 '왜냐하면 때가 가깝기 때문이다' 고 하셨다.

주전 539년경 선지자 다니엘에게 천사를 통해 종말의 계시를 주시면서 세 번이나 거듭 "다니엘아 마지막 때까지 이 말을 간수하고 이 글을 봉함하라" 고 하였다.(단 8:26, 12:4, 9) 그러나 이제 주후 67년경 사도 이오안네스(요한)에게 주님께서 친히 "이 두루마리의 예언을 봉인하여 두지 말라" 하셨다. 그 이유는 '때가 가깝기 때문이다' 고 하셨다.「 '가깝다' 는 말 '*ἐγγύς*(엥귀스)' 는 손에 잡힐 정도로 근접해 있는 상황에 대한 묘사이다. 아

울러 본문에서 '때' 로 번역된 'ὁ καιρὸς(호 카이로스)' 는 '물리적 시간' '연대기적 시간' 을 뜻하는 'ὁ χρονός(호 크흐로노스)' 와는 달리 '질적 시간' '의미의 시간' 을 뜻한다. 물론 문맥상 이 때는 예수 그리스도께서 재림하실 '때 ὁ καιρὸς(호 카이로스)' 를 지칭한다. 그러나 본문이 더 강조하고 있는 것은 예수 그리스도의 정확한 재림의 '시기 ὁ χρονός(호 크흐로노스)' 가 아니라 재림이 이루어질 상황이 도래하였다는 것이다. 실제로 본절 다음에 11절이 재림이 이루어질 시대적 상황에서 염두에 두어야 할 도덕적 권면을 담고 있는 것 역시 이러한 점을 더욱 명징하게 드러낸다. 요컨대 임박한 예수 그리스도의 재림 사상은 '긴장감' 속에서 도덕적 삶을 견지하도록 채찍질 하는 힘이다. 그런 의미에서 모든 그리스도인들은 자신이 처한 세대가 마지막일 수가 있다는 점을 항상 인식하여야 한다.」(옥스퍼드 원어 성경대전, 요한계시록)

본 저자는 늘 주후 70년 히에루살렘(예루살렘) 멸망 후 세상과 인간의 운명은 '사형 판결을 받고 수감되어 있는 사형수와 같아서 언제 어느 시에 불려나가 사형이 집행될지 모르는 운명에 처해 있다' 고 말한다. 그러므로 사형 집행과 같은 재림이 늦어진 이유는 사형수가 개심하여 사형되지 않기를 원하시는 하나님의 의지를 사형수가 무시하고 있기 때문이다. 그러나 언제까지나 사형집행(재림)의 시각이 미루어지는 것은 아니다. 언제 어느 날 사형을 집행하는 일의 절차가 시작될지 모르고 있을 뿐이다. 그때는 계시록에 예언한 말씀들이 신속히 진행 될 것이다.

그러므로 계시록의 말씀을 봉인하여 덮어두지 말고 읽고 듣고 깨달아 지켜서 복된 자가 되라고(1:3, 22:7) 지금도 성령님께서 말씀하고 계심을 귀를 가진 자는 들어야 한다.

☼ 감동과 기도 ☆

11절 ▷ 불의를 하는 자는 더욱 불의를 하게 하고, 그리고 더러워지는 자는 더욱 더럽게 하고, 그리고 의로운 자는 더욱 의롭게 되며, 그리고 거룩한 자는 더욱 거룩 되게 하라 하니라.

ὁ ἀδικῶν ἀδικησάτω ἔτι· καὶ ὁ ῥυπῶν ρΙυπωσάτω ἔτι·
자 불의를 하는 불의를 하게하다 더욱 그리고 자는 더러운 더럽고 더욱
καὶ ὁ δίκαιος δικαιωθήτω ἔτι· καὶ ὁ ἅγιος ἁγιασθήτω ἔτι.
그리고 자는 의로운 의롭게 되고 더욱 그리고 자는 거룩한 거룩되게 하라 더욱

재림의 때가 너무나 임박하기 때문에 더 이상 불의를 행하는 자가 의로운 자로, 더러운 자가 거룩한 자로 변화될 만한 시간적 여유가 없다는 의미의 말씀이다. 신앙의 개선을 하도록 하지 말라는 말씀이 아니라 재림의 임박성을 강조하는 말로서 이에수스(예수)님께 한 이방 여자가 흉악한 악령 들린 딸을 불쌍히 여겨 주시기를 구할 때 두 번이나 외면당했으나 개와 같은 이방인이라 취급하심에도 불구하고 간절히 애원하여 들으심을 받았던 것처럼(마 15:21~28) 하는 자는 혹시 구원을 얻을 수 있을 것이다.

종말이 가까울수록 불의를 하는 자는 더욱 불의를 하게 되고, 더러운 자는 더욱 더럽게 되며, 그리고 의로운 자는 더욱 의롭게 되고, 거룩한 자는 더욱 거룩하게 되는 것이다. 은혜의 시대가 마감되어 가기 때문이다.

12절 ▷ '그러므로 보라! 내가 속히 간다. 그리고 나의 보상이 나의 함께 있어 각자에게 그의 행위만큼 보상할 것이다.

Καὶ ἰδού, ἔρχομαι ταχύ, καὶ ὁ μισθός μου μετ' ἐμοῦ,
그러므로 보라, 내가(오다,가다) 속히, 그리고 그 보상이 나의 함께 나의,
ἀποδοῦναι ἑκάστῳ ὡς τὸ ἔργον αὐτοῦ. ἔσται.
보상하다 각자 만큼 그 행위, 일 그의. 일것이다.

'그러므로 보라!<Καὶ ἰδού(카이 이두)>' 라는 말로 이어지는 것은 앞의 말을 이어서 하는 말임을 나타낸다. "내가 속히 간다"라고 말씀하시는 분이 천사가 아니라 재림하실 주님이시므로 앞서 10절과 11절의 말씀은 주님의 말씀인 것이다. '내가 속히 간다' 는 헬라어 'ἔρχομαι(에르크호마이)' 는 '오다, 가다' 의 일인칭 현재 중수디포(타의에 의해 자신을 위한 자발적 행동으)로서 주님께서 말씀하시는 것이므로 '내가 간다' 고 해야 하며, '속히' 라는 말 'ταχύ(타크휘)' 는 '지연함 없이(놀랍게도) 갑자기, 선 듯, 빨리' 라는 말이다. 그러므로 개역 한글성경에 '내가 속히 오리니' 라고 미래형으로 번역한 것은 주님의 재림을 고대하고 준비하게 하기 위한 목적인 계시록에서 치명적인 잘못인 것이다. 7절과 12절과 20절에 주님께서 세 번이나 거듭 말씀하신 것은 중요하기 때문인데 세 번 다 '내가 속히 오리니' 라고 번역하여 읽는 자들이 막연히 장래에 재림하실 것이라 믿게 한 것은 주님의 뜻과 맞지 않는 것이다.

☼ 감동과 기도 ☆

⑥ 재림에 대비할 것을 경고하심 (13~16)

⑦ 재림에 대한 성령님과 교회의 화답 (17)

13절 ▷ 나는 알파와 오메가이며, 시작과 성취이며, 그 첫째와 그 마지막이다.

ἐγώ εἰμι τό Ἄ καὶ τό Ω, ἀρχὴ καὶ τέλος, ὁ
나는 이다 그 알파 와 그 오메가, 시작 과 성취, 그

πρῶτος καὶ ὁ ἔσχατος. ← 첫째 와 그 마지막

주님은 알파(A)와 오메가(W) 즉 헬라어 알파벳의 첫 글자와 마지막 글자처럼 모든 책들의 글과 사람들의 말의 처음부터 마지막까지 전부가 되시며, 모든 일의 시작과 성취가 되시며, 첫째와 마지막이 되신다는 말씀이다.

14절 ▷그분의 명령들을 실행하는 자들은 복이 있으니, 그렇게 하여 생명의 나무를 향하며, 그리고 그 도시를 향하여 문들에 들어가는 그들의 권세가 있으리라.

Μακάριοι οἱ ποιοῦντες τὰς ἐντολὰς αὐτοῦ, ἵνα ἔσται
복이있으니 자들은 실행하는 그 명령들을 그분의,그렇게하여 있으리라
ἡ ἐξουσία αὐτῶν ἐπὶ το ὑλον τῆς ζωῆς, καὶ τοῖς
그 권세 그들의 향하여 그 나무를 그 생명의, 그리고 그
πυλῶσιν εἰσέλθωσιν εἰς τὴν πόλιν.
문들에 들어가는 향하여 그 도시를.

네슬 알란드 사본을 따른 개역 한글성경은 '그(들의) 두루마기를 빠는 <*πλύνοντες στολὰς αὐτῶν*(플뤼논테스 스톨라스 아우톤)> 자들은' 이라고 되어 있으나, 전통원문은 '그분의 명령들을 행하는 <*ποιοῦντες τὰς ἐντολὰς αὐτοῦ*(포이운테스 타스 엔톨라스 아우투)> 자들은' 으로 되어 있다.

"그렇게 하여 생명의 나무를 향하며, 그리고 그 도시를 향하여 문들에 들어가는 그들의 권세가 있으리라" 하였으니, 실로 에덴 동산에서 아담과 ㆅ바(하와)가 하나님의 명령을 거스려 행하지 않으므로 생명나무의 과실을 먹을 권리를 박탈당하고 에덴 동산에서 쫓겨났으나,(창 2:17, 3:6, 22~24) 하나님의 명령들을 행한 자들은 새 히에루살렘(예루살렘) 도시에 있는 생명나무 과실을 먹을 수 있도록 그 문들을 향하여 들어가는 권세가 있

으리라고 하신 것이다. 사람이 생명나무 과실을 먹지 못하고 에덴 동산에서 쫓겨난 이유가 하나님의 명령대로 행하지 않았기 때문이니, 그렇다면 하나님의 명령들을 행하는 자들이 들어간다는 전통원문의 말씀이 맞다는 것이 입증되는 것이다. 그런데 하나님의 명령들을 행한다는 것은 율법을 지켜서 의롭다함을 받는다고 율법을 열심히 행한 유대인들처럼 행하는 자를 말하는 것이 아니라, 이에수스(예수)님께서 전파하고 가르치신 하나님 왕국의 복음과 진리의 성령님 안에서 새로운 피조물로 거듭나서 그에게 새겨진 하나님의 뜻을 행하는 자를 말하는 것이다.(히 8:10, 10:16)

【 특주 18 】

주일을 안식일로 거룩히 지켜야 하는
성경의 일곱 가지 이유

오늘날 기독교가 안식(주)일을 지키지 않는 가장 큰 이유를 예수님께서 율법을 폐하셨기 때문에(엡 2:15; 히 7:18) 십계명의 제4계명인 안식(주)일을 성별히 지키는 것은 율법을 지키는 잘못된 것이라고 공공연히 가르치고 조장한다. 그러나 이것은 엄청나고 중대한 결과를 야기하는 곡해임을 성경에서 간명하게 밝힌다.

첫째〉 예수님께서 자기 육체로 율법을 폐하셨다는 말씀은(엡 2:15) 율법을 지켜서 의롭다함을 받는다는 유대인들의 주장대로 사람이 율법을 한 번도 어기지 않고 지켜서 의인이 될(죄인이 안될) 인생이 없으므로 예수님 자신이 하나님의 율법을 완전히 지키셔서 흠 없는 속죄의 어린양 되심으로 개심하고 복음을 믿음으로 순종하는 자가 될 때(100% 지킬 수는 없으나) 죄 사함과 의롭다함을 받는 구원받는 방법을 율법을 지킴으로가 아닌 은혜와 믿음으로 새롭게 하셨다는 말이지 율법(안식일)을 폐하여 지킬 필요가 없게 하셨다는 말이 아니다. 거듭난 성도는 유대인들처럼 구원받는 방법으로 율법(안식일)을 지키는 것이 아니라 성령님으로 마음에 새겨 주신 그리스도 예수님의 율법(히 10:16; 갈 6:2)으로 하나님을 사랑하고 이웃을 자신과 같이 사랑하는 방법으로 율법(안식일)을 지키는 것이다.

예수님께서는 "내가 율법이나 선지서를 폐기하러 온 줄로 생각하지 말라. 폐기하러 온 것이 아니라 이루려고(헬라어→내용을 충만케) 왔노라"고 하셨고,(마 5:17) 사도 바울도 "우리가 믿음으로 율법을 폐하느냐? 결코 그럴 수 없느니라. 오히려 우리가 율법을 굳게 세우느니라"고 하였다.(롬 3:31)

십계명의 제4계명인 안식일을 지키라 하신 것은 율법으로 폐하여졌다고 하는 기독교는 그러면 다른 아홉 가지 계명은 왜 폐하여지지 않고 지켜야 한다고 하는가? 말이 안된다. 그리고 십일조를 드리라 하신 것도 율법인데(신 12:17) 십일조는 왜 철저히 드려야 한다고 하는가? 기독교는 모순 덩어리이다.

둘째〉 안식(주)일은 이스라엘 백성에게 주신 율법 이전에 하나님께서 창조하실 때 정해 놓으신 법칙이다.(창 2:2~3) 애굽에서 구출하여 내신 이스라엘 백성에게 안식일을 지키라는 율법을 주시면서 지킬 이유를 창조하실 때에 하나님께서 창조를 하시고 쉬신 날이며 그 날은 복되게 하신 날이요 거룩하게 구별하신 날이라고 하셨기 때문이다.(출 20:8~11) 안식(주)일이 폐하여졌다 하고 거룩히 지키지 않는 자는 버림받는다.(신 4:30~31, 31:16~17; 삼상 15:23; 겔 5:6)

셋째〉 안식(주)일은 여호와 하나님의 날이라고 하셨고,(출 16:25. 20:10. 31:13,14. 35:2,3. 19:3,30. 26:2. 23:38.겔 44:24) 예수님은 안식일의 주인이라 하셨다.(마 12:8) 이날을 더럽히는 자는 반드시 모두 죽이라고 하셨다.(출 31:14~15; 민 15:32) 선지자는 이스라엘 백성들이 안식일을 더럽힌 것을 엄중히 경책하였다.(겔 20:13,16,24. 22:8) 십일조가 하나님의 것이듯이 7일의 하루는 하나님의 날이다. 그러므로 이날은 성별되게 지켜야 한다.(출 20:8,10; 사 58:13~14) 성별 되게 지키지 않는 것이 더럽히는 것이다.

넷째〉 안식(주)일은 하나님과 자기 백성과의 사이에 영원한 표징으로 주셨다.(신 31:13,16~17; 겔 20:12) 그러므로 안식(주)일이 폐하여졌다는 것은 하나님과의 사이에 표징이 폐하여졌다는 말로서 스스로 표징을 폐하는 참으로 두려운 일이다.

다섯째〉 "나는 그분(하나님-예수님)을 아노라 하면서 그의 계명들을 지키지 않는 자는 거짓말쟁이니, 진리가 그 사람 안에 있지 아니하니라" 하였고,(요일 2:4) "하나님을 사랑하는 것은 이것이니 곧 우리가 그의 계명들을 지키는 것이라. 그의 계명들은 무거운 것이 아니라."(요일 5:3) 하였다. 사랑은 계명 지키는 것이다.

여섯째〉 첫 창조를 마치고 안식하신 제7일 구약 안식일의 날과 제사가 폐하여 진 것이 아니고 날과 방법에 있어서 주일의 예배로 개혁되고 완성되어졌다. 첫 창조를 마치고 안식하신 제7일은 재창조의 구속을 이루시고 부활하신 날인 첫째 날 주일과 예배로 개혁되고 완성된 것이다. 예수님은 안식일의 주인이심으로 십자가에 피흘려 죽으시고 부활하심으로 구속의 사역을 완성하신 부활의 날, 그리고 성령님을 보내신 날도 첫째 날 주일임으로 주일을 안식일로 지키는 것은 당연한 것이다. 영과 진리로 더 잘 지켜야 한다.

일곱째〉 안식(주)일은 영원한 안식의 표징이다.(히 4:1~11) 하나님께서 창조하신 후 제7일에 안식하시고 하나님의 백성에게 안식일을 표징으로 주신 것은 단지 이 세상에서의 안식일만을 의미한 것이 아니라 이스라엘 백성과 예루살렘을 위하여 세상 끝까지 70주를 기한을 정하였다고 하심 같이(단 9:20~27) 창조하신 6일은 인류역사의 6천년을 예표하셨고 제7일 안식일은 천년왕국을 예표하신 것이다.

그러므로 안식(주)일에 대하여 바로 알고 신앙생활을 바로 하는 것은 말할 수 없이 중요한 것이다. 그런데도 오늘날 기독교에 안식(주)일에 대한 가르침과 관념이 곡해되어 엉망으로 되어 있으니 통탄할 일이다.

☼ 감동과 기도 ☆

15절 ▷ 그러나 개들과 마술사들과 간음자들과 살인자들과 우상숭배자들, 그리고 모든 거짓말을 좋아하며 또한 만드는 자들은 문밖에 있으리라.

ἔξω δὲ οἱ κύνες καὶ οἱ φάρμακοι καὶ οἱ πόρνοι καὶ οἱ φονεῖς
문밖에 그러나 개들 과 그 마술사들 과 그 간음자들 과 그 살인자들
καὶ οἱ εἰδωλολάτραι, καὶ πᾶς ὁ φιλῶν καὶ ποιῶν ψεῦδος.
과 그 우상숭배자들, 그리고 모든 그 좋아하며 또한 만드는 거짓말을.

새 히에루살렘(예루살렘) 문을 통해 거기에 들어가지 못할 자들은 새 사람되는 거듭남을 받지 못한 자들이다. '개들' 이라 함

은 더러운 것을 가리지 않고 먹으며 소리질러 짖고 사람에게 순한 것 같으면서도 위협이 될 수 있는 가축으로서 특히 진리의 말씀을 분별하여 먹지 않고 아무런 말씀이나 받아들이고 때로는 진리의 사역자를 대적하는 자들을 의미한다.(시 59:6; 마 7:6; 빌 3:2, 벧후 2:22) 그리고 '마술사들' 이라 한 것은 사람을 속이는 일을 직업으로 하여 이익을 취하는 자들로서 거짓 선지자와 이단자들을 말한다.(렘 14:14, 28:15; 요일 4:1) 그리고 '간음자들' 이라 함은 육적인 간음만 아니라 기독교인이라 하면서도 세상과 친구 된 자들을 말한다.(약 4:4) '살인자들' 은 사람을 죽인 자들만 아니라 형제를 미워한 자들이며(마 5:21; 요일 3:15) '우상숭배자들' 은 실제의 우상숭배만 아니라 음란, 불결, 정욕, 욕망, 악, 탐심을 가진 자들을 말한다.(엡 5:5; 골 3:5) 그리고 거짓말을 좋아하며 만드는 모든 자들은 생명나무와 거룩한 도시에 들어가지 못한다고 하셨다.

16절 ▷ 나 예수는 나의 천사를 보내어 교회들에 대하여 이것들을 너희에게 증거하였노라. 나는 다빈의 뿌리와 자손이며, 그리고 밝은 별이라 특히 새벽에 빛나는 그 별이라.

Ἐγὼ Ἰησοῦς ἔπεμψα τὸν ἄγγελόν μου μαρτυρῆσαι ὑμῖν
나 예수는 보내어 그 천사를 나의 증거하였노라 너희에게
ταῦτα ἐπὶ ταῖς ἐκκλησίαις· ἐγώ εἰμι ἡ ῥίζα καὶ τὸ γένος
이것들을 대하여 그 교회들에 나는 이니 그 뿌리 와 그 자손
τοῦ Δαβίδ, ὁ ἀστὴρ ὁ λαμπρὸς καὶ ὀρθρινός.
그 다빈의, 그 별이라 그 밝은 특히 새벽에 빛나는.

천사가 증거한 모든 말씀도 이에수스(예수)님께서 천사를 보내어 증거하게 하신 말씀임으로 천사의 말이나 증거로 알아서

는 안 된다는 말씀이며, 여기 계시록의 말미에서 계시를 주신 분이 이에수스(예수)님이심을 분명히 하신 것이다. '나' 라고 한 주격 1인칭 대명사 'Ἐγώ(에고)' 는 헬라어에서 강조 용법 외에는 사용되지 않는데 여기서 본 절에 두 번 사용된 것은 이에수스(예수)님을 분명하게 강조하여 말씀하신 것이다.

'교회들에 대하여 이것들을 너희에게 증거하였노라' 계시록은 마지막 때 지상에 있는 교회들이 어떠할 것이며 어떠해야 할 것을 '너희에게' 즉 사역자인 종들에게 증거하신 것이다. 그러므로 계시록은 교회들에게 대단히 중요한 말씀이다.

'나는 다빋의 뿌리와 자손이며' 라고 하셨는데, 3:7절에는 이에수스(예수)님 자신을 '다빋의 열쇠를 가진 이' 로 말씀하셨다. 이것은 헤사이아스(이사야) 선지자가 예언한 바(9:7, 16:5) "다빋의 위(位)에 앉아서 그 왕국을 굳게 세우고" 라고 한 대로 왕국의 열쇠를 받아 하나님의 왕국을 이루실 자이심을 말씀하신 것이다.

5:5절에 "이우다(유다) 지파의 사자 다빋의 뿌리가 이기었으니" 라고 한 것은 가장 하나님의 마음을 따르는 이스라엘 왕 다빋의 자손으로 영원한 하나님의 왕국을 이룰 멧시아스(메시야)를 보내 주실 것을 약속 하셨는데(사 55:3; 렘 33:14~17) 이에수스(예수)님을 통해 이루셨다는 말씀이다.

그리고 '새벽에 빛나는 그 별이라' 한 것은 새로운 날이 밝아오는 것을 알리는 새벽 별처럼 새로운 하나님의 왕국의 날이 밝아옴을 알리는 새벽 별 같은 이시라는 말이다.

17절 ▷ 그리고 성령님과 신부가 말씀하시기를, 오라! 그리고 듣는 자는 말하라. 오라, 또한 갈망하는 자도 말하라. 오라,

그리고 원하는 자는 값없이 생명수를 받으라.

Καὶ τὸ πνεῦμα καὶ ἡ νύμφη λέγουσιν, Ἐλθέ· καὶ ὁ
그리고 그 성령 과 그 신부 말씀하시기를, 오라 그리고 자도

ἀκούων εἰπάτω, Ἐλθέ. καὶ ὁ διψῶν ἐλθέτω, καὶ ὁ
듣는 오고, 오라. 또한 자도 갈망하는 오고, 그리고 자는

θέλων λαμβανέτω τὸ ὕδωρ ζωῆς δωρεάν.
원하는 받으라 그 수를 생명 값없이.

또한 성령님과 신부가 '오라' 고 말씀하셨다. '신부' 는 새 히에루살렘(예루살렘)을 의인화하여 말한 것으로 잔치에 환영하여 맞이하는 인사말과 같은 것이다. 듣는 자도 '오라' 하고, 갈망하는 자도 '오고' "원하는 자는 값없이 생명수를 받으라" 한다고 하였다. 풍성한 잔치의 시작을 알리는 광경을 말함이다.

¤ 감동과 기도 ☆

2〉 말씀 가감 금지 경고 18~19

18절 ▷ 내가 이 두루마리의 예언의 말씀들을 듣는 모든 자에게 증거 하노니, 만일 누구든지 이것들에 더하면 하나님께서 이 두루마리에 기록된 재난들을 그를 향하여 더할 것이며,

Συμμαρτυροῦμαι γὰρ παντὶ ἀκούοντι τοὺς λόγους τῆς
증거하노니 왜냐하면 모든 듣는 그 말씀들을 그

προφητείας τοῦ βιβλίου τούτου· ἐάν τις ἐπιτιθῇ πρὸς
예언의 그 두루마리의 이 만일 누구든지 더하면 에

ταῦτα, ἐπιθήσει ὁ θεὸς ἐπ' αὐτὸν τὰς πληγὰς τὰς
이것들, 더할것이라 하나님께서 향하여 그를 그 재난들을 그

γεγραμμένας ἐν βιβλίῳ τούτῳ· ←기록된 안에 두루마리에 이

'내가 이 두루마리의 예언의 말씀들을 듣는 모든 자에게 증거 하노니' 여기서 '내가' 라고 한 것은 '증거 하신 분' 이에수스(예수)님을 말하는 것이며 사도 이오안네스(요한)가 아니다. 20절에 '이것들을 증거 하신 분이 말씀하시기를' 하였으니 이에수스(예수)님을 말한다. 이에수스(예수)님께서 엄중히 경고하신 말씀이지 사도 이오안네스(요한)가 경고한 것이 아니다.

이 두루마리에 기록된 것 외에 더하면 이 두루마리에 기록된 재난들을 그에게 더하실 것이라 하였으니 참으로 두려운 경고의 말씀이다. '더하면' 을 의미하는 '*ἐπιτιθῇ*(에피티트헤-)' 는 '부과하다(호의로 혹은 악의로), 위에 놓다, 공격하다' 는 의미의 말로서 호의로든 악의로든 자기의 견해를 계시록의 본 의미 위에 두는 것을 말한다. 단지 글자를 더하는 것만을 의미하지 않는다. 해석을 잘못하여 계시록의 말씀에 없는 것을 있는 것으로 가르치면 '더하는 것' 이 된다. 특히 '휴거가 있는 것인가 있지 않는 것인가?' 하는 문제는 이에 속하는 문제일 것이다.

19절 ▷ 그리고 만일 누구든지 이 예언의 두루마리의 말씀들로부터 떼어버리면 하나님께서 생명의 두루마리와 그 이 두루마리에 기록된 거룩한 도시 가운데로부터 그의 부분을 제하여 버리실 것이라.

καὶ ἐάν τις ἀφαιρῇ ἀπὸ τῶν λόγων βίβλου τῆς προφητείας
만일 누구든지 떼어버리면 로부터 말씀들의 두루마리의 그 예언의
ταύτης, ἀφαιρήσει ὁ θεὸς τὸ μέρος αὐτοῦ ἀπὸ βίβλου τῆς
이, 제하여 버리실 하나님께서 그 부분을 그의 로부터 두루마리의 그
ζωῆς, καὶ ἐκ τῆς πόλεως τῆς ἁγίας, καὶ τῶν γεγραμμένων
생명의, 와 가운데서 그 도시의 그 거룩한, 그리고 그 기록된
ἐν βιβλίῳ τούτῳ. ←두루마리에 이

반대로 '이 예언의 두루마리의 말씀들로부터 떼어버리면 하나님께서 생명의 두루마리와 그리고 이 두루마리에 기록된 거룩한 도시 가운데서 그의 부분을 제하여 버리리라' 하셨다. '떼어버린다'는 말 'ἀφαιρῇ(아프하이레-)'는 '이동하다, 베어버리다, 떼어버리다, 감하다, 제거하다, 옮기다'는 뜻이 있는 말로서 사본을 변개하여 글자를 없앴거나 번역을 잘못하여 본래의 말씀이 가리워져 버리게 한다거나 해석을 잘못하여 계시록에 있는 일을 없는 것으로 한다면 이에 준하는 일이 될 것이다. 문자적 천년왕국이 있는가 없는가 하는 문제는 이에 준하는 일일 것이다. 그러므로 사본 선택과 번역을 바로 해야 할 것이며 해석을 정말 신중히 해야 할 것이다.

'하나님께서 생명의 두루마리와 그리고 이 두루마리에 기록된 거룩한 도시 가운데서 그의 부분을 제하여 버리리라' 하셨는데 네슬 알란드 사본을 따른 개역 한글성경은 '생명의 나무<βίβλου τῆς ξύλου>'라고 하였고, 전통원문은 '생명의 두루마리<βίβλου τῆς ζωῆς>'라고 하였으니 어느 사본이 더하거나 제한 것인가? 중대한 문제이다. 이 구절만으로는 진위를 판가름 할 수 없다. 계시록 전체를 대조해 보아야 한다. 이것이 본서의 주요한 목적이기도 하다.

그런데 사본의 진위는 두고라도 개역 한글성경은 번역에 있어서 분명히 헬라어 원문에서 번역 안한 말이 엄청나게 많고(예를 들면 거의 매 절마다 한 두 번 있는 'καὶ(카이) **그리고**(and)'는 반드시 번역해야 하는데 개역 한글성경에는 거의 번역하지 않았고, 이유나 원인을 말하는 'γὰρ(가르)'나 'ὅτι(호티)'를 전혀 번역하지 않은 것이다) 그리고 헬라 원어의 뜻을 그대로 나타내지 못한 번역이 너무나 많은 것이다. 정말 두려운 일이다.

"더하거나 제하는 자에 대한 경고가 본문의 정확한 전달을 요구하면서 계시록을 복사하는 미래의 서기관, 즉 조심성 없는 필사자들에게 주는 경고"라 하는 자로서 브트링가(Vitriga), 블리크(Bleek). 그리고 "계시록의 뜻을 변경시켜서는 안 된다는 거짓 예언자들에 대한 경고"로 이해하는 존슨(Alan f. Johnson), 알 포드(Henly Alford), 스웨트(H.B. Swete)등이 있다.

또한 "번역하는데 있어서 무의식적인 과오나, 해석하는데 있어서 판단착오에 관해 말하는 것이 아니라 의도적인 곡해나 악용에 관해 말한 것이다"고 하였다. 래드(G.E.Ladd), 심콕스(Simcox), 스웨트(swete).

계시록에 '이 두루마리' 라는 말이 일곱 번이다. 마지막 책이기 때문이다.

¤ 감동과 기도 ☆

3〉 기록자의 응답과 축원 20~21

20절 ▷ 이것들을 증거하신 분께서 말씀하시기를 '진실로 내가 속히 간다.' 아멘! 주 예수님 진실로 오시옵소서!

Λέγει ὁ μαρτυρῶν ταῦτα, Ναί, ἔρχομαι ταχύ. 'Αμήν.
말씀하시기를 그 증거하신 이것들을, 진실로, 간다 속히. 아멘.
Ναί, ἔρχου, κύριε 'Ιησοῦ. ← 진실로 오시옵소서 주 이에수-스님

계시록의 이 모든 말씀을 증거 하신 분은 주 이에수스(예수)님이시다. 최후에 다시금 약속하셨다. '진실로 내가 속히 간다< *Ναί, ἔρχομαι ταχύ*(나이(진실로), 에르크호마이(내가 간다) 타크휘(속히)>' '*'Αμήν, Ναί,*(아멘, 나이, (그러하옵니다, 진실로)

주 이에수스(예수)님 오시옵소서!' 주님의 진실한 약속과 사도의 응답으로 계시를 맺는다. 알렐루이아! < Ἀλληλούϊα >

성경에 인류역사에 대한 하나님의 계시가 한 주간의 '창조' 하신 일로 시작되었고, 마지막은 주님의 날들 곧 7년 대환란과 '재림' 으로 마감하셨다는 사실은 너무나 보배로운 사실이다.

21절 ▷ 우리들의 주 예수 그리스도님의 은혜가 너희 모두와 함께 할지어다. 아멘!

Ἡ χάρις τοῦ κυρίου ἡμῶν Ἰησοῦ χριστοῦ μετὰ
그 은혜가 그 주 우리들의 예수 그리스도님의 함께
πάντων ὑμῶν. Ἀμήν. ← 모두 너희들의 아멘!

기록자 사도 이오안네스(요한)가 독자들에게 축원한 말이다. 아멘.

¤ 감동과 기도 ☆

♤ **22장 요점 정리** ♠

① 1~5절은 새 히에루살렘(예루살렘)의 복된 생활을 말씀하신 것이다. 대부분의 번역 성경에 '길 가운데로 흐르더라' 고 번역하여 1절에 '보좌로부터 나와서' 라는 말의 연속으로 번역했으나 헬라 원어에 '보좌로부터 나오니라' 하고 마침표(.)가 있고, 그리고 2절에 '넓은 길' 과 < καὶ and > '강 좌우에' 라고 되어 있으니 생명나무가 강 좌우에만 있는 것이 아니고 넓은 길 가운데와 강 좌우에 있다는 말이다. 그런데도 원어를 유의하지 않고『대부분의 학자들과 번역본들은 한글 개역성경과 동일하게

이를 생명수의 강이 새 예루살렘의 대로(大路) 한 가운데로 흐르는 것으로 이해한다.』(옥스퍼드 원어 성경대전 계시록 II) 그러므로 첫 창조 때 에덴에서는 네 갈래의 강이 흘렀으나(창 2:10) 생명수의 강은 두 갈래로 흐르는 것이다.〔1~2절〕

② '하나님과 어린양의 보좌'라고 한 헬라어에 '보좌'는 하나인 단수이다. 하나님과 어린양은 하나이시라는 말이다.〔1, 3절〕

③ 생명나무는 한가지 실과만 아니라 열두 가지 실과를 그것도 달마다 새롭게 맺혀서 따먹기만 하면 된다. 에덴 동산에서 범죄한 후로 사람이 쫓겨나 먹지 못하게 되었던 생명나무 과실을 다시 먹게 되고 이마에 땀이 흘러야 먹고 흙으로 돌아가리라 하셨던 노동과 죽음이 완전히 없어진 것이다. 나무 잎사귀들은 병이 없게 하는 역할을 한다.〔2~3절〕

④ 하나님의 종들이 그분을 섬기며 하나님의 이름이 그들의 이마 위에 있다. 그분의 얼굴을 친히 보게 된다.〔3~4절〕

⑤ 밤이 없고 등불과 햇빛이 쓸데없는 것은 하나님께서 밝고 아름다운 빛으로 비춰시기 때문이다. 그리고 저들은 영원 영원토록 왕 노릇 하는 것이다.〔5절〕

⑥ 6~7절, 10~16절, 18~20절은 계시를 주신 이에수-스(예수)님께서 하신 말씀이며, 8~9절, 20~21절은 사도 이오안네스(요한)의 말이며, 17절은 성령님과 신부가 한 말씀이다.〔6~21절〕

⑦ "보라! 내가 속히 간다"(7, 12) "진실로 내가 속히 간다"(20) 헬라어 어법상 최상으로 세 번이나 강조하셨다.〔1절〕

Ⅳ. 바른 계시록 총괄 설교

사도요한기념교회

1. 계시록의 주 내용이 무엇인가?

【 성경/ 단 9:24~27; 롬 11:24~27 】

Memo	
	이에수스(예수님)께서 사도 이오안네스(요한)에게 계시하여 기록하게 하신 계시록의 주 내용이 무엇인가? 하는 관점은 계시록을 해석하는데 열쇠와 같습니다. 계시록을 해석하고 가르치는 모든 사람이 과거적으로(요한 당시의 일), 또는 역사적으로(역사 가운데 될 일), 미래적으로(종말에 될 일) 또는 영적(영적교훈)으로 해석하여 가르치며 견해가 분분합니다. **1〉 다니엘에게 계시하여 주셨던 70이레 중의 남은 한 이레의 관점** 이에수스(예수님)께서 종말에 관한 말씀을 하시면서 '선지자 다니엘의 말한 바' 라고 하심으로(마 24:15) 다니엘이 받았던 계시를 인정하셨습니다. 다니엘이 받은 계시 중에 하나님께서 "네 백성(이스라엘)과 네 거룩한 성(예루살렘)을 위하여 칠십 이레로 (종말까지)기한을 정하였나니" 라고 하신(단 9:24~27) 것은 계시록을 바로 해석하는데 대단히 중요합니다. 왜냐하면 주전 538년경 당시 이스라엘 백성이 바벨론에서 포로생활을 하고 있었는데 70년 포로생활을 마치면 고국으로 돌아가 예루살렘 성을 다시 건축하라는 왕의 영(슈)이 날 것인데 그때부터 기름부음 받은 자 곧 왕(예수님)이 일

어나기(사역시작 주후 27년)까지 일곱 이레(7×7=49년)와 육십이 이레(62×7=434년)가 지날 것이며, 육십 구 이레(483년) 후에 기름부음을 받은 자가 끊어져 없어질 것이며,(십자가에 죽으심) 장차(주후 70년) 한 왕(로마)의 백성이 와서 그 성읍과 성소를(예루살렘) 훼파하여 끝까지 전쟁이 있고 황폐할 것이 작정되었느니라고 하신 것입니다. 그리고 그가 장차 많은 사람으로 더불어 한 이레(7년) 동안의 언약을 굳게 정하겠고, 그 이레(7년)의 절반에 제사와 예물을 금지할 것이며, 또 잔포하여 미운 물건(적그리스도 짐승의 형상)이 날개를 의지하여 설 것이며, 또 이미 정한 종말까지 진노가 황폐케 하는 자에게 쏟아지리라 하신 것입니다. 계시록은 그 남은 마지막 한 이레(7년)에 되어질 일을 이오안네스(요한)에게 자세하게 계시하여 기록하게 하신 것입니다. 계시록 6~18장 중심부분이 마지막 한 이레(7년)에 이스라엘 백성과 히에루살렘(예루살렘)을 중심하여 전개될 일입니다. 그러므로 계시록을 이 관점으로 보고 해석하지 못하면 계시록 7장에 왜 이스라엘 열두 지파만 인친다고 하셨는가 바로 알 수 없습니다. 하나님께서는 범죄 타락한 인간의 역사를 아브라함을 부르시고 그 자손 이스라엘을 자기 백성으로 택하셔서 왕과 구세주 이에수스(예수)님을 아브라함과 다윗의 자손으로 보내시고(마 1:1) 성경도 유대인들 중에서 기록하고 보존하게 하시고	Memo

Memo	(롬 3:1~2) 이에수스(예수)님께서, 자신은 이스라엘 백성 중에 잃어버린 자를 구원하려 보냄을 받았다고 하셨습니다.(마 15:24)그렇기 때문에 구원이 유대인에게서 나온다고 하셨습니다.(요 4:22) 그러나 이스라엘 백성이 이에수스(예수)님을 배척하고 십자가에 못박아 죽임으로 참혹한 징벌을 받게 되고 구원이 이방인들에게 넘어간 것입니다.(롬 11:11) 그러나 이방인의 때가 차면 마지막 한 이레에는 이스라엘을 긍휼히 여기시는 때입니다.(롬 11:24~27, 많이 예언되어 있음) 계시록은 여기에 초점이 맞추어져 있습니다. 이방인인 우리는 가나안 여인과 같이 구원을 얻으려면 겸비하고 간절해야 합니다.(마 15:21~28) **2〉 감람산 교훈의 예루살렘 멸망과 세상 끝의 재림 징조의 관점** 하나님의 눈이 항상 이스라엘 땅 위에 있다고 하셨습니다.(신 11:12) 에덴 동산도 세상의 중앙이라 하신(겔 38:12) 이스라엘 땅을 중심으로 하셨고, 아브라함에게 예루솰라임(예루살렘) 모리아 산에 아들 이삭을 번제로 바치라 하셨으며, 재림하시고 천년왕국의 수도도 히에루살렘(예루살렘)으로 하시고,(슥 14:4, 16~17) 인류의 구원의 역사를 예루살렘을 중심으로 하시는 것을 성경에 말씀하셨습니다. 영원복락의 새 하늘과 새 땅의 도시의 이름도 새 히에루살렘(예루살렘;평화의 기초)이라 하셨습니다.(계 21:1~2)

그런데 이스라엘 백성이 예수님을 배척하고 십자가에 못박혀 죽게함으로 참혹한 징벌을 받게 되었으니 그것이 이에수스(예수)님께서 감람산에서 미리 말씀하신 히에루살렘(예루살렘)의 멸망의 징조인 것입니다. 그 징조가 33년 후인 주후 63년 유대전쟁으로부터 시작되었는데 주님께서 주후 67년 사도 이오안네스(요한)에게 되어지기 시작한 히에루살렘(예루살렘) 멸망의 징조들을 넷째 인까지 보여주시고 여섯째 인과 일곱째 인의 예루살렘을 중심한 전 세계적인 일곱 나팔과 일곱 대접의 하나님의 진노의 심판의 재앙을 보여 주시고 기록하게 하신 것입니다. 예루살렘의 멸망과 세상 끝의 재림의 징조인 감람산 교훈을 말씀하신 분도 이에수스(예수)님이시고 계시록 기록 당시(주후 67년) 이미 시작되었던 히에루살렘(예루살렘) 멸망의 징조들과 세상 끝의 마지막 한 이레(7년)에 되어질 일들을 계시하여 주신 분도 같은 이에수스(예수)님이시므로 감람산 교훈과 계시록의 구도가 일치한 것입니다.

3〉 두 관점에 의한 계시록 전체의 명확한 구도를 볼 수 있어야

계시록의 주 내용은 이러한 두 관점, 히에루살렘(예루살렘)의 멸망과 세상 끝의 한 이레(7년 대환란)의 내용이 중심이며, 1~3장까지 일곱 교회에 대한 말씀과 성도들을 격려하기 위한 중간계시들과 재림 후의 일들이 더 보충되어 계시된 것입니다.

Memo

2. 계시록 전체 내용의 바른 총괄

【 성경/ 계시록 1:1, 19 】

Memo	
	요한계시록을 해석하고 가르치는 사람은 누구를 막론하고 1:19절에 개역 한글성경과 영어성경이 '네 본 것과 이제 있는 일과 장차 될 일을 기록하라' 한 것으로 번역하고 이해하여, 요한계시록 전체 내용을 네 본것(1장)과 이제 있는 일(2, 3장)과 장차 될 일(4~22장)로 구분하여 가르치는 것입니다. **1. 성경 헬라어 원어를 정확하게 번역하지 않고 잘못 이해함.** 그러나 이러한 구분은 헬라어를 직역하여 보면 잘못된 구분이며 계시록 전체 내용을 잘못 보게 하는 것입니다. 헬라어<*ἃ μέλλει γίνεσθαι μετὰ ταῦτα*>에서 *μέλλει*(멜레이)는 '~하려고 하다, 대하여' 라는 말이며, *γίνεσθαι*(기네스트하이)는 '되다, 일어나다' 라는 말의 부정 현재 중수디포로서 '되어지려고 하는' 이며, *μετα*(메타)는 '후에' 라는 말이며, *ταῦτα*(타우-타)는 '이러한 것들, 나중에, 장차, 따르는, 그리고 나서' 라는 뜻을 가진 말로서 헬라어를 직역하면 "네 본 것들, 그리고 현재 있는 것들, 그리고 이러한 것들 후에 되어지려 하는 일들에 대하여 기록하라" 입니다. 주님께서 사도 이오안네스(요한)에게 '네 본

것들' 이라 하신 것은 1장에서 본 것만이 아닙니다. 바로 이어서 20절에 "네 본 것들은 내 오른손 위의 일곱 별들의 비밀이며 금으로 만든 그 일곱 등대들이라" 하셨고, 또한 22장까지 수없이 보여 주셨고 이오안네스(요한) 역시 거듭 거듭 "또한 내가 보니"라고 하였으니 '본 것' 을 1장에서 본 것으로만 국한시키는 것은 너무나 옳지 못한 것입니다.

그리고 '현재 있는 것들' 역시 2, 3장의 일곱 교회에 대한 것들로만 국한시키는 것도 계시록을 바로 보지 못하는 것입니다. 헬라어 직역 '바른 계시록' 서론과 6장에서 설명한 바와 같이 계시록을 기록하던 주후 67년경 당시 교회들의 실상만 아니라 이미 시작되어 막바지로 진행되고 있던 유대전쟁 곧 히에루살렘(예루살렘) 멸망의 징조들을 말하는 것입니다. 그러므로 기록하라 하신 당시 '현재 있는 것들' 은 2~6장의 넷째 인까지의 일들을 말한 것입니다.

그리고 '이러한 것들 후에 되어지려고 하는 것들' 을 기록하라 하신 것은 막연히 장차 될(미래형) 일들이 아니라, 히에루살렘(예루살렘) 멸망 후에 속히 되어지려고 하는 일들을 보여 주시고 기록하라 하신 것입니다. 계시록은 막연히 장차 될 일이 아니라 주후 70년 히에루살렘(예루살렘) 멸망후에 속히 '되어지려고 하는 일들' 이었습니다.

그렇기 때문에 모든 것을 다 계시하여 주신 주

Memo

Memo	님께서 22장 마지막에 "보라 내가 속히 간다" 두 번 강조하시고(7, 12절) 또 한번 "진실로 내가 속히 간다"라고(20절) 세 번 최상으로 강조하신 것입니다. 그렇게 말씀하셨는데도 불구하고 7년 대환란과 주님의 재림이 지금까지 지연되어 온 것은 여상한 일이 아닌 중대한 사변입니다. 기독교는 그 이유를 심각하게 고찰해 보아야 하는데 그렇게 하지 못하고 있습니다. 그 이유를 성경에서 직접적으로 말해주고 있는 것은 사도 페트로스(베드로)의 증언입니다. "사랑하는 자들아 주께는 하루가 천 년 같고, 천 년이 하루 같은 이 한가지를 잊지 말라 주의 약속은 어떤이의 더디다고 생각하는 것 같이 더딘 것이 아니라 오직 너희를 대하여 오래 참으사 아무도 멸망치 않고 다 개심(회개)하기에 이르기를 원하시느니라"(벧후 3:8, 9) 주님의 재림의 지연에 대해 먼저 하나님께는 하루가 천 년 같이 지루하시다는 것을 알아야 합니다. 그러므로 주님께서 약속하신 재림이 지금까지 1900년을 지연되어 왔다면 하나님께는 1900×365×1000=694,500,000일이 지연되어진 것과 같다는 말입니다. 그 이유는 사람들이 개심(회개)치 않아서입니다. 한편 하나님은 사람들이 개심(회개)하여 아무도 멸망치 않기를 원하셔서 1900×365×1000=694,500,000일 즉 1900년을 이틀 정도로 잘 참아 주시는 것입니다. 그러므로 이 사실을 바로 안다면 주님께서

“내가 속히 간다”라고 그처럼 약속하신 재림이 지연된 사실에 대하여 의문을 가질 것이 아니라 오히려 나 자신과 인류들이 완악하여 개심(회개)치 아니함으로 하나님의 계획이 속히 이루어지지 않고 지체되게 함에 대하여 죄송함을 통절히 자복하여야 할 것입니다. 그러나 이렇게 하는 기독교인이 몇 사람이나 있겠습니까?

그리고 막연히 늦어짐에 대한 죄송함만 가지는 것이 잘하는 것이 아니라 나와 기독교인들과 인류들이 왜 이토록 개심(회개)치 않는가에 대한 바르고 확실한 진단이 있어야 합니다. 이에수-스(예수)님께서는 “때가 찼고 하나님의 왕국이 가까웠으니 개심(회개)하고 복음을 믿으라”고 복음을 전하셨습니다.(막 1:15) 그리고 “나는 의인을 부르러 온 것이 아니며 죄 있는 자를 개심(회개)을 향하도록 부르러 왔다고 하셨으며,(눅 5:32) 개심(회개)을 많이 강조하고 가르치셨습니다. 죄 있는 자들이 개심(회개)치 않아서 주님의 재림이 지연된 것입니다.

이러한 주님의 재림이 지연됨에 대한 정확한 진단과 처방과 준수를 촉구하는 것이 이 저서 두 권의 목적인 것입니다. 이것이야말로 참으로 하나님의 심정을 기쁘시게 하는 일이며 우리에게 복이 되는 일입니다. 아멘! 아멘! 아멘!

Memo

3. 에프헤소스 교회에 경고와 약속

【 성경/ 계시록 2:1~7 】

Memo	주님께서 에프헤소스 교회에 엄중한 경고를 주시고 또한 말씀대로 준행하여 이기는 자에게는 최상의 약속을 하셨습니다. **1. 에프헤소스 교회에 주신 경고** 에프헤소스(에베소) 교회가 그 처음 사랑과 행위를 하지 않으면 등대를 옮기겠다 하셨습니다. 등대(촛대)는 교회라고 하셨으니(1:20) 등대를 그 지점에서 옮기신다는 말씀은 교회를 그 지점에서 옮기신다는 말씀입니다. 교회를 에프헤소스 그 지점에서 다른 데로 옮기시면 에프헤소스에 교회는 표면상 존속하여 있을지라도 주님께서 두루다니지 않으시는(1절) 즉 함께 계시지 않고 보살피시지 않는 버려진 교회가 된다는 말씀입니다. 얼마나 엄중하신 경고입니까? 오늘날 교회와 신자들에게도 경고하신 말씀입니다. 왜냐하면 "귀를 가진 자는 누구든지< τί(티)> 성령님께서 교회들에게 하시는 말씀을 들으라"고 하셨기 때문입니다.(7절) 오늘날 교회들은 교회를 두루다니시는 주님께서 보실 때 과연 처음 사랑과 행위들을 하는 교회이겠습니까? 아니면 주님께서 등대를 옮기시고 표면상 교회로 남아 있을 뿐이겠습니까? 신자 각 개인도 마찬가지입니다. 처음 사랑이 이

처럼 중요합니다.

주님의 이 경고가 얼마나 두려운 것임을 알아야 합니다. 오늘날도 주님께서 세우신 교회로서의 등대가 아닌, 수많은 명목상의 교회나 신자가 아무리 교회 일을 많이 하고, 고된 수고를 하고, 인내하고, 타락한 것을 용납하지 않고, 잘못되고 거짓된 것을 찾아내고, 참고 견디며, 주님의 이름을 위하여 애써 일하며, 지치지 않을지라도(2, 3절) 주님께서 원하시는 그 처음 사랑과 행위들을 하지 않으면 그 모든 것을 주님께서 인정하시지 않으므로 주님의 교회가 아니며 모든 신앙생활이 헛되고 만다는 사실입니다.

주님께서 말씀과 권능을 어느 도시보다 더 많이 베푸셨던 도시 사람들이 개심치 않으므로 저들이 받을 최후의 형벌이 이방도시인 두로와 시돈과 소돔 보다 더 중할 것이라 하셨습니다.(마 11:20~24) 교회나 신자가 주님께서 말씀하신 대로 되지 못하면 심판 날에 불신자들 보다 형벌이 더 무서운 것입니다. 왜냐하면 불신자 보다 또는 어느 교회보다 주님께로부터 혜택을 많이 받았던 신자나 교회에게는 더 많은 결실을 요구하시는 것이 주님의 심판의 기준이기 때문입니다.(마 12:48)

2. 에프헤소스 교회에 주신 약속

'이기는 자에게는 하나님의 낙원 가운데 있는

Memo

Memo

그 생명의 나무로부터 먹도록 그에게 허락하리라' 고 하셨습니다.(7절) '이기는 자에게는' 라고 개인적으로 말씀하신 것은 에프헤소스 교회에 주님의 말씀대로 준행하여 이기는 왕 된 자는 개인적이며 소수일 것을 말씀하신 것입니다.

"하나님의 낙원 가운데 있는 그 생명나무로부터 먹도록 그에게 허락하리라"(7절) 이 약속의 말씀에 대해 누구도 어떤 주석도 명확한 가르침을 주지 못하고 있습니다. 그 첫째 원인은 성경 헬라어 원어를 성경에 맞게 바르고 확실하게 번역하지 않았기 때문이며, 그리고 말씀을 옳게 분별하지 못하기 때문입니다.(딤후 2:15)

한글 개역성경은 "주어서 먹게하리라" 하였고, 유럽의 석학들이 전통원문에서 직역했다는 킹제임스 영어 성경에도 "주어서 먹게하리라"(will I give to eat of the tree of life) 하였으니 동일합니다. 그러나 헬라 원어는 '*δώσω*(도소- **주다, 허락하다**) *αὐτῷ*(아우토- **그에게**) *φαγεῖν*(프하게인- **먹도록**) *ἐκ*(에크- **로부터**) *τοῦ ξύλου*(투 크쉴루- **그 나무**) *τῆς ζωῆς*(테스 조에스- **그 생명의**)' 로서 바른 번역은 "그 생명의 나무로부터 먹도록 그에게 허락하리라"로 해야 하는 것입니다.

이렇게 바른 번역이 되면 바른 해석은 간단 명료하게 된다. 창세기 3:22절에 아담과 하와가 범죄한 후에 하나님께서 "그의 손을 내밀어 생명나무 실과도 따먹고 영원히 살지 않게 하기 위하여 에덴 동산에서 쫓아내시고 에덴 동산 동편에 그룹들과 빙빙 도는 불칼을 두시어 생명 나무의 길을 지키게" 하셨다고 하였으니,(창 3:22~24) 하나님의 말씀을 순종하지 않은 사람에게 금지하셨던, 먹음으로 영원히 사는 그 생명나무로부터 먹도록 허락하시겠다는 말씀은, 출입을 금지하셨던 낙원에 보호된, 그 생명나무로부터 먹으며 영원히 사는 생명의 복락을 누리는 낙원의 삶을 그에게 허락하시겠다는 약속의 말씀인 것입니다. 아멘!

사람이 사탄을 따라 하나님께 범죄함으로 에덴동산 낙원의 생명나무로부터 먹지 못하도록 행복한 삶을 상실당한 것입니다.(창 3:22~24)

생명나무로부터 먹는 낙원의 삶은 죽음이 없고 질병과 고통이 없으며 가난과 슬픔이 없는 행복한 삶입니다. 인간은 이러한 복된 삶을 추구하고 찾아 불철주야 애쓰고 수고합니다. 그러나 물질과 인간의 노력으로는 불가능합니다. 하나님만이 그러한 복된 삶을 허락할 수 있습니다. 처음 사랑과 행위를 찾아 행하는 자가 되라는 것입니다.

Memo

4. 스뮈르나 교회에 하신 말씀

【 성경/ 계시록 2:8~11 】

Memo

일곱 교회 중 두 번째 스뮈르나(서머나) 교회는 에프헤소스 교회로부터 북쪽으로 약 56Km 지점에 있어, 항구 도시로서 소아시아의 수도였던 페르가모스(버가모)와 함께 상당한 번영을 누렸습니다. 내륙으로 뻗은 주요 무역로와 지중해 항로를 연결시켜 주는 주요 상업도시로서 터어키 정부하에 오늘날도 번영을 누리고 있고, 순교자 폴리캅의 기념 예배당이 있습니다.

스뮈르나 교회는 사도 파윌로스(바울)께서 에프헤소스에서 3년간 복음을 전하실 때 바른복음을 듣고 진실된 교회로 세워졌습니다. 스뮈르나 교회는 일곱 교회 중 필라델프헤이아 교회와 같이 책망 없이 칭찬과 격려를 받은 교회입니다.

1. 스뮈르나 교회에 대한 주님의 칭찬과 격려

스뮈르나 교회에 말씀하시는 주님께서는 "첫째이고 마지막이며, 전에 죽었다가 살아난 자가 말한다"고 하셨습니다.(8절) 스뮈르나 교회 신앙의 표제였습니다. 환난과 궁핍 가운데 있는 스뮈르나 교회에 죽기까지 신실하라고 격려하셔야 하기 때문에, 고난과 죽음을 두려워하지 않도록 하시기 위해서 이러한 주님으로 말씀한다고 하신 것입니다. 그리고 "내가 네 행위와 환난과 빈곤을

Memo

알고 있다. 그러나 너는 풍부하다 그리고 스스로 유대인이라 말하는 자들의 중상을 아노니 그들은 결코(*유대인이*) 아니며 도리어 사타니스(사단)의 회합이니라"고 하셨습니다.(9절) 로마의 타이트스(Titus) 장군에 의해 히에루살렘(예루살렘)이 함락된 A.D.70년을 전후하여 유대인들이 대거 이곳으로 이주해 와서 살았고, 이들이 로마 정부와 합세하여 스뮈르나 교회를 심하게 핍박했던 것은 잘 알려진 사실입니다. 이러한 환란으로 인해 부요한 도시임에도 스뮈르나 교회 성도들은 물질적으로 극도의 궁핍한 생활을 하게 되었습니다. 그러면서도 바른 신앙을 견지하고 있었기 때문에 주님께서는 그러나 스뮈르나 교회 "너는 풍부하다"고 하셨습니다. 가난한 중에도 풍부함을 누리는 것이 바른복음 신앙의 신비이며 행복입니다.(고후 6:10)

스뮈르나 교회는 사도 파윌로스(바울)로부터 바른복음 신앙을 전수 받았고(행 19:10, 26) 하나님의 왕국복음 신앙 때문에 로마 정부와 유대인드로부터 참혹한 박해를 받았으며, 스뮈르나에서 그리스도인이 되려면 환난과 궁핍을 각오해야만 했습니다. 물질적으로 부요하나 영적으로 말할 수 없이 가난하고 비참했던 라오디케이아(라오디게아) 교회와는 정반대였습니다.

2. 스뮈르나 교회에 대한 주님의 격려와 권면

Memo	주님께서 스뮈르나 교회 성도들에게 "고난 당하는데 대하여 조금도 두려워하지 말라"고 하셨습니다. '두려워 말라'는 헬라어 '메덴 프호부-'는 '(조금도)아니다'라는 부정어 '메덴'과 '무서워하다'는 '포베오'의 현재 명령형이 함께 사용된 것으로 '계속 조금도 두려워 말라'는 말씀입니다. '앞으로 마귀가 스뮈르나 교회 성도들 중에 몇 사람을 시험을 받게 하기 위하여 감옥에 보내려고 하며, 그리고 스뮈르나 교회가 10일의 환난을 붙잡을 것이다.' 10일의 환난은 성경에서 시험의 한정된 기간으로 말해지고 있다. ㄹ라반이 그의 여동생 리브카를 이삭의 아내로 보낼 때 열흘 동안 머물다가 가게 한 것이나,(창 24:55) 다니엘과 세 친구가 열흘 동안 채식과 물을 먹고 시험하여 결과에 따라 처분할 것을 환관장에게 요청한 것처럼,(단 1:12,13) 10일은 시험을 위한 한정된 기간을 말합니다. 그러할 것이므로 계속 조금도 두려워 말라 하신 것입니다. 바른복음 신앙을 가지고 유대인들과 같은 기존 기독교의 위세로 인해 가난해진 교회가 가난을 두려워하지 않고 오히려 풍부함을 누릴 수 있는가? 하는 것이다. 그리고 감옥에 가게 되는 것도 조금도 두려워 않을 수 있으며, 그리고 '죽기까지 변함 없이 신실할 수 있는가?' 하는 것입니다. 헬라어 '기누 피스토스 따나투'는 **'죽기까지 신**

실하게 되라' 입니다. 한글 개역성경에 '죽도로 충성하라' 로 되어 있는데 충성(忠誠)이란 '진정에서 우러나는 정성' 이란 말로서 '피스토스' (**믿을 만하라, 신실하라, 진실하라**)의 의미와 차이가 있습니다. 죽기까지 바른복음 신앙에 참되고 변치않게 되라는 의미를 강조하신 말씀입니다. 스뮈르나 교회 감독이었던 폴리캅은 순교할 때 말하기를 '80평생을 내가 섬겨왔던 주님께서는 한 번도 나에게 변함이 없었는데 내가 어찌 주님께 변함이 있을 수 있겠느냐' 하고 화형을 당했다고 합니다. 오늘날 교회에 스뮈르나 교회 같은 성도를 얼마나 찾아볼 수 있겠습니까?

"또한 내가 생명의 면류관을 네게 줄 것이다" 고 하셨습니다.(10절) 땅에서 육신의 생명을 아끼지 않고 죽기까지 바른복음 신앙에 신실한 스뮈르나 교회 성도들에게는 영원한 생명의 면류관을 주시겠다고 약속하신 것입니다. 그리고 "이기는 자는 둘째 사망으로부터 해를 받지 아니하리라" 고 하셨습니다. 둘째 사망인 '불못' 이 어떤 곳임을, 이 하나만이라도 제대로 안다면? (계 14:10, 11, 20:15) 죽기까지 신실할 수 있을 것입니다.

Memo

5. 페르가모스 교회에 하신 말씀

【 성경/ 계시록 2:12~17 】

Memo	일곱 교회 중 세 번째 교회가 있는 페르가모스(버가모)는 스뮈르나에서 북쪽으로 104Km 지점에 있는 내륙도시로서 로마와 아시아를 연결하는 교통의 요지로서 상업과 무역이 발달하여 부유한 도시였습니다. 로마 소아시아도의 행정수도로 이방 신들 쥬스,(제우스-행 14:13, 14 쓰스) 아에스클레피어스 신전, 아테네 여신전, 특히 황제 카이샤 아우구스투스 신전이 있어 사타니스(사단)의 왕좌가 있는 곳이라 할만했습니다 페르가모스(버가모) 교회의 주님의 신실한 증인 안티파스(모든 것을 반대한다는 뜻)를 사형에 처하면서 페르가모스 교회 성도들을 위협해도 저들은 주님의 이름을 굳게 붙들어서 믿음을 부인하지 않았다고 한 것입니다. 그렇지만 주님께서 '어느 정도 네게 반대하여 있으니, 네게 발라암(발람)의 가르침을 지키는 자들이 있기 때문이라' 고 하셨습니다. 발라암(발람)의 가르침은 어떤 것을 말함인가? 이스라엘 백성이 이올다네스(요단강) 건너편 모압 평지에 이르렀을 때, 모압(롯의 자손)왕 발락이 선지자 발라암(발람)에게 뇌물을 보내며 이스라엘 백성을 저주해 달라고 했습니다. 참된 선지자라면 하나님 앞에 옳지 못한 일을 일언지하(一

言之下)에 거절해야 마땅한데도 왕의 요청과 물질과 명예의 유혹을 물리치지 못하고 우유부단(優柔不斷)한 말과 태도로 계속 타협하려 했던 것입니다.(민 22:1~24:25) 페트로(베드로)후서 2:15절과 이우다스(유다)서 1:11절에 '불의의 삯을 사랑하여 빗나간 발라암(발람)의 길' 이라 하였습니다. 그리고 발라암(발람)이 발락에게 가르쳐 이스라엘 자손들 앞에 함정을 놓아 우상의 제물들을 먹게 하고 또 간음하게 하였다고 하였습니다. 그 일이 민수기 25장과 31:16절에 기록되어 있습니다. 주님께서 페르가모스(버가모) 교회에게 발라암(발람)의 교훈이라 하신 것은 우상 신전이 많은 페르가모스(버가모)에서 우상 제물을 먹는 것과 음란한 성행위는 예사로운 일이 되어 교회 신자들 중에도 적당히 타협하는 자들이 있었다는 말씀입니다. 우상의 제물을 먹는 것과 음행의 문제에 대해서는 초대 히에루살렘(예루살렘)교회 사도와 장로들의 총회에서 금지하도록 결정했고,(행 15:29) 사도 파윌로스(바울)는 우상이 아무것도 아님을 아는 믿음이 있으면 먹어도 문제는 아니나, 우상의 제물인줄 알고는 먹지 않아야 한다고 하였으며,(고전 8:7, 10:25) 제물을 먹는 자는 제단에 참예하는 것이며, 이방인들이 제사하는 것은 악령〈다이모니온〉에게 하는 것으로 우상의 제물을 먹는 것은 악령과 교제하는 것이며, 성도는 주님의 상과 악령들의 상에 참예하여 마

Memo

Memo	실 수 없다고 하였습니다.(고전 10:20~21) 그리고 또 한 가지 니콜라(니골라)당의 가르침은 인간의 몸은 어쨌든 악하고, 영혼은 선하다고 주장하여 육체는 중요하지 않기 때문에 마음대로 사용해도 된다고 했습니다. 그러므로 크흐리스토스(그리스도)인은 그의 육신이 원하는 것은 무엇이든지 행할 수 있다고 하였으며, 영혼은 그가 행한 것에 관계없이 은혜와 용서를 선물로 받을 수 있다고 주장한 것입니다. 발라암(발람)의 교훈과 대동소이했습니다. 이러한 잘못된 가르침이 우상의 제물을 먹는 것을 일반화하고, 결혼 이외의 성 관계를 아무렇지 않게 받아들이게 했던 것입니다. 15절에 한글 개역성경은 바로 되어 있지 않습니다. "네가 니콜라당의 그 교훈을 단단히 붙들고 있으니 내가 그것을 몹시 싫어하노라" 입니다. '단단히 붙들고 있다' 는 것은 그 가르침을 옳은 것으로 확신하고 따르고 있다는 말입니다. 오늘날 '오직 은혜로, 오직 믿음으로만 구원을 받는다' 하는 개신교의 복음과 행위는 주님 보시기에 어떠하겠습니까? 오늘날 교회에도 니콜라당의 교훈이 있습니다. 주님께서는 에프헤시노스(에베소) 교회에도 니콜라당의 행위를 몹시 싫어한다고 하셨습니다.(계 2:6) 개심하지 아니하면 주님께서 페르가모스 교회에 속히 오셔서 주님의 입의 칼로 **그들과** 싸우리라고 하셨습니다.(16절)

Memo

주님께서 말씀하신대로 이기는 그에게는 감추었던 만나를 주겠다고 하셨습니다. 만나는 권세 있는 자〈아비림 -**천사의, 최고의, 강한(사람)**〉의 음식이며 하늘 양식이라 하였습니다.(시 78:24, 25) 만나는(계 2:17) 생명수와 생명 과일과 함께(계 22:1, 2 14) 하늘의 왕국에서 주님과 천사들과 함께 영원토록 먹을 생명의 양식으로 감추어져 있는 것입니다.

그리고 새로운 이름이 기록된 흰 조약돌을 줄 것인데 받는 그만이 안다고 하셨습니다. 성경에 새 이름을 받은 사람들의 예들이 있습니다. 아브람(높은 아버지)을 아브라함(무리의 아버지)이라 부르라 하셨고,(창 17:5) 싸라이(사래-공주)는 싸라(사라 -왕후)라 하라 하셨고,(창 17:15) 야아코브(야곱 -탈취 하는 자)는 이쓰라엘(하나님의 군사)로 새 이름을 주셨고,(창 32:22~28) 예수님께서 시몬(귀기울여 듣는)을 켚하스(페트로스-반석)로 새 이름을 주셨습니다.(요 1:42) 사윌로스(사울 -요구 된)는 파윌로스(바울 -작은 자)로 바뀌었습니다.(행 13:2, 7) 새 하늘과 새 땅 새 히에루살렘(예루살렘)에서 영원의 영원을 향하여 왕노릇하며 살아갈 성도들에게 새 이름을 주시는 것은 당연한 것입니다. 할렐루야! 아멘.

6. 트휘아테이라 교회에 하신 말씀

【 성경/ 계시록 2:18~29 】

Memo	
	트휘아테이라(두아디라) 교회는 페르가모스(버가모)에서 동남쪽으로 약64Km 지점에 있는 도시로서 오늘날에는 아킷사르(Akhissar)로 불리웁니다. 이 도시에서는 무역업이 번창하여 많은 무역상들이 왕래하였으며, 유명한 염색공장 지대였다는 것은 사도행전 16:14절에서 드휘아아테이라 성읍의 자주장사 뤼디아(루디아)의 기사를 보아 알 수 있습니다. 이 도시 역시 페르가모스(버가모)와 같이 우상숭배가 난무하던 곳입니다. 이 도시의 수호신은 시와 음악, 그리고 예언과 의술을 주관한다는 태양 신 아폴로(Apollo)였습니다. 그 외에도 아르테미스 신전, 삼바타 산전, 헬리오스 신전 등, 로마와 그리이스 신화에 나오는 신들을 숭배하는 신전들이 즐비하고, 신전들은 미모의 여인들로 음행의 무대였습니다. 그런데 트휘아테이라(두아디라) 교회 신자들은 그 행위들 사랑과 봉사와 믿음과 인내와 수고들이 처음보다 점점 더 뛰어나다고 하셨습니다. 사업이 번창한 도시라서 교인들의 성향도 사업적이고 부지런하고 활동적이었던 것 같습니다. 사랑이 넘치며 봉사가 활발하고 인내와 수고가 칭찬할만하여 교회는 외양적으로 번창한 교회였

습니다.

그러나 자칭 여선지자라 하는 이에자벨(이세벨)을 버려 두어 교인들을 가르쳐 우상의 제물을 먹게하고 간음하게 함으로 영적으로 부패하게 한 것입니다. 에프헤소스(에베소) 교회는 버려두지 않아야 할 처음 사랑을 상관치 않고 버려두어 문제였고, 트휘아테이라(두아디라) 교회는 반대로 용납하지 않아야 할 잘못 가르치는 자를 배척하지 않고 용납한 것이 문제였습니다. 교회와 신앙생활에 버려두지 않아야 할 것(사랑)과 용납하지 않아야 할 것을 올바로 분별하여 겸비하는 것은 대단히 중요합니다. 그러나 그렇게 하기가 쉬운 것이 아님으로 그렇게 하는 교회나 개인은 참으로 칭찬 받을 만큼 복된 것입니다.

열왕기상 29~33절에 보면 북 이스라엘의 7대 왕 아흐아브(아합)가 부왕(父王) 오므리에 의해 정략적으로 고대 카나안 종교의 본고장인 페니키아의 찌돈(시돈) 왕 에트바알(엣바알)의 딸인 이제벨(이세벨)과 결혼함으로 아흐아브(아합) 왕은 물론 온 이스라엘을 철저한 바알과 아쉐라 숭배로 몰아 넣었던 것입니다. 바알은 농경과 가축과 인간의 다산(多産)을 조절한다는 남자 신으로 음란하게 숭배하는 것이 특징이었고,(삿 2:17) 아쉐라는 바다의 여신으로서 두로의 주신이었습니다. 바알과 아쉐라는 짝지어져 있는 남녀 신으로(삿 3:7, 왕상 18:19, 왕하 23:4) 이 신들의 숭배에 음

Memo

Memo	란은 주 행사였습니다. 신들의 숭배에 만연되어 있는 드휘아테이라(두아디라)에서 각양 조합에 가입해야 사업 또는 직장을 가질 수 있고, 조합은 각각 신전에서 숭배하고 회식을 하며 음행하는 일을 하는데, 여기에 동참하지 않으면 사업도 직장도 가질 수 없었습니다. 그래서 드휘아테이라(두아디라) 교회의 자칭 여선지자라 하는 이에자벨(이세벨)이 나서서 가르치고 꾀이기를 '세상에 우상(이방 신 또는 제물)은 아무것도 아니므로 먹어도 괜찮으니, 왜냐하면 한 분밖에 다른 하나님은 없기 때문이라' (고전 8:4) 하면서, 그리고 '영이 구원받는 것이므로 육신으로 죄짓는 것은 구원과 상관없으며, 사업상 회식에 참예하는 것은 죄가 아니며' 등 감언이설로 교인들을 꾀인 것입니다. 오늘날 교회가 탐심은 우상숭배인데도(엡 5:5, 골 3:5) 믿는 자들에게 기복 신앙을 조장함으로 이에수스(예수)님의 가르침에 반대로 욕심을 버리지 못하게 하며, 믿는 남자와 여자들이 세상과 친하는 것은 하나님의 원수인 영적으로 간음하는 남편과 아내와 같은데도(약 4:4) 현대 교회에도 이러한 일들이 다반사 되어 있는 것입니다. 트휘아테이라 교회에서도 에이자벨의 가르침과 꾀임에 넘어가지 아니한 다수의 성도들이 있어, 주님께서 그들에게 다른 짐을 지우지 않겠노라고 하셨으니, 트휘아테이라(두아디라)에서 그만큼 현실에 타협하는 가르침에 동조하지 않는

Memo

것이 얼마나 쉽지 않고 귀한 것임을 주님께서 알아주시는 것입니다. '누구든지 그밖에 무엇이든지 너희가 가지고 있는 것을 내가 오기까지 확실하게 붙잡으라' 고 하셨으니, 주님께서 트휘아테이라(두아디라)에서 남은 자들에게 얼마나 애정과 기대를 가지고 계심을 나타내신 말씀입니다.

'이기는 자' 는 '끝까지 주님의 일들을 지켜 보존하는 그' 라고 주님께서 친히 말씀하셨으니 가장 정확한 의미인 것입니다. 이기는 자에게 민족을 통치할 권세를 주시되 철장으로 흙으로 된 그릇을 산산조각 내는 것같이 하리라 하신 것입니다. 하나님 아버지께서 명하신 모든 일을 다 지키고 이긴 자가 되신 이에수스(예수)님은 이런 권세를 받으셨습니다.(마 28:18, 빌 2:9, 10) 이긴 자에게는 '새벽별' 을 주시겠다고 하신 것입니다. 예솨야(이사야) 14:12절에 하나님의 보좌에 가장 빛나게 지음 받은 최고의 그룹 천사를 아침의 아들 새벽별(**헬렐**)이라 하였으니, 새벽별은 새벽에 뭇별 보다 유난히 빛나는 별로서 그렇게 빛난 영광의 지위를 주시겠다는 말씀입니다.

7. 사르데이스 교회에 하신 말씀

【 성경/ 계시록 3:1~6 】

Memo	
	다섯 번째 사르데이스(사데) 교회에 주신 말씀입니다. 사르데이스는 트휘아테이라(두아디라) 남동쪽 약 48Km 지점에 있던 성읍으로서 높은 절벽 돌산 위에 건설되어져 헤르무스 계곡 평야를 내려다보고 지키는 파수꾼 같이 적의 침략을 방어하는데 아주 유리하였습니다. 사르데이스 근처를 흐르는 팍톨루스 강에서는 쉽게 사금을 채취할 수 있었으며, 사르데이스(사데)는 풍요로움으로 사치하고 도덕적으로 부패하고 게으른 도시였고 지금은 사르트(Sart)라 불리는 작은 마을만 남아 있습니다. 완전하게 사역하시는 일곱 영과 일곱 별을 가지신 주님께서 말씀하신다 하신 것은 살았다 하는 이름은 가졌으나 죽어 가는 사르데이스 교회가 소생하여 완전케 될 수 있음을 의미하는 것입니다. "내가 네 행위들에 관하여 아노니 너는 비록 살아 있다는 이름은 가졌을지라도 너는 지금 죽어 가고 있느니라" 한글 개역성경에 '죽은 자로다' 라고 번역한 헬라 원어 '네크로스 에이' 는 현재 능동태로서 '지금 죽고 있느니라' 입니다. 2절에 '다른 남아 있는 죽으려고 하는 것' 이라는 말 '타 로이파 하 멜레이 아포드하네인' 을 보아

사르데이스 교회는 경각간에 영적 죽음의 상태에 이르게 될 빈사상태의 위기에 있다는 말씀입니다. "깨어 일어나라! 그리하여 그 나머지 죽으려고 하는 것들을 강하게 하라" 하셨습니다. '깨어 일어나라!' 는 말씀은 파사 왕 코레쉬(고레스)가 난공불락의 사르데이스(사데) 성을 포위하고 항복을 기다리다가 한 병사가 떨어뜨린 투구를 주워 올라가는 길을 발견하고 그 길로 성 위에 접근해보니 군인들과 초병이 모두 잠들어 있어 아주 쉽게 정복하게 되었다고 합니다. 이러한 사르데이스(사데)의 과거 역사도 있어 영적으로 '깨어 일어나라' 라고 말씀하신 것입니다. 영적으로 각성하지 않으면 죽음이 경각간에 이르게 된다는 경고입니다. "왜냐하면 하나님 앞에 (사르데이스 교회) 네 행위들에서 만족한 것을 찾지 못하였기 때문이다" 고 하셨습니다. 사르데이스 성의 군인들이 군인으로서 만족할만하게 깨어있지 못하였기 때문에 일시에 함락되었듯이 호시탐탐 노리는 마귀의 궤계 앞에 바른복음 믿는 자들이 하나님 앞에 만족할만한 신앙의 본분을 이행하지 못하면 영성생활은 자신도 모르게 죽어가게 되는 것입니다. 구원' 이라는 헬라어 '소조' 는 구해내다, 완전하게 단들다 '는 의미입니다. 구원받은 자는 완전을 향해 끊임없이 나아가는 자입니다.

"그러므로 네가 어떻게 받아들이고 또한 들었는지 심사숙고하라 그리고 지켜 보존하라, 다시

Memo

Memo

말하면 마음을 바꾸라" 하셨습니다.(3절)

사르데이스(사데) 교회가 바른복음을 올바로 받아들였는지, 또한 바로 들었는지 깊이 생각하라. 다시 말하면 진정 마음이 바뀌어졌는지 확인해 보라는 말씀입니다. 바른복음을 올바로 받아들이고 개심하였다면 사르데이스 교회가 그렇게 되어 있을 수 없다는 말씀인 것입니다. 이에수-스(예수)님과 사도 파월-로스(바울)께서 전파하고 가르치신 바른복음은 진정으로 마음이 바뀌는 복음이며, 하나님 앞에 행위들이 만족하게 되는 복음인 것입니다.

다시 한 번 "만일 그렇게 깨어 있지 아니하면 내가 너를 대하여 도적같이 오리라. …네가 결코 알지 못하리라"고 하셨습니다.

"그렇지만 사르데이스(사데)에 자신의 옷들을 결코 더럽히지 아니한 자들, 아주 소수의 이름들을 네가 가지고 있어 빛나는 가운데 나와 함께 다니리니 그들은 칭찬 받을 만하기 때문이라" 하셨습니다. 트휘아테이라 교회는 다수의 성도들이 격려를 받았고, 사르데이스 교회는 아주 소수의 성도들이 칭찬 받을 만 하다고 하셨다.

"이기는 그는 흰옷들을 입을 것이며, 내가 그의 이름을 생명의 책으로부터 절대로 지워버리지

않으리라. 그리고 그의 이름을 내 아버지 앞과

그분의 천사들 앞에서 인정하리라"고 하셨습니다.(5절) '이기는 자'란 예수님께서 이기신 것

처럼 자기를, 세상을, 마귀를 이기고 주님께서 말씀하신 대로 행한 자를 말합니다. '흰옷' 은 로마에서 전쟁에 승리한 장군을 흰말을 태우고 흰옷을 입혀 시가를 행진하게 했던 것을 연상케 하는 것으로 '흰옷' 은 승리의 영광을 뜻하는 것입니다.

그리고 그의 이름을 생명의 두루마리 책으로부터 절대로 지워버리지 않고, 그의 이름을 하나님 아버지 앞과 그분의 천사들 앞에서 인정하리라"고 하신 것입니다. 천년왕국 후 최후의 백보좌 심판 때 생명의 두루마리 책에 이름이 발견되지 않는 사람은 누구든지 둘째 사망 곧 불못에 던지우는데, 생명의 두루마리 책에 이름이 지워지는 일이 있다는 말씀입니다. 생명의 두루마리 책에서 이름이 절대로 지워지지 않는 자는 하나님 앞에서 행위들이 칭찬 받을 만 한 자들입니다.

"귀를 가진자는 누구든지 성령님께서 교회들에게 하시는 말씀을 들으라"고 하셨습니다. 이에수스(예수)님께서 세상에 오셔서 복음을 전하실 때도 '들을 귀 있는 자는 들으라' 고 하셨습니다.(마 11:15, 13:9, 43; 막 4:23; 눅 14:35) '들을찌어다' 가 아니고 '들으라' 는 명령사입니다.

Memo

총괄설교

8. 프힐라델프헤이아 교회에 하신 말씀

【 성경/ 계시록 3::7~13 】

Memo	여섯 번째 프힐라델프헤이아(빌라델비아) 교회에 주신 말씀입니다. 프힐라델프헤이아는 사르데이스(사데)에서 남동쪽 약 50Km 지점에 있던 역사가 짧은 도성이었습니다. 주전 159~138년 알탈리스II세가 페르가모스(버가모)를 다스릴 때 이 도성을 정복하였습니다. 그의 동생 유메네스를 극진히 사랑하여 이 성을 선물로 주면서 프힐라델프후스(Philadel phus)라 이름했다고 하는데 '형제의 사랑' 이라는 뜻입니다. '거룩하시고 진실하셔서 다비드(다윗)의 열쇠를 가지신' 주님께서 말씀하신다고 하셨습니다. '거룩하신 분(ὁ ἅγιος 호 하기오스)' 이란 말은 고대 헬라어 용어에서 경외의 대상을 가리키며, 형용사 ἁγής(하게스)는 '깨끗하다' 를 의미하는 말로서 신적인 완전을 표현하는 말입니다. '참되시며(ὁ ἀληθινος- 호 알레띠노스)' 라는 말은 '정확하며 확실하고 분명하다' 는 의미입니다. 그러므로 '신뢰할만한, 의로운' 이란 의미이기도 합니다. 주님의 말씀을 잘 지킨 필라델프헤이아(빌라델비아) 를 칭찬하고 격려하시기 위해서 이러하신 주님으로 말씀하신 것입니다. '다비드(다윗)의 열쇠를 가진 자' 라고 하신 것은 하나님께서 약속하신 '다비드(다윗) 왕국' 의

(시 89:3, 4) 권세와 주권 곧 하나님 왕국의 권세와 주권을 가지신 이라는 말씀입니다.(눅 1:31~33)

'열면 닫을 아무도 없고, 닫으면 열 아무도 없는 자' 라고 하신 것은 주님은 문이시며,(요 10:7) 홀로 하나님(하늘) 왕국의 열쇠를(마 16:19) 가지신 분이심으로 주님께서만이 그 문을 열고 닫으실 수 있는 분이라는 말씀입니다. 열쇠는 문을 여는 것만 아니라 잠그는 것도 열쇠로 하는 것을 이미 이때에 말씀하신 것입니다.

"보라 내가 네 앞에 열린 문을 주었으니 아무도 그것을 닫을 사람이 없느니라" 주님께서 '열린 문을 주었으므로 아무도 그것을 닫을 수 없느니라' 하신 말씀은, 앞서 7절에 말씀하신 하나님(하늘) 왕국의 문 곧 '구원의 문' 을 프힐라델프헤이아 교회에 열어 주셨으므로 어느 누구도 그 문을 닫아 구원을 받지 못하게 할 수 없다는 말씀입니다. 프힐라델프헤이아 교회처럼 주님의 말씀을 잘 보존하여 지키는 것은 구원받는데 가장 확실한 방도(方道)이다.

주님께서 프힐라델프헤이아 교회에게 '너희는 나의 말을 지킴으로 또한 나의 이름을 부인하지 않았다' 고 칭찬하셨습니다.

특히 프힐라델프헤이아 교회가 주님 앞에 사랑스러운 것은 큰 능력이 있어서 주님의 말씀을 준수한 것이 아니라 아주 보잘것없는 적은 능력인

Memo

Memo	데도 주님의 말씀을 잘 지켰다고 하신 것입니다. 프힐라델프헤이아는 일곱 교회가 있는 성읍 중에서도 가장 작은 성읍이었고 따라서 교회 교인 수도 제일 적었고 경제적으로도 빈약했습니다. 그렇지만 주님의 말씀을 지키는 데는 일곱 교회 중에서 제일이었습니다. 주님의 말씀을 잘 지키는 성도는 외적으로 능력 있는 자보다 없는 자가 더 잘 지킬 수 있는 것입니다. 이에수스(예수)님께서 전파하고 가르치신 말씀들은 세상의 부한 자들이 받아들이기 쉽지 않고 지키기 어려운 말씀들입니다. 그리고 이에수스(예수)님께서는 가난한 자들에게 복음을 전파하시려고 성령님의 기름부음을 받으셨다고 하셨고,(눅 4:18) 제자들을 보시며 말씀하시기를, 가난한자는 복이 있나니 하나님의 왕국이 너희 것이기 때문이라 하셨습니다.(눅 6:20) 그리고 가난한 자들이 복음을 받아들인다 하셨고,(눅 7:22) 이아코보스(야고보)서 2:5절에는 "하나님은 세상의 가난한 자들을 택하셔서 믿음에 부요하게 하셨다고 하셨습니다. 가난하다고 다 복음을 받아들이고, 택함을 받아 믿음에 부요해지는 것은 아니나 세상의 부한 자에 비하면 가난한 자가 훨씬 복음을 잘 받아들이고 믿음에 부요하게 되는 것입니다. "내 이름을 부인하지 않았기 때문이니라" 주님의 말씀을 지키는 것과 주님의 이름을 부인하지 않는 것과의 관계는 주님의 이름을 시인하나 말

Memo

씀을 지키지 않으면 행위로는 주님을 부인하는 것이 되기 때문입니다.(딛 1:6) 입으로는 죽기까지 주님과 함께 가겠다고 장담했지만 주님을 세 번 부인했던 베드로처럼. 오늘날 교회에는 이러한 신자들이 넘쳐나고 있습니다. 원인이 무엇이겠습니까? 복음이 잘못돼서입니다. . 이렇게 주님의 말씀을 잘 지킨 프힐라델프헤이아 교회에 일곱 교회 중에 경책 없이 가장 많은 격려와 약속을 주셨습니다.

1〉 열린 문을 주었으니 아무도 닫을 사람이 없으리라 (8절)
2〉 자칭 유대인이라 하는 거짓말 하는 자들을 네 발 앞에 굴복케 하겠다(9절)
3〉 너를 사랑함을 알게 하겠다 (9절)
4〉 온 세상을 시험할 때에 너를 지켜 보호하겠다 (10절)
5〉 가진 것을 굳게 잡아 아무도 네 면류관을 빼앗지 못하게 하라 (11절)
6〉 이기는 자는 하나님 성전에 기둥으로 삼겠다(12절)
7〉 하나님 아버지와 새 이에루살렘과 나의 새 이름을 그이 위에 기록하겠다 (12절)

9. 라오디케이아 교회에 하신 말씀

【 성경/ 계시록 3:14~22 】

Memo	라오디케이아(라오디게아)는 필라델프헤이아(빌라델비아)의 동남 64Km 지점에 있고 동쪽 14Km지점에는 골로새 교회가, 그리고 서쪽 68km 지점에는 엪헤시노스(에베소) 교회가 있었습니다. 라오디케이아(라오디게아)는 주전 261~247년 안티오커스 II세가 건설한 도시로서 왕비 라오디케(Laodice)의 이름을 따라 명명되었습니다. 현재는 터어키 명으로 이스키힛사르(Eskihissar)로 불리우는데, 지금은 완전히 폐허화한 자취에서 옛날의 번영을 짐작할 뿐입니다. 라오디케이아(라오디게아)는 교통의 요충지로서 은행과 금융의 중심지였으며, 모직물과 의류 제조업이 번창하였는데 특히 양털에 자흑색 빛나는 염색법을 개발하여 그 양털로 두루마기 같은 겉옷을 생산하여 세계시장을 석권했습니다. 주후 60년의 지진 때는 황제의 원조를 거부하고 자력으로 복구한 것을 보아 그 부요상을 짐작 할 수 있습니다. 유명한 의학교가 있었는데 그 의사들이 하도 유명하여 라오디케이아의 동전에까지 그 이름이 새겨질 정도였습니다. 의학교에서는 특히 안약 '클루리온' 을 환약으로 만들어 외국으로 수출했으며 귀약도 제조하여 수출했습니다. 라오디케이아교회는 약 14Km 가까운 거리에

Memo

콜랃다이(골로새) 교회와 히에라폴리스 교회가 삼각으로 있었는데 사도 파윌로스(바울)께서 보낸 콜랃다이(골로새)서 1:7절에 보면 콜랃다이 교회가 에파프흐라스(에바브라)에게서 가르침을 받았다고 하였으며, 4:13~16절에는 에파프흐라스가 세 교회를 위해 큰 열성을 지녔다고 하였고, 각 교회에 보낸 편지를 서로 읽으라고 한 것을 보아 라오디케이아 교회의 목회자는 에파프흐라스(에바브라)였던 것입니다. 그러므로 라오디케이아 교회도 사도 파윌로스(바울)의 전한 바른복음을 가르침 받은 교회인 것입니다. 라오디케이아 교회의 첫 감독은 사도 파윌로스(바울)에 의해 세워진 아르크힢포스(아킵보)였습니다. 그에게 '주님 안에서 받은 직무를 주의하여 수행하라' 고 권고하였습니다.(골 4:17) 직무에 대한 주의를 주는 예는 드문데, 아르크힢포스(아킵보)가 감독직을 잘 못하고 있었던 것 같습니다.

라오디케이아 교회에 주님께서는 "아멘이며 신실하고 진실한 증인이며 하나님의 창조의 시작인 자"로 말씀하신다고 하였습니다. 이러한 주님으로 말씀하신다는 것은 라오디케이아 교회가 사도 파윌로스(바울)에게서 받은 바른 바른복음에 변함 없이 신실하고 진실하기를 구하기 때문인 것입니다.

그런데 라오디케이아 교회는 사도 파윌로스(바울)와 에파프흐라스(에바브라)를 통해 바른복음

Memo	을 가르침 받았지만 그 행위들이 차지도 아니하고 뜨겁지도 아니했던 것입니다. 한글 개역성경에 '더웁지도' 라고 번역한 '제스토스' 는 '끓어오르다' 라는 뜻을 가진 '제오' 에서 파생한 형용사로서 '끓어오르는 뜨거움' 이란 말입니다. 그러므로 '더웁지도' 보다 '뜨겁지도' 라고 번역해야 옳습니다. 주님께서 "내가 원하노라. 네가 차든지 그렇지 않으면 뜨겁든지 해야 한다." 고 한 말씀도 번역이 바로 되지 않았습니다. "네가 차기 보다 뜨겁기를 내가 원하노라" 고 말씀하신 것입니다. 주님께서는 복음에 대한 반응인 행위는 차기보다 뜨겁기를 원하시는 것입니다. 찬 것은 영적 열망이 없는 것을 말하고 뜨거운 것은 영적으로 열망이 있는 것을 말한다. 주님께서는 "내가 불을 땅에 던지러 왔노니 이 불이 이미 붙었으면 내가 무엇을 원하리요" 라고 하셨으니(눅 12:49) 무슨 의미이겠습니까? '미지근하여' 로 번역된 '클리아로스' 는 '용해하다' '녹이다' 는 뜻을 지닌 '클리오' 에서 파생한 형용사로서 '열성이 없는' 이라는 뜻입니다. 라오디케이아 교회 신자들의 행위는 그렇게도 미지근하여 바른복음에 대한 열망 이 아주 없는 차디찬 세속적 불신자도 아니고, 반면에 열망이 바람직하게 뜨거운 신자도 아니기 때문에 주님의 입으로부터 토해내려고 한다 하신 것입니다. 한글 개역성경에 '~하리라' 고 번역한 '멜로' 는 '내

가~하려고 한다' 는 의미로서, 음식을 토하여 버리듯이 주님의 입에서 토하여 내버리려 한다는 말씀입니다. 너무나 두려운 경고입니다. '토하여 내치리라' 는 말 '에메사이' 는 '구토하다' 는 뜻과 함께 '혐오하다' 라는 뜻도 지닌 '에메오' 의 부정과거 능동태로서, 심한 혐오를 가지도 토하는 것을 나타냅니다. '미지근하다' '토하여 내치라' 는 말은 신약성경에서 여기서만 사용되었습니다.

본절에서 토하여 내칠 이유를 말씀하셨습니다. 이유는 라오디케이아 교회가 스스로 비참한 영적 상태임에도 불구하고 자신을 보지 못하고 '나는 부요하게 되어 즉 어떤 것도 결핍이 있지 않아 나는 풍부하다' 하기 때문이다.고 하셨습니다. 라오디케이아 교회 신자들은 물질적 풍요 속에 핍박도 없고, 자신들은 영적으로 부요하여 어떤 것도 결핍이 없다고 자만하고 태만하였던 것입니다. 주님께서 보실 때 비참하고 불쌍한데도 스스로는 부요하여 결핍한 것이 없다고 생각하고 말하니, 중한 병이 들었는데도 '나는 병이 없고 건강하다' 고 하는 것과 같은 것입니다. 참 딱한 노릇입니다. 지진후에 도시를 자력으로 재건하였다고 하니 부요하여 부족이 없다고 한 라오디케이아 교회의 영적 태도 역시 그러했던 것입니다.

Memo

10. 하나님 보좌의 찬양과 경배

【 성경/ 계 4:8~11, 5:8~14 】

Memo	
	주후 66년 본격적으로 일어난 유대인들의 반란 때문에 로마 네로 황제의 명령을 받은 수리아에 주둔했던 유명한 베스파시안 장군이 이끄는 로마 군대에 의해 67년 유다 전역은 거의 초토화되어져 가고 있었고 예루살렘의 멸망의 징조는 긴박하게 먹구름 같이 짙어지고 있었습니다. 66~67년경 사도 바울도 로마에서 순교를 하게 되었고 당시 전 세계를 지배하던 로마제국 전역에는 미치다시피한 네로 황제에 의해 기독교인들에 대한 대대적인 박해가 극을 향해 치닫고 있었습니다. 이러한 정황에 에베소에서 예수님의 모친 마리아를 모시고 있던 사도 요한은 에베소 앞 에게해의 밧모섬에 특별기도를 하려 갔던 것입니다.(계 1:9절 헬라어 직역 바른주석 참조) 그러한 긴박한 상황에서 주후 30년 예수님께서 감람산에서 제자들의 물음에 대답하신 예루살렘의 멸망과 세상 끝에 재림의 징조에 대하여 말씀하신 대로 주후 63년경부터 이미 틀림없이 되기 시작해야 했던 예루살렘 멸망에 대한 일들과 세상 끝에 재림 직전에 되어질 일들을 계시하여 주심으로 당시 전 세계에서 극심한 환란을 당하고 있는 그리스도인들에게 힘과 소망을 주려 하신 것입니다. 이러한 일들이 이미 되기 시작한 근원이 하나님의 보

Memo

좌로부터 두루마리의 인을 여시는 어린양이신 주님으로부터임을 알게 하려 하신 것입니다. 4장과 5장이 그러한 내용인 것입니다.

특별히 이 설교에서는 4장 5장의 주요 내용인 '하나님 보좌의 찬양과 경배'의 주제로 보좌에 앉으신 하나님과 어린양께 네 생물들과 24장로들과 수백만, 수억의 천사들과 모든 만물들이 어떻게 찬양하고 경배하였는가를 살피고 정리하여 예배의 지침으로 삼고져 하는 것입니다.

1〉 하나님 보좌의 찬양과 경배는 공동으로 드린 것이다.

네 생물들과 24장로들과 백만, 억의 천사들과 모든 만물들이 다 함께 하나님과 어린양을 찬양하고 경배한 것입니다. 그러므로 예배는 개인적이 아니라 공동적이어야 합니다. 공동예배가 하나님께 큰 기쁨이 되는 줄 알고 공동으로 예배하는데 힘써야 합니다.

2〉 하프 같은 아름다운 음의 악기로 함께 찬양한 것이다.(5:8)

생물들과 장로들이 하프같은 수금을 가졌다고 한 것은(5:8) 활 모양으로 굽은 틀에 7~10줄의 현을 걸어 손으로 팅겨 소리를 내는 현악기를 말함인데 찬양을 더욱 아름담게 돕는 악기입니다.

구약에서 하나님을 찬양함에 대표적인 악기로서 42회 말해졌습니다…(삼하 6:5; 시 33:2, 98:5)

Memo	그런데 하나님의 보좌에서 찬양함에 단 이 한 가지 음의 악기만을 가지고 찬양하였다함에 유의해야 합니다. 교회 찬송에 세상 음악의 소란한 악기를 동원함은 합당치 않습니다. **3〉 많은 기도와 함께 드렸다고 한 것이다.(5:8)** 피조물의 대표자인 생물들과 구속받은 자들의 대표자인 장로들이 향내가 가득한 금 대접을 가졌는데 그것은 성도들의 기도들이라고 한 것입니다.(5:8) 향내는 기분을 좋게 하는 냄새입니다. 하나님께서 성소에 향단을 금테와 금을 입힌 뿔로 만들고 제사장이 아침과 저녁으로 거기에 향을 사르라고 하셨습니다.(출 30:1~8) 성도들의 기도의 향내를 금대접에 담으심은 귀중히 여김을 의미합니다. 많은 향내란 하나님을 찬양하고 경배함에 반드시 많은 기도가 동반되어야 함을 의미합니다. **4〉 큰 소리로 찬양을 드렸다고 한 것이다.(5:12)** 하나님을 찬양하는 찬양은 반드시 배에서부터 나오는 큰 음성으로 해야 합니다. 큰 음성으로 하는 것은 마음과 힘과 뜻을 다하여 하는 것을 의미하기 때문입니다. 네 생물들과 24장로들과 백만 억의 천사들과 만물들이 큰 음성으로 찬양하였으니 우주에 가득찬 찬양인 것입니다. **5〉 창조와 구속하심을 찬양하였다고 한 것이다.(4:11, 5:9~10)**

찬양의 내용은 하나님의 창조하심과 어린양이신 주님의 구속하심이 얼마나 위대하고 감사한 일임을 찬양한 것입니다. 우선 생물들은 밤낮 쉬지 않고 "거룩하시도다, 거룩하시도다, 거룩하시도다 계셔 오시고, 지금 계시며, 가고 계신 전능하신 주 하나님이시여"라고 하나님께 영광과 존귀와 감사를 드릴 때 장로들도 엎드려 경배하며 면류관을 드리며 역시 창조하심을 찬양하였습니다. 5:8~10절에는 생물들과 장로들이 구속함을 받은 새 노래를 불렀으며, 11~12절에는 천사들의 찬송과 14절에는 만물들도 찬양하였다고 하였습니다. 창조와 구속과 섭리하심에 대한 찬송입니다. 찬송의 내용과 균형이 중요합니다.

6〉 장로들은 면류관을 드리며 찬양하였다고 한 것이다.(4:10)

면류관을 벗어 하나님께 드리는 것은 모든 영예를 하나님께 전폭적으로 드림을 의미합니다. 예배는 자신의 전폭적 드림이 있어야 합니다.

7〉 '아멘' 하여 영광을 돌렸다고 한 것이 다.(5:14)

크게 '아멘' 함으로 하나님께 영광이 되는 것입니다.(고후 1:20) 크게 '아멘' 해야 합니다.

8〉 엎드려 경배하였다고 한 것이다.(4:10, 5:14, 7:11)

예배는 엎드려 경배함이 있어야 합니다. 의자에 앉아서 함은 옳지 않습니다.

Memo

11. 순교자의 수가 차기까지 쉬라

【 성경/ 계시록 6:9~11 】

Memo	요한계시록 6장은 계시록의 중심 부분인 일곱 나팔과 일곱 대접 재앙이 포함되어 있는 일곱째 인을 여시기(8:1) 전까지 첫째 인부터 여섯째 인까지의 일들이 기록된 것입니다. 첫째 인부터 넷째 인까지는 주후 67년 계시록 기록 당시 진행되고 있던 1:19절의 '현재 있는 일' 곧 예수님께서 주후 30년에 말씀하셨던 예루살렘 멸망의 징조인 유대전쟁의 참상을 기록하게 하신 것입니다. 첫째 인부터 넷째 인까지 말 탄 자로 표징되어 진 것은 유대 전쟁을 의미합니다. 그리고 다섯째 인에는 말 탄 자가 나오지 않고 하늘의 제단 아래 순교자들의 혼들이 하나님께 탄원하는 광경이 나옵니다. "거룩하고 참되신 주님, 심판하여 땅위에 거주하는 자들로부터 우리들의 피를 변호하지 아니하시기를 언제까지입니까?" 한다고 하였습니다. 그때 주님께서 저들 각각에게 희고 긴 옷을 주시며 말씀하시기를 "저희들 동료 종들과 저희 형제들 역시 자기들 같이 죽임을 감당하여 사람이 가득찰 때까지 아직 잠시 안식하라" 하신다고 한 것입니다.(10~11) **1. 다섯째 인에서 순교자의 수가 차기까지 쉬라 하신 것은 감람산 징조 예언에서 이방인의 때**

가 차기까지라고 하심과 일치함.

누가복음 21:24절에 예루살렘의 멸망의 최종 징조를 말씀하신 후 바로 25절에 '해가 어두워지는' 세상 끝에 재림의 징조가 있기까지 이방인의 때가 있을 것을 말씀하신 것입니다. 로마서 11:25절에는 '이방인의 충만한 수가 들어오기까지' 라고 하였고, 그것이 계시록에서는 다섯째 인에서 '순교자들의 수가 차기까지' 라고 하신 것입니다. 같은 주님께서 말씀하신 것이며 같은 요한이 듣고 기록한 것이기 때문에 당연히 일치한 것입니다. 이 예언구도의 열쇠를 가져야 합니다.

2. 순교자의 수가 차기를 원하시는 하나님이 심을 바로 알아야 계시록에서 하나님의 뜻을 바로 가르칠 수 있음.

계시록에서 중요한 것은 하나님께서는 순교자의 수가 차기를 원하신다는 사실을 확실하게 인식하는 것입니다. 계시록을 가르치면서 이점을 예사로 하여 소홀히 하고 오히려 휴거를 더 열심히 가르치면 하나님의 뜻에 반대되는 것입니다. 계시록에서 하나님은 성도들의 순교를 얼마나 귀중히 여기시고 강조하셨는지 보아야 합니다.

먼저 계시록에서 주님 자신을 주로 '피흘려 죽임을 당하신 어린양' 으로 묘사한 것입니다.(1:5~7, 18, 5:6~9, 6:1, 16, 9~10, 14, 17, 14:1, 4, 17:14, 19:7~9, 22:1) 순교의 모본인 것입니다.

Memo

Memo	따라서 성도들의 순교에 대하여 말씀하신 바를 보면,(헬라어 직역) "고난 당하는데 대하여 조금도 두려워하지 말라 … 죽기까지 신실하라."(2:10) "나의 신실한 증인 안티바스가 너희 가운데 사탄이 거하는 곳에서 사형에 처해지는 날에도 나의 믿음을 결코 부인하지 아니하였도다."((2:13) "저희들 동료 종들과 저희들 형제들 역시 자기들 같이 죽임을 감당하여 사람이 가득찰 때까지 아직 잠시 안식하라"(6:11) "이들은 큰 환란으로부터 나오고 있는 자들인데 자신들의 옷을 씻어 그리고 어린양의 피에 자신들의 옷을 희게 하였느니라"(7:14) "그들의 증거를 마쳤을 때, 무저갱으로부터 올라오는 짐승이 그들과 더불어 전쟁을 일으킬것이며, 그리고 그들을 이기고 또한 그들을 죽일 것이다"(11:7) "그들이 언린양의 피와 자신들의 증거의 말을 통해서 그를 이겼으니 요컨대 죽음에까지 자신들의 생명을 결코 사랑하지 아니하였음이라"(12:11) "짐승의 형상을 경배하지 않는 누구든지 모두 죽이게 하니라"(13:15) "지금부터 주님 안에서 죽으며 죽은 자들은 복이 있다"(14:13) 되니라"(14:16) "그리고 내가 성도들의 피와 예수님의 증인들의 피로부터 취하도록 마신 그 여자를 보고 실로 기이히 여기며 내가 그 여자를 보고 크게 놀라니라"(17:6) "그들이 어린양의 대적이 되어 싸우려니와 그렇지만 어린양은 주들의 주님이시

며 왕들의 왕이시기 때문에 이기실 것이요 그리고 그분의 같은 편에 부르심을 받고 또한 뽑힘을 받고 뿐만아니라 진실한 자들은 이기리로다" (17:14) "선지자들과 성도들과 땅위에서 죽임을 당한 모든 자들의 피가 그 여자에게서 보였느니라" (18:24) "그분의 심판들은 참되고 그리고 의롭기 때문이며, 왜냐하면 그 여자의 간음에 땅을 부패케 한 그 큰 창녀를 심판하사 그리하여 자신의 종들의 피를 그 여자의 손에 갚으셨기 때문이라" (19:2) "예수님의 증거와 하나님의 말씀을 인하여 목베임을 받은 그들의 생명들이 … 살아서 그리하여 그리스도님과 함께 천 년을 왕 노릇하니라" (20:4)

계시록의 대환란 처음부터 마지막까지 순교자에 대한 말씀들이 이렇게도 많은데 순교를 중요시하여 가르치지 않으면 어찌 되겠습니까?

3. 순교자들은 어떤 자들이기에 순교하였는지는 순교자들에 대한 위의 말씀들을 유념하고 유의해 보면 됩니다.

순교자들이 어떤 자들이었음을 잘 말해주고 있기 때문에 구차한 설명이 필요 없습니다. 계시록에 이기는 자 성도들과 순교자들에 관한 말씀들을 찾아 유심히 읽어서 복된 자가 되도록 해야 합니다.

Memo

12. 왜 이스라엘 열두 지파 인친 수만 있는가?

【 성경/ 계 7:1~8 】

Memo	
	요한계시록을 해석하고 가르치는 사람 누구를 막론하고. 계시록 7:1~8절에 왜 이스라엘 열두 지파에 하나님의 인을 친자의 수만 말하고 14:1~5절에도 시온산에 어린양과 함께 서서 새 노래를 부르는 땅에서 구속받은 자들을 7장에서와 같이 144,000이라고 하였는가를 명쾌히 증명하지 못하고 있습니다. 그래서 전 세계 기독교의 계시록을 가르치는 자들이 거의 모두 아전인수격으로 이스라엘 열두 지파는 이방인을 포함한 영적 이스라엘을 말한 것이다 하고, 기독교 사이비 거짓 교주들은 자기 단체가 144000이라 하여 자기 단체에 들어와야 한다고 신자들을 미혹하는 것입니다. 계시록에 대한 바른 깨달음이 없으니 설왕설래로 어떻게 되는 것인지 종잡지 못하고 혼미 그 자체에 있는 것입니다. 실제 이스라엘 열두 지파에서 인친 자들이라 말하는 자도 그 확실한 이유를 말하지 못함으로 설득력을 갖지 못합니다. **1. 계시록은 이스라엘을 위한 남은 한 이레에 될 일임으로.** 계시록 특히 6장부터는 하나님께서 선지자 다

Memo

니엘에게 계시하여 주셨던 이스라엘과 히에루살렘을 위하여 종말까지 작정하신 70이레 중에서 마지막 남은 한 이레(7년)에 되어질 일들을 계시하여 주신 것이기 때문입니다. 특히 이 마지막 한 이레 곧 7년은 이방인의 구원받는 은혜의 시대는 끝나고 이스라엘 백성을 위하여 있는 기간임으로 이스라엘과 히에루살렘(예루살렘)을 중심하여 모든 일이 전개되는 것입니다. 미안하지만 이때는 이방인은 예웁니다.

이때에 이방인 중에도 인침을 받는 자가 있습니다. 왜냐하면 9장에서 다섯째 나팔 재앙에서 악령 메뚜기 떼들에게 다섯 달 동안 이마에 하나님의 인을 가지지 않은 자들만 해하라 한다고 하였으니 그때 지구상에 이스라엘 백성들만 살고 있을 것이 아니고 온 세계에 많은 민족 이방인들이 살고 있을 것이므로 이방인 중에도 하나님의 인을 가지지 않은 자들만 해를 당하는 것입니다.

구약시대에 이스라엘 백성 이 아이귚토스(애굽)에서 나올 때도 많은 잡족 곧 이방인들이 같이 나왔었습니다.(출 12:38) 그리고 이스라엘 백성 중에 거하는 이방인들이 유월절을 함께 지키려면 할례를 받고 참예하라고 하셨습니다.(출 12:43~51) 철저히 이스라엘 중심이었습니다.

하나님께서 사람을 중심으로 만물을 창조하셨는데(창 1:25~28) 사람이 마귀의 말을 따라 하나님의 권위와 통치를 무시하고 명령을 거역함으로

Memo	(창 3:1~13) 하나님의 보좌에서 쫓겨난 사탄과 같이(사 14:12~15, 겔 28:13~17) 에덴 동산에서 쫓겨났고 생명나무로부터 먹지 못하도록 금지되었던 것입니다.(창 3:22~24) 아담의 아들 카인은 그의 동생을 죽이는 첫 살인자가 되어 하나님의 저주의 벌을 받았으며(창 4:8~15) 그 자손들은 계속 타락하여(창 4:16~24) 930세 까지 살았던 아담이 죽기 245년 전부터 에녹이 하나님의 심판이 가까웠음을 예언하였고(창 5:21~24; 유 1:14~15 ← 하나님께서 창조하신 첫 사람 아담이 하나님의 심판이 임박함을 예언하는 에녹의 예언을 245년을 듣다가 죽었습니다) 그의 아들 므두셀라가 죽던 해, 첫 사람 아담이 죽은지 불과 726년에 하나님께서 사람의 죄악이 세상에 관영하고 그 마음의 생각의 모든 계획이 악할 뿐임을 보시고 땅위에 사람 지으셨음을 비탄해 하시고 홍수로 사람과 생물을 다 멸하셨던 것입니다.(창 6:5~7, 17) 노아의 여덟 가족만 살아 남았는데, 사람의 마음의 계획하는 바가 어려서부터 악함으로 하나님께서 '땅이 있을 동안' 이라는 한정된 기한을 예고하셨던 것입니다.(창 8:21~22) 그러므로 노아의 후손들도 역시 악함으로 하나님께서 믿음과 순종의 사람 아브라함을 택하시고 천하만민이 구원을 받는 방도를 세우신 것입니다.(창 12:1~4) 그리고 그에게 약속하신 아들 이삭의 아들 야곱에게 이스라엘이라는 새 이름을 주시고 그의 열두 아들

을 이스라엘의 열두 지파로 세우시고 모쉐를 통해 하나님을 섬기는 백성으로서의 법도와 율례를 주셨던 것입니다.

그러므로 하나님은 아브라함부터 인류역사와 구원을 그의 후손인 이스라엘에게 율법과 말씀을 주시고 선지자들을 통해 이스라엘에게 다윗의 후손으로 오실 메시야의 복된 왕국을 약속하심으로 경륜하신 것입니다. 그리하여 선지자 다니엘에게는 세상 끝까지 이스라엘과 히에루살렘(예루살렘)을 위하여 70이레를 기한을 작정하셨다고 계시하여 주셨던 것입니다.(단 9:20~27) 그러므로 69이레는 예수님의 사역 시작으로 확실히 이루어졌고, 예루살렘 멸망도 그대로 이루어졌으며, 이제 종말에 되어질 남은 한 이레의 일이 있으니 바로 그것이 사도 요한에게 계시하여 기록하게 하신 계시록의 내용인 것입니다. 그러므로 계시록의 내용은 이스라엘 중심이며 구약적 이스라엘의 색채가 두드러진 것입니다. 이스라엘 열두 지파에서 하나님의 인침 받는 자의 수만 말한 이유가 그렇기 때문입니다. 계시록의 열쇠입니다.

Memo

13. 개심치 않는 재난에 남은 자들

【 성경/ 계시록 9:13~21 】

Memo	요한계시록 9:20절에 "이들 재난들에 의해 죽지 아니한 사람들의 남은 자들은 악령들과 우상들과 금들과 은들과 구리들과 돌로 만든 것들과 나무들과 볼 수도 없고 걸을 수도 없는 것들을 절하며 그들의 손들의 행위들로부터 개심치를 아니하니라"고 하였습니다. '이들 재난들' 이라는 말은 8:13절에 공중에 나는 한 천사가 "땅에 거하는 자들에게 화, 화, 화가 있으리라"고 선언한 대로 첫째 화인 9:1~11절의 다섯째 나팔의 악령 메뚜기떼 재난과 그리고 둘째 화인 유프라테 핵전쟁으로 전 세계 사람 1/3이 일시에 죽는 재난을 말한 것입니다. 첫째 화인 다섯째 나팔의 악령 메뚜기떼 재난은 다섯 달 동안 이마 위에 하나님의 인을 가지지 않은 자들만 전갈이 쏜 것 같은 고통과 괴로움을 주는데 죽이지는 않도록 하고 사람들이 너무나 괴로워서 죽기를 구하지만 죽지를 못하는 재난인 것입니다. 그리고 그 다음 둘째 화인 여섯째 나팔의 재난은 큰 강 유프라테에 묶인 천사가 놓이고 2억의 병력이 동원되어 불과 연기와 유황의 화생방 무기로 전쟁이 일어나 정해진 년, 월, 일, 시에 사람 1/3이 죽는 세계전쟁입니다. 지금 67억의 세계 인구가 그때 69억이라면 23억이 죽고 43억이 남는

Memo

것입니다. 너무나 끔찍한 전쟁입니다. 지금 전 세계에 비축된 현대 전쟁무기들과 세계적인 갈등 양상들은 이 예언의 말씀을 능히 이루기에 충분하고도 남는 것입니다.

그런데 여기서 유의할 바는 이 두 가지 화인 재난들에 죽지 않은 남은 사람들이 자기의 행위들로부터 개심(회개)치를 않는다고 하신 것입니다. 재난도 놀라운 것이지만 이러한 엄청난 재난 중에서 그나마 죽지 않고 살아 남은 자들이 자기의 행위들로부터 개심(회개)치를 않는다는 것은 더 놀라운 일입니다. 사람들이 평소에는 개심(회개)치 않다가도 충격적인 재난이 닥쳐서 수많은 사람들이 죽는 것을 보면 하나님 앞에 개심(회개)하는 것이 옳은데 사람들이 그렇게 하지 않는다고 특별히 말씀하신 것은 참으로 두렵고 떨리는 일인 것입니다. 얼마나 사람들이 완악하고 패역한가를 실증하는 것입니다.

'악령들과 우상들과 금들과 은들과 구리들과 돌로 만든 것들과 나무들과 볼 수도 없고 걸을 수도 없는 것들을 절하며 그들의 손들의 행위들로부터 개심치를 아니하니라' 하였으니 정말 육체적인 일에 탐닉했던 노아 때의 사람들보다 더 악한 것입니다.

1. 이방인의 구원의 때가 지나버렸기 때문에 개심치 못합니다.

총괄설교

Memo	이방인들에게 구원의 은혜를 베푸는 시기는 이스라엘을 위한 마지막 한 이레(7년) 전까지입니다. 이스라엘 사람 아닌 이방인들 전 세계사람들과 기독교인들은 이 은혜의 시기를 헛되게 보내지 않아야 합니다. 하루가 천년같이 소중함을 알아야 합니다. 계시록을 해석하며 가르치는 이방인 기독교 목사들이 마치 하나님께서 이스라엘은 버리시고 이방인을 택하신 것처럼 이방인 중심으로 성경과 계시록을 해석하고 가르치는 것입니다. 그러나 이것은 큰 오해입니다. 하나님은 이스라엘과 그 약속하신 바를 절대로 포기하지 않으십니다. 선지자들을 통해 마지막에 이스라엘을 돌아오게 하신다고 너무나 거듭 거듭 많이 말씀하셨습니다.(신 4:30~31, 30:3~4; 사 27:12~13, 43:5~6, 54:7, 56:8; 겔 11:17, 38:8, 12, 39:25~27; 호 11:10~11; 욜 3:1~3; 미 4:6; 습 3:19~20; 슥 10:8~10) 필자의 저서 '첫째 부활에 참예하는 자' 에서 일곱 가지 중대하고 명확한 예언성취가 막바지로 진행되어지고 있음을 설명하였습니다. **2. 마지막 한 이레에 이스라엘 백성 중에 구원받는 자를 인치는 때도 지났기 때문입니다.** 다섯째 나팔 재앙에서 하나님의 인침을 받지 못한 사람만 해함을 받는다고 하신 것은 이스라엘 백

성 중에 구원받는 자를 인치는 때도 이미 지난 것을 말합니다. 그러므로 여섯째 나팔 재앙의 전 세계 사람 1/3이 일시에 죽는 핵 전쟁에서 살아남은 자들임에도 개심(회개)치를 않는 것입니다. 유대인이나 이방인이나 구원의 때가 다 지나가 버렸기 때문에 개심(회개)되지를 않는 것입니다.

3. 사탄이 사람들을 완전히 장악한 때라서 개심치 못합니다.

이미 다섯째 나팔 재난에서 무수한 악령들이 무저갱에서 나와서 전 세계 사람들 이마에 하나님의 인침을 받지 못한 사람들을 괴롭게 한다고 했습니다. 그 악령들이 여섯째 나팔 재난 때 무저갱으로 들어갔다는 말이 없습니다. 개심치 않는 이 사람들이 하는 일에 제일 먼저 악령들과 우상들에게 절한다고 하였으니 완전히 악령들에게 미혹된 것입니다. 노아 홍수 때도 '홍수로 저희를 다 멸하기까지 깨닫지 못하였다' 하심 같이(마 24:39) 이때에는 더욱더 깨닫지 못하고 돌이키지 못하는 것입니다.

여섯째 나팔 재난은 아직 전3년반인데도 그러하거든 후3년반인 12:7~10절에 큰 용 마귀라고도 하고 사탄이라고도 하는 옛 뱀 곧 온 세상을 미혹하던 자가 땅으로 쫓겨나고 그의 사자들도 함께 쫓겨난다고 하였으니 얼마나 더 사람들이 완악해지겠습니까?

Memo

14. 입에는 달지만 배에는 쓴 말씀

【 성경/ 계 10:1~11 】

Memo	10장에서는, 사도 요한이 하늘로부터 내려오는 강력한 한 다른 천사를 보았는데 구름을 입었고 그 머리 위에는 무지개가 있으며, 그의 얼굴은 해와 같고 그의 발들은 불기둥 같았습니다. 그리고 그의 손에 펴놓인 작은 두루마리가 있었으며, 그의 오른 발은 바다 위를 밟고 왼 발은 땅을 밟고서 사자가 으르렁거리는 것같이 큰 소리로 외치는데 일곱 천둥이 울렸습니다, 참으로 특출한 광경이었습니다. 그런데 그 일곱 천둥소리는 자연의 천둥소리만이 아닌 말하는 내용이 있는 천둥소리였습니다. 그래서 사도 요한이 그것을 기록하려고 하니 말하기를 일곱 천둥들이 말한 것을 봉인하고 그리고 그것들을 기록하지 말라고 하였습니다. 그리고 창조하신 분께 맹세하여 말하기를 "이후에는 결코 기회가 없으며, 일곱째 천사가 나팔소리를 내는 날에는 하나님의 비밀이 그 종들에게 전파하신 복음과 같이 성취될 것이기 때문이다"고 한 것입니다. 사도 요한은 계시광경의 놀라움과 엄밀함에 긴장감으로 심장이 박동하고 있었습니다. 하늘로부터 요한에게 들리던 소리가 다시 한 번 요한에게 말하기를 "가서 바다와 땅위에 섰는 천사의 손에 펴 놓인 작은 두루마리를 가지라"고

하였습니다. 그러므로 사도 요한이 천사를 향하여 나아가 말하기를, "그 작은 두루마리를 달라" 하니 천사가 요한에게 말하기를 "이것을 가져다가 먹어버리라. 실로 네 배에는 쓸 것이나 그러나 네 입에는 꿀같이 달리라"고 하였습니다. 그리하여 사도 요한이 그 천사의 손에서 그 작은 두루마리를 가져와 그것을 먹어버리니 정말 입에는 꿀같이 달지만 그것을 먹은 후에 배에서는 쓰게 되었다고 한 것입니다. 그리고 요한에게 말하기를 "네가 많은 백성들과 민족들과 언어들과 왕들에 관해서 다시 예언해야 한다"고 하였습니다.

특히 이 계시의 장면에서 유의할 것은 이 작은 두루마리 책의 내용이 무엇이기에 받아먹으니 입에는 달지만 배에는 썼든가 하는 것입니다.

5:1절에 보좌 위에 앉으신 분의 오른손 위에 두루마리는 안으로부터 뒤에 쓰여졌고 일곱 인들로 단단히 봉해져 있는 두루마리였습니다. 하나님의 경륜이 최후에 완성되어질 엄대한 비밀이었습니다. 반면에 사도 요한에게 갖다 먹어버리고 다시 예언하라 하신 천사의 손에 펴놓인 작은 두루마리는 후3년반에 되어질 하나님의 진노와 재앙에 대한 말씀이므로 작은 두루마리라고 한 것입니다.

에스겔 2:8~3:4에 선지자 에스겔에게도 그와 같은 일이 있었습니다. 두루마리를 먹으라 하시므로 입을 벌려 먹으니 그것이 그의 입에서 달기가 꿀 같았다고 하였습니다.

Memo

Memo

1. 입에서 꿀같이 단 말씀

선지자 에스겔이 먹은 두루마리에는 그 안과 밖에 글이 있는데 애가와 애곡과 재앙의 말이 기록되었더라고 하였습니다. 그런데 그것을 먹으니 입에서 달기가 꿀 같더라고 하였습니다. 참으로 기이합니다. 평화와 기쁨의 말이 기록된 것이 아니고 애가와 애곡과 재앙의 말이 기록되었는데 그것을 먹으니 달기가 꿀 같더라고 한 것은 상식적으로 기이하지 않을 수 없습니다.

그러나 진정 하나님의 성도들은 이해가 됩니다. 왜냐하면 18:20절에 "하늘과 거룩한 사도들과 선지자들이 그녀에 대하여 즐거워하라 왜냐하면 하나님께서 너희들의 심판을 그 여자에게 결정하셨기 때문이라" 하였고, 19:1~2절에도 하늘에서 많은 무리의 큰 소리가 들리기를 "그분의 심판들은 참되고 그리고 의롭기 때문이며, 그 여자의 간음에 땅을 부패케 한 그 큰 창녀를 심판하사 그리하여 자신의 종들의 피를 그 여자의 손에 갚으셨기 때문이라"고 하였습니다.

두루마리의 내용이 주로 애가와 애곡과 재앙의 말이기는 하지만 하나님과 성도들의 원수들에 대한 하나님의 참되고 의로우신 심판의 결과이기 때문에 선지자들과 성도들에게 즐거워하라 한 것입니다. 그러므로 이런 말씀의 맛은 하나님의 진정한 종들에게는 단맛인 것입니다. 선지자 에스겔은 배에 쓰다는 말이 없는 것은 재앙의 말씀이지만 유다와 예루살렘 백성들이 회개하면 하나님께 용서받을 기회가 있었기 때문입니다.

Memo

2. 배에서는 쓰디쓴 말씀

그러나 배에서는 쓰다는 것은 하나님의 심판의 말씀들은 즐겁기만 한 것이 아니라 쓴 맛 같은 거절하고 싶은 면도 있음을 말합니다. 왜냐하면 이 말씀을 받아들인 종들과 성도들에게는 그 심판의 대상자들에게 예언해야 할 말씀이니 그들에게 예언하면 거절하고 받아들이지 않을 뿐 아니라 오히려 욕하고 핍박할 것이 뻔하니 생각할 때 자신의 내면에서 말할 수 없는 괴로움이 있게 된다는 말씀입니다.

선지자 예레미야가 그러한 심정을 표현했습니다. "만군의 하나님 여호와시여 나는 주의 이름으로 일컬음을 받는 자라 내가 주의 말씀을 얻어먹었사오니 주의 말씀은 내게 기쁨과 즐거움이오나 내가 기뻐하는 자의 회에 앉지 아니하며 즐거워하지도 아니하고 주의 손을 인하여 홀로 앉았사오니 이는 주께서 분노로 내게 채우셨음이니이다 나의 고통이 계속하며 상처가 중하여 낫지 아니함은 어찜이니이까?" 하였습니다.(렘 15:16~18) 축복의 말씀만 아닌 쓴 소리를 할 수 있는 종들과 성도들이어야 합니다.

15. 세상 왕국이 주님의 왕국이 됨

【 성경/ 계 11:15~19 】

Memo	11장에서는, 두 증인에 대해서와(1~13) 마지막 일곱째 나팔을 불 때 하늘에서 큰 소리들이 일어나 '세상 왕국들이 하나님의 왕국이 되어 영원 영원토록 통치하시리라' 고 선언하는(13~19) 내용입니다. 15절의 이 선언의 말씀은 요한계시록의 주제가 되는 말씀입니다. **1. 이 세상 왕국들은 사탄의 왕국이다.** 이 세상 왕국들이 사탄의 왕국들이 된 것은 하나님께서 창조하신 에덴 동산의 아담과 하와로부터입니다. 이 세상을 창조하시기 전 하나님의 보좌에서 하나님을 찬양하도록 모든 천사들 중에서도 가장 지혜롭고 아름답고 보배롭게 지음 받은 그룹 천사가 교만하여 하나님과 비기려 하다가 쫓겨난(사 14:12~17; 겔 28:11~19) 그가 사탄이며 마귀이며 용이며 옛 뱀입니다.(12:9, 20:2) 이 사탄이 공중의 권세 잡은 자로서 불순종의 아들들 가운데 역사하며,(엡 2:2) 흑암의 권세자요,(골 1:13) 죽음의 세력을 잡은 자이며,(히 2:14) 정사와 권세와 이 세상 어두움의 세상 주관자들과 악의 영들과 함께 성도들의 대적이며,(엡 6:12) 이 세상을 통치하는 왕인 것입니다.(요 12:31, 14:30,

	Memo
16:11) 그렇기 때문에 마귀는 예수님을 시험할 때 높은 산위에서 순식간에 지구상의 모든 왕국들을 보이며 마귀가 말하기를 "이 모든 권세와 영광은 내게 넘겨준 것이므로 언제든지 내가 원하면 이 것을 네게 주리라. 그러므로 나의 앞에 절하면 다 네 것이 되리라"고 한 것입니다.(눅 2:5~7) 그러므로 이 세상 모든 권세와 왕국들은 사탄의 것입니다. 이 사탄이 자기 왕국을 지속시키기 위하여 6,000년을 버티어 오면서 하나님의 왕국이 임하는 것을 방해하여 온 것입니다. 인류의 역사와 성경의 역사는 바로 사탄이 하나님의 다스리시는 왕국을 자기 왕국으로 만들려고 하는 투쟁이며 싸움인 것입니다. 하나님께서 구약시대에 이스라엘 백성을 육신적으로 자기 백성으로 택하시고 모든 율례와 법도를 주셔서 하나님을 섬기게 하시며 궁극적으로는 메시야 왕을 보내어서 복되고 영원한 왕국을 세우시겠다고 약속하신 것은 오직 사탄의 왕국을 멸하시고 하나님의 왕국을 완성하시고자 하시는 목표인 것입니다. 그렇기 때문에 하나님께서 그 아들을 세상에 왕으로 보내셨으며(요 18:36~37) 하나님의 왕국복음을 전파하러 보내심을 받았다고 하신 것입니다.(눅 4:43) 그러므로 하나님의 왕국에 대한 올바른 이해 없이는 기독교의 복음이나 생활이나 계시록을 바로 이해할 수 없는 것입니다.	

Memo

2. 일곱째 나팔의 심판으로 세상 사탄의 왕국은 주님의 왕국이 된다.

後3년반의 마지막 일곱째 나팔의 일곱 대접 심판의 재앙으로 세상 사탄의 왕국이 완전히 멸망하고 하나님의 왕국이 되어진다고 한 것입니다. 15절에 마지막 일곱째 천사가 일곱째 나팔을 부니 하늘에서 큰 소리들이 일어나 '세상 왕국들이 하나님의 왕국이 되어 영원 영원토록 통치하시리라' 고 선언합니다. 후3년반 시작입니다. 그리고 나서 12장과 13장에 이스라엘이 짐승 적그리스도의 핍박을 피하여 광야 피란처로 도피하여 '일천이백 육십일' (12:6) '한 때 두 때 반 때' (12:14)를 양육 받는다 하였고, 그리고 짐승이 사탄인 용으로부터 '마흔 두 달' (13:5) 일할 권세를 받는다고 하였기 때문입니다. 많은 성도들이 짐승의 형상에 절하지 않고 그의 표를 받지 않음으로 죽임을 당합니다.(13:14~18, 14:13) 다니엘 12:7절에 "한 때 두 때 반 때를 지나서 성도의 권세가 다 깨어지기까지니 그렇게 되면 이 모든 일이 다 끝나리라" 하였으며, 이 짐승의 열 뿔인 열 왕의 때에 하나님의 왕국을 세우신다고 하셨습니다.(계 17:12; 단 2:44)

그러나 죽임을 당하신 어린양의 생명의 두루마리 책에 이름이 기록되지 못하고 그때 땅위에 살고 있는 사람은 모두 짐승 적그리스도의 형상에 경배하고 그의 표를 받는다고 하였습니다.(13:8)

Memo

짐승 적그리스도만 아닙니다. 적그리스도 정치 체제와 결탁한 세계 종교통합 체제인 바벨론인 음녀는 성도들의 피와 예수님의 증인들의 피를 흘려 취하도록 마시니(16:6, 17:6) 하나님께서 진노의 일곱 대접 재앙을 부으시는데 마지막 일곱째 대접 재앙은 맹렬하여 하나님의 '그 분노의 그 진노의 포도주 잔' 이라고 한 것입니다.(16:19)

그리고 17장과 18장에는 특별히 음녀 바벨론에 대한 심판이 얼마나 참혹함을 상세히 열거하였습니다. 그리고 19장에는 흰말을 타신 주님께서 성도들과 천사들 하늘 군대와 함께 지상에 강림하셔서 짐승 적그리스도의 군대를 다 멸하시고 20장에는 천년왕국을 세우심으로 11:15절 말씀 같이 최종적으로 세상 사탄의 왕국이 완전히 멸망하고 하나님의 왕국이 이루어지는 것입니다.

천년왕국 후에는 사탄 마귀가 잠시 풀려나서 모든 민족들을 미혹하여 성도들을 대적하여 전쟁을 일으키는데 하나님께로부터 불이 내려와 그들을 모두 삼켜 버리고 사탄은 영원한 유황 불 못에 던져지고 최후의 대 심판후에 영원한 하나님의 왕국은 완성되는 것입니다.

그러므로 계시록 11:15절 말씀은 계시록의 주제이며 또한 하나님의 영원하신 경륜의 성취됨을 말씀하신 것입니다. 아멘! 아멘!

16. 하나님께서 예비하신 피란처

【 성경/ 계 12:6~17 】

Memo	12장에는 '일천 이백 육십 일' '한 때 두 때 반 때' 즉 후3년 반에하나님께서 예비하신 피란처에서 양육받을 성도들에 대하여 계시하여 주신 말씀입니다. 참으로 귀중한 말씀이 아닐 수 없습니다. 그런데 이때에 뱀의 낯을 피하여 하나님께서 예비하신 피란처에서 양육받을 성도들을 '여자' 라고 했기 때문에 누구를 말한 것인가에 견해가 일치하지 않습니다. 모든 이방인 기독교 해석자들이 여자를 '교회' 라고 해석합니다. 그러나 이것은 중요한 초점을 지나쳐버리는 것입니다. 계시록은 남은 한 이레(7년)에 이스라엘 백성을 위한 일들임을 간과해서는 안됩니다. 왜 '여자' 가 이스라엘인가를 본 주석에서 밝혔습니다만, 하나님께서 예비하신 피란처에서 양육받을 여자 이스라엘은 인침 받은 144,000 모두는 아닙니다. 그들 중에서도 빌라델비아 교회 성도들과 같은 자들 소수만이 피란처에 가게 됩니다. 이방인 교회 성도들 중에서도 역시 빌라델비아 교회 성도들과 같은 소수의 성도들만이 피란처에 가게 됩니다. 그 외에는 짐승의 형상에 경배하지 않고 그의 표를 받지 않음으로 대다수가 죽임을 당하여 순교를 하게 됩니다.

Memo

1. 하나님으로부터 어느 곳에 예비되어진 장소로 가게 됩니다.

사탄인 뱀의 낯을 피하여 '광야를 향하여 도피하니 그를 일천 이백 육십 일을 그곳에서 양육하기 위하여 하나님으로부터 어느 곳에 예비되어진 장소를 소유하더라' 고 했습니다.(6절) '양육하기 위하여' 라고 하였으니 빌라델비아 교회 성도들처럼 주님의 말씀을 잘 지킨 자들이며(3:10) 어린양이 무엇이든지 어디든지 인도하는 대로 따라가는 자들이지만(14:4) 피란처에서 3년반 동안 더욱 완전하게 그리고 천년왕국에서 심판의 권세를 받아(계 20:4) 잘 수행하도록 준비시키는 것입니다.

그들이 광야를 향하여 도피합니다. 그런데 하나님께서 어느 곳에 예비한 그곳으로 인도하시는 것입니다. 그곳이 어느 곳인지 아무도 알 수 없습니다. 사이비 기독교 단체에서는 자기들이 있는 곳에 들어와야 한다고 하지만 미혹하는 것입니다.

"내 백성아 갈찌어다. 네 밀실에 들어가서 네 문을 닫고 분노가 지나기까지 잠깐 숨을찌어다" 고 하셨습니다.(사 26:20)

"다윗이 황무지 요새에도 있었고 또 십 황무지 산골에도 유하였으므로 사울이 매일 찾되 하나님이 그를 그의 손에 붙이지 아니하시니라" 고 하였으며,(삼상 23:14) 또한 유다 왕 여호야김이 선지자 예레미야와 서기관 바룩을 잡으라 하였으나 하나님께서 그들을 숨기셨더라고 하였습니다.(렘

| Memo | 36:26) 적그리스도는 피란처에 간 성도들을 죽이려고 찾으나 하나님께서 피란처에 있는 성도를 그의 손에 붙이지 않으시고 숨기셔서 안전하게 하시는 것입니다.
여자의 뒤에서 뱀이 그 입으로 물을 강같이 토하여 여자를 물에 떠내려가게 하려 하지만 땅이 여자를 도와 그 입을 벌려 용의 입에서 토한 물을 삼킨다고 하였으니(12:15~16) 자연도 피란처에 있는 성도들을 도우는 것입니다.

2. 평소에 예수님의 말씀대로 준행한 자들만이 가게 됩니다.
평소에 노아처럼 하나님께서 명하신 바를 다 준행한 자들이 방주와 같은 피란처에서 보호를 받으며, 빌라델비아 교회 성도들과 같이 평소에 예수님의 말씀을 잘 준행한 자들이 하나님께서 예비하신 곳으로 인도함을 받아 보호와 양육을 받는 것입니다.
"노아가 하나님께서 자기에게 명하신 대로 다 준행하였더라"고 두 번이나 한 말씀을(창 6:22, 7:5) 유의해야 합니다. 오늘날 기독교의 '행함에 관계없이 오직 믿음으로만 구원을 받는다'는 교리가 보편화되고 철저히 각인되어 있어 하나님께서 명하신 말씀대로, 예수님께서 말씀하신 대로 준행 하는 것은 완전히 배제되어 있으므로 너무나 염려스럽고 두려운 일이 아닐 수 없습니다. |

말씀대로 준행 하는 자는 노아 때나 계시록 기록 당시 일곱 교회에나 극히 소수인 것입니다.

말씀을 '지킨다' 는 말 구약 히브리어 '솨마르' 나 신약 헬라어 '테레오' 는 동일하게 '손실이나 해로부터 보수한다' 는 의미의 말입니다. 말씀을 준행 한다는 것은 먼저 말씀이 가감되지 않도록 보수하는 일이 앞서야 하는 것입니다. 말씀을 준행한다 하더라도 가감한 말씀이나 잘못 해석한 말씀을 준행 한다면 헛된 일이 되고 맙니다. 그러므로 성경 말씀이 가감되지 않았는지?, 번역이 잘못되지 않았는지?, 해석을 잘못하지 않았는지? 파수병이 파수를 보듯이 세심한 주의가 있어야 합니다. 그러나 기독교는 이 일에 너무나 방치된 상태에 있습니다. 관심도 없고 이에 대하여 말하는 자를 비웃고 유념하는 사람이 거의 없습니다. 참으로 애통하고 탄식할 일입니다.

그러므로 오늘날 기독교의 이러한 현실을 볼 때 지금 임박해 오는 마지막 7년 대환란 때에 하나님께서 예비하신 피란처에 가서 보호하심을 받을 성도는 천에 하나 만에 하나 정도로 극지 적은 수일 것입니다.

본 저서를 읽고 깨우쳐 돌아오는 자도 그러할 것입니다. 그러나 올바로 깨우쳐 피란처에 갈 정도의 성도 한 사람은 그렇지 못한 천만 명보다 귀중한 것입니다. 모디 천만 마리보다 병아리 한 마리가 더 귀한 것 같습니다.

Memo

17. 짐승의 형상 경배와 666표

【 성경/ 계 13:1~18 】

Memo	13장에는 짐승 적그리스도가 사탄으로부터 마흔 두 달 후3년 반에 일할 권세를 받고 본격적으로 성도를 박해하는 일에 대한 계시입니다. 특히 짐승의 표인 666에 대하여 기독교 대부분의 계시록 해석자들과 신자들은 그것이 상징임으로 아무런 문제가 없다고 합니다. **1. 짐승의 이름의 수의 표인 666이 상징이 아닌 이유.** **첫째** 666이 상징이 아닌 이유는 "만일 그 짐승의 이름이나 그 이름의 수인 그 낙인을 가지지 않은 자는 누구든지 살수도 팔 수도 없게 하더라" 고 하였으니 '사거나 파는' 것이 상징이 아닌즉 사거나 파는 거래의 표가 실제가 아닌 상징일 수 없는 것입니다. 컴퓨터 전자 상거래가 주류인 현대에 컴퓨터가 인식하는 수의 막대에 양쪽 가의 막대와 중간의 막대 수치가 6, 6, 6이라는 것은 누구나 부인 못하는 것입니다. 지금 만약 666의 수 막대로 된 컴퓨터의 바코드를 사용치 못하게 한다면 사고 파는 일을 할 수 있겠는가 말입니다. **둘째** 666이 상징이 아닌 이유는 계시록에서 666 표를 받는 것과 짐승의 형상에 경배하는 것이 항상 함께 말해지고 있기 때문입니다. 13:15~16

절에 두 가지를 이어서 말하였고, 14:9절에 "누구든지 그 짐승과 그의 형상에게 경배하고 그리고 그의 이마 위에나 그의 손위에 표를 받게 되면"이라 하였고, 11절에 또 한 번 "그 짐승과 그의 형상을 경배하고 그리고 만일 누구든지 그의 이름의 표를 받으면"이라 한 것이다. 그리고 15:2절에도 "짐승과 그의 형상과 그의 표와 그의 이름의 수로부터 이긴 자들"이라 하였고, 16:2절에도 "그 짐승의 표를 가진 사람들과 그리고 그의 형상에게 경배하는 자들"이라 하였으며, 20:4절에도 "짐승에게나 그의 형상을 경배하지 않고 그들의 이마 위에나 그들의 손위에 표를 받지 않은 누구든지"라고 하였으니 적그리스도인 짐승과 그의 형상에 절하는 것과 그의 이름의 수치인 666으로 된 표식을 이마 위에나 손위에 받는 것은 함께 하도록 하는 것임을 말합니다. 짐승과 그의 형상에 절하지 않고 표만 받을 수 없고, 사고 팔기 위해서 표만 받고 짐승과 그의 형상에 절하지는 않을 수 없는 것입니다. 두 가지가 동시에 되는 것으로 짐승과 그의 형상에 절하는 것이 상징이 아니고 실제인 즉 표도 실제인 것입니다.

셋째 666이 상징이 아닌 이유는 14:9~11절에 "만일 누구든지 그 짐승과 그의 형상에게 경배하고 그리고 그의 이마 위에나 그의 손위에 표를 받게 되면 실로 그는 …거룩한 천사들과 어린양 앞에서 불과 유황 가운데서 고통을 받게 될 것이니

Memo

| Memo | 그리하여 그들의 그 고통의 연기가 영원의 영원까지 올라가며 그리고 그 짐승과 그의 형상을 경배하고, 더욱이 만일 누구든지 그의 이름의 표를 받으면 결코 밤낮 쉼을 가지지 못할 것이라" 이중으로 강조하여 말씀하셨는데 666표가 상징이라면 그들이 받을 형벌을 강조하여 말씀하신 것도 상징이라야 하는 것입니다. 그렇다면 계시록은 온통 상징 곧 추상적인 일에 불과하게 될 것입니다. 그러므로 계시록에 말씀하신 것들을 '상징' 이라 해석하는 일은 너무나 두려운 일인 것입니다.

2. 지금 컴퓨터 바코드의 666 표시는 짐승의 표가 아니다.
왜냐하면 앞서 말한 바와 같이 아직 짐승 적그리스도가 나타나서 자기와 자기 형상에게 경배하라 하고 그의 이름의 수인 666이 든 개인 번호를 이마나 손위에 받게 하지 않기 때문에 그 이전에는 컴퓨터 바코드나 상품 표시에 666의 수가 있는 것을 사용해도 성경 말씀과는 상관이 없는 것입니다. 짐승 적그리스도가 나타나서 자기와 자기 형상에게 경배하라 하면서 그의 이름의 수인 666이 든 개인 번호를 이마나 손위에 받아야 사거나 팔 수 있다고 할 때는 받지 않아야 하는 것입니다. 컴퓨터가 거래를 하는 바코드는 바코드를 매겨주는 회사에서 회사나 상품의 번호는 무제한 각각 다르게 선택하여 주나 세계적으로 통일된 컴퓨터 |

Memo

바코드 인식 분류번호인 양쪽 가드 바인 66과 가운데 센터 바인 6은 일정한 것입니다. 지금 세계적으로 전자 상거래에 사용되고 있는 여러 종류의 카드에 111에서 999 사이의 모든 번호 111, 222, 333, 444, 555, 777, 888, 900, 999는 사용되고 있는데 666 카드는 사용되지 않고 있는 것입니다. 666은 마지막에 나타날 짐승 적그리스도의 표이기 때문에 유일하게 컴퓨터만 사용하고 있는 것입니다. 놀라운 사실은 '컴퓨터' 라고 하는 영문 수치의 합이 666이 된다는 것입니다. C(18)+0(90)+M(78)+P(96)+U(126+T(120)E(30)+R(180)= 666(갈대아〈바벨론〉어에서 A-6, B-12로 6의 배수로 나갑니다) 주후 67년경 계시록 기록 당시 로마 네로 황제의 NRON KSR(네론 카이살) 이름 수치도 50+200+6+50+100+60+200=666이 됩니다. 마지막 적그리스도도 그 이름의 수치가 666이 되는 사람이 나타나는 것입니다.

아무튼 죽임을 당하신 어린양의 생명의 두루마리 책에 이름이 기록되지 못하고 그때에 사는 사람들은 모두 표를 받게 됩니다. 베드로와 제자들이 '죽기까지 주님을 부인하지 않겠습니다' 하고 한결같이 말햇지만 위험이 닥쳤을 때 다 주님을 버리고 도망쳤고, 베드로는 세 번이나 주님을 부인했던 것입니다. 지금 이런 말씀을 듣고는 '666 표는 받지 않아야지' 하고 각오하더라도 소용이 없습니다. 그 이전에 준비된 자라야 합니다.

18. 어떤 자가 하나님의 인침 받는가?

【 성경/ 계 14:1~5; 겔 9:1~11 】

Memo

하나님의 영원한 계획의 마지막 완성에 대한 계시의 말씀인 계시록에서 기독교인이 가장 긴요하게 준비하여 갖추어야 할 한가지는 '마지막 대환란 때 하나님의 인침을 받는 자가 되는 것' 입니다.

1〉 하나님의 인침이 무엇이며 언제 인침을 받는가?

구약성경에 이마에 '표하라' 고 한 히브리어 'תָו(타우)' 는 2회(겔 9:4, 6), 'טוֹפָפָה(토파파)' 는 3회입니다.(출 13:16; 신 6:8, 11:18) 헬라어 '*σφραγίζω*(스프하라기조)' 는 신약성경에 32회 나오는데 계시록에 22회 나옵니다. 에스겔 9:4, 6절과 계시록 9:4절에서 이 단어는 하나님께서 그 사람을 보호할 목적으로 사람의 이마에 표하라고 명하신 표시를 가리킨다(창 4:15에서도 가인에게 이와 다소 유사한 방식이 기술되어 있다. 그러나 여기에서는 다른 히브리어 단어가 사용되어 있고 이마는 언급되어 있지 않았다).

일반 생활이나 종교 생활에서 인을 치는 것은 중요한 것이었습니다. 사람들은 자신의 소유를 더욱 확실하게 보증하기 위하여 소유물에 인을 찍었으며, 비밀 내용을 지키기 위하여 문서에 인을 찍기도 했습니다. 그리고 사람들은 인을 새김으로써, 자신들이 그들의 신의 소유임을 나타내었습니다.

Memo

σφραγίζω(스프하라기조)는 신자들의 인침에 대해 사용되었습니다. 하나님의 특별한 보호의 표시는 종말의 주님의 재림전 7년 대환란 초에 네 명의 심판할 천사들이 활동을 개시하라는 허락을 받기 전에 한 천사에 의해 하나님의 백성의 이마에 인쳐집니다(계 7:2 이하, 계 9:4, 계 14:1). 이것은 종말에 세상에 임할 심판에서 신자들을 보호해 줄 것입니다(계 9: 4; 참조: 겔 9:4; 솔로몬의 시편 15:6 이하). 여기서 인이란 것은 소유권을 나타내는 하나의 표시이므로, 보호자의 표시이기도 합니다. 즉 하나님은 심판에서 자기의 것을 지키시는 것입니다. 하나님의 이름(계 14:2; 계 22:4)이 새겨진 인을 찍음으로써 손과 이마에 '짐승의 표'를 가진 자들과 신자들이 구별될 것입니다(계 13:16 이하; 계 14:9, 11). 하나님의 이름의 표는 사람을 심판에서 보호하며 짐승의 이름의 표는 사람에게 심판을 가져다 줄 것입니다(계 9:4; 계 14:9 이하). 이것이 박해의 시련을 겪으면서 살아나가는 성도들에게 주는 위로의 말씀이라는 것을 쉽게 알 수 있습니다. 곧 이것은 그들에게 하나님의 보호를 말해주는 것입니다.

2〉 어떤 자가 하나님의 인침을 받는다고 하셨는가?

1. **하나님께서 몹시 싫어하시는 일들에 대하여 탄식하고 신음하는 자.** 에스겔 9:1~11절에 하나님께서 친히 말씀하신 것입니다. 예루살렘 성읍 중

Memo

에서 행해지는 하나님 앞에 가증한<토에바;**구역질 나는,몹시싫어하는=라오디게아 교회**>그러한 일들에 대하여 탄식하며<아낳흐;**한숨쉬며,한탄하며**> 우는<아나크;(**날카롭게**)**외치는,신음하는**>자의이마에 표하고, 그에게는 가까이 하지 말며 그 외는 남녀노소 아껴보지<후쓰;**측은히 여기지**> 말고 긍휼을 베풀지도 말고 다 죽이라고 하셨습니다.

2. **구속함을 얻은 새 노래를 부르는 자.**(**계** 11:3) '새' 라는 헬라어 καινός(카이노스)는 신약성경에서 42회 나오며, 형태에 관하여 '새로운', 즉 '갓 만들어진, 최신의, 사용하지 않은 것' 을 나타내며, 또한 내용에 관하여 '새로운', 즉 '새로운 종류의, 전례가 없는, 신기한, 전대미문의 것' 을 표현합니다. 일반적 용법에서 '카이노스' 는 지금까지 존재해 왔던 것과 비교해 볼 때, 질적으로 새로운 것, 곧 과거의 것보다 더 훌륭한 것이란 뜻을 나타냅니다.

3. **여자들과 함께 더럽히지 아니한 처녀들인 자.** (**계** 11:3) **계시록** 3:4절에 "사데에 그 옷을 더럽히지 아니한 자 몇 명<아주 적은 이름들>이 네게 있어 흰옷을 입고 나와 함께 다니리니 그들은 합당한 자인 연고라" 고 하셨습니다.(=**약** 4:4) **고린도후서** 11:2절에는 사도 바울께서 "내가 너희를 정결한처녀로 한 남편인 그리스도께 드리려고 중매함이로다. 뱀이 그 간계로 이와를 미혹한 것 같이 너희 마음이 그리스도를 향하는 진실함과 깨끗함

Memo

에서 떠나 부패할가 두려워하노라. 만일 누가 가서 우리의 전파하지 아니한 다른 예수를 전파하거나, 혹 너희의 받지 아니한 다른 영을 받게 하거나, 혹 너희의 받지 아니한 다른 복음을 받게 할 때에는 너희가 잘 용납하는구나"고 하였습니다.

4. **어린양이 어디든지 무엇이든지 인도하는 대로 따르는 자.**(11:4) 예수님께서는 죽는데 까지 따라 오라 하셨고(눅 9:23; 요 21:19, 22) 사도 바울은 죽기까지 주님을 본받고 따른다고 하였습니다.(고전 11:1; 빌 3:10~11) 바른복음과 바른 계시록은 이 말씀대로 하는 것입니다.

5. **구속받은 처음 익은 열매로 하나님과 어린양께 속한 자.(계** 11:4) 하나님께서 "너의 토지에서 처음 익은 열매의 첫 것을 가져다가 너희 하나님 여호와의 전에 드릴찌니라"고 하셨습니다.(출 23:19) 그리고 사도 바울께서 "에베네도는 아시아에서 그리스도께 처음 익은 열매니라" 하였고,(롬 16:5) "스데바나의 집은 곧 아가야의 첫 열매"라고 하였습니다.(고전 16:5) 구속받은 자 중에서도 처음 익은 열매가 인침을 받습니다.

6. **입에 거짓말이 없고 흠이 없는 자들이다.(계** 14:5) 말은 마음에서 나오며(마 12;34) 말에 잘못이 없으면 완전한 사람입니다.(약 3:2)

이 말씀같이 시급하고 확실하게 준비한 자라야 하나님의 인침을 받아 구원을 받을 수 있습니다.

19. 하나님의 분노와 진노의 재앙

【 성경/ 계 16:1~21 】

Memo	
	16장에서는 후3년 반에 사탄의 권세를 받은 범세계적 짐승 적그리스도의 정치 체제와 결탁한 세계 종교 통합체제인 음녀 바벨론이 하나님의 종들과 성도들을 무자비하게 죽여 피를 흘려 잔멸함으로 하나님께서 얼마나 분노하셔서 일곱 천사를 명하여 일곱 대접의 재앙을 땅을 향하여 쏟아 붓게 하시는 광경을 계시하여 주신 것입니다. 특히 음녀에 대한 하나님의 분노하심이 얼마나 크신지 이중으로 표현하여 '그분의 진노의' 포도주 잔이 그녀에게 주어지니' 라고 하였습니다.(19) **첫째 대접**을 땅을 향하여 부으니(2절) 정말 아프고 독한 종기가 그 짐승의 표를 가진 사람들과 그의 형상에게 경배하는 자들에게 나서 고통하게 되는 것입니다. 14:9~11절에서도 말씀하신 바 "그 짐승과 그의 형상에게 경배하고 그리고 그의 이마 위에나 그의 손위에 표를 받게 되면 실로 그는 하나님의 포도주로부터 마시리니"라고 한 대로 현실로 재앙이 임하는 것입니다. "거룩한 천사들과 어린양 앞에서 불과 유황 가운데서 영원 영원토록 밤낮 쉬지 못하고 고통을 받게 될 것이라" 고 하였으며,(14:10~11) 그리고 분노의 일곱 대접 중에서 첫째 대접 재앙이 그 짐승의 표를 가진 사람들과 그의 형상에게 경배하는 자들에게 나게

Memo

하시는 것은 하나님께서 이 일을 얼마나 분노하시는 가를 보여주는 것입니다. 이렇게 적그리스도 짐승의 형상에 경배하고 그의 표를 받는 데 대하여 이중 삼중 거듭 엄중히 경고하셨는데도 불구하고 계시록을 가르치는 자들 중에 '666표는 상징이다' 하여 예사롭게 여기도록 가르치는 자들이 많으니 참으로 두려운 일입니다.

둘째 대접을 바다를 향하여 부으니(3절) 바다가 죽은 자의 피같이 되고 그리하여 바다 가운데 모든 살아 있는 생물이 죽는다고 하였습니다. 8:8~9절에 둘째 나팔의 재앙에서는 바다의 1/3이 피가 되고 바다 가운데 생명들을 가진 피조물들의 1/3이 죽으며 배들의 1/3이 깨어진다고 하였으나 둘째 대접의 재앙에는 바다 전체가 죽은 자의 피같이 되고 모든 살아 있는 생물들이 다 죽는다고 하였으니 하나님의 분노가 얼마나 크심을 입증하는 것입니다. 상상을 해 보십시오 얼마나 끔찍한 일이겠습니까?

셋째 대접을 강들과 물들의 근원을 향하여 부으니 역시 피가 되는 것입니다. 앞서 셋째 나팔 재앙에서는 물들의 1/3이 쓰게 되어 많은 사람이 죽는다고 하였으나(8:10~11) 이제 셋째 대접에서는 강과 물 전체가 피가 되어 맑은 물이 없게 되는 것입니다.

물들을 관할하는 천사가 말하기를 "하나님께서 이렇게 심판의 재앙을 내리시는 것은 그들이

Memo	성도들과 선자들의 피를 흘렸기 때문에 주님께서 그들에게 피를 주어 마시게 함이 진실로 합당하니이다" 고 한 것입니다.(5~6) 성도들과 선지자들의 피를 흘리는 데는 적그리스도와 그의 하수인들만 아니라 성도 아닌 모든 사람이 적극적으로 동참했기 때문에 모든 사람이 피를 마시게 하시는 것입니다. **넷째 대접**을 해를 향하여 부으니 해가 사람들을 불 가운데 태우도록 하는 것입니다. 앞서 넷째 나팔 재앙에서는 해 1/3이 어두워지고, 달과 별의 1/3이 어두워짐으로 낮과 밤의 1/3이 어두워지는 재앙이었으나 넷째 대접 재앙에서는 해가 뜨거워져서 사람들을 태우는 것입니다. 해 자체의 온도가 더 뜨거워지지 않아도 하나님께서 태양과 지구와의 궤도 거리가 조금 가까워지게만 하면 되는 것입니다. 간단합니다. **다섯째 대접**을 짐승 적그리스도의 왕좌 위에 부으니(10~11) 그의 왕국이 어두워지며 그 고통을 인하여 자신들의 혀를 깨문다고 한 것입니다. 그 고통은 어두움으로 인한 두려움만 아니라 종기들로 인한 고통이라 하였습니다. 그들의 고통 가운데 하늘의 하나님을 중상하고 그러면서 그들의 행위들로부터 개심(회개)치 않는다고 한 것입니다. 첫째 대접 재앙에서도 아프고 독한 종기가 그 짐승의 표를 가진 사람들과 그의 형상에게 경배하는 자들에게 나서 고통하게 된다고 하였는데 다섯째

	Memo
대접 재앙에서도 짐승 적그리스도의 왕국의 사람들이 종기로 인한 고통을 당하게 되는 것입니다. **여섯째 대접**을 큰 강 유프라데를 향하여 부으니(12~16) 강물이 마르고 해뜨는 쪽으로부터 왕들의 길이 예비되며, 용의 입과 짐승의 입과 거짓 선지자의 입으로부터 세 더러운 악령들이 나와 온 세상과 땅의 왕들을 향하여 가서 이적들을 행하여 하나님 전능하신 이의 그 큰 날의 전쟁을 위하여 아마겟돈이라는 지역으로 그들을 모으는 것입니다. 그 전쟁은 19:11~21절에 주님께서 재림하시는 날에 되어지는 전쟁입니다. **일곱째 대접**을 공중을 향하여 부으니 하늘의 성전으로부터 '이루어졌다' 하는 큰 소리가 들리며 소리들과 천둥들과 번개들과 큰 지진이 일어나는데 참으로 땅이 시작되고 부터 그와 같이 크고 그렇게 큰 지진이 일어난 적이 없는 것입니다. 그 큰 도시가 세 갈래로 가라지고 온 세상의 도시들이 무너지며 모든 섬이 사라지고 산들도 보이지 않으며 34Kg나 되는 우박이 사람들을 향하여 떨어지므로 사람들은 하나님을 중상하니 그 우박의 재난이 몹시 크기 때문입니다. 사람을 위하여 창조하신 자연만물로 하여금 마지막 후3년반 재앙 때는 사람들을 징벌하고 보복하는 수단이 되게 하시니 개심(회개)치 않는 인간들에 대한 자연만물의 원한과 하나님의 분노가 얼마나 크심을 명징하는 것입니다.	

20. 큰 음녀 통합종교의 받을 심판

【 성경/ 계 17:18 】

Memo	
	16장의 짐승 적그리스도 왕국에 대한 하나님의 분노의 대접 심판에 이어 17장과 18장에는 그 짐승을 타고 활동한 음녀 세계 통합 종교의 받을 심판에 대하여 계시하여 주신 것입니다. 16장의 적그리스도 왕국에 대한 심판은 광범위하고 강력한 것을 일곱 대접의 재앙으로 집약하여 계시하셨으나 17,18장의 음녀인 세계 통합 종교의 받을 심판에 대하여는 세밀하게 계시하여 주신 것입니다. **1. 음녀와 짐승의 죄악과 그 정체(17:2~18:7)** 17:2~18:7절에 음녀와 짐승의 정체와 그 죄악에 대하여 자세하게 말씀하신 것은 그 받을 심판이 당연함을 보여 주신 것입니다. 1〉 **큰 창녀라고 한 것입니다.** 원어상 음녀는 '창녀' 입니다. 성경에 창녀에 대한 말이 있으나 여기 이 창녀는 '큰' 창녀라고 한 것입니다. 그리고 창녀들의 '어미' 라고 하였습니다.((17:5) 선지자들은 하나님의 택하신 백성 이스라엘이 하나님께 대하여 말씀을 준행하지 않고 이방 백성과 가까이 하며 그들의 신들과 우상을 섬기는 것을 창녀의 행위라고 신랄히 책망하였습니다.(사 1:21; 렘 3:1~3; 겔 16:15~34, 23:1~49) 그런데 후3년 반에 세계 정치 통합체제인 적그

리스도 왕국과 연합한 세계 종교 통합 체제인 이 창녀는 지구상에 진정한 기독교의 교리를 범 종교적 교리로 혼합시키고 모든 종교인들로 하여금 적그리스도 왕국의 체제에 따르라 명하며 이에 응하지 않는 참된 성도들을 무차별 살해함으로 피를 흘리는 것입니다.

땅의 왕들 곧 적그리스도 왕국의 세계 연방 왕들도, 그리고 땅에서 영원히 거주하리라 생각하는 모든 사람들이 범 통합 종교의 교리를 기꺼이 수용하고 따르게 됨으로 그 술잔에 취하여 음행하도록 하는 것입니다.(17:2, 18:3) 많은 지식인과 대학교수들이 통일교의 교리를 좋아하고 따르듯이 범 통합 종교의 교리는 더욱더 호응을 받습니다.

2〉 **자기를 영화롭게 하고 사치한 죄악입니다.**(18:7) 지금 세계의 한 종교의 부만 하여도 엄청난데 그때에는 세계 모든 종교의 자산과 부와 헌금이 함께 다 모아지니 그 부요함은 상상할 수 없을 정도인 것입니다. 그러니 세계 통합 종교의 본부인 도시는 부와 사치의 극을 구가하는 것입니다. 그 부와 사치가 어느 정도인지를 상세히 말하였습니다.(18:12~19) 하나님을 영화롭게 하지 않고 자기를 이처럼 영화롭게 한 것입니다.

3〉 **성도들의 피와 예수님의 증인들의 피를 흘린 것입니다.**(17:6) 이 창녀의 결정적인 죄악은 성도들의 피와 예수님의 증인들의 피를 흘려 취하도록 마신 죄악입니다. 이 죄악으로 하나님을 분

Memo

Memo	노케 하고 진노케 하였음을 거듭 강조하였습니다.(18:5, 8 20, 24, 19:2) 4〉 **창녀를 태운 짐승의 정체 비밀**(17:7~15) 천사가 그 창녀인 여자와 그 여자를 태운 짐승의 비밀을 요한에게 말하였습니다. 사도 요한이 본 그 짐승이 가진 일곱 머리와 열 뿔은 신비요 비밀인데 일곱 머리는 창녀가 앉은 일곱 산이며 또한 일곱 왕으로서(17:9~10) 세상 종말까지 세계 역사상 나타나는 하나님의 백성 이스라엘을 괴롭힌 일곱 제국들을 말한 것입니다. 그런데 그 일곱 중에 하나가 무저갱으로부터 올라오는 짐승으로서 여덟째인데 세계적으로 하나님의 백성을 괴롭히다가 주님께서 재림하실 때 생포되어 멸망으로 들어갈 자 적그리스도라 한 것입니다.(19:19~20) 열 뿔은 적그리도 세계 정치통합 체제의 연방 왕으로서 짐승과 함께 왕들처럼 권세를 일시 동안 받으며, '그들이 한 뜻을 가지고 자기들의 능력과 권세를 그 짐승에게로 모아 준다고 하였습니다.(17:12~13) 그리고 창녀가 앉은 물은 많은 백성들과 무리들과 민족들과 방언들이라 하였으니(17:15) 종교 통합체제가 범 세계적임을 말합니다. 그런데 그 창녀는 사람이 아니라 열 왕위에 통치권을 가진 그 큰 도시라 하였고,(17:18) 바벨론이라 하였습니다.(18:10) 종교 통합체제이며 본부인 도시를 의인화하여 말한 것입니다. 5〉 **창녀가 받는 심판의 재앙**(17:16~18:24) 짐

승의 열 뿔 곧 적그리스도 왕국의 연방 열 왕들이 그 창녀 세계 종교 통합 체제를 미워하여 반역합니다. 직접적으로는 부와 영화를 연방 열 왕 자기들보다 종교통합체제와 그 도시가 다 누리므로 미워하게 되는 것입니다. 궁극적으로는 하나님께서 적그리스도의 연방 열 왕을 통해 그 창녀 종교 통합체제가 멸망하도록 심판하시는 것입니다. 그 창녀인 도시를 황폐케 하고 그리고 벌거벗겨서 그 살을 먹는다고 했습니다.(17:16) 종교 통합체제의 경제를 수탈한다는 말입니다. 그리고 그녀를 불로 태워버린다고 하였습니다.(17:16) 하나님께서 그렇게 하도록 하신다고 했습니다.(17:17)

6〉 **무너진 바벨론은 악령들의 거주지가 됩니다.**(18:2) 하나님의 백성은 그녀로부터 나오고 그녀의 재난들을 받지 않도록 하라 하였습니다.

7〉 **그녀와 함께 간음한 자들의 비참한 정경을 말합니다.**(18:9~24) 그렇게 흠모하고 기대했던 사람들이 창녀인 종교 통합체제 바벨론이 생각지 못한 적그리스도 왕국의 열 왕들로부터 황폐화 되니 망연자실하고 그 비통함이 이루 말할 수 없는 것입니다.

로마 교황처에는 범세계 종교 통합위원회가 있어 세계 모든 종교를 통합시키고 있습니다. 가장 대적이었던 개신교 루터교와 이신칭의(以信稱義) 교리에 합의했으며,(2005년) 세계 최대 개신교단인 감리교가 동참했습니다.(2006년)

Memo

21. 재림하시는 주님과 성도들

【 성경/ 계 19:11~21 】

Memo	19장에서 1~11절에는 하늘에서 많은 무리의 크게 찬양하는 내용입니다. 하나님의 심판이 참되고 의로우심을 찬양하며 모든 하나님의 종들과 하나님을 경외하는 자들과 작은 자들과 큰 자들에게 우리들의 하나님께 찬양하라는 것입니다. 세상에 이루어는 모든 일은 참되고 의로우신 하나님의 주관하에 되어지는 일임으로 성도들은 오직 하나님을 찬양해야 합니다. 그리고 주님의 재림의 광경은 11~18절까지 기록되었습니다. **1. 아마겟돈 전쟁하러 재림하시는 주님의 모습** 오늘날 기독교에 재림하시는 주님의 모습이 바로 잘 알려져 있지 않습니다. 부활하신 후 감람산에서 구름을 타고 올라가신 모습 그대로 오신다고 생각하고 있습니다. '하늘로 가심을 본 그대로 오시리라' 하였고,(행 1:11) '구름을 타고 오리라' 고 한 말씀(마 24:30; 계 1:7) 대로 평화로운 모습으로 재림하시는 줄로 생각하고 알고 있지 계시록 19:11~21절에 계시하여 주신 재림의 모습과 광경은 생각하지 않습니다. 계시록을 읽는 자와 가르치는 자의 책임입니다. 주님께서 재림하시는 모습은 이 세상의 사탄의

Memo

왕국인 짐승 적그리스도와 그 군대를 멸하시고 사탄을 무저갱에 가두시는 최후의 대 전쟁이 남아 있기 때문에 흰말을 타고 피뿌린 옷을 입은 전쟁하는 장군의 모습으로 재림하시는 것입니다. 평화로운 모습이 아닙니다.

흰말을 타고 재림하시는 것은 전쟁에 승리한 장군의 모습입니다. 로마시대에 전쟁에 승리한 장군은 흰말을 타고 로마 시내를 행진하게 하였습니다. 주님은 전쟁하러 오시기 때문에 피에 젖은 옷을 입으셨다고 하고, 의 가운데 심판하고 싸우신다고 하였습니다.(11, 13) 그러나 이미 승리는 기정 사실이기 때문에 승리의 흰말을 타시고 머리 위에는 많은 왕관들이 있다고 한 것입니다.(11~12)

그리고 주님의 입에서는 예리한 칼이 나오는데 그것으로 민족들을 치고, 철장으로 그들을 다스리며, 전능하신 하나님의 '분노와 진노의' 포도주틀을 밟으신다고 하였습니다.(16:19절에 창녀에 대한 심판도 '분노와 진노의' 포도주 잔이라고 이중으로 표현하였음)

2. 재림하시는 주님과 함께 강림하는 성도들과 천사들

재림하시는 주님은 천년왕국에서 왕 노릇 할 많은 성도들과 그리고 천사들과 함께 강림하십니다. 적그리스도 군대와 싸울 "하늘에 있는 군대

총괄설교

Memo

들,이라 하였고, 깨끗한 세마포를 입고 흰말들을 타고 주님을 따른다고 하였습니다.(14, 19)

3. 짐승의 왕국이 패망하는 아마겟돈 전쟁의 결과들.

한 천사가 해 가운데 서서 하늘 중간으로 날고 있는 모든 새들에게 큰 소리로 외칩니다. "하나님의 큰 잔치에 오라. 그리고 모이라. 그리하여 왕들의 살들과 장군들의 살들과 힘센 자들의 살들과 말들의 살들과 말들 위에 탄 자들의 살들과 자유한 자들과 종들과 작거나 크거나 모든 자들의 살들을 먹으라" 합니다.(18)

짐승과 땅의 왕들과 그의 군대들이 모여 흰말 위에 타신 주님을 대적하고 그분의 군대에 대적하여 전쟁을 일으키다가 짐승과 그의 앞에서 표적들을 행하던 거짓선지자가 함께 잡히니 짐승의 형상에게 경배하던 자들을 미혹하던 자입니다. 산채로 둘이 유황 불 붙는 못에 던지우고, 그 외에 모든 자들이 말 위에 타신 주님의 입에서 나오는 칼에 죽으니, 그리하여 모든 새들이 그들의 살로 배불리는 것입니다.(19~21)

※ 선지자 다니엘에게 계시하신 천년왕국을 위한 준비의 기간

그리고 하늘에서 내려오는 한 천사가 용을 붙잡으니 옛 뱀이요 마귀이며 사탄인데 무저갱에 던져 일천 년을 가두는 것입니다.(20:1) 땅위에 천년왕국을 이루시기 위하여 준비하는 것입니다.

다니엘 12:11~12절에 "매일 드리는 제사를 폐하며 멸망케 할 미운 물건을 세울 때부터 일천 이백 구십 일을 지낼 것이요"라고 했는데 전3년 반 1260일보다 30일이 더한 것으로, 이것은 후3년 반이 시작되기 한달 전에 예루살렘 성전의 제사 금지령과 짐승의 형상을 세우고 경배하라는 명령이 내려진 때를 말하는 것이 분명합니다. 그리고 "기다려서 1335일까지 이르는 그 사람은 복이 있으리라" 한 것은 재림하셔서 아마겟돈 전쟁을 치르시고 마귀를 가두며 에스겔 47:1~12절 예언의 말씀 같이 피로 더러워진 땅과 바다를 깨끗이 정화하고 천년왕국의 수도인 예루살렘 도시와 왕노릇 할 성도들의 도성을 새롭게 건축하는 기간을 45일로 말씀하신 것이 분명합니다. 하나님께서 주전 538년경 선지자 다니엘에게 계시하여 주신 내용들은 그 때(11:13← 한 때는 한해)와 기한이 너무나 정확한 것입니다.

주님의 재림으로 하나님 왕국의 두 번째 단계가 이루어집니다.

Memo

22. 천년왕국에서의 성도의 보상

【 성경/ 계 20:1~6 】

Memo	20장에서는 천년왕국과(1~6) 천년왕국후에 잠시 풀려난 사탄의 미혹으로 성도들을 대적하려다 하나님의 불에 삼키우는 백성들,(7~9) 그리고 사탄의 최후와 하늘과 땅의 최후,(10~11) 그리고 모든 인류가 살아나서 최후의 심판을 받고 영원한 운명이 결정되는 참으로 중대한 일이 계시된 것입니다. **1. 천년왕국이 실제로 있는가?** 천년왕국이 실제로 천년간 있는가에 대하여 많은 계시록을 해석하고 가르치는 자들이 천년왕국은 상징이라 하는 것입니다. 그래서 후천년설과 무천년설을 주장합니다. 후천년설은 문자적 천년왕국이 아니라 예수님의 초림부터 재림까지 신약 복음시대를 가리켜 말한 것으로 복음으로 세상이 그리스도의 왕국으로 되어 가는 신약시대가 천년왕국이라 하는 것입니다. 살아서 왕노릇 한다는 것은 성도들이 거듭나는 영적 부활이라 하는 것입니다. 그러므로 신약 복음시대인 천년왕국이 지난 후 주님의 재림이 있다고 해서 후천년설이라 하는 것입니다. 그리고 무천년설이란 천년이라는 것은 영적으로 말하는 것으로 문자적 천년이라는 것은 없다는 것입니다.

Memo

그러나 계시록의 말씀 그대로 19:11~21절의 주님의 재림으로 세상 사탄의 왕국을 멸하시고 20:1~6절 말씀 같이 문자적이고 실제적인 천년왕국을 세우신다는 전천년의 견해가 구약 이스라엘 백성들에게 예언한 선지자들의 예언과(사 11:1~12:6, 65:17~25; 단 2:44; 슥 14:1~21) 예수님께서 전파하고 가르치시고 계시하신 모든 말씀에 합당한 것이다.

1〉 천년은 문자적이고 실제이다

계시록 20:1~7절에 '천년<크힐리아>' 이란 말이 여섯 번이나 말해졌습니다. 상징(象徵)이라는 말은 '말로는 설명하기 힘든 추상적인 사물이나 개념 따위를 구체적인 사물로 나타내는 것' 이므로 만약 이 '천년' 이란 말이 실제가 아니고 영적인 상징이라면 계시록은 실체가 없는 추상적인 것에 불과하게 됩니다. 계시록에는 상징(象徵)으로 보여 주신 것이 아니고 표징(表徵)으로 보여 주신 것입니다.

계시록에서 상징(象徵)이란 말은 없으며, 표징(表徵)이란 헬라어 '세메이온' 은 '징조, 표시' 라는 말입니다. 그리고 '유사하다' 는 말 '호모이오스' 가 21회 사용되었으며, '같다' 는 말 '호스' 는 무수히 사용되었습니다.

그래서 이런 말들을 모두 '상징' 으로 잘못 이해한 것입니다. 계시록은 실제 문자적으로 있는 것을 '징조, 표시, 유사한 것, 같은 것' 으로 계시

Memo	하여 주셨지 추상적인 것을 상징으로 계시하여 주신 것이 아닙니다. 이것은 계시록을 바로 볼 수 있는 대단히 중요한 관점으로 매우 엄밀하게 구별할 수 있어야 합니다. 그러므로 '천년' 이라는 것은 문자적이고 실제적인 것입니다. **2. 천년왕국이 있는 목적이 무엇인가?** 천년왕국이 왜 있는 것인가? 말하자면 천년왕국이 있는 목적이 무엇인가 하는 것입니다. 천년왕국이 있는 뚜렷한 목적이 없다면 그야말로 천년왕국이 있을 필요가 없을 것입니다 천년왕국이 있을 뚜렷한 목적이 없다면 천년왕국이 영적이라 해도 과언이 아닐 것입니다. 그러나 천년왕국은 뚜렷한 목적과 이유가 있으며 그러므로 반드시 있어야 하는 것입니다. 그 목적과 이유는 땅위에서 진실로 주님과 함께 죽기까지 고난받은 성도들의 보상을 위한 것입니다. 22:12절에 "보라, 내가 속히 간다. 내가 줄 보상이 내게 있어 각자에게 그의 행한 대로 나눠 줄 것이다"고 하셨습니다. 주님께서 주실 보상은 최후의 대심판 후에 영원한 새 하늘과 새 땅에서의 보상만을 말하지 않습니다. 예수님께서 세상에 계실 때 가르치신 말씀도 영원한 하늘에서의 보상만 아니라 그 이전에 주님께서 재림하셔서 이 세상에서 보상받게 하신다

고 하신 것입니다.

마태복음 19:27~29절에 베드로가 주님께 "보소서 우리가 모든 것을 버리고 주를 좇았사오니 우리가 무엇을 얻으리이까?"라고 여쭈웠을 때에 주님께서 말씀하시기를 "내가 진실로 너희에게 이르노니 세상이 새롭게 되어 인자가 자기 영광의 보좌에 앉을 때에(천년왕국) 나를 좇는 너희도 열두 보좌에 앉아 이스라엘 열두 지파를 심판하리라. 내 이름을 위하여 집이나 형제나 자매나 부모나 자식이나 전토를 버린 자마다 여러<일백>배를 받고 또 영생을(천년왕국후 내세) 상속하리라."고 하신 것입니다.=(막 10:29~30)

누가복음 19:17~19절에도 "주인이 이르되 잘하였다 착한 종이여 네가 지극히 작은 것이 충성<신실>하였으니 열 고을 권세를 차지하라 하시고, … 너도 다섯 고을을 차지하라" 하신 말씀도 천년왕국에서 통치하게 하실 보상을 말씀하신 것이 분명합니다.

실제로 있을 천년왕국을 모름으로 이와 같은 모든 말씀들을 영적인 것으로 해석할 수밖에 없고, 기독교인들은 오리무중 가운데 신앙생활을 하고 있는 것입니다.

Memo

23. 새 하늘 새 땅 새 예루살렘의 복됨

【 성경/ 계 21:1~27 】

Memo	21장에는 영원한 하나님의 계획이 어떻게 완성되는 것을 계시하여 주신 것입니다. 22:5절까지가 같이 이어지는 내용으로 21장이 되어야 합니다. 21:1~8절은 새 하늘과 새 땅 새 예루살렘과 복된 삶에 대하여, 9~21절은 새 예루살렘 도시를 어떻게 얼마나 보배롭게 만드셨음에 대하여, 그리고 21:22~22:5절은 새 예루살렘의 복된 생활에 대하여 거듭 계시하여 주신 것입니다. **1. 새 하늘과 새 땅 새 예루살렘과 복된 삶** 하나님께서 처음 창조하신 하늘과 땅은 사라지고 지구의 3/4을 차지하는 바다도 있지 않은 새 하늘과 새 땅을 사도 요한에게 보여 주신 것입니다. 새 하늘과 새 땅에는 거룩한 도시 새로운 예루살렘이 하나님으로 말미암아 하늘로부터 내려오는데 남편을 위하여 꾸민 신부와 같이 영화롭고 아름답게 단장되었다고 하였습니다. 그리고 하늘로부터 큰 소리가 들리니 "하나님의 장막이 사람들의 가운데 있어 그들은 그분의 백성이 되고 하나님은 친히 그들 가운데 계셔서 그들의 하나님이신 것입니다. 그리고 하나님께서 그들의 눈에서 모든 눈물을 닦으시니 그 이후로는 죽음이 결코 있지 않으며,

애통하는 것이 없으며, 애곡하는 것이 없고, 아픈 것이 결코 없으니 왜냐하면 처음 것들이 다 지나가 버렸기 때문인데 하나님께서 모든 것을 새롭게 만드셨기 때문입니다.(4~5)

그러므로 그곳에 들어가는 사람은 하나님으로 말미암아 새로워진 사람이라야 들어갈 수 있지 새로워지지 못한 사람은 절대로 들어갈 수 없는 것입니다.(요 3:3, 5) 또한 의에 주리고 목말랐던 자들에게 생명수 샘물을 주시며 하나님의 아들로서 모든 것을 상속하게 되는 것입니다.(6~7)

그러나 두려워하고, 믿지 아니하고, 미워하고, 살인하고, 음행하며, 마법사, 우상 숭배자들, 그리고 모든 거짓말하는 자들은 불과 유황에 태워지는 못에서 그들의 몫을 받게 되는데 그것은 둘째 죽음이라 하신 것입니다. 사람들은 이 세상에서 살다가 숨이 멈추는 죽음을 슬퍼하고 두려워하지만 둘째 죽음이 있다는 사실을 잘 알지 못합니다.

2. 새 예루살렘 도시가 어떻게 얼마나 보배롭게 만들어졌는가

이에 대하여 자세하게 계시하여 주셨습니다. 하나님께로부터 하늘에서 내려 오는 큰 도시 거룩한 예루살렘은 하나님의 영광을 가졌고 그 도시의 빛이 가장 귀한 보석과 같으며 수정처럼 맑은 푸른 옥보석 같다고 하였습니다. 푸른색 보석은 가장 귀한 보석의 빛입니다.

Memo

Memo	그 새 예루살렘 도시는 크고 높은 성벽을 가졌고, 열두 문들을 가졌으며, 그리고 문들 앞에 열두 천사들을 가졌으며, 문들 위에는 이름들을 썼는데 이스라엘 자손들의 열두 지파들의 이름들이라고 하였습니다. 물론 새로운 이름들입니다. 왜냐하면 모든 것이 새로워졌기 때문입니다. 주님의 이름도 새 이름이시고,(3:12) 성도들도 새로운 이름을 주신다고 했습니다.(2:17) 문들은 동쪽의 앞으로 세 문들, 북쪽의 앞으로 세 문들, 남쪽의 앞으로 세 문들, 서쪽의 앞으로 세 문들이 있습니다. 그리고 그 도시의 성벽은 열두 기초들을 가졌는데 그것들에는 어린양의 열두 사도들의 이름이 있다고 하였습니다. 열두 사도들의 신앙고백 위에 세워진 신앙이라야 그곳의 백성이 될 수 있음을 의미합니다. 그 도시는 네모로 세워졌는데 그것의 길이와 넓이가 매우 거대하고 얼마나 큰지 금 갈대로 그 도시를 척량하니 일만 이천 스타디온이며 그 넓이와 높이가 일치하다고 하였습니다. 그 성벽은 벽옥으로 되었고, 그 도시는 순결한 금인데 깨끗하고 맑은 투명한 돌 같다고 하였습니다. 그리고 그 도시의 벽의 기초들은 모든 보석으로 장식되었는데 그 기초는 첫째가 벽옥이고, 둘째가 청보석이고, 셋째가 옥수이고, 넷째가 녹보석이고, 다섯째가 홍마노이고, 여섯째가 홍보석

이고, 일곱째가 노란 보석이고, 여덟째는 녹옥이고, 아홉째는 황옥이고, 열째는 녹색을 띈 황옥이고, 열한째는 보라색 보석이고, 열두째는 자색 수정이라 한 것입니다.

열두 문들은 열두 진주들이며 모두 각각 하나의 문들은 하나의 진주로 만들었고 그 도시의 길들은 깨끗하고 맑은 투명한 돌 같은 순결한 금이라고 하였습니다.

이런 보석으로 지은 도시가 평면이 아닌 정입방체로서 그 길이가 장광고가 약 2,220km라 하였으니 그 보석의 양이 얼마나 많겠는가는 도무지 상상할 수 없는 것입니다. 어린아이 주먹만한 다이아몬드 하나만 있어도 부자라 할 만한데 길바닥이 다이아몬드라면 상상이 되겠습니까?

3. 새 예루살렘의 복된 생활

새 예루살렘에서의 복된 생활은 도시 전체가 하나님의 성전이며 그 도시는 해나 달의 비췸이 더 이상 필요치 않는 것은 하나님의 영광이 그 도시를 비취고 어린양께서 그 도시의 등불이 되시기 때문입니다. 구원받은 자들의 민족들이 그분의 빛 가운데 다니게 되며, 땅에서 왕노릇 하던 존귀와 영광을 가지고 그리로 들어와 하나님을 섬기며 생명수 과실을 먹으며 영원히 통치하게 되는 것입니다. 상상할 수 없는 행복한 생활입니다.

Memo

24. 계시록의 마지막 주님의 선언

【 성경/ 계 22:6~21 】

Memo	22장은 계시록의 마지막 부분으로서 6~21절 부분입니다. 여기서는 1장에서와 같이 여러 중요한 말씀들이 기록되었습니다. **1. 여러 각 말이 말한 자가 누구이며, 헬라어 직역으로 말씀을 바로 알아야** 말하는 자가 여럿으로 되어 있어 구별하기가 다소 쉽지 않습니다. 그러나 주의하여 말씀을 분별하면 누가 한 말인지 알 수 있습니다. 누가 한 말인지에 따라 중요성이 더해지며 헬라어 원어를 직역해야 의미를 바로 알 수 있습니다. 6절에 "그리고 나에게 말하기를 이 말들은 신실하고 참되도다. 또한 거룩한 선지자들의 주 하나님께서 반드시 속히 되어지기 시작해야 했던 일들을 그분의 종들에게 보이시려고 그분의 천사를 보내셨도다 하니라"는 천사의 말입니다. 그리고 7절에 "보라! 내가 속히 간다. 이 책의 예언의 말씀들을 수행(守行)하는 자가 복이 있다."고 말씀하신 분은 예수님이십니다. 그리고 8절에 "이것들을 보고 들은 자는 나 요한이니… 이 일들을 나에게 보이던 그 천사의 발 앞에 경배하려고 엎드렸더니"라고 한 것은 요한이며, 9절은 천사가 자기에게 경배하는 것을 금하

면서 천사가 한 말입니다. 그런데 10절과 11절은 천사가 한 말인지 주님께서 하신 말씀인지 다소 구별이 어렵습니다. "이 두루마리의 예언의 말씀들을 봉인하지 말라. 왜냐하면 그 때가 가깝기 때문이다. 불의를 하는 자는 더욱 불의를 하게 하고, 그리고 더러운 자는 더욱 더럽게 하고, 그리고 의로운 자는 더욱 의롭다 칭함을 받고 그리고 거룩한 자는 더욱 거룩되어지게 하라." 그리고 12절에 "그러므로 보라!…"라고 계속되는 말씀이니 말씀의 내용을 보더라도 10절과 11절도 예수님의 말씀인 것을 알 수 있습니다. "내가 속히 간다 그리고 내가 줄 보상이 내게 있어 각자에게 그의 행한 대로 나눠 줄 것이다…" 16절까지의 말씀이 모두 예수님의 말씀인 것입니다.

그리고 17절은 성령님과 신부가 한 말씀입니다. 그런데 중요한 것은 "내가 이 두루마리의 예언의 말씀을 듣는 모든 자에게 증거하노니 만일 누구든지 이것들에 더하면 하나님께서 이 책에 기록된 재난들을 그를 향하여 더할 것이며, 그리고 만일 누구든지 이 예언의 두루마리로부터 떼어버리면 하나님께서 생명의 책과 그리고 이 두루마리에 기록된 거룩한 도시 가운데서 그의 몫을 제하여 버리시리라"고 한 말씀이 주님께서 하신 말씀인지 사도 요한이 한 말인지 구별이 쉽지 않습니다. 그러나 20절에 이것들을 증거하신 분께서 말씀하시기를 '진실로 내가 속히 간다' 하

Memo

Memo	였으니 18, 19절 말씀의 중요성을 볼 때 '이것들을 증거하신 분' 은 주님께서 하신 말씀이라고 보아야 합당한 것입니다. 이상과 같이 말씀을 한 자가 누구임을 바로 알고 헬라어를 직역하여 바로 아는 것은 대단히 중요합니다. 2. 22:6~21절에서 주님의 마지막 중요한 선언 1〉 **계시록은 '반드시 속히 되어지기 시작해야 했던 일들을' 그분의 종들에게 보이시려고 그분의 천사를 보내셨고 기록하게 하신 말씀이라는 것입니다.** 개역 한글성경에 '속히 될 일' 이라고 미래형으로 번역했지만 헬라어 '데이' 는 '반드시 해야 한다' 이며 '게네스드하이' 는 '되다(되기 시작하다), 일어나다' 라는 말 '기노마이' 의 부정 과거 중간디포로서 바르게 직역하면 '되기 시작해야 했던' 일들인 것입니다. 주후 67년경 사도 요한에게 계시록을 기록하게 할 그때 예루살렘의 멸망의 징조인 유대전쟁이 이미 참혹하게 시작되어졌던 때임으로 그렇게 말씀하신 것입니다. 성경을 바로 번역하고 바로 분별하는 것은 생명보다 중요합니다. 2〉 **주님께서 "내가 속히 간다" 고 세 번이나 강조하신 것입니다.** 7절과 12절과 20절에 세 번 말씀하셨습니다.

헬라어에서 같은 말을 두 번 하는 것은 강조하는 것이며 세 번 하는 것은 최상의 강조인 것입니다. 그리고 개역 한글성경에 '속히 오리니' 라고 미래형으로 번역한 것도 잘못된 번역입니다. '에르크호마마이' 는 '오다, 가다' 라는 말의 직설 현재 중수디포로서 보라 내가 '속히 간다' 라고 번역해야 옳습니다. 6절의 '속히 되어지기 시작해야 했던 일들' 을 그분의 종들에게 보이시려고 하셨다는 말씀은 예루살렘 멸망의 징조들을 말하는 것이며, 그리고 '내가 속히 간다' 라고 세 번이나 거듭 말씀하신 것은 예루살렘 멸망후에 오래지 않아서 주님께서 재림하시려 했기 때문에 그렇게 말씀하신 것입니다. 그런데도 재림이 이렇게 늦어진 이유는 바른복음이 전파되지 않고 사람들이 개심(회개)치를 않아 이방인들의 구원받는 수가 차지 않았기 때문인 것입니다.

3〉 **계시록의 말씀을 지켜 보존하고 준행할 것을 강조하신 것입니다.**

12절과 14절과 18, 19절에 강조하신 말씀입니다.

Memo

♡후 기♡

이로써 주님께서 진리의 성령님으로 오늘날까지 인도하시고 섭리하셔서 저술하게 하신 사명을 다하게 된 것 같다.

저술하고 출판하여 출판을 알리는 것까지 필자가 해야할 일인 것 같다. 그 이후의 일은 주님께서 주관하실 것이라 확신한다.

오늘날 기독교의 기존 관념은 너무나 바른 길에서 멀리 벗어나 있다. 한 두 가지가 아닌 총체적인 이반현상이다. 이를 분명히 밝히고 바른 길을 제시하는 본서를 많은 기독교인은 좀처럼 수용하지 못할 것이다. 극히 적은 '남은 자' 만이 받을 것이다. 하나님께서 선지자 야헤쯔켈(에스겔)에게 "듣든지 아니 듣든지 주 여호와의 말씀이 이러하시다 하라. 들을 자는 들을 것이요 듣기 싫은 자는 듣지 아니 하리니"라고 하셨던 것처럼 준행할 뿐이다.(겔 2:4,7. 3:11,27)

하나님께서 이스라엘 백성들에게 여러 선지자를 보내 오랜 세월 동안 대언하게 하였으나 듣지 않음으로 북 이스라엘은 주전 722년 야슈-르(앗수르)에게 망하고, 남 이우다이아(유다)는 주전 586년 바뷜론(바벨론)에 망하여 포로로 잡혀갔다. 남 이우다이아(유다)가 멸망하기 40년전부터(주전 627~586) 오랜 세월을 선지자 히에레미아스(예레미야)는 눈물로 그 백성들에게 예언했지만 오히려 핍박하고 듣지 않다가 그렇게 되고 말았다.

계시록 장별 요지 성가

2006.7.28(금) AM 08:00~12:20 곡: 278장(사랑하는 주님 앞에)

1장: 계시록은 주님께서 시작된일 나타내니
사도이오안 팥모섬에 기도중에 받은기록
오고계신 주님께서 교회위해 주신 계시
일곱별은 일곱사자 일곱등대 일곱교회

2장: 등대사이 두루다녀 주님께서 말씀하니
에프헤소스 처음사랑 잃어버려 경고받고
스뮈르나 죽기까지 신실하라 격려받아
페르가모스 발람교훈 니콜라파 추종하네

3장: 디아테이라 이에자벨 음행하고 우상제물
사르데이스 이름신자 행위로는 죽고있다
필라델피아 적은능력 나의 말을 지켰도다
라오디케아 차겁지도 뜨겁지도 아니하네

4장: 하늘보좌 보이심은 환란성도 소망위해
미리보여 격려하니 할렐루야 감사찬송
네생물과 스물네명 장로들이 찬양하니
면류관을 보좌향해 벗어던져 경배하네

5장: 보좌위에 앉으신분 오른손에 두루마리
일곱봉인 봉하신것 그누구가 열자있나
그누구도 열수없어 사도 이오안 울고있네
죽임당한 어린양이 그봉인을 열수있네

6장: 첫째인은 흰말탄자 거짓평화 다음둘째
붉은말의 전쟁징표 셋째인은 검은기근
넷째인은 푸른색말 죽음표요 다섯째인
순교성도 탄원호소 여섯째인 재림징조

7장: 동쪽에서 올라오는 한천사가 소리치네
하나님의 종들에게 인치기전 해치말라
이스라엘 열두지파 인침받은 모든수는
매지파에 일만이천 이방인중 무수한수

8장: 일곱째인 여실때에 반시간쯤 고요하니
성도들의 기도의향 금향로에 담겨지네
첫째나팔 피우박불 둘째나팔 바다피로
셋째 나팔 물들 쓴물 넷째나팔 천체어둠

9장: 다섯째는 무저갱의 악령들이 올라오니
메뚜기떼 괴물형상 다섯달을 활개치네
하나님의 인이없는 사람들만 고통주네
여섯째는 유프라테 삼분의일 인류죽임

10장: 하늘에서 내려오는 힘센천사 손위에는
펴져있는 작은책이, 일곱천둥 기록말라
일곱째의 나팔불때 그이후는 기회없다
작은책을 갖다먹고 예언하라 명하셨네

11장: 금갈대로 성전제단 경배자들 척량하고
성소밖의 안마당은 바깥으로 내던지라
증거마친 두증인이 전삼년반 마지막에
무저갱의 짐승나와 두증인의 순교부활

12장: 이스라엘 광야도망 하나님이 예비한곳
후삼년반 양육받아 성도모습 갖추도다
하늘전쟁 사탄패배 땅을향해 쫓겨나니
주님증거 계명수행 남은자와 싸우려네

13장: 적그리스도 짐승권세 온세상을 통치하니
어린양의 생명책에 이름없는 굴복자들
짐승형상 경배하고 그의이름 표를받아
사고팔고 의기양양 그 외에는 다죽이네

14장: 어린양과 시온산에 함께섰는 성도들은
십사만과 사천성도 하나님의 인침있네
짐승형상 표받은자 영원불못 형벌받고
순교성도 곡식추수 포도즙틀 포도거둠

15장: 일곱천사 일곱대접 하나님의 진노로다
짐승형상 표이긴자 유리바다 승리찬양
하나님종 모세노래 어린양의 구원노래
오직주만 거룩하며 심판들은 의롭도다

16장: 첫째대접 독종재앙 둘째대접 피바다요
셋째대접 물이피됨 넷째대접 해가태움
다섯째는 흑암독종 여섯째는 종전(終戰)준비
일곱째는 음성천둥 번개지진 우박재앙

17장: 통합종교 창녀심판 하나님의 분노진노
짐승정부 결탁하여 성도들의 피흘린죄
일곱머리 일곱제국 열뿔들은 열왕이라
짐승정부 열왕통해 창녀심판 이루시네

18장: 그큰창녀 바벨론아 무너지고 무너졌다
더러운영 소굴이요 가증한새 거처로다
땅의왕들 땅의상인 그창녀와 음행하니
내백성아 뛰쳐나와 그재앙을 받지말라

19장: 할렐루야 구원영광 존귀권세 하나님께
그심판이 참되시며 의로우니 성도환호
흰말타신 주님께서 성도함께 강림하니
짐승군대 거짓선지 완전진멸 영원불못

20장: 한천사가 사탄잡아 무저갱에 가둔후에
이긴성도 주님함께 천년동안 통치하네
천년후에 백성반역 불태우고 사탄불못
백보좌의 심판후에 영원생명 영원불못

21장: 새하늘과 새땅보니 예루살렘 새도시가
하늘에서 내려오니 신부같은 단장이라
하나님이 함께하니 모든눈물 고통없고
열두보석 지은도시 영화롭고 아름답다

22장: 생명수의 맑은 강물 큰길양편 흐르도다
열두가지 생명과일 매달마다 열리나니
속히간다 속히간다 행한대로 보상한다
오주예수 오십소서 어서속히 오십소서
아 멘!

부 록

두란노서원과 아고라

본서에 사용된 성경 원어 인명 지명 발음 표기

개역 한글성경 명	신약 헬라어 발음 표기	구약 히브리어 발음 표기
가나안	**크하나안** (행 13:19)	**케나안** (출 6:4)
가다라(거라사)	**가다레노스** (마 8:29)	×
가보	**카르포스** (딤후 4:13)	×
가이사랴	**카이사레이아** (행 8:40)	×
갈대아	×	**카쓰디** (창 11:28)
갈라디아	**갈라티아** (갈 1:2)	×
갈릴리	**갈릴라이아** (눅 5:17)	**갈릴** (수 20:7)
갈멜	×	**카르멜** (왕상 18:20)
감람(산)	**엘라이아**(산) (마 24:3)	**자이트**(산) (슥 14:4)
갓	**가드** (계 7:5)	**가드** (창 30:11)
게네사렛	**겐네사**렡 (눅 5:1)	×
게르손	×	**게레숌** (창 46:11)
게바	**케프하스** (요 1:42)	×
겟세마네	**게트흐세마네** (마 26:36)	×
고라	**코레** (유 1:11)	**코랗흐** (창 36:5)
고린도	**코린트호스** (행 18:1)	×
고모라	**고몰흐라** (마 10:15)	**아모라** (창 19:24)
골로새	**콜롯사이에스** (골 1:2)	×
글레멘드	**클레메스** (빌 4:3)	×

개역 한글성경 명	신약 헬라어 발음 표기	구약 히브리어 발음 표기
그릿	×	**케리트** (왕상 17:3)
나사렛	**나자레트흐** (눅 4:16)	×
나사로	**나자로스** (요 11:1)	×
나훔	×	**낳훔** (나 1:1)
납달리	**네프흐트할레임** (계 7:6)	**나프탈리** (민 1:14)
노아	**노에** (마 24:37)	**노앟흐** (창 6:8)
느부갓네살	×	**네부카드네짜르** (단1:18)
느헤미야	×	넿**헴야** (느 1:1)
니골라 -당	**니콜라오스** -당(행 6:5)	×
다윗	**다비드** (마 1:1)	**다비드** (삼하 22:51)
단	×	**단** (민 1:12)
데살로니가	**트헤쌀로니케** (행 17:1)	×
두아디라	**트휘아테이라** (계 2:24)	×
드로아	**트로아스** (행 16:8)	×
디모데	**티모트헤오스** (딤전 1:1)	×
라오디게아	**라오디케이아** (계 3:14)	×
라이스	×	**라이쉬** (삿 8:30)
레위	**르류이스** (눅 3:24)	**르래비** (출 2:1)
로마	**흐로메** (롬 1:7)	×
롯	**르로트** (눅 17:28)	**르로트** (창 19:1)

개역 한글성경 명	신약 헬라어 발음 표기	구약 히브리어 발음 표기
루디아	**뤼디아** (행 16:40)	×
루스드라	**뤼스트라** (행 14:6)	×
르우벤	**흐루벤** (계 7:5)	**레우벤** (출 1:2)
리브가	**흐레백카** (롬 9:10)	**리브카** (창 22:23)
마게도니아	**마케도니아** (행 16:9)	×
말라기	**맡트하이-오스** (마 9:9)	×
메데	×	**말아키** (말 1:1)
메시아	×	**마다이** (단 6:13)
마태	**멧시아스** (요 4:25)	**마시앟흐** (단 9:25)
므깃도	**모슈스** (롬 9:15)	**모쉐** (출 2:10)
모세	×	**메기돈** (슥 12:11)
므낫세	**마낫세스** (계 7:6)	**메나쉐** (창 41:51)
미가	×	**미카** (미 1:1)
미가엘	**미크하엘** (계 12:7)	**미카엘** (단 12:1)
미디안	**마디안** (행 7:29)	**미드얀** (출 18:1)
밀레도	**밀레토스** (행 20:15)	×
바나바	**바르나바스** (행 13;1)	×
바로	**프하라오** (행 17:10)	**파르오** (창 40:2)
바룩	×	**바루크** (렘 32:12)
바르느고	×	**파르오네코** (왕하 23:29)

개역 한글성경 명	신약 헬라어 발음 표기	구약 히브리어 발음 표기
바벨론	**바뷜론** (계 14:8)	**바벨** (단 1:1)
바사	×	**파라쓰** (느 12:32)
바울	**파윌-로스** (행 13:9)	×
발락	**발라크** (계 2:14)	**발라크** (민 22:27)
발람	**발라암** (계 2:14)	**발르암** (민 23:1)
밧모	**팥모스** (계 1:9)	×
버가모	**페르가모스** (계 1:11)	×
베냐민	**베니아미** (계 7:8)	**빈야민** (창 35:18)
베니게	**프호이니케** (행 1:19)	**프호니게** (삿 2:17)
베드로	**페트로스** (마 10:2)	×
베스도	**프헤스토스** (행 25:1)	×
벨릭스	**프헬릭스** (행 23:24)	×
벨사살	×	**벨쇠짜르** (단 5:1)
벳세다	**벧사이다** (요 1:44)	×
비시디아	**피시디아** (행 14:24)	×
빌라델비아	**프힐라델프헤이아** (계1:11)	×
빌라도	**필라토스** (요 18:37)	×
빌립보	**프힐맆포이** (빌 1:1)	×
사단	**사타나스** (계 12:9)	**싸탄** (시 109:6)
사데	**사르데이스** (계 1:11)	×

개역 한글성경 명	신약 헬라어 발음 표기	구약 히브리어 발음 표기
사라	**살흐라** (벧전 3:6)	**싸라** (창 17:15)
사마리아	**사마레이아** (행 1:8)	**쇼므론** (미 1:1)
사울	×	**솨아울** (삼상 9:2)
서머나	**스뮈르나** (계 1:11)	×
세베대	**제베다이오스** (마 4:21)	×
소돔	**소도마** (마 11:24)	**쎄돔** (창 19:28)
솔로몬	**솔로몬** (눅 11:31)	**쉘로모** (대하 5:1)
수넴	×	**슈넴** (수 19:18)
수리아	**쉬리아** (행 15:23)	×
스가랴	×	**제카르야** (슥 1:1)
스데바나	**스테프하나스** (고전 16:15)	×
스바냐	×	**쩨판야** (습 1:1)
스불론	**자불론** (계 7:8)	**제불룬** (겔 48:27)
쓰스	**쥬스** (행 14:12)	×
시내 -산	**시나 -산** (갈 4:24)	**씨나이 -산** (출 16:1)
시므온	**쉬메온** (계 7:7)	**쉼온** (창 29:33)
아가야	**아크하이아** (살전 1:7)	×
아닥사스다	×	**아르닥흐솨아쉬타** (느 2:1)
아라랏	×	**아라라트** (창 8:4)
아마겟돈	**아르마겓돈** (계 16:16)	×

개역 한글성경 명	신약 헬라어 발음 표기	구약 히브리어 발음 표기
아모스	×	**아모쓰** (암 1:1)
아브라함	**아브라암** (마 1:1)	**아브라함** (창 20:1)
아셀	**아세르** (계 7:6)	**아쉐르** (민 1:13)
안드레	**안드레아스** (요 1:40)	×
안디바	**안디파스** (계 2:13)	×
안디옥	**안티오크헤이아** (행 11:19)	×
아킵보	**아르크힢포스** (골 4:17)	×
아합	×	앟**흐아브** (왕상 16:28)
앗수르	×	**아슈-르** (민 24:24)
야곱	**이아코브** (히 11:9)	**야아코브** (창 25:26)
야이로	**이아에이로스** (막 5:22)	×
에바브라	**에파프흐라스** (골 1:7)	×
에베소	**에프헤소스** (계 1:11)	×
에브라임	**에프흐라임** (계 7:7)	**에프라임** (창 41:52)
에스겔	×	**야헤쯔켈** (겔 1:3)
에스더	×	**에쓰테르** (에 2:7)
에스라	×	**에즈라** (스 7:1)
여호와	×	**예호바** (출 6:3)
여호야김	×	**예호야킴** (단 1:1)
예레미야	**히에레미아스** (마 27:9)	**이르메야** (렘 1:1)

개역 한글성경 명	신약 헬라어 발음 표기	구약 히브리어 발음 표기
예루살렘	**히에루살렘** (행 1:8)	**예루솰라임** (슥 14:11)
예수	**이에수-스** (마 1:21)	×
요나단	×	**요나탄** (삼상 13:2)
요단	**이오르다네스** (요 10:40)	**야르덴** (창 13:10)
요셉	**이오세프흐** (행 7:9)	**요쎄프** (창 30:24)
욥	**이오브** (약 5:11)	**이요브** (욥 1:1)
유다	**이우다스** (계 7:5)	**예후다** (창 29:35)
유대	**이우다이아** (행 1:8)	×
유브라데스	**유프흐라테스** (계 9:14)	**페라트** (신 1:7)
이고니온	**이코니온** (딤후 3:11)	×
이사야	**헤사이아스** (마 8:17)	**예솨이아** (사 1:1)
이삭	**이사악** (눅 20:37)	**이쯔하크** (창 17:19)
이세벨	**이에자벨** (계 2:20)	**이제벨** (왕하 9:7)
잇사갈	**이사크사르** (계 7:7)	**이싸카르** (창 30:18)
파사	×	**파라쓰** (단 6:13)
하와	**유아** (딤전 2:13)	**흐하바** (창 3:20)
헤롯	**헤로데스** (행 12:20)	×
헬라	**헬라스** (행 20:2)	**야반** (단 10:20)
호세아	**오세에** (롬 9:25)	**호쉐아** (호 1:1)
히브리	**에브라이스** (행 21:40)	**이브리** (창 14:13)

지구 대 재앙의 때 식량 안전공급을 위한 종자은행인
「최후의 날 저장고」 건설

《연합뉴스》 2006년 06월 20일(화) 오전 04:06

【오슬로 AP=연합뉴스】 소행성과의 충돌이나 핵전쟁, 생물전쟁 등처럼 지구에 대재앙이 닥쳤을 때, 안전하게 식량을 공급하도록 하기 위한 종자 은행인 '최후의 날 저장고(doomsday vault)' 가 19일 마침내 건설에 들어갔다.

옌스 스톨텐 베르크 노르웨이 총리를 비롯한 5개국 총리와 정부 관계자들은 이날 북극에서 1천km 떨어진 노르웨이령 스피츠베르겐섬에서 '스발바 국제 종자 저장고' 착공식을 갖는다.

영구동토층에 세워지는 이 저장고는 축구 경기장 반만한 크기로 미국 연방 금괴보관소처럼 두꺼운 벽과 문으로 지어져 지구온난화 현상이 심화되더라도 수십 년 간은 더운 공기가 종자에 영향을 미치지 못하도록 첨단시설을 갖추게 된다.

이번 사업을 주도한 '지구 곡물 다양성 트러스트(GCDT)' 의 캐리 포울러 집행이사는 "우리는 농업의 모든 것을 위한 생물학적인 토대를 갖게 될 것이고 이것은 정말 대단한 일"이라면서 "이것은 놀라운 업적으로, 인간이 만들 수 있는 한 안전하게 될 것"이라고 말했다.

저장고는 내년 여름에 완공될 예정이며 내년 가을까지 종자은행이나 농업 및 과학기구로부터 종자를 받아 보관에 들어간다.

농업의 '노아방주' 로 알려진 이 저장고에는 쌀 10만종과 바나나 1천종을 비롯해 양귀비 씨만큼 작은 것에서부터 코코넛 씨만큼 큰 것까지 모두 200만종의 다양한 종자가 보관된다고 워싱턴 포스트(WP)는 보도했다.

건설비용 300만 달러는 노르웨이 정부가 부담키로 했으며, 특히 이중 절반은 콘크리트 비용이라고 포스트는 전했다. 또 연간 운영비는 첫 해의 경우 20만 달러이며, 3년 후엔 10만 달러 선으로 떨어질 전망이다.

이미 전 세계에는 미국, 중국, 식량농업기구(FAO), 국제농업연구자문그룹(CGIAR) 등이 운영하는 1천400개의 종자은행이 운영되고 있다.

하지만 단지 수십여 개만이 곡물 보존을 위한 국제기준을 충족하고 있고, 장기보존을 위한 기금약속을 받고 있는 종자은행은 더 적은데다가 일부는 전쟁 등으로 파괴되고 있어, 효율적인 종자 저장 및 관리를 위해 북극해 영구동토층에 전 지구적 차원의 종자 저장사업을 추진하게 된 것으로 알려졌다.

「해외 유대인 속속 귀국」

《서울*연합뉴스》 2006년 07월 27일(목) 오전 11:20, 38

이스라엘과 레바논 헤즈볼라의 충돌이 2주일을 넘긴 전쟁의 와중에서 900명에 가까운 해외 유대인들이 최근 이스라엘로 잇따라 영구 귀국했다.

반면 이란과 이라크에서는 헤즈볼라의 레바논 성전(聖戰)에 동참하기 위해 수백 명이 레바논을 향해 떠나 종교간 대결 양상이 더욱 짙어지고 있다.

성경의 관점에서 보면 유대인들은 조상이 살던 약속의 땅 가나안으로 되돌아간 것이어서, 19세기말 시오니즘(구약성경에 하나님이 유대인에게 준 땅으로 기술된 팔레스타인에 유대국가를 건설하자는 운동)이 다시 번지는 듯한 분위기이다.

25일 2대의 비행기편으로 텔아비브의 벤 구리온 공항에 도착한 유대인들은 모두 650명. 프랑스에서 하루에 이만한 규모의 유대인이 돌아온 것은 지난 1970년 이래 최대 규모라고 AP통신은 전했다.

이에 앞서 지난주에는 미국과 캐나다에 살던 유대인 230명이 이스라엘로 돌아왔다. 북부에서는 헤즈볼라가 2주일 전부터 1천300발의 로켓을 쏘고 있지만, 벤 구리온 공항은 환영 열기로 가득했다. 이스라엘 전통음악이 울려퍼지는 가운데 이스라엘 정부의 고위 관리들이 공항까지 마중나가 이들을 반겼다. 유대교 대제사장인 슬로모 아마르가 이들을 축복했고, 에후드 올메르트 총리가 직접 환영사를 하면서 "우리는 강한 민족이다. 장기전을 견뎌낼 힘을 갖고 있다"고 독려했다.

이스라엘의 이민정책을 관장하는 준 정부기관인 유대인 기구(AJ)에 따르면 올해 프랑스에서만 작년의 3천5명보다 많은 3천500명의 유대인이 영구 이주할 계획이다. 2002년부터 프랑스에서 고조되기 시작한 반(反)유대주의에 대한 두려움이 작용한 것으로 분석된다.

A20 2006년 10월 10일 화요일

2만7천 핵탄두, 지구를 덮고 있다

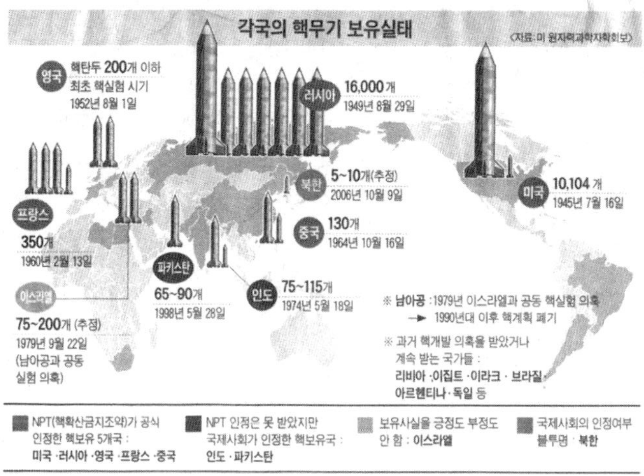

2006년 현재 세계의 핵탄두수는 2만7000여기. 냉전이 최고조에 달했던 1986년 7만400여기에 비하면 3분의 1로 줄었다(미 원자력과학자회보 추산). 지구상에 지금과 비슷한 2만6000여기의 핵탄두가 존재했던 45년 전, 핵 보유국은 미국·소련·영국 세 나라뿐이었다. 하지만 현재는 9일 핵실험에 성공했다고 발표한 북한을 포함해 9개국이다. 냉전 해체로 탄두 수는 줄었지만 보유국은 오히려 늘어났다.

◆공식 핵보유국은 5개뿐

1945년 미국이 뉴멕시코주의 사막에서 인류 최초의 핵 실험을 하자, 구 소련은 4년 뒤 두번째 핵실험으로 받아쳤다. 이어 영국(1952), 프랑스(1960), 중국(1964)이 핵 경쟁에 뛰어들었다. 이들 5개국은 1970년 3월 발효된 '핵확산금지조약(NPT)'에 의해 공식적으로 핵을 보유할 수 있는 '핵

2005년 12월 21일 수요일 A19

美 해안 청어 수십만 마리 원인 모를 떼죽음 19일 미국 노스캐롤라이나 주 라이츠빌 북쪽 해변에 청어 수십만 마리가 원인을 알 수 없는 죽음을 당한 채 발견됐다. 당국이 사인을 조사 중이지만 외관상 특별한 이상이 없고 화학물질에 의한 오염 흔적도 확인되지 않고 있다. 라이츠빌=AP 연합뉴스

2005년 10월 26일 수요일

호주 해변서 고래 떼죽음 25일 호주 남부 태즈메이니아 섬의 매리온만(灣) 인근 해안에서 고래들이 떼로 몰려와 숨져 있는 가운데 구조대원들이 일부 살아 있는 고래를 구해내고 있다. 구조대가 도착했을 때는 이미 60마리 가까이가 숨진 상태였으며, 10마리 정도만 살아서 바다로 돌아갔다. 고래의 집단 폐사는 종종 일어나지만 정확한 원인은 규명되지 않고 있다. AP 연합뉴스

계 8:8, 9 16:3

2005년 6월 18일 토요일

유럽헌법 비준시한 연기

EU 정상회담서 합의

브뤼셀에서 이틀 간의 정상회담을 가진 유럽연합(EU) 정상들은 회담 첫날인 16일 밤 당초 2006년 11월로 예정한 유럽헌법 비준 완료 시한을 연기하기로 합의했다. 이로써 유럽헌법 비준과 EU예산안 조정이라는 정상회담 양대 의제 가운데 하나는 합의점에 도달했다.

EU 순회 의장국인 룩셈부르크의 장-클로드 융커 총리는 첫날 만찬회의 뒤 기자회견을 갖고 "EU 정상들이 비준 시한 연기에 합의했다"면서 "유럽헌법 조약은 최소한 2007년 중순 이전에는 최종 비준될 수 없다"고 밝혔다. 융커 총리는 헌법에 대한 성찰과 설명, 토론의 기간이 필요하다면서도 "헌법안 재협상은 없다"고 밝혔다. 이에 따라 오는 9월과 10월에 각각 유럽헌법 비준을 위한 국민투표를 실시하기로 했던 덴마크와 포르투갈은 투표를 연기하기로 했다. 스웨덴과 체코도 비준 절차를 미뤘다.

정상회담 둘째 날에는 다른 현안인 2007~2013년 EU 예산안이 논의됐다. 하지만 영국에 대한 예산 분담금 환급 혜택을 없애자는 프랑스 입장과, 프랑스가 최대 수혜국인 농업보조금 제도를 개편하지 않으면 환급 혜택도 포기하지 않겠다는 영국 입장이 팽팽히 맞서 회담은 난항을 겪고 있다.

파리=강경희특파원

(블로그)khkang.chosun.com

A14 2005년 12월 19일 월요일

모처럼 하나된 EU… 예산안 극적 타결

메르켈의 힘

분열 위기로 치닫던 EU(유럽연합)가 극적인 화해를 이뤘다. 15~16일 일정으로 브뤼셀에서 열린 정상회담에서 EU 정상들은 17일 새벽 3시(한국시각 17일 오전 11시)까지 마라톤 협상을 벌이며 예산안(2007~2013년)에 어렵게 합의했다. 이로써 올 상반기 프랑스와 네덜란드의 유럽헌법 부결로 역사상 최대 위기에 봉착했던 EU는 한 고비를 넘겼다. 또 이 과정에서 토니 블레어 영국 총리의 지도력이 평가받았고, 특히 앙겔라 메르켈 독일 총리는 유럽 외교 무대의 탁월한 중재자로 떠올랐다.

◆서로 양보해 모두가 승리한 협상=25개 회원국 정상들은 브뤼셀에서 심야 전체회의를 열고 격론 끝에 순회 의장국인 영국의 토니 블레어 총리가 내놓은 최종 수정안에 합의했다. 영국은 지난 5일 예산안을 내놓았고, 정상회담이 열리기 전날인 지난 14일 수정안을, 이어 정상회담에서 최종안을 내놓았다.

세 차례 나온 예산안에서 EU의 7년간(2007~2013년) 총 예산규모는 GNI의 1%→1.03%→1.045%로 늘어갔다. 최종안(GNI의 1.045%)에 따르면 2007~2013년의 총 예산규모는 8624억유로(약 1078조원)에 달한다.

EU 정상회담에서 확정된 2007~2013년 예산안

	영국이 제시한 예산안	EU의 최종 타결안
2007~2013년 예산규모	8493억유로	8624억유로
국가별 분담규모	GNI(국민총소득)의 1.03%	GNI의 1.045%
영국이 포기하는 환급금(7년간)	총환급금 500억유로 중 80억유로	총환급금 500억유로 중 105억유로
새 회원국 개발 원조액	1500억유로	1570억유로

英 블레어·佛 시라크 사이서 양보·타협 이끌어

이번 예산의 최대 쟁점은 영국이 1984년 이후 받아가던 분담금 환급 혜택을 얼마나 포기하느냐였다. 블레어 총리는 7년간 총 500억유로(약 62조5000억원)의 환급 혜택 중 80억유로(약 10조원)만 포기하겠다고 제안했었다. 반면 프랑스는 영국더러 140억유로(약 15조5000억원)를 포기하라고 주장했다. 절충안인 105억유로(약 13조원)에 영국이 결국 동의하기로 했다. 대신 연 100억유로(약 12조5000억원)의 막대한 농업보조금을 챙겨가는 프랑스도 농업 보조금 축소 문제를 2008~2009년 재검토하기로 합의했다.

◆메르켈 외교의 승리=독일의 새 여성 총리 앙겔라 메르켈이 이번 정상회담에서 탁월한 중재자 역할을 했다고 EU 정상 및 언론이 일제히 찬사를 보냈다. 인터내셔널 헤럴드 트리뷴은 '메르켈이 EU 예산의 중재자로 떠올랐다'는 기사를 1면에 보도했고, 영국 BBC는 이번 EU 정상회담을 '메르켈의 승리'로 표현했다.

그동안 EU 예산안을 놓고 영국과 프랑스는 팽팽히 맞섰다. 여기에 전임 슈뢰더 총리는 프랑스 편에 서서 영국과 맞섰다. 하지만 메르켈 총리는 달랐다. 누구 편도 들지 않고 블레어 총리와 시라크 대통령 사이에 각자 양보하고 타협하도록 중재 역할을 했다.

또 EU 예산 분담 규모를 당초 영국안보다 더 늘리자고 제안한 사람도 메르켈 총리다. 최대 경제대국 독일이 앞장서서 돈을 더 내자고 제안함으로써 EU의 가난한 회원국에게 결과적으로 더 많은 지원 혜택이 돌아가게 한 것. 메르켈 총리 덕에 지원금이 더 늘어난 폴란드의 카지미에르즈 마르친키에비츠 총리는 "아름답고 멋진 단합의 제스처"라고 칭찬했다. 볼프강 쉬셀 오스트리아 총리도 "조용하면서도 냉정히 전문가답게 처신하면서 막후에서 중요한 역할을 했다"고 평가했다.

파리=강경희특파원

(블로그)khkang.chosun.com

유럽우주국 GPS위성 '지오베' 1호 내달 발사

2005년 11월 11일 금요일

2013년까지 30여개 쏘아올려

유럽우주국(ESA)이 10일 공개한 GPS(위치측정시스템)용 인공위성 지오베(GIOVE) 1호의 상상도〈사진〉. 지오베 1호는 다음달 카자흐스탄 우주기지에서 발사될 예정이다.

전 세계적인 GPS를 구축하려는 ESA의 갈릴리오 프로젝트는 다음달부터 2013년까지 30여개의 인공위성을 쏘아 올려, 1단계로 2008년부터 이 서비스를 가동할 계획이다. 유럽 국가들은 GPS 서비스를 그동안 미군이 소유한 인공위성으로부터 제공받아 왔다. 갈릴리오 프로젝트의 비용은 총 43억달러(한화 약4조5000억원)로, 한국과 중국, 일본, 이스라엘, 인도 등이 참여하고 있다.

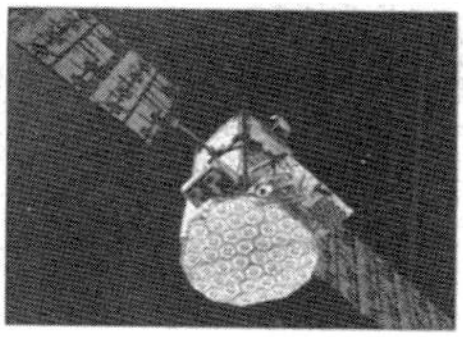

사진제공=ESA

"로봇이 사람 같네" "교육시스템 e러닝 대단"

각국 정상들, 한국 IT기술에 "놀랍다"

APEC에 참석 중인 각국 정상들은 18일 정상회의후 벡스코 IT전시장을 방문, 감탄사를 연발했다.

조지 부시 미국 대통령은 로봇관에 들러 '알버트 휴보'를 보고는 "진짜 사람처럼 생겼다", "놀랍다"며 휴보와 악수를 나누고, 휴보를 향해 한국말로 "감사합니다"라고 인사해 폭소가 터졌다. 고이즈미 일본 총리도 "멋지다"를 연발한 뒤 옆에 있던 푸틴 러시아 대통령의 팔을 잡아 끌면서 "진짜 사람 같지 않으냐"고 묻기도 했다. 후진타오 중국 국가주석은 최태원 SK그룹회장의 안내로 SK텔레콤 전시관을 둘러봤다. 특히 시속 300㎞ 이상 고속 주행 중에도 끊임없이 데이터 통신을 할 수 있는 3.5세대 이동통신서비스(HSDPA)와 WCDMA 화상전화를 직접 시연하면서 "놀랍다"며 연방 고개를 끄덕였다.

탁신 태국 총리는 e러닝(e-learning) 부스에 마련된 '미래의 교육 시스템'을 보자, "태국에서도 교육 학습 시스템 개선을 위한 사업을 추진 중"이라며 "태국 내에서 교육 시스템을 개선하는 데 시간이 너무 오래 걸리기 때문에 국제적으로 아웃소싱할 생각인데, 한국 교육부에 문의해도 되겠느냐"고 묻기도 했다.

부시 미국 대통령이 18일 부산 벡스코의 IT전시관을 관람하는 도중 알버트 휴보 로봇과 악수하고 있다. 부산=연합뉴스

브루나이 볼키아 국왕은 그를 안내하던 한국교육학술정보원 이양숙 책임연구원이 "미래의 교육 시스템으론 집에서도 수업을 받을 수 있다"고 하자 "그럼 학교 안가고 집에서 놀아도 되느냐"며 농담을 던져 폭소가 터져나왔다.

부산=최우석기자 (블로그)wschoi.chosun.com

부산=송동훈기자 (블로그)dhsong.chosun.com

유럽 공동체(E. U.)는 오래 전에 세계를 하나로 만들어 세상을 지배하고 싶어했던 사단의 꿈이다.

유럽 공동체 12개국은 앞으로 13개국 또는 15개국도 될 수 있으나 유럽 공동 회원국의 종족은 10개 인종이기 때문에 다니엘 2장의 열 발가락과 계시록 13장의 열 뿔 예언을 이루고 있다. 유럽 공동체 국기를 들고 있는 여자가 뿔 달린 짐승을 타고 있는 그림을 타임(Time)誌가 발표했다. 우연의 일치가 결코 아니다.

"…내가 보니 여자가 붉은 빛 짐승을 탔는데 그 짐승의 몸에 참람된 이름들이 가득하고 일곱 머리와 열 뿔이 있으며"(계 17:3)

유럽 – 많은 언어, 하나의 목소리

EC POSTER

유럽의 마음이 하나로 모여야 된다고 홍보하는 유럽공동체의 출판물 중 "Europe Many Tongues One Voice"라는 출판물에 바벨탑을 배경으로 공동체 12개 별을 그려 넣어서 결국 유럽공동체는 하나의 바벨탑으로 가자고 알려주고 있다.

앞면: 미국 1불짜리 지폐 뒷면 오른쪽에 원(ONE)이라는 표시가 있고 방패 그림에 저울이 있고 열쇠가 있는데 그 방패는 프리메이슨 앞치마에서 유래했다. 그 열쇠와 저울은 이집트의 신비주의 문장이며, 프리메이슨의 잃어버린 열쇠이기도 하다.

뒷면: 미국 1달러짜리 지폐 좌편에 피라밋과 모든 것을 보는 눈의 그레이트 씰이 도안되어 있다. 그것은 죤 아담스(John Adams)와 토마스 제퍼슨(Tomas Jefferson), 벤자민 프랭클린(Benjamin Franklin)이 도안했는데 모두 바벨론 신비주의 문장이며 세계정부 상징인데 아담스와 제퍼슨은 모두 일루미나이티 프리메이슨 회원이었고 프랭클린은 장미십자회 비밀결사 회원이었다.

예루살렘 종교회의

개신교, 유대교, 가톨릭 대표 모여 토론

세계 역사상 유례없는 만남이 이루어진다. 가톨릭과 유대교, 개신교 지도자가 만나 현대과학의 성과와 한계를 토론하기 위해 오는 2월 1일부터 4일 동안 열리는 이번 회동은 바티칸과 이스라엘이 지난해 30일 공식 수교한 이래 처음 열려 특히 주목되고 있다.

이스라엘 대사관은 이 예루 지위 등을 둘러싼 논박이 도드라질 것으로 보인다. 이 때문에 회의 기간에 종교인뿐 아니라 과학자들도 자문을 위해 대거 합류한다고 전해졌다.

한편 한국에서는 강우일 서울대교구 보좌주교 등 5명의 주교가 참가한다. 2차대전 당시 유대인 학살에 침묵했던 가톨릭은 서기 325년 유대교를 이교도로 낙인찍은 뒤 가톨릭 수장으로서는 처음으로 지난 64년 전임교황 바오로 6세가 예루살렘을 공식순례했고, 65년 제2차 바티칸 공의회에서는 예수의 죽음에 대한 유대인의 집단 유죄를 부인했으며, 86년에는 교황 요한 바오로 2세가 사상 처음 로마의 유대교회를 방문한 바 있다. …

국제종교회의 내달1일 개최

예루살렘서 96개국 교계지도자 참석

내달 1일 이스라엘의 예루살렘에선 국제 종교회의가 개최된다.

「현대사회와 과학의 도전들 이며 바티칸에서 이 회의를 『최초의 역사적인 국제 종교 회의』로 표현했듯이 세계의 기독교계에서 매우 역사적인 행사로 다.

남아공교회 선거봉투개표사무 참여키

1994. 1. 28 (금) 국민일보

저자 소개

1945년 3월 12일 출생
부산 고려신학 제35회 졸업
본 저서 외 8종 발행 보급
현 서울 · 새생명교회 담임목회
저서 현지 번역 중국선교

제 II 권

헬라어 전통원문 직역 본문

요한계시록 바른 주석

2006년 11월 11일 초판 1쇄 발행

저자및 발행인 玉 正 男 사역자

발행처 바른복음 성경연구원

등 록 315-2003-32(2003년 11월 11일)

서울시 강서구 화곡 7동 362-1

http://cafe.daum.net/truegospel91

E-mail: brbo9@naver.com

☎ 02) 2696-4119. 6095-5584

ISBN 89-955166- 2-313230

값 24,000원